DU MÊME AUTEUR

LES FILS DE LA TOUSSAINT (préface de Joseph Kessel, de l'Académie française), 1968, Fayard. Robert Laffont - Bouquins, 1990.

LE TEMPS DES LÉOPARDS (couronné par l'Académie française), 1969, Fayard. Robert Laffont - Bouquins, 1990.

L'HEURE DES COLONELS, 1970, Fayard. Robert Laffont - Bouquins, 1990.

LES FEUX DU DÉSESPOIR, 1971, Fayard. Robert Laffont - Bouquins, 1990.

LA GUERRE D'ALGÉRIE EN IMAGES, 1972, Fayard.

LE ROMAN DES HAUTS DE SAINT-JEAN, 1974, Fayard. Le Livre de Poche.

LES EXCÈS DE LA PASSION, 1975 et 1987, Plon.

L HOMME QUI COURT, 1977, Fayard. Le Livre de Poche.

LES AUBARÈDE, 1979, Plon.

NORMANDIE-NIÉMEN: UN TEMPS POUR LA GUERRE, 1978, Presses de la Cité. Presses Pocket.

LA TOQUE DANS LES ÉTOILES, 1981, Plon.

MASSADA (Autour des lithographies de Raymond Moretti), 1982, Georges et Armand Israël éditeurs.

JOSEPH KESSEL OU SUR LA PISTE DU LION, 1985, Plon. (Prix Chateaubriand 1985. Prix Lu-André Maurois. Prix des Bibliothèques Paris et Marseille, Gutenberg de la biographie 1986. Prix de la Paulée de Meursault.) Presses Pocket.

DES TOQUES ET DES ÉTOILES, 1986, Plon. (Réédition adaptée à la télévision par Antenne 2.)

LE DÉMON DE L'AVENTURE, 1987, Plon.

ROGER VAILLAND OU UN LIBERTIN AU REGARD FROID, 1991, Plon.

PIERRE LAZAREFF OU LE VAGABOND DE L'ACTUALITÉ, 1995, Gallimard, NRF Biographies. (Grand Prix de la S.C.A.M. Grand Prix de Radio France Nancy.)

N.R.F. *Biographies*

YVES COURRIÈRE

JACQUES PRÉVERT
EN VÉRITÉ

GALLIMARD

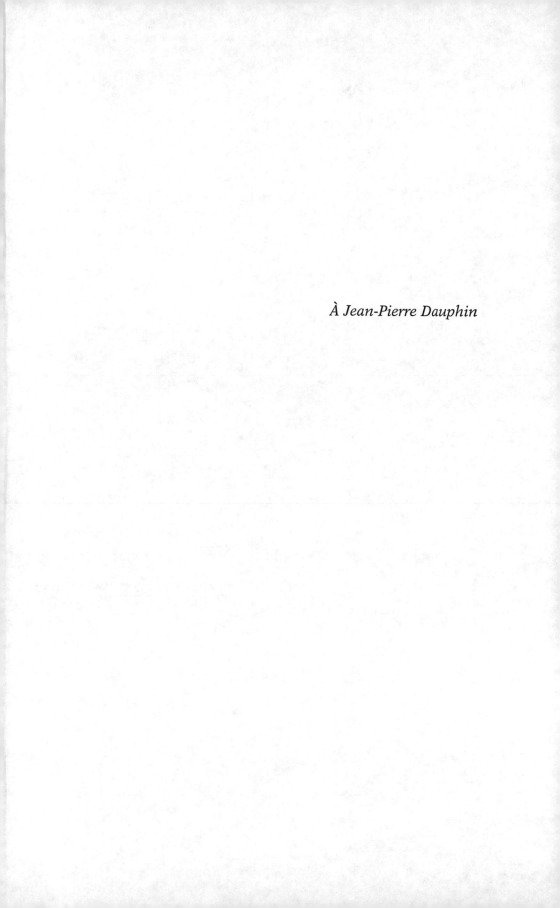

À Jean-Pierre Dauphin

PREMIÈRE PARTIE

Inspiration

CHAPITRE 1

De Neuilly à Saint-Sulpice

À l'aube du xxe siècle Neuilly-sur-Seine, la « perle de la banlieue », tenait autant de Paris que de la province. Par-delà la
porte des Ternes et la porte Maillot, le Paris d'Haussmann avait
essaimé ses immeubles cossus de pierre de taille de la plaine
Monceau jusqu'au quartier de Sablonville où battait le cœur de
la petite cité — qui comptait tout de même plus de trente-cinq
mille âmes — entre la bourgeoise rue de Chartres et l'hôtel de
ville, joyau de l'avenue du Roule. Le nord de la commune, lui,
en bordure de Levallois-Perret, abritait de nombreuses écuries
et remises de voitures de maître avec chambres et logements
pour les cochers, les chauffeurs et leurs familles, ainsi que de
modestes immeubles de rapport pour les ouvriers et employés
de petites usines restées artisanales où le parfum le disputait à
la menuiserie. Au sud, le long du bois de Boulogne — ultime
parcelle de la forêt de Rouvray — où il n'était pas rare de croiser un cerf traversant une allée, c'était franchement la campagne, tout comme sur les rives de la Seine, du pont de Puteaux
à l'île de la Grande Jatte, où les péniches halées par de robustes
percherons succédaient aux bateaux-lavoirs, aux embarcations
des sociétés sportives et aux barques des pêcheurs de métier
dont les ancêtres avaient fondé le petit port de Neuilly. Dans la
rue Garnier, une voie perpendiculaire au fleuve, existait encore
une véritable ferme qui ne disparut qu'après la Grande Guerre ;
et au 12 de la rue de l'Ouest, à un jet de pierre de la rue de
Chartres, subsistait une vacherie modèle avec vingt bêtes,
« vaches réservées pour les enfants et les malades » disait la
réclame à laquelle Suzanne Prévert n'avait pas été insensible
quand, à la veille d'accoucher pour la première fois, elle avait
insisté auprès de son jeune époux pour louer un appartement à
Neuilly, si éloigné du fracas automobile de la capitale qu'on y
dénombrait encore un cheval pour vingt-trois habitants !
Suzanne Catusse et André Prévert avaient dix-neuf et vingt-

cinq ans lorsqu'ils s'étaient mariés à Paris le 16 avril 1896.
Jean, leur premier-né, était arrivé deux ans plus tard et, en ce
mois de février 1900, ce «gentil petit couple» — comme les
appelaient leurs voisins du 19 rue de Chartres — attendait dans
la joie son second bébé. «Gentil petit couple», c'était vite dit!
En tout cas ce n'était pas l'avis des parents d'André, bons bourgeois bretons devenus parisiens, qui avaient considéré cette
union comme une mésalliance. Un Prévert, le fils aîné de surcroît, épouser une fille de rien, une Auvergnate de Paris qui
aidait sa mère à faire des sacs! Pas même des sacs en cuir pour
les élégantes de la Belle Époque! Non. Des sacs en papier. Pour
les marchands des halles. Et ça, rue de la Huchette, l'une des
rues les plus pauvres et mal famées du Quartier latin! Décidément, rien n'aurait été épargné à ces parangons de vertu et de
rigueur chrétienne qu'incarnaient Auguste Prévert et sa femme,
née Sophie Leys, dont la vie était guidée par la plus rigide morale
au point que la chronique familiale attribuera au patriarche le
surnom mérité d'Auguste-le-Sévère. André, dans sa jeunesse
nantaise, en avait fait les frais. D'autorité le fils du libraire bien-
pensant du quai Cassard avait été mis en pension au petit séminaire d'Ancenis où les mauvais traitements quotidiens infligés
par les éducateurs religieux l'avaient si profondément marqué
qu'il en faisait encore des cauchemars vingt ans après. Son
cadet, Ernest, s'il avait pu couper au séminaire n'en avait pas
moins éprouvé douloureusement les effets ravageurs de l'intransigeance d'Auguste. Peu enclin aux études et placé très tôt
commis dans un magasin de tissus du centre de Nantes, il avait
été enfermé sur la demande de son propre père dans la terrible
maison de correction de Mettray où l'on savait «mater les
fortes têtes», pour avoir dérobé une malheureuse pièce de soie
destinée à sa petite amie. «Ancenis, à côté, c'était du velours,
dira plus tard André Prévert, et pourtant c'est là où moi j'ai été
élevé, si l'on peut dire[1]!» Le gamin n'avait été élargi du bagne
d'enfants que grâce à la sollicitude de son grand frère qui
«avait tant crié pour qu'on sorte Ernest de là qu'il en était
tombé malade[2]». À contrecœur, Auguste-le-Sévère avait accordé
son pardon et Ernest — qui travaillera par la suite dans les
pneumatiques et l'automobile — en avait gardé une affectueuse
reconnaissance à son aîné. Le seul à avoir échappé, semble-t-il,
à la rigueur paternelle était le deuxième fils, Dominique. Plus
heureux qu'André et Ernest, il avait réalisé sa vocation d'acteur. Au dire même d'André, il n'avait guère de talent mais

---

1. J. Prévert, *Choses et autres*. (On trouvera une Bibliographie en fin de
volume, page 689.)
2. *Ibid.*

avait eu la bonne idée d'épouser très jeune une femme fort riche qui « avait de la religion » et surtout savait subventionner généreusement des spectacles dans lesquels elle distribuait à son mari des rôles à sa mesure.

Depuis que les Prévert avaient émigré dans la capitale où le catholicisme intransigeant d'Auguste l'avait conduit à la direction de l'Office central des œuvres charitables chargé de la répartition des aumônes aux pauvres de Paris, la famille avait éclaté et les trois frères, après une adolescence massacrée par la vertu chrétienne que leurs parents avaient poussée au paroxysme, ne rendaient à ceux-ci que les rares visites exigées par la bienséance bourgeoise. Dire que, dans ces conditions, la charmante Suzanne Catusse avait été accueillie à bras ouverts dans le sombre appartement de la rue Monge où sa belle-famille à l'odeur d'encens éteignait irrémédiablement la moindre étincelle de joie, serait exagéré. Elle avait pourtant fait de louables efforts en contant avec une verve certaine les grandes étapes d'une éducation religieuse qui aurait pu lui servir de passeport. Mais un dimanche, entre le gigot d'agneau et le paris-brest, elle avait eu le malheur de rapporter comment les sœurs — pour qui la punition la plus anodine consistait à faire tracer une croix avec la langue dans la poussière du parquet de la classe — la mettaient au coin lorsqu'elle avait commis un écart de conduite, avec une queue d'artichaut dans la bouche pour bien comprendre l'amertume de sa faute! Devant le silence réprobateur des beaux-parents pour qui la simple critique des religieuses relevait du sacrilège, Suzanne avait compris que l'évocation de ces souvenirs douloureux dont elle avait pourtant le bon goût de rire était déplacée. La seule preuve d'intérêt que lui avait manifestée grand-mère Sophie avait consisté à la faire photographier assise devant le piano du salon, les doigts posés sur un clavier dont elle était bien incapable de tirer un simple accord. « Grand-mère avait beaucoup tenu à ce que la chose soit faite parce que la chose "faisait bien"! écrira un jour Jacques Prévert. Cela rassurait les gens qui se demandaient d'où ma mère venait et trouvaient qu'elle ne "cadrait" pas du tout, mais alors pas du tout, avec la famille[1]. » Pour calmer la fureur de son jeune époux la jolie Suzanne avait papillonné des cils sur ses magnifiques yeux bleus et lui avait dit que ce n'étaient pas les vieillards irascibles de la rue Monge qu'elle avait épousés mais son cher, beau et talentueux André Louis Marie Prévert, né le 4 septembre 1870 à Nantes, homme de lettres, ainsi que l'avait signalé le maire qui avait recueilli leur consentement. Et qu'elle enten-

---

1. *Ibid.*

dait bien trouver le bonheur avec l'être qu'elle admirait plus
que tout au monde.

C'est vrai qu'il avait fière allure, André Prévert avec sa
belle barbe noire soigneusement coupée. La taille courte mais
bien prise dans des costumes toujours élégants, portant selon la
saison le melon noir ou le canotier de paille claire quand ce
n'était pas une casquette de cycliste fort prisée par les sportifs
du début du siècle. Il pratiquait d'ailleurs la bicyclette de
longue date, bien avant que ce soit la mode et s'était même
cassé le nez, à Nantes, en tombant d'un antique vélocipède, ce
qui ne l'avait nullement découragé de poursuivre ses exploits
sur deux roues. Le dimanche il pédalait avec ardeur dans les
allées du Bois. Passionné de théâtre il avait renoncé à sa vocation de comédien, laissant les planches à Dominique, pour
écrire. Il avait tenu la rubrique théâtrale dans quelques feuilles
sans importance mais, six mois avant d'épouser Suzanne, il
avait obtenu un certain succès en publiant dans *Le Plébiscite*,
journal bonapartiste, un roman-feuilleton historique *Diane de
Malestreck*. Néanmoins pour faire bouillir la marmite, préparer
dignement l'arrivée de son premier-né et payer le loyer du très
bourgeois appartement de la rue de Chartres, il remplissait
sans enthousiasme les fonctions d'employé de bureau à la compagnie d'assurances La Providence dont le siège se trouvait rue
de Gramont près des boulevards, de l'Opéra et de la salle
Favart, dans le quartier des banques et des théâtres. Fréquentant assidûment les cafés alentour — sans pourtant négliger
ceux de Neuilly —, il avait rencontré Henri de Toulouse-Lautrec et Jean Lorrain dont les noms revenaient souvent dans sa
conversation quand il faisait montre de ses connaissances artistiques. Un nabot alcoolique familier des maisons closes et de la
Goulue, et un pédéraste affiché qui distillait son venin dans
L'Écho de Paris et *Le Journal* avant d'aller se faire fouetter au
Bois, voilà des commensaux qui ne pouvaient guère redorer les
actions d'André à la Bourse de la moralité qui se tenait rue
Monge! Il n'en avait cure puisque Suzanne, indulgente, lui pardonnait aussi bien ses incartades que ses rentrées tardives.

Pour André Prévert le meilleur moment de la journée était
celui où, quittant son bureau de La Providence où il s'ennuyait
à mourir, il prenait le tramway à impériale Hôtel-de-Ville -
Porte de Neuilly dont le terminus se trouvait justement au
bout de la rue de Chartres, là même où passait la frontière
entre Paris et Neuilly en suivant le tracé tarabiscoté des fortifications. Bientôt, pour rentrer chez lui, il pourrait emprunter
la première ligne du métropolitain (Vincennes-Maillot) dont
les travaux colossaux s'achevaient et qui devait être inaugurée par le président de la République Émile Loubet en même

temps que l'Exposition universelle le 14 avril 1900. Sans s'arrêter devant la porte en bois massif de son immeuble, il poursuivait son chemin jusqu'à l'avenue du Roule, qu'il descendait pour gagner le Café de l'Hôtel-de-Ville où il tenait chaque soir ses assises. En sirotant une absinthe ou plus volontiers encore un Picon, il parlait politique — sa grande passion avec le théâtre — et défendait farouchement les idées bonapartistes qu'il avait affichées dès son entrée dans la vie active en réaction à celles, violemment royalistes, d'Auguste-le-Sévère, idées qu'il avait largement exposées dans *Diane de Malestreck*. Pour n'épargner aucune branche de sa parentèle — et aussi parce que cela faisait plus chic —, il avait signé ses diverses collaborations journalistiques André Prévert-Leys, accolant le nom de ses deux parents. Ses copains de bistro le connaissaient d'ailleurs sous ce double patronyme même si, dès qu'il avait le dos tourné, ils l'affublaient du sobriquet de Père Picon attribué par son ami Auguste Plaze, le patron du Café de l'Hôtel-de-Ville, un soir où il avait un peu forcé sur sa boisson favorite. Ce qui lui arrivait plus souvent qu'à son tour. Il était néanmoins si bon compagnon que le dimanche 4 février 1900, lorsqu'il entra à la nuit tombée dans son établissement préféré et annonça la naissance, une heure plus tôt, de son deuxième garçon, la nouvelle fut saluée par des hourras et arrosée comme il se doit. Dans le mouvement, André Prévert demanda au patron et à un copain comédien de bien vouloir l'accompagner le surlendemain à l'hôtel de ville, dont on apercevait la façade ouvragée et le clocheton à travers les glaces du café, pour déclarer la naissance du nouveau-né après avoir obtenu de son employeur la demi-journée de congé nécessaire aux formalités administratives.

Ainsi le 6 février 1900, à deux heures six minutes précises, Paul Justin Bordeaux, adjoint au maire, rédigea-t-il de sa belle écriture anglaise l'acte de naissance de «Jacques André Marie Prévert, du sexe masculin, né le 4 février courant à sept heures du soir, au domicile de ses père et mère, fils de André Louis Marie Prévert, âgé de vingt-neuf ans, homme de lettres et de Marie Clémence Catusse, son épouse, âgée de vingt-deux ans, sans profession [*Suzanne était un prénom d'emprunt qu'elle s'était choisi rue de la Huchette*] domiciliés à Neuilly, rue de Chartres, n° 19, en présence de Georges Richard Ibels, âgé de vingt-six ans, artiste dramatique, demeurant à Paris, et de Auguste Plaze, âgé de quarante-deux ans, cafetier, demeurant à Neuilly-sur-Seine, avenue du Roule n° 98, témoins qui ont signé avec le déclarant et nous après lecture[1]». Malgré son res-

---

1. Archives de l'hôtel de ville de Neuilly-sur-Seine.

sentiment à l'égard de la famille nantaise, André Prévert semblait respecter la tradition des prénoms qui se retrouvaient au
fil des générations. À Auguste André Marie puis à André Louis
Marie succéderait Jacques André Marie. «Marie» soulignant
l'obédience des Prévert à la religion catholique en général et à
la Vierge en particulier. Rue Monge, on apprécia à sa juste
valeur ce geste d'apaisement même s'il n'était pas totalement
dénué d'arrière-pensées intéressées. Non à l'égard d'Auguste et
de Sophie, mais pour ménager l'image politique qu'André Prévert entendait donner à ses futurs électeurs. Il avait en effet
décidé de se présenter aux élections municipales du 6 mai 1900
sur la liste soutenue par la Ligue de la patrie française. Le bout
de chemin qu'il avait parcouru avec les bonapartistes, en participant à la rédaction du *Plébiscite*, ne pouvait lui porter tort
puisque dans ses colonnes Napoléon III était considéré comme
un parfait démocrate tandis que le journal entendait soutenir
les grands principes de la Révolution française et les droits du
peuple. Bien sûr l'hebdomadaire était violemment antidreyfu-
sard mais la Ligue de la patrie française, fondée l'année précédente et animée par le poète François Coppée et l'auteur
dramatique et critique littéraire Jules Lemaître, ne l'était-elle
pas? La Ligue se proposait de regrouper des écrivains et des
professeurs autour des thèmes essentiels de la défense de l'armée et de la patrie. En quelques jours elle avait reçu les adhé-
sions de vingt-cinq académiciens et de nombreux intellectuels
catholiques et conservateurs décidés à soutenir un programme
nationaliste mais résolument républicain. Thème que défendait
avec une certaine éloquence André Prévert autour du zinc mais
aussi dans les arrière-salles de nombreux bistros où se tenaient
des réunions électorales. Avoir un Jacques André Marie dans
sa descendance ne déparait pas le tableau. Ni le fait que six
semaines après sa naissance le bébé fût ondoyé «par permission de son Éminence» en l'église Saint-Pierre-de-Neuilly qui
venait d'être terminée après dix ans de travaux. Pour le baptême proprement dit — l'ondoiement n'était qu'un baptême
provisoire où seule l'ablution baptismale était faite, sans les
rites et les prières habituels —, on verrait plus tard. En fait,
Jacques Prévert attendra dix bonnes années avant d'être baptisé selon les règles. Ce qui se révélera indispensable à la veille
de faire sa première communion et n'arrangera pas les relations avec le président des Œuvres charitables devenu marguillier de sa paroisse Saint-Nicolas-du-Chardonnet et persuadé
que le nécessaire avait été fait depuis longtemps! Mais il aurait
fallu compter sans les idées pernicieuses et la négligence
d'André...

Malgré ses efforts, André Prévert n'obtint aux élections

municipales que 943 voix sur 5 072 votants, ce qui le classait en 43e position parmi les 50 candidats se présentant sur la même liste. Score insuffisant pour être élu mais qui n'était pas ridicule pour un Neulléen de fraîche date. Il consolida ainsi sa popularité auprès de ses amis de comptoir et attira sur lui la bienveillante attention de Gabriel Syveton, l'un des trois professeurs antidreyfusards à l'origine de la Ligue. Voisin des Prévert, Syveton, permanent et trésorier du mouvement, habitait l'avenue de Neuilly[1] où se trouvait également la permanence de la Patrie française et avait installé le siège de l'organisation — qui connaissait un succès phénoménal et comptait maintenant 4 à 500 000 adhérents — rue de Gramont, au cœur de la circonscription du IIe arrondissement dont il avait l'intention de briguer le siège aux élections législatives de 1902 ; dans la rue même où André Prévert se rendait chaque jour pour occuper un emploi de rond-de-cuir lequel, du fait de cette proximité, lui parut soudainement moins rébarbatif ! La Providence, ses accidents et ses incendies auxquels il ne s'intéressait que médiocrement, Syveton et la Patrie française, autrement plus passionnants, et les tournées de Picon pour la bonne bouche, tels seront durant les prochaines années les pôles d'intérêt entre lesquels se déplacera un André Prévert qui rentrera de plus en plus souvent éméché rue de Chartres avec néanmoins le sourire aux lèvres.

«Toujours, quand mon père rentrait, tout était prêt pour le dîner, écrira Jacques Prévert rassemblant ses premiers souvenirs. Mais il n'arrivait jamais à l'heure et même, quelquefois pas du tout.

Mais il trouvait toujours de bonnes excuses :

"... Pardonne-moi, Suzanne, en retard comme toujours, mais aujourd'hui d'une heure seulement.

— Mettons une heure et demie", disait ma mère sans être le moins du monde enthousiasmée. "Mais tu es tout de même en progrès[2]."»

Malgré quelques accrochages dus au peu d'ardeur et d'assiduité qu'André apportait à son travail — il ne l'effectuait qu'«en attendant», mais quoi? — et aux trop fréquentes visites à la permanence de la Patrie française et au Café de l'Hôtel-de-Ville — l'une n'allait pas sans l'autre — on sentait qu'une profonde tendresse unissait le couple. Même si l'amour fou des premières années qui leur avait fait braver les interdits bourgeois n'avait pas résisté à la monotonie d'une vie sans éclat. «Mon père et ma mère, se souviendra Jacques Prévert, ne

1. Aujourd'hui avenue Charles-de-Gaulle.
2. J. Prévert, *Choses et autres.*

riaient pas autant ensemble mais ça se voyait qu'ils s'aimaient beaucoup et même quelque part, ils se ressemblaient[1]. »

C'est dans cette atmosphère relativement sereine, dans le bel immeuble — pierre de taille et fer forgé — que le petit Jacques Prévert grandit paisiblement. À cinq ans c'était un gros garçon bien charpenté, aux grands yeux bleus un peu globuleux qui regardait les gens bien en face, d'un air assuré mais sans jamais sourire. Le rire était réservé aux instants d'intimité avec sa mère qu'il ne quittait guère depuis qu'il savait marcher. Le rire et même le fou rire qui la saisissait au moment où l'on s'y attendait le moins. Instants délicieux qu'il évoquera toujours avec émotion. «Quand dans la rue, au marché, ou n'importe où, on lui disait qu'elle était belle, un peu gênée, elle rosissait puis éclatait de rire : "C'est le fou rire, disait-elle, je l'avais déjà toute petite et toujours à n'en plus finir. C'est plus fort que moi, plus fort que les larmes que j'aie jamais versées." Et, le fou rire me prenant à mon tour, elle ajoutait : "Tu vois, c'est contagieux. Il y en a qui attrapent froid et d'autres la gaieté[2]..."»

Dès que Jacques eut l'âge de quitter la robe de bébé, Suzanne s'ingénia à l'habiller de vêtements semblables à ceux de son aîné, comme s'ils avaient été jumeaux. Costume marin à large col, culotte courte et grand chapeau breton, blouse claire et lavallière foncée sur un pantalon de golf et de coquettes chaussettes à carreaux, costume de flanelle rayée, col Claudine et canotier se succédaient selon les saisons. Jean, fier de son droit d'aînesse, ne voyait pas ce mimétisme d'un bon œil. Jacques, lui, regardait son frère avec une certaine indifférence. Il dira de lui, sans grande chaleur : «Je l'aimais parce que c'était mon frère. On ne riait jamais des mêmes choses, ou jamais en même temps peut-être[3].» Et encore il dressera ce constat désabusé : «Mon frère était l'aîné — deux ans de plus que moi — il était très beau mais il était sérieux et allait déjà à l'école. Il savait lire et écrire. Moi, je n'avais pas envie d'apprendre ces choses-là[3].» Maman Suzanne[4] — ainsi que son mari l'avait surnommée depuis son second accouchement — en décida autrement. Suivant les conseils du docteur Tollmer, le médecin de famille — «C'est tout simple la santé mais il faut la garder. Sortir les enfants par n'importe quel temps et la teinture d'iode s'ils sont enrhumés : dix gouttes dans du lait. Si ça ne va pas mieux vous badigeonnez[5]...» —, elle promenait

---

1. *Ibid.*
2. *Ibid.*
3. *Ibid.*
4. Gazelle Bessières à l'auteur.
5. J. Prévert, *Choses et autres.*

chaque jour son fils au bois de Boulogne, mais le matin elle lui apprenait à lire. D'abord en lui racontant une histoire puis en la lui faisant déchiffrer phrase par phrase après lui avoir indiqué les lettres dans un alphabet. L'intérêt du récit et la curiosité surmontèrent bien vite l'hostilité que manifestait l'enfant à l'égard de l'école qu'il imaginait volontiers comme une prison. Avec sa mère adorée comme institutrice et le salon familial comme salle de classe, apprendre à lire devenait une joie! À l'âge le plus tendre il découvrit ainsi les contes de Grimm, de Mme d'Aulnoy et de Mme Leprince de Beaumont à travers *Le Petit Tailleur, Les Musiciens de la ville de Brême, L'Oiseau bleu* ou *La Belle et la Bête*. D'ailleurs Maman Suzanne n'était-elle pas la sœur de ces fées qui peuplaient ses premières lectures et ses rêves? C'est ce que lui affirmait son père quand il rentrait le soir, toujours incrédule devant la beauté de sa femme. «Comme toutes les plus belles filles du monde, ma mère avait aussi les plus beaux yeux et d'un bleu tellement bleu et tellement souriant. Des fois elle rougissait ou plutôt devenait toute rose, et elle était comme les reines qu'on peint sur les tableaux et aujourd'hui, je la vois nettement, comme dans un film, avec un bouquet de violettes au corsage, un oiseau sur son chapeau, une voilette modelant son visage et son sourire toujours nouveau. Mais elle était bien plus vivante qu'une actrice, tout ce qu'elle faisait était vrai et jamais elle ne tint aucun rôle. C'était une étoile de la vie[1].»

En même temps que la poésie, le rêve, et les contes de fées, l'«étoile» lui fit découvrir le théâtre et sa magie. Les *Quatre Cents Coups du diable*, féerie montée au Châtelet avec tous les effets de décors et de mise en scène qui faisaient la réputation de l'établissement, laissa dans l'esprit de l'enfant un souvenir impérissable que vint concurrencer *Le Bossu*, drame en cinq actes tiré par Paul Féval de son roman à succès, et cheval de bataille du Grand Théâtre forain. Lagardère, Cocardas et Passepoil seront, jusqu'à la lecture des *Trois Mousquetaires*, les héros favoris d'un gamin dont l'imagination s'aiguisait entre une mère volontiers romanesque et un père enclin à commenter les choses et à en tirer la «moralité». «Comme je l'amusais, le fâchais, le décevais et l'intriguais tout à la fois, il m'expliquait, il me disait comment j'étais dans le fond. Ma mère, jamais: elle me savait[2].»

C'est main dans la main avec André que Jacques apprit aussi, dès sa petite enfance, à arpenter les trottoirs et à goûter le spectacle de la rue. L'orgue de Barbarie, l'accordéon d'un

---

1. *Ibid.*
2. *Ibid.*

aveugle, les flonflons du Printania, le caf'conc' en plein air où André offrait à Suzanne les cerises au «ratafia» — la liqueur de Neuilly depuis Louis XV — dont son cadet adorait sucer les noyaux, sera toute sa vie la seule musique que Jacques Prévert appréciera sans réserve. Tout comme il préférera toujours aux promenades hygiéniques au Bois imposées par Suzanne, les balades le long des quais de la Seine sous la conduite d'un père qui faisait le «travail buissonnier» comme Jacques fera plus tard l'école buissonnière! Délaissant sans scrupule les bureaux sinistres de La Providence où ses fonctions l'ennuyaient «souverainement», André entraînait son cadet jusqu'à l'île des Ravageurs et lui racontait Fleur de Marie, Rodolphe et le Chourineur se débattant dans *Les Mystères de Paris*. Ensemble, suivant le cours du fleuve, ils allaient rendre visite à Edmond Jacquelin dit Piou-Piou, le champion cycliste de l'époque. Les deux hommes parlaient de boyaux, de changements de vitesses, de performances, et de l'incroyable succès populaire de ce Tour de France créé en 1903 par Henri Desgrange et le journal *L'Auto*. André Prévert appréciait particulièrement que Jacquelin, créateur de la bicyclette du même nom, ait ouvert boulevard de la Seine non seulement une salle de sport mais un modeste débit de boissons dont l'enseigne *Jacquelin Bistro* témoignait de l'imagination débordante de son propriétaire! Halte rafraîchissante au goût de grenadine pour Jacques et de gentiane amère pour le Père Picon. Clin d'œil du destin: c'est sur l'emplacement même de la baraque en planches que s'élèvera un jour l'immeuble circulaire de la SACEM[1], organisme de répartition des droits d'auteur qui, grâce aux *Feuilles mortes* et à quelques dizaines de titres à succès, assurera au poète une fin de vie sans problème et à ses héritiers une rente confortable…

L'attraction majeure de l'année restait le retour de la fête de Neuilly, la fête à Neu-Neu, «la plus mondaine et la plus parisienne des fêtes foraines du second Empire et de la Belle Époque», disaient les journaux. C'était l'occasion pour André Prévert de montrer à l'enfant qui buvait ses paroles l'étendue de ses relations tout en faisant oublier que ses médiocres rentrées avaient obligé la famille à quitter l'immeuble confortable de la rue de Chartres pour une maison plus modeste d'une rue voisine à deux pas de la fête foraine. «Du balcon de la rue Louis-Philippe où nous habitions on l'entendait qui s'installait, à grands coups de marteaux. On entrait chez elle comme chez nous et un peu partout sans payer. Mon père connaissait tout le monde[2].» Les clowns du cirque, le dompteur Marc qui lais-

---

1. Société des auteurs, compositeurs et éditeurs de musique.
2. J. Prévert, *Choses et autres*.

sait le petit Jacques caresser la patte de vieux lions asthma-
tiques, le directeur du «décapité parlant» dont la tête, après le
coup de hache fatal, se retrouvait sur un plateau et dialoguait
avec le public, Araouf le lutteur déguisé en Arabe qui cassait
des pierres avec son poing et partageait fraternellement son
litron de rouge avec André: tous des amis! Le seul oukase
paternel concernait le musée Dupuytren dont il refusait l'entrée à son fils qui sera longtemps attiré par les écorchés, les
chancres mous, les monstres à trois oreilles et un pied, les terribles reproductions des cas pathologiques les plus spectaculaires exhibés à la parade pour attirer les badauds à l'intérieur
où les attendaient des choses bien plus affreuses encore. Les
horreurs du musée Dupuytren se retrouveront souvent dans
les écrits du poète et ne seront pas sans influencer certains de
ses collages. Pour se faire pardonner l'interdit, André Prévert
emmenait son fils à la solennelle retraite aux flambeaux du
deuxième samedi du mois de juin, à la Grande Fête vénitienne
avec illuminations sur la Seine, aux feux d'artifice du célèbre
Ruggieri; et il lui expliquait que c'était ici qu'avait été réalisée
la première décoration électrique ayant fonctionné en France
et qui, plus que les manèges somptueux et l'orgue Limonaire[1],
constituait l'apothéose de la fête à Neu-Neu.

Dès la porte Maillot, l'entrée se signalait par la débauche
lumineuse des papillons, perroquets, soleils scintillants de son
portique qui se prolongeait tout au long de l'interminable avenue de Neuilly par une voûte féerique où se mêlaient girandoles
et milliers de lampions multicolores. Les gens du monde — robes
du soir et habits fleuris d'un gros œillet — venaient s'y «encanailler» le vendredi soir — jour chic comme à la Comédie-
Française ou au Salon — après un bon dîner au Pavillon
d'Armenonville ou au fameux restaurant Gillet accoté à la grille
de Maillot, lieux inaccessibles aux Prévert où un repas coûtait
«les yeux de la tête», comme disait Maman Suzanne. Quand,
au bout de trois semaines et quatre dimanches, la fête quittait
Neuilly, Jacques ressentait comme un grand vide et une envie
de pleurer. Restaient tout de même à l'année Luna Park, son
Water Chute et son Scenic Railway, le gros ballon captif, ancré
auprès de la station des tramways, qui montait dans le ciel,
rempli de passagers, et le petit chemin de fer du jardin d'Ac-
climatation. Parfois, un jour de semaine, on s'habillait en
dimanche pour rendre visite aux Toucas-Massillon, des relations de Suzanne et André, qui habitaient de l'autre côté du
pâté de maisons, rue Saint-Pierre. «Il y avait là une dame d'une
grande douceur et mon père parlait avec elle des cigales et de la

---

1. Du nom de son inventeur en 1906.

Provence. Dans un très joli jardin, je jouais avec un petit garçon aux cheveux bouclés, à peine plus âgé que moi, et qui s'appelait Louis[1].» Rue Saint-Pierre, chez les Toucas-Massillon où semblait régner l'aisance, la situation était autrement compliquée que chez les Prévert où l'on hésitait sans cesse entre le bien-être et la gêne. Marguerite Toucas, la «dame d'une grande douceur» qui élevait l'angelot aux cheveux frisés, n'était pas sa sœur aînée ainsi qu'elle le prétendait, mais sa mère. Elle avait eu le petit Louis en 1897 avec Louis Andrieu, ancien préfet de police de Paris (en 1880) devenu député radical ; mais celui-ci n'avait pas jugé utile de régulariser sa situation ni de donner à son fils autre chose que son prénom. Il s'était contenté du rôle de tuteur de l'enfant qu'il avait déclaré sous un nom de fantaisie tandis que la grand-mère maternelle, qui comptait dans ses aïeux le prédicateur de Louis XV Jean-Baptiste Massillon, évêque de Clermont, se faisait passer pour la mère naturelle. Le «nom de fantaisie» qu'avait reçu le gamin n'était autre que Aragon et il devra attendre la veille de sa majorité pour apprendre de la bouche de sa «sœur» la vérité sur ses origines. Les deux enfants qui jouaient en 1905 rue Saint-Pierre ne pouvaient imaginer qu'ils se retrouveraient exactement vingt ans plus tard au sein du mouvement surréaliste dans le caravansérail de la rue du Château au fin fond de Montparnasse, à l'aube de carrières littéraires plus glorieuses l'une que l'autre !

S'il garda un souvenir agréable de ses visites rue Saint-Pierre, c'est sans doute aussi durant l'enfance à Neuilly que Jacques apprit à se méfier de la politique et des réactions du troupeau de militants que les politiciens professionnels menaient par le bout du nez. Parfois André l'emmenait à l'un de ces «rendez-vous très importants» qui faisaient sourire Suzanne quand il les évoquait. Pouvait-on avoir des rendez-vous importants au Ratodrome, au Fronton de pelote basque ou avec des lutteurs japonais ? Passe encore à la permanence de la Patrie française ou aux manifestations que le mouvement organisait. Jacques en avait une très mauvaise opinion pour le simple fait que les excités qui y participaient conspuaient régulièrement Loubet. «À bas Loubet !» hurlaient-ils. Et pour le petit Jacques, Loubet ce n'était pas Émile Loubet, le président de la République, mais son chat adoré que son père avait ainsi nommé par dérision. «Un beau chat de gouttière, tout gentil. Loubet c'était mon ami… Un jour Loubet disparut : il en avait sûrement assez d'être insulté ou, je n'osais pas y penser, peut-être qu'ils l'avaient tué[2].» En ces années 1904-1906 la violence régnait dans les

1. J. Prévert, *Choses et autres*.
2. *Ibid.*

rues de Paris entre les différentes factions de la droite et de la gauche, entre dreyfusards et antidreyfusards, entre les tenants de la séparation de l'Église et de l'État, et ceux que la politique des inventaires des biens de l'Église scandalisait. Tout était motif à échauffourées qui terrorisaient l'enfant.

«Tout le monde se battait, se souviendra-t-il, et les gardes à cheval et à pied tapaient sur tout le monde pour "les séparer".

"Pourquoi se battent-ils? demandai-je.

— Pas les mêmes idées", répondait papa.

Moi je n'aimais pas les idées de ceux qui insultaient mon chat et c'était difficile de les reconnaître, de savoir lesquels c'était. Ils roulaient par terre tous ensemble et s'enfuyaient en même temps et du même côté, et comme ils criaient tous "Vive la France!" c'était trop compliqué[1].»

Suzanne toujours si gaie, toujours si enjouée, sur qui les soucis d'argent et les crises de neurasthénie d'un mari pour le moins cyclothymique semblaient glisser sans jamais la griffer, manifestait pourtant sa réprobation quand André affichait par trop ouvertement ses accointances avec les nationalistes les plus agités qui constituaient l'entourage du député Syveton. Elle savait son André brave homme, un peu trop malléable, sans grande force de caractère. Elle soupirait quand, à la suite des mille bobos qui l'assaillaient périodiquement — entérite, courbatures, neurasthénie —, le Dr Tollmer conseillait paternellement de «freiner» un peu sur le vélo, et puis aussi sur les apéros du Café de l'Hôtel-de-Ville! Consultée elle lui aurait donné les mêmes judicieux conseils! Quant aux manifestations de ses copains de la Patrie française, que penser de ces abrutis qui braillaient en chœur:

> *Chassons les Youpins*
> *Et les Francs Copains*
> *Chassons loin de chez nous*
> *Cette race de filous...*

C'était pitié de voir ce père si aimant, si attentif aux distractions de sa petite famille, s'emberlificoter à répondre à son cadet qui l'interrogeait sur ces Juifs dont les «patriotes» de la Patrie française faisaient, avec Émile Loubet, président fermement républicain, la cible de leur vindicte: «C'est comme, je ne sais pas moi, les Bretons par exemple, bredouillait-il: il y en a des bons et des mauvais et, pour la plupart, c'est des bons, et les Bretons, c'est une race, une belle race même. Et pour les Juifs, c'est peut-être pareil, à peu de chose près.

1. *Ibid.*

Enfin, ils crient n'importe quoi, ne t'occupe pas de ça. C'est pas de ton âge et ça leur passera[1].»

Un soir où Suzanne et les enfants avaient attendu en vain que le maître de maison présidât au dîner, celui-ci ne se manifesta que tard dans la nuit et réveilla la maisonnée dans un état d'excitation qui impressionna Jacques et son frère pourtant habitués à voir leur père rentrer de plus en plus vacillant.

— Ils ont tué Syveton! dit-il le visage tout pâle et la langue embarrassée.

— Il n'y a tout de même pas de quoi réveiller toute la maison! s'agaça Maman Suzanne en envoyant se coucher son mari qui lui paraissait «très fatigué» — délicat euphémisme qu'elle emploiera de plus en plus dans les années à venir.

— Qui c'est, Syveton? demanda Jacques.

— Un ami de ton père, enfin, une relation. La Patrie française! ajouta-t-elle avec un soupir de commisération qui en disait long sur l'estime qu'elle portait au défunt, considérant que ce Syveton exerçait une bien fâcheuse influence sur son André toujours prêt à croire n'importe quel bobard du moment qu'on lui portait une attention qu'il était le seul à croire flatteuse.

La réalité du lendemain lui donna raison. Le député Syveton n'avait pas été assassiné comme seuls les nationalistes les plus extrémistes et antisémites continueront à le proclamer, mais s'était bel et bien suicidé à la suite d'un vif incident à la Chambre au cours duquel il avait giflé le général André, ministre de la Guerre[2]. Geste inconsidéré qui devait le conduire incessamment devant la cour d'assises. Il fallut que l'on commençât à parler de détournement de fonds — 100 000 francs auraient été rendus par la veuve de Syveton aux dirigeants de la Ligue de la patrie française[3] — et surtout que le Dr Tollmer, médecin de famille des Prévert et de Syveton, affirmât, après avoir examiné le corps, qu'il ne pouvait subsister aucun doute sur la cause du décès, pour qu'André consentît à abandonner la thèse de l'assassinat. Jacques, qui tenait les nervis de la Patrie française pour responsables de la disparition de son chat, n'eut un mot de compassion qu'après avoir constaté que l'hebdomadaire le plus populaire de l'époque consacrait sa une à l'événement: «Je revois une grande image en couleurs, sur le *Petit*

---

1. *Ibid.*
2. «Accusé d'avoir organisé dans son ministère un service occulte de renseignements sur les opinions politiques et religieuses des officiers, dont l'avancement était réglé d'après des fiches établies sur les indications fournies par les loges maçonniques (Affaire des fiches), le général André dut remettre sa démission après la gifle et le suicide de Syveton» (Michel Mourre, *Dictionnaire encyclopédique d'histoire*).
3. Alain Rustenholz, *Prévert, inventaire.*

journal illustré. C'est tout de même très triste de voir l'homme, tout seul, la tête posée près du réchaud à gaz, et qui s'est suicidé[1]. » Image tragique pour un petit bonhomme encore loin d'avoir atteint l'âge de raison.

Après l'affaire Syveton on ne parla plus politique rue Louis-Philippe mais Jacques Prévert, à travers quelques scènes qui avaient marqué sa prime enfance, l'avait prise en haine pour la vie. Si on le trouvera toujours à la pointe des combats contre l'injustice et pour la tolérance aux côtés des opprimés quels qu'ils soient, nul parti, jamais, ne pourra se targuer de le compter dans ses rangs.

Était-ce le nationalisme teinté d'antisémitisme affiché un temps par André qui les avait rapprochés? Toujours est-il que les liens s'étaient resserrés avec les grands-parents, soutiens indéfectibles du sabre et du goupillon, chez qui l'on allait maintenant déjeuner chaque dimanche — «et je ne sais pas trop pourquoi», remarquera l'enfant avec humeur. Peut-être parce qu'on y trouvait le poulet rôti qu'on n'avait guère l'occasion de humer à la table familiale? Malheureusement on trouvait aussi rue Monge les abbés Vigourel et Malinjoux qui vitupéraient les voyous et les clochards alcooliques de la place Maubert dont la marée venait battre les marches de Saint-Nicolas-du-Chardonnet. Leur conversation tournait immanquablement autour du denier du culte, des petits Chinois, de la sainte enfance et de l'Office central des pauvres de Paris dont Auguste-le-Sévère était le directeur. Ces hommes en soutane à l'odeur de renfermé inspiraient une vive répulsion au petit Jacques qui ne les tenait pas en meilleure estime que les braillards belliqueux de la Patrie française! Ces «corbeaux» à la robe noire — «ceux qui croa-croa», écrira-t-il un jour — n'étaient-ils pas semblables aux terribles maîtres du séminaire d'Ancenis responsables, eux, des cauchemars d'André dont les cris nocturnes réveillaient souvent la maisonnée? L'antipathie devait être réciproque puisque les abbés ne désignaient jamais Jean ou Jacques par leur prénom mais sous le vocable global et quelque peu méprisant de: «les enfants d'André». Si l'expression laissait l'auteur de *Diane de Malestreck* parfaitement indifférent, elle marqua profondément son fils cadet qui s'en souviendra encore un demi-siècle plus tard.

Jamais Jacques Prévert ne se sentira à l'aise avec ses grands-parents paternels même lorsque, profitant des vacances à Pornichet ou à La Baule, il leur rendra visite à Nantes où ils avaient vécu, où André était né et où chaque année ils revenaient en pèlerinage dans un pied-à-terre aussi bourgeois que

1. J. Prévert, *Choses et autres.*

l'appartement de la rue Monge «avec plein de petits tapis pour ne pas rayer la cire du parquet». «Je n'étais pas très content quand mes grands-parents me gardaient à Nantes avec eux, même un jour ou deux. J'étais sûr que si ça tombait un samedi, ils m'emmèneraient le lendemain à la messe. Heureusement, en sortant, on allait dans la grande pâtisserie où grand-père, d'un geste noble et péremptoire, désignait le gâteau de son choix en disant son nom à haute voix. "Je désire un non-auto-risé[1]!" C'était un moka au café ou au chocolat orné d'une superbe fleur de lys en sucre candi[2].» S'afficher royaliste à Nantes au début du siècle n'avait rien d'incongru. Le souvenir de la chouannerie et des noyades de Carrier était encore vivace et on les évoquait immanquablement lorsque Bleus et Blancs s'affrontaient au cours de manifestations aussi violentes que celles de Paris. «"Et si on se laisse faire, ça va recommencer! criait grand-père. Avec tout ça, elle devient jolie, la société!" Tout ça, je savais qui c'était: les ouvriers des chantiers de Saint-Nazaire, les femmes "en cheveux", les pétroleuses, les petits sauteurs et les gommeux, les cocottes, les poissonnières, les anarchistes, les marins en bordée et qu'à Nantes, comme à Paris, "tout ça", c'était à mettre dans le même panier[3].» Un panier où malgré le succès et même la gloire, il trouvera toujours sa place.

«C'était du temps de notre splendeur», dira plus tard Jacques Prévert en évoquant les vacances à Pornichet. Elle n'allait pas durer longtemps. Chez André les crises de neurasthénie se multipliaient. «C'est à la mode, disait-il, mais je m'en passerais bien: la tristesse qui s'installe dans votre tête et qui va et vient, là, comme chez elle[4].» Il tenta de combattre la maladie en s'éloignant de sa cause: le triste bureau de la rue de Gramont où les assurances et leur cortège de catastrophes n'étaient pas faits pour lui «remonter le moral». Il fallait une éclaircie dans sa vie, du soleil, des paysages plus souriants que ceux de Neuilly ou de la Bretagne. Il s'inventa alors le mal du pays, non pas le sien — Nantes et Ancenis l'avaient trop fait souffrir dans sa jeunesse —, mais de la Provence et de ses cigales dont il aimait tant s'entretenir avec Mme Toucas-Massillon qui en était familière. Un beau jour il n'y tint plus, demanda un congé à La Providence «pour affaire de famille» et, plaquant sans vergogne sa nichée, alla se réfugier, loin des

1. «Non autorisé», comme les congrégations religieuses dont l'existence dépendait du législateur depuis la loi du 1ᵉʳ juillet 1901, première étape vers la séparation des Églises et de l'État.
2. J. Prévert, *Choses et autres.*
3. *Ibid.*
4. *Ibid.*

soucis matériels, chez un de ses amis qui habitait «une ruine de toute beauté» près du pont du Gard. Jacques Prévert n'oubliera jamais cette fuite devant les responsabilités que sa mère prenait néanmoins avec une certaine philosophie. Le facteur apporta rue Louis-Philippe une brassée de cartes postales du pays des cigales et Jacques y découvrit la lumière inimitable du Midi de la France qu'il aimera tant : le pont du Gard mais aussi Arles, Avignon, les Saintes-Maries-de-la-Mer et même une vue d'Aix-en-Provence accompagnés d'une boîte de calissons ! Présent ou éloigné, ce père qui l'était si peu, se montrait toujours attendrissant. «Nous savons bien que, comme d'habitude, il ne restera pas longtemps et quand il revient, nous sommes tous très heureux de le revoir, d'autant plus qu'il nous dit, très ému, combien nous lui avons manqué[1].» À six ans, mûr pour son âge, Jacques Prévert était déjà entré de plain-pied dans la vie de bohème...

*

1906 fut une année de joie puisqu'elle vit l'arrivée d'un nouveau petit Prévert, le 26 mai, rue Louis-Philippe. Un garçon encore. On le prénomma Pierre et l'on recommanda à Jacques d'être très gentil avec lui. «Et sans doute pour faire plaisir à ma mère, je déclarai que je l'aimerais beaucoup, écrira-t-il. Plus tard, ce que j'avais dit devint vrai, mais je mis beaucoup de temps avant de m'en apercevoir[2].»

Dans l'existence agitée de la famille, la bonace fut de courte durée. La Providence, qui s'était voulue bonne fille, s'aperçut enfin qu'entre les absences injustifiées, les retards chroniques et les congés pour affaires personnelles la présence de M. André Prévert sur la liste des employés de la compagnie d'assurances n'était pas indispensable à la bonne marche de l'entreprise. Elle le mit à la porte sans autre forme de procès.

La dégringolade fut rapide et sans appel. Jamais André Prévert n'avait été effleuré par l'idée de faire des économies et ce n'était pas sur la modique somme que lui allouait chaque jour son mari pour nourrir la famille que Maman Suzanne risquait d'en faire ! Ce fut bientôt la gêne, puis presque la misère. À la maison encore bourgeoise de la rue Louis-Philippe succéda un petit rez-de-chaussée sombre et sinistre, rue Jacques-Dulud, de l'autre côté de l'avenue de Neuilly. «Ce qui est bien agréable car cela nous rapproche du Bois», disait André qui voulait garder le moral et cultiver l'optimisme tout en devenant

1. *Ibid.*
2. *Ibid.*

« raisonnable ». Pour le Père Picon être raisonnable consistait à écourter ses stations au Café de l'Hôtel-de-Ville, à y taper quelques amis, ou laisser les tournées qui ne trouvaient pas le mécène quotidien sur un compte imaginaire dont la longueur dépassa bientôt celle de l'ardoise. Car, comme le rappellera son fils, André « était fastueux dans la consommation » et sa phrase favorite restait : « Un peu plus, garçon[1] ! » Tout comme il avait dû abandonner la rue Louis-Philippe il dut troquer l'ambiance luxueuse du Café de l'Hôtel-de-Ville contre la promiscuité d'un petit bistro pas cher de la rue Jacques-Dulud où la clientèle ne se recrutait pas parmi les notables de Neuilly. Sur sa belle mine — André restait toujours élégant —, le patron ouvrit une ardoise au nom de ce nouveau client qui disait du ton le plus assuré : « Pas de monnaie, je paierai en repassant[2]. » Comme son intempérant mari — le surnom de Père Picon avait traversé avec lui l'avenue de Neuilly — Suzanne fit ses courses à crédit dans les plus modestes épiceries du quartier. « À la maison on mange froid presque tous les jours, remarquera Jacques Prévert. À moi ça me plaît, j'aime beaucoup la charcuterie, les sardines à l'huile, le roquefort, et les biscuits trempés dans le vin[3]. » Chaque jour André Prévert allait à Paris pour honorer quelques rendez-vous toujours « extrêmement importants ». Il en revenait parfois avec un peu d'argent, et même des bonbons et des livres pour les enfants. Mais toujours avec la certitude qu'un projet mirifique allait prendre corps et donner un peu d'aisance financière à la famille. On était dans une situation désespérée et pourtant le rire prévalait contre les larmes dans ce rez-de-chaussée sans autre lumière que celle des beaux yeux de Maman Suzanne. André, pour remplacer Loubet, avait ramené des coulisses de l'Opéra un autre chat « très beau, très drôle et tout gris » que l'on nomma Sigurd du nom de l'ouvrage d'Ernest Reyer qui était à l'affiche ce jour-là. Suzanne lui apprenait des tours. En promenade avec Jacques que l'on n'avait pas jugé bon de mettre à l'école — mais il savait lire couramment et avait déjà des goûts littéraires bien affirmés alors que les autres gamins ânonnaient sur les bancs de la communale —, André le faisait rire aux éclats par quelques acrobaties vélocipédiques ou bien encore l'entraînait sur le toit de la maison de la rue Jacques-Dulud d'où l'on découvrait, en face, le jardin d'une propriété close de hauts murs, dans lequel un homme et une femme entièrement nus vaquaient à leurs occupations. La propriété était celle de Natalie Barney, l'« Amazone » de Remy

---

1. J. Prévert, in *Mon frère Jacques*, film TV réalisé par Pierre Prévert.
2. J. Prévert, *Choses et autres*.
3. *Ibid.*

de Gourmont. Le couple nu était constitué du Dr Joseph Mardrus, savant orientaliste, traducteur célèbre du livre des *Mille et Une Nuits*, et de son épouse l'écrivain Lucie Delarue-Mardrus « dite la princesse Amande, ainsi surnommée à cause de la blancheur de son corps entièrement épilé[1] ». Le médecin ne détestait pas dévoiler ce corps parfait dont Natalie Barney — insensible aux charmes masculins — appréciait chaque courbe à sa juste beauté. Jacques ne goûtera que plus tard ces subtilités amoureuses et littéraires. Pour l'heure, il se contentait de faire remarquer à son père que, dans *Les Mille et Une Nuits* qu'il avait lues en même temps que *Le Tour de France par deux enfants* et *Les Aventures de Sherlock Holmes*, les personnages n'étaient pas nus ! Il devait en être autrement dans l'ouvrage du médecin... « qui traduisait librement et merveilleusement un des plus beaux livres qui aient jamais été écrits », notera-t-il plus tard avec admiration. Plus prosaïquement André, au retour de l'expédition, fit remarquer à son fils : « Nous avons eu de la chance, on était tout seuls, quelquefois, il y a le concierge avec des amis[2]. »

Insensiblement les Prévert devenaient des déclassés. À l'extérieur on sauvait la face grâce aux vêtements soigneusement entretenus et qui avaient encore belle allure, mais passé la porte de l'appartement on usait les vieilles nippes, la table était des plus frugales et la vie misérable. André recopiait des enveloppes par centaines pour gagner quelques sous et empruntait avec beaucoup d'humilité et de politesse aux amis qui daignaient encore le reconnaître. Rue Monge, le directeur de l'Office central des pauvres de Paris ne paraissait pas se douter que son fils aîné aurait eu bien besoin de son aide. Peut-être aussi lui faisait-il cruellement payer le fait de n'avoir jamais adhéré à sa morale ni répondu à ses ambitions. Le poulet du dimanche suffisait à sa bonne conscience.

Et ce fut la débâcle, prévisible quand le planteur de Caïffa refusa d'arrêter sa carriole pour livrer le café à ces mauvais payeurs dont les dettes criaient chez tous les commerçants du quartier. Le loyer oublié depuis des mois provoqua la réaction que Suzanne redoutait : la saisie d'un huissier. À son habitude le Père Picon refusa de noircir la situation et fit, sur le mode drolatique, le récit d'un événement qui, assurait-il, ne devait en aucun cas perturber la vie de sa petite famille et dont Jacques Prévert se fera l'écho : « D'un coup de baguette magique, de magie noire disait papa, un sorcier à la tête d'huissier était venu et tout avait disparu, sauf les lits, une table, la plus petite,

1. Jean Chalon, *Portrait d'une séductrice*.
2. J. Prévert, *Choses et autres*.

quatre chaises, le berceau de Pierrot, ma ferme, mon cirque, mon cochon en carton et Sigurd. Comme c'est grand maintenant chez nous, Sigurd a toute la place pour sauter, courir, on se croirait au Concours hippique et sur la petite table, on mange, mon frère fait ses devoirs et mon père écrit mais, heureusement, pas tout cela en même temps[1].» Jacques Prévert n'avait pas sept ans que la vie l'avait déjà amené à se forger une solide carapace de fatalisme et de gaieté, même si la situation de ses parents n'était pas la meilleure qu'il eût pu souhaiter. Quand son père annonça qu'il avait trouvé un travail à sa mesure à Toulon, au soleil de cette Provence qui rendait la vie plus facile, il ne douta pas un instant qu'une nouvelle aventure commençait pour la famille. Heureuse bien sûr. Pouvait-il en être autrement avec un André et une Suzanne dont les rires peignaient de rose les décors les plus sordides? La chambre d'hôtel toulonnaise que leur permettaient leurs modestes moyens l'était à souhait. Une grande pièce à la carpette usée, avec trois lits branlants, un papier peint tout déchiré, et, à foison, des petits cancrelats que la lumière du Midi n'effarouchait nullement... Mais la fenêtre ouvrait sur la grande place Armand-Vallée qui donnait envie de découvrir la ville. «C'est beau. Une grande place avec des platanes et puis des diligences comme en Amérique et leurs chevaux qui rêvent au soleil, un soleil très doux qui se promène doucement dans le vert des branches[2].» Pendant que son père s'employait sans grand succès à dénicher la situation qui l'avait amené à Toulon et que Maman Suzanne pouponnait, «vissée» dans la chambre d'hôtel par les soins à apporter au bébé, Jacques partait seul à la conquête de la ville tandis que Jean, son aîné, allait de son côté. Entre les deux frères les relations ne seront jamais ni étroites ni chaleureuses. Jacques ne s'en souciait guère. Déjà, il se suffisait à lui-même. Avec joie il découvrit le Chapeau rouge à proximité de l'hôtel. Le quartier chaud du port, où la musique et le bruit attiraient les marins en bordée comme des papillons, lui rappela la fête à Neuilly. Par milliers, des images, plus colorées les unes que les autres, se gravaient dans sa mémoire. «Dans les cafés, il y avait de grands phonographes qui n'arrêtaient pas de jouer, et tout le monde dansait, des femmes très belles, très peintes et d'autres, vieilles et moches, encore plus peintes que les jeunes, dansaient avec les marins de l'infanterie coloniale. Elles étaient très gentilles avec moi. L'une me disait qu'elle avait un petit garçon et l'autre une petite fille. J'aurais bien voulu la connaître, voir comment elle était. Et puis tout à coup, ils foutaient tout en

1. *Ibid.*
2. *Ibid.*

l'air, la Marine et la Coloniale, et se battaient. Arrivaient alors les Fusiliers marins, pour rétablir l'ordre. D'autres fois c'étaient des civils qui se battaient ; ils avaient l'air plus mauvais. Un jour, passant avec mon père, on croise un enterrement et, derrière le corbillard rempli de fleurs, des hommes et des femmes du Chapeau rouge, toute une foule, silencieuse et recueillie : "C'est l'enterrement d'un maquereau", dit mon père. Je lui demandai ce que cela voulait dire. Il me l'expliqua avec semblait-il, beaucoup de difficulté[1]. »

Il y avait beaucoup de choses difficiles à expliquer pour ce malheureux André Prévert. D'abord comment il ne parvenait pas à trouver la si bonne situation pour laquelle il avait quitté Paris. Ensuite les trop nombreuses visites qu'il faisait aux Toucas-Massillon, installés à La Garde, et qu'il tapait sans grands scrupules. Pour sortir de l'impasse, il multiplia le courrier envoyé à Paris. Chaque lettre était comme une bouteille à la mer mais rares étaient les réponses. Et toujours négatives. Au bistro de l'hôtel, l'ardoise s'allongeait et, de plus en plus souvent, c'était du pain et des figues qu'André apportait aux siens en guise de dîner. Bientôt Suzanne se contenta de sourire aux récits de son mari qui ne voulait pas désespérer. Elle avait perdu son rire cristallin et ses célèbres fous rires n'étaient plus qu'un souvenir. Avec l'hiver l'optimisme d'André fit place à une longue crise de neurasthénie. La tristesse assombrissait son visage. Il avait trente-six ans et présentait toutes les apparences du parfait raté. Évoquant plus tard cette période maléfique Jacques Prévert dira : « Noël passa très vite et l'hiver avait beau s'annoncer radieusement, l'hôtelier devenait de moins en moins aimable et ma mère semblait quelquefois gagnée par la tristesse de mon père[2]. » Un soir que celui-ci terminait avec son fils l'une de ces randonnées qui l'aidaient à tuer le temps et sa solitude, la crise éclata, sournoise, effrayante pour un si jeune enfant. Sur le même ton qu'il lui racontait d'ordinaire quelque histoire propre à exciter son imagination, André lui annonça, sur le quai de Cronstadt, son intention d'en finir avec une vie qui depuis le séminaire d'Ancenis ne l'avait guère épargné, même si de son côté il n'avait pas fourni tous les efforts que sa famille était en droit d'attendre de lui.

« "Mon petit, confia-t-il à Jacques, à force de tirer sur la corde, elle finit par casser, au bout du fossé la culbute, et j'en passe. Enfin, tu comprendras cela quand tu seras plus grand. Je vous aimais trop et pas assez. Moi parti, on s'occupera de vous et ça leur servira de leçon.

---

1. *Ibid.*
2. *Ibid.*

— T'es pas fou, papa?

— Ton père, c'est comme un chien abandonné, adieu mon petit. Je vais me fiche à l'eau. Surtout n'oublie pas de dire à ta mère que je l'ai beaucoup aimée."

Il m'embrasse, mais je l'entraîne:

"Allons, papa, fais pas de bêtise.

— Je n'ai pourtant rien bu, dit papa.

— J'ai pas dit ça, allez, rentrons."

Et j'emmène mon père par la main comme un père emmène son petit garçon[1].»

C'est très exactement ce qu'André était devenu ainsi que Maman Suzanne le laissa entendre à Jacques. Ce n'était pas la première fois que le comédien André Prévert jouait la grande scène du suicide. «N'aie pas peur, il m'a déjà fait le coup à moi aussi, à Paris au bord de la Seine, dans le square du Vert-Galant.» Jamais plus Jacques Prévert ne verra son père avec les mêmes yeux. Désormais, au foyer, le vrai couple c'était sa mère et lui. Les autres comptaient pour du beurre.

Quelques jours après cette scène désolante, André Prévert reçut le mandat qui lui permit de régler la note de l'hôtel, l'ardoise du bistro et de retenir les places de troisième classe nécessaires au rapatriement de la famille. L'envoi salvateur ne souleva guère d'enthousiasme: «Une bouée de sauvetage de rien du tout! dit mon père, mais ça vaut tout de même mieux qu'une pierre au cou.» Et, avec un grand soupir de regret: «Demain, nous rentrons à Paris[2].»

Le salut venait d'Auguste-le-Sévère qui, outre le mandat, offrait à son fils une place à l'Office central des pauvres de Paris. Pas à ses côtés, à la direction, mais dans la piétaille des visiteurs chargés de savoir lesquels de ces misérables méritaient qu'on leur vînt en aide. Dans ce domaine l'«homme de lettres» ne manquait pas d'expérience!

La mansuétude d'Auguste n'alla pas jusqu'à accueillir sa descendance. En attendant de trouver un logement, André dut déposer les valises de vêtements qui constituaient tout l'avoir de la famille dans le moins cher des hôtels entourant la gare de Lyon. C'était aussi le plus pauvre et le plus sale. Pire encore qu'à Toulon. Le soleil en moins. À Paris la température de janvier était glaciale et la chambre délabrée sans chauffage. Avec son bébé sur les bras — Pierrot avait à peine huit mois —, Suzanne vint se réfugier près du poêle du rez-de-chaussée, porté au rouge, où elle put juger de la solidarité des clients de l'hôtel qui s'y chauffaient tant bien que mal. Tout le monde fut

1. *Ibid.*
2. *Ibid.*

aux petits soins pour elle et son « cher trésor ». Devant cette humanité famélique, assemblée de pauvres bougres venus des quatre coins de l'Europe, le petit Jacques pensa aux *Mystères de Paris* que lui racontait son père lors de leurs promenades le long de la Seine devant l'île des Ravageurs. Pauvres mais braves bougres puisque pleins d'attentions pour sa mère et son petit frère.

Rassuré sur leur sort, Jacques partit à la découverte de Paris où il n'était pas venu fréquemment. Jusque-là son univers s'était borné à la rue de Chartres, la fête à Neu-Neu, le bois de Boulogne, quelques incursions rue Monge ou au Châtelet, et au Chapeau rouge à Toulon, de loin le quartier le plus animé qu'il ait jamais connu. Il y ajouta la gare de Lyon et ses alentours qui lui apparurent sales, froids et bruyants sous un ciel de suie. Où étaient les cigales, les platanes, les eucalyptus et les mimosas odorants de Toulon ? Et cette lumière magnifique à laquelle il sera toujours sensible. « À Paris, il y a beaucoup plus de bruit qu'à Toulon et tout va si vite, tout est si froid, qu'en courant, je rentre à l'hôtel où, un peu plus tard, mon père arrive à son tour et nous dit qu'il a trouvé quelques meubles et un logement très clair, rue de Vaugirard, à deux pas du jardin du Luxembourg et du théâtre de l'Odéon[1]. » Oh ! ce n'était pas le paradis mais, auprès du sinistre garni de la gare de Lyon et même de l'hôtel toulonnais de la place Armand-Vallée, ça y ressemblait. À quelques dizaines de mètres du boulevard Saint-Michel à droite et du palais du Sénat à gauche, l'immeuble du 7 rue de Vaugirard était un rescapé du XVIIIe siècle, avec un étage noble à trois hautes fenêtres et deux autres étages qui allaient en s'amenuisant tout comme « l'escalier Louis XIII, encore en bon état, et avec tellement de marches qu'on dirait un toboggan. Papa dit qu'autrefois on pouvait le gravir à cheval. Moi, je peux le descendre en courant[2] ». Au troisième étage, sous les toits, on était loin de Versailles mais l'appartement comptait tout de même deux pièces et une petite cuisine, avec un semblant de confort, même s'il fallait aller sur le palier pour trouver l'eau et les commodités. « Là on rencontre tout le temps les voisins, comme ça on sait qui c'est[3] », se réjouira Jacques. En face, de l'autre côté de la rue étroite, la brasserie Le Furet était appréciée des étudiants du quartier pour « les Vénus faciles, à jersey collants » qui assuraient le service. Moins plaisante à contempler : l'austère façade de l'école communale de garçons qui occupait l'immeuble voisin, au 9 rue de Vaugirard, où Jacques Prévert-Leys

1. *Ibid.*
2. *Ibid.*
3. *Ibid.*

— durant toute sa scolarité André l'inscrira sous ce nom ronflant qui était loin de déplaire au grand-père Auguste puisqu'on
le retrouvait sur le bulletin paroissial de Saint-Nicolas-du-
Chardonnet — fit enfin ses débuts d'écolier, à trois jours de
fêter son septième anniversaire. Débuts ardus. Non seulement
c'était son premier contact avec l'école mais il était nouveau et
en retard d'un bon trimestre. Apprendre à lire avec Maman
Suzanne puis aimer lire seul, se frotter à l'école de la rue, de la
baraque de la Goulue décorée par le copain de papa — ce Toulouse-Lautrec dont il parlait si souvent —, aux Chinois des
alentours de la gare de Lyon en passant par le quartier inter-
lope du Chapeau rouge, c'était une chose. Entrer à l'école et y
sacrifier cette liberté qui depuis qu'il avait une mémoire n'avait
jamais été entravée en était une autre. Il en attendait le pire. Il
était bien au rendez-vous, se souviendra-t-il : « C'est comme les
copains m'ont raconté : on est assis toute la journée, on n'a pas
le droit de bouger, on guette les heures et on les écoute sonner.
Tout à fait comme les problèmes qu'on me posera un peu plus
tard, à la leçon d'arithmétique : "Un élève entre en classe à
8 h 30, en sort à 11 h 30, revient à 1 heure et s'en va à 4 heures.
Combien de minutes s'est-il ennuyé ?" [1] » Cet ennui pesant sera
source d'inspiration pour le poète. Tout comme le jardin du
Luxembourg, terrain de découvertes et de jeux sans fin, où l'enfant passera ses heures de loisir comme ses vacances puisque
désormais il n'y aura plus ni Pornichet, ni La Baule, ni même
Nantes.

Le Luxembourg aurait été magnifique sans ses gardiens
qui empêchaient quiconque de fouler l'herbe et ne savaient que
jouer du clairon et du tambour pour signifier qu'ils allaient fermer les grilles et que les gamins et les amoureux n'avaient plus
qu'à rentrer chez eux. Alors revenait la phrase d'un autre ami
de papa, le poète Jean Lorrain qui avait aussi mauvaise réputation que le barbouilleur de la baraque foraine de la Goulue :
« J'ai beau savoir que ce n'est pas grand-chose ça me fait mal et
ça me fait pleurer. » Les épreuves n'avaient pas entamé la sensibilité de l'enfant. Les premières expériences scolaires et le
jardin gardé par les hommes en vert, empêcheurs de piétiner
les plates-bandes et de rire tout son soûl, se retrouveront dans
quelques-unes des œuvres qui feront l'exceptionnelle popularité du poète tant auprès des enfants que de leurs parents.

> Il dit non avec la tête
> mais il dit oui avec le cœur
> il dit oui à ce qu'il aime

1. *Ibid.*

il dit non au professeur
il est debout
on le questionne
et tous les problèmes sont posés
soudain le fou rire le prend
et il efface tout
les chiffres et les mots
les dates et les noms
les phrases et les pièges
et malgré les menaces du maître
sous les huées des enfants prodiges
avec des craies de toutes les couleurs
sur le tableau noir du malheur
il dessine le visage du bonheur[1].

Malgré les mises en garde de ceux « qui sont morts déjà de leur vivant et qui portent le deuil de leurs rêves d'enfants » le Cancre aura toujours sa place derrière les grilles du Luxembourg car, même si

Déjà au fond du square on entend le clairon
le jardin va fermer
le tambour est voilé
Vainement
vainement

Le jardin reste ouvert pour ceux qui l'ont aimé[2].

Tandis que Jacques éprouvait en renâclant les effets des contraintes scolaires, André Prévert, reprenant son souffle après avoir failli se noyer, fit en sorte de mener une vie moins désordonnée et de donner satisfaction à ses employeurs de l'Office des pauvres. Suzanne avait désormais de quoi élever son dernier-né, nourrir sa famille et renouveler les vêtements de chacun sans faire de dettes aux quatre coins du quartier. Si les Prévert quittèrent la rue de Vaugirard après un an de séjour ce ne fut pas sous la pression des créanciers mais au contraire pour occuper un logement plus confortable dans une demeure patricienne puisqu'il s'agissait de rien de moins que l'hôtel de François Mahé de La Bourdonnais, gouverneur général des îles de France et de Bourbon (Maurice et La Réunion) ! Le 4 rue Férou présentait une large façade à cinq fenêtres sur deux étages et un troisième mansardé. L'hôtel avait belle allure avec sa double porte cochère surmontée d'un mascaron, sa cour où subsistait un puits et son escalier à rampe de fer forgé. Sur une

1. J. Prévert, *Paroles*, « Le Cancre ».
2. J. Prévert, *Spectacle*, « Vainement ».

pierre d'angle figurait l'inscription du nom de la rue prouvant qu'au XVIIIᵉ siècle elle s'appelait rue *de* Férou. Déménager ne signifia pas pour la famille changer ses habitudes puisque la rue Férou, qui unit la place Saint-Sulpice à la rue de Vaugirard, se trouve seulement à l'autre extrémité du palais du Sénat, face au Musée du Luxembourg. Néanmoins le découpage du quartier obligea les enfants à changer d'école. Passer de la rue de Vaugirard à la rue Madame n'était pas un long voyage mais Jacques n'y vit que des inconvénients. Le principal était de s'y ennuyer ferme, encore plus qu'à Vaugirard et de souffrir de l'absence de verdure. Pas le moindre arbre dans la cour de récréation. Par contre un instituteur sans bonhomie avec lequel Jacques Prévert testa son sens de la repartie après avoir jugé inepte le programme qu'on s'efforçait de lui inculquer : « Il fallait apprendre par cœur un tas de choses à faire mal à la tête. Des rébus mornes, des devinettes à pleurer, des charades à migraine, des calendriers de bataille, des locutions, des robinets, des stères, des mystères, des conjugaisons [...] J'avais eu des ennuis avec le maître et comme je parlais il s'était mis à crier : "Prévert voulez-vous vous taire !" et j'avais répondu "non", c'était pendant la leçon de grammaire et j'étais dans mon droit répondant à une question. Il n'avait qu'à me dire taisez-vous, je me serais tu, sans le vouloir, parce que c'était un ordre. Tout ça pour un point d'interrogation ! dit mon père[1]... » Souvent Prévert, devenu adulte, plongera dans ses souvenirs d'enfance dont il s'inspirera pour écrire aussi bien « Le Cancre » que cette petite merveille qu'est la « Page d'écriture » où, moulinant la table d'addition, l'enfant laisse son esprit vagabonder et appelle à son secours l'oiseau lyre né de son porte-plume :

> Deux et deux quatre...
> Répétez ! dit le maître
> et l'enfant joue
> l'oiseau joue avec lui...
> Quatre et quatre huit
> huit et huit font seize
> et seize et seize qu'est-ce qu'ils font ?
> Ils ne font rien seize et seize
> et surtout pas trente-deux
> [...]
> Et l'oiseau lyre joue
> et l'enfant chante
> et le professeur crie :
> Quand vous aurez fini de faire le pitre !

---

1. J. Prévert, « Notes préparatoires », citées par Danièle Gasiglia-Laster et Arnaud Laster dans les *Œuvres complètes* publiées par la Bibliothèque de la Pléiade.

Mais tous les autres enfants
écoutent la musique
et les murs de la classe
s'écroulent tranquillement.
Et les vitres redeviennent sable
l'encre redevient eau
les pupitres redeviennent arbres
la craie redevient falaise
le porte-plume redevient oiseau[1].

À la rentrée d'octobre 1908, André Prévert, à la fois pour satisfaire ses fils qui s'étiolaient dans leur sombre école communale dont la cour ressemblait à un puits, et pour complaire à un père dont sa situation financière dépendait, inscrivit les enfants dans un cours privé, l'école André-Hamon, 68 rue d'Assas, guère plus éloignée du domicile familial que l'école de la rue Madame au bout de laquelle elle se trouvait. Grand avantage : les locaux étaient clairs et propres et les récréations se déroulaient dans un vaste espace planté de beaux platanes, propices aux jeux de quatre coins ; inconvénients pour la tribu de la rue Férou : le cours était catholique, l'encadrement assuré par des prêtres et l'enseignement religieux y était obligatoire. Tout compte fait Jacques Prévert ne gardera pas un mauvais souvenir de cette école où il passera la majeure partie de sa scolarité d'octobre 1908 à la veille de la Grande Guerre. « L'école, se souviendra-t-il, était au fond d'un passage. Sur la droite, il y avait un patronage, le patronage Ollier. Un mur ! Mais sur la gauche, des ateliers d'artiste, et des modèles passaient, entraient et sortaient, elles étaient belles et légèrement vêtues l'été. Elles ressemblaient bien plus aux déesses de la mythologie qu'aux saintes du paradis[2]. » La mythologie joua un grand rôle dans ces années de formation, par réaction contre le catéchisme dont Jacques Prévert avait une piètre idée, ne considérant la religion que d'après la façon avec laquelle ses grands-parents la pratiquaient et les récits qu'André et Maman Suzanne faisaient de leur enfance martyrisée par des éducateurs sadiques malgré leurs cornettes et leurs soutanes. « Le catéchisme. Cela m'intéressait parfois et aussi me faisait rire — je n'étais pas le seul. *Œuvre de chair ne désireras qu'en mariage seulement et le fruit de vos entrailles est béni*, et ainsi de suite. Mais bientôt venait l'ennui. J'en parlais à mon père qui m'acheta une petite mythologie. "Cela te changera les idées, enfin leurs idées[3] !"… Voir les dieux et les déesses grecs s'entre-tuer ou faire l'amour,

1. J. Prévert, *Paroles*, « Page d'écriture ».
2. J. Prévert à André Pozner, in *Hebdromadaires*.
3. *Ibid.*

c'était pour moi très beau. Mais voir ces histoires imbéciles de saint Augustin et de saint Thomas d'Aquin [...] c'est faux, c'est sans intérêt[1]. » Malicieux il se fit remarquer aussi bien en classe qu'au catéchisme par des questions embarrassantes devant lesquelles les prêtres eurent souvent à se dérober. «On ne me répondait pas ou bien on me disait "Sortez!" ou bien on me disait que ce n'était pas là la question[2]. » Si le jeune Jacques Prévert-Leys donna dès le départ quelque fil à retordre aux huit jeunes prêtres en soutane à rabat qui s'occupaient du premier cycle, il travailla suffisamment bien pour que son double nom figurât de la quatrième à la première classe au tableau d'honneur de l'école primaire et que le directeur de l'école André-Hamon émît sur lui un avis élogieux[3].

Tout en offrant sur les photos de classe — ou bien sur la photo prise avec ses frères sur les ânes de Robinson — le visage d'un enfant réfléchi, le regard grave sous la frange de cheveux châtains, Jacques Prévert était loin de représenter l'archétype de l'élève bien-pensant d'une des écoles religieuses les plus cotées de Paris. Évoquant cette période, à l'heure de mettre ses souvenirs en place, il pourra écrire : «J'ai toujours été intact de Dieu et c'est en pure perte que ses émissaires, ses commissaires, ses prêtres, ses directeurs de conscience, ses ingénieurs des âmes, ses maîtres à penser se sont évertués à me sauver. Même tout petit, j'étais assez grand pour me sauver moi-même dès que je les voyais arriver[4]. »

Ce n'est pas en accompagnant son père, le jeudi, dans ses enquêtes qu'il allait se rapprocher de Dieu. «On allait voir les pauvres que mon grand-père évoquait tous les dimanches avec une condescendante commisération[5]», se souviendra-t-il. Ainsi il apprit à connaître rue par rue le Paris populaire où se regroupait la partie la plus pauvre de la population : les Gobelins, La Chapelle, Ménilmontant, les Buttes-Chaumont et aussi «la zone» où la lèpre des abris de fortune et des baraques sans hygiène le disputait aux immeubles branlants : Maisons-Alfort, Alfortville, le Pré-Saint-Gervais, la Villette avec ses baraques de chiffonniers, ses trieurs de métaux et ses fouilleurs d'ordures en tous genres. Ne pas pouvoir payer son loyer était courant pour les ouvriers parisiens du début du siècle. En l'absence de toute protection sociale, tomber malade, se casser une jambe, c'était perdre son travail et se retrouver au chômage. Bref, la

1. Entretien avec Komnen Becirovic, 23 juin 1963, *Borba*, Belgrade, cité par Danièle Gasiglia-Laster in *Jacques Prévert*.
2. Extrait du film *L'Animal en question* d'André Pozner.
3. Document rapporté par André Castelot in *Le Figaro*, 29 juin 1984.
4. J. Prévert, *Choses et autres*.
5. *Ibid.*

catastrophe et parfois la rue. Les déménagements à la cloche de bois se succédaient et c'était chose commune que de voir les sergents de ville, képi, pèlerine de gros drap et bâton blanc au ceinturon, intervenir et souvent en venir aux mains en tentant de s'y opposer. Lorsqu'ils avaient quitté la rue Jacques-Dulud à Neuilly pour Toulon, les Prévert, après le passage de l'huissier, n'avaient pas connu meilleure situation. Accompagnant son père, Jacques qui avait pourtant l'expérience des chambres misérables de la place Armand-Vallée ou de la gare de Lyon, découvrit pire encore. Logements insalubres, murs écaillés couverts de salpêtre, rongés par l'humidité, chaises dépaillées autour d'une table où la toile cirée était usée jusqu'à la trame. Et ces ribambelles de mômes morveux, aux tabliers crasseux, et les regards humbles des parents attendant du « visiteur » l'avis favorable qui leur permettrait de toucher l'aide de l'Office central des pauvres de Paris. Il s'agissait pour André de juger ces malheureux selon les critères du président Auguste, distinguer le pauvre méritant c'est-à-dire croyant, pratiquant, souvent protégé par les dames patronnesses de sa paroisse et surtout votant « comme il faut », des pauvres mécréants, révoltés, fomenteurs de grèves et de troubles sociaux, souvent piliers de bistros qui ne méritaient pas qu'on s'intéressât à leur cas. On devine à qui les rapports d'André Prévert étaient le plus favorables... Comme autour du poêle de l'hôtel de la gare de Lyon, le petit Jacques put éprouver les qualités de cœur et de solidarité des plus démunis. Leur sensibilité aussi et, pourquoi pas, leur poésie. « C'étaient toujours les rues des plus pauvres quartiers qui avaient les plus jolis noms, remarquera-t-il : la rue de la Chine, la rue du Chat-qui-Pêche, la rue aux Ours, la rue du Soleil, la rue du Roi-Doré, sans oublier la rue de Nantes et la rue des Fillettes, et tant d'autres encore. C'était sûrement les pauvres qui les avaient trouvés, ces noms, pour embellir les choses[1]. » C'est au cours de ces longues plongées dans le Paris le plus populaire sinon le plus sordide que Jacques Prévert emmagasina les images qu'il restituera dans tant de films. Les goualeuses à l'orgue de Barbarie et leur tourneur de manivelle[2] pour *Drôle de drame*, l'harmonica du destin le long du canal de l'Ourcq et du bassin de la Villette pour *Les Portes de la nuit*, les joueurs de bonneteau et leurs « barons » à l'air trop innocent, les camelots des boulevards, les vitriers et leur cri coupant comme le verre qu'ils portaient sur le dos, et l'inoubliable Marchand d'habits des *Enfants du paradis*. Autant de silhouettes et de rôles, croqués sur le vif pour Julien Carette, Raymond Bussières ou Pierre Renoir.

1. *Ibid.*
2 Armand Lanoux in *Archives de Paris*.

Ces incursions dans le tréfonds de la misère n'étaient pas toujours sans risques. Parfois André laissait son fils dans la rue, à la porte des immeubles où «son devoir l'appelait». C'est ainsi que rue des Alouettes, à la lisière des Buttes-Chaumont, Jacques fut mordu à la fesse par un gros chien, avant de se faire précipiter, quelques semaines plus tard, dans un étang par un bélier de Ville-d'Avray! «C'est pas un souvenir heureux, écrira-t-il avec fatalisme. Mais quand parfois j'accompagnais mon père ce n'était pas très agréable non plus et, à côté, nos deux pièces à Paris me semblaient un palais[1].» Comment le Dieu d'Auguste-le-Sévère et des pères de l'école André-Hamon pouvait-il tolérer pareille misère? Mais lui et ses semblables, serviteurs nantis, ne savaient que prêcher à ces pauvres hères la résignation et leur offrir pour l'au-delà la promesse d'un monde meilleur. Malgré la gentille raie au milieu, le costume de flanelle et le col Claudine empesé rabattu sur la veste des dimanches qui donnaient de l'enfant l'image raisonnable d'un fils de bourgeois, Jacques Prévert se forgea, au cours de ces incursions dans les bas-fonds de la capitale, une âme de révolté. Pour la vie, en dépit des succès et de la reconnaissance dont il jouira, Prévert sera toujours aux côtés des pauvres contre les riches, des faibles contre les forts, des ouvriers contre les bourgeois.

---

1. J. Prévert, *Choses et autres*. Il fait là allusion au modeste appartement de la rue de Vaugirard.

CHAPITRE 2

Tendre canaille ou franc voyou ?

C'est à la même époque — dans les années 1910 — que Jacques Prévert commença à pratiquer assidûment l'école buissonnière qui devait compléter sa connaissance approfondie du quotidien de la vie parisienne et constituer pour son art un brasier d'images et de mots quasi inextinguible. Longues errances dans les rues de Paris au cours desquelles il assista à nombre de scènes dont le reflet se retrouvera, des années plus tard, sous sa plume lors de ses premiers essais littéraires. Le cheval blessé, le pied arraché, place du Carrousel, immobile sous le soleil d'été, dételé, avec, à côté, le cocher et « la voiture elle aussi immobile inutile comme une horloge cassée[1] ». Le hurlement du chien passé sous un tramway. Plus dramatique encore, la chute d'un ouvrier du toit d'un immeuble, à laquelle il assista un jour, rue de Sèvres. Accident du travail qui trouvera un écho dans « Chanson dans le sang » que Prévert écrira à son retour d'Amérique, trente ans plus tard, à la demande d'Henri Michaux, tandis qu'en Espagne coulait à flots le sang de la guerre civile :

> Où s'en va-t-il tout ce sang répandu
> le sang des meurtres... le sang des guerres...
> le sang de la misère[2]...

C'est dans la rue où il fera ses humanités bien mieux que chez les pères de l'école André-Hamon, que Jacques retrouve ce sang qui l'avait si fort ému, détrempant les linges répandus dans des cuvettes lors de l'accouchement de sa mère, rue Louis-Philippe à Neuilly. Ce sang qui, avec la couleur rouge, sera un thème récurrent dans l'œuvre du poète. C'est aussi

---

1. J. Prévert, *Paroles*, « Place du Carrousel ».
2. *Ibid.*, « Chanson dans le sang ».

durant ces heures d'école buissonnière qu'il découvrit à quel
point les manifestations ouvrières qui agitaient le pavé de Paris
étaient justifiées. Malgré son jeune âge il savait les conditions
dans lesquelles vivaient les malheureux que son père «visitait»
pour tenter de leur venir en aide. Onze heures de travail quotidien pour ceux qui avaient la chance de ne pas être frappés par
le chômage; ni vacances ni repos hors le dimanche et les jours
de fête. Dans les rues, les terrassiers du métro en construction
manifestaient pour une journée de huit heures sans diminution
de salaire! La condition des femmes travaillant en atelier ou
chez les bourgeois était pire encore que celle de leurs compagnons. L'aristocratie en était constituée par les ouvrières de
l'habillement, modistes, couturières, corsetières, lingères, les
«trottins» que les «vieux marcheurs» poursuivaient de leurs
assiduités lorsqu'elles partaient en livraison ou sortaient le soir
de leurs ateliers. Mignonnes sinon jolies, correctement vêtues
sinon élégantes, elles étaient le principal ornement de Paris-la-
Belle autour de la rue Royale ou de la place Vendôme, et
Jacques Prévert les croquera en images, dix-huit ans plus tard,
dès les premières séquences de son premier film qui portera ce
nom. À l'autre bout de l'échelle sociale ouvrière on trouvait les
travailleuses des filatures et celles des manufactures de l'État
comme les cigarières et les *soufreuses* d'allumettes aux poumons rongés par leur néfaste travail. «Sales, négligées, crapu-
leuses, traitées comme des chiens par les contremaîtres et les
patrons, mal nourries, payées insuffisamment, beaucoup boivent — d'autres, ayant moins d'estomac, se livrent, le soir, à la
prostitution clandestine —, elles meurent généralement vers
cinquante ans[1].» Ainsi les voyait un chroniqueur du temps! Les
préférées de Jacques Prévert étaient les blanchisseuses-repas-
seuses qui œuvraient en ribambelles, la chanson d'amour ou
l'invective, souvent salée, à la bouche, au fond de vastes boutiques surchauffées aux façades généralement peintes en bleu,
de ce même bleu de lessive qui donnait au linge qu'elles repas-
saient une blancheur immaculée. Chaque quartier, chaque coin
de rue, avait la sienne. Les blanchisseries étaient à Paris presque
aussi nombreuses que les bistros. L'une d'entre elles sera le
joyeux foyer de l'immeuble où se perpétrera *Le Crime de
M. Lange*, amoureux de la belle Florelle, patronne de la blanchisserie du rez-de-chaussée.

Au cours de ses pérégrinations parisiennes, Jacques Prévert ne se contentait pas d'observer, il entretenait aussi bien
son corps que son esprit. Pour le corps il sacrifiait avec une
grande régularité à la natation à la piscine de la Gare — «un

---

1. Octave Uzanne, «Parisiennes de ce temps» in *Archives de Paris*.

bel endroit où j'ai appris à nager[1]» —, à Charenton ou au bord
du canal de l'Ourcq «dont l'eau était si propre malgré les
chiens crevés qui passaient au fil du courant[2]». Pour l'esprit,
outre la lecture dont il était boulimique avec une préférence
pour *Costal l'Indien, La Case de l'oncle Tom* et le Jules Verne de
Vingt Mille Lieues sous les mers, il découvrait la peinture au
bout de la rue Férou, au musée du Luxembourg où son père lui
faisait partager sa prédilection pour les «grandes machines»
de Puvis de Chavannes. «Le musée du Luxembourg on passait devant quand on habitait rue Férou. À la fin on est rentré
dedans, le gardien nous disait de partir car ce n'était pas une
tenue de venir chahuter dans le musée. Mon père aimait beaucoup Puvis de Chavannes, *Le Pauvre Pêcheur*, car il trouvait que
ça lui ressemblait, ce qui était un peu vrai. Il y avait aussi une
peinture d'un très mauvais peintre sans doute: à l'hôpital, un
père apportait une orange à un enfant dont je pensais qu'il
allait mourir. C'était très triste et j'aimais ça. Il y avait aussi les
impressionnistes, Claude Monet, j'aimais beaucoup. Puis j'ai
regardé un peu partout. Dans le quartier Saint-Sulpice où nous
habitions il y avait aussi des reproductions, presque toujours
les mêmes: La Vierge, son fils, le Sphynx, l'Égypte. Et, je ne
sais pourquoi, il y avait tout le temps, partout les *Prisons* de
Piranèse. C'était très beau. Je restais devant à les contempler.
Mon père avait connu Toulouse-Lautrec avec qui il buvait un
coup et avait souvent rencontré Jean Lorrain. Il y avait une
reproduction de son portrait. Jean Lorrain disait à son coiffeur: "Faites-moi belle je vais chez mon boucher!" Par la suite
la peinture ça a été comme la poésie: c'est avec les surréalistes
que j'ai appris beaucoup de choses. Moi, j'avais fait mes humanités dans la rue[3].» Ce n'était pas le genre de confession à faire
aux prêtres de la rue d'Assas. Pourtant, si ceux-ci avaient su
la double vie que menait le chérubin aux yeux limpides ils
auraient mieux compris les fréquentes absences de l'élève Prévert qu'ils auraient pu à tout le moins sermonner. Mais la complicité qui unissait le fils au père était telle que celui-ci,
appréciant la compagnie du gamin et peu enclin à l'obliger à
fréquenter d'autre école que celle du ruisseau, avait écrit au
directeur du cours André-Hamon pour lui signaler que, sa
femme étant très malade, le petit Jacques aurait à s'absenter
fréquemment et qu'ayant la confiance la plus absolue en son
fils il demandait, en raison de ses multiples occupations, qu'on
lui épargnât désormais la corvée de la lettre d'excuses trop sou-

1. J. Prévert, in *Mon frère Jacques*.
2. *Ibid.*
3. *Ibid.*

vent renouvelée[1]! Maman Suzanne, par bonheur, se portait comme un charme, et, fort occupée à gérer son foyer, se souciait plus de l'assiduité de son mari à l'Office des pauvres que de celle de ses fils à l'école! Rue Férou, dans un appartement confortable, elle goûtait avec volupté à une sérénité à laquelle, depuis son mariage, elle n'avait guère été habituée.

Entre deux apparitions rue d'Assas où les «bons pères» étaient pleins d'indulgence pour ce brave gosse qui s'absentait pour soigner sa mère malade, Jacques Prévert cachant sous les dehors bien mis d'un fils de famille honorable une âme de gavroche mâtinée de poulbot sacrifiait, souvent avec son père mais parfois seul, à sa double passion de la scène et de l'écran. Familier du théâtre de l'Odéon, si proche de la rue de Vaugirard et de la rue Férou qu'il était comme un second domicile, André qui à l'occasion écrivait quelques chroniques dans les gazettes, connaissait chaque membre de la troupe et avait ses entrées dans les coulisses d'où Jacques assista entre autres spectacles à *La Mort de Pan* que faisait jouer un jeune auteur de vingt-six ans Alexandre Arnoux, ami de Charles Dullin. Pan, interprété par Denis d'Inès, s'opposait de toute sa conviction au dieu des chrétiens qui prêchait, tout comme les vieillards de la rue Monge, l'abstinence et la sobriété dans tous les domaines. Le dieu champêtre était l'incarnation de tout ce qu'aimait déjà l'enfant et qui rendait la «pure» Priscilla amoureuse de lui. Sa mort — Pan est enfourché contre un arbre par un amoureux jaloux habile à exciter les paysans du village contre le dieu païen, champêtre et insouciant — lui tira des larmes, tout comme celle d'Ophélie dans *Hamlet* vu à la Comédie-Française avec Mounet-Sully dans le rôle-titre. «Mon père, se souviendra Jacques Prévert, qui aurait bien voulu que je devienne acteur, parce que c'était pour lui un rêve qu'il avait longtemps caressé, m'emmenait souvent dans les coulisses pour me montrer ce qu'on appelle l'envers du décor[2].»

C'est lui aussi qui révéla à son fils préféré la magie du cinéma. Lorsque les visites aux pauvres des bords de la Bièvre, empuantie par l'odeur des tanneries des Gobelins, étaient terminées, André l'entraînait dans un bistro que l'enfant appréciait entre tous car en buvant un verre on profitait du cinéma forain installé dans l'arrière-salle. «On ne voyait pas grand-chose, regrettait le gamin parce que c'était, paraît-il, de très vieux films[3].» D'une autre qualité étaient ceux que la famille allait voir chaque semaine au cinéma du Panthéon ou aux Mille

1. Rapporté par Danièle Gasiglia-Laster, *Jacques Prévert*.
2. J. Prévert, *Fatras*, «La mort de Pan».
3. J. Prévert, *Choses et autres*.

Colonnes, rue de la Gaîté. Rigadin, Nick Winter ou Gribouille vinrent ainsi rejoindre pour la vie Pan, Priscilla et la si fragile Ophélie dans l'esprit de Jacques Prévert qui imaginait déjà des suites aux scénarios de ces premiers films muets. Le cinéma lui paraissait la plus belle invention du monde car non seulement il incitait au rêve mais aussi provoquait l'ire du grand-père Auguste qui s'indignait que son fils pût « gâcher » de l'argent en conduisant sa maisonnée dans ce lieu de perdition qu'était une salle obscure au lieu de l'emmener aux vêpres ! Dès le jour de la naissance du petit Pierrot en 1906, le terrible vieillard avait exprimé sans ambages, ce qu'il pensait des poétiques élucubrations d'une famille qu'il ne comprendra jamais. « Dans l'appartement, relatera Jacques laissant courir son imagination, il y avait du monde, les parents, la concierge, des parents éloignés et mon grand-père Auguste-le-Sévère. Mon père n'avait pas d'argent pour payer la cigogne ! J'ai été chercher ma tirelire mais mon père était déjà passé par là ! Une fée a donné l'argent et à mon frère "qui m'avait fait excellente impression" elle a dit : "Tu feras du cinématographe !" Auguste-le-Sévère s'est étouffé d'indignation : "Du cinématographe ! Aucun avenir, futilité, billevesées, attrape-nigaud, turlupinade foraine et de mauvais aloi…"[1] » Malgré la colère de l'aïeul Pierre Prévert, dès le berceau fut voué au septième art. C'était plus qu'une vocation, une affaire de famille ! Rien, pas même l'hémorragie financière qu'André Prévert ne put endiguer après la miraculeuse accalmie des années 1910, n'aurait su empêcher les Prévert de se rendre chaque semaine, en ribambelle dans l'une des salles qui, de plus en plus nombreuses, se consacraient au spectacle cinématographique. Évoquant l'amour qu'il porta dès son plus jeune âge au cinéma Jacques, reconnaissant de la vie de bohème que lui faisaient mener ses parents, écrira : « Dans la plus fastueuse des misères mon père, ma mère apprirent à vivre à cet enfant… » Mais dans la dèche qui avait fait sa réapparition rue Férou, aller au cinéma coûtait cher, surtout à cinq ! Car il n'était pas question d'abandonner le petit Pierre à la maison. Le cinéma devait être une fête pour toute la famille. Ce jour-là, André rentrait à jeun et Suzanne préparait le dîner de bonne heure pour ne pas manquer le début de la séance. À l'entrée, avec les billets, on donnait le programme imprimé sur un inoubliable papier rose ou bleu. « Tout était marqué : le nom des films et, en dessous, s'ils étaient comiques ou dramatiques. Pour les films comiques, une inscription était presque toujours la même : "Rire inextinguible" ou "Désopilant et Hilarant", que ce soit Gribouille, Nick Winter ou Rigadin. Pour les autres c'était

1. J. Prévert, in *Mon frère Jacques.*

"Comédie légère" ou "Drames angoissants". Ça changeait toutes les semaines : après *Zigomar*, *Za la Mort*, *Le Vautour de la sierra* ou *Les Pilleurs de trains*[1].» Les habitués occupaient toujours les mêmes places. À huit heures et demie, la séance commençait, pour finir avant minuit, le temps d'offrir aux spectateurs le jeu complet : un documentaire ou une partie d'un film à épisodes, et puis un film comique, les actualités et enfin le grand film après l'entracte[2]. Cela ira de *Morgan le Pirate* à *Arizona Bill* en passant par *Fantômas* que Louis Feuillade tira, à la veille de la Grande Guerre, de la série des *Fantômas*, roman à épisodes de Souvestre et Allain que Jacques Prévert avait dévoré dès qu'il l'avait découvert chez l'un de ces bouquinistes du quartier Saint-Sulpice où il dépensait le modeste argent de poche que Suzanne déposait dans sa tire-lire... à condition qu'André ne soit pas déjà passé par là !

Quand les finances étaient par trop à l'étiage, André Prévert qui ne voulait pas priver les siens de leur distraction hebdomadaire choisissait une grande salle, entre le Panthéon et le Boul' Mich', où il n'était pas connu et, accompagné de toute sa famille, faisait sagement la queue, en prenant seulement deux billets à la caisse. Arrivé devant le contrôleur qui gardait l'entrée du cinéma, il disait d'une voix forte :

— Passez devant, les enfants !

Jean, Jacques et Pierrot qui allait sur ses cinq ans ne se le faisaient pas dire deux fois et disparaissaient dans la salle où ils s'installaient discrètement. Sans se démonter André avec Suzanne à son bras tendait les deux billets au cerbère.

— Et vos enfants ? demandait celui-ci.

— Mes enfants ! Quels enfants ?

— Mais vous avez dit...

— J'ai dit : Passez devant, les enfants, parce qu'on laisse toujours passer les femmes et les enfants. Moi, j'ai une femme mais je n'ai pas d'enfants !

Le contrôleur reculait devant la perspective d'un scandale avec un monsieur si bien habillé, si poli et si galant avec sa femme ! «C'est toujours ça de gagné», conclura Jacques Prévert qui, interrogé sur les rentrées de ce père fantasque qui ne rapportait pas souvent des «ronds» à la maison, dira encore avec un sourire : «Tout de même, il y en avait de temps en temps, puisqu'on allait au cinéma[3] !»

C'est pourtant à cause de ces éternels problèmes d'argent qu'André dans le courant de l'année 1910 dut se résoudre à

1. J. Prévert, *Choses et autres*.
2. Jean-Pierre Pagliano, *Paul Grimault*.
3. J. Prévert à André Pozner in *Hebdromadaires*.

quitter le bel hôtel de La Bourdonnais, rue Férou pour un logement plus modeste au 5, rue de Tournon, toujours dans le quartier Saint-Sulpice. L'immeuble était si étroit qu'il n'avait
qu'une fenêtre sur la rue. Les Prévert s'entassèrent sous les
toits, au cinquième étage d'un bâtiment quasi historique puisque
Hébert, le redoutable «Père Duchesne», y avait vécu au début
de la Révolution, que le poète Charles Cros — inventeur du
phonographe — y était mort, tandis que Alphonse Daudet et
Gambetta avaient logé dans l'aile droite du bâtiment alors
occupé par l'*Hôtel meublé du Sénat et des Nations*. La famille ne
restera guère plus d'un an dans ce nouveau logement. Le temps
tout de même de se faire des amis pour les années à venir...
ou pour la vie. Les voisins de palier, les Tiran, étaient aussi
bruyants que hauts en couleur. D'abord la «mère Tiran» qui
ne se lassait pas de rappeler sa jeunesse agitée pendant les
grandes heures de la Commune, à une époque où on l'appelait
«la Pétroleuse». Auprès de ses garçons André, Maurice et
Henri, Jacques Prévert, pourtant expert en école buissonnière
et fraudes en tout genre, faisait figure d'angelot, cousin germain des *Petites Filles modèles*. André Tiran, l'aîné, n'avait
peur de rien et racontait à son copain Jacques ses expéditions
nocturnes contre les flics du quartier Saint-Sulpice qui avaient
la fâcheuse habitude de le tabasser avec un touchant ensemble
quand, à la suite d'une peccadille, ils trouvaient un motif pour
l'entraîner jusqu'au commissariat de la rue de Condé. «Dans
son cache-nez, se souviendra Jacques Prévert qui n'aura pas
trop à attendre pour goûter aux rugueuses expériences du passage à tabac, il enrobait une brique ou un fer à repasser, et d'un
coup rapide et feutré, les envoyait ronfler chez Morphée[1].»
Exploit aux yeux de l'enfant qui, déjà, depuis les gardiens du
square du Luxembourg, détestait tout ce qui portait un uniforme et détenait une parcelle d'autorité. C'est dans la bouche
du cadet des Tiran, Henri, bien plus âgé que lui, qu'un jour de
cette année 1910 Jacques Prévert entendit pour la première
fois le nom d'un animal qui lui était inconnu: le raton laveur.
Henri Tiran en avait fait une scie qu'il répétait à tout bout
de champ et mettait à toutes les sauces. Jacques la transfor-
mera des années plus tard en leitmotiv d'une de ses chansons
les plus fameuses, *Statistiques* qui, publiée dans *Paroles* deviendra *Inventaire* et sera à la source de l'expression rabâchée,
aujourd'hui passée dans les clichés journalistiques et le langage populaire: «un inventaire à la Prévert»:

---

1. J. Prévert, *Choses et autres*.

Une pierre
deux maisons
trois ruines
quatre fossoyeurs
un jardin
des fleurs

un raton laveur[1]...

Plus calmes étaient les Dienne qui occupaient au rez-de-chaussée le plus vaste appartement de l'immeuble. La tribu Dienne devrait-on dire puisqu'elle ne comptait pas moins de neuf enfants : six filles et trois garçons. Issue de la bonne bourgeoisie industrielle du Nord, la famille Dienne, après des revers de fortune, était descendue s'installer à Paris où les parents étaient morts peu avant l'arrivée des Prévert rue de Tournon. Germaine, l'aînée des filles, avait courageusement pris le relais laissant son frère Georges, l'aîné des garçons, terminer ses études d'ingénieur. Simone, de trois ans la cadette de Prévert, et Yvonne étaient élevées par leurs sœurs aînées Margueritte, Gabrielle et Madeleine qui tenaient une parfumerie à l'enseigne de *La Perle*, boulevard des Capucines ; mais c'est Germaine qui entretenait tout ce petit monde ou plus exactement son mari, un prospère homme d'affaires que l'on appelait l'oncle Beder. Adolphe Beder jouissait de confortables revenus[2] qu'il tirait de son association avec M. Jéramec, richissime industriel juif de la plaine Monceau, polytechnicien qui dirigeait une entreprise de câbles sous-marins transatlantiques et une compagnie de « petites voitures » à taximètre[3]. Il possédait également un laboratoire pharmaceutique et de gros intérêts dans l'exploitation de la station thermale de Pougues-les-Eaux, domaine paramédical fort rentable auquel l'oncle Beder était étroitement mêlé.

Tous ces détails seraient sans importance si l'on ignorait que Simone Dienne, la petite dernière, sera le premier grand amour de Jacques Prévert qui l'épousera au cœur des Années folles ; et que Colette Jéramec, la fille du richissime industriel de la plaine Monceau, devenue après de brillantes études de médecine une biologiste renommée et l'unique héritière de la famille, sera la première femme et le mécène de Pierre Drieu la Rochelle puis de Roland Tual[4] qui vivront à ses crochets

---

1. J. Prévert, *Paroles*.
2. Michel Chavance à l'auteur.
3. Dominique Desanti, *Drieu la Rochelle. Du dandy au nazi.*
4. L'un des grands noms du surréalisme, Roland Tual sera l'un des meilleurs amis et confidents de Jacques Prévert.

sans vergogne. C'est rue de Tournon que commencèrent à se nouer les fils de cette famille *tuyau de poêle*, une de ses œuvres les plus marquantes de la fin des années 1930 et représentative de sa façon de vivre tant seront étroites et entremêlées les relations entre les hommes et les femmes de ce qu'il conviendra d'appeler «la bande à Prévert».

Pour l'heure le gavroche Jacques Prévert se contentait d'écumer le quartier en compagnie des frères Tiran et des deux Dienne, Roger et Jean, sans beaucoup s'occuper de la gent féminine régnant rue de Tournon. Il n'avait alors que mépris pour les filles et n'avait aucune envie de poursuivre une exploration commencée un peu plus tôt et qui, à en croire le souvenir qu'elle lui laissa, n'avait rien eu d'agréable! «Mes premiers souvenirs sexuels, confiera-t-il près de vingt ans plus tard à ses amis surréalistes, se rapportent à des enfants de mon âge qui ne s'intéressaient qu'à leur sexe. J'étais comme eux. À l'âge de sept ans je fus très surpris par une petite fille, sœur d'un de mes amis, qui était tombée à la renverse. Je m'aperçus qu'elle n'était pas sexuée comme moi. J'en conclus qu'elle était infirme. Je ne pus la voir, elle me dégoûtait. Par la suite elle est devenue aveugle[1].» Par bonheur ce dégoût de la femme lui passera dans les bras de la charmante adolescente que deviendra bientôt Simone Dienne.

Entre deux séances d'école buissonnière, Jacques réapparaissait à l'école André-Hamon où, malgré ses absences, il suivait une scolarité presque normale. Ses notes étaient correctes et comme le dimanche il servait la messe à Saint-Sulpice dès que les pères de la rue d'Assas le lui demandaient, le petit Jacques «si attentionné avec sa pauvre mère malade» jouissait d'une excellente réputation. En mars 1911, en pleine préparation de la communion solennelle, cérémonie importante entre toutes pour un enfant de famille chrétienne, son dossier religieux révéla une situation qui fit frémir les bons pères: Jacques Prévert n'était pas baptisé! Seulement ondoyé. On pallia cette négligence paternelle avec toute la célérité qui convenait pour que le petit-fils du directeur de l'Office central des pauvres de Paris pût recevoir l'eucharistie après avoir été enfin admis dans la communauté chrétienne et lavé du péché originel! Le 23 mars 1911, il fut baptisé au lendemain de ses onze ans avec pour parrain l'oncle Dominique, l'acteur, alors en tournée à Buenos Aires et représenté par Auguste-le-Sévère, et pour marraine une amie de la rue Cujas Anne-Marie Plandivaux. Le registre baptistaire fut signé non seulement par les parrain et marraine comme il est d'usage mais par tous les membres de la

---

1. *La Révolution surréaliste*, nº 11, 15 mars 1928.

famille Prévert, y compris — fait exceptionnel ! — par le réci-
piendaire qui se contenta du seul patronyme Prévert alors que
André, Suzanne, Jean et grand-mère Sophie signaient Prévert-
Leys ! Tout désormais était en ordre pour que le jeune Jacques
puisse recevoir la communion solennelle comme tous les élèves
de sa classe de catéchisme. La cérémonie eut lieu à Saint-
Sulpice en mai 1911 et le repas traditionnel rue Monge chez
Auguste et Sophie qui avaient mis les petits plats dans les
grands et convié aux agapes familiales le ban et l'arrière-ban de
leurs habituels commensaux ecclésiastiques.

Au dessert la fête tourna au drame. André et son fils qui ne
pouvaient plus supporter l'attitude méprisante des abbés Vigourel et Malinjoux à leur égard alors que ceux-ci multipliaient les
flatteries en direction du grand-père Auguste qui les comblait
d'attentions, les observèrent sans mot dire d'un air de plus en
plus ironique. Quand le pâtissier chargé de la livraison de la
pièce montée traditionnelle tomba dans l'escalier détruisant
en partie le chef-d'œuvre dont les prêtres se pourléchaient
à l'avance, André et Jacques s'esclaffèrent sans retenue. Pis
encore, André qui à son habitude avait fait honneur aux bonnes
bouteilles de son père remplit largement le verre du premier
communiant. Bientôt les deux complices perdirent de leur
quant-à-soi et même pour Jacques une partie de sa lucidité. Ce
jour-là « c'est moi qui suis saoul comme une vache [1] », se souviendra-t-il plus tard. La colère d'Auguste-le-Sévère fut à la
mesure de son surnom. En termes soigneusement choisis pour
blesser, il fustigea — sous l'œil approbateur des abbés — ce fils
indigne, oublieux des bons principes qu'il s'était efforcé de lui
faire inculquer dans son enfance par les éducateurs du séminaire d'Ancenis. Jacques Prévert qui savait les traces que cette
éducation sauvage avait laissées dans la mémoire affective de
son père — « Ne m'arrachez pas mes chaussettes, j'ai des enge-
lures, ça m'écorche les pieds… Non, je ne veux pas qu'on m'en-
ferme dans le cabinet noir [2] ! » criait trop souvent le malheureux
André dans les cauchemars qui réveillaient en pleine nuit sa
femme et ses enfants — fut scandalisé par l'injustice de ce
règlement de compte familial à l'issue duquel Auguste Prévert-
Leys chassa son propre fils de l'Office central des pauvres de
Paris. Après un tel esclandre, celui-ci n'était plus digne de travailler pour une si noble œuvre de bienfaisance !

Du jour au lendemain, André Prévert dut à nouveau chercher du travail pour faire vivre sa famille et retrouva les habitudes du temps de la rue Jacques-Dulud et de Toulon, quand les

1. J. Prévert, « Notes préparatoires ».
2. J. Prévert, *Choses et autres*.

ardoises s'allongeaient dans les bistros d'alentour et que les créanciers se faisaient de moins en moins aimables. « Mon père est remercié par mon grand-père, écrira Jacques Prévert. C'est-à-dire viré de l'œuvre de bienfaisance. On ne s'en porte ni mieux ni plus mal. Mon père entreprend beaucoup de choses. Chaque fois qu'on le rencontre avec quelqu'un de nouveau, il nous présente : "son cher directeur", "son dévoué collaborateur" ou quelque chose dans ce genre-là... Visite d'appartements. Promenades du dimanche. Mon père adore le changement... Et il y a dans le quartier un concert de dettes criardes. Mon père n'aime pas cette musique-là[1]. » Cette instabilité familiale devenue chronique après une trop brève accalmie n'empêcha pas l'élève Jacques André Marie Prévert de passer avec succès, en juin 1911, les épreuves du certificat d'études primaires avec, notamment, 9 1/2 en orthographe, 7 en rédaction et 8 1/2 en récitation. Le cancre pour lequel il voudra toujours se faire passer était une légende. Néanmoins le certificat d'études sera le seul diplôme qu'il obtiendra jamais. À la rentrée, il poursuivit avec nonchalance des études qui ne le passionnaient guère mais puisqu'il avait toujours sa place rue d'Assas, c'était un lieu comme un autre pour se reposer de l'école buissonnière. À plusieurs reprises André l'avait rencontré dans l'une des rues de Saint-Germain-des-Prés dont il commençait à bien connaître les sites principaux, du jardin du Luxembourg aux quais de la Seine.

« — Qu'est-ce que tu fais là ? Tu n'es pas à l'école ?

— Je n'y vais pas très souvent actuellement.

Mon père compréhensif : — Mon cher petit ! On va boire un verre. Moi une grenadine, lui un picon-citron. "Toujours un peu plus, garçon !"[2] »

Le Père Picon était devenu une figure de la rue de Tournon où, les jours fastes, on l'entendait crier joyeusement par la fenêtre ouverte : « Aujourd'hui il y a de quoi manger et même de quoi boire[3]. » Il arrivait qu'il n'y ait ni l'un ni l'autre mais André trouvait presque toujours des copains pour lui « payer l'apéro » et lui prêter « à fond perdu » les quelques louis qui lui permettraient entre deux piges journalistiques de se remettre temporairement à flot. Souvent, le soir venu, Jacques et Pierrot le guettaient par la fenêtre et, apercevant sa silhouette vacillante : « Tiens, il est rond, papa ! — Non, il est "fatigué" », rectifiait Maman Suzanne avec son beau sourire un peu triste.

Elle avait renoncé à se fâcher sérieusement contre ce mari

---

1. J. Prévert, « Notes préparatoires ».
2. *Ibid.*
3. André Verdet à l'auteur.

si inconséquent qu'au dernier Noël passé rue Férou il était rentré fort tard, sans la moindre victuaille mais accompagné d'un clochard, mi-gêné mi-rigolard, qu'il avait cérémonieusement présenté :

« J'ai rencontré Monsieur, qui mendiait place Saint-Sulpice devant l'église... et sous la neige. Je lui ai dit : venez chez moi il y a toujours le couvert du pauvre.

— Il y a peut-être le couvert du pauvre mais il n'y a rien à manger », rétorqua tout de même Suzanne, agacée par ce mari qui s'étonnait qu'elle n'ait pu faire face à la fois au repas de midi et à la préparation du réveillon avec la pièce de cinq francs. qu'il lui avait généreusement allouée le matin même. « C'était cent sous tout de même... » grommela-t-il. Jacques Prévert se souviendra toute sa vie de la réaction généreuse du clochard pour qui la journée avait été bonne : « Spontanément il met la main à la poche avec un grand sourire fastueux... Mais vous n'y pensez pas, dit mon père, ce serait le monde à l'envers... en voilà une idée, jamais... Ils se font des politesses et pourtant... Tout est fermé, dit ma mère... Non madame, dit l'invité, pour cette nuit tout est ouvert... Il est parti avec mon père. Ils ont été à côté dans la rue Servandoni où il y avait encore des boutiques ouvertes et puis ils sont revenus avec des victuailles et, comme ça, on a pu réveillonner[1]. »

André Prévert ne faisait pas toujours la rencontre de compagnons si « partageux ». Pour fuir une fois encore les créanciers et interrompre « le concert de dettes criardes », il dut procéder par petites étapes et s'éloigner progressivement et en catimini du théâtre de ses exploits. À la rue de Tournon succéda un appartement encore plus modeste, rue Saint-Sulpice puis, le 4 mars 1912, ce qui sera désormais le port d'attache définitif de la famille Prévert jusqu'à la disparition d'André en 1936 et de Suzanne, dix ans plus tard.

Le 7 de la rue du Vieux-Colombier était un immeuble du XVIIe siècle, ancienne dépendance de l'établissement des Orphelines de la Mère de Dieu — un comble pour de tels anticléricaux ! — dont le bâtiment central avait été considérablement rénové et transformé au XIXe siècle en caserne de pompiers. Dès lors la vie des Prévert sera rythmée par les sorties des voitures rouges du garage voisin, toutes trompes hurlantes. Les fenêtres du quatrième étage ouvraient sur la rue du Vieux-Colombier et, en enfilade, sur la rue Madame où Jacques était allé à l'école communale. À vrai dire, depuis le retour de Toulon, la famille

---

1. J. Prévert, « Notes préparatoires », et *Un siècle d'écrivains, Jacques Prévert*, un film TV réalisé par Gilles Nadeau et diffusé le mercredi 10 mai 1995, sur FR3.

n'avait jamais quitté un quadrilatère de cinq cents mètres de côté! Maman Suzanne installa son poste de vigie à la fenêtre d'angle d'où elle guettera durant des années le retour de sa nichée. Tous les amis de Jacques Prévert se souviendront de cette petite femme rondelette, au sourire charmant et dont les yeux d'un bleu intense — les yeux bleus des Prévert — semblaient ne savoir exprimer qu'une infinie sérénité et une immense indulgence devant les excentricités de «ses» hommes. «Quand elle disait, voyant rentrer son mari quelque peu vacillant: "Oh! il est fatigué, mes enfants, il est très fatigué!" ça voulait dire qu'il était ivre mort[1].» Elle ne se tracassait pas pour autant puisque avec André tout finissait par s'arranger pourvu qu'on ne soit pas trop regardant sur la façon dont «ça s'arrangeait».

Se rapprochant géographiquement de la place Saint-Germain-des-Prés — il suffisait de descendre la rue Madame et la rue de Rennes pour l'atteindre —, Jacques Prévert poursuivit avec son père son exploration systématique d'un quartier où il reviendra souvent durant quarante ans. «Saint-Germain-des-Prés, c'est la province, avec des Cafés du Commerce — "du commerce de l'esprit", bien entendu. Mon père m'emmenait aux Deux Magots, ou chez Lipp. À part, de temps à autre, des bagarres politiques, c'était plutôt calme, trop même. Heureusement, il y avait la rue de Buci où tout remuait, tout bougeait vivant. André Salmon a décrit cette rue et ses gens dans un livre, *Tendres Canailles*. Adolescent j'en connus quelques-unes[2]...» Évoquant cette période il notera encore: «Je commence à être déjà un "parfait petit voyou"... André Tiran "un apache"...[3]» Le déménagement rue du Vieux-Colombier n'avait pas rompu les liens avec la rue de Tournon où Jacques Prévert continuait à fréquenter les frères Tiran et les frères Dienne avec qui il poursuivait le quadrillage du quartier devenu leur territoire, ne reculant pas devant la bagarre pour le défendre. Les filles étaient plus raisonnables. Madeleine et Yvonne Dienne pratiquaient la musique depuis leur plus tendre enfance et pour compléter un trio à cordes, Simone, la petite dernière, s'était mise à l'étude du violoncelle. S'il n'appréciait guère leur répertoire classique, Jacques devenait plus sensible à leur charme surtout celui de Simone. Il n'oubliait pas comment, avec Pierrot qui le suivait partout comme un toutou fidèle, ils se passaient leurs jouets au bout d'une ficelle après avoir agité une clochette entre le cinquième étage et le rez-de-chaussée de la

---

1. Denise Tual à l'auteur.
2. J. Prévert, *Saint-Germain-des-Prés*.
3. J. Prévert, «Notes préparatoires».

rue de Tournon. Ni son émotion quand le soir, en allant vider les poubelles, ils se rencontraient dans l'ombre de l'escalier et s'embrassaient chastement, puis un peu moins... Une autre jeune fille de leur âge était venue se joindre au groupe des musiciennes. Christiane Verger, enfant sage, avait l'âge de Simone et, pianiste beaucoup plus douée que ses copines, se destinait au Conservatoire. C'est elle qui, quelques années plus tard, mettra en musique les premiers poèmes de Jacques.

L'expérience de la rue et celle de la vie en dents de scie que lui faisait mener son père avaient mûri précocement l'enfant qui, tout en adorant sa famille, avait appris à douze ans l'indifférence dans des circonstances dont il gardera à jamais le souvenir. Un jour d'école buissonnière il était entré avec un ticket de quai à la gare d'Orsay qui desservait alors la Bretagne, seule région qui l'attirât depuis les lointaines vacances à Pornichet. Devant ses yeux, alors que le dernier wagon s'éloignait, un voyageur essoufflé manqua le départ de son train. «J'aurais dû l'aider, j'aurais dû courir avec lui, lui porter sa valise, rattraper l'heure, le temps, la lumière rouge disparue, l'espoir en allé. J'avais les larmes aux yeux[1].» Le gamin s'en voulut de sa sensiblerie alors que lui-même et sa famille n'avaient pas été épargnés par la vie. «Cet homme, dans le fond, comme aurait dit mon père, je m'en fichais pas mal, mais ça m'embêtait, c'était pas simple. Je me parlais comme on se parle d'homme à homme, de petit garçon à petit garçon... Et revenait, par dérision, une phrase marrante entendue en faisant la queue au Mont-de-Piété. "On ne prête plus sur le chagrin, le bureau des pleurs est fermé." Et je rentrai. Avais-je appris sans le savoir l'"indifférence" à qui si souvent je devais avoir recours plus tard[2].» Rue du Vieux-Colombier l'attendaient «le vin sur la table, le couvert mis pour pas grand-chose» mais surtout un père, une mère qui l'aimaient et qu'il aimait. Et puis la ribambelle de chats qui avaient succédé à Loubet, et dont il avait baptisé le plus gros Médor, par dérision, tout comme son père avait nommé Esculape, dieu de la médecine, une couleuvre prétendument apprivoisée, achetée sur les quais, et qui, un soir, s'était échappée de l'appartement pour visiter la loge de la concierge terrifiée.

«"Monsieur Prévert, criait la pipelette, Monsieur Prévert votre serpent est dans la loge!"

Jacques de plus en plus facétieux ne devait pas être étranger à l'escapade.

"Tu ne seras jamais sérieux, lui dit Maman Suzanne en le serrant très fort sur sa poitrine.

1. J. Prévert, *Choses et autres.*
2. *Ibid.*

— Non, maman.

— C'est grave, tu sais[1]." »

Qu'est-ce qui était vraiment grave dans cette famille où l'on ne mangeait pas tous les jours à sa faim mais qui était si riche d'amour partagé? Sa discrète influence sera essentielle dans l'œuvre du futur poète qui terminait son apprentissage de la vie alors que ses camarades de classe le commençaient à peine. À quatorze ans, décidant de quitter définitivement l'école, il n'hésitait que sur la voie qui l'attirait le plus. Tendre canaille ou franc voyou?

1. J. Prévert, in *Mon frère Jacques.*

CHAPITRE 3

Une jeunesse mouvementée

La guerre déboula sans crier gare au cœur de ce torride été 1914 qui jaunissait prématurément les marronniers du Luxembourg, lieu de vacances préféré de la famille Prévert depuis que la Bretagne où Auguste-le-Sévère et grand-mère Sophie auraient pu accueillir leurs petits-enfants, lui était interdite. Après l'horrible scène du repas de communion, les Prévert de la rue Monge et de Saint-Nicolas-du-Chardonnet réunis avaient disparu définitivement de la chronique familiale. Jamais Jacques ni Pierrot n'y feront allusion devant des tiers ou même leurs enfants.

Le samedi 1ᵉʳ août, le tocsin sonna au clocher de Saint-Sulpice annonçant l'ordre de mobilisation générale qui fut accueilli sans récrimination ni révolte, même à gauche où, jusqu'à l'assassinat de Jaurès, on affichait des opinions volontiers pacifistes. Bien mieux, la masse française encline à minimiser la gravité du péril extérieur depuis l'assassinat de l'archiduc d'Autriche à Sarajevo fut prise soudainement d'un enthousiasme frénétique. De Saint-Germain-des-Prés au boulevard Saint-Michel, de Port-Royal à la gare de Montparnasse — quartier familier que Jacques Prévert sillonnait depuis bientôt quatre ans — de véritables marées humaines submergèrent places, rues et carrefours, hurlant leur joie à la pensée de libérer enfin l'Alsace et la Lorraine soumises au joug prussien depuis 1870, année où André était né. Curieusement celui-ci que ses opinions politiques portaient à droite ne partageait guère cette frénésie nationaliste. L'ancien membre de la Ligue de la patrie française qui, aujourd'hui tirait le plus clair de ses revenus de sa fonction d'agent électoral pour le compte de Simon Juquin, maire du quartier Saint-Sulpice, se réjouit même que sa classe — 1890 — figurât dans la territoriale et que son état de santé toujours précaire l'ait dispensé d'être appelé sous les drapeaux. Ainsi la famille Prévert échappait-elle au drame. Pour combien de temps ? Jean, l'aîné des garçons, avait déjà seize ans et au printemps 1915 on sut que la guerre qui ne serait ni courte, ni fraîche, ni joyeuse était au contraire promise à un bel avenir. Dès le premier mois, Paris, menacé par le gros des troupes allemandes, avait été sauvé in extremis par la victoire de Joffre sur la Marne. Jacques avait vu défiler les taxis parisiens qui dans une inlassable noria emmenait des troupes fraîches sur le front. Mais pas plus qu'il n'avait participé à la frénésie des foules en août 1914, Jacques Prévert ne partagea l'enthousiasme guerrier qui saisit alors la jeunesse estudiantine qu'il voyait à la porte des lycées du Quartier latin ou rue d'Assas quand il allait à la rencontre de ses condisciples d'hier. Depuis qu'à la guerre de mouvement avait succédé la guerre de tranchées terriblement éprouvante pour les combattants que leurs chefs lançaient parfois à l'assaut d'une colline, d'un mamelon, voire de quelques centaines de mètres de terrain comme à Ypres ou en Champagne durant l'année 1915, nombre de garçons de son âge, issus comme lui de la bourgeoisie — grande ou petite — avaient pris dans l'allure quelque chose de militaire comme pour participer à une partie dont l'enjeu, à en croire les réflexions des grands, leur paraissait capital. Beaucoup d'externes portaient ainsi la gabardine, le bonnet de police, les guêtres et les molletières quand ce n'était pas les éperons ou le stick à la main ! Un professeur mutilé ou décoré parcourait-il leurs rangs et aussitôt les plus âgés des potaches rectifiaient la position, claquaient les talons voire saluaient militairement. Quelle mascarade à l'heure où malgré la censure, malgré le bourrage de crâne, la terrible réalité de la guerre perçait dans la presse, dans les lettres de proches venues du front, dans les noms de « morts pour la France » qui de plus en plus nombreux parvenaient dans les mairies des arrondissements parisiens comme des plus petits villages de France. Au total en 1914, pour cinq mois de guerre, la France comptait trois cent mille tués et six cent mille blessés, prisonniers et disparus. En 1915, l'année la plus meurtrière de la guerre après 1914, on commença à parler du « massacre de l'infanterie française » avec trente et un mille morts par mois en moyenne. Lisant comme tous les Français de l'arrière les nouvelles dans les journaux, et allergique depuis sa plus tendre enfance à tout ce qui se rapprochait d'un uniforme, Jacques Prévert conçut alors une répugnance invincible pour la guerre et même une haine pour ceux — politiques, militaires et curés — qui entraînaient et bénissaient les centaines de milliers d'hommes envoyés à la boucherie au nom de l'« honneur » et de la « patrie ». Le « quelle connerie la guerre » qui fera couler tant d'encre lors de la publication de *Barbara*, trente ans et une guerre plus tard, est né

durant ces heures tragiques de 1914-1918 où le futur poète
nourrit un antimilitarisme aussi virulent que l'anticléricalisme
hérité de ses parents. Comme pour le conforter dans ce sentiment, Prévert put constater les effets des combats sur quelques-
uns de ses aînés les plus aguerris, de ceux qui, hier, dans le
quartier Saint-Sulpice n'avaient peur de rien et faisaient
régner leur loi sur les trottoirs entre l'Odéon et l'Institut. L'un
de ses copains de la bande Tiran-Dienne-Prévert, un de ceux
qui comme lui hésitaient entre l'apache ou le parfait petit
voyou, venait en permission «complètement abruti» tandis
qu'André Tiran lui-même, qui assommait si bellement les flics
du commissariat Saint-Sulpice «ne tint pas ses promesses et
s'acheta une conduite : engagé, rengagé dans la Coloniale,
énergumène galonné, il fut plusieurs fois palmé pendant la
grande guerre 14-18[1]»!

Décidé à gagner sa vie, Jacques Prévert entra, dès 1915,
comme commis vendeur dans un bazar de la rue de Rennes
«puis dans la librairie, la verrerie et les grands magasins du
Bon Marché. Travaux très vite interrompus», notera-t-il plus
tard en donnant avec parcimonie quelques éléments biogra-
phiques à son éditeur[2]. Son caractère déjà bien formé s'affirmait au cours des années et des événements. Anar, instable,
révolté, insoumis aux règles du plus grand nombre, il était
néanmoins satisfait de rapporter quelques sous rue du Vieux-
Colombier où il manquait toujours quatre francs pour en faire
cinq. D'autant qu'un drame venait d'endeuiller la famille.
Jean, le fils aîné dont Maman Suzanne redoutait qu'à dix-sept
ans il soit bientôt appelé sous les drapeaux, mourut brusquement en 1915, emporté par une fièvre typhoïde foudroyante.
Jacques et Pierrot qui durent avoir du chagrin mais ne le laissèrent pas paraître dans la chronique familiale, commencèrent à se rapprocher à cette occasion. Oh! très discrètement.
Jacques jouait volontiers les durs et n'était pas de nature à
s'épancher. «Je n'ai connu Jacques qu'après son service militaire où nous sommes devenus des frères très amis, dira plus
tard Pierrot. Il m'apportait des livres. Je me souviens de ma
joie quand il m'a apporté *Monluc le Rouge* et *Costal l'Indien*[3].»
Mais Jacquot — on aimait bien les diminutifs chez les Prévert
comme dans toutes les familles populaires — faisait toujours
un peu peur à Pierrot qui n'avait que neuf ans en 1915. À vrai
dire celui-ci était franchement terrorisé par cet aîné qui l'entraînait dans des jeux pour le moins bizarres. «Rue du Vieux-

1. J. Prévert, *Choses et autres*.
2. Archives Gallimard.
3. P. Prévert, in *Mon frère Jacques*.

Colombier il y avait un édredon rouge et troué, se souviendra-
t-il. Il aimait beaucoup m'enfoncer sous cet oreiller. Il s'as-
seyait dessus et se tortillait : "Pourquoi tu ne cries pas ?" me
disait-il. Je ne pouvais pas. J'étouffais. J'agitais bras et jambes
très fortement alors là il s'arrêtait. C'est un jeu qu'il aimait
beaucoup. Jacques Prévert a gardé de très beaux souvenirs de
son enfance[1].» Quand on sait le sens de l'humour et de la
litote que Pierre Prévert cultiva toute sa vie, on peut douter
que ces merveilleux souvenirs aient été entièrement partagés !

Quittant l'univers scolaire pour entrer dans le monde du
travail Jacques Prévert n'avait touché ni à la poésie maladroite
ni aux journaux lycéens, ni aux feuilletons dessinés à la main
qui servirent de gammes à tant de ses futurs confrères du monde
des lettres. S'il appréciait toujours Victor Hugo ou Alexandre
Dumas, jamais il ne tenta de les imiter. Orgueil, fierté ? À la
toute fin de sa vie, il confiera au jeune fils d'un de ses amis qu'à
quatorze ans — lors de la déclaration de guerre — il n'avait
jamais rien écrit. Pas même une lettre. Rien. Sauf une fois. Un
après-midi, rue du Vieux-Colombier, il s'était mis à griffonner,
sans savoir pourquoi, de cette écriture quasi automatique qui
sera si chère aux futurs surréalistes. Il rangea ce texte dans le
buffet maternel où il le retrouvera le lendemain. Aussitôt relu,
aussitôt déchiré. «Ça m'a foutu la trouille ! Comme un rêve,
quelquefois[2].» Cette manie de tout déchirer le poursuivra toute
sa vie. Et nombre de ses poèmes de l'entre-deux-guerres ne
seront sauvés que grâce à la vigilante attention que leur porte-
ront ses amis. Pour l'heure, à l'automne 1915, Jacques Prévert
était fort éloigné du monde poétique. Il se passionnait pour une
expérience cinématographique et littéraire tentée par *Le Matin*
autour des *Mystères de New York*, série de vingt-deux films à
épisodes réalisés aux États-Unis par le metteur en scène français Louis Gasnier et rassemblés par Pathé Frères. Pressentant
le succès populaire de ces films policiers et d'espionnage, *Le
Matin* avait chargé un écrivain, Pierre Decourcelle — féru de
cinéma au point d'avoir créé dès 1908 la Société cinématographique des auteurs et gens de lettres — non seulement d'écrire
un roman-feuilleton calqué sur le film ; de rendre cohérente
une histoire pour le moins décousue en créant des liens entre
les épisodes, mais aussi de franciser fortement l'ensemble afin
de ne pas dérouter le public ni heurter la censure particulièrement vigilante en ces années de conflit mondial ; et, enfin, de
synchroniser le rythme hebdomadaire des films avec le rythme
quotidien des feuilletons. Du 27 novembre 1915 au 28 avril

1. *Ibid.*
2. J. Prévert à André Pozner, in *Hebdromadaires*.

1916, Suzanne Prévert et Jacques se délectèrent de cent cin-
quante-quatre feuilletons et vingt-deux films annoncés par une
campagne publicitaire sans précédent qui couvrit les murs de
la capitale et des principales villes de province d'affiches multicolores présentant les épisodes les plus dramatiques et les plus
sanglants de la série interprétés par Pearl White, jeune actrice
qui faisait ainsi son entrée dans l'histoire du cinéma. Chaque
jour, Jacques rapportait *Le Matin* rue du Vieux-Colombier où
Suzanne découpait religieusement le feuilleton occupant tout
le rez-de-chaussée du journal et en reliait les épisodes avec une
ficelle tandis que chaque vendredi, jour de changement d'affiche des cinémas, la tribu Prévert se précipitait dans sa salle
favorite. *Les Mystères de New York* inauguraient les premiers
rapports entre la littérature et le cinéma, entre l'industrie cinématographique et la presse. Le ciné-roman était né. Les titres
des épisodes — *La main qui étreint, Le Sommeil sans souvenir,
Le portrait qui tue, L'Homme au mouchoir rouge* — constitue-
ront la cinémathèque fétiche de jeunes hommes, futurs compagnons de Jacques Prévert au sein du groupe surréaliste. Autant
de films qui marquèrent leurs souvenirs d'adolescents, et dont
on retrouvera la trace dans beaucoup de leurs écrits.

De petit boulot en petit boulot, Jacques Prévert entra en
mars 1916 aux grands magasins du Bon Marché au titre d'employé auxiliaire, au salaire journalier de 7,50 F mais «non
nourri». Le Bon Marché qu'Aristide Boucicaut avait fait
construire par Gustave Eiffel, et dont la devise restait «Loyauté
fait ma force», n'entendait pas introduire n'importe qui dans
son personnel. Le fait que le jeune homme, bien qu'il ne pour-
suivît pas ses études, habitât encore chez ses parents rue du
Vieux-Colombier, donc fût un enfant du quartier, plaidait en sa
faveur. Malgré la pénurie de personnel due à la guerre, ce
n'était pas encore suffisant pour l'inspecteur chargé d'enquêter
sur chaque nouvel employé. Il se rendit rue d'Assas à l'école
André-Hamon où le directeur qui se souvenait fort bien du
visage avenant de cet élève si attentif à la santé de sa pauvre
mère, lui déclara: «Ce fut un bon élève, intelligent, il peut très
bien faire et paraît sérieux.» C'était assez pour entrer dans le
respectable magasin dont la statue en marbre du fondateur
ornait le square Sèvres-Babylone. Physique agréable, langage
châtié, bonne présentation, élégant même, le jeune Jacques
Prévert — en outre titulaire du certificat d'études — avait tous
les atouts en main pour devenir, dans un délai que la Grande
Guerre raccourcissait, adjoint au chef de rayon. C'est ce que
son supérieur lui fit miroiter au bout de quelques semaines. Il
en fallait plus pour séduire le jeune homme qui, dès la ferme-
ture du grand magasin, s'empressait d'aller baguenauder près

du carrefour Vavin dont les lumières l'attiraient irrésistiblement. «J'allais souvent traîner à Montparnasse, dira-t-il. Pour moi, c'était l'exotisme : d'autres cafés, Le Dôme, La Rotonde avec, à la terrasse et dedans, des modèles, des peintres et des drôles de gens de n'importe quel pays [1].» Déjà il plantait ses jalons sur le terrain de ce qui allait devenir dans un proche avenir son quartier d'adoption. C'est sans doute entre Saint-Germain et Montparnasse où foisonnaient les filles faciles et les prostituées qu'il fit l'amour pour la première fois entre quatorze et seize ans. Expérience aussi décevante que sa première révélation sexuelle huit ans auparavant. Cela se passa, d'après les rares confidences qu'il fera à ses amis surréalistes, «dans un endroit où il y a le lycée Fénelon, un passage. Avec une femme infecte (il y avait le portrait de Carpentier [2] au mur en carte postale avec une petite punaise). Impression [3]...» Beaucoup plus agréables étaient les filles que l'on pouvait rencontrer à Joinville-le-Pont ou au Perreux le dimanche entre les guinguettes et les loueurs de barques sur la Marne. Mais elles étaient presque toujours accompagnées de solides canotiers qui appréciaient fort modérément qu'on vînt batifoler sur leur terrain de chasse. Un jour de 1916, Jacques Prévert eut maille à partir avec certains d'entre eux. Une belle était-elle en jeu ou était-ce seulement plaisanterie stupide ? Il s'expliquera à moitié en transformant l'incident en rêve puis en poème :

Je rêvais que j'étais bouteille vide flottant au fil de l'eau et respirant par le goulot.
Une barque survint avec de joyeux canotiers.
L'un d'eux, facétieux, tapait sur la «bouteille» pour qu'elle s'emplisse d'eau, s'enfonce et disparaisse.
J'étouffais.
Me réveillant, je me levai, cherchai du regard une bouteille vide, la trouvai et la regardai attentivement.

Essai d'explication : la veille de ce rêve et un beau matin je nageais dans la Marne, au Perreux et, les pieds pris dans les herbes, j'avais bu la tasse, je suffoquais.
Comme j'allais assez péniblement regagner l'autre rive, de joyeux bambocheurs, dans un canot, — sans doute les mêmes — m'aperçurent et l'un deux, histoire de rire, m'assena un innocent et brutal coup de rame sur la tête.

1. *Album Jacques Prévert*, La Pléiade, iconographie choisie et commentée par André Heinrich.
2. Georges Carpentier, champion d'Europe de boxe toutes catégories.
3. Archives du surréalisme. Recherches sur la sexualité, janvier 1928-août 1932.

Je suffoquais.
Et c'est un petit peu noyé qu'on me ramena à bon port.

                                                      1916[1].

Moins dangereuses à courtiser et cent fois plus agréables
que la «femme infecte» du lycée Fénelon étaient les jeunes vendeuses du Bon Marché, ses collègues de travail que son physique avenant et son élégance naturelle ne laissaient pas
indifférentes. Moins dangereuses? Voire. À la veille de l'été
1916, il jeta son dévolu sur une charmante Mlle Moginot dont
l'histoire n'a pas retenu le prénom et se livra sans tarder à une
cour pressante — et peut-être couronnée de succès. En tout
cas la jeune fille accepta d'abord de se laisser raccompagner
au domicile de ses parents rue Lemercier dans le lointain
XVIIᵉ arrondissement, entre La Fourche et Brochant, puis de
partager quelques heures de leur dimanche, unique jour de
congé. La verve de Jacques Prévert — déjà il parlait sans dis-
continuer enchaînant une histoire sur une autre, entrecoupant
son récit d'anecdotes et de jeux de mots dont la cocasserie le
disputait à la drôlerie — séduit Mlle Moginot. Jacquot n'avait
pas son pareil pour transformer les menus événements de la vie
du grand magasin en comédie ou en épopée. Mlle Moginot
faillit «en faire pipi dans son pantalon» quand il lui raconta
comment l'un de ses copains, vendeur au rayon de l'horlogerie,
et dont «les mœurs contre nature» — occasion de raconter à
l'ingénue en quoi consistait l'homosexualité «vous comprenez,
il préfère les garçons aux filles» — avaient provoqué le renvoi,
se vengea de son chef de rayon. Ayant reçu son préavis de huit
jours il entreprit, travail colossal, de régler pendules, horloges,
réveille-matin, tout ce qui dans son rayon était capable de sonner, couiner ou vibrer, à des heures différentes mais jamais à
moins de cinquante appareils à la fois! «Subitement, on a
entendu une sonnerie terrible, raconta-t-il, tout le monde s'est
précipité comme si c'était l'alarme. On a pris ça pour une sonnerie d'incendie. Et une demi-heure après ça a recommencé.
C'était une bonne idée, non? D'ailleurs je regrette de ne pas
l'avoir fait, moi, un haut fait comme ça[2]!» Son coup d'éclat, au
Bon Marché, fut moins spectaculaire, moins drôle mais peut-
être plus rentable pour autant qu'il ait pu réellement tromper la
vigilance des nombreux inspecteurs qui surveillaient les faits et
gestes des employés aussi bien que des clients. En cette période
de guerre la «fauche» n'était pas négligeable. Prévert entreprit
d'en profiter. «Moi, c'était autre chose, se vantera-t-il comme il

---

1. J. Prévert, *Choses et autres*, «Rêve retrouvé».
2. J. Prévert, in *Mon frère Jacques*, et *Hebdromadaires*.

se vantait hier d'être un cancre à la veille d'obtenir, plutôt brillamment, son certificat d'études. J'étais au Bon Marché, je faisais surtout du déplacement d'objets. C'est-à-dire qu'un objet, une marchandise qui ne nous appartenait pas, il fallait s'arranger pour qu'elle nous appartienne, qu'on la reçoive même par la poste, en changeant simplement deux ou trois choses, une étiquette[1]. »

Vantardise ou vérité ? Toujours est-il qu'à la mi-1916 Jacques Prévert, s'il n'était pas de ces apaches que l'on voyait de plus en plus fréquemment arrêtés par la police et traînés jusqu'au poste les poignets enchaînés, s'orientait sur le chemin de ces *Tendres Canailles* décrites par André Salmon, hantant les bistros et les rez-de-chaussée de la rue et du carrefour de Buci. Dans le registre du personnel du Bon Marché tenu par l'inspecteur qui avait enquêté sur son cas en mars, Jacques Prévert, après les compliments du directeur de l'école André-Hamon, se voyait maintenant qualifié de « rêveur » et de « mauvais esprit ». Le coup de grâce fut donné en août 1916. Le père de Mlle Moginot chez qui se rendit l'inspecteur du Bon Marché pour connaître les raisons de l'absence injustifiée de sa fille, déclara, fort courroucé, qu'elle ne reviendrait plus dans le grand magasin tant qu'elle risquerait de s'y trouver en présence de ce M. Prévert qui l'avait détournée du bon chemin et lui avait fait subir son influence pernicieuse. Il n'en fallait pas plus pour qu'un grand magasin comme le Bon Marché qui tenait à sa réputation comme à la mémoire de son auguste fondateur et dont l'esprit était somme toute assez proche de celui qui régnait rue Monge chez Auguste-le-Sévère, se séparât sans délai d'un aussi « mauvais sujet » ! D'après le compte rendu de l'inspecteur qui ne daigna pas lui donner les motifs de son renvoi, Jacques Prévert, du haut de ses seize ans, les exigea de l'administrateur, M. Devens. Sans plus de succès. Il était mis à la porte sans explication ni préavis et avec ordre de quitter séance tenante le 106 de la rue du Bac. Comme il n'obtempérait pas assez rapidement aux injonctions de l'administrateur, l'inspecteur lui intima l'ordre de ne pas séjourner plus longtemps dans le rayon du troisième étage où il était jusque-là affecté. « Je quitterai le service quand j'aurai fini ce que j'ai à y faire », répliqua le jeune homme qui cherchait une vengeance à la mesure de l'affront qu'on lui faisait.

Il n'en eut pas le temps. Un surveillant appelait déjà un agent de police. « Cette démarche décida M. Prévert de s'en aller mais le plus lentement possible, consigna l'inspecteur dans son rapport à M. Devens. Je l'ai accompagné jusqu'à la

1. J. Prévert à André Pozner, in *Hebdromadaires*.

porte du 106, rue du Bac. L'agent arrivait à ce moment, son intervention n'a été qu'extérieure[1]. » Dans le registre des employés du Bon Marché, le zélé défenseur de l'ordre et de la morale put tracer, face au nom de Jacques Prévert, ces quelques mots : « Remercié le 14 août 1916. Retard à l'arrivée et ensemble de la conduite ne donnant pas satisfaction. Mauvais esprit. À ne pas reprendre[2]. »

Mlle Moginot, pure jeune fille qui, elle, donnait toute satisfaction à ses parents comme à son employeur, pouvait sans crainte regagner la bergerie. M. Jacques Prévert n'y serait jamais chef de rayon !

*

Alors commença la grande vadrouille des petits métiers. Du lendemain de son renvoi du Bon Marché, en août 1916, à son départ au service militaire, près de quatre ans plus tard, s'étendit la plage la plus mystérieuse de l'existence de Jacques Prévert qui toujours s'offrira la malin plaisir de brouiller les pistes. « J'ai été à deux doigts de devenir un voyou et un déserteur pour ne pas faire de service militaire », confiera-t-il vingt-cinq ans plus tard à son ami André Verdet, alors l'unique poète de Saint-Paul-de-Vence. Devenu lui-même poète, ayant publié sur le tard — mais avec quel succès — son premier recueil *Paroles*, Prévert devenu personnage public, sera un peu plus prolixe lors d'entretiens journalistiques ou d'émissions télévisées. « Je n'ai pas fait tous les métiers, comme on dit [...]. J'en ai fait le moins possible. Aucun ne durait guère. Dans ma jeunesse, ou plutôt mon adolescence, je n'arrivais pas à m'y faire. Certains me plaisaient davantage, *ils étaient inavouables*[3]. Mais voler est-ce un métier, même en temps de guerre (celle de 14) ? Enfin, à cette époque, le mot délinquance juvénile ne semblait pas encore avoir été inventé. Mais quand j'y pense, puisqu'on pense, je trouve que j'ai eu beaucoup de chance. Et de même que celui de l'Immaculée Conception, la virginité de mon casier judiciaire reste encore pour moi un mystère[4]. L'adolescence pour moi c'est "raconte pas ta vie". Ma vie privée c'est une fille publique. En parler pourrait choquer le téléspectateur. N'en parlons pas. Je n'ai pas fait tous les métiers car je n'ai pas été curé de Saint-Sulpice ni agent de police ! Quelques métiers seulement comme papa. J'en ai été foutu à la porte. Comme papa[5] ! »

1. Cité par André Castelot, in *Le Figaro*, 29 juin 1984.
2. *Ibid.*
3. Souligné par l'auteur.
4. J. Prévert à André Pozner, in *Hebdromadaires*.
5. J. Prévert, in *Mon frère Jacques*.

Un des meilleurs chroniqueurs de l'époque — témoin de l'évolution des mœurs — évoquera chiffres à l'appui ces « tendres canailles », objets de toute l'indulgence de Jacques Prévert qui, sans peut-être en faire réellement partie, se sentait corps et âme de leur bord : « Prématurément poussés hors du foyer, comme leurs mères, trop souvent abandonnés à eux-mêmes, amenés à se débrouiller seuls, sans guides avisés, sans direction ferme, les jeunes gens n'ont pas toujours su faire le meilleur usage d'une indépendance à laquelle ils n'étaient pas suffisamment préparés. C'est ainsi que la guerre a provoqué une recrudescence très nette des crimes et délits commis par les mineurs de treize à dix-huit ans. Du 1er octobre 1914 au 30 septembre 1915, 1 178 ont été enregistrés, dans la Seine, au tribunal pour enfants. Entre les mêmes dates de 1916, on en comptait 2 410, plus du double... Les délits les plus fréquents sont, la plupart du temps, des vols. Pourquoi cette augmentation des vols ? À cause de la misère, parfois, mais souvent par souci de se procurer le moyen de "vivre sa vie", de jouir. Les jeunes volant surtout pour "aller au cinéma". C'est ce qu'expliquent la plupart des délinquants arrêtés à Paris en 1916 et en 1917. Leur engouement pour le "septième art" est devenu tel qu'ils vont s'instruire dans *Les Mystères de New York*, *Le Masque aux dents blanches*, *Le Cercle rouge*, *Les Vampires*, du meilleur moyen de commettre un délit ou un crime, avec le maximum de chance dans la réussite, pour un minimum de risques... Habituées à réfléchir, mûries prématurément, comme les garçons, les filles sont devenues, de par les circonstances mêmes, plus indépendantes. Elles se sont, elles aussi, émancipées. Appelées à remplir des rôles masculins et à fréquenter partout les hommes à leur guise, tout en conservant leur coquetterie naturelle, elles ont pris souvent des attitudes moins réservées, moins discrètes, plus décidées, plus libres, manifestées par certains détails encore jamais vus de la toilette ou du vêtement qui annoncent "la garçonne". La jeune fille de la guerre 1914-1918 a perdu l'orgueil de sa pureté. En elle, la vierge demeure peut-être encore, mais elle n'est plus virginale. La vertu reste mais la pudeur s'envole... Tout contribue à dévoiler ce que l'adolescente réservait jadis soigneusement pour l'intimité conjugale... Plus de secret, plus de mystère du couple ! plus "d'oie blanche"[1] ! »

Pour la période de la guerre et de l'immédiat après-guerre Jacques Prévert se coulera dans le moule. Des années plus tard il notera brièvement à l'intention de son éditeur : « 1917-18-19-20 vit d'expédients[2] ». Puis dans les années 60, partici-

---

1. Gabriel Perreux, *La Vie quotidienne des civils en France pendant la Grande Guerre.*
2. Archives Gallimard.

pant à *L'âge d'or de Saint-Germain-des-Prés*[1], il renouvellera ses demi-aveux : « 1916-17-18... Ça continuait, je changeais souvent de métier et de quartier, les Gobelins, Montmartre, le Quartier latin. Mais je ne veux pas raconter ici *Les Professions d'un enfant du siècle*, d'autant plus que, pour la plupart, elles étaient inavouables. Enfin, à cette époque, l'appellation contrôlée "jeunesse délinquante" n'était pas encore employée[2]. » Dans la longue notice que consacrera à l'auteur de *Barbara* le très sérieux, très austère et très volumineux *Dictionnaire biographique du mouvement ouvrier français*, dans son tome 39, le rédacteur communiste qui n'entendait pas tomber dans l'hagiographie, même à propos d'un sympathisant, notera sobrement : « Employé dans un bazar de la rue de Rennes, puis au Bon Marché (d'où il fut remercié pour retards répétés) *il semble s'être livré à des occupations moins honnêtes*[3]. » Quand on consulte les mains courantes du commissariat du VIe arrondissement pour ces années de guerre on constate que les délits commis par de très jeunes gens du quartier consistaient en un écrasant pourcentage de vols et de petits cambriolages, auxquels s'ajoutaient la prostitution et le proxénétisme. Parmi les fréquentations de Jacques Prévert durant ces années, on relève les noms de Paulo et de Bazar qui se retrouveront dans ses notes préparatoires au moment où il pensait donner une suite à *Enfance*. Paulo était un petit voyou du quartier Saint-Sulpice qui vivait de cambriolages et à qui il prêta sans doute la main en quelques occasions. D'où ses multiples allusions au vol et à la délinquance juvénile. Paulo, semble-t-il, n'était pas dénué de bon sens puisqu'il souhaita même faire retrouver à Jacquot le droit chemin d'où il paraissait vouloir s'éloigner en l'imitant. « Paulo, la recherche du platine, notera Prévert en style télégraphique, la drogue, le voleur de camemberts (perceur de coffres-forts). Paulo en mauvaise posture. Paulo me fait de la morale. Il a rencontré mon père et ma mère. "Si j'avais des parents comme ça..."[4] »

Quant à Bazar, dit Momo, c'était un petit mec au sourire avenant, bien balancé et qui plaisait aux filles de la rue de la Gaîté où ses parents tenaient le grand bazar en face de Bobino. D'où son sobriquet. Un jour ses parents achetèrent en toute bonne foi un petit hôtel, le Fairy Land rue Fontaine, qui, à l'usage, se révéla un hôtel de passe fort prisé des dames de

---

1. Disque enregistré en partie par Jacques Prévert en 1965. Le texte intégral de Saint-Germain-des-Prés a été publié dans *La Cinquième Saison*, en 1984.
2. J. Prévert, *Saint-Germain-des-Prés*.
3. Souligné par l'auteur.
4. J. Prévert, « Notes préparatoires ».

Blanche, de Pigalle et de leurs clients. Qu'à cela ne tienne, les paisibles commerçants de Montparnasse se transformèrent en respectables tauliers du triangle d'or de la prostitution parisienne ! Et Momo Bazar se fit une belle réputation parmi les demoiselles du quartier. À une époque où, tandis que leurs aînés des Bat' d'Af' se faisaient hacher menu en première ligne, les petits julots, à peine sortis de l'adolescence, poussaient comme des champignons après l'averse, des gamins bien sapés, élégants et avec de bonnes manières, comme Jacques Prévert, n'avaient aucun mal à trouver des admiratrices par poignées et qui se montraient financièrement reconnaissantes ! À son copain de Saint-Paul, André Verdet, il dira des décennies plus tard combien il avait été toute sa vie fasciné par les hommes entretenus[1]. À un témoin des dernières années, à Omonville-la-Petite, il confiera que durant ces temps incertains il avait été gigolo[2].

Tant dans les chapardages que dans ses relations avec des jeunes filles de modeste vertu, le jeune Prévert eut le bon goût de ne jamais s'attirer les foudres de la police. Nul dossier à son nom à la P.J., nulle mention de son patronyme dans les comptes rendus quotidiens des postes de police du VIe arrondissement. Pourtant l'incident qui l'opposa au printemps 1917 aux sergents de ville du quartier Saint-Sulpice aurait bien pu y figurer.

Aux quatre coins de l'Europe tout craquait. Le moral des combattants donnait de graves signes d'épuisement. Devant les désastres militaires, la désorganisation économique et la répétition des famines, le régime tsariste s'effondra. En mars 1917, la première révolution russe était victorieuse. Kerenski décidé à poursuivre la guerre fut renversé huit mois plus tard par les bolcheviks qui négocièrent la paix séparée de Brest-Litovsk. En France la sanglante et inutile offensive de Nivelle sur le Chemin des Dames se soldera du 1er avril au 9 mai par une hécatombe de deux cent soixante et onze mille morts provoquant de multiples mutineries dans l'armée où le calme ne fut rétabli que par l'intervention de Pétain. Les troubles se multiplièrent jusque sur le pavé parisien où Jacques Prévert, assistant par hasard à une manifestation antimilitariste, vit des poilus en permission qui chantaient *L'Internationale* et *À Craonne sur le plateau* — lieu des plus atroces combats à l'est du Chemin des Dames — se faire rudement matraquer par la police. Sa révolte face à ce comportement lui valut d'être arrêté rue du Four et bastonné à son tour. « Les soldats piéti-

---

1. André Verdet à l'auteur.
2. Hugues Bachelot à l'auteur.

nés par les flics, se souviendra-t-il. Je donne mon avis. Arrestation. Pour la première fois, je suis sérieusement amoché place Saint-Sulpice[1].» Amené au poste de police de la rue Danton il fut stupéfait de voir les gardiens de la paix lui fourrer un rasoir dans la poche et lui tendre une déposition, toute prête, à signer. Devant ses protestations indignées il goûta — comme hier son copain André Tiran — aux joies viriles du «passage à tabac». Il rentra rue du Vieux-Colombier les yeux pochés, les lèvres tuméfiées, le corps couvert de bleus. Révolté pour la vie mais assez fier de lui : il n'avait pas signé la déposition préparée par les cognes ! Il parlera d'expérience en écrivant dans les années 30 son premier poème à avoir été mis en musique par Joseph Kosma :

> Boulevard Richard-Lenoir j'ai rencontré Richard Leblanc
> Il était pâle comme l'ivoire et perdait tout son sang
> Tire-toi d'ici tire-toi d'ici voilà ce qu'il m'a dit
> Les flics viennent de passer
> Histoire de s'réchauffer ils m'ont assaisonné[2]

Le 21 mars 1918 commença la première des cinq grandes offensives allemandes qui faillirent amener les Alliés — on disait l'Entente — au bord de la défaite. Pour affaiblir le moral des Français, les Allemands lancèrent des raids d'aviation sur Paris et soumirent la capitale au feu d'un nouveau canon de 210, à portée inconnue jusqu'alors, que les Parisiens surnommèrent la Grosse Bertha (du nom de la fille aînée de Krupp). Le 29 mars — vendredi saint — un projectile atteignit l'église Saint-Gervais et fit soixante-quinze victimes civiles. En mai, Paris était une fois encore menacé. L'affolement avait saisi à nouveau la population. L'ennemi était à soixante kilomètres de la tour Eiffel, presque aussi près qu'en 1914. Dans ses notes établies bien plus tard à partir des événements marquants de son adolescence, Prévert écrira : «La Grosse Bertha, les caves, les toits. X en permission devenu complètement abruti[3].» C'est là sans doute que le jeune homme pensa à l'insoumission. Au pouvoir depuis novembre 1917, Clemenceau s'était lancé dans la chasse aux «embusqués», planqués dans les ministères, les missions, les services. La classe 1919, recensée en janvier 1918, fut incorporée en avril mais ne fournit que cent quatre-vingt mille hommes. Le tour de Jacques Prévert approchait. La mort dans l'âme, il passa devant le conseil de révision qui l'inscrivit sous le numéro 332 de la liste du canton du VIe arrondisse-

---

1. J. Prévert, «Notes préparatoires».
2. J. Prévert, *Histoires et d'autres histoires*, «À la belle étoile».
3. J. Prévert, «Notes préparatoires».

ment, classé dans la première partie de la liste en 1918. Bon pour le service armé, décida le major après avoir examiné la nudité de cet «employé de bureau» — c'était la profession que Jacquot avait annoncée — aux cheveux châtains, yeux bleus, front droit (en inclinaison), dos rectiligne, visage ovale, taille : 1,68 m (ses papiers lui donneront ultérieurement 1,71 m), degré d'instruction 4, résidant 7, rue du Vieux-Colombier. On porta en rouge sur ses états signalétiques : Soutien de famille. Ce qui n'était pas faux car, quelque obscures que soient les sources financières où il puisait, il était bien le seul à rapporter régulièrement quelque argent à Maman Suzanne alors que les rentrées d'André étaient toujours aussi fantaisistes. Jacques Prévert, classe 1920, devenait pour l'armée le matricule 1537[1].

En attendant son incorporation il poursuivit ses activités marginales. À preuve ce compte rendu, toujours en style télégraphique, de ses rapports avec une de ces «tendres canailles» revenues du front, qu'il fréquentait toujours assidûment tout en protégeant encore, des années après, leur anonymat.

«X en civil me fait la morale au sujet de Y. Il le prend de haut :

— Tout de même j'ai la Croix de Guerre.

Moi : — Je sais mais qui t'a fait ta citation ?

X embarrassé : — Bien sûr, c'est toi.

Moi : — Et tu n'as eu qu'à mettre le tampon (il avait le matériel).

On parle d'autre chose plus du tout de Y. On boit un verre[2].»

Un peu faussaire, un peu voleur, un peu gigolo, de son propre aveu, Jacques Prévert, à dix-huit ans, tournait mal. La jolie violoncelliste de la rue de Tournon, Simone Dienne, qui, du haut de ses quinze ans, le voyait déjà avec les yeux de l'amour, n'en crut jamais un mot. Lorsque — au crépuscule de sa vie — Jacques Prévert se laissera aller à quelques confidences avec André Pozner dans *Hebdromadaires*, Simone Dienne, devenue Chavance après avoir été la première épouse du poète dont elle restait l'amie, dira à son fils : «Tout cela est faux. S'il y avait eu quoi que ce soit je l'aurais su. Je suis très choquée. On n'a pas à écrire des choses comme ça. C'était sûrement un galopin mais entre le galopin et le voyou, il y a une différence[3] !»

Entre Montparnasse et Saint-Germain-des-Prés le terrain devenait néanmoins assez brûlant pour que Jacques Prévert jugeât bon de procéder à un simulacre d'engagement dans la

1. Archives de Paris.
2. J. Prévert, «Notes préparatoires».
3. Michel Chavance à l'auteur.

marine qu'il expliquera ainsi : «Pour un tas de raisons fort délicates "il faut que je m'achète une conduite". Je n'en ai ni le goût, ni les moyens. Je m'engage toutefois dans la marine, après m'être documenté sur le daltonisme. On me présente des pelotes de laine de différentes couleurs. Je suis recalé à cet examen. Mais j'avais fait un beau geste, pour lequel il me sera pardonné bien des choses. Fin de l'adolescence[1].»

La guerre se terminait comme il entrait dans l'âge adulte, riche de beaucoup d'expériences et de quelques connaissances acquises dans la rue, mieux qu'à l'école. Pas plus qu'à l'enthousiasme d'août 1914 il ne participa à celui de novembre 1918. Passé la joie collective des Français dans le tintamarre des cloches, du canon, des cris et vivats de la foule, où les gens couraient dans la rue comme des fous, riaient, chantaient, hurlaient, s'embrassaient à bouche-que-veux-tu sans même se connaître, son pessimisme lucide lui fit entrevoir que la situation était et serait particulièrement difficile pour les jeunes qui ne savaient pas de quel côté se tourner dans un pays ruiné, blessé où les gens étaient aussi fatigués que découragés. Peu porté par nature sur l'analyse, encore moins sur la philosophie, Jacques Prévert, abordant ses vingt ans, ne se faisait pourtant aucun souci pour son avenir. Il était bien décidé à se laisser vivre comme il le faisait depuis sa sortie de l'école André-Hamon. Pessimiste, certes, mais pessimiste aussi joyeux que je-m'en-foutiste! Depuis la scène de la gare d'Orsay, il savait se réfugier dans l'indifférence aussi bien que dans la rêverie solitaire en n'omettant jamais de donner en toute occasion le petit coup de pouce nécessaire à son destin pour transformer en merveilleux ce qui causait l'angoisse des autres. Sentir plus que penser n'était-ce pas la clé du bonheur?

Côté parents il était rassuré. Maman Suzanne était à l'abri. Pour la première fois, après son départ forcé de l'Office des pauvres, André avait un travail fixe... et respectable! Depuis 1917 il était gérant de l'hebdomadaire *Le Strapontin*, «revue satirique du théâtre, de la politique et du Palais», et des *Potins de Paris* qui allait lui succéder. Il sera bientôt chargé de la rubrique «Scènes et écrans» à *Figure et pensée*, «revue de Littérature et d'Art», ce qui était bien la moindre des choses pour un passionné de cinéma de la première heure. Outre des rentrées régulières dont une partie revenait tout de même rue du Vieux-Colombier, André Prévert-Leys (il signait à nouveau de son double patronyme) retrouvait avec fierté le statut de l'homme de lettres qui, vingt ans plus tôt, avait déclaré à la mairie de Neuilly la naissance de Jacques, André,

---

1. J. Prévert, «Notes préparatoires».

Marie Prévert. Ce fils qui, le 19 mars 1920, inaugura officiellement sa vie d'adulte en venant frapper — un peu à contrecœur, il faut bien l'avouer — à la porte de la caserne du 37e régiment d'infanterie cantonné à Saint-Nicolas-de-Port, près de Lunéville. Ayant pu, grâce au subterfuge du daltonisme, éviter les mailles du filet tendu par la Royale qui lui avait opportunément permis de rester vierge du côté judiciaire, il ne pouvait espérer échapper plus longtemps aux griffes de la biffe! Le jeune homme à l'aimable figure, allergique au moindre commandement et qui détestait plus que tout au monde quelque hiérarchie que ce soit, devait endosser pour la première fois de sa vie l'uniforme abhorré. Répit de deux ans à une situation qui, la paix revenue, promettait d'être difficile. Après, on verrait...

Comme jusque-là il n'avait rien fait, on ne pouvait lui reprocher d'avoir hypothéqué son avenir!

*

Un front interminable couronné d'une brosse hirsute coiffée avec un clou, des yeux brillants d'une flamme qu'il voulait inquiétante dans un visage creusé, une silhouette d'épouvantail dégingandé, tel apparut le Breton Yves Tanguy lorsque Jacques Prévert entra le 19 mars 1920 dans la chambrée qui lui était affectée au 37e R.I. de Lunéville. Les bidasses arrivés quelques jours auparavant lui expliquèrent que personne ne voulait coucher près de l'énergumène car il s'agissait d'un fou furieux qui se prenait pour un vampire et, en guise de casse-croûte, avalait devant ses camarades apeurés des sandwiches où les rillettes étaient remplacées par des araignées qui pullulaient entre le plafond et les recoins poussiéreux de la chambrée! Prévert ayant lui-même l'intention de se faire passer pour fou et de regagner au plus vite ses foyers, flaira le subterfuge et se porta volontaire pour occuper la couchette située au-dessous de celle du Dracula du Finistère. Il racontera quelques semaines après les circonstances de la rencontre à celui qui allait devenir son meilleur ami, Marcel Duhamel, et qui sera, au fil des décennies, le chroniqueur d'une partie de sa vie: «Là-haut, rapportera celui-ci, le gars le guigne par en dessous, attrape une araignée, la fourre entre deux tranches de pain et se tape le sandwich. Jacques lui cligne de l'œil. Méfiant, l'autre examine attentivement puis se décide, retourne le clin d'œil et se met à rigoler.

— Jacques Prévert, dit Jacques en lui tendant la main.

— Yves Tanguy, fait le dingue[1].»

1. Marcel Duhamel, *Raconte pas ta vie.*

Si Tanguy était breton par sa mère, originaire de Locronan où il allait chaque année en vacances, il vivait à Paris, rue
Coëtlogon, à deux pas de la rue du Vieux-Colombier, «un
compatriote de Saint-Germain-des-Prés», dira Prévert[1]. Dès le
lendemain, Tanguy s'apercevra qu'il avait trouvé un ami selon
son cœur quand il assista comme tous les nouveaux venus de
la compagnie à l'interrogatoire des recrues sur leurs activités
professionnelles et surtout sur leur famille. Quand arriva le
tour de Jacques Prévert, celui-ci prit son air le plus obtus :

«— Et vous, qu'est-ce que vous faites dans le civil ?

— Je travaille avec mon père, mon capitaine.

— Ah! très bien. Entreprise familiale. Excellent ça. Et votre
père, qu'est-ce qu'il fait, lui ?

— Il travaille avec moi, mon capitaine.

Les autres ont du mal à retenir leur rire. Le bon capitaine
est vexé :

— Comment vous appelez-vous ?

— Soldat Prévert, mon capitaine.

— Eh bien, soldat Prévert, vous me ferez huit jours[2].»

Jacquot inaugura ainsi à Lunéville une série de séjours
dans les prisons militaires de France et du Moyen-Orient.
Mais Prévert auréolé de la légende paternelle et Tanguy de
celle des araignées étaient amis pour un bon bout de temps.
L'un et l'autre avaient en commun d'avoir abandonné leurs
études depuis belle lurette et de n'envisager nul métier. Car, à
vingt ans, Prévert n'avait écrit aucun poème et Tanguy n'avait
jamais peint une toile. Ni l'un ni l'autre n'en avait même eu
l'idée. En revanche, tous deux nourrissaient une haine viscé-
rale à l'égard des militaires et cherchaient tous les moyens
pour se faire réformer. Jacques racontera à son ami Paul Grimault comment, en désespoir de cause, il s'inscrivit pour la
consultation médicale et se présenta devant le major du
37e R.I. sous le prétexte «d'avoir des boutons». Quand il se
déshabilla, l'infirmier qui le conduisit au médecin militaire
crut défaillir. Jacques Prévert, trente ans avant les rubans de
l'Ugolin de *Manon des Sources*, s'était cousu à même la peau
une demi-douzaine de boutons de corozo[3]!

Ni les araignées croquées ni les boutons cousus ne convainquirent la commission de réforme qui avait déjoué bien des
stratagèmes en quatre années d'une guerre autrement pénible
qu'un banal service militaire auquel deux tire-au-flanc voulaient échapper. Au Breton de souche et au Breton d'adoption

1. J. Prévert, *Saint-Germain-des-Prés*.
2. Propos rapportés par Patrick Waldberg, *Yves Tanguy*, et cités par
Danièle Gasiglia-Laster, *op. cit*.
3. Francis Lemarque à l'auteur.

— malgré Auguste-le-Sévère Jacques Prévert avait gardé une grande tendresse pour Nantes et Pornichet —, vint s'ajouter Roger dit Roro, un garçon boucher d'Orléans, à la force phéno-ménale et au cœur de midinette. Le trio fut bientôt inséparable et, ayant renoncé à la réforme, décida de profiter du service militaire pour voir du pays. Tanguy était tenté par les confins tunisiens tandis que Prévert rêvait de Syrie. Roro lui emboîta le pas, fasciné qu'il était par le côté sinon voyou du moins « affranchi » que Jacquot affichait volontiers. Les officiers de Lunéville étaient sans doute de braves bougres car, séduits par la faconde de ce parigot de vingt ans qui les noyait sous un flot de paroles où s'entremêlaient de façon cocasse les histoires les plus saugrenues, ils témoignèrent de leur magnanimité en le bombardant caporal, ce qui lui évita désormais les corvées les plus pénibles. Au début de l'année 1921, l'armée rendit son verdict sur les demandes de changement d'affectation. Si Tanguy obtenait la Tunisie, la Syrie échappait à Prévert. Roro et lui étaient versés dans les troupes d'occupation alliées en Turquie.

La Sublime Porte s'en allait en copeaux. L'alliance avec l'Allemagne et la défaite de novembre 1918 marquaient la fin de la domination turque sur le Moyen-Orient. L'Empire otto-man s'était effondré comme celui des Habsbourg. Français et Anglais occupaient les détroits, tous les points stratégiques de la côte turque et Constantinople, capitale du vieux sultan vaincu Mehmed VI[1]. Pas plus Jacques Prévert que Roro ne connaissaient les subtilités du traité de Sèvres qui consacrait l'amputation de l'Empire de la quasi-totalité de sa partie euro-péenne, à l'exception de la rive européenne de Constantinople. Ils ne voyaient dans cette affectation que le moyen de découvrir du pays. Ni l'un ni l'autre n'avait jamais franchi les frontières de la France et c'est avec enthousiasme qu'ils quittèrent Luné-ville dans les premiers jours de février 1921 pour un long périple qui avait déjà un goût d'aventure. Ils passèrent par Pont-Saint-Esprit où Jacques s'émerveilla de constater qu'il existait encore un service de diligence pour Bollène-la-Croi-sière semblable à celle qu'avait pu emprunter Flaubert. Le 22 février il se fit photographier avec six copains qu'il avait baptisés l'équipe des Bras de Saindoux dans l'une des cours de l'immense camp Sainte-Marthe qui servait — et servira long-temps encore[2] — de centre de transit aux soldats en instance de départ pour l'outremer. Uniforme bleu horizon, né de la guerre 14-18, négligemment dégrafé, calot aux pointes enfoncées « à la

1. Ankara ne sera choisie comme capitale par Kemal Atatürk que le 29 octobre 1923.
2. Près de quarante ans plus tard, l'auteur, en instance de départ pour l'Algérie, y séjournera dans les mêmes conditions d'inconfort !

voyou », mains dans les poches, le caporal Prévert, le visage grassouillet mais le regard aigu fixant l'objectif, semblait mettre en garde ceux qui en auraient voulu à son paquetage ; et ils étaient nombreux dans cet antre du chapardage et de la rapine organisée où les grivetons devaient enchaîner leurs bagages à leur cheville avant de sombrer dans un sommeil réparateur au terme d'un voyage qui n'avait rien eu d'une partie de plaisir. La traversée de Marseille à Constantinople fut bien pire encore. Il n'étonnera en rien le lecteur qui a connu les délices du transport de troupes en Méditerranée, que ce soit dans les années 20 ou 60 ! Pour les T.O.E. (Territoires d'occupation extérieurs) des confins de l'Europe le voyage durait six jours. Six jours à fond de cale sur une chaise longue en bois brut et toile à sac pour les privilégiés, et, pour les autres, pas même une paillasse à glisser entre la tôle boulonnée de la soute et le dos osseux de gamins de vingt ans. Pour les hommes de troupe, le cambusier ne connaissait qu'un régime : pois chiches véreux, soupçon de viande graisseuse et vin — on devrait dire vinasse — baptisé au bromure pour calmer les ardeurs de cette belle jeunesse. Comme les autres, Jacques Prévert qui n'avait pas le pied marin, ressentit les effets conjugués de la tambouille infâme et d'une mer qui fut houleuse jusqu'aux îles grecques. Il troqua sans tarder la pestilence de la cale pour l'air iodé du pont où en outre, il se débarrassait sans peine, par-dessus le bastingage, de ce que l'estomac se refusait à conserver. Au quatrième jour il fallut le magnifique spectacle du Stromboli trouant la nuit d'une longue flamme rouge pour calmer l'émeute qui ne demandait qu'à exploser dans les rangs des troufions. La Calabre, Reggio, Messine et la masse de l'Etna, découverts le lendemain sous un soleil presque printanier, atténuèrent quelque peu les ardeurs guerrières des plus gros mangeurs qui voulaient rien de moins que la peau du cambusier barricadé dans sa cuisine. La pagaille — sinon la révolte — était telle que les officiers incapables de faire régner la discipline ne se hasardaient plus à descendre dans le fond de cale où les caporaux étaient soudainement promus sous-off !

Quand le transport de troupes aborda les quais de Galata, à la jonction de la Corne d'Or et du Bosphore, c'est une horde dépenaillée, aux capotes souillées, aux barbes d'une semaine, tant l'hygiène était inexistante sur le navire surchargé, qui se rua au bas de l'échelle de coupée, balayant gradés et service d'ordre improvisé. Direction : la ville basse, où un gîte d'étape attendait les troufions épuisés mais outrés d'avoir été les victimes d'une pareille désorganisation tandis que leurs officiers avaient bénéficié du plus grand confort. Le centre de transit — nom pompeux donné à un hôtel allemand de cinq étages

dont la construction avait été interrompue par la guerre de 14
— n'était qu'un squelette de béton armé ouvert à tous vents,
sans eau et dépourvu de toute installation sanitaire. Les latrines
consistaient en un baquet posé sur chaque palier et vidé tous
les matins par une corvée de Nord-Africains. Dire que cela sentait la merde à tous les étages était un délicat euphémisme !
Dire également que le speech d'accueil du lamentable colonel
commandant le 66e régiment d'infanterie auquel le caporal
Prévert était désormais affecté, ait été chaleureusement accueilli
par les huit cents clochards arrivés de France, l'était tout
autant. Seules quelques bribes de la harangue leur parvenaient.
Nullement impressionné par le discours du scrogneugneu, et
n'ayant pas la langue dans sa poche Prévert improvisa à son
tour — et dans les rangs — un discours au vitriol sur les colonels en général, sur celui du 66e en particulier, de leur utilité et
de l'usage que l'on pouvait en faire ! Le succès de la diatribe fut
considérable et le caporal Prévert, tout auréolé du prestige du
tribun, bénéficia illico d'une réputation qui ne le quittera pas
tout au long de son séjour à Constantinople. Le soir même il faisait connaissance avec le « trou » qui, somme toute, n'était pas
plus inconfortable que les chambrées du gîte d'étape. Les
punaises et moustiques par milliers ne faisaient aucune différence entre l'épiderme d'un militaire déférent et discipliné et
celui d'un Prévert mal embouché ! « En une nuit nous avons
l'Orient dans la peau », dira Marcel Duhamel, un caporal arrivé
dans le même contingent et ayant la particularité de ressembler
comme deux gouttes d'eau au prince de Galles alors très populaire pour avoir servi au front pendant la Grande Guerre et qui
le sera bien plus encore quinze ans après quand son roman
d'amour avec Mrs. Wallis Simpson l'obligera à abdiquer.

Quarante-huit heures plus tard, compagnie par compagnie, musique en tête, le régiment gagna ses quartiers défini-
tifs : la caserne Gouraud, magnifiquement située au nord de
Pera, l'historique quartier génois, que l'on appelait aussi Beyöglu, sur la rive gauche de la Corne d'Or. Gravir la colline de
Galata dominée par la fameuse tour du même nom, emprunter
la noble Grande-Rue de Pera[1] où se trouvaient les magnifiques
hôtels particuliers abritant les ambassades des grandes puissances ; traverser l'immense place Taksim pour gagner enfin, au-
delà, la dernière des sept collines sur lesquelles était construite
l'ancienne Byzance, couronnée par les longs bâtiments ocres
de la caserne Gouraud qui servait également de quartier général aux forces d'occupation alliées, donna aux mollets des
bidasses du 66e une idée précise de la topographie de Constan-

1. Aujourd'hui Istiklâl Caddesi.

tinople, encore que, entre la Corne d'Or, le Bosphore et la mer de Marmara, les Parigots qui composaient la majorité de la compagnie de Jacques Prévert eussent été bien incapables de dire, dans cette capitale à cheval sur deux continents, s'ils se trouvaient en Europe ou en Asie ! C'était l'Europe, apprirent les caporaux Prévert et Duhamel en touchant leur moustiquaire des mains du fourrier et en découvrant la vue magnifique que l'on avait de la caserne Gouraud sur le Bosphore et la côte asiatique de la ville. Pour le reste le confort était succinct. Les chambrées étaient de longs couloirs meublés de lits de camp et de planches à paquetage. Le courant de sympathie immédiate entre Marcel et Jacques les poussa à installer leurs lits l'un près de l'autre, bientôt rejoints par Roro, le garçon boucher d'Orléans. Prévert et Duhamel étaient les seuls de la chambrée à disposer sur leur planche à paquetage une dizaine de livres fatigués d'avoir été lus et relus. Dumas, Conrad, Apollinaire et le cher Rimbaud pour Prévert ; Théophile Gautier, Octave Mirbeau et sa haine des bourgeois, Loti et Farrère — les « exotiques » — pour Marcel Duhamel qui, issu d'une famille d'hôteliers et ayant séjourné en Angleterre assez longtemps pour en pratiquer couramment la langue avait préparé son service militaire à Constantinople comme un voyage estampillé « Baedeker » ! Quels meilleurs guides que les officiers écrivains Pierre Loti et Claude Farrère ? Grâce à *Aziyadé* le premier s'était fait le chantre le plus célèbre de Constantinople. On pouvait encore, disait-on, voir le café qu'il fréquentait dans le vieux quartier d'Eyüp, au fond de la Corne d'Or. Les deux compères se promirent de le visiter au plus tôt. Auparavant, le caporal Jacques Prévert devait terminer les jours de taule que lui avait valu sa philippique contre les colonels. Il n'en garda pas un trop mauvais souvenir. D'abord parce que, grâce à un bienheureux effet du hasard, le caporal Duhamel fut affecté pour la semaine à la garde de l'ancien poulailler de la caserne Gouraud qui faisait office de prison. Ensuite parce qu'il régnait dans ce rendez-vous des réfractaires de toutes sortes une aimable anarchie qu'aucun officier ne semblait enclin à juguler. Prévert y découvrit à vingt ans la cocaïne, fort commune dans toutes les boîtes de nuit et bars cosmopolites de Constantinople et dont un des pensionnaires du gnouf détenait une pleine musette — « Idéal, la neige, pour passer le temps », dira négligemment Marcel Duhamel[1] — et renoua, pour la vie, avec le vin rouge — déjà sérieusement expérimenté à Paris lors des longues stations bistrotières en compagnie du Père Picon — qui sera jusqu'à la veille de sa mort son plus fidèle compagnon. Pouvait-on rêver

---

1. Marcel Duhamel, *op. cit.*

meilleur approvisionnement que celui fourni par le caporal d'ordinaire dont la réserve de picrate se trouvait sous un appentis à l'air libre, à quelques mètres de la prison ? Il lui suffisait de plonger un long tuyau de caoutchouc dans une barrique, d'amorcer en aspirant à l'autre bout et de passer le tuyau par un orifice aménagé au bas de la porte de l'ex-poulailler ! Durant toute la fin de sa peine, entre le pinard et la cocaïne, Jacques Prévert vécut dans un état second dont personne ne se soucia. Au caporal Duhamel il expliqua — entre deux cuites — qu'il trouvait même son sort enviable. Prisonnier, il échappait à toutes les corvées, exercices, gardes, marches forcées prévues par le règlement qui, en revanche, lui imposait comme aux autres taulards de procéder chaque matin à une toilette soignée. Ce qui exigeait de l'eau, beaucoup plus rare que le vin à la caserne Gouraud ! Il fallait se contenter d'un mince filet coulant d'une fontaine publique, située à deux cents mètres du cantonnement, et où venaient également s'approvisionner les femmes des environs. Ce fut le premier contact du « cabot » Prévert avec ces silhouettes voilées auxquelles la jarre sur la tête donnait la plus noble attitude du monde. Avec une patience ancestrale, elles attendaient leur tour. Patience partagée par l'équipe des Bras de Saindoux du camp Sainte-Marthe, reconstituée sur le Bosphore, qui jusque-là négligente dans le domaine de l'hygiène découvrit soudain les joies de la toilette, du tub et même de la douche. Ses membres devenaient intransigeants sur le chapitre de la propreté ! Une matinée était à peine suffisante pour effectuer la corvée d'eau qui permettait sinon de longues conversations que la barrière de la langue rendait impossibles, du moins de langoureux échanges de regards allumant tous les fantasmes, entre ces jeunes hommes pleins de sève et ces jeunes femmes — ainsi les imaginaient-ils sous le voile — dont ils ne connaissaient que les yeux magnifiques soulignés de khôl.

Quelques jours plus tard, Jacques Prévert était libre et — sans que quiconque eût suggéré de le priver de son galon de laine — il commença, au côté de Marcel Duhamel promu son meilleur ami au grand dam de Roro, un tantinet jaloux, une opération de séduction tous azimuts qui porta aussitôt ses fruits. « Il a une personnalité si attachante, dira Duhamel, un tour d'esprit si cocasse en même temps qu'une lucidité et une logique imperturbables, que c'est à qui voudra gagner son estime. Même certains gradés sont sensibles à son humour, à son rayonnement, et cherchent à se l'attacher[1] » Jacques Prévert devra à ce caractère à la fois aimable et caustique une

1. *Ibid.*

situation de caporal privilégié. Tandis que les officiers d'état-major s'arrachaient les services de Marcel Duhamel, parfaitement bilingue, pour établir le contact avec leurs homologues anglais — le Royaume-Uni était puissance occupante de Constantinople au même titre que la France —, Jacques, ne sachant rien faire si ce n'est de l'esprit au détriment de quiconque lui déplaisait, se vit dégagé de tout service contraignant et entreprit de réaliser le projet ayant motivé son engagement pour les «Territoires extérieurs occupés» : découvrir le pays où le hasard l'avait mené, cette Byzance si riche d'histoire, cette Constantinople[1] si dépaysante pour un Parisien qui — en dehors de Nantes et de Pornichet — avait tout juste franchi les fortifications cernant la capitale. Pour le flâneur quasi professionnel qu'il était devenu en sillonnant Paris comme peu de gamins de vingt ans pouvaient se vanter de l'avoir fait, la cité millénaire était une mine à creuser intelligemment avec comme compagnon guide ce Marcel Duhamel qui, à peine délivré de sa tâche quotidienne d'interprète, prenait ses repères dans la ville aux cent minarets à travers les récits de Farrère, Loti et Théophile Gautier. Pour parvenir à Sainte-Sophie et à Sultan Ahmet Camii plus connue sous le nom de mosquée Bleue — les équivalents locaux de Notre-Dame et de la tour Eiffel — ils empruntèrent le fameux pont de Galata qui enjambe la Corne d'Or et avait été terminé à la veille de la guerre. C'était l'heure du retour des pêcheurs dont certains portaient sur l'épaule d'énormes espadons bleus impressionnants pour de jeunes Parisiens. En face s'étendait Imenönü que l'on appelait alors Stamboul Est, colline à la crête de laquelle se détachaient sur un fond de ciel rougeoyant les minarets aériens de Sainte-Sophie et de la mosquée Bleue tandis que sur l'autre rive de la Corne d'Or, Galata et sa tour, Pera puis Taksim, sa place et son ultime colline portaient le nom générique de Stamboul. La Grande-Rue de Pera en constituait les Champs-Élysées et elle était parcourue par un petit tramway jaune que relayait le funiculaire souterrain baptisé Tünel permettant de descendre sans fatigue jusqu'aux rives de la Corne d'Or et au pont de Galata. Les portefaix turcs n'avaient pas cette chance et, ployant sous des charges phénoménales, gravissaient à pied les quelque trois cents degrés menant à la station supérieure. Mais n'étaient-ils pas forts comme des Turcs ? C'était également le cas de Roro qui s'était érigé en garde du corps de ses deux compagnons dont il admi-

---

1. Constantinople ne prendra officiellement le nom d'Istanbul qu'en 1923, après la proclamation de la République turque et l'élection de Mustafa Kemal à la présidence.

rait l'agilité intellectuelle. «Un juteux ayant fait un reproche immérité, se souviendra Marcel Duhamel, à peine a-t-il le dos tourné que Roro, bouillant de rage impuissante, écrase son poing contre un des poteaux qui soutiennent la toiture de notre chambrée. Sa main est en marmelade. L'autre ne saura jamais à quoi il a échappé[1].» Tout en jouant les «durs de durs», ce qu'appréciait le garçon boucher, Jacques Prévert montrera le véritable fond de sa nature généreuse en s'attachant à cet être fruste, amoureux fou de la femme de son patron dont la photo ne quittait jamais son cœur. La dulcinée le comblait de colis qui amélioraient l'ordinaire de l'inséparable trio. Puis, patatras, plus de colis, et moins de flamme dans les lettres de la bouchère. Libéré bien avant Prévert et Duhamel, Roro trouvera sa belle dans les bras d'un autre costaud. Désespéré il se tirera une balle dans le cœur. Libéré à son tour, le premier geste de Jacques Prévert, sentimental à sa façon, sera de faire le voyage d'Orléans pour apporter à la mère de Roro quelques sincères paroles de consolation[2].

Pour l'heure, le futur poète emplissait sa mémoire d'images plus colorées les unes que les autres et, en compagnie de Marcel Duhamel qui avait quelque argent — mais la vie à Constantinople était si bon marché que la solde du caporal permettait de jouir des plaisirs de la vie stambouliote —, écumait les hauts lieux de gourmandises diverses qu'offrait la ville. Jacques Prévert adopta d'emblée le raki ou «douziko» que le Père Picon aurait apprécié pour sa force — «de la mélinite en bouteille», disait Duhamel, grand connaisseur en alcools puissants — et les douceurs dont regorgeaient les rayons, plateaux, présentoirs d'argent, bonbonnières de cristal de la splendide confiseric Hadji-Bekir, connue dans tout le monde levantin pour son loukoum lequel, paraît-il, donnait aux femmes un teins de lis et de rose et des formes de Vénus callipyge fort prisées dès que l'on entre en Méditerranée orientale. Le magasin de la Grande-Rue de Pera était fréquenté par la bonne société et fournissait les ambassades situées aux alentours. Les plus luxueuses d'entre elles présentaient leurs grilles savamment ouvragées sur la rue même, telles l'ambassade de Hollande ou l'ambassade russe, à la façade rose bonbon, où se croisaient pêle-mêle des agents et représentants diplomatiques bolcheviks et la crème de l'aristocratie tsariste. Celle-ci avec les débris de l'armée Wrangel entamait à Constantinople un long périple qui les mènerait en majorité jusqu'à la France où ils feront les beaux jours des boîtes de «Nuits de Princes» et pendant des décennies condui-

---

1. Marcel Duhamel, *op. cit.*
2. *Ibid.*

ront la noria des taxis de Montparnasse à Pigalle. On était en
1921, et rien encore n'était définitivement joué dans cet immense
poker politique qui allait, pour plus d'un demi-siècle, changer
la face du monde. L'ambassade de France, elle, se faisait discrète et ne s'affichait pas sur la Grande-Rue. Nichée au flanc de
la colline en contrebas du lycée Galatasaray — vénérable établissement qui ouvrait encore à la culture française l'élite de la
société ottomane avant de ne plus être connu en France que
par les amateurs de football, ainsi va la vie! —, elle portait le
nom prestigieux et mérité de palais de France, un édifice
reconstruit au xixᵉ siècle sur l'emplacement de la résidence
affectée trois siècles auparavant par Soliman le Magnifique
aux représentants des Bourbons. C'est dire si l'on s'aimait
de longue date entre le Louvre et la Sublime Porte! Le palais
était entouré d'un parc clôturé, et Jacques Prévert ne put le
connaître qu'à travers une de ces missions d'estafette qu'on lui
confiait parfois entre une petite garde, une patrouille et un travail, un peu particulier de bonne d'enfants, dû à son cher Duhamel et dont nous reparlerons. Leur service terminé, les deux
hommes avaient élu comme point de ralliement le second magasin de l'industrieux Hadji-Bekir, situé près de la Yeni Camii
— la nouvelle mosquée — et du marché égyptien, le lieu le plus
animé de la ville. Dans les luxueuses vitrines de marbre, de bois
blond et de glaces, ils ne se lassaient pas de contempler et souvent d'acheter les multiples variétés de loukoums translucides,
à l'orange, à la rose, parsemés de noisettes ou d'amandes
grillées, friandises généreusement enfarinées de sucre pulvéru-
lent, qui voisinaient avec des blocs de halva piqués de pistaches
ou marbrés de chocolat et de café dont le seul aspect mettait
l'eau à la bouche. Le magasin où ils se fournissaient avait le
grand avantage de se trouver entre le marché aux épices et la
gare de l'Orient-Express, lieux géométriques de leurs principales activités. Le marché aux épices, que l'on appelait plus
volontiers bazar égyptien car construit grâce aux tributs jadis
versés par Le Caire, était le marché préféré de Jacques Prévert
qui y retrouvait l'animation bariolée de sa chère rue de Buci
mêlée à ces lourds parfums d'Orient dont Marcel Duhamel
empruntait les noms français à Théophile Gautier. S'y entassaient de gros sacs de toile pleins à ras bord de piments en
paillettes, d'anis, de fenugrec, de sumak, de henné, de santal,
de cannelle, de benjoin, de gingembre mais aussi des caissettes
de dattes, de noix de muscade, de pasturma — viande séchée
au fenugrec et épicée — des plateaux de pâtisseries fraîches
comme les baklavas triangulaires, feuilletés fourrés aux noix
ou aux pistaches, et les fameux «bebek», petits cubes de pâte
d'amandes parfumée à la pistache. Toutes ces pâtisseries très

sucrées, riches en beurre où se mélangeaient amandes, noisettes, graines de pistache ou de sésame, calaient les estomacs
les plus affamés. Et n'oublions pas l'opium et le haschisch alors
en vente libre comme une de ces banales tisanes à la menthe ou
au citron si appréciées des Stambouliotes, ou ce fameux «Aphro-
disiaque des Sultans» que l'on trouve encore aujourd'hui au
détour d'une ruelle tortueuse. L'ordinaire de la caserne Gouraud étant des plus spartiates (surtout quand la bouchère de
Roro commença à mesurer ses colis), Duhamel et Prévert y
firent régulièrement leurs emplettes au retour d'une de leurs
principales missions : monter la garde à Sirkeci Istasyon, la
gare rose loukoum et vert pistache construite trente ans plus tôt
pour le premier des grands trains de luxe qui mettait Paris à
cinquante heures de Constantinople. L'endroit, disait-on à
l'état-major où Duhamel avait ses entrées, était étroitement
contrôlé tant déserteurs et espions y pullulaient. Il était occupé
de façon permanente par une escouade et un caporal en armes.
Nos deux sous-off à peine majeurs étaient plus souvent volontaires qu'à leur tour pour des raisons que Marcel Duhamel
expliquera sans fard : «On ne me donne aucune consigne particulière. Nous devons occuper la gare, c'est tout. Il y a, heureusement, la buvette. Et le verre de samos n'est pas cher, même à
nos bourses. De nuit, il y a des filles, des petites filles en gue-
nilles qui pour un quignon de pain ou une tablette de chocolat,
entraînent le biffin affamé de tendresse derrière une cloison en
planches et, sur le sol poussiéreux, le régalent de caresses plus
ou moins orientales. La corvée de gare n'en est pas une [1].» Plus
d'une fois les gamines partagèrent le halva, le baklava ou les
sucreries de Hadji-Bekir des deux troufions sentimentaux qui
d'instinct auraient sans doute préféré les étreintes tarifées des
professionnelles tapinant devant les hôtels de passe de Halas
Sokagi et Büyük Bayram Sokagi, deux ruelles pittoresques formant le quartier réservé de Beyöglu, ou celles des bars à matelots de Kemeralti Caddesi près du port de Galata où ils avaient
débarqué. Les deux hommes étaient pourtant familiers des
lieux où les soirs de permission ils venaient faire provision
d'images exotiques sans toutefois user de leurs pensionnaires
car, on le sait, il n'était pas dans les habitudes de Jacques Prévert de payer une femme.

Joyeux compagnon, franc buveur, se soûlant de paroles
plus encore que d'alcool, le jeune homme n'en était pas à un
paradoxe près. Duhamel, qui l'aimait déjà comme un frère
et partageait ses délires avec enthousiasme, remarqua à quel
point son ami, comme pour balayer des contradictions qu'il se

---

1. Marcel Duhamel, *op. cit.*

refusait à reconnaître, ne cessait de se défier lui-même «pour peu qu'il ait un verre dans le nez. Un trait de son caractère[1]». Le douziko à haute dose poussait à toutes les folies en même temps qu'il anesthésiait toutes les douleurs. Devant ses camarades, Prévert aimait à plaquer la main gauche sur une table et piquer la lame d'un couteau entre ses doigts écartés. De plus en plus vite. Jusqu'au jour où il se ficha la pointe dans la main. Sans une plainte il arracha la lame de la plaie, avec plus de facilité qu'un de ses camarades qui, un instant auparavant, au cours d'une discussion orageuse, s'était vu planter une fourchette dans le dos de la main par un contradicteur énervé. «Il faut se mettre à plusieurs, dira Duhamel, pour extirper de la chair la fourchette dont deux dents sont pliées. Anesthésié par le douziko, l'opéré n'a rien senti. Jacques non plus…[2]» Pas plus qu'il ne se rendra compte du danger qu'il courra et fera courir aux passants de la Grande-Rue de Pera en jouant les Ben Hur, traversant la ville au grand galop de Taksim au Tünel aux rênes d'un attelage qui avait eu le malheur de stationner aux abords de la caserne Gouraud. «Lui qui ne connaît en fait de chevaux que ceux du "Madeleine-Bastille", constatera Marcel Duhamel. Pour passer sa rage contre un juteux, il s'est improvisé charretier. Et s'en sortira sain et sauf. Il y a un Dieu pour les caporaux d'infanterie dopés au raki, c'est connu[3].» Aucune de ces facéties n'aura d'issue désagréable pour le caporal Prévert qui, tout au long de son séjour à Constantinople, sera toujours plus ou moins disponible, aucun gradé ne tenant à devenir sa tête de Turc! Son occupation la plus contraignante sera de diriger de temps à autre, l'escouade de garde à Sirkeci Istasyon, la gare de Constantinople. Service qui, on l'a vu, ne pouvait guère être assimilé à une corvée.

Le séjour dans la capitale turque devint réellement enchanteur lorsque Marcel Duhamel, qui avait fait merveille dans le rôle de traducteur interprète à l'état-major, se vit proposer par son capitaine de compagnie la mission d'apprendre l'anglais à ses deux garçons. S'il acceptait, il serait détaché du service de liaison franco-britannique où il travaillait comme un bœuf, au service personnel du capitaine qui jouissait d'un statut privilégié depuis qu'il avait inventé un nouveau système de mitrailleuse jugée révolutionnaire. Le capitaine était sympathique, sa compagne — il était veuf — ravissante, et les deux gamins de onze et treize ans paraissaient bien dégourdis. Marcel accepta avec joie une situation qui le dégageait de toutes les contraintes de la

1. *Ibid.*
2. *Ibid.*
3. *Ibid.*

vie de caserne. Plutôt que des cours formels autour d'une table dans la villa paternelle, Marcel Duhamel fit admettre le principe de «promenades-causeries» que le capitaine qui ne parlait pas un mot d'anglais trouva aussi original que profitable. Les deux garçons, s'ils se tenaient tranquilles en présence de leur père, se révélèrent bientôt de redoutables garnements nullement impressionnés par leur jeune «caporal instructeur». S'ils connaissaient déjà les rudiments de la langue anglaise, ils se montrèrent totalement allergiques aux leçons que le malheureux Marcel tentait de leur inculquer. En désespoir de cause, il eut l'idée pour les amadouer de les emmener voir son ami Jacques Prévert, de garde à la gare cette semaine-là. Prévert ne savait pas plus l'anglais que le capitaine de compagnie mais sa conversation cocasse et ses propos aussi décousus que saugrenus, émaillés de jeux de mots et de coq-à-l'âne, firent merveille. À l'écouter, les gamins s'étranglaient de rire et, à la buvette de la gare où Prévert les conduisit, on vit qu'ils étaient plus amateurs de samos bien frais que d'ayran (yaourt battu), de thé ou d'eau glacée, boissons plus en rapport avec leur âge. «J'ai beau leur défendre de boire, dira Duhamel, ils n'en font qu'à leur tête. Et quand vient l'heure de rentrer, si je tiens un début de cuite, les deux mômes sont pompettes[1].» Le lendemain ce fut pire encore. À peine passé la porte familiale ils exigèrent «d'aller voir Jacques», pour eux synonyme de fête et, cette fois, le samos coula à flots. Au retour, le capitaine qui faisait preuve avec ses enfants d'une tolérance exceptionnelles due au fait qu'il n'avait su remplacer leur mère que par une trop jeune et jolie maîtresse, les observa pourtant d'un œil circonspect ainsi que leur mentor, lequel remarquera, pas plus rassuré que cela : «J'ai la nette impression qu'il se doute de quelque chose, en dépit de mes airs innocents et de la remarquable maîtrise des mômes qui tiennent le litre comme des vétérans et trouvent le moyen de parler un anglais passable... Heureusement la semaine de garde de Jacques se termine. Et le capitaine a jugé plus prudent de superviser nos promenades[2].» Cette sage décision permit à Duhamel et Prévert flanqués de leurs petits protégés de parfaire leur connaissance de Constantinople et de ses environs qui, sous le soleil de fin d'été, resplendissaient de mille feux.

Après avoir dévoré les ouvrages de Loti et Farrère que lui avait prêtés Duhamel et grâce auxquels il poursuivait une culture littéraire faite de bric et de broc, au hasard des livres qui lui tombaient sous la main, Jacques Prévert, jouant les pré-

1. *Ibid.*
2. *Ibid.*

cepteurs au même titre que Marcel, commentait à sa façon
bouffonne les hauts lieux qu'ils découvraient lors de ces «promenades culturelles». À Eyüp au fond de la Corne d'Or, que
l'on gagnait en bateau en empruntant une des nombreuses
«échelles» (embarcadère) établies sur chaque rive, l'un de
leurs buts de promenade préféré était le très exotique Piyerloti
Kahvesi — le café Pierre Loti — niché au fond du grand cimetière sis sur la colline dominant la mosquée. Marcel trouvait
que ce champ des morts ne se distinguait guère des terrains
vagues environnants que par ses cyprès et les renflements herbeux des tombeaux où s'asseyaient sans façon les visiteurs
pour discuter, casser la croûte ou se préparer un café en allumant un petit feu entre deux sépultures. À l'image du jeune
officier de marine qu'avait été Pierre Loti, Jacquot trouvait
le lieu poétique et aimait s'installer à la terrasse du café, à
l'ombre des arbres et de la glycine géante, pour boire un raki
en tirant sur le tuyau souple d'un narguilé tandis que les
gamins jouaient à cache-cache entre les cippes et les stèles des
tombes du XVIIIe et XIXe siècle que le temps avait brisés ou penchés en tous sens. Souvent la petite troupe attendait le coucher du soleil sur la Corne d'Or dont l'aspect romantique
calmait comme par enchantement les turbulences physiques
des enfants et excitait la verve imagée du futur auteur. Mais
c'est en cabotant d'Europe en Asie sur le Bosphore, de la
pointe de Galata jusqu'à la mer Noire, à bord de ces gros
bateaux de bois ventrus qui faisaient également le service de
l'île des Princes, que Prévert emplit sa mémoire des images les
plus évocatrices des splendeurs passées de Byzance. En 1921
les eaux du Bosphore comme celles de la Corne d'Or étaient
encore transparentes. Jacques et Marcel, fous de natation, ne
manquaient jamais l'occasion de prendre un bain, jouant les
tritons parmi les couleuvres inoffensives et les bancs de petits
poissons bleus qui, dès la première lune d'automne, redescendaient le bras de mer à la grande joie des pêcheurs. Lorsqu'ils
accompagnaient les deux garnements, ils se contentaient du
rôle de guide éclairé commentant — souvent à travers Lamartine ou l'inépuisable et cher Pierre Loti — les merveilles qui
bordaient le Bosphore. Les rives, qu'elles soient européennes
ou asiatiques, de ce grand boulevard maritime étaient comme
un livre à ciel ouvert de l'histoire fabuleuse de Byzance. À
commencer par le magnifique et colossal palais de Dolmabahçe dont la façade de marbre blanc était comme une perle
enchâssée dans les 600 m de quais où abordaient jadis les
caïques de la cour du sultan. «Dolmabahçe ressemble à un
palais d'amphibies, disait déjà Lamartine qui avait séjourné à
Constantinople quatre-vingt-dix ans plus tôt. Les flots du Bos-

phore, pour peu qu'ils s'élèvent sous le vent, rasent les fenêtres et jettent leur écume dans les appartements du rez-de-chaussée ; les marches des perrons trempent dans l'eau ; des portes grillagées donnent entrée à la mer jusque dans les cours et les jardins. Là sont les remises pour les caïques et des bains pour les sultanes, qui peuvent nager dans la mer à l'abri des persiennes de leur salon... Après Dolmabahçe commence une série non interrompue de palais, de maisons et de jardins. Tous donnent sur la mer comme pour en aspirer la fraîcheur. »

Pour échapper à la touffeur de l'été à Constantinople, toutes les personnalités qui comptaient dans l'Empire ottoman — du sultan aux riches commerçants en passant par les pachas, grands vizirs, janissaires de haut rang choyés par le pouvoir, et même le vice-roi d'Égypte qui s'échappait de la fournaise du Caire pour se rafraîchir sur les rives du Bosphore — s'étaient fait construire de splendides résidences d'été, palais et villas, mais aussi de charmantes et luxueuses maisons de bois, les *yali* largement ouvertes sur l'extérieur grâce à de grandes baies vitrées et nichées entre deux plages de sable fin au fond d'une crique ou entre deux collines boisées. La couleur traditionnelle des *yali* était le rose-rouge mais, depuis que les riches commerçants et hommes d'affaires turcs avaient remplacé les dignitaires ottomans, le blanc, l'ocre, le marron foncé, le vert et le bleu dominaient sur les façades festonnées qui resplendissaient au soleil. Chaque village où le ferry-boat faisait escale — d'Istanbul, ainsi que les vieux Turcs appelaient Constantinople depuis le xve siècle, quand leurs ancêtres avaient conquis la capitale de l'Empire d'Orient, jusqu'à Anadolu Kavagi, dernière escale de la côte asiatique avant la mer Noire — avait son débarcadère de planches peintes en blanc éclatant, portes et fenêtres soulignées de bleu cru, coiffé d'un toit de tuiles rouges, sentinelles du plus charmant effet à l'orée de villages de pêcheurs où, depuis la fin du xixe siècle, s'étaient installés hôtels, pensions et restaurants de poissons. La rive européenne comme la rive asiatique que le bateau touchait alternativement, étaient si riches en couleurs que l'œil ne savait ce qu'il fallait admirer le plus, des vestiges de Byzance ou des mosquées et palais de l'époque ottomane. Tous émergeaient de jardins aux bosquets de jasmin et de roses tout comme les délicieuses résidences d'été de la haute bourgeoisie attirée depuis plus de deux siècles par la beauté des lieux, la douceur de l'air et le climat le plus salubre que l'on puisse trouver des Dardanelles à la côte russe de la mer Noire. Passionné d'histoire, Jacques Prévert puisait à chaque voyage chez les auteurs «exotiques» de la bibliothèque portative de Marcel Duhamel pour identifier les hauts lieux et les traces

que l'homme avait laissées sur cette terre à la croisée des chemins ouverts depuis des millénaires entre l'Europe et l'Asie.
Jamais les fils du capitaine de la 2ᵉ compagnie du 66ᵉ régiment
d'infanterie n'avaient autant appris, et avec tant de plaisir,
qu'avec ces deux profs improvisés qui possédaient tout juste
leur certificat d'études mais étaient avides de situer l'histoire
du monde sur le terrain et de partager avec leurs « élèves » leur
savoir tout neuf.

Parmi les promenades conseillées par l'officier désormais
enchanté des progrès que faisaient ses enfants sous la conduite
des deux caporaux fantaisistes, figurait le court voyage aux îles
des Princes qu'ils renouvelèrent souvent au cours de l'été et de
l'automne 1921, tant les enfants et leurs « précepteurs » appréciaient la beauté de cette poignée d'îles jetée par des dieux
bienveillants dans les eaux bleues de la mer de Marmara. Pour
la première fois depuis le séjour à Toulon, l'année de ses six
ans, Jacques Prévert retrouvait la miraculeuse lumière méditerranéenne et la douceur de l'air qu'il apprécia tout au long de
sa vie jusqu'à s'installer pendant plusieurs années entre Saint-
Paul-de-Vence et Antibes. Des neuf îles de l'archipel situé à une
cinquantaine de kilomètres du grand pont de Galata, le vapeur
desservait les quatre plus grandes parmi lesquelles Prinkipio
appelée aussi Büyük Ada (la Grande Île) était la préférée des
enfants et ils adoraient la sillonner dans l'une des innombrables calèches à double attelage, principal moyen de locomotion des îliens et de leurs visiteurs. Büyük Ada avait été un haut
lieu du culte orthodoxe jusqu'à la chute de Byzance et les
jeunes gens de ce début du xxᵉ siècle accrochaient toujours de
petites bandes d'étoffe blanche aux buissons qui bordaient le
chemin du monastère Saint-Georges, symbole des prières
adressées au saint réputé pour réaliser les vœux des amoureux.
Sur Büyük Ada, comme sur les rives du Bosphore, les hauts
fonctionnaires et les riches marchands d'Istanbul s'étaient fait
construire dès le xviiᵉ siècle des *yali* dont certains tenaient du
palais tant par leurs proportions que par la splendeur de leurs
façades ouvragées. Chacun de leurs deux ou trois étages était
bordé d'un large balcon qui permettait aux heureux propriétaires d'admirer la vue sublime sur la baie ou sur les bois environnants. Car c'était là la vraie richesse de l'île : les magnifiques
panoramas ouverts aux regards entre deux bois de ces pins
nains qui la couvraient. Le paysage aux couleurs violentes
— azur soutenu de la mer de Marmara, magnolias, lilas, mimosas, chèvrefeuille, jasmin et bougainvillées richement fleuris du
printemps à l'automne — semblait se refléter comme dans un
miroir sur les flancs des calèches et même des fardiers ornés de
minutieuses peintures naïves qui faisaient de chacun d'eux une

œuvre d'art. Pour son premier grand voyage Jacques Prévert était comblé. Après Constantinople et ses richesses que le grand bazar — le plus important du monde avec ses centaines de boutiques débordant d'or, de pierreries, de bijoux et de tapis précieux — symbolisait à merveille, après le Bosphore pour le contrôle duquel on s'était battu depuis l'époque hellénistique, Prinkipio lui apportait la paix et la poésie qui se dégageaient de la plus harmonieuse des natures. Souvent il lui arriva d'abandonner ses compagnons pour marcher seul avec ses pensées sous le couvert de pins maritimes, de palmiers doums, de cyprès et d'arbres de Judée dans le maquis odorant où se mêlaient arbousiers, lentisques, myrtes et cistes dont il cherchera toute sa vie à retrouver les parfums. C'est à Büyük Ada qu'ils s'étaient inscrits à jamais dans sa mémoire olfactive. Le quatuor se retrouvait à l'heure de l'apéritif sur la placette ombragée du village où les terrasses de bistros disputaient l'espace aux étalages des marchands de fruits et légumes. Salades, tomates, choux, aubergines, courgettes, poivrons, piments, oignons rouges et blonds, raisins aux grains translucides y témoignaient magnifiquement de la richesse des îles. Le dernier ferry amenait la petite troupe jusqu'à l'embarcadère de Karaköy, au cœur de Constantinople, juste à temps pour voir les minarets des diverses mosquées entourant le vieux sérail de Topkapi s'inscrire en ombres chinoises sur un ciel que le couchant embrasait de tous ses feux. Occasion pour Duhamel de citer une fois encore Lamartine : « Se détachant à cru sur l'horizon azuré du ciel, une splendide mosquée couronne la colline et regarde les deux mers : sa coupole d'or semble réverbérer l'incendie... »

Cette existence de rêve dans l'un des plus beaux décors du monde découvert à vingt ans ne pouvait durer toujours. À la fin de l'automne, Duhamel et Prévert perdirent leur protecteur. Le capitaine de la 2ᵉ compagnie était muté et quittait Constantinople avec armes, bagages, maîtresse et enfants. Les deux complices retrouvèrent la vie de caserne, les bagarres sanglantes de Taxim[1] entre militaires de différentes nationalités, les boîtes russes de la Grande-Rue de Pera qu'ils ne pouvaient fréquenter que lorsque Marcel recevait quelques subsides de sa famille ou que Maman Suzanne, rue du Vieux-Colombier, avait réussi à distraire d'un budget serré à l'extrême une somme digne d'être envoyée à Constantinople. En Cilicie, la France se heurtait à une résistance si vive des populations qu'elle restituait le pays à la Turquie et envisageait de se retirer totalement de la capitale. À Mustafa Kemal de régler, à sa manière, son compte au sulta-

---

1. Marcel Duhamel in *Mon frère Jacques*.

nat de Mehmed VI et d'amener son pays à l'unité et à l'indépendance totale. Une époque se terminait. Le 28 novembre, Jacques Prévert lut son nom sur la liste des prochains embarqués à destination de Marseille. Malgré une rallonge d'une quinzaine de jours due à son séjour en prison lors de son arrivée, son service militaire prendrait fin le 15 mars 1922 où il serait démobilisé au 170e R.I. à Paris. Duhamel devait le rejoindre le mois suivant. « Pas besoin d'échanger nos adresses, dira Marcel, nous savons tout l'un de l'autre[1]. » Ce même 28 novembre, Prévert fut muté du 66e R.I. au 104e. Sa campagne d'Orient était terminée, ainsi que le nota le secrétaire du colonel sur son livret militaire. Quelques semaines d'attente, une traversée plus longue mais moins agitée qu'à l'aller et, le 4 mars 1922, Jacques Prévert foulait à nouveau le pavé de Saint-Germain-des-Prés. Il avait vingt-deux ans et un mois. Après une belle aventure exotique, une nouvelle vie commençait. Il s'agissait de ne pas manquer cette rentrée parisienne.

---

1. Marcel Duhamel, *op. cit.*

CHAPITRE 4

De la rue de l'Odéon
à la rue du Château

Somme toute l'épreuve militaire tant redoutée avait été surmontée sans mal. Certes, Jacques Prévert n'en sortait pas militariste. Trop heureux de n'avoir fait que deux ans de service — les classes 1919 et 1920 étaient libérées «par anticipation» et gagnaient ainsi un an —, il n'était nullement tenté de rempiler comme son ex-copain André Tiran, l'aîné de la «pétroleuse» de la rue de Tournon, devenu sous-off dans la coloniale! Le 15 mars 1922, il passa dans la réserve et, grâce à un colonel indulgent, le certificat de bonne conduite lui fut «accordé» à l'heure d'être renvoyé dans ses foyers. Il y retrouva avec bonheur les siens toujours nichés rue du Vieux-Colombier : Maman Suzanne, ses yeux bleus reflétant comme d'ordinaire des trésors de bonté, guettait stoïquement l'enfilade de la rue Madame empruntée par son cher André quand il rentrait chaque soir plus ou moins chancelant, et aussi Pierrot qu'il avait quitté, lui semblait-il, encore tout enfant. C'était maintenant un grand jeune homme de seize ans, fou de cinéma dans lequel il cherchait opiniâtrement à faire carrière ainsi que l'avait prédit la fée penchée sur son berceau! Pour l'heure, il n'y était pas encore parvenu et se contentait de regarder avec admiration cet aîné qui revenait de l'Orient mystérieux et parlait, parlait, parlait à n'en plus finir. Rien n'avait profondément changé depuis le départ pour Istanbul. Le seul argent sur lequel Suzanne pouvait compter pour assumer les besoins de la famille était celui rapporté chaque mois par son époux. D'agent électoral pour le maire du VIe arrondissement, emploi intermittent bien précaire, celui-ci était devenu agent municipal (on disait rédacteur à la mairie, qui faisait plus chic) avec un salaire mensuel et de petits avantages matériels qui rendaient la vie quotidienne plus agréable. Lorsque, des décennies plus tard, le succès l'ayant comblé, Jacques Prévert rédigera sa notice pour le *Who's Who* il notera à la rubrique «profession du père» : employé de mairie ! Pour le prestige, André Prévert préférait pourtant exciper de son travail de journaliste à *Figure et pensée*, dont le patronage d'honneur comptait entre autres les noms glorieux de Maurice Barrès, Henri Bordeaux, Pierre Loti, Henri de Régnier et Paul Fort, tous auteurs renommés dont, à l'exception du cher Loti, admiré pour cause de séjour à Constantinople, Jacques Prévert n'avait guère envie de lire les œuvres « réactionnaires » et par trop « bourgeoises » !

Rue de Tournon, Jacquot fut accueilli à bras ouverts par les garçons et les filles de la tribu Dienne et, revoyant Simone, prit soudain conscience de la place qu'après deux ans d'absence la jeune fille tenait dans son cœur. Ils fêtèrent ensemble le dix-neuvième anniversaire de la cadette et bientôt tous les amis de Prévert surent qu'il était désormais inutile d'inviter l'un sans l'autre tant ils étaient inséparables. À peine de retour d'Orléans où il était allé réconforter la mère de Roro, le malheureux garçon boucher qui n'avait pas supporté la « trahison » de sa patronne, Jacques Prévert reprit contact avec Yves Tanguy, le bouffeur d'araignées de Saint-Nicolas-du-Port qui revenait du grand Sud tunisien. Ayant fait, lui aussi, son plein d'images exotiques, il vivotait avec sa compagne, Jeannette, dans le minuscule studio de sa sœur, rue Coëtlogon et, comme avant son service militaire, était prêt à aller de petit boulot en petit boulot pour ne pas crever de faim. Malgré un physique bien éloigné de celui d'un fort des halles, il faisait néanmoins chaque nuit la queue entre la rue Coquillière, la rue Montmartre et la rue d'Enghien pour obtenir le privilège de charger de pleins camions de fruits, de légumes ou de *Petit Parisien* et de *Petit Journal* à l'encre encore fraîche.

Sans autres ressources que sa solde du dernier mois et les quelques francs que Maman Suzanne préleva sur ses maigres économies, Jacquot renoua avec les « tendres canailles » aux côtés desquelles il tenait le haut du pavé sur les trottoirs de Saint-Germain-des-Prés avant de porter l'uniforme. Avec Roger Dienne, le frère de Simone qui avait « une fâcheuse tendance à raser les murs pour se donner l'air d'un dur[1] », il retrouva Momo Bazar dont les affaires étaient prospères puisqu'il sillonnait maintenant le bitume, de Montmartre à Montparnasse, au volant d'une rutilante Ford torpédo déguisée en bolide, et quelques émules de Paulo, le cambrioleur au grand cœur qui hier encore s'inquiétait de lui voir prendre de néfastes chemins de traverse. Là encore, mystère sur les activités de Jacques Prévert au sortir du service militaire. Toujours est-il qu'il paraissait prospère et portait beau lorsque quelques semaines plus

1. Marcel Duhamel, *op. cit.*

tard il vint accueillir son ami Marcel Duhamel sur le quai de
la gare de Lyon. Veston cintré gris, faux col blanc à longues
pointes, pantalon serré aux chevilles, bottines à tiges et feutre
mou. « La gravure de mode vient à ma rencontre : c'est Jacques
Prévert, se souviendra Duhamel. Je me sens vaguement désorienté. Mais ceci n'est qu'une impression fugace. On s'embrasse. Il a eu le temps de se réadapter, a retrouvé ses amis[1]… »
Aussitôt Prévert présenta à ses compagnons d'enfance celui
qui, en l'espace de dix mois stambouliotes, était devenu plus que
son frère ; à Simone, qu'il aimait déjà, aux « tendres canailles »
avec lesquelles il avait pratiqué quelques métiers « pour la plupart inavouables », et surtout à Yves Tanguy avec qui il se sentait en communauté d'idées, aussi peu soucieux que lui de
l'avenir. À vingt-deux ans, ni l'un ni l'autre n'avait la moindre
ambition, encore moins la plus petite vocation. Seulement anars
et hostiles à tout ordre établi. Marcel Duhamel partageait leurs
idées mais, pragmatique et moins insouciant qu'eux, profitait
de la situation de son oncle — le Crésus de la famille Duhamel
était propriétaire d'une demi-douzaine d'hôtels parisiens comme
le Wagram de la rue de Rivoli, le Grosvenor, le Savoy, le Mac-
Mahon et l'hôtel de La Trémoille — pour poursuivre une carrière hôtelière commencée dès le milieu de la Grande Guerre
entre Londres et Paris. De toute « la bande à Prévert », Marcel
était le seul à posséder un métier. Et son oncle avait tenu sa
promesse : lui garder sa place à son retour du régiment. À peine
arrivé de Constantinople, il fut bombardé chef réceptionniste
de l'hôtel Wagram dirigé par son cousin germain. Avec, à la
clef, un salaire qui sans être faramineux n'était pas négligeable.
Cette subite prospérité inspira Jacques Prévert et Yves Tanguy
qui se mirent à la recherche d'un emploi n'exigeant pas d'autre
qualification que de savoir lire et écrire correctement. Ils ne
pouvaient pas en espérer des mille et des cents. Seulement de
quoi éviter les chemins périlleux de la délinquance et n'avoir
pas à taper trop souvent ni la famille ni les amis. Yves Tanguy
dénicha la situation espérée au *Courrier de la presse* où les deux
jeunes gens furent engagés pour dépouiller, à la manière de
l'argus, tout ce qui s'écrivait dans les quotidiens, hebdomadaires et mensuels français sur telle ou telle personne. « Ça
consistait, se souviendra Prévert, à lire les journaux, à découper et à envoyer les coupures aux abonnés qui voulaient savoir
ce qu'on disait, ce qu'on pensait d'eux[2]. » Si le travail n'était
pas passionnant, et le salaire minime, il apprit à Jacques Prévert à parcourir très vite la presse et à y dénicher aussi rapide-

---

1. *Ibid.*
2. J. Prévert à André Pozner, in *Hebdromadaires*.

ment l'information intéressante. Cette faculté lui sera d'une grande utilité professionnelle dans l'avenir lorsqu'il commencera à écrire pour le Groupe Octobre. Toute sa vie, dès qu'il en aura les moyens, il achètera un grand nombre de journaux pour y découper certains articles concernant les faits divers dont se nourriront nombre de ses futurs scénarios. Mais l'heure n'était pas encore à envisager l'avenir. Les deux lascars s'entendant comme larrons en foire, ne pensaient qu'à rire aux dépens des clients de l'agence, avides d'une notoriété qui, eux, les laissait de marbre. Bientôt Tanguy et Prévert pourtant payés «aux pièces» éclairèrent la morosité de leurs journées par l'envoi de coupures fantaisistes aux abonnés. Ceux-ci apprécièrent modérément l'humour de Prévert qui excellait déjà dans le détournement des mots de leur sens premier comme il le faisait hier avec les colis du Bon Marché éloignés de leur destination initiale, parfois en sa faveur! Faire dire aux mots — via un savant montage des coupures de presse — autre chose que ce qu'ils signifiaient comportait un risque. Au bout de six mois et d'une brève enquête qui révéla leurs facéties, Yves et Jacques furent «remerciés», cette fois au sens second du terme et sans la moindre once d'humour. Les deux compères ne prirent pas l'aventure au tragique puisqu'ils disposaient chacun d'un toit — Yves chez sa sœur, Jacques chez ses parents rue du Vieux-Colombier où, depuis son retour, Pierrot lui avait rendu son sommier de jeune homme et devait se contenter d'un lit pliant. Quant au couvert, ils le trouvaient aux cuisines de l'hôtel Wagram où Marcel Duhamel veillait avec des attentions fraternelles à ce qu'ils satisfassent un appétit qui, surtout chez Yves Tanguy, était colossal. En quelques mois, Marcel devint leur bon génie protecteur, rôle qu'il devait tenir durant de nombreuses années.

C'est lui qui signala à ses amis au 7, rue de l'Odéon, une librairie étrange à l'enseigne de La Maison des Amis des Livres tenue par une jeune femme qui ne l'était pas moins. Non seulement on y achetait des livres neufs et d'occasion mais on pouvait, dans la «société de lecture», y emprunter pour une somme modique les ouvrages les plus intéressants. Ressemblant à une belle abbesse plantureuse[1], toujours vêtue d'une longue jupe grise et d'un gilet de velours sans manches porté par-dessus un chemisier, Adrienne Monnier avait la trentaine, le cheveux court comme son amie Sylvia Beach qui tenait en face une librairie uniquement consacrée aux ouvrages anglo-saxons, Shakespeare and Company. Sylvia, elle, était mince comme une écolière et se vêtait de même d'une jaquette à grand col rabattu

---

1. Selon le mot de Janet Flanner.

telles les héroïnes de Colette. Adrienne et Sylvia avaient la réputation de préférer les filles aux garçons mais leurs clients, dont
la plupart devenaient des habitués, se souciaient comme d'une
guigne d'une homosexualité qu'elles étaient loin d'afficher,
même si elles ne la cachaient pas. À La Maison des Amis du
Livre que fréquentaient entre autres Paul Fort, Léon-Paul
Fargue, Paul Claudel, Paul Valéry et André Gide, les deux
jeunes gens, le premier instant de timidité passé, se sentirent
chez eux parmi ces ouvrages recouverts de papier cristal et ces
auteurs dont la plupart leur étaient inconnus.

Dans les semaines qui suivirent leur première visite,
Adrienne Monnier leur fit découvrir des revues littéraires comme
la *NRF* (*Nouvelle Revue française*) et le *Mercure de France* où la
jeune femme avait travaillé avant d'ouvrir sa librairie au début
de la Grande Guerre, en 1915, alors qu'elle avait tout juste
vingt-trois ans, l'âge même de ses visiteurs d'aujourd'hui. Grâce
à une indemnité de dix mille francs reçue par son père, un pos-
tier handicapé à la suite d'un très grave accident ferroviaire
survenu à Melun en 1913, Adrienne Monnier avait pu louer un
magasin et constituer un petit stock des livres qui lui plaisaient
et que l'on ne trouvait pas dans les vitrines des autres librairies
entre l'Odéon et Saint-Germain-des-Prés. Ayant très peu d'argent elle s'était spécialisée dans la littérature moderne. Bientôt
sa foi et son enthousiasme lui avaient valu la clientèle d'une
élite et de la jeunesse estudiantine cultivée, qui ne manquait
pas dans le quartier. « À l'âge où l'homme étudie encore, pro-
clamait-elle, où l'existence ne lui a pas imposé une routine, il
est un être de bonne volonté et, dans une mesure déterminée
par l'influence de son milieu, l'état de son savoir et la capacité
de son intelligence, il jouit d'un état de grâce où il peut comprendre la vie et les images de la vie [1]. » Jacques Prévert et Yves
Tanguy étaient dans cet « état de grâce » lorsqu'ils feuilletèrent
puis lirent avec passion, rue de l'Odéon, *Les Chants de Maldoror* d'un certain comte de Lautréamont dont ils n'avaient jamais
entendu parler. Ce fut une révélation. Cet Isidore Ducasse — né
à Montevideo et dissimulé sous le pseudonyme de comte de
Lautréamont, avant de mourir à vingt-quatre ans dans un meublé parisien — montrait une sorte de génie, dans ce livre magique
et torturé, à blasphémer le nom de Dieu, créateur du monde
mais aussi hautement malfaisant si l'on se fondait sur tous les
crimes dont sa création était le théâtre depuis la nuit des temps.
Aussitôt le Lautréamont des *Chants de Maldoror* vint rejoindre
le Rimbaud d'*Une saison en enfer* dans le panthéon littéraire de

1. Adrienne Monnier, in *Rue de l'Odéon*.

Jacques Prévert qui se délecta de cette furieuse manifestation de la rébellion de l'homme contre Dieu.

On peut avoir une idée de l'influence bénéfique d'Adrienne Monnier sur un Jacques Prévert presque inculte, malgré une touche de Rimbaud et d'Apollinaire, en lisant ce qu'il écrira d'elle, la gloire venue, en faisant le bilan des rencontres et des lectures entamées sur les conseils de la jeune femme en quinze ans de fréquentation du 7, rue de l'Odéon : « Chez elle, c'était aussi un hall de gare, une salle d'attente et de départ où se croisaient de très singuliers voyageurs, gens de Dublin[1] et de Vulturne[2], gens de la Grande Garabagne[3] et de Sodome et de Gomorrhe[4], gens des Vertes Collines[5] venant le plus simplement du monde le plus compliqué passer avec Adrienne une Nuit au Luxembourg[6], une Soirée avec Monsieur Teste[7], une Saison en Enfer[8], quelques minutes de Sable Mémorial[9]. Et l'Ange du Bizarre[10] se promenait avec Moll Flanders[11] dans les Caves du Vatican[12], sous le Pont Mirabeau coulait la Seine[13] le long des berges de l'Odéon, le Ciel et l'Enfer se mariaient[14], les Pas Perdus[15] se recherchaient dans les Champs Magnétiques[16] et il y avait de la musique. On pouvait entendre en sourdine Cinq Grandes Odes[17] patriotiques magnifiquement couvertes par le refrain du Décervelage[18] et la Chanson du Mal-Aimé[19] et les Chants terribles et beaux[20] d'un enfant de Montevideo[21]. »

1. *Gens de Dublin*, ouvrage de James Joyce. *Ulysse* fut publié en France grâce à l'obstination de Sylvia Beach, puis traduit en français grâce à celle d'Adrienne Monnier.
    2. *Vulture*, prose lyrique de Léon-Paul Fargue.
    3. *Voyage en Grande Garabagne*, ouvrage d'Henri Michaux.
    4. *Sodome et Gomorrhe*, roman de Marcel Proust.
    5. *Vertes Collines d'Afrique*, récit d'Ernest Hemingway, grand ami de Sylvia Beach dont il fréquentait la librairie Shakespeare and Company.
    6. *Une nuit au Luxembourg*, conte de Remy de Gourmont.
    7. *La Soirée avec M. Teste*, conte philosophique de Paul Valéry dont Adrienne Monnier venait d'éditer *Album de vers anciens*.
    8. *Une saison en enfer*, dernière œuvre d'Arthur Rimbaud, qu'il acheva à dix-neuf ans.
    9. *Les Minutes de sable mémorial*, premier livre d'Alfred Jarry.
    10. *L'Ange du bizarre*, conte satirique d'Edgar Poe.
    11. *Heurs et malheurs de la fameuse Moll Flanders*, roman de Daniel De Foe.
    12. *Les Caves du Vatican*, roman d'André Gide.
    13. *Le Pont Mirabeau*, poème de Guillaume Apollinaire.
    14. *Le Mariage du ciel et de l'enfer*, poème en prose de William Blake.
    15. *Les Pas perdus*, recueil d'essais d'André Breton.
    16. *Les Champs magnétiques*, ouvrages d'André Breton et Philippe Soupault.
    17. *Cinq Grandes Odes*, recueil de cinq poèmes de Paul Claudel.
    18. *Chanson du décervelage*, extrait d'*Ubu roi*, d'Alfred Jarry.
    19. *La Chanson du mal-aimé*, poème de Guillaume Apollinaire.
    20. *Les Chants de Maldoror*, œuvre de Lautréamont.
    21. J. Prévert, *La Boutique d'Adrienne*, « Le Mercure de France », n° 1109.

Après la rue et le séjour fructueux à Constantinople, c'est dans le palais enchanté de La Maison des Amis des Livres que Jacques Prévert poursuivit ses humanités. Grâce à Adrienne Monnier il pénétra de plain-pied dans le monde de la culture qui jusque-là se limitait pour lui à quelques bribes arrachées, au hasard des rencontres, à un livre, un film, une pièce de théâtre, un tableau du musée du Luxembourg, une mélodie entendue ici ou là, jouée sur le violoncelle de Simone ou sur le piano de son amie d'enfance Christiane Verger qui était entrée au Conservatoire. Ainsi Adrienne Monnier lui fit-elle connaître l'œuvre de Paul Valéry dont elle était la seule libraire parisienne à proposer *La Soirée avec M. Teste* à la suite d'un rocambolesque concours de circonstances qu'elle raconta avec fierté à son jeune ami. C'était Paul Fort lui-même, le «prince des poètes», l'un des premiers clients de la librairie qui, un jour de grande dèche, lui avait proposé le stock complet de sa revue *Vers et Prose*. Six mille six cent soixante-seize exemplaires à la couverture vert artichaut proposés au prix très doux de cinq sous le numéro. Elle les lui avait réglés par un premier versement de deux cents francs et quinze mensualités de cent francs qu'elle avait eu bien du mal à honorer. Mais l'affaire avait été fructueuse car le numéro IV livré à plusieurs centaines d'exemplaires et contenant *La Soirée avec M. Teste* qui n'existait alors sous nulle autre forme, se négociait chez les bibliophiles et les amateurs lettrés à cinq francs l'exemplaire! Prix fixé par la libraire après que de jeunes clients enthousiastes lui eurent signalé l'exceptionnelle qualité de l'œuvre dont elle n'avait pas encore pris connaissance!

Ces «experts» se nommaient Louis Aragon et André Breton, étudiants en médecine qui s'étaient rencontrés au Val-de-Grâce pendant la guerre et étaient devenus familiers de la boutique. Deux poètes de premier ordre dont Jacques Prévert découvrit l'existence à travers la conversation d'Adrienne et quelques numéros de *Littérature*, revue qu'ils dirigeaient avec Philippe Soupault et qu'elle avait également en dépôt. Ce n'est que bien plus tard, rue du Château, que Prévert s'apercevra, à travers quelques confidences partagées, que l'Aragon devenu au côté de Breton l'un des hommes-phares du mouvement surréaliste naissant et le petit garçon aux cheveux bouclés de la rue Louis-Philippe avec lequel il jouait à Neuilly ne faisaient qu'un. Rue de l'Odéon, Prévert, boulimique de lecture, entreprit de combler les nombreuses lacunes de sa culture — tâche qu'il mènera à bien en quelques années — et compléta ses premières découvertes poétiques modernes par la connaissance de deux piliers de La Maison des Amis des Livres: Léon-Paul Fargue et Valery Larbaud. Léon-Paul Fargue, comme Paul Fort avec *Vers et Prose*, avait confié à Adrienne Monnier tout son stock de *Tancrède*, plaquette de 1894, fort rare et recherchée des bibliophiles, dont elle ne lui payait les exemplaires qu'après les avoir vendus. Ils lui valaient une commission de 50 %. Noble proposition, s'exclamait-elle encore, des années après! Quant à Valery Larbaud, l'un des romanciers préférés d'Adrienne Monnier avec Jules Romains qui était son chouchou, le jeune Prévert dévora ses *Enfantines* et sa *Fermina Marquez*, suivant ainsi les conseils de Léon-Paul Fargue lequel jouait volontiers les mentors auprès de ses cadets mais surtout auprès des jeunes étudiantes toujours nombreuses autour d'Adrienne Monnier et Sylvia Beach dont la réputation sulfureuse plus encore que les abonnements de lecture avantageux les attiraient comme une lanterne les papillons de nuit. Avec Paul Valéry, Léon-Paul Fargue et Valery Larbaud, Jacques Prévert, avant seulement d'avoir pensé à écrire son premier poème, croisait chez Adrienne Monnier trois écrivains majeurs à la veille de lancer une luxueuse revue littéraire trimestrielle, *Commerce*, qui, exactement sept ans plus tard, lui mettra le pied à l'étrier en le faisant connaître du milieu littéraire de Montparnasse et de Saint-Germain-des-Prés. Il avait fait jusque-là de plus mauvaises rencontres.

*

Si Jacques Prévert vivait comme l'oiseau sur la branche sans souci du lendemain, confiant son avenir à sa bonne étoile et son quotidien à la bonne volonté de Marcel Duhamel, il n'en était pas de même de Pierrot, le «petit frère» qu'il n'appréciait réellement que depuis son retour d'Istanbul et qui s'était mis en tête de travailler. Le pauvre fou! Néanmoins attaché à son idée, Pierre Prévert réalisa en 1924 — il avait alors dix-huit ans — une partie de son rêve: approcher le monde du cinéma. Oh! bien modestement. En répondant à une petite annonce publiée par Erka-Prodisco, une société de l'avenue de la République qui représentait à Paris les productions de Goldwyn Pictures Corp. En moins de dix ans, Samuel Goldwyn était devenu à Hollywood le propriétaire des plus grands circuits de distribution des États-Unis, avant de revendre toutes ses sociétés à Metro-Goldwyn-Mayer. Erka-Prodisco était ainsi l'un des plus importants fournisseurs de films américains en France. Pierrot, qui ne connaissait rien au métier, fut engagé comme coursier-garçon de bureaux. À l'heure ou peu de gens avaient le téléphone, il était chargé de porter les messages, puis, de retour avenue de la République, de donner un coup de balai, de vider les cendriers, bref d'être l'homme à tout faire[1].

La société disposait dans les sous-sols de son immeuble d'une petite salle de projection où les clients jugeaient sur pièces les productions de Sam Goldwyn avant d'en acheter les droits de diffusion. Sous la houlette d'un vieux projectionniste, Pierrot s'initia au fonctionnement des appareils et nourrit sans bourse délier sa passion pour le cinéma. Grâce à lui, le soir après le dîner, Jacques, Yves, Marcel et «leurs dames» pouvaient visionner avant leur passage en salle non seulement les Charlot, Mack Sennett et Buster Keaton dont le public raffolait mais les œuvres de plus jeunes metteurs en scène d'Hollywood encore peu connus mais promis à un bel avenir comme Tod Browning, maître de l'épouvante et découvreur de Lon Chaney; Frank Borzage, le «poète du couple», futur réalisateur de *L'Adieu aux armes* d'après le roman d'Hemingway; ou William Wellmann, ami de Douglas Fairbanks, d'abord garçon de courses chez Goldwyn puis accessoiriste et monteur avant d'accéder à la réalisation de films d'action et d'aventures, et dont Pierrot rêvait de suivre la trajectoire professionnelle. Pour des fous de cinéma, les programmes concoctés par lui chez Erka-Prodisco n'étaient pourtant pas suffisants. Aussi la bande sillonnait-elle Paris à la recherche des salles qui programmaient les films annoncés dans la presse et par lesquels elle entendait compléter sa culture cinématographique comme elle complétait sa culture littéraire rue de l'Odéon.

À travers les relations de Pierrot dans le milieu cinématographique, Jacques Prévert découvrit le monde des figurants où on pouvait gagner sans trop se fatiguer quelques dizaines de francs. Cela le changeait agréablement des expédients auxquels il avait ordinairement recours pour acheter les cigarettes qu'il fumait à la chaîne, veiller sur sa garde-robe à laquelle il prêtait beaucoup d'importance ou payer à Simone la place de cinéma qui leur permettrait de voir le dernier film de Marcel L'Herbier ou *La Maison du mystère* et *Le Brasier ardent* dans lesquels Ivan Mosjoukine faisait une étonnante composition. Il apprit ainsi à «aller au service» pour tourner chez Gaumont. En argot de métier, c'était s'inscrire sur une liste, dans une petite salle de projection boulevard Poissonnière, et attendre que le régisseur du film en cours arrive avec ses commandes du jour: «une vieille dame», «une jeune fille», «un grand garçon», «un vieux beau», «un petit rigolo». C'est là que Jacques Prévert fit la connaissance d'Henri Fescourt, metteur en scène attaché à Gaumont, ancien journaliste, secrétaire du drama-

---

1. Gazelle Bessières à l'auteur.

turge Henri Bataille et protégé de Louis Feuillade. Après quinze films tournés avant et après la guerre de 14-18, il venait de signer trois succès *Matias Sandorf* (1920), *Rouletabille* (1922) et *Mandrin* (1923), et engagea le jeune Prévert pour tenir une «panne», petit rôle de figuration intelligente, dans *Les Grands*, film qu'il devait tourner au printemps 1924 à Aix-en-Provence et qui racontait l'histoire de potaches terminant leurs études secondaires. Dans ce film muet, Jacques Prévert interpréta le personnage — ô combien de composition — du futur polytechnicien! Premier contact avec le cinéma, purement alimentaire, au cours duquel il découvrit que le métier de scénariste était important mais en fait pas sorcier car les dialogues se limitaient aux mimiques des comédiens et aux cartons explicatifs qui ponctuaient le film. Savourant aussi l'ambiance de franche camaraderie régnant sur le plateau, Jacquot s'y lia d'amitié avec Maurice Touzé, un jeune acteur de théâtre, titulaire d'un rôle d'élève un peu plus important que le sien et qui, outre un amour démesuré de la poésie et de la littérature, affichait un mépris des conventions au moins comparable à celui que Jacques Prévert et Yves Tanguy professaient. Ni Dieu ni maître, l'argent on s'en fout, on trouvera toujours quelqu'un pour subvenir à nos besoins, telle était la règle, la seule, à laquelle la bande acceptait de se plier. De retour à Paris, Maurice Touzé y fut intégré d'autorité. Surnommé le Gnome en raison de son jeune âge — il n'avait pas encore été appelé sous les drapeaux —, il fit la connaissance d'Yves Tanguy et de Jeannette Ducrocq, de Simone Dienne qui, lasse du carcan familial et majeure depuis peu, avait quitté la rue de Tournon pour vivre avec Jacques Prévert dans une modeste chambre louée passage Lathuille près de la place de Clichy; de Marcel Duhamel enfin et de ses nombreuses et éphémères conquêtes qu'il abritait dans une petite chambre au quatrième étage d'un bel immeuble du boulevard Bonne-Nouvelle, faute de pouvoir les loger dans le très smart hôtel Grosvenor, rue Pierre-Charron, dont son oncle satisfait de ses services l'avait nommé directeur à vingt-quatre ans! Maurice Touzé se trouva aussitôt à l'aise en compagnie de ce groupe uniquement occupé — selon le mot de Marcel Duhamel qui ne le rejoignait que le soir après une rude journée de labeur, en jaquette et pantalon rayé — «à entretenir la bonne chaleur de l'amitié, à rigoler bien sûr, à picoler et à faire des projets pour les jours suivants[1]». Une scène traduit bien l'ambiance débridée que savaient créer ces joyeux drilles. À l'issue d'une de leurs rencontres, toujours fort arrosées, à Montparnasse, Maurice Touzé invita ses nouveaux amis à l'ac-

---

1. Marcel Duhamel, *op. cit.*

compagner chez lui, à Asnières, où il occupait un logement en bordure de Seine. Ils y menèrent une joyeuse sarabande tandis que Jeannette qui, toujours prévoyante, s'était procuré un litre d'éther chez un pharmacien de sa connaissance, boulevard Raspail, entreprenait d'initier ses amis aux délices de la drogue. « Chacun, tour à tour, respire un grand coup du tampon d'ouate imprégné d'éther, se souviendra Marcel Duhamel. Très vite le truc agit : les sons nous parviennent décuplés en puissance, par vagues, à l'extrême ralenti. Le mot d'ordre est "pas de bruit" ; aussi nous efforçons-nous de chuchoter pour ne pas alerter le concierge, flic de son métier, comme par hasard. Bientôt le froid humide nous glace, dans cette pièce pas chauffée ; en proie à une surexcitation intense mais pris de nausées à cause d'un dîner copieux et de la biture que nous tenions déjà, nous nous relayons à la fenêtre qui donne directement sur la Seine, pour nourrir les poissons. Tout ceci en marchant sur la pointe des pieds, en claquant des dents et en braillant des "chuts" retentissants[1]. » La suite était prévisible. Le pipelet-cerbère qui, lui, « travaillait à l'aube », tenta de les rappeler à l'ordre et se fit couvrir de telles injures que, la fin du mois venue, Maurice Touzé se vit signifier son congé. Pareille mésaventure venait d'arriver à ses amis avec la chambre du boulevard de Bonne-Nouvelle où Marcel Duhamel hébergeait Prévert, en rupture de passage Lathuille trop longtemps impayé, Tanguy devenu allergique à la promiscuité familiale de la rue Coëtlogon, et leurs compagnes qui les auraient suivis en enfer. Trois d'entre eux se partageaient le lit, le quatrième dormait par terre, par roulement. Tous cédaient la place quand Duhamel était en bonne fortune... Ce plan d'occupation du sol par trois hommes et une multitude de femmes, d'ordinaire éméchés et hilares, n'était guère du goût des voisins qui le firent savoir et exigèrent du propriétaire l'expulsion de ces jeunes excentriques experts en vacarmes de toutes sortes. « Il s'agit maintenant de trouver autre chose, notera Marcel Duhamel. D'urgence, car la nécessité s'impose, pour moi, de partager vraiment la vie de mes amis, de ne plus être à la merci de rendez-vous plus ou moins problématiques, d'avoir en somme un foyer, une famille de mon choix[2]. »

En sillonnant les environs de Montparnasse où depuis la guerre et plus encore depuis le début des Années folles — ainsi les chroniqueurs avaient-ils baptisé les années 20 — battait le cœur artistique de Paris, Yves et Jacques avaient découvert une bicoque à louer qui avait jadis abrité le commerce d'un

1. *Ibid.*
2. *Ibid.*

marchand de peaux de lapins. Situé 54, rue du Château, le pavillon à un étage, sérieusement délabré à l'image de cette voie affligeante du quartier Plaisance — le mal nommé — ne payait pas de mine et était séparé de la rue par un espace d'un mètre clos d'un muret surmonté d'une grille et percé d'une porte grillagée. Au premier on lisait encore sur la façade l'inscription à demi effacée : « ...eaux ...apins ». L'intérieur était à l'avenant. Le rez-de-chaussée vitré sur la rue à la manière des ateliers de serrurerie, était composé d'une grande pièce principale sur laquelle donnait directement la porte d'entrée, et, à l'autre bout, d'une courette de trois mètres sur trois qui venait buter sur un grand mur d'usine. Entre rue et façade un petit édicule abritait les commodités. Dans la salle commune très haute de plafond, un escalier conduisait à l'étage divisé en deux compartiments, l'un donnant sur la rue, l'autre sur la courette. Ni gaz ni électricité. Un poste d'eau courante en guise de confort moderne. C'était tout. Mais les quatre mille francs de loyer annuel demandés pour cette masure, abandonnée par ses occupants au lendemain de la Grande Guerre, étaient dans les moyens de Marcel Duhamel qui signa illico le contrat de location, fit installer l'électricité, le gaz et amena l'eau dans chacune des pièces. Son métier d'hôtelier lui permit de remodeler aussitôt les volumes disponibles en fonction des besoins de la petite troupe. Les entrepreneurs de l'hôtel Grosvenor furent chargés de couvrir d'une verrière à double vasistas la courette qui devint ainsi une chambre dévolue à Yves et Jeannette, lesquels n'avaient jamais vécu si « au large ». À l'étage, le compartiment de droite devint la chambre de Marcel, celui de gauche celle de Jacques et Simone, chacune munie d'un lavabo, d'un tub, et assez vaste pour abriter le mobilier nécessaire à la vie d'un couple : une armoire et de petites tables en bois blanc passé au brou de noix. En bas, les entrepreneurs furent chargés d'ériger le long du mur latéral une loggia sur pilotis dont les deux fenêtres à petits carreaux ouvraient sur la pièce même. Ainsi pourrait-on loger d'éventuels invités qui trouveraient également un couchage de fortune sur les coussins de cuir disposés entre les pilotis. Le « séjour » était complété par un réduit fermé d'un mètre carré avec eau et gaz et que l'on appellera pompeusement : la cuisine. Marcel Duhamel confia l'aménagement de leur nouveau « home » aux couples Tanguy et Prévert qui, ne faisant rien de leurs journées, purent ainsi donner libre cours à leur imagination.

C'est à cette occasion qu'Yves Tanguy manifesta pour la première fois, par ses croquis et les idées qu'il mettait aussitôt en application, un don certain pour la décoration et la peinture à laquelle il n'avait jamais touché jusque-là, et Jacques Prévert son goût pour le découpage et le collage. Tanguy fit acheter par Duhamel un grand rideau cubiste vert, blanc et noir et un lot de papiers peints créés par un jeune peintre — décorateur du nom de Jean Lurçat qui ne s'était pas encore essayé à la tapisserie. Le rideau fut tendu sur la verrière pour préserver les occupants du « séjour » des regards indiscrets des passants. Au sol un grand tapis de corde, aux murs une toile de jute encadrée par de la baguette électrique dessinant des zigzags que n'auraient pas reniés des peintres futuristes comme Gino Severini dont les copains de la bande avaient admiré le talent chez Adrienne Monnier qui avait acheté *Les Lanciers italiens* pour trois cents francs. Pour sa chambre dont le plafond était une verrière, Tanguy avait joué la sobriété : elle était tapissée de toile d'emballage bis et son seul luxe était une épaisse moquette beige que l'on retrouvait au sol des chambres du premier. Les murs de celle de Marcel étaient enduits d'un mortier grossier, de couleur crème, qui encadrait les papiers peints cubistes de Lurçat disposés en zigzags. Le même papier rouge couvrait le plafond de la chambre de Prévert tandis que ses murs restaient blancs. Dans les chambres, lavabo et tub étaient masqués par un paravent dont chaque feuille était couverte d'un assemblage sophistiqué de lettres, de portraits et de phrases découpées dans des affiches diverses, œuvre de Prévert, également auteur du très beau collage d'affiches de cinéma ornant le coin repos sous les pilotis de la loggia, destiné aux jolies filles qui n'allaient pas manquer d'affluer. Pour la salle de séjour et les repas pris chaque soir en commun. Yves Tanguy fabriqua une immense table rectangulaire et deux bancs, un bar américain que Duhamel mettra un point d'honneur à généreusement approvisionner dans les caves du Grosvenor, et deux coffres sur lesquels on pouvait s'asseoir. Le reste du mobilier avait été acheté aux Puces et peint en vert, de la couleur des bancs publics. Mais la pièce dont Tanguy était le plus fier, digne du surréalisme naissant, était un meuble-placard-gramophone-bibliothèque-aquarium, de cinquante centimètres de large sur deux mètres cinquante de haut. Dans l'aquarium, pas d'eau ni de poissons mais du sable et... des couleuvres que Prévert appréciait particulièrement depuis celle achetée par le Père Picon quai de la Mégisserie. Et, au-dessus, une cage contenant des rats blancs ! Quant au gramophone, il aurait pu faire figure d'ancêtre du tourne-disque électrique puisque son plateau était entraîné par le frottement de la rondelle en caoutchouc d'un petit moteur d'essuie-glaces découvert chez un marchand de voitures d'occasion ! C'est lui qui distillera bientôt à de nombreux visiteurs les plus belles pièces de la discothèque que Marcel Duhamel, fou de jazz, fera venir d'Amérique.

Alors commença pour Jacques Prévert, Yves Tanguy et leurs compagnes énamourées une existence idyllique aux crochets, il faut bien le dire, de Marcel Duhamel qui se réjouissait chaque jour d'avoir découvert une famille selon ses goûts. «Désormais, je vais mener une double existence, notera-t-il. Au Grosvenor que je dirige et où je suis censé coucher, vivre et travailler, et rue du Château, ma vraie maison, si longtemps rêvée. Dès que je peux m'échapper un moment, je saute dans un taxi et traverse la moitié de Paris pour retrouver la famille... Le terme est d'autant plus justifié que Pierrot et Jacques m'ont sacré "Frère Prévert"[1]. »

Il méritait bien ce titre de gloire, le brave Marcel; non content de loger ses amis, il leur apportait chaque soir hors-d'œuvre et plats du jour de la carte du Grosvenor, dans de grandes gamelles métalliques, sur lesquelles se ruaient les deux couples et les invités d'un soir, d'une semaine, ou d'un mois qui guettaient le bruit du moteur du taxi porteur de la manne providentielle. Maurice Touzé qu'ils avaient aidé à perdre son logement fut le premier à être hébergé dans ce phalanstère bientôt connu de tout Montparnasse. Pierrot, le «petit frère», était, lui, l'invité permanent de la bande qui le considérait à la fois comme sa mascotte et son oracle en matière d'actualité cinématographique dont la place était grande dans l'activité — si l'on peut dire — de ces jeunes insouciants. Car rue du Château, à l'exception de Marcel et de Pierre Prévert, «personne ne foutait rien». À chacune de leurs visites rue de l'Odéon, Prévert et Tanguy repartaient de La Maison des Amis des Livres les bras chargés d'ouvrages. Grâce à la bibliothèque de prêt, ils s'ouvraient à la littérature la plus moderne. «Durant toutes ces années de la rue du Château, remarquera leur mécène, Jacques et Yves lisent énormément; leur sens critique, en ce qui concerne la littérature et l'art, me paraît remarquable[2]. » Chez ces deux jeunes gens au bagage mince mais avides de connaissances, Adrienne Monnier avait trouvé un terreau propice. De sa petite voix flûtée, elle les guidait non seulement dans le domaine littéraire — elle disait qu'on ne devait acheter un livre qu'après l'avoir lu — mais savait orienter leur goût vers les peintres contemporains les plus modernes. Si elle avait pu, grâce à sa mère, se payer un Gino Severini, elle se contentait d'admirer chez Gertrude Stein qu'elle avait connue par Sylvia Beach, les Picasso, Matisse, Juan Gris, Picabia ou Marie Laurencin qu'elle faisait ensuite découvrir à ses protégés en les orientant vers tel ou tel salon ou galerie. Bientôt ils furent familiers du

1. *Ibid.*
2. *Ibid.*

cubisme et de l'art de Picasso qui, selon son amie Gertrude Stein rapportant ses propos, peignait « ce qu'on sait être là et non ce qu'on peut voir. Mais ça doit être là car on n'a d'autres évidences que la réalité[1] ».

Sans se prendre le moins du monde au sérieux, ils engrangeaient pour l'avenir livres, tableaux et films nouveaux. Dès la dernière gamelle torchée, la bande — au complet avec l'arrivée de Duhamel — consacrait l'essentiel de ses loisirs au cinéma. Outre les séances dans le caveau d'Erka-Prodisco, « une sorte de rite que tels les premiers chrétiens, nous venons célébrer dans ces catacombes[2] », ils partaient en expédition à la recherche du programme conseillé par Pierrot qui savait tout sur les nouveautés en provenance des États-Unis aussi bien que de la France et de l'Allemagne. Il n'était pas rare de les voir visionner un grand film avenue de Clichy et un second rue de la Gaîté. Dans cette voie populaire de Montparnasse, music-halls, théâtres, caf'conc' et cinémas attiraient une clientèle aussi variée que les spectacles qu'elle offrait et où se mêlaient joyeusement ouvriers, bourgeois, commerçants, maquereaux et putains. Le cinéma des Mille Colonnes avait leurs faveurs. Ils venaient y communier dans le culte des films de John Ford dont les scénarios à la fois insolites et poétiques leur paraissaient tout à fait dignes de ce surréalisme et dont l'influence se fera bientôt sentir à Montparnasse, creuset de tout ce que Paris était capable de produire en matière d'avant-garde.

Ce Montparnasse des années 1920, Jacques Prévert s'y déplaçait comme un poisson dans l'eau. Depuis l'installation rue du Château, la bande fréquentait assidûment le carrefour Vavin. Chacun de ses membres en aimait l'atmosphère où explosaient toutes les libertés, toutes les audaces sexuelles, toutes les provocations verbales aussi bien qu'idéologiques. Sur ce carrefour devenu mythique soufflait un air de liberté comme Paris n'en avait jamais connu. Du cœur de l'après-midi à bien plus tard que minuit les terrasses des cafés à la mode — Le Dôme, La Rotonde, Le Sélect — regorgeaient d'une foule hétéroclite où, de table en table on se parlait dans toutes les langues. Garçons et filles, jeunes et moins jeunes, semblaient dégagés de tout préjugé. Après l'enfer de la guerre 14-18, c'était comme une déflagration qui avait fait voler en éclats le carcan des conventions bourgeoises héritées du XIXe siècle. Les filles avaient coupé leurs cheveux maintenant coiffés à la garçonne, casqués de chapeaux cloches, et avaient libéré leur corps en jetant jupons et bonnets par-dessus les moulins. Les ourlets,

---

1. *Paris était une femme*, émission TV d'Andréa Weiss et Greta Schiller.
2. Marcel Duhamel, *op. cit.*

dans un envol hier encore inconcevable, avaient grimpé jusqu'au-dessus du genou, le jersey et les lignes fluides prônées
par Chanel promue arbitre des élégances, avaient renvoyé au
placard les mémères à faux-culs et manches à gigot, engoncées
dans les métrages de soieries délirantes des couturiers de la
Belle Époque. Chez nombre d'entre elles, seins, hanches, fesses
avaient mystérieusement disparu pour faire place à ces silhouettes androgynes dont Paul Poiret qui avait régné durant
près de quinze ans sur la mode parisienne disait : « Jusque-là,
les femmes étaient belles et architecturales comme des proues
de navire. Maintenant, elles ressemblent à de petits télégra-
phistes sous-alimentés. »
    Rue du Château les compagnes de ces messieurs avaient
suivi la mode mais alors que Simone Dienne avait les mensura-
tions qui lui permettaient de rivaliser avec le « petit télégra-
phiste », il n'en était pas de même pour Jeannette dont les
bonnes joues et les bras potelés la plaçaient dans la catégorie
des femmes bien en chair, d'ailleurs loin d'être dédaignées au
carrefour Vavin dont Kiki de Montparnasse, le modèle le plus
célèbre du quartier, était l'archétype : bouche écarlate dessinée
en vagues, frange brune, sourcils rasés peints de la couleur de
sa robe du jour, poitrine généreuse et gosier en pente. Simone
Dienne était plus réservée mais Jeannette Ducrocq n'était pas
la dernière à suivre Yves Tanguy, Jacques Prévert et Marcel
Duhamel dans leur tournée quotidienne des cafés de Montparnasse dont ils connaissaient les rites et les habitudes. Le Sélect
était le café des intellectuels new-yorkais mais servait aussi de
refuge à une clientèle d'homosexuels et de drogués. Le Dôme
pour sa part multipliait les amabilités à l'égard des simples touristes américains qui, sevrés par la prohibition imposée outre-
Atlantique, venaient dépenser leurs dollars, jouant les nababs
grâce à un taux de change particulièrement avantageux et
observant avec curiosité les peintres et écrivains qui constituaient le cœur de la clientèle et qu'ils abreuvaient généreusement. Certains protégés de Gertrude Stein et Sylvia Beach, tel
le jeune Ernest Hemingway, se feront un nom en devenant les
plus beaux fleurons de la « génération perdue ». Tous, Français,
Américains, Russes, Lituaniens, Espagnols, riches ou pas, avaient
un sens de la fête tout à fait extraordinaire qui correspondait
exactement à celui que cultivaient les locataires de la rue du
Château. Les peintres commençaient à vendre leurs tableaux.
Certains étaient déjà fort à l'aise comme Foujita, Pascin, Van
Dongen et bien sûr Picasso, tous entourés d'une foule de cour-
tisans et de tapeurs. Les bals costumés, masqués, dévêtus se
succédaient. Bal des Quat'zarts des étudiants aux Beaux-Arts et
bal d'artistes confirmés, bal russe, bal polonais, bal Ubu, bal

des Indépendants, et le magnifique bal suédois où l'alcool coulait à flots et où les filles dévoilaient leurs charmes mieux que les mannequins nus des Folies-Bergère. «Partout c'était un bouillonnement de théories artistiques, de confrontations folles parfois, mais d'autant plus fascinantes pour nous, se souviendra Joseph Kessel qui, en ces années 1924-1925, faisait son entrée parmi les plus populaires des écrivains français. Nous discutions en buvant — quand nous avions de l'argent — jusqu'à six heures du matin… et les amitiés se nouaient, la bourse était commune[1]…» C'est là, à ces terrasses du carrefour Vavin bientôt célèbres dans les milieux artistiques du monde entier que l'on parla en premier d'un petit mouvement né à Zurich mais qui avait rapidement essaimé en Allemagne, à New York et à Barcelone : dada. Ce mouvement au nom volontairement infantile était né à la fin de la guerre du dégoût d'une partie de la jeunesse intellectuelle allemande face aux ruines, aux millions de morts, à la morale bourgeoise étriquée. La dérision systématique, le nihilisme absolu semblaient la seule issue possible à ces jeunes gens en colère menés, dès Zurich, par le poète roumain Tristan Tzara, tandis qu'à New York les peintres et plasticiens Marcel Duchamp, Francis Picabia et Man Ray avaient eux aussi abouti au même constat de faillite. La parution de la revue *Dada* avait même attiré l'attention d'Apollinaire à Paris, quelques semaines avant sa mort. De jeunes — et moins jeunes — écrivains et poètes français, Louis Aragon, André Breton, Philippe Soupault, Paul Eluard, Pierre Reverdy, Georges Ribemont-Dessaignes, Robert Desnos, Max Jacob, s'étaient intéressés à ce mouvement qui avait en commun avec eux la volonté de tout nier, la guerre naturellement mais aussi la morale, la société, l'art, le langage, l'avenir. À leurs yeux, plus rien n'existait de ces «valeurs» qui avaient été incapables de sauver une civilisation digne de ce nom. Au carrefour Vavin on parlait beaucoup de ce programme dadaïste qui n'entendait pas tant prôner la destruction que créer de nouvelles valeurs en renversant celles du passé. Peu de temps après l'arrivée de Tzara à Paris et les premières manifestations dadaïstes qu'il avait organisées, le mouvement avait obtenu ce qu'il souhaitait : déclencher la fureur bourgeoise. La revue *Littérature* publiée par Aragon, Breton et Philippe Soupault et dont Prévert avait découvert la couverture jaune rue de l'Odéon, l'avait familiarisé avec ces noms et ce surréalisme, issu du dadaïsme, dont l'esprit iconoclaste ravissait les locataires de la rue du Château. Jacques Prévert, grand amateur de jeux de mots, calembours, contrepèteries, coq-à-

---

1. Joseph Kessel à Jean-Marie Drot, in *Les Heures chaudes de Montparnasse*.

l'âne de toutes sortes, se régalait à la lecture des minces revues que lui indiquait Adrienne Monnier — *Dadaphone* puis *Littérature* et demain *La Révolution surréaliste* — et qui publiaient des morceaux de bravoure comme *Pièce fausse*, «poème» d'André Breton aux allures de scie populaire: *Du vase en cristal de Bohème — Du vase en cris — Du vase en cris — Du vase en — En cristal — Du vase en cristal de Bohème.* Ou cette phrase de Ribemont-Dessaignes qu'on psalmodiait à Vavin: *Qu'est-ce que c'est beau? Qu'est-ce que c'est laid? Qu'est-ce que c'est grand, fort, faible? Qu'est-ce que c'est Carpentier, Renan, Foch? Qu'est-ce que c'est moi? Connais pas, connais pas, connais pas.* De New York où Marcel Duchamp qui signait parfois *Rrose Selavy* avait provoqué un scandale en exposant dès 1917 une «sculpture» qui n'était en réalité qu'un urinoir en porcelaine blanche et qu'il avait baptisé *Fountain*, provenaient des jeux de mots aussi réjouissants qu'inquiétants comme: *Rrose Selavy trouve qu'un incesticide doit coucher avec sa mère avant de la tuer; les punaises sont de rigueur.*

Bien avant de devenir leurs compagnons, Prévert, Tanguy et Duhamel apprécièrent à son poids de provocation le court pamphlet, intitulé *Un cadavre*, que les surréalistes regroupés autour d'André Breton publièrent en octobre 1924 à l'occasion des funérailles d'Anatole France. Le tract se présentait comme un petit journal de 0,30 × 0,25 m sur quatre pages dont le titre *Un cadavre* en caractères d'affiche surmontait les trois colonnes de textes serrés dus à Philippe Soupault et Paul Eluard en page 1; Pierre Drieu la Rochelle occupait seul toute la page 2 (c'est lui qui avait financé l'impression de l'œuvre collective), Joseph Delteil et André Breton se partageaient la troisième page, tandis que Louis Aragon tirait le coup de grâce en dernière page. Pour annoncer avec éclat la naissance de leur mouvement les surréalistes n'avaient pas manqué leur coup, trop heureux d'insulter la gloire reconnue qui s'éteignait au milieu d'un deuil national dans une débauche de célébrations et d'hommages venus de tous les horizons politiques. Pour la droite, Anatole France — prix Nobel de littérature en 1921 — représentait le style français porté à la perfection, tandis que la gauche se souvenait de sa présence au côté de Jaurès, succombant à la tentation socialiste. Merveilleuse unanimité que vomissaient les surréalistes qui n'allaient pas manquer une si belle opération iconoclaste. Rue du Château, le trio se délecta des trouvailles de ces jeunes gens dont, sans les avoir jamais rencontrés, ils se sentaient si proches. «Tes semblables, cadavre, nous ne les aimons pas», assenait Paul Eluard à la mémoire de celui qu'il appelait «Un vieillard comme les autres» tandis que Philippe Soupault soulignait que le cher disparu n'était pas très sympathique : « Puisqu'il ne s'agit aujourd'hui que de déposer une palme sur un cercueil, qu'elle soit aussi lourde que possible et qu'on étouffe ce souvenir. » Le médecin André Breton signait un « Refus d'inhumer » à l'acide prussique : « Loti, Barrès, France, marquons tout de même d'un beau signe blanc l'année qui coucha ces trois sinistres bonhommes : l'idiot, le traître, le policier. Ayons, je ne m'y oppose pas, pour le troisième un mot de mépris particulier. Avec France, c'est un peu de la servilité humaine qui s'en va. » La dépouille de celui que Joseph Delteil appelait « Anatole France ou la médiocrité dorée » recevait une ultime volée de bois vert de la part de Louis Aragon qui interrogeait ses lecteurs — « Avez-vous déjà giflé un mort ? » — et leur répondait aussitôt : « Je tiens tout admirateur d'Anatole France pour un être dégradé. Il me plaît que le littérateur que saluent à la fois aujourd'hui le tapir Maurras et Moscou la gâteuse et, par une incroyable duperie, Paul Painlevé[1] lui-même, ait écrit pour battre monnaie d'un instinct tout abject, la plus déshonorante des préfaces à un conte de Sade, lequel a passé sa vie en prison pour recevoir à la fin le coup de pied de cet âne officiel… Certains jours j'ai rêvé d'une gomme à effacer l'immondice humaine. »

Le scandale fut de toute beauté. Les signataires qui promettaient à la fin de leur prose vengeresse : « À la prochaine occasion il y aura un nouveau cadavre », furent voués aux gémonies et traités de fous furieux. Quant à Breton et Aragon « leurs mœurs ne sont plus d'arrivistes et d'apaches mais de chacals », écrivit l'un des porte-parole les plus éminents de la critique littéraire indignée[2]. Le libelle imprévu secoua le public par la violence de ses insultes mais déclencha une folle hilarité rue du Château, particulièrement chez Jacques Prévert qui, par nature, avait fait sienne la « doctrine » surréaliste avant même d'en avoir entendu parler. La révolte devant la morale bourgeoise, l'anticléricalisme, l'antimilitarisme, la détestation de tout uniforme, le mépris des institutions et des signes extérieurs de promotion sociale de ces jeunes gens en colère, il les ressentait au plus profond de lui-même depuis les déjeuners chez le marguillier de Saint-Nicolas-du-Chardonnet. Si l'hostilité à l'ordre établi dont ils se voulaient les adeptes n'avait encore généré aucune « création » consciente chez Tanguy ni chez Prévert

1. Paul Painlevé (1863-1933), mathématicien et homme politique français. Ex-président du Conseil, républicain socialiste, il participa en 1924 à la fondation du Cartel des gauches avant de revenir à la tête du gouvernement en avril 1925.
2. Cité par Georges Ribemont-Dessaignes, *Déjà Jadis*, sans donner l'identité du « porte-parole » !

— leurs œuvres n'étaient qu'en gestation — elle se retrouvait chaque jour dans leurs conversations. Jacques semblait se libérer d'un trop-plein d'idées plus farfelues les unes que les autres en parlant sans arrêt et en provoquant chez ses amis des crises de rire inextinguible alors qu'il gardait lui-même un sérieux et une immobilité de traits qui l'apparentaient étroitement à Buster Keaton. De retour du travail, Marcel Duhamel trouvait chez ses compagnons cette folie de tous les instants qui lui faisait oublier le milieu bourgeois au sein duquel il trouvait les moyens de les faire vivre. « Le seul fait de nous rencontrer, à la terrasse de La Rotonde, suffit pour déclencher en nous le fou rire avant même que la moindre phrase ait été prononcée, se souviendra-t-il. La joie déborde littéralement de nous... Et quand déferle là-dessus la verve énorme, virulente, intarissable de Jacques, nous sommes tous pris de convulsions. Yves hoquette, les yeux pleins de larmes, et moi, plié en quatre, je me tiens le ventre à deux mains, car je finis par avoir mal aux boyaux. Impitoyable, Jacques redouble de cocasserie et, finalement, j'abandonne et suis obligé de m'en aller car je n'en peux plus[1]. »

Deux chocs successifs déclenchèrent le mécanisme de la création dans le caravansérail de la rue du Château : la découverte du numéro 1 de *La Révolution surréaliste*, et une toile de Giorgio De Chirico aperçue dans la vitrine de la galerie Paul Guillaume.

En décembre 1924, Adrienne Monnier reçut en dépôt la nouvelle revue de ses amis Breton et Aragon, qui prenait la suite de *Littérature* disparue six mois plus tôt en même temps que déclinait *Dada*. Sous une couverture d'un orange agressif se cachait l'acte de naissance officiel du mouvement tel que l'avait défini André Breton lui-même dans le *Manifeste du surréalisme* paru à l'automne de la même année chez Simon Kra : « Tout porte à croire qu'il existe un certain point de l'esprit d'où la vie et la mort, le réel et l'imaginaire, le passé et le futur, le communicable et l'incommunicable, le haut et le bas cessent d'être perçus contradictoirement. Or c'est en vain qu'on chercherait à l'activité surréaliste un autre mobile que l'espoir de détermination de ce point. » On — c'est-à-dire, entre autres, Benjamin Péret, André Breton, Louis Aragon, Max Morise, Robert Desnos, Georges Malkine, Paul Eluard, Man Ray, Philippe Soupault qui seront demain familiers de la rue du Château — y prônait l'écriture automatique, le récit de rêves, la fascination du suicide. On y proclamait que si « le réalisme c'est émonder les arbres, le surréalisme c'est émonder la vie[2] », et

1. Marcel Duhamel, *op. cit.*
2. *La Révolution surréaliste*, n° 1, 1er décembre 1924.

que le but des jeunes écrivains qui avaient rédigé cette revue volontairement austère était d'«aboutir à une nouvelle déclaration des droits de l'homme[1]». En se gardant bien d'indiquer la voie dans laquelle le mouvement allait se diriger, les surréalistes se présentaient comme «des révoltés qui veulent changer non seulement les conditions traditionnelles de la poésie, mais aussi et surtout de la vie. Ils n'ont pas de doctrine mais certaines valeurs qu'ils brandissent comme des drapeaux : toute-puissance de l'inconscient et de ses manifestations : le rêve, l'écriture automatique, et partant, destruction de la logique et de tout ce qui s'appuie sur elle. Destruction aussi de la religion, de la morale, de la famille, camisoles de force qui empêchent l'homme de vivre suivant son désir[2]». Sans les exprimer aussi doctement que les rédacteurs de *La Révolution surréaliste*, le turbulent trio de la rue du Château faisait-il autre chose que mettre en application ces préceptes ? Et ce depuis des années mais sans en exclure le rire et la bonne humeur.

Dans le numéro 1 de *La Révolution surréaliste* puis dans ceux qui suivirent, Yves Tanguy découvrit que les dessins de Max Morise, Giorgio De Chirico, Max Ernst, André Masson et Robert Desnos n'étaient pas si éloignés, si ce n'était dans la forme du moins dans l'esprit, de ceux qu'il griffonnait avec passion depuis quelques semaines. Après avoir décoré presque entièrement le havre de la rue du Château et soigneusement calligraphié au pinceau «Les Frères de la Côte», un poème d'Aragon qui faisait l'unanimité de la maisonnée et publié dans *La Révolution surréaliste* :

> Le raz de marée entra dans la pièce
> Où toute la famille était réunie
> Il dit Salut la compagnie
> Et emporta la maman dans le placard...

Yves Tanguy avait commencé à dessiner au retour d'une représentation des Ballets russes de Nikita Balief. Les danseurs lui avaient inspiré un dessin gouaché où il les avait représentés si schématisés et si drôles que ses compagnons l'avaient vivement encouragé à poursuivre dans cette voie. Le critique Florent Fels, directeur de la revue *L'Art vivant*, rencontré durant les folles nuits de Montparnasse, avait non seulement partagé leur avis mais lui avait ouvert les portes du salon de L'Araignée, rue Tronchet où il avait exposé ses premiers dessins aux côtés de ceux de Dignimont, Gus Bofa et Vertès. Un coup pour

---

1. *Ibid.*
2. Maurice Nadeau, *Histoire du surréalisme*.

rien. Ses dessins non figuratifs n'avaient aucune commune mesure avec ceux des autres artistes et avaient dérouté les amateurs d'œuvres plus sages. Pour éviter qu'il ne se décourage, Prévert et Duhamel le convainquirent de s'essayer à la peinture à l'huile. L'expo ratée ne devait pas l'empêcher de s'exprimer comme il l'entendait. Marcel qui était le seul à posséder les moyens financiers nécessaires revint le soir même avec des toiles, une palette et une boîte de peinture. Aussitôt Tanguy fabriqua un chevalet et se lança dans l'aventure. Sa première œuvre, ébauchée après une promenade dans le quartier de la prison de la Santé, lui demanda deux jours de travail durant lesquels il ne sortit pas de sa chambre. Dévoré de curiosité — voir Tanguy travailler avec une telle opiniâtreté tenait du prodige —, Jacques Prévert dont la fenêtre de la chambre donnait sur la verrière qui servait de plafond à celle d'Yves, essaya de le surprendre en pleine action. Il parvenait en rampant jusqu'au vasistas quand, le verre dépoli cédant sous son poids, il passa à travers la verrière ! La toile s'écrasa sur la palette et le chevalet fut transformé en petit bois tandis que Prévert se relevait déguisé en arc-en-ciel. « Il avait donc décidément la vocation de passer par les fenêtres », dira le peintre avec un humour macabre lorsque, vingt ans plus tard, son ami tombera du premier étage des bureaux de la Radiodiffusion française sur le trottoir des Champs-Élysées, chute qui le laissera pour un temps dans un coma profond.

L'inquiétante inspiration d'Yves Tanguy ne fut pas tarie par l'accident. L'apprenti reprit le tableau endommagé et termina en quelques heures *Rue de la Santé* qui sera considéré par les experts, qui l'estimeront plus tard à des millions de francs, comme la première toile de l'œuvre de l'artiste ! « La perspective y est insolite et, sous un ciel de Bretagne, le mur de la prison prend des allures menaçantes, se souviendra Marcel Duhamel. Le caractère surréaliste de sa future production n'y est sans doute pas tellement évident, mais le tableau est assez étrange pour indiquer un don ; mieux, une vocation [1]. » Celle-ci s'affirma lorsque Tanguy entreprit peu après la seconde œuvre qui sera baptisée sur les catalogues *Le Pont* ou *Gibbs*. Mélangeant sur cette petite toile de 40,5 × 33 cm la peinture à l'huile au collage, le peintre brossera un paysage urbain d'une grande tristesse où, entre deux poteaux télégraphiques plantés au bord d'une rivière glauque, de hauts immeubles lugubres se chevauchant de guingois, constituaient autour des fortifications et des terrains vagues le décor le plus sinistre qu'ait connu un voyou de barrière. Seule note de gaieté l'affiche rouge sang du

1. Marcel Duhamel, *op. cit.*

dentifrice *Gibbs* plaquée au centre de la toile à l'entrée d'un tunnel qui, disait Duhamel, ne pouvait que conduire aux enfers. *Rue de la Santé* et *Gibbs* furent les premières œuvres picturales à orner les murs de la rue du Château. Elles susciteront bientôt l'intérêt d'une petite Roumaine, jolie comme un cœur, qui allait jouer un grand rôle dans la bande sous le gracieux nom de Gazelle.

Après celle de *La Révolution surréaliste*, la découverte de l'art de Giorgio De Chirico dont l'influence était grande tant chez les adeptes de dada que chez les surréalistes, modifia soudain l'inspiration de Tanguy. L'événement se produisit sur la plate-forme d'un autobus qui passait place Saint-Augustin et où bavardaient Jacques Prévert et Yves Tanguy. Ils aperçurent en même temps un tableau dans la vitrine du marchand Paul Guillaume. Profitant du ralentissement de la circulation au coin de la rue La Boétie et du Faubourg-Saint-Honoré, les deux hommes sautèrent à terre pour contempler à loisir l'œuvre qui avait exercé sur leur rétine puis sur leur sensibilité une si forte attraction. *Le Cerveau de l'enfant* une toile de 1914 — on la retrouvait dans le numéro 1 de la nouvelle série de *Littérature*, la revue de Breton et Aragon à laquelle avait succédé *La Révolution surréaliste* — répondait à ce que ces néophytes attendaient de la peinture : l'écriture des songes. De Chirico dans *Le Cerveau de l'enfant* — portrait d'un homme torse nu, à moustache et impériale, les yeux clos, un livre fermé posé devant lui — exprimait à l'aide de grandes lignes directes cette impression d'immensité, de solitude, de stagnation que Tanguy cherchait à évoquer depuis ses débuts. De retour rue du Château, Yves Tanguy critiqua sévèrement ses premières toiles notamment *La Terre par un enfant* qui se refuse à l'imaginer ronde et la préfère boule de glaise sur un fond de ciel breton, peuplée d'une faune et d'une flore étranges, ou encore ce *Christ en croix* sanguinolent à la manière des pièces de viande de Soutine et qu'affectionnait Marcel Duhamel. Il les détruisit aussitôt en peignant un second tableau sur le premier. Ainsi disparut également une *Cour d'école* qui ornait la chambre de Jacques et Simone. Ne resta que la porte peinte à l'heure des premiers essais. «Je te ferai un autre tableau, assura Yves pour calmer la fureur de son ami. En cadeau de noces!» Malgré les promesses du peintre jamais Jacques Prévert ne possédera une seule toile signée Yves Tanguy. Et Simone se passera de cadeau de mariage!

La cérémonie inattendue eut lieu le 30 avril 1925 à dix heures dix en la mairie du VIᵉ arrondissement puisque Jacques était toujours officiellement domicilié rue du Vieux-Colombier. Son témoin fut, bien sûr, Marcel Duhamel, «hôtelier rue Pierre-

Charron», nota l'adjoint au maire Constant Pavy, tandis que celui de Simone n'était autre que son beau-frère Adolphe Beder, industriel, chevalier de la Légion d'honneur, le fameux oncle Beder qui entretenait généreusement toute la tribu Dienne dont il avait épousé la fille aînée. Quand l'officier ministériel demanda au marié sa profession, Jacques Prévert eut comme une hésitation. Répondre : sans, comme l'avait fait Simone était normal pour une femme mais peu crédible chez un homme qui avait déclaré peu auparavant n'avoir pas établi de contrat de mariage ! Rentier à vingt-cinq ans aurait été suspect, surtout sans dotation familiale à préserver. Chez les riches la fortune ne se partage pas si facilement !

— Cinéaste ! répondit Jacquot anticipant quelque peu sur le déroulement de sa vie.

Pourquoi donc se marier quand on se proclame anarchiste et libertaire ? « Pour régulariser des situations de fait et faciliter éventuellement l'obtention de paperasses[1] », dira le témoin du marié. En réalité, il s'agissait du mariage d'amour de deux amis d'enfance. En outre, aux yeux de Simone dont le départ de la rue de Tournon pour vivre avec un sans-le-sou avait été sévèrement jugé par ses sœurs, c'était officialiser la rupture avec la famille en lui affirmant haut et clair que non seulement elle ne regrettait rien mais que, quoi qu'il arrive, elle continuerait à vivre d'amour et d'eau fraîche, malgré les moments difficiles comme le déménagement à la cloche de bois du passage Lathuille ou les nuits passées sur le banc d'un square quand le logement du boulevard Bonne-Nouvelle était «occupé». Lasse d'entendre ses sœurs récriminer et lui dicter sa conduite, elle les envoyait au diable et épousait avec enthousiasme le compagnon de jeux de la place Saint-Sulpice qui n'avait pas plus l'intention de grandir que de cesser de jouer. «Elle non plus d'ailleurs, expliquera plus tard son fils en évoquant cette période un peu folle avec un sourire amusé. Quand elle emporte le violoncelle qui lui a permis de gagner quelque argent en donnant des leçons, en jouant pour des réceptions ou en accompagnant des films muets dans des salles de cinéma, c'est pour le vendre à la première occasion. Pour elle non plus il n'est pas question de travailler[2]. » Le Père Picon et Maman Suzanne, qui assistèrent à la cérémonie, ne se tracassaient pas trop quant à l'avenir de ces enfants turbulents. Ils en avaient vu d'autres en trente ans de mariage ! Toujours soucieuse du bien-être des siens mais aussi curieuse d'expériences nouvelles, Suzanne était même venue visiter la «communauté» de la rue du Château ; elle en

---

1. Marcel Duhamel, *op. cit.*
2. Michel Chavance à l'auteur.

avait tant apprécié la décoration et l'atmosphère qu'elle avait tenu à se faire photographier devant la grille de la bicoque entourée de Jeannette, Simone et de son Jacquot plus élégant que jamais en bras de chemise blanche et cravate sombre !

Le repas de noces dut être bien arrosé car jamais Marcel Duhamel ne fut capable de dire où il s'était déroulé ! En revanche il se souvint toute sa vie à quel point les esprits étaient échauffés lorsque, quelques semaines plus tard, la petite bande établit un contact mouvementé avec certains des membres les plus éminents du groupe surréaliste. On a vu que rue du Château rares étaient les nuits qui se terminaient sans que l'alcool eût pimenté les conversations. Soûl, Yves Tanguy se précipitait tête baissée sur les obstacles les plus résistants avec une particulière prédilection pour les boîtes aux lettres et les becs de gaz qu'il prétendait défoncer. Dans le même état, Jacques Prévert tout comme Marcel Duhamel et Jeannette Ducrocq s'en prenaient à tous ceux qui, par leur attitude ou leur conversation, avaient le malheur de leur déplaire en quelque lieu que ce soit. La provocation faisait partie de leur vie quotidienne tout comme elle était règle de vie chez les surréalistes. Ils étaient faits pour se rencontrer sinon s'entendre.

Costume trois pièces, de préférence croisé, chemise blanche, cravate sobre, pochette, surtout pour Jacques qui les affectionnera toute sa vie, feutre clair à bord légèrement rabattu sur l'œil, on ne pouvait guère être plus bourgeois d'apparence que les garçons du Château dont les compagnes, par leur allure et leur élégance, n'auraient pas déparé la plus smart des réceptions. Après quelques verres à la terrasse du Dôme ou de La Rotonde, le ton changeait. Tout nouvel arrivant, visiblement désorienté par l'ambiance qui régnait entre tables d'habitués, avait droit à sa ration de quolibets que Prévert décochait en expert. La moindre tare physique était aussitôt exploitée férocement. « Comment peut-on se promener avec un nez pareillement planté de travers... Non mais quelle tronche... Il ferait mieux de rester chez lui plutôt que d'effrayer nos femmes. » Quelques semaines après son mariage, Jacques Prévert épingla ainsi un petit jeune homme fort élégant qui se déplaçait avec aisance entre les tables d'un restaurant proche de La Rotonde où Jacques, Yves et Marcel dînaient avec le critique d'art Florent Fels. L'homme aux yeux clairs, presque transparents, étonnamment cernés, complet gris à martingale, casquette assortie, jouait avec une badine et s'installa à un guéridon voisin où la conversation était encore plus bruyante. Soudain il prit à partie à son tour un consommateur sur un ton que Prévert jugea intolérablement snob.

— Qu'est-ce que c'est que ce niard ? s'écria-t-il à haute et intelligible voix.

— Mais Jacques, ce n'est pas un niard! protesta Marcel
Duhamel. C'est un poète surréaliste.

— Et parmi les meilleurs, renchérit le critique d'art. C'est
Robert Desnos. Je vais vous le présenter[1].

Journaliste à *Paris-Midi*, Robert Desnos avait exactement
le même âge que les hommes de la rue du Château qui, ignorant les traits de son visage, l'admiraient sans réserve pour
avoir lu certains de ses poèmes dans des revues d'avant-garde
et le récit de ses rêves dans les premiers numéros de *La Révolution surréaliste*. Déjà célèbre aux terrasses de Montparnasse, on
le disait amoureux fou mais platonique de la grande chanteuse
Yvonne George. Redoutant la susceptibilité des surréalistes,
Florent Fels fit en sorte que le jeune homme qui jouissait d'un
grand prestige dans le milieu avant-gardiste de Montparnasse
ne s'offusquât point des manières de la bande à Prévert. Après
plusieurs verres destinés à briser la glace, Desnos accepta une
invitation rue du Château. Il en goûta si bien l'ambiance qu'il
y revint quelques heures plus tard, cette fois accompagné de
Benjamin Péret et de Louis Aragon. Celui-ci mince, beau, séduisant, les yeux pétillants d'intelligence, apprécia d'autant plus
ses hôtes que ceux-ci, sans le connaître, avaient eu le bon goût
d'afficher son poème *Les Frères de la Côte*, calligraphié par Tanguy sur le mur de la loggia. D'abord il ne voulut pas croire que
le geste n'était pas prémédité mais, devant l'accueil spontané
du trio et de leurs jolies compagnes, il accepta avec simplicité
— ce qui n'était pas franchement dans ses habitudes — l'hommage de ses cadets. Plus brutal, et croyant impressionner les
« nouveaux », Benjamin Péret voulut marquer son entrée rue du
Château par un de ces esclandres dont il avait le secret. Compagnon inséparable des trois mousquetaires du surréalisme —
Breton, Aragon, Soupault — Péret avait participé, dès 1922,
avec Desnos aux premières expériences de sommeil hypno-
tique et d'écriture automatique. Ses poèmes traduisaient un
esprit qui — s'il les avait mieux connus — aurait dû le mettre en
parfaite harmonie avec Prévert, Tanguy et Duhamel : antibour-
geois, antimilitariste, anticlérical, antichrétien. Mais il fallait,
coûte que coûte, qu'il affichât à leur égard comme à celui de
tout nouveau venu dans le cercle cette agressivité qu'il brandis-
sait comme une bannière et lui faisait commettre les pires
folies. Repérant l'accordéon dont jouait parfois Marcel Duhamel, il tira si violemment sur le soufflet qu'il le déchira en deux
morceaux. Puis il déclara sur un ton péremptoire qu'il ne pouvait pas supporter les mécènes. Il s'attendait à une volée de bois
vert, au figuré sinon au propre, et il n'obtint qu'un fou rire

---

1. D'après Marcel Duhamel, *op. cit.*

généralisé qui le désarçonna. « La réaction n'est pas du tout celle qu'il attendait, dira le "mécène". On lui rit au nez et, tout penaud il comprend et fait son mea culpa. Sitôt après, il nous adopte et nous l'adoptons[1]. » Bien mieux, Péret allait désormais partager leur vie !

Prote et journaliste à la pige, notamment à *L'Humanité*, il vivait au jour le jour, hébergé là où l'on voulait bien de lui, « voguant à l'aveugle dans un univers pas à sa mesure[2] », estima Duhamel qui avait le cœur sur la main. En accord avec Tanguy et Prévert qui, avec Simone, ramassaient tous les chats abandonnés et les chiens perdus sans collier, il lui offrit aussitôt la loggia que le Gnome Touzé venait d'abandonner pour cause de service militaire. Benjamin Péret entré pour faire scandale y restera aussi longtemps que ses nouveaux amis occuperont la rue du Château. Tous les surréalistes s'y rendront, d'abord pour faire la connaissance de ces jeunes gens dont les amis leur parlaient, ensuite parce que la bicoque du marchand de peaux de lapin ouverte à tous et à chacun deviendra en quelques semaines un lieu de rendez-vous aussi obligé que le café Cyrano de la place Blanche où chaque jour André Breton tenait ses assises à l'heure de l'apéritif devant un mandarin-curaçao. « Les surréalistes sont venus tenir plusieurs réunions chez nous, se souviendra Marcel Duhamel. Au début, nous étions de simples spectateurs et puis petit à petit, nous avons participé. Puisque nous étions là[3]... » Michel Leiris, écrivain, poète, ethnologue, allié des surréalistes, ami d'André Masson, de Joan Miró et de Georges Bataille, vint examiner de près ces drôles de zigotos. L'air impassible, au moins aussi soucieux de son costume que Marcel ou Jacques, au moins aussi porté sur l'alcool — « il passe là une bonne partie de l'après-midi à lamper gin sur gin, remarquera Duhamel. Il tient son litre exactement comme je verrai plus tard Faulkner tenir le sien — devenant de plus en plus raide et digne à mesure que la cuite prend. Lui aussi sera un hôte assidu[4] ». L'alcool anglais n'émoussait nullement le regard acéré du visiteur ni ses facultés de jugement. Durant les premières visites, c'est Prévert qui retint particulièrement son attention. « Jacques Prévert avait un côté "voyou" que par la suite il a un peu perdu, dira-t-il. Mais, lorsqu'il était jeune, il affichait cette apparence et c'était cela qui me plaisait en lui. Il faut préciser que cette attitude était très nouvelle dans le surréalisme où l'on demeurait, malgré les frasques et les scan-

1. Marcel Duhamel, *op. cit.*
2. *Ibid.*
3. Marcel Duhamel in *Les Heures chaudes de Montparnasse.*
4. Marcel Duhamel, *Raconte pas ta vie.*

dales, plutôt de "bonne compagnie". Alors que lui, c'était un homme de la rue... Il était très particulier, singulier même, et solitaire à l'intérieur du mouvement surréaliste qui courait le grand risque de sombrer dans la préciosité et l'affectation[1]. » Avec sa façon de ne rien prendre au sérieux, de jouer les gavroche anarchiste, anticonformiste et spontané, Jacques Prévert parvint sans effort à en imposer aux nouveaux venus, lui qui n'avait rien publié, n'avait rien à montrer, pas la moindre nouvelle, le moindre poème, la moindre expérience d'écriture automatique. Grâce à sa fantaisie et à son sens inné du comique, il exerça son ascendant, dès les premières rencontres, sur un caractère aussi violent que celui de Benjamin Péret qui lui aussi était «comique» — et pouvait être trivial — mais n'était pas populaire. «Benjamin Péret n'était pas du tout dans le grand ton, ajoutera Michel Leiris, mais ce n'était tout de même pas le ton populaire de Prévert. Lui, Prévert il incarnait vraiment le *"surréalisme de la rue"*... Je l'appréciais parce qu'il était un peu à mes antipodes. Je le savais très bien ; et je savais aussi de quoi j'étais menacé : hermétisme et préciosité. Prévert incarnait tout le contraire[2]. »

André Breton, maître incontesté du mouvement surréaliste — on n'allait pas tarder à le surnommer «le pape» avec une révérence certaine — voulut connaître ces jeunes gens qui vivaient en phalanstère et dont l'un d'entre eux — celui qui ne faisait rien — répondait à ce bref portrait brossé par Leiris : «Il ressemblait à un Pierrot lunaire et il en avait le physique : [...] il était assez pâle et très mince. Il avait la tête de ce qu'on appelle "pâle voyou". Cela lui donnait beaucoup de charme[3]. » Jacques Prévert ne répondit pas à la première convocation. Marcel Duhamel et Yves Tanguy se présentèrent en avant-garde au domicile de l'écrivain, 42, rue Fontaine où André Breton, flanqué de sa femme Simone et de l'un de ses disciples Max Morise, les reçut fort aimablement dans une «triste salle à manger qu'un fils de famille aurait transformée en atelier pendant l'absence de ses parents[4]», selon le mot d'un jeune poète — Pierre Brasseur — qui tentait sa chance au cinéma où il venait de faire ses débuts dans *La Fille de l'eau*, premier film de Jean Renoir tourné l'année précédente. Contrairement à Prévert que rien n'impressionnait, Tanguy et Duhamel avaient un tel trac à la pensée de rencontrer l'auteur des *Champs magnétiques* qu'ils s'étaient donné du courage en reniflant une

1. Michel Leiris à Jean-Paul Corsetti, in *Jacques Prévert*, film réalisé par Gilles Nadeau.
2. *Ibid.*
3. *Ibid.*
4. Pierre Brasseur, *Ma vie en vrac*.

bonne dose de cocaïne. L'effet fut si vif qu'ils ne laissèrent pas à Breton le loisir de placer un mot! La surexcitation passée et de retour rue du Château ils furent incapables de faire le compte rendu de l'entrevue. Quand on connaissait l'homme, empêcher Breton de parler tenait du prodige! Prévert voulut en avoir le cœur net et se rendit à son tour rue Fontaine. La rencontre eut lieu au début de l'été 1925. Ne souffrant d'aucune inhibition, Jacques n'avait pas besoin de cocaïne pour parler. C'était chez lui une seconde nature. Jamais quiconque ne l'avait vu éveillé et se taisant! Le contact avec Breton fut très chaleureux et ponctué d'éclats de rire. «On parle beaucoup de Breton avec un immense sérieux, dira Jacques Prévert. Quand je dis qu'il riait, qu'il riait aux larmes même, c'est vrai. Il n'était jamais sérieux. Il était parfois grave, peut-être trop à mon avis, mais c'était comme ça. On riait, ensemble, comme des gens qui s'aiment[1].» Connaissant maintenant les locataires, Breton voulut se rendre compte par lui-même de l'ambiance dans laquelle ils vivaient rue du Château. «Le non-conformisme absolu, l'irrévérence totale et aussi la plus belle humeur y régnaient[2]», se réjouira-t-il.

Désormais la bande à Prévert et la cohorte des disciples du pape du surréalisme ne se quitteront guère durant quelques années. Ceux de Montparnasse «monteront» à Montmartre pour participer à toutes les réunions, aux rendez-vous quotidiens du café Cyrano ou de la rue Fontaine, et ceux de Montmartre «descendront» à Montparnasse dîner presque tous les soirs ensemble dans de petits restaurants mais surtout dans la masure de la rue du Château, lieu de passage obligatoire où, chaque nuit de trois heures à six heures et demie, les murs tremblaient au roulement de dizaines et de dizaines de carrioles de laitiers dont les bidons s'entrechoquaient, et des camions d'ordures de la voirie municipale qui se rendaient porte de Vanves vers les champs d'épandage de la banlieue maraîchère. Cette incroyable rue du Château où l'on savait que l'on était samedi au bruit des bagarres qui opposaient entre eux les maquereaux du coin et aux cris des putains du quartier «dérouillées» par leurs hommes plus sourcilleux sur l'exactitude des comptées qu'un inspecteur des impôts sur la déclaration d'un contribuable récalcitrant, la rue du Château faisait ainsi son entrée dans l'histoire littéraire, malgré sa façade écaillée et sa grille désolante. «N'empêche, dira Breton, que jamais le surréalisme ne montra une telle unité organique ni ne connut plus grande effervescence qu'à cette époque où nos réunions, le soir, avaient le plus souvent

---

1. J. Prévert à André Pozner, in *Hebdromadaires*.
2. André Breton, *Entretiens*.

pour cadre la vieille maison... Là fut le véritable alambic de l'humour, au sens surréaliste [1]. »

Et c'est Jacques Prévert — qui n'éprouvait pas encore les tentations artistiques d'Yves Tanguy — qui fut le véritable catalyseur de cette subtile alchimie.

1. *Ibid.*

CHAPITRE 5

À l'école de Montparnasse

Elles s'appelaient Kiki, Thérèse Treize, Lucie Krohg, lady Duff Twysden, Nancy Cunard, Aïcha, Youki, Gala, Yvonne George, Marie-Berthe Aurenche, Grety et Gazelle, entre autres. Modèles, femmes du monde ou du demi-monde, aventurières, chanteuses, égéries, certaines scandaleuses d'autres plus discrètes, toutes ouvrant généreusement leur cœur. On les retrouvait sur les toiles de Van Dongen, de Pascin ou de Foujita, sur les photos de Man Ray, sur les affiches de Paul Colin, ou encore héroïnes de romans, inspiratrices de poèmes, de pièces, parfois femmes fatales, symboles de l'extrême liberté de mœurs qui régnait à Montparnasse. Toutes étaient jolies, parfois belles. Chacune avait sa légende. Tous les hommes en étaient fous. Elles étaient l'objet de tous les désirs et de toutes les conversations. Leurs écrins étaient La Rotonde, Le Dôme, Le Sélect[1], Le Jockey surtout, la boîte du boulevard du Montparnasse ouverte dès 1923 par Miller, un ex-jockey, et Hilaire Hiler, un peintre américain. Tous les artistes du quartier passaient y prendre un verre après minuit et Kiki de Montparnasse, après avoir posé pour tous les grands et futurs grands peintres de l'époque et les avoir sacrifiés au seul bénéfice de l'Américain Man Ray, en sera la reine incontestée dans les deux tours de chant qu'elle y donnait chaque soir.

Quelles vies trépidantes, quels destins tempétueux ! Gala par exemple, qui marquera de sa présence fantasque mais frémissante de sensibilité l'histoire littéraire et picturale du XXe siècle, était la compagne d'un jeune poète, Eugène-Émile Grindel, rencontré dans un sanatorium suisse et épousé au cœur de la Grande Guerre alors qu'il n'avait que vingt-deux ans. On le connaissait à Montparnasse sous le pseudonyme de Paul Eluard. Parrainé par Jean Paulhan, il avait été un des élé-

---

1. La Coupole ne sera inaugurée qu'en décembre 1927.

ments actifs de la révolution dadaïste lors de la création de *Littérature* par Philippe Soupault, Louis Aragon et André Breton
qu'il avait fidèlement suivis à *La Révolution surréaliste*. On l'a
vu parmi les rédacteurs d'*Un cadavre* insultant avec une belle
vigueur la mémoire d'Anatole France. Fasciné par la peinture
fantastique et les collages du peintre allemand Max Ernst, il
était tombé sous son charme lors d'un voyage à Cologne. Gala
aussi. Coup de foudre triangulaire au grand dam de l'épouse de
Max qui avait claqué la porte. Depuis, pendant deux ans, Gala,
Paul et Max avaient formé un ménage à trois dont on avait
beaucoup parlé carrefour Vavin. Et puis voilà que Paul avait
disparu avec la caisse de l'entreprise paternelle pour se réfugier à l'autre bout du monde. Gala et Max l'avaient récupéré
à Saïgon et — Max Ernst acceptant de s'effacer — l'avaient
ramené à Paris. De l'aventure Gala était sortie grande prêtresse
de la liberté amoureuse et sa bigamie affichée en avait fait un
personnage de Montparnasse qui ne tardera pas à fasciner puis
séduire un jeune peintre espagnol, nouveau venu à Paris, du
nom de Salvador Dalí !

D'une beauté beaucoup plus radieuse était Aïcha, artiste
de cirque, métisse, que Pascin déjà fort riche et organisateur
des plus belles fêtes de Montparnasse, gardait jalousement
dans son atelier ; ou Lucie Krohg, son ancienne maîtresse dont
il était retombé follement amoureux depuis qu'elle était devenue
la jeune femme du peintre norvégien Per Krohg, et le plus bel
ornement de La Rotonde. Aussi excitante — aussi folle aussi —
était Marie-Berthe Aurenche, la jeune sœur du cinéaste Jean
Aurenche (elle avait dix-sept ans) dans les bras de laquelle Max
Ernst oubliait Gala, en attendant que Breton qu'elle ne laissait
pas indifférent s'en inspire dans *Nadja*[1]. Aussi extravagante,
aussi grande bourgeoise que Marie-Berthe, était lady Duff Twysden une grande et belle Anglaise dont la silhouette sculpturale,
les yeux gris, les cheveux blonds coupés court, les tailleurs de
tweed d'allure masculine faisaient frissonner toute une salle
dès qu'elle entrait au Sélect, point de ralliement de la « génération perdue » américaine. Ernest Hemingway en fera l'inoubliable lady Brett Ashley du *Soleil se lève aussi* et, au cinéma,
Ava Gardner lui prêtera sa silhouette sublime. Bourgeoise également, mais d'origine belge, était Lucie Badoul, descendue à
Paris pour « voir les peintres » et faire du théâtre. Des peintres,
elle en avait vu beaucoup mais c'est le Japonais Foujita sur
lequel elle avait jeté son dévolu. Il en avait fait son modèle, sa
compagne puis sa femme alors qu'elle avait à peine vingt ans et
l'avait baptisée Youki, ce qui signifie « neige rose » en japonais.

---

1. Jean Aurenche, *La Suite à l'écran*.

Avec Kiki elle était devenue l'une des reines de Montparnasse avant de séduire pour la vie Robert Desnos dont seule la mort la séparera.

Pour l'heure le même Robert Desnos se mourait d'amour pour la belle et célèbre chanteuse réaliste Yvonne George et, en attendant de trouver le moyen de la conquérir, faisait une cour empressée à la très jolie Grety, une superbe Roumaine, femme de Jacques Baron, «le plus jeune poète de France», surréaliste de la première heure qui avait rencontré Breton à seize ans et avait signé l'année précédente, à dix-neuf ans, un recueil de poèmes intitulé *L'Allure poétique*. Grety avait une sœur cadette, Gazelle, petit tanagra au corps parfait, aux traits réguliers et aux cheveux clairs décolorés par le soleil, la neige et la mer où elle faisait de fréquents séjours. Elle venait de fêter ses vingt-trois ans et son premier divorce d'avec un Français, Jacques Bresson, frère de Robert Bresson, future gloire du cinéma français. Elle vivait, sans passion mais largement, avec un héros de la guerre 14-18, ingénieur et directeur commercial du constructeur d'automobiles Louis Renault. Grety et Gazelle étaient de la race de ces étonnantes filles fleurs qui animaient de leur charme «les heures chaudes de Montparnasse». Il était dans l'ordre des choses qu'elles franchissent un jour la grille de la rue du Château.

L'événement eut lieu au lendemain de la rencontre entre Desnos et la bande à Prévert. «Ce soir-là j'ai retrouvé Robert et ma sœur Grety à La Rotonde, racontera Gazelle. Ils étaient fauchés comme souvent. J'avais de l'argent grâce à mon ami. Je leur ai payé l'apéro puis les ai emmenés grignoter des blinis chez *Dominique*, le russe de la rue Bréa. Pas avec du caviar mais avec des harengs! On était bien ensemble. Pour me remercier Desnos a dit: "Je vous conduis chez des types exceptionnels que j'ai connus hier. Ils sont formidables, aussi fous que nous. Ils vont beaucoup vous plaire." Et c'est comme ça que ma sœur et moi sommes entrées rue du Château. Je devais y rester un certain nombre de mois et m'intégrer au groupe pratiquement pour la vie[1].» Il y avait une bonne raison à cela. Dès que leurs regards s'étaient croisés sous la loggia, Gazelle et Marcel Duhamel surent qu'ils étaient faits l'un pour l'autre. À l'invitation de Marcel, Gazelle revint le lendemain puis le surlendemain puis les autres jours. Elle fut aussitôt populaire auprès des couples Tanguy-Prévert en ayant la bonne idée d'arriver chaque soir les bras chargés de «bonnes choses à manger», en particulier de ces grands gâteaux de chez Penny, l'illustre pâtissier-traiteur de la Madeleine, nourritures qui les chan-

---

1. Gazelle Bessières à l'auteur.

geaient agréablement de la cuisine du chef du Grosvenor dont ils connaissaient tous les plats de la carte! Bientôt Duhamel se rendit compte que Gazelle n'était pas une passade comme il en avait eu des dizaines et il la mit en demeure de rompre avec son ami, «l'huile de chez Renault». L'affaire n'était pas simple car, amoureux, l'ingénieur menaçait de la tuer puis de se supprimer si elle le quittait. À titre de mise en garde, il avait tiré plusieurs balles dans le plancher de leur luxueux appartement du XVIe arrondissement. Pour montrer sa détermination, Marcel, tout feu tout flamme, se rendit au domicile de son rival et le persuada — pour faire cesser une situation ambiguë — de se plier comme il le ferait lui-même à la décision de la jeune femme. Gazelle trancha en sa faveur et il put juger de la place qu'il tenait déjà dans son cœur lorsqu'elle rendit à son amant le très beau brillant qu'elle en avait reçu au début de leur liaison. Voilà qui valait bien d'être admise dans le foutoir de la rue du Château où ce beau blond, qui ressemblait au prince de Galles comme un jumeau, lui offrait de partager sa chambre du premier étage! Passer de l'aristocratique XVIe à la masure du marchand de peaux de lapin était une épreuve considérable pour une jeune femme qui n'évoluait que dans le milieu le plus raffiné même si elle appréciait les créations les plus folles des surréalistes de Montparnasse. «D'abord, j'ai été fascinée, se souviendra-t-elle. Je sortais de la haute bourgeoisie pour entrer dans la bohème la plus totale. Il n'y avait aucun confort rue du Château — il a même fallu que j'aille m'acheter un bidet! — mais ses occupants mâles me paraissaient si intelligents, si talentueux... Jacques parlait à n'en plus finir de choses plus drôles les unes que les autres. De son côté Yves peignait des paysages étranges. Je lui ai acheté l'un de ses premiers tableaux pour cinq cents francs, ce qui était une somme pour l'époque et pour un peintre que personne ne connaissait! Les collages, les tableaux, les papiers peints et le grand rideau de Lurçat, le meuble tourne-disque-aquarium, et l'ambiance totalement débridée étaient séduisants de prime abord. Mais je sortais d'un milieu trop bien élevé où l'on savait se servir d'un couteau et d'une fourchette selon les règles pour ne pas m'apercevoir que, si Duhamel était de manières parfaites et savait se tenir, ses copains ignoraient tout des bases de l'éducation et de la culture. Quant aux femmes elles étaient dociles, gentilles, effacées, passives. Elles ne changeaient même pas la caisse des quatre chats, glissée sous l'évier de la cuisine. Aux yeux des garçons elles ne comptaient pas. On ne pouvait pas être plus macho que Jacques et Yves en 1925[1]!»

1. *Id.*

D'une riche famille de boyards roumains Marie-Hortense-Graziella Dabija était née en Autriche où son père, après avoir été un temps ministre de la Guerre à Bucarest, occupait de mystérieuses fonctions politico-diplomatiques relevant de l'espionnage à l'ambassade roumaine de Vienne. Grâce à une éducation stricte, quasi militaire, avec gouvernantes et précepteurs, Graziella à dix-huit ans parlait couramment le français, l'allemand et l'anglais sans compter le roumain. C'était sa grand-mère fort cultivée — elle lisait Lamartine dans le texte — qui avait demandé que l'on ajoutât Graziella aux prénoms traditionnels de Marie-Hortense. «Qu'est-ce qu'on va appeler cette enfant Graziella! avait maugréé le grand-père. Gazella ira très bien.» Arrivée en France avec sa mère et sa sœur — les Dabija avaient divorcé après avoir vécu des années durant à Prague, Sofia et Berlin —, Gazella était devenue Gazelle en épousant Jacques Bresson; avec ce mariage, elle espérait échapper à la surveillance paternelle que l'ex-ministre qu'elle détestait durant son enfance pour son indifférence affective entendait toujours exercer sur elle. C'est ainsi que vers la fin de l'année 1925 Gazelle, dont on remarquait l'élégance excentrique entre Le Dôme et La Rotonde — elle affectionnait les imperméables d'homme achetés chez Old England — était arrivée rue du Château où ses cheveux platine coiffés à la Joséphine Baker avaient fait sensation, bien décidée à participer à la vie intellectuelle des surréalistes qui y avaient fait leur entrée. Pour Jacques Prévert et Simone, Yves Tanguy et Jeannette, Marcel Duhamel et Gazelle, la grande aventure artistique commençait réellement.

*

Le banquet en l'honneur du poète breton Saint-Pol Roux donna le coup d'envoi des manifestations violentes orchestrées par le groupe surréaliste qui, loin de borner son activité aux recherches artistiques, entendait la conduire à la révolution politique mais aussi morale, mentale et psychique en luttant contre les valeurs établies de la société capitaliste. Jusque-là il s'était contenté — avec la publication d'*Un cadavre* — de choquer le bourgeois et de provoquer l'indignation du petit monde littéraire parisien à l'occasion des obsèques d'Anatole France sans que l'ordre public en soit pour autant troublé. Au cours de l'été 1925 il en fut tout autrement.

Sous l'impulsion d'André Breton, les surréalistes s'étaient entichés du poète symboliste Pierre-Paul Roux, dit Saint-Pol Roux le Magnifique, qu'ils considéraient à travers son vocabulaire et les fulgurantes images qui parsemaient son œuvre comme le seul authentique précurseur de leur mouvement. Breton lui avait rendu visite dans son manoir isolé dans la lande près de Camaret où il vivait en ermite dans la seule compagnie de sa fille Divine. Scandalisés par l'oubli général dans lequel était tombé le vieux barde à la barbe blanche, toujours vêtu de la grosse toile bleue des pêcheurs, Breton et ses fidèles concoctèrent un vibrant hommage qui parut le 9 mai dans *Les Nouvelles littéraires*, et décidèrent d'animer de leur présence le banquet organisé par quelques amis et admirateurs regroupés autour du *Mercure de France*, et présidé par Mme Rachilde, poétesse et romancière d'âge respectable, épouse d'Alfred Vallette tout-puissant directeur du *Mercure*. Le dîner «bien parisien» eut lieu à Montparnasse dans le cadre de La Closerie des Lilas le jeudi 2 juillet et si les surréalistes s'y présentèrent en smoking et après avoir scrupuleusement acquitté les quinze francs du prix du banquet, ils profitèrent de l'occasion pour glisser sous l'assiette de chaque convive une «réponse», imprimée sur un papier rouge sang, à une interview de Paul Claudel à *Comœdia* reprise dans *Le Figaro* où celui-ci traitait dada et surréalisme de «littérature pédérastique» et rappelait, pour prouver son patriotisme pendant la Grande Guerre, qu'il avait obtenu en Amérique du Sud où il était ambassadeur d'importants marchés de lard destiné à l'armée française! «Nous sommes ceux-là qui donneront toujours la main à l'ennemi», rétorquait Aragon dans la «réponse» au vitriol tandis que les surréalistes écrivaient à l'auteur de *Tête d'or*, ambassadeur de France au Japon: «Peu nous importe la création. Nous souhaitons de toutes nos forces que les révolutions, les guerres et les insurrections coloniales viennent anéantir cette civilisation occidentale dont vous défendez jusqu'en Orient la vermine, et nous appelons cette destruction comme l'état de choses le moins acceptable pour l'esprit... Nous saisissons cette occasion pour nous désolidariser publiquement de tout ce qui est français en paroles et en actions. Nous déclarons trouver la trahison et tout ce qui, d'une façon ou d'une autre, peut nuire à la sûreté de l'État, plus conciliables avec la poésie que la vente de "grosses quantités de lard" pour le compte d'une nation de porcs et de chiens...» Tant de délicatesses étaient assénées alors que dans le Rif Abd el-Krim — pour lequel les surréalistes prenaient fait et cause — attaquait les postes du Maroc français après avoir fait subir un terrible désastre aux troupes espagnoles! Le ton était donné.

Dès le hors-d'œuvre, le banquet dégénéra en un violent tir de barrage contre la vénérable présidente «qui donnait dans le sulfureux pour bourgeois[1]» et ne trouva rien de mieux que de

1. Jean-Luc Rispail, *Les Surréalistes*.

répéter dans son discours d'ouverture ce qu'elle avait déjà déclaré dans plusieurs interviews : « Une Française ne peut pas épouser un Allemand. »

— Cette respectable dame commence de nous emmerder, répliqua à haute et intelligible voix le critique d'art Florent Fels — directeur de *L'Art vivant* — qui avait été le trait d'union entre les surréalistes et la rue du Château.

— Voilà vingt-cinq ans, Monsieur, que cette dame nous emmerde, mais on n'ose pas le lui dire, renchérit André Breton qui dirigeait la délégation surréaliste bien décidée à balayer l'establishment littéraire.

Le pauvre Saint-Pol Roux avec ses longs cheveux blancs et sa barbe bien peignée n'y comprenait rien et tentait de rappeler cet André Breton si bien mis et au beau visage d'empereur romain qui lui avait rendu visite en son manoir aux bons usages et à la civilité puérile et honnête quand il s'entendit répondre :

— La galanterie, on l'emmerde !

C'était décidément un leitmotiv !

Breton, Desnos, Philippe Soupault, Michel Leiris, le peintre Malkine, et quelques autres, dans un état d'extrême excitation, jugèrent que les propos outrancièrement chauvins de Mme Rachilde constituaient une insulte inqualifiable à leur ami allemand Max Ernst présent au banquet. En un instant le tumulte se transforma en bagarre entre surréalistes et amis du *Mercure de France*. Verres, vitres et glaces volèrent en éclats. Philippe Soupault, tel un singe suspendu au lustre, renversa la table du banquet. Ouvrant la fenêtre sur le boulevard du Montparnasse, Breton la fit sortir de ses gonds. Les badauds s'agglutinèrent devant la célèbre brasserie. Rachilde prétendra qu'elle fut frappée d'un coup de pied au ventre par un escogriffe à l'accent tudesque[1] (Max Ernst). À d'autres, elle dira avoir reçu au visage la serviette d'André Breton qui la traitait de « fille à soldats » ! Elle avait soixante-cinq ans ! Par la fenêtre, l'Allemand Max Ernst criait « À bas l'Allemagne » à la foule massée sur le trottoir et qui l'applaudissait à tout rompre. Pour faire bon poids Michel Leiris lui succédait pour crier à pleins poumons : « À bas la France ! — Descends si t'es un homme ! » gronda le « bon populo ». Leiris l'était. Fou aussi pour se jeter entre les poings d'une foule qui ne pouvait — et pour cause — rien y comprendre ! Il ne fut sauvé du lynchage que par l'arrivée de la police qui ne manqua pas de le passer à tabac comme fauteur de troubles ! Desnos dut prévenir personnellement le président

1. Maurice Nadeau, *Histoire du surréalisme*.

Édouard Herriot[1] pour faire libérer son ami du commissariat d'où il sortit avec, au front, une belle cicatrice qui ajoutera à son charme viril et qu'il conservera toute sa vie. La violence de l'échauffourée fit dire à la préfecture de police que les communistes venaient de commencer le Grand Soir!

Le scandale et le retentissement dans la grande presse furent énormes. Ce qui était le but recherché. *L'Action française*, Clément Vautel, aimable chantre du «bon sens» bourgeois, l'*Association des écrivains combattants*, la *Société des gens de lettres* vitupérèrent les trublions surréalistes «qui ne sont pas seulement des mauvais Français et des goujats mais dont plusieurs en outre étaient armés et qui se sont conduits en criminels de droit commun, rugit *L'Action française*. On s'emploiera à les faire taire». Les surréalistes étaient ravis. Ces réactions exacerbées servaient leur cause.

Au récit de ces exploits, on regretta beaucoup rue du Château de ne pas avoir encore de relations assez étroites avec eux pour avoir été convié aux «réjouissances» de la Closerie des Lilas. Ce n'était que partie remise puisque dès lors le trio, qui rêvait d'en découdre, participera au premier rang à toutes les manifestations surréalistes qui allaient se multiplier durant ces Années folles.

Le premier apport des membres du groupe dut beaucoup au hasard et n'eut rien de violent. Bien au contraire. C'était un de ces soirs où le calme régnait rue du Château et où les femmes s'ennuyaient ferme. Ce n'était pas à toutes les veillées que Jeannette Ducrocq — la compagne de Tanguy était aussi soupe au lait que portée sur l'alcool — se précipitait sur Florent Fels, un couteau à découper à la main, pour trancher la gorge du critique d'art qui regrettait l'évolution surréaliste de son grand homme et déclarait ne pouvoir reproduire les œuvres d'Yves dans sa revue *L'Art vivant*[2]! Non, c'était un de ces soirs où Mme Grosminou — M. et Mme Grosminou était le surnom que Jacques avait choisi pour leur couple le jour de son mariage! — avait menacé d'aller au cinéma avec Gazelle si les hommes poursuivaient leurs interminables considérations esthétiques. «Une de ces soirées de désœuvrement et d'ennui qui furent nombreuses au temps du surréalisme — contrairement à ce qu'on se représente rétrospectivement[3]», se souviendra Simone Kahn, la première femme d'André Bre-

---

1. Édouard Herriot, président du parti radical et président du conseil du Cartel des gauches qu'il avait contribué à former.
2. Marcel Duhamel, *op. cit.*
3. Simone (Breton) Collinet, catalogue de l'exposition *Le Cadavre exquis, son exaltation*, galerie Arturo-Schwartz, Milan, 1975, cité par Marcel Jean, *Autobiographie du surréalisme*.

ton, qui accompagnait son mari ce soir-là. Comme dans la plus anodine des réunions bourgeoises, quelqu'un proposa de jouer aux «petits papiers». On commença le plus traditionnellement du monde : «Monsieur rencontre Madame, il lui parle, etc.» Rien de bien excitant. Soudain Prévert lança : «Il n'y a qu'à mettre n'importe quoi.» Ça, rue du Château, on était expert !

Au lieu de puiser des éléments de phrases toutes faites dans un panier — comme dans le jeu des «petits papiers» — Jacques Prévert proposa que les participants se passent successivement une feuille sur laquelle chacun tracerait un mot. La feuille devant être pliée de manière à dissimuler aux yeux du voisin ce qui avait été écrit précédemment. Prévert ouvrit le feu : «Le cadavre exquis...»; son voisin : «... boira»; le suivant : «... le vin»; le dernier : «... nouveau». Breton exulta en dépliant le tout : «Le cadavre exquis boira le vin nouveau.» Le jeu était né. Avec un nom tout trouvé : «Le Cadavre exquis», qui fera parler de lui puisque, peu après, devant les extraordinaires résultats donnés par cette poésie collective, kaléidoscope d'incohérences et d'images brillantes qui frôlaient la folie — «L'huître du Sénégal mangera le pain tricolore», «Les femmes blessées faussent la guillotine aux cheveux blonds», «Le sexe sans fin couche avec la langue orthodoxe»[1] — quelqu'un suggéra de mettre le même jeu en pratique en remplaçant les mots par le dessin. Les résultats furent encore plus spectaculaires, et nombre de collections particulières s'enorgueillissent soixante-dix ans plus tard de «Cadavres exquis» signés André Breton, Yves Tanguy, Marcel Duchamp, Max Morise et bien d'autres noms célèbres, en ignorant que le principe même en naquit dans le cerveau fertile de Jacques Prévert. Devant cette découverte due au pur hasard — bon génie qui, depuis l'écriture automatique, couvait le surréalisme sous son aile —, André Breton «poussa des cris de joie et vit tout de suite là une de ces sources ou cascades naturelles d'inspiration qu'il aimait tant découvrir, témoignera sa femme... Le pouvoir de suggestion de ces rencontres arbitraires de mots était si stupéfiant, éblouissant, vérifiait de façon si éclatante les thèses et mentalités surréalistes, que le jeu devint un système, une méthode de recherche, un moyen d'exaltation et de stimulation, une mine de trouvailles enfin, peut-être une drogue[2]». Décidément, ce Prévert qui mettait une certaine gloriole à ne produire aucun texte alors qu'autour de lui — depuis que la rue du Château était devenue haut lieu du mouvement intellectuel révolution-

1. Rapporté par Georges Hugnet in *L'Aventure de l'art au xxe siècle.*
2. Simone (Breton) Collinet, *op. cit.*

naire — chacun avait déjà publié ou s'apprêtait à le faire, plaisait de plus en plus à Breton. Avec ses disciples les plus proches, celui-ci était impressionné par l'aspect baroque, fou, délirant de la conversation inspirée du jeune homme. « Si quelqu'un a fait une vive sensation sur l'autre, dira Denise Tual qui sera la femme d'un des surréalistes les plus turbulents, c'est bien Prévert et pas le contraire[1]. »

De nature, Jacques Prévert n'était ni vantard ni respectueux. Seulement, l'autorité absolue qu'entendait exercer Breton sur les «fidèles», sans tout à fait l'agacer, le faisait souvent sourire intérieurement. Et il n'était pas rare que, pour faire voler en éclats le piédestal sur lequel certains entendaient prendre la pose, il aiguisât son humour ravageur aux dépens des deux «têtes d'affiche» du mouvement: Breton et Aragon.

André Breton écrivait alors avec une plume qu'un ami lui avait apportée d'Amérique et dont il était particulièrement fier. À cette époque où tous les stylos étaient uniformément noirs, Parker avait osé commercialiser le Duofold dont la taille respectable et la couleur orange brûlée lui valaient le surnom de «Big Red». Pour prouver l'excellence de son dernier-né, l'inventeur en avait laissé tomber plusieurs exemplaires d'un avion et des plus hauts buildings de l'époque, épreuves publicitaires dont le Duofold était sorti intact. Et voilà qu'un soir, descendant l'étroit escalier en colimaçon de son atelier de la rue Fontaine, Breton trébucha et dégringola quelques marches à grand fracas. Il se releva sans dommage mais, sa chemise et son gilet étant tachés, il s'aperçut que non seulement le capuchon du précieux Parker s'était cassé mais que la plume, après avoir troué les vêtements, avait été arrêtée par le portefeuille juste à l'endroit du cœur. Breton était d'un poids respectable et ce fut miracle que l'instrument ne l'ait pas transpercé. Invité, comme tous les fidèles, à se réjouir d'un sort si favorable, Jacques Prévert lâcha seulement, sans sourire le moins du monde: « "Poignardé par sa plume, quelle plus belle mort pour un écrivain?" André Breton en convient et rit, remarquera Marcel Duhamel, mais il a été secoué et le cœur n'y est pas[2]. »

Il y sera encore moins avec Aragon qui vivait alors un grand amour agité avec Nancy Cunard l'une des plus flamboyantes égéries de Montparnasse. Aristocrate britannique — richissime héritière de la célèbre compagnie transatlantique Cunard Line —, Nancy était une jolie fille très mince, de taille moyenne, les cheveux auburn, enveloppant ses formes de fausse maigre dans des vêtements de grands couturiers mais choisis parmi

1. Denise Tual à l'auteur.
2. Marcel Duhamel, *op. cit.*

leurs modèles les plus excentriques. Comme beaucoup d'Anglo-Saxonnes de la haute société — par exemple lady Duff Twysden —, Nancy s'enivrait fréquemment et — tout comme ses amis Jeannette, Yves Tanguy et Jacques Prévert quand ils avaient passé la mesure — avait l'alcool mauvais et devenait aussi agressive que brutale. L'un de ses jeux favoris était alors de gifler le chevalier servant d'un soir, d'un revers brutal de l'avant-bras qu'elle couvrait du poignet au coude d'énormes bracelets en or. Depuis le début de leur liaison, Aragon lui avait donné le goût des mêmes bracelets mais en ivoire, venus d'Afrique ou d'Océanie, qu'il lui avait offerts. Du même âge que son amant, Nancy lui permettait une vie facile sur le plan financier et lui ouvrait toutes grandes les portes des salons les plus huppés auxquels le poète était particulièrement sensible. Revers de la médaille, la jeune Anglaise n'était pas d'une fidélité à toute épreuve et s'entichait volontiers de compagnons de beuverie avec qui elle disparaissait pour une semaine ou un mois, signalant par une carte postale sa présence à Venise ou aux Bermudes. La crise la plus grave entre Louis Aragon et Nancy Cunard eut lieu lorsque celle-ci s'amouracha d'un chef d'orchestre noir qui officiait d'ordinaire entre le Florence et le Frisco, les boîtes les plus chics de Pigalle. Toutes les nuits, Gazelle et Duhamel, désertant la rue du Château, escortaient leur ami à la recherche de la belle inconstante. Longues quêtes au cours desquelles Aragon désespéré fumait des Player's Navy Cut à la chaîne et alignait whisky sur whisky dans les bars où la jeune femme avait ses habitudes. Mais elle restait introuvable. Après plusieurs jours de ce régime, le poète parla ni plus ni moins que de se supprimer. Si Gazelle recueillait pieusement les poèmes griffonnés par Aragon sur les paquets vides de Player's, tout en reconnaissant que certains n'étaient pas fameux — «Bordel pour bordel j'aime mieux le métro, il y fait plus chaud[1]!» —, Jacques Prévert se montrait volontiers railleur au retour de ces expéditions arrosées.

Après une ultime menace, Aragon disparut durant trois jours à l'issue desquels Prévert retrouva le dandy, plus beau, plus élégant et romantique que jamais à la terrasse de La Rotonde. «Toi, ici! Et seul!» s'écria Prévert en affichant une feinte stupéfaction qui suscita des gloussements goguenards aux tables voisines. «L'autre jour tu menaçais si sérieusement de te "foutre en l'air" si Nancy ne te revenait pas que j'ai cru tout aussi sérieusement à ton suicide[2]!»

Aragon eut un petit sourire contraint. Et ne pardonna

---

1. Gazelle Bessières à l'auteur.
2. André Verdet à l'auteur.

jamais sa plaisanterie à Jacques Prévert. Entre les deux hommes, ce sera loin d'être l'entente cordiale.

Si Gazelle s'était bien intégrée au groupe de la rue du Château elle n'en gardait pas moins un regard lucide, sinon critique, sur la vie qu'on y menait. Ce qui la choquait le plus était de voir son compagnon Marcel Duhamel se lever si tôt pour gagner la pitance de ses hôtes qui, après avoir fait la bringue toute la nuit, dormaient du sommeil du juste sans se soucier de l'existence que menait leur mécène. « Tanguy et Prévert étaient extraordinairement malins. Ils avaient convaincu Marcel qui, face à eux, était très complexé tant il les trouvait intelligents et créatifs, que c'étaient eux qui lui faisaient une grâce en se laissant entretenir [1] ! » Après sa réussite à la direction de l'hôtel Grosvenor, Marcel Duhamel venait d'être nommé à la tête de l'Ambassador, un hôtel de six cents chambres et autant de salles de bains, dont la construction se terminait boulevard Haussmann. Avec un salaire annuel de cent mille francs, logé, nourri et blanchi, le jeune homme disposait ainsi d'une situation fort enviable qu'il devait mériter par quatorze heures de travail quotidien. Il quittait la rue du Château à huit heures, lavé, rasé, sanglé dans sa jaquette, sa chemise empesée et sa cravate grise piquée d'une perle — tenue qu'il dissimulait sous un vaste imperméable, tant elle était incongrue dans ce quartier misérable —, prêt à recevoir la clientèle huppée de l'Ambassador. Après lui avoir préparé son petit déjeuner et donné un dernier baiser — au fil des semaines Duhamel était devenu amoureux fou de Gazelle —, la jeune femme rejoignait dans le sommeil tous les occupants de la rue du Château. À trois heures de l'après-midi, Jacques Prévert se levait le premier, s'affairait dans la cuisine et, une demi-heure plus tard, réveillait la maisonnée d'un sonore : « Tout le monde au café ! » Ensuite il se rendait au kiosque et y choisissait une brassée de journaux que Duhamel viendrait payer en fin de mois. Puis chacun regagnait sa chambre pour lire ou peindre selon l'inspiration du moment. Si Tanguy terminait une toile de temps à autre, Prévert — malgré sa conversation éblouissante et les idées qui, dès le lever, se télescopaient de la plus plaisante façon — n'écrivait toujours pas. Cette attitude lui valait le respect d'André Breton et de ses affidés les plus sûrs pour qui le travail sous toutes ses formes — qu'il fût artistique ou prosaïquement matériel — était vilipendé. Il s'agissait de consumer la vie telle qu'elle avait été donnée et non de la gagner. Pour les membres du groupe, défense de travailler ! Aragon, Breton, Boiffard, Francis Gérard avaient ainsi abandonné leurs études de médecine, d'autres la Sor-

---

1. Gazelle Bessières à l'auteur.

bonne, tout ce qui leur permettait d'avoir une «situation» dans la vie[1]. «La plupart d'entre nous, dira Breton, vivent, sinon au jour le jour, du moins sans aucunement penser à se ménager l'avenir[2].» Depuis la fin de la Grande Guerre, lui et Aragon avaient survécu un peu grâce à l'aide de leurs compagnes et beaucoup en assumant, pour Breton, les fonctions de bibliothécaire chez le couturier collectionneur Jacques Doucet à qui, de son côté, Aragon était chargé d'écrire deux lettres par semaine sur des sujets littéraires. Ces «emplois», les seuls autorisés par leur idéalisme, rapportaient mille francs par mois à Breton, cinq à huit cents francs — selon l'intérêt des lettres — à Aragon. Éditions originales, manuscrits, lettres personnelles et autographes, et surtout tableaux et sculptures parmi les plus importants de l'art moderne entrèrent grâce aux deux écrivains révolutionnaires dans les collections de Jacques Doucet qui légua à deux reprises à la ville de Paris d'abord une importante bibliothèque d'art et d'archéologie, et ensuite l'ensemble exceptionnel des ouvrages et manuscrits de littérature moderne qu'on peut aujourd'hui consulter à la Bibliothèque littéraire Jacques-Doucet sise au rez-de-chaussée de la bibliothèque Sainte-Geneviève. C'est — au passage — à ces jeunes cinglés dont les manifestations défrayaient la chronique et faisaient hurler le bourgeois, que, sans grand enthousiasme mais tout de même confiant en leur talent, le vieux mécène fortuné — excouturier du Tout-Paris — dut d'acquérir avant et pendant les Années folles des œuvres majeures d'Henri Rousseau, Seurat, De Chirico, Duchamp, Picabia, Miró et Picasso — dont les fameuses *Demoiselles d'Avignon* «qu'il serait si fâcheux de voir partir à l'étranger» mais que l'on ne peut admirer aujourd'hui qu'en traversant l'Atlantique[3].

La petite Gazelle, même si elle était parfois outrée par la désinvolture des hôtes de la rue du Château, devait convenir que le monde dans lequel évoluaient Prévert, Tanguy et son cher Marcel n'était pas dénué d'intérêt. Les expositions de peinture qu'ils soutenaient de tout leur enthousiasme présentaient à leurs cimaises des toiles surprenantes dont on ne peut pas dire qu'elles transportaient les foules d'alors mais qu'aujourd'hui se disputent les plus grands musées d'art moderne du monde. À la galerie Pierre, 13, rue Bonaparte, c'était Miró au printemps 1925 — Miró dont Ernest Hemingway avait acquis

---

1. Maurice Nadeau, *Histoire du surréalisme.*
2. André Breton, *Entretiens.*
3. Le tableau — «point de départ de la révolution cubiste» — fut vendu par Mme Doucet en septembre 1937 pour 150 000 F à Jacques Seligmann et acquis par le Museum of Modern Art de New York à la fin de la même année pour 28 000 dollars. Pierre Daix, *Dictionnaire Picasso.*

le dernier tableau figuratif, *La Ferme*, en s'endettant pour trouver les cinq mille francs réclamés par l'artiste qui n'avait pas consacré moins de deux années à le peindre[1] —, puis, à l'automne de la même année, c'était le coup de tonnerre de l'exposition *La Peinture surréaliste*, préfacée par André Breton et Robert Desnos. Celle-ci réunissait rien de moins que des toiles, aquarelles, bois peints et compositions diverses de Man Ray, Picasso, De Chirico, Arp, Paul Klee, André Masson, Max Ernst, Joan Miró passé définitivement à l'art non figuratif sous l'influence des surréalistes[2], des œuvres qui auront leur place dans les plus prestigieuses collections mondiales comme la fondation Peggy Guggenheim à Venise ou la collection Shapiro à Oak Park dans l'Illinois.

Au printemps 1926, le mouvement de Breton et Aragon ouvrit son propre lieu d'exposition : la Galerie surréaliste située 16 rue Jacques-Callot en plein cœur de Saint-Germain-des-Prés, au coin de la rue de Seine dans les locaux abandonnés par la revue communisante *Clarté*. Elle fut inaugurée en présence de tous les amis — de la rue Fontaine, du Cyrano comme de la rue du Château — à l'occasion du vernissage d'une exposition des œuvres récentes de Man Ray intitulée « Du nouveau sous le soleil ». Outre les tableaux et objets de l'artiste américain, parmi lesquels *Rencontre fortuite d'une machine à coudre et d'un parapluie sur une table de dissection*[3], et quelques rayogrammes[4] de son invention, la Galerie surréaliste dirigée par Roland Tual puis Marcel Noll présentait divers « objets nègres » d'Afrique et d'Océanie provenant des collections particulières des surréalistes dont Breton et Aragon faisaient parfois le commerce les jours de grande pénurie. L'un d'entre eux exposé en vitrine — un torse d'homme guinéen emplumé orné d'un appareil génital des plus impressionnants — provoqua un début d'émeute dans un quartier qui en vivra de toutes sortes. La foule, ameutée par une demi-douzaine de pipelettes criant à la honte et de mères de famille indignées, menaçait de briser la vitrine et de tout saccager sous l'œil olympien d'André Breton quand un titi en casquette, doué d'un bagou à en remontrer à Jacques Prévert lui-même, retourna les rieurs du côté des surréalistes en prenant à partie

1. Joan Miró à Jean-Marie Drot in *Les Inédits des heures chaudes de Montparnasse*, et Carlos Baker in *Hemingway*.
2. Joan Miró à Jean-Marie Drot, *op. cit.*
3. Aujourd'hui au MNAM (Musée national d'Art moderne — (entre Georges Pompidou). « Beau comme la rencontre fortuite d'une machine à coudre et d'un parapluie sur une table de dissection », Lautréamont, *Les Chants de Maldoror*.
4. Rayogrammes : photographies obtenues par simple interposition de l'objet entre le papier sensible et la source lumineuse.

les mémères qui craignaient pour la vertu de leur descendance. «Elles en verront d'autres, vos filles, si ce n'est déjà fait! Et vous, dit-il goguenard en désignant une dondon qu'on aurait crue payée pour ameuter le monde tant elle beuglait, avec quoi on vous les a faits les vôtres de mômes?[1]...» L'objet du scandale devra néanmoins quitter la vitrine à la suite d'une plainte déposée au commissariat de la place Saint-Sulpice!

Appréciant la peinture d'avant-garde et assez fière d'en connaître les principaux représentants qui, tous, avaient appris le chemin de la rue du Château, Gazelle n'en était pas moins surprise de l'état d'esprit régnant dans ce qui était devenu — avec les ateliers de la rue Blomet où vivaient Miró, Desnos, Masson et quelques autres — un des hauts lieux de Montparnasse. «Entre Yves Tanguy et Jacques Prévert, se rappellera-t-elle, il y avait une jalousie terrible. Parfois ils se détestaient entre eux. Yves était très jaloux de Jacques qui, affirmait-il, "avait plus que lui". Ils avaient une femme chacun mais se conduisaient comme si elles n'existaient pas[2].» Opinion que partagera Youki, bien avant qu'elle soit devenue la femme de Robert Desnos: «Ce qu'il y avait de surprenant, remarquera-t-elle, c'est le rôle muet que tenaient les femmes. Aucune d'elles n'ouvrait la bouche, sauf Simone Breton lorsque son mari, se tournant vers elle, la questionnait. Car elle était une petite encyclopédie vivante. Je crois que, de tout le groupe, elle était l'une des rares à avoir lu *Le Capital* de Karl Marx en entier[3].» Seul Marcel Duhamel leur portait attention. Tout comme sa compagne, il n'aimait pas que Jacques Prévert remplaçât — les soirs de colère trop arrosés — le gentil surnom de Mme Grosminou attribué à son épouse, par un méchant «la Conne» même si — disait Gazelle — les femmes de ses amis étant aussi ignorantes qu'ignorées, n'avaient aucun droit à la parole[4].

Gazelle paya la sollicitude de son futur mari à l'égard des femmes de ses amis par la perte d'un manteau de grande valeur auquel elle tenait beaucoup. C'était une superbe pièce en rat d'Amérique, plus souple que du vison, doublée de casha rouge que son précédent amant avait achetée chez Chanel. « "Tu ne peux pas porter ce trop beau manteau alors que Simone et Jeannette n'ont rien à se mettre sur le dos", m'a dit Marcel. Il a pris mon manteau et l'a échangé chez un fourreur de ses amis contre deux horreurs en peau de chat, râpées dès qu'on les a boutonnées trois ou quatre fois. Un manteau pour Simone,

1. Marcel Duhamel, *op. cit.*
2. Gazelle Bessières à l'auteur.
3. Youki Desnos, *Les Confidences de Youki.*
4. Gazelle Bessières à l'auteur.

l'autre pour Jeannette et moi j'ai dû passer l'hiver avec un petit pardessus de demi-saison ! J'étais outrée[1]. » Vivre toute la journée seule avec deux couples dont les qualités ne lui faisaient pas oublier les défauts n'était pas tout à fait l'idéal que Gazelle imaginait. C'était aussi l'avis de Prévert et de Tanguy qui, une nuit, entreprirent leur mécène en faisant les cent pas le long de la rue du Château, pour le convaincre que sa compagne — dont la langue trop bien pendue donnait le mauvais exemple à leurs femmes et semait la zizanie dans leurs couples respectifs — avait des vues sur la direction de l'hôtel Ambassador, ne vivait avec lui que pour l'argent et le luxe, et de toute façon allait le laisser tomber de façon imminente. Gazelle était devenue indésirable rue du Château et on le lui dit de la manière la plus directe. « Tu fais ta valise et tu t'en vas demain », décréta Duhamel soucieux à son tour d'affirmer son autorité de mâle tout-puissant. Après quelques jours de séparation, il dut convenir qu'il était trop amoureux pour supporter cet éloignement. Il le fit comprendre sans ambages à ses amis en leur apportant le repas du soir, et, les gamelles ouvertes, rejoignit Gazelle dans un petit bistro pour dîner avec elle. Peu rancunière, elle lui ouvrit l'appartement qu'elle avait loué rue Daubenton près de la Mosquée de Paris et n'hésita pas à le suivre peu après lorsque, accompagné de quelques amis, il lui assura que ce serait agréable d'aller passer tous ensemble une soirée rue du Château. « Alors Prévert et Tanguy ont compris qu'il n'y avait rien à faire pour nous séparer. J'ai repris ma place auprès d'eux comme si de rien n'était, seulement je n'ai plus habité rue du Château[2]. » Pas plus qu'elle n'assista, à la mairie du XIVe arrondissement, au mariage de Jeannette avec Yves Tanguy dont Jacques Prévert et Marcel Duhamel étaient les témoins. Histoire de scandaliser les édiles, Prévert, se collant un bandeau sur l'œil, se fit la tête de Robert Macaire tandis que Marcel Duhamel choisissait dans sa garde-robe le costume qui convenait pour se transformer en lieutenant d'Al Capone ! « La cérémonie terminée, se souviendra Marcel, on va festoyer tous quatre… Jacques toujours en Robert Macaire. Finalement je ne crois pas que Jeannette ait tellement goûté la plaisanterie. Elle a bel et bien cru que Prévert l'avait fait exprès pour ridiculiser la noce. Et par ricochet Yves en a sûrement voulu à Jacques[3]. » Il fallut les vacances d'été traditionnellement passées en bande à Locronan, village natal d'Yves Tanguy, pour ressouder la belle amitié du trio. Selon les années, les vacances se terminaient sur

1. *Id.*
2. *Id.*
3. Marcel Duhamel, *op. cit.*

le lieu de villégiature d'un des surréalistes les mieux argentés : à Sanary en 1926 où le peintre André Masson avait loué une maison après avoir vendu quelques toiles ; à Varengeville en 1927 ; au Manoir d'Ango où André Breton écrivait *Nadja* le roman qui allait lui apporter la célébrité. Breton prouva la considération qu'il portait à ses visiteurs en leur lisant quelques-uns des chapitres déjà écrits, ce qu'il ne renouvellera qu'à Paris en présence de Paul Eluard et André Masson avant d'en publier des extraits dans le numéro 13 de *Commerce*, la revue qu'ils avaient vue naître rue de l'Odéon.

Durant cette période que l'on appellera l'âge d'or de la rue du Château, Jacques Prévert, tout en se gardant d'écrire le moindre poème, terminait chez les surréalistes des humanités commencées dans la rue et poursuivies à La Maison des Amis des Livres entre Sylvia Beach et Adrienne Monnier. Déjà *il était* Jacques Prévert. « Dans ce milieu j'étais plutôt homme de main qu'homme de plume, dira-t-il modestement en évoquant ces années 1924-1928. C'est vrai que je n'écrivais pas, je ne faisais rien, je participais à leurs débats, c'est tout[1]. » Débats follement passionnés qui se soldaient parfois — à cause de l'intransigeance d'André Breton — par des exclusions et des anathèmes quand les amis — parfois les plus chers — déviaient d'un iota de la « ligne » que celui-ci avait fixée. Ce fut le cas lorsque Max Ernst et Joan Miró commirent le « crime » de créer les décors de *Roméo et Juliette*, spectacle monté au théâtre Sarah-Bernhardt par les Ballets russes de Diaghilev, alors que la « règle » était de ne pas travailler pour une entreprise purement commerciale même si elle relevait du domaine artistique. « Crime » sans circonstances atténuantes quand on savait l'amitié unissant Diaghilev à Jean Cocteau auquel dada d'abord puis les surréalistes reprochaient « de pratiquer avec virtuosité toutes les formes d'expression de l'art et de faire de l'art avec l'anti-art qu'inventaient les autres[2]. » Fréquentant les membres du groupe surréaliste sans chercher comme eux une activité créatrice, Prévert, lui, n'avait aucun besoin de ces prétextes littéraires pour mettre la main à la pâte et satisfaire ses tendances anarchiques en gueulant aussi fort que ses amis et en faisant le coup de poing à leurs côtés.

Ce sera le cas au théâtre Sarah-Bernhardt le jour de la première, le 18 mars 1926. Disséminés aux quatre coins de l'orchestre et du balcon, les surréalistes, tous en habit pour se fondre dans le public ultra-snob des ballètomanes, huèrent à qui mieux mieux — ajoutant la voix aux sifflets à roulettes — les danseurs de Diaghilev, tandis que du balcon Simone Breton

1. Georges Ribemont-Dessaignes, *Déjà Jadis*.
2. *Ibid.*

assistée d'une douzaine de partenaires faisait pleuvoir sur la salle des tracts en couleur représentant le crabe tourteau de Lautréamont sur son enclume avec une flaque rouge et cette légende : « Rien n'effacera jamais une tache de sang intellectuel. » Un autre papillon accusait l'entreprise de « domestiquer au profit de l'aristocratie internationale les rêves et les révoltes de la famine physique et intellectuelle ». Breton, Crevel, Desnos, Duhamel, Tanguy et bien sûr Prévert couvrirent d'injures Diaghilev, les danseurs, le public « bien parisien » furieux contre les trublions et bien sûr la police qui intervint vigoureusement tout comme elle le fit quelques mois plus tard, un soir de janvier 1928, où les surréalistes troublèrent une soirée littéraire qu'ils désapprouvaient. Les organisateurs entendaient interpréter au théâtre du Vieux-Colombier des poèmes d'Apollinaire qui « appartenait » au surréalisme, des chansons de Paul Eluard — sans lui demander son avis — en même temps que quelques pièces de Jean Cocteau qu'on exécrait du Cyrano à la rue du Château. André Breton et Marcel Noll, surréaliste de la première heure, furent arrêtés ainsi que Jacques Prévert dont la vindicte contre Cocteau était telle qu'il avait escaladé la scène et giflé à tour de bras le malheureux comédien chargé de dire les vers du poète ! Ainsi Prévert renoua-t-il avec le « quart » du commissariat du VIᵉ arrondissement qu'il avait si souvent fréquenté quand il faisait les quatre cents coups dans le quartier de Saint-Germain-des-Prés avec les frères Dienne et Tiran. Les soirs où il y avait de la bagarre dans l'air, les femmes attendaient au bistro d'en face, prêtes à alerter le député radical de gauche Gaston Bergery, fondateur du Front commun, qui s'était érigé en protecteur des artistes d'avant-garde et les tirait avec beaucoup d'efficacité des mauvais draps dans lesquels ils se fourraient avec allégresse. Les filles récupéraient ainsi leur bonhomme dans un état qui devait beaucoup à l'humeur des agents du « quart ». Plus tard Jacques Prévert racontera à ses amis que, lorsqu'il était emmené au poste, il usait des injures les plus choisies pour se faire solidement matraquer et tomber dans les pommes. « Sinon les flics s'amusaient avec eux et les tabassaient toute la nuit [1] ! »

Moins dangereux physiquement mais souvent plus remarqués car repris par la grande presse littéraire, étaient les pétitions, protestations et manifestes signés par les surréalistes sur les sujets les plus divers et où le nom de Jacques Prévert figurait toujours en bonne place. C'est à l'une de ces occasions qu'il vit imprimer son nom pour la première fois. En effet, il signa avec ses amis un violent pamphlet en faveur de Charlie Chaplin

---

1. Louis Bessières à l'auteur.

accusé par sa jeune épouse Lita Grey — avec laquelle il était en procédure de divorce dans une Amérique ultra-puritaine — d'immoralité, de cruauté mentale et de goûts sexuels anormaux. La diatribe intitulée « Hands off love [1] » rédigée après discussions avec la majorité des artistes surréalistes, par Aragon et traduit par Nancy Cunard, fut publiée en anglais dans le numéro 6 de la revue *Transition* en septembre 1927 et quelques semaines plus tard dans le numéro 9-10 de *La Révolution surréaliste*. L'amour fou, violent, fantasmé était la grande affaire des membres du groupe pour lesquels la femme était au cœur de leurs créations... et de leurs préoccupations quotidiennes, plus souvent en tant qu'objet de désir plutôt que de vénération [2]. Sans s'embarrasser de longues circonlocutions, les surréalistes, sous la plume d'Aragon, réglaient leur compte aux accusations de la très jeune Mme Chaplin — elle s'était mariée à seize ans et deux mois — en écrivant par exemple : « Pour nous en tenir aux *scrupules* très épisodiques de la *vertueuse* et *inexpérimentée* Mme Chaplin, il y a du comique à considérer comme *anormale, contre nature, pervertie, dégénérée et indécente* l'habitude de la fellation. (*Tous les gens mariés font cela*, dit excellemment Chaplin.) Si la libre discussion des mœurs pouvait raisonnablement s'engager, il serait normal, naturel, sain, décent de débouter de sa plainte une épouse convaincue de s'être *inhumainement* refusée à des pratiques aussi générales et parfaitement pures et défendables... Merci à vous par-delà la victime. Nous vous crions merci, nous sommes vos serviteurs. »

Cette libre discussion, inimaginable sur la place publique même au cœur des Années folles et à Montparnasse, carrefour de toutes les libertés, inspirera bientôt les fameuses soirées de recherches sur la sexualité qui feront couler tant d'encre.

Peu après avoir signé « Bas les pattes devant l'amour », les surréalistes — et Prévert, depuis la gifle à l'acteur interprète de Cocteau, en faisait véritablement partie — rédigèrent un violent manifeste contre l'érection d'une statue de Rimbaud dans le square de la gare de Charleville. Les surréalistes n'envoyaient pas dire leur fait à ces bourgeois provinciaux, solidement établis dans leurs Ardennes natales, qui entendaient tirer profit de la gloire de celui que leurs pères vouaient hier aux gémonies. Titré : *Permettez!* le tract rappelait à « Messieurs les Représentants des Ardennes, M. le Maire de Charleville, MM. les Notables, M. le Président de la Société des Poètes ardennais »

---

1. « Bas les pattes devant l'amour. »
2. André Breton dira : « Indépendamment du profond désir d'action révolutionnaire qui nous possède, tous les sujets d'exaltation propres au surréalisme convergent à ce moment vers l'amour. » *Entretiens*.

qui était vraiment Rimbaud, n'ayant pour ce faire qu'à puiser dans les œuvres où le poète exprimait son défaitisme, son horreur de la France et du fameux « goût français », sa rage destructrice envers l'Église, son mépris du travail et de la culture, son « communardisme » enfin. Le tract largement diffusé dans les milieux intellectuels se terminait par cette envolée : « La statue qu'on inaugure aujourd'hui subira peut-être le même sort que la précédente. Celle-ci, que les Allemands firent disparaître, dut servir à la fabrication d'obus et Rimbaud se fût attendu avec délices à ce que l'un d'eux bouleversât de fond en comble votre place de la Gare ou réduisît à néant le musée dans lequel on s'apprête à négocier ignoblement sa gloire[1]. »

Cette déclaration musclée signée avec la bénédiction d'André Breton par tous ceux qui se réclamaient du mouvement surréaliste était l'œuvre d'un nouveau venu dans la bande : Raymond Queneau. Licencié en philosophie, celui-ci vivotait depuis son retour du service militaire au Maroc dans un petit hôtel derrière le Palais-Royal. À vingt-cinq ans, il poursuivait des études, ce qui épatait Marcel Duhamel qui l'avait rencontré par hasard, avait sympathisé et l'avait amené rue du Château où on le voyait presque chaque jour. « Il essayait de travailler un petit peu, dira Jacques Prévert avec lequel il se liera bientôt. Il donnait des leçons. Et puis il écrivait des textes pour *La Révolution surréaliste*. » « De tous les surréalistes, remarquera Duhamel, c'est lui qui a le plus d'affinités, électives ou pas[2]. » C'est grâce à Marcel Duhamel qu'il trouvera le plus « sérieux » de ses élèves, un Américain, client de l'hôtel Ambassador, désireux de perfectionner son français. « Un gros client, rappellera Jacques Prévert à l'occasion de la sortie de *Pierrot mon ami*. On a connu ce personnage. Et c'était drôle parce qu'il avait une façon d'apprendre le français bien particulière. Un jour, on a dit : "Tiens, on va aller avec lui dans des quartiers plus éloignés, mettons le boulevard de la Chapelle." Et l'Américain était très réjoui. Et puis il avait toujours une machine à écrire dans sa boîte. Un jour, il a ouvert la boîte. C'était rempli d'héroïne. C'était un gros négociant en drogue. Alors, comme il avait confiance en nous, et qu'il aimait bien son professeur Queneau, il nous a offert de sa marchandise — j'ai failli en crever, une fois, d'ailleurs ; Queneau, je ne me rappelle pas. Mais, comme ça, Queneau travaillait un petit peu. Il aimait beaucoup le travail. Il y trouvait, par hasard ou bien par la force des choses, un amusement particulier. Et il y avait toujours une grande gaieté

---

1. Cité par Maurice Nadeau in *Histoire du surréalisme*, et Jean-Luc Rispail in *Les Surréalistes*.
2. Marcel Duhamel, *op. cit.*

chez lui. Et en même temps il avait des idées qui lui étaient personnelles[1]. » Idées qui lui permirent de s'intégrer non seulement dans le groupe surréaliste mais dans la bande de la rue du Château où Prévert jouait, sans encore pratiquer la moindre activité artistique, un rôle primordial. « Prévert, ce n'est pas seulement un frère mais un maître, dira plus tard Queneau à Pierre Berger[2]. Très vite il a été pour moi un personnage exceptionnel qui m'a beaucoup impressionné. Je ne puis vraiment dire combien sa présence a compté pour moi. » Le jeune homme était si bien intégré qu'il participa d'office avec ses camarades aux entretiens sur la sexualité dont le groupe de Breton commença la publication dans le numéro 11 de *La Révolution surréaliste*. « Le surréalisme, dira André Breton, a tout fait pour lever les tabous qui empêchent qu'on traite librement du monde sexuel et de *tout* le monde sexuel, perversions comprises — monde dont j'ai été amené à dire plus tard qu'en dépit des sondages entre tous mémorables qu'y auront opérés Sade et Freud, il n'a pas, que je sache, cessé d'opposer à notre volonté de pénétration de l'univers son infracassable noyau de nuit[3]. »

Les Recherches sur la sexualité. Part d'objectivité, déterminations individuelles, degré de conscience se déroulèrent pendant sept soirées du 27 janvier au 6 mai 1928[4]. Les deux premières furent publiées *in extenso* dans *La Révolution surréaliste*. Prévert participa à six de ces soirées qui réunirent la fine fleur du mouvement : Aragon, Jacques Baron, Jacques-André Boiffard, André Breton, Marcel Duhamel, Max Morise, Pierre Naville, Marcel Noll, Benjamin Péret, Raymond Queneau, Man Ray, Georges Sadoul, Yves Tanguy et Pierre Unik. Jamais jusqu'alors on n'avait parlé publiquement et si crûment des jeux amoureux et des réactions de chacun pendant l'amour. Yves Tanguy, Raymond Queneau et Jacques Prévert ouvrirent le feu en s'opposant sur la mesure dans laquelle un homme pouvait se rendre compte de la jouissance de sa partenaire. Tanguy et Queneau la jugeaient très faible, si ce n'est inexistante, tandis que Prévert d'un « oui, oui, oui, oui » péremptoire, s'affirmait en possession de moyens objectifs d'appréciation sans toutefois, malgré la pression d'André Breton, exposer lesquels. En revanche, tout comme Breton, il reconnaissait dans ce domaine

1. Archives Gallimard.
2. In *La Gazette des lettres*, avril 1952. Cité par Danièle Gasiglia-Laster, *op. cit.*
3. André Breton, *Entretiens*.
4. Cinq autres eurent lieu de novembre 1930 à août 1932. Cf. *Recherches sur la sexualité. Archives du surréalisme*, vol. 4.

la suprématie de la femme qui «peut dans la plupart des cas constater que la jouissance de l'homme a eu lieu... C'est une question d'examen plus ou moins vraisemblable de l'état local dans lequel l'homme l'a laissée». Prévert apporta son soutien à son nouvel ami Queneau dans son jugement sur la pédérastie : «Du moment que deux hommes s'aiment, je n'ai à faire aucune objection morale à leurs rapports physiologiques», alors que Breton se déclarait violemment hostile aux pédérastes qu'il accusait de proposer à la tolérance humaine un déficit mental et moral tendant à paralyser toutes les entreprises qu'il respectait. C'est au cours de ces soirées que Jacques Prévert fit part à ses compagnons de ses premiers souvenirs sexuels, de son avis sur le bordel qu'il jugeait «inutile et inintéressant» et de sa répugnance à payer une femme. «Cela ne m'est jamais arrivé. On m'a payé», affirma-t-il tout en convenant que l'âge qu'il aimait le mieux chez une femme à qui il faisait l'amour était quatorze ans, alors que la plupart des autres surréalistes — à l'exception de Queneau qui lui aussi aimait s'agacer les dents sur des fruits verts — établissaient une large «fourchette» de dix-huit à cinquante ans!

Jamais on n'avait parlé aussi clairement dans une revue, autre que celles qui se vendaient sous le manteau, de l'onanisme féminin, par exemple, dont Breton pensait le plus grand bien, vivement approuvé par Prévert qui s'en déclarait tout à fait partisan. À l'appui, extraits de dialogues on ne peut plus directs entre les deux hommes qui s'appréciaient, bien que Jacques n'ait jamais été — contrairement à Tanguy — de ceux qui faisaient totale allégeance au «pape» du surréalisme, dialogues auxquels se mêla volontiers Raymond Queneau :

PRÉVERT : Que pense Breton de la sodomie entre homme et femme ?
BRETON : Le plus grand bien.
PRÉVERT : Vous y êtes-vous déjà livré ?
BRETON : Parfaitement.
QUENEAU : Faites-vous toujours l'amour de la même façon ; sinon est-ce pour accroître votre jouissance ou celle de la femme ?
BRETON : Fort heureusement non, je m'ennuierais trop. Quant à la femme elle peut prendre l'initiative de changer autant qu'elle veut.
PRÉVERT : Je suis de l'avis de Breton.

Quand les questions se firent plus précises chacun tint à ajouter son grain de sel à une conversation qui se révélait de plus en plus pimentée :

BRETON : Quelles sont les attitudes passionnelles qui vous sollicitent le plus ? Baron ?

BARON : Le 69, la position dite « en levrette ».

DUHAMEL : La position dite « en levrette », le 69.

ARAGON : Je suis extrêmement limité. Les diverses attitudes me sollicitent également comme autant d'impossibilités. Ce que j'aime le mieux, c'est ma pollution pendant la fellation active de ma part. En fait, je fais presque toujours l'amour de la manière la plus simple.

MAN RAY : Pas de préférences. Ce qui m'intrigue le plus, c'est la fellation de l'homme par la femme, parce que c'est ce qui s'est présenté pour moi le plus rarement.

NOLL : La fellation de la femme par moi[1], ou bien sexe sur sexe, bouche sur bouche, le 69.

SADOUL : Pas de préférence violente. Cependant la fellation de la femme par moi.

ARAGON : Qu'est-ce qui vous excite le plus ?

DUHAMEL : Les jambes et les cuisses d'une femme. Ensuite le sexe, les cuisses et les fesses.

PRÉVERT : Les fesses.

QUENEAU : Le cul.

ARAGON : L'idée de la jouissance de la femme.

NOLL : C'est aussi tout ce qui m'intéresse.

DUHAMEL : Également.

PÉRET : Pour les parties du corps, les jambes et les seins. Par ailleurs, voir une femme se masturber.

[...]

BRETON : Dans quelle mesure Aragon considère-t-il que l'érection est nécessaire à l'accomplissement de l'acte sexuel ?

ARAGON : Un certain degré d'érection est nécessaire mais, en ce qui me concerne, je n'ai jamais que des érections incomplètes.

BRETON : Juges-tu que c'est regrettable ?

ARAGON : Comme tous les déboires physiques, mais pas davantage. Je ne le regrette pas plus que de ne pouvoir soulever des pianos à bout de bras.

Aragon se souviendra de ces aveux publics en écrivant *La Grande Gaîté*, recueil de poèmes publiés l'année suivante (1929) et dans lequel on trouve ce quatrain où le poète ironise :

> Il y a ceux qui bandent
> Il y a ceux qui ne bandent pas
> Généralement je me range
> Dans la seconde catégorie[2]

---

1. En 1928, les linguistes n'avaient pas encore inventé le terme cunnilingus ou cunnilinctus, qui n'apparaîtra publiquement qu'en 1970 au cours de la première grande enquête sur la sexualité des Français supervisée par l'INSERM et en 1992 à la une des grands quotidiens nationaux, qui annonceront que 77 % des Français pratiquent le cunnilingus et 71 % la fellation (*France-Soir*, 30 juin 1992).

2. Cité par Marcel Duhamel, *op. cit.*

Dans ce contexte, on comprend mieux qu'Aragon, en pleine crise amoureuse avec Nancy Cunard, n'ait jamais pardonné à Prévert son humour caustique à la terrasse de La Rotonde, concernant un éventuel suicide, alors qu'il venait d'éprouver la tentation de mourir à Venise où il poursuivait en vain son fantasque et richissime amour. Quant à André Breton, l'intérêt qu'il portait à la sexualité, au point d'avoir provoqué ces soirées si riches en confidences érotiques, s'expliquait en partie par une vie personnelle et amoureuse des plus agitées. L'aventure avec une jeune Léona-Nadja au passé trouble, à la personnalité vacillante qui la conduira à la folie et à l'internement ; le rôle bien moins déterminant mais tout de même important de la jolie Marie-Berthe Aurenche — au point que son frère Jean Aurenche dira : « Nadja c'est Marie-Berthe [1] » — servirent de catalyseur à ce roman exceptionnel qui provoqua chez de nombreux lecteurs — et en premier lieu ses amis — un ébranlement considérable où se mêlèrent l'admiration et une émotion complexe parfois génératrice de malaise.

Malgré sa décontraction et sa façon de tout prendre à la légère, Prévert se souviendra toujours de ces heures où l'amitié permettait à tous et à chacun de s'exprimer avec la plus grande liberté sur les sujets les plus intimes. L'érotisme colorera souvent ses œuvres à venir. Loin de critiquer ces soirées de recherches sur la sexualité, il sentit néanmoins avec une intuition quasi féminine que la belle entente — sinon l'amitié —, qui avait uni pendant de nombreux mois tant d'hommes et de femmes si différents, touchait à sa fin. Et c'est à l'heure où le compte rendu de ces soirées — qui auraient pu faire croire à une exceptionnelle entente au sein d'un groupe de jeunes intellectuels confiant les uns aux autres leurs pensées sexuelles les plus intimes — était rendu public que le bel édifice se fissurait, avant de s'écrouler en laissant une trace indélébile dans l'esprit et le cœur de tous ceux qui avaient participé à l'aventure.

Les conflits dus à l'intransigeance de Breton avaient commencé avec l'exclusion du groupe de Philippe Soupault, Roger Vitrac et Antonin Artaud, dès novembre 1926. Artaud et Vitrac accusés de s'être approprié le théâtre d'Alfred Jarry — Ubu, le personnage grotesque inventé par Jarry « appartenait » aux surréalistes tout comme Apollinaire qui avait forgé le mot « surréalisme » — Soupault — pourtant l'un des « pères fondateurs » du mouvement, auteur avec Breton des *Champs magnétiques*, premier essai d'écriture automatique — pour avoir refusé les orientations politiques que donnait Breton après avoir découvert Trotski. Dans le groupe, Pierre Naville, rejeton révolté d'une

1   Jean Aurenche, *op. cit.*

riche famille de banquiers, avait appelé à un engagement plus cohérent en faveur du parti communiste et de l'URSS : « Les scandales moraux suscités par le surréalisme, prophétisait-il, ne supposent pas forcément un bouleversement des valeurs intellectuelles et sociales ; la bourgeoisie ne les craint pas... Elle les absorbe facilement[1]. » Dans un premier temps Breton avait refusé l'adhésion en bloc du surréalisme au communisme puis, fin 1926, il avait posé la question à chacun des membres. Soupault et Artaud, dont le communisme n'était pas assez accentué, s'étaient mis en position d'être exclus (exclusion remontant effectivement à novembre 1926 et annoncée publiquement dans le *Second manifeste du surréalisme* en 1929). Interrogé, Jacques Prévert répondit franchement, malgré sa vive sympathie pour la classe ouvrière et le PC qui la soutenait : « J'étais révolutionnaire à sept ans. Je suis complètement incapable d'ouvrir un livre de Marx, cela m'emmerde. Là-dessus, je m'en remets à d'autres. Il serait pour moi facile d'adhérer au PC mais je crois que cela n'aurait aucun sens. » Cet échange se faisait avec Marcel Fourrier, l'un des codirecteurs de la revue paracommuniste *Clarté* avec laquelle les surréalistes ne dédaignaient pas de collaborer. « Vous n'avez pas, et quelques autres, les facultés qu'exige ce travail souterrain, bureaucratique de préparation, répondit Fourrier à Prévert. Dans la période d'action, vos facultés tendraient vers la réalisation révolutionnaire que vous trouveriez dans le Parti[2]. » Au cours de cette réunion, Breton fit remarquer que malgré sa propension à plaisanter de toutes choses, Prévert apportait au groupe un confort moral appréciable. « Il ne fut pas chaud, remarquera pourtant le rédacteur communiste du tome 39 du *Dictionnaire biographique du mouvement ouvrier français*, dans le débat qui s'ouvrit en 1927, pour que le groupe, ou du moins lui-même, offrît son adhésion au parti communiste. »

Seuls Aragon, Breton, Eluard et Unik adhérèrent au Parti en janvier 1927. Naville et Péret avaient déjà pris leur carte l'année précédente. Après une légère hésitation Duhamel et Prévert s'étaient abstenus. « "M'inscrire au Parti ? avait dit Jacques. Moi je veux bien." Puis un peu mélancolique, il avait ajouté : "On me mettra dans une cellule..."[3] »

D'aucuns contesteront le « bon mot » de Prévert qui pourtant n'en était pas avare, arguant que seul Duhamel l'a rapporté et que Jacques était alors bien trop timide devant ceux qui « savent » pour pressentir le caractère totalitaire du com-

1. Cité par Jean-Luc Rispail, *op. cit.*
2. *Archives du surréalisme*, vol. 3. Cité par Danièle Gasiglia-Laster, *op. cit.*
3. Marcel Duhamel, *op. cit.*

munisme. On verra de quelle façon, six ans plus tard, ayant atteint la maturité, il se refusera, lors d'un voyage à Moscou, à signer le satisfecit à Staline qu'on lui demandait avec une certaine vigueur.

Pour l'heure, c'est Breton qui, catéchumène du Parti, avait le plus grand mal à s'intégrer à la cellule d'employés du gaz à laquelle la direction l'avait affecté. Breton chez les gaziers ! On ne l'y verra pas souvent.

Une fois encore, une fois de plus, Jacques Prévert avait su conserver son indépendance et ne pouvait que s'en réjouir. Mais c'en était bien fini de l'époque où tout le monde, ou presque, s'aimait.

Bientôt le phalanstère de la rue du Château mettra la clé sous la porte et, paradoxalement, c'est le moment que choisit Jacques Prévert pour commencer à écrire. Enfin !

CHAPITRE 6

L'envol de l'Aiglon

Il arrive parfois que les mécènes les plus généreux aperçoivent le triste fond de leur cassette. C'est la mésaventure qui arriva en 1928 à Marcel Duhamel. Malgré sa bonne volonté, il ne pouvait plus continuer à entretenir ses amis de la rue du Château. En outre, l'hôtellerie où il avait fait merveille tant à la direction du Grosvenor que de l'Ambassador lui sortait par les yeux. Il envoya balader son oncle et la branche «aisée» de la famille Duhamel et il quitta la tête haute le consortium hôtelier où il conservait cent mille francs réinvestis par le magnat du clan et qui assureront la retraite de sa vieille mère. Il était libre.

L'esprit filial en paix et le portefeuille léger, il céda pour huit mille francs — sacrément bien venus — l'installation de la rue du Château à Georges Sadoul, licencié en droit, employé chez Gallimard, l'un des plus jeunes membres du groupe surréaliste, passionné de cinéma dont il deviendra l'un des premiers historiens français, que l'on voyait souvent flanqué de son cadet André Thirion, jeune communiste sectaire qui rêvait de voir le surréalisme passer au service du Komintern. La rue du Château commençait une nouvelle vie. «Notre *chez nous* n'existe plus, notera avec une certaine mélancolie Marcel Duhamel... Je l'ai revendu à Georges Sadoul et André Thirion qui le convoitaient depuis longtemps. Triste, non? Cinq ans de vie commune à deux, puis trois couples, sans heurts, cela tient d'une espèce de miracle. Tabler plus longtemps sur la seule amitié — qui d'ailleurs reste intacte — pour surmonter certaines incompatibilités d'humeur inévitables eût été hasardeux. Yves et Jeannette, en particulier, avaient depuis quelque temps déjà, envie de vivre seuls[1].» Jacques Prévert, lui, s'en foutait. Simone suivait et admirait cet homme, le premier de sa vie,

---

1. Marcel Duhamel, *op. cit.*

dont la personnalité impressionnait si fort tous les artistes, poètes, écrivains, peintres, qui gravitaient autour d'eux, au point qu'on lui prêtait une œuvre cachée. Prenant possession de la chambre du premier étage, Sadoul, selon Thirion, dira y avoir découvert, sous la moquette, plusieurs cahiers renfermant des manuscrits de Jacques Prévert. Parmi ceux-ci une esquisse de roman dont le héros était Onoto, un oiseau à plumes rentrantes! Marcel Duhamel démentira formellement. «Prévert, dira-t-il, se montrera fort "étonné" de la découverte[1].» L'histoire du manuscrit caché aura la vie dure puisque, soixante ans plus tard, profitant du Salon international des musées et des expositions qui se tint au Grand Palais, du 15 au 20 janvier 1988, Yves-Marie Marchand, imprimeur d'art, gérant de la librairie Les Deux Mondes, aidé du journaliste André Pozner, exposera à son stand la photo de la couverture d'un livre registre que Prévert aurait tenu dans les années 1920 rue du Château, livre autographe estimé au poids de l'or, signé, illustré et commenté par Prévert, Breton, Desnos, Picasso, Eluard, Max Ernst, Aragon, Miró, De Chirico et bien d'autres. La nouvelle attira nombre de curieux devant la vitrine où l'on espérait voir apparaître «incessamment sous peu» le registre intitulé *Dires d'art* de la main de Prévert. «L'événement du Salon» fit chaque jour la une du journal édité par l'habile imprimeur, et devait être l'objet d'un fac-similé publié aux éditions Marchand-Marval; mais il se révéla être un canular et André Pozner, futur coauteur du texte *Hebdromadaires* avec Prévert en 1972, l'avoua, toujours à la une du *Journal* de Marchand-Marval «acheteur, éditeur et imprimeur d'un manuscrit qui n'a jamais existé[2]». Belle opération de pub dans le petit monde des galeristes!

En revanche, c'est bien de février 1928 que date le premier texte connu de Jacques Prévert. Il l'écrivit peu après le déménagement de la rue du Château alors qu'il s'installait avec Simone dans un petit hôtel de la rue Coustou, le Radio, dégoté par Duhamel et Gazelle qui y occupaient une chambre voisine. Niché dans une rue minuscule à la porte du cabaret Le Néant, entre le boulevard de Clichy et la rue Lepic, le Radio avait le grand avantage de faire en même temps café-brasserie et de disposer d'une terrasse qui concurrença bientôt celle du Cyrano, et où Breton ne dédaignait pas de venir avec ses fidèles déguster son éternel mandarin-curaçao. Le danseur Georges Pomiès avait demandé à Jacques Prévert, rencontré à Mont-

---

1. *Ibid.*
2. *Le Journal, imprimerie et éditions Marchand-Marval*, mercredi 20 janvier 1988.

parnasse, un argument de ballet pour sa troupe. Pomiès n'était pas un danseur pour «ballètomanes avertis» ni un émule de Diaghilev digne d'être adulé par Cocteau. Il croyait à un théâtre révolutionnaire capable de «provoquer des réactions et même des mouvements de foule». Pour toutes ces raisons, dès leur première rencontre, Prévert et Pomiès éprouvèrent une vive sympathie l'un pour l'autre. D'autant que le style de Pomiès était loin d'être commercial — trop nouveau pour plaire au «vrai» public, un danseur «moderne» sans avenir, disaient les «spécialistes». Il n'en fallait pas plus pour que Prévert — auteur parfaitement inconnu (puisqu'il n'avait jamais rien écrit!) jetât sur le papier quelques-unes de ces trouvailles aussi farfelues que flamboyantes qui faisaient, pour ses amis, tout l'intérêt des phrases percutantes qu'il filait comme de la barbe à papa. Pour ses amis seulement car les autres, même s'ils admiraient le feu d'artifice de son monologue, soulignaient que ce bavard de génie n'était pas un brillant causeur. «Il bredouillait. Il bafouillait même. Le charme de sa conversation était ailleurs, dans son mouvement intérieur. Un mot à peine prononcé faisait éclore un autre mot, une autre image, une autre idée. En discourant, Prévert révélait ce qui d'ordinaire reste caché au plus profond des poètes, les engrenages de la création[1].» De son côté Georges Pomiès n'était pas plus professionnel dans la danse que Prévert ne l'était dans la littérature. Dentiste, il avait abandonné roulette et davier pour se tourner vers la chanson qu'il agrémentait de quelques pas de danse. Constatant lucidement qu'il dansait mieux qu'il ne chantait, il avait alors formé une petite troupe féminine dont chaque membre partageait ses idées. C'est pour elles — Pomiès les appelait «Mes Petites Filles» — que Jacques Prévert écrivit «Les animaux ont des ennuis», poème que les enfants adoreront quand ils apprendront à le connaître, au coin des années 50.

> Le pauvre crocodile n'a pas de C cédille
> on a mouillé les L de la pauvre grenouille
> le poisson scie
> a des soucis
> le poisson sole
> ça le désole
>
> Mais tous les oiseaux ont des ailes
> même le vieil oiseau bleu
> même la grenouille verte
> elle a deux L avant l'E

1. Guillaume Hanoteau. *L'Âge d'or de Saint-Germain-des-Prés*.

Laissez les oiseaux à leur mère
laissez les ruisseaux dans leur lit
laissez les étoiles de mer
sortir si ça leur plaît la nuit
laissez les p'tits enfants briser leur tirelire
laissez passer le café si ça lui fait plaisir

La vieille armoire normande
et la vache bretonne
sont parties dans la lande en riant comme deux folles
les petits veaux abandonnés
pleurent comme des veaux abandonnés

Car les petits veaux n'ont pas d'ailes
comme le vieil oiseau bleu
ils ne possèdent à eux deux
que quelques pattes et deux queues

Laissez les oiseaux à leur mère
laissez les ruisseaux dans leur lit
laissez les étoiles de mer
sortir si ça leur plaît la nuit
laissez les éléphants ne pas apprendre à lire
laissez les hirondelles aller et revenir.

Quand Prévert lui donna son texte, Pomiès, tout comme il le fera au cours de leur courte mais intense collaboration, dit : «Il écrit comme je sens.» Mais Jacques, lui, sentit que les danseuses de Pomiès n'étaient pas aussi enthousiastes que leur maître — «Ça leur plaisait pas aux Petites Filles[1]» — aussi eut-il l'idée de mettre son scénario-poème en musique. Et pour cela fit appel à la copine d'enfance de sa femme, Christiane Verger, pianiste classique qui essayait de se faire une place au soleil. Avec le premier texte de Prévert naissait sa première chanson !

À l'hôtel Radio la vie se révéla moins facile que rue du Château. Cœur d'or momentanément fauché, Marcel Duhamel n'en payait pas moins la chambre de Prévert et celle de Tanguy qui s'était installé dans le quartier de la Glacière à l'hôtel Médical, sinistre mais très bon marché et très clair où il pourra peindre en toute tranquillité. «Il est bien évident que je ne pourrai plus continuer d'assumer la même part de responsabilité dans l'entretien du phalanstère[2]», écrira Marcel avec regret. Les liens avec Tanguy se distendront au fil des disputes provoquées par l'intransigeance de Breton. L'argent se faisant rare,

1. J. Prévert in *Mon frère Jacques*.
2. Marcel Duhamel, *op. cit.*

Duhamel effectuait à droite et à gauche de petites tâches qui lui permettaient de ne pas trop puiser dans le porte-monnaie de Gazelle pour continuer d'aider ses copains. «Ils étaient complètement inconscients, se souviendra-t-elle. À l'hôtel Radio, sur le balcon, je chauffais un petit fer à braise pour repasser au moins le col et les manchettes des chemises de Marcel. Et Simone Prévert, avec son air candide, me disait: "Mais pourquoi n'allez-vous pas comme moi chez le blanchisseur?" À Marcel, il ne lui restait plus que deux chemises que je lavais dans le lavabo et repassais pour, au moins, "avoir l'air". Je recevais un peu d'argent de Roumanie où mon grand-père — un très grand avocat — possédait des terres. Alors mes rentrées dépendaient du cours du blé et du leu roumain. Parfois je recevais 800 F par mois, parfois 1 200. En moyenne je disposais de 1 000 francs qui nous permettaient de survivre en sauvant les apparences[1].» C'est que Marcel Duhamel avait besoin de les respecter pour monter l'agence de scénarios dont il avait eu l'idée et dont les auteurs potentiels étaient à portée de la main: Max Morise, Jacques Prévert, Robert Desnos, Benjamin Péret, Raymond Queneau et Aragon qui lui avait déjà écrit «Une belle jeunesse[2]». Comme si la pompe avait été amorcée avec «Les animaux ont des ennuis» que Pomiès avait mis à son répertoire, Prévert entreprit l'écriture de plusieurs scénarios pour Duhamel. C'était bien la moindre des choses que d'aider l'homme qui lui avait fait si longtemps une vie sans souci. Jacques Prévert — laissant son imagination débridée caracoler sur les sommets surréalistes — écrivit ainsi l'histoire d'une pieuvre, femme de ménage en Bretagne qui «tenait l'intérieur» d'un pêcheur ivrogne et de son fils: les Baladar. Pieuvre portant coquettement un collier de chien, et disposant d'innombrables tentacules dont l'un faisait la cuisine tandis que l'autre débouchait des bouteilles, un autre encore mouchait les bougies tandis que mille choses utiles incombaient aux derniers comme de protéger l'enfant, ami des poissons, des baleines... et des pieuvres, de la férocité de son pêcheur de père qui ne rêvait que de les voir tous mis en boîtes. Autre scénario plus farfelu encore, celui qui racontait les épouvantables aventures d'un vampire à l'allure de Fantômas qui, en guise de restaurant, utilisait pour son déjeuner les stations-service rencontrées sur sa route. L'horrible personnage nourri de sang de mouton retirait le tuyau de sa bouche et, déployant sa cape, s'envolait pour disparaître à l'horizon. Sur sa lancée, Prévert sollicita l'aide de Raymond Queneau et de Marcel Duhamel

---

1. Gazelle Bessières à l'auteur.
2. *Album Aragon*, La Pléiade.

pour ciseler *Le Trésor*, une de ces «œuvres qui ressemblent plus à des poèmes surréalistes qu'à des courts métrages en conserve[1]». Ayant entendu dire qu'à Berlin «il y avait pénurie de cervelles» dans le domaine du cinéma, Duhamel n'hésita pas à faire le voyage pour proposer sa «marchandise». Le plus fort fut qu'elle séduisit un producteur spécialisé dans les «navets» mais sensible à la poésie surréaliste, qui n'accepta malheureusement que deux scénarios sur les neuf que Marcel avait demandés à ses amis : un de Prévert, un de Péret, et à condition de revoir les prix à la baisse. Pour sa première affaire cinématographique, Duhamel se voulut intraitable. Son homologue allemand aussi. Marcel revint à Paris bredouille. Pour une fois que Prévert condescendait à travailler, le résultat n'était pas triomphal. Et pourtant l'histoire de la pieuvre trouvera sa place dans *Baladar*, un scénario qu'il écrira deux ans plus tard pour le photographe-réalisateur de dessins animés André Vigneau ; il ne se tournera pas, faute de commanditaires, mais trouvera des lecteurs plus d'un demi-siècle plus tard lors de la publication en 1984 de *La Cinquième Saison*, recueil posthume d'œuvres inédites. Quant au vampire des stations-service, il fera le bonheur de Paul Grimault dans *Le Diamant*, dessin animé réalisé quarante ans après, en 1969 ! *Le Trésor*, lui, ne sera découvert dans la revue *L'Arc* qu'en 1966 et n'aura jamais les honneurs de la pellicule.

Pour se faire pardonner ses échecs, Marcel Duhamel, qui se sentait toujours responsable du bien-être de ses proches, trouva pour son ami un scénario à retaper. Une histoire vaseuse de traite des Blanches qui n'aurait pas marqué les mémoires s'il ne s'était agi du premier vrai travail de scénariste de Jacques Prévert. *Vrai* parce que payé. Mal payé mais payé quand même.

Marcel Duhamel, infatigable, voulut aussi que Pierrot, le petit frère de Jacques, toujours projectionniste chez Erka-Prodisco où il avait également tâté du montage, vît se concrétiser son rêve de toujours : participer directement à la réalisation d'un film. Grâce à M. Shapiro, un client américain de l'hôtel Ambassador, rencontré avant qu'il ne quittât définitivement le groupe familial, Duhamel entrevit la possibilité de produire un court métrage. L'associé de l'homme d'affaires américain, un petit banquier de la rue Caumartin du nom de Roebuck, se laissa convaincre «à condition qu'il y ait du répondant». Roland Tual un des surréalistes qui, comme Prévert, n'avait rien publié mais qui avait épousé la riche Colette Jeramec contacta quelques noms importants du monde du cinéma où il gravitait et, finalement, la Roebuck Film vit le jour. Aussitôt la bande

---

1. Marcel Duhamel, *op. cit.*

se mit au travail puisque, avait assuré Duhamel : « J'ai tout mon monde sous la main. » Le scénariste du film ne pouvait être que Jacques Prévert mais sur une idée de son frère Pierrot qui en avait trouvé le titre : *Souvenirs de Paris* ou *Paris-Express*. Il s'agissait de montrer le Paris quotidien de 1928 avec ses jolies filles de la rue de la Paix, mannequins, petites mains et trottins, mais aussi le Paris populaire et même celui, misérable, que Prévert connaissait bien pour avoir souvent accompagné son père dans ses tournées de l'Office central des pauvres de Paris. Le court métrage n'aurait été qu'un pur documentaire si les deux frères et le chef opérateur qui n'était autre que le déjà célèbre peintre et photographe Man Ray, assisté de Jacques-André Boiffard dit « Le Bouif », n'y avaient apporté quelques séquences surréalistes : ainsi, pour passer de la Porte des Lilas au cœur de Paris, quelques jolies naïades étaient-elles censées plonger dans la piscine des Tourelles — à l'est de la ville — pour jaillir de l'une des deux fontaines de la place de la Concorde ! Dénicher quelques ravissantes plongeuses acceptant de s'exhiber — même à l'aube — place de la Concorde posa de multiples problèmes à ces cinéastes amateurs ; et ils finirent par recruter, pour le prix d'une passe, une jolie putain rue Pigalle et lui firent exécuter sa scène, malheureusement à l'exact moment où les derniers soiffards du bal des Quat'zarts décidaient d'effecteur leur toilette matinale dans la fontaine ! Même Alberto Cavalcanti, copain de Montparnasse qui avait accepté de superviser amicalement le travail de ses cadets, ne put rien contre ce fâcheux contretemps. On renvoya la fille et le film se tourna avec la figuration gratuite des passants parisiens — ceux de l'Opéra comme ceux de la Goutte d'Or, ceux de Luna Park avec son Water Chute et ses auto tamponneuses dont Jacques Prévert se servira dix ans plus tard pour une scène fameuse de *Quai des brumes*, comme ceux des fortifications. Puisque les « metteurs en scène » Marcel Duhamel et Pierre Prévert avaient assuré leurs commanditaires d'« avoir tout le monde sous la main », ils battirent le rappel de la famille et des amis pour les séquences qui exigeaient la participation de figuration intelligente. On vit ainsi Gazelle et Simone Prévert parmi les élégantes de la rue de la Paix, Pierrot sur un bateau mouche, Jacques au pont de Crimée, Max Morise, Marcel Duhamel et le Père Picon en vieux marcheurs amateurs de chair fraîche, Kiki dans son propre rôle à Montparnasse ; et *Souvenirs de Paris* ou *Paris-Express* devint pour l'histoire du cinéma, outre un merveilleux documentaire sur le Paris de la fin des Années folles, un témoignage quasi ethnologique sur les membres de la bande à Prévert et leurs femmes ! La seule séquence surréaliste qui resta fut la très belle traversée souter-

raine du canal Saint-Martin à bord du *Toueur*, un remorqueur
de péniches, prise image par image dans le noir et passée en
accéléré donnant l'impression d'une course fantastique à travers les cônes de lumière projetée par les regards aménagés le
long du boulevard Richard-Lenoir. Premier film et déjà œuvre
d'art, *Paris-Express* retrouvera une deuxième vie trente ans
plus tard. Car, en 1928, on ne peut pas dire qu'il fit un tabac.

Monté par Pierrot aux studios de Billancourt, *Paris-Express*
eut sa «première» au cinéma Danton et fut salué par les
applaudissements enthousiastes des proches — le Père Picon
était là comme sur l'écran — et ceux, polis, d'un public qui
avait le sentiment de voir les scènes qu'il pouvait vivre dans
n'importe quel quartier de Paris. Bref, pourquoi payer pour
contempler la vie quotidienne de sa cité ? «Difficile de déchaîner l'enthousiasme des foules avec un documentaire [1]», constatera Marcel Duhamel. Le directeur du nouveau cinéma d'art le
Studio des Ursulines, inauguré avec *Entr'acte* [2] et *La Rue sans
joie* [3], trouva pourtant des qualités au film des débutants puisqu'il le programma pour quelques jours dans sa salle, bientôt
imité par son confrère qui ouvrait le Studio 28 où se retrouveront bientôt tous les cinéphiles parisiens. Pour leur coup d'essai — même s'il n'avait rien d'un triomphe — les frères Prévert
et Marcel Duhamel, aidés par Man Ray, étaient remarqués,
alors que le cinéma n'avait pas encore appris à parler, par des
hommes de passion. D'emblée *Paris-Express* entrait dans le
cercle restreint des cinémas de qualité.

C'était loin d'être un coup pour rien. Mais ce n'était pas
non plus assez pour vivre. Et cette fois, la Roebuck Film dissoute — Shapiro avait regagné les États-Unis avec la caisse ! —,
Duhamel était sur le sable, capital et économies envolés. Alors
commença pour Simone et Jacques Prévert la période la plus
difficile de leur vie commune. L'hôtel Radio était devenu
trop cher. Marcel et Gazelle qui allaient se marier émigrèrent
à l'hôtel Saint-Romain, rue Saint-Roch, où ils vécurent tant
bien que mal en vendant l'idée d'un journal hebdomadaire et
publicitaire pour le groupe de l'hôtel Ambassador qui ne voulait pas laisser son ancien directeur dans la mouise, puis d'une
revue, plus luxueuse et trimestrielle pour promouvoir le tourisme français, la mode, l'art, la culture symbolisés sur la couverture par une très belle photo de Gazelle régnant sur Paris !
Ce vaste programme permettra tout de même de surnager

---

1. Marcel Duhamel, *op. cit.*
2. *Entr'acte*. Film de René Clair (1924). Court métrage de 20 mn avec
Francis Picabia, Man Ray, Erik Satie, Marcel Duchamp, Georges Auric, Marcel Achard et Touchagues.
3. *La Rue sans joie*. Film de Georg Wilhelm Pabst (1925). 90 mn.

deux ans et de trouver un job pour Max Morise, Man Ray qui se chargera des clichés, et pour un copain arrivé de Cuba, nommé Alejo Carpentier, futur ministre et ambassadeur de Fidel Castro, et grand ami des lettres françaises !

Pour Jacques Prévert, rien ! Pas la plus petite pige. Il faut dire qu'il ne courait pas après. Il assistait avec philosophie et un grand détachement à l'échec de projets mirifiques, comme un scénario pour le célèbre ténor Tito Schipa, celui-ci recherchant une « histoire humaine ». Prévert en fit un touchant plâtrier à la voix d'or, locataire du *Château tremblant*, une masure estaminet hôtel, découverte près du canal Saint-Martin pendant les repérages de *Paris-Express* et fréquentée par des cimentiers italiens qui déchargeaient les péniches. Malgré ce merveilleux décor et le succès qui attendait le maçon outre-Atlantique, le scénario ne convint pas du tout à l'ego du ténor. Celui qu'on appelait la « voix d'or » était avide de voir son personnage au cinéma, mais ne voulait pas détruire son image de marque. Qu'un chanteur d'opéra célébré de la Scala de Milan au Met de New York puisse décharger des sacs de plâtre lui paraissait une idée aussi humiliante que saugrenue [1]. Prévert la trouvait poétique et tendre comme un de ces *Charlot* qu'il aimait tant. Mais à quoi bon discuter ? Déjà, en cette année 1929, il était en avance sur son époque. Tout comme son nouvel ami, le longiligne Alberto Giacometti, un sculpteur suisse de vingt-huit ans installé depuis peu dans un atelier au 14, rue Hippolyte-Maindron, à un pâté de maisons de la rue du Château où ni Marcel ni les frères Prévert qui y avaient été si heureux n'avaient envie de retourner. Une autre race de surréalistes en avait maintenant pris possession. Alberto Giacometti était un familier d'André Masson, par lequel il avait connu Georges Bataille, Michel Leiris, Robert Desnos, Raymond Queneau et Jacques Prévert à qui, le voyant en difficulté, il proposa spontanément de l'accueillir dans son atelier. « Les années 30..., se souviendra Prévert quelques décennies plus tard. Elles me furent d'abord un peu difficiles. Parfois je ne savais où loger, des amis me donnaient hospitalité. C'est ainsi que j'ai habité chez Alberto Giacometti, très loin dans le XIVe [2]... Il était comme moi — comme moi j'étais à cette époque : un homme de la nuit, c'est-à-dire qu'on restait des nuits entières à Montparnasse, au Dôme... J'ai habité chez lui, il y a quarante ans. J'y suis retourné il y a quelques semaines. Rien n'avait bougé. Je crois qu'il changeait les draps, c'est tout... Il était rarement content de ce qu'il faisait. Il disait toujours : "Ça, je vais le

1. Marcel Duhamel, *op. cit.*
2. J. Prévert, *Saint-Germain-des-Prés*.

foutre en l'air. Je vais le foutre en l'air." Il disait : "C'est pas bien ça." Il était en colère et, en même temps il riait. Ça ne l'intéressait pas, "le désespoir de l'artiste". Il travaillait et il poursuivait quelque chose [1].» Giacometti était un véritable ami pour accepter d'héberger non seulement Jacques mais le couple Prévert, car nulle part on ne trouve la trace d'une séparation d'avec Simone pour cause d'extrême pauvreté. Simone avait un caractère d'or et acceptait avec beaucoup de bonne humeur — sinon avec joie — les aléas de la vie de bohème. Comme elle avait partagé les bancs publics, elle partagea l'atelier de Giacometti pourtant relativement exigu et sans aucun confort où néanmoins le sculpteur passa le reste de sa vie et édifia toute son œuvre. C'était un capharnaüm extraordinaire où lui seul pouvait retrouver ses petits qui, en 1929, n'avaient qu'un très lointain rapport avec les sculptures et les peintures étirées, torturées auxquelles il devra d'être célèbre dans le monde entier. À l'époque il créait des sculptures mobiles, des sortes de constructions en bois qu'il avait exposées en compagnie de Max Ernst et de Jean Arp à la galerie Pierre que le marchand Pierre Loeb avait transférée 2, rue des Beaux-Arts après avoir organisé la première exposition Joan Miró puis la fameuse manifestation *La Peinture surréaliste*. André Breton et Salvador Dalí qui venait d'arriver à Paris et s'était aussitôt intégré au groupe, avaient considéré les premières œuvres de Giacometti comme purement surréalistes. «Moi, les surréalistes j'avais envie de les connaître, dira Alberto. C'est eux qui m'intéressaient le plus. Mais je n'ai jamais été totalement intégré [2].» Tout comme Jacques Prévert, il n'entendait nullement se plier aux ukases et diktats de Breton, Aragon et consorts. D'ailleurs, depuis le départ de la rue du Château, Prévert s'éloignait insensiblement d'un Breton de plus en plus allergique à l'humour quand il s'exerçait à ses dépens. La première grande brouille fut presque une affaire de famille. Le timide étudiant Raymond Queneau que Prévert et sa bande adoraient s'était senti pousser des ailes en rencontrant Janine Kahn, la sœur de Simone Breton. Coup de foudre réciproque. Et Janine avait quitté sans explication Pierre Unik, son petit ami d'alors, fidèle d'entre les fidèles d'André Breton au sein du mouvement surréaliste, pour suivre à Cavalière Raymond Queneau et faire la fête avec les amis qui s'y trouvaient déjà : Gazelle et Marcel Duhamel, la belle Grety et son mari Jacques Baron, et quelques autres. À l'annonce de la «faute» de sa belle-sœur, Breton entra dans

1. J. Prévert, *Moyens de locomotion*.
2. Alberto Giacometti à Jean-Marie Drot in *Les Heures chaudes de Montparnasse*.

une violente colère dont pâtit sa femme Simone qu'il allait bientôt quitter pour filer lui-même le parfait amour avec une autre Simone (Muzard) maîtresse en titre de son ami Emmanuel Berl! Colère d'autant plus violente qu'on lui laissait entendre qu'un meuble avait été fracturé chez les Kahn et qu'une somme d'argent s'était envolée pour permettre aux tourtereaux leur escapade méditerranéenne[1]. De retour à Paris et sur l'instigation de Gazelle, Prévert, Duhamel et Tanguy décidèrent d'attiser la colère du grand défenseur de «l'amour courtois» en feignant de recevoir un télégramme en forme de S.O.S. de Grety, posté au Lavandou: «Gazelle, viens vite. Suis désespérée. Janine (Kahn) est partie avec Jacques (Baron).» Yves Tanguy se chargea de l'envoi à la poste de la place Pigalle. Le lendemain à la terrasse du Radio, Gazelle, se composant une tête de circonstance, raconta la mésaventure de sa sœur bafouée par celle qu'elle croyait une amie et dont elle hébergeait les amours! Breton entra dans une colère sans nom contre «cette salope» de Janine, «la sœur de sa propre femme», qui avait déjà plaqué ignominieusement son fidèle Pierre Unik. Au bout d'un long moment de litanies injurieuses, Gazelle révéla à Breton et à ses disciples horrifiés qu'il s'agissait d'une blague.

— Qui a commis cette farce? rugit Breton.

Mi-contrits, mi-rigolards, Prévert et Duhamel se désignèrent tandis que Tanguy qui redoutait plus que tout l'ire du maître se tenait prudemment coi. Blême de rage, Breton quitta la table du bistro et, dès le lendemain matin, les auteurs du canular recevaient une lettre de rupture[2].

Puis ils se rabibochèrent mais le cœur n'y était plus. D'ailleurs plus rien n'était comme avant, comme aux temps heureux de la rue du Château où l'on refaisait le monde en ouvrant les gamelles odorantes du Grosvenor. Prévert supportait de moins en moins l'attitude dictatoriale d'André Breton, même s'il avait été plus affecté qu'il ne l'avait montré par la lettre de rupture du «pape» qui, continuellement, et sur tous les sujets, s'érigeait en juge: «Ici, écrivit Jacques avec sa verve habituelle intervenant dans une lettre de Duhamel à Queneau au printemps 1929, cela va on ne peut plus mal... Je ne comprends rien à quelque chose, les majuscules, les étiquettes, les brevets, les erreurs judiciaires, le mour, la mour, lu mour, et les différentes manières de se conduire dans le "monde", je ne sais pas qui c'est moi, le jury et les charmants amis patentés à

---

1. Gazelle Bessières à l'auteur.
2. *Id.*

charge, merde, merde... P.S. Naturellement la plupart de ces messieurs sont "indignés-fâchés-très dignes[1]".»

Insupportables, ces «messieurs»! D'autant qu'il fallait, pour être bien en cour, répondre par exemple à de ces questionnaires dont le modèle semblait calqué sur les fiches de renseignements du parti communiste français où Breton lui-même avait bien du mal à trouver sa place! Remplir ce genre de «paperasse» n'était pas dans le caractère de Prévert qui balança le tout à la poubelle sans même s'insurger publiquement contre des méthodes « inquisitoriales» si éloignées de sa nature profonde. Surréaliste peut-être, mais «anar» avant tout! Et voilà que Breton décidait d'organiser une grande réunion du groupe au Bar du Château, le café crapoteux faisant face à ce qui avait été la maison du bonheur: au 54 de la rue du même nom. Prétexte: l'examen critique du sort fait en URSS à Léon Trotski. En réalité il s'agissait de régler leur compte aux membres du Grand Jeu — Roger-Gilbert Lecomte, René Daumal, Roger Vailland et quelques autres — qui faisaient de l'ombre à Breton dont l'intransigeance confinait à la paranoïa. Membre fondateur du Grand Jeu, le jeune Roger Vailland était accusé non seulement de travailler pour *Paris-Midi* — il fallait bien vivre, et son ami Robert Desnos en faisait autant — mais d'y avoir fait l'apologie de Jean Chiappe, préfet de police, soutien de l'extrême droite, ce qui était pour le moins exagéré[2]. Quelques surréalistes jugés trop peu malléables furent «tenus quittes» d'assister à la réunion (parmi lesquels Jacques Prévert, Marcel Duhamel et Man Ray) «en raison de leurs occupations ou de leur caractère». Georges Ribemont-Dessaignes dont l'amitié avec Jacques Prévert se renforcera à cette occasion, résumera la position de ceux qui allaient bientôt s'insurger contre l'hégémonie d'André Breton, en écrivant à ce dernier, au lendemain de la séance «judiciaire», une lettre de rupture sans équivoque: «Ainsi, voilà à quoi aboutit toute votre volonté commune: jugement, jugement, et de quelle sorte! En somme avez-vous jamais fait autre chose? Toute tentative collective a-t-elle jamais été autre chose que de perpétuels problèmes personnels et généralement d'une mesquinerie de collégiens?... Je m'élève de toutes mes forces contre les mœurs que vous voulez maintenir, contre la mauvaise foi qui a régné durant la réunion de la rue du Château, et contre le guet-apens mal organisé (ou trop bien),

---

1. Cité par Danièle Gasiglia-Laster et Arnaud Laster *in* Notes aux *Œuvres complètes*, La Pléiade, t. II.
2. Pour le déroulement de cette affaire, cf. Yves Courrière, *Roger Vailland ou Un libertin au regard froid.*

si l'on envisage cela du point de vue "commissariat de police " qui se cachait sous le prétexte de Trotski...[1] »

Désormais il y avait les fidèles inconditionnels — comme Yves Tanguy, le complice des vingt ans à Lunéville, que Jacques Prévert ne reverra jamais plus — et les autres qui, sans renier le moins du monde ce que Breton leur avait apporté, entendaient suivre leur inspiration sans se soucier d'obtenir le moindre « imprimatur ». « Avec André Breton, dira Prévert des décennies plus tard alors que l'âge et la célébrité les auront à nouveau réunis, nous nous sommes fâchés parce qu'il avait une idée un peu drôle de la liberté des autres. Il jugeait tout le monde. Moi, ça m'emmerdait. Qu'il juge les gens au point de vue des idées, bon. Mais il s'occupait de juger si un tel était amoureux, il régentait tout ça. Je lui avais fait une supercherie, une fourberie drôle. Il avait beaucoup d'humour, mais quand c'était à ses dépens, comme on dit, il n'était pas content. Je lui ai dit : "Tu dis que tu aimes les mystifications, celle-ci ne tourne pas à ton avantage, c'est tout". Il m'a dit : "Ne nous voyons plus", et voilà[2]. » La révolte contre Breton était consommée. Dans son *Second Manifeste du surréalisme* publié à la fin de 1929 dans le numéro 12 de *La Révolution surréaliste*, Breton avait ouvert le feu le premier et jeté l'anathème sur ceux qu'il entendait éliminer : Desnos, Artaud pour la deuxième fois, Naville, Gérard, Baron et quelques autres. Si, par exemple, Desnos, le bon et talentueux Desnos, était si durement étrillé c'est que — selon les règles du « pape » — il avait démérité du surréalisme en poursuivant sa coupable activité journalistique (tout le monde n'avait pas la collection de sculptures et de peintures de Breton à vendre, les jours de disette !), ensuite en retournant à la « vieillerie poétique » de l'alexandrin, enfin en se servant de sa réputation surréaliste pour donner le nom de Maldoror à une boîte de nuit de Montparnasse. Quoique Prévert ait été nommément épargné par Breton, il n'en ressentit pas moins une vive colère face à tant d'intolérance. Si le surréalisme était une aventure spirituelle assez rigoureuse pour que le moindre manquement grave à l'une de ses options fondamentales fasse figure de rupture de contrat[3], Prévert et quelques autres cultivaient depuis longtemps un anarchisme assez virulent pour en finir définitivement avec une « caserne » dont les portes si cadenassées soient-elles ne pouvaient leur résister très longtemps.

Pour rompre définitivement avec le surréalisme les « réprouvés » décidèrent d'écrire un pamphlet dont la violence n'aurait

---

1. Georges Ribemont-Dessaignes, *Déjà Jadis*.
2. Jacques Prévert à André Pozner, in *Hebdromadaires*.
3. José Pierre in *Jacques Prévert*, La Pléiade, t. I.

rien à envier à celui qui, à la mort d'Anatole France, avait tant fait rire les pensionnaires de la défunte rue du Château. Pour qu'on ne s'y trompe pas dans le milieu littéraire, on choisit le même format (0,25 × 0,30) sur quatre pages avec un titre identique : *Un cadavre*. Prévert allait y partager la une avec son ami Georges Ribemont-Dessaignes qui avait quitté avec éclat le «tribunal» du Bar du Château. En quelques semaines, depuis qu'il avait donné au danseur Pomiès «Les animaux ont des ennuis», si joliment mis en musique par Christiane Verger, Prévert s'était senti pousser des ailes ; et avait été assez flatté qu'Eugène Jolas — un fou de littérature, amoureux des marches de l'Est au point d'avoir loué dans un village perdu du nom de Colombey-les-Deux-Églises une grande bâtisse, *La Boisserie* — lui ait demandé un texte «à sa convenance» pour *Transition*, la revue qu'il avait créée là-bas, et dans laquelle il avait reproduit le fameux pamphlet «Hands off love» condamnant sans appel la pruderie sexuelle de la jeune femme de Charlie Chaplin. Soliloque, poème, essai de scénario pour un de ces courts métrages que Marcel Duhamel et Max Morise s'efforçaient toujours de vendre ? Ce tout premier texte publié de Jacques Prévert vaut d'être reproduit in extenso tant il est représentatif de cette conversation qui fusait dès le réveil et impressionnait si fort ses amis, ahuris de voir les mots se télescoper et les idées en appeler une autre dans le désordre le plus fou. Le style Prévert à l'état pur où s'incarnaient encore le plus spontanément les valeurs surréalistes auxquelles il avait adhéré avant de s'en éloigner insensiblement :

UN PEU DE TENUE

ou

L'HISTOIRE DU LAMANTIN
(Fragment)

*Il est assis sur un banc
et feuillette un dictionnaire :*

LE LAMANTIN

Les vaches ! Ils m'ont bien laissé choir. Page 543 — Lamantin, nom masculin, genre de mammifères cétacés herbivores, de l'Afrique et de l'Amérique : les lamantins dépassent 3 mètres de long et fréquentent les estuaires des fleuves.

Merde. Quelle vie, c'est lamentable, fréquenter les estuaires, dépasser trois mètres de long, le dernier des métiers, c'est pas du travail, c'est de l'assassinat, et ça dure…

Autrefois, l'ambition pourtant me tenait, je voulais devenir directeur, employé, ingénieur, brin d'osier, veuf de guerre, gugusse à femmes, spadassin, pieds-paquet, officier de bouche ou de santé, chaisière, tortionnaire, homme de confiance ou maître à danser et je ne suis pas devenu maître à danser, ni maître-étalon, ni maître-queue, ni vu ni connu, ni tambour ni trompette, ni figue ni raisin, ni fleur ni couronne, je suis resté lamantin, personne ne m'aime et je le mérite bien.

> *Il se lève.*
> *Il se promène tristement, puis se hisse avec peine sur le banc et se met à chanter :*

CHANSON
Le gui sur le guidon du vélo don du guide
Lisie part à Paris
Léo part à Lizieux
Le gui sur le guidon du vélo don du guide
Le vélo sur le gui
Le guidon sur les yeux
Léo part à Lizie
Lizie paiera les œufs
Le gui sur le guidon du vélo don du guide
Léopard à Paris
Vivipare en banlieue
Sur le gui
Sur le don
Sur le guidon du vélo don

> *Il salue, il applaudit aussi un peu et chante une autre :*

CHANSON PETITE
Nous irons amis d'elle aux eaux
boire l'anis del oso[1]
mais
irons-nous amis d'elle au zoo
voir les noces de l'oiseau ?

D'une tout autre facture et moins plaisante pour le destinataire fut la contribution de Jacques Prévert à *Un cadavre*, le pamphlet anti-Breton que signèrent — outre Georges Ribemont-Dessaignes — Raymond Queneau, Roger Vitrac, Michel Leiris, Georges Limbour, Jacques-André Boiffard, Robert Desnos, Max Morise, Georges Bataille et le Cubain Alejo Carpentier ; ce dernier, dans un articulet, révéla qu'André Breton — qu'il avait rencontré pour la première fois en juillet 1928 — lui avait affirmé que les poèmes d'Eluard, par lesquels le surréalisme s'était fait connaître en Amérique latine, « étaient l'op-

---

1. Peut-être orthographe de l'époque de l'ouzo grec (que l'on appelle raki en Turquie et arak en Israël) proche de l'anisette d'Afrique du Nord et du pastis du midi de la France dont Prévert fit une abondante consommation lors de son séjour à Istanbul.

posé de la poésie et qu'il n'y comprenait absolument rien»! Les signataires avaient mis au point leur brûlot aux Deux Magots où Jacques Prévert, renouant avec les souvenirs de son enfance en compagnie du Père Picon, les avait entraînés. Les dissidents, rompant les amarres avec le surréalisme, élisaient Saint-Germain-des-Prés — et plus précisément le triangle alors bien tranquille et fort académique constitué par Les Deux Magots, Le Flore et Lipp — comme lieu géométrique de leurs réunions, abandonnant Montmartre, Le Cyrano, le 42 rue Fontaine et, dans une certaine mesure, Montparnasse, aux fidèles de celui dont le portrait, les yeux clos, le front couronné d'épines, ornait la une de *Un cadavre* et que Prévert, particulièrement en verve, fustigea d'importance sous le titre «Mort d'un Monsieur»: «Hélas je ne reverrai plus l'illustre Palotin du Monde occidental, celui qui me faisait rire! De son vivant, il écrivait pour abréger le temps, disait-il, pour trouver des hommes et, lorsque par hasard il en trouvait, il avait atrocement peur et leur faisait le coup de l'amitié bouleversante, il guettait le moment où il pourrait les salir... Pion lyrique il distribua des diplômes aux grands amoureux, des jours d'indulgences aux débutants en désespoir, et se lamenta sur la grande pitié des poètes de France... Excellent musicien, il joua pendant un certain temps du luth de classe sous les fenêtres du parti communiste, reçut des briques sur la tête, et repartit déçu, aigri, maître-chanter dans les cours d'amour...» Si féroce soit-il, Prévert restait dans le domaine de l'humour: «Un jour il criait contre les prêtres, le lendemain il se croyait évêque ou pape en Avignon... pleurait de grosses larmes de rage le 1er mai parce qu'il n'avait pas trouvé de taxi pour traverser la place Blanche. Il était aussi très douillet: pour une coupure de presse il gardait la chambre huit jours...» La métaphore resservira à nombre d'humoristes professionnels. Les autres signataires seront d'une méchanceté autrement blessante. «Leurs attaques sont avant tout personnelles, remarquera Maurice Nadeau. Les qualificatifs les plus fréquemment employés sont ceux de *flic* et de *curé*... "Il pratiqua sur une vaste échelle, l'escroquerie à l'amitié" (Vitrac). C'est un faux révolutionnaire et un faux communiste: "S'il se trouve qu'André Breton aime les pieds de mouton sauce poulette, vous verrez immédiatement ceux-ci sacrés révolutionnaires" (Morise). "C'est lui qui envoyait les copains aux ballets russes crier: 'Vivent les Soviets!' et qui le lendemain recevait à bras ouverts, à la Galerie surréaliste, Serge de Diaghilev venu y acheter des tableaux" (Baron)[1].»

Jacques Prévert ferma le ban à sa manière mais sur un

---

1. Maurice Nadeau, *Histoire du surréalisme*.

mode mineur comparé à la virulence de ses amis : « Hélas, le contrôleur du Palais des Mirages, le perceur de tickets, le gros Inquisiteur, le Déroulède du rêve n'est plus, n'en parlons plus. »

L'épisode Breton, la grande expérience surréaliste étaient clos. Le cordon ombilical définitivement coupé. Fort de tout ce qu'il avait appris depuis son entrée à La Maison des Amis des Livres grâce aux judicieux conseils d'Adrienne Monnier puis à la culture souvent étonnante de la majeure partie des visiteurs de la rue du Château, Prévert pouvait désormais voler de ses propres ailes.

*

Cette année 1929 fut particulièrement difficile pour M. et Mme Grosminou. S'il hébergeait volontiers le couple dans son atelier capharnaüm de la rue Hippolyte-Maindron, Alberto Giacometti ne pouvait l'entretenir comme Marcel Duhamel l'avait fait pendant des années rue du Château. Les temps devenaient difficiles et le sculpteur suisse avait lui-même bien du mal à survivre. Le salut provisoire vint de Roland Tual qui, par ses relations, avait aidé les frères Prévert à monter l'aventure de leur premier film. Ou plutôt de sa femme, la très riche Colette Jeramec dont les affaires paramédicales étaient plus florissantes que jamais. Après avoir subvenu aux besoins de son premier mari, Pierre Drieu la Rochelle, et permis au second, Roland Tual, de mener une vie de dilettante entre le monde du cinéma et les divers courants surréalistes, elle contribua grandement à la survie du couple. « Les Prévert ont vécu sur Colette qui était très généreuse et très amusée par le verbe ininterrompu de Jacques, dira Denise Batcheff. Et cela durant plusieurs mois. Jusqu'au moment où il a rencontré Pierre Batcheff qui a pris le relais [1]. »

L'affaire se fit en plusieurs temps. D'abord André Delons, l'un des membres de ce Grand Jeu cloué au pilori par André Breton lors du « tribunal » du Bar du Château, présenta Prévert à Jacques-Bernard Brunius qui venait de créer l'année précédente avec Jean George Auriol *La Revue du cinéma* [2]. Journa-

---

1. Denise Tual, alors épouse de Pierre Batcheff, à l'auteur.
2. Ancêtre des *Cahiers du cinéma* créés après la mort accidentelle, en 1950, de Jean George Auriol, par son dauphin Jacques Doniol-Valcroze. En réalité c'est Pierre Kéfer et Jacques Niel qui avaient créé en décembre 1929 la revue *Du cinéma* avec Jean George Auriol comme rédacteur en chef. Les numéros 1 et 2 avaient paru chez Corti tandis que les numéros suivants furent publiés par Gallimard sous le titre *La Revue du cinéma* (Jean-Pierre Dauphin à l'auteur).

liste, écrivain et accessoirement acteur, Brunius, qui avait le même âge que Pierrot Prévert dont il partageait la passion exclusive pour le cinéma, était fort lié avec le jeune comédien Pierre Batcheff, sans doute l'acteur le plus populaire du cinéma muet français, aussi connu, aussi adulé à l'époque que l'était Rudolf Valentino. Malgré son succès et les cachets royaux que lui consentaient les producteurs, Pierre Batcheff avait confié à son ami Jacques-Bernard Brunius à quel point il était las des rôles de jeune premier fade et prétentieux dans lesquels trop souvent les «professionnels» du cinéma l'enfermaient. Il cherchait désespérément le scénario original qui lui permettrait de sortir de sa cage dorée et surtout l'homme capable de le lui écrire tout en le faisant participer à son élaboration. À l'heure où le cinéma découvrait la parole, Batcheff, conscient de l'enjeu, cherchait «l'esprit créatif qui ait le sens aigu de la repartie[1]» grâce auquel il confirmerait dans le «parlant» la place prépondérante qu'il occupait dans le «muet».

— J'ai ton affaire, s'exclama Brunius. Il s'appelle Jacques Prévert, personne ne le connaît en dehors du petit cercle surréaliste mais je suis sûr qu'il te plaira. Il déborde d'idées et quand il a commencé à parler, c'est pire qu'une locomotive. Personne ne peut l'arrêter.

— Invite-le à déjeuner à la maison. Ce sera mieux qu'au restaurant pour faire connaissance[2].

C'est ainsi qu'un jour de l'été 1929, Jacques Prévert flanqué de Pierrot, tout excité à la pensée de rencontrer une vedette de cinéma fit son entrée, cornaqué par Brunius, dans le vaste appartement qu'occupait le couple Batcheff square de Robiac, une voie privée du très chic VIIe arrondissement ouverte peu auparavant et formée par six magnifiques immeubles neufs en brique et pierre de taille. «Ça a été un véritable coup de foudre, se souviendra Denise Batcheff, et qui a débuté par un formidable éclat de rire car Jacques avait marché dans "une chose qui porte bonheur". Notre rencontre a donc commencé par une séance de décrottage au papier journal! Pierre Batcheff a été séduit tout de suite par la personnalité de Jacques Prévert. Ils ont décidé de travailler ensemble. Et depuis ce déjeuner on ne s'est plus quittés. On s'est vus pratiquement tous les jours[3].»

Quel étonnant personnage que ce Pierre Batcheff dont le physique athlétique et le très beau visage expressif rompaient agréablement avec les traits mièvres et le jeu stéréotypé des jeunes premiers des débuts du cinéma. De son vrai nom Piotr

---

1. Denise Tual à l'auteur.
2. *Id.*
3. *Id.*

Bacer, il était né en 1901 d'un père juif russe et d'une mère chrétienne, à Kharbin, en Mandchourie, étape essentielle sur le tracé du Transsibérien, où séjournèrent des dizaines de milliers de Juifs russes fuyant les pogromes tsaristes comme d'autres fuiront la révolution d'Octobre. Sur la route de l'exil, la famille Bacer — Piotr avait une sœur cadette, Sonia — s'arrêta à Genève où elle fit la connaissance de Georges et Ludmilla Pitoëff dont le jeune homme, saisi depuis toujours par le démon du théâtre, suivit la fortune en débutant dans leur troupe sous le pseudonyme de Pierre Batcheff. Arrivé à Paris et promu chef de famille après la disparition de son père, il tourna son premier film en 1924, entamant une fulgurante carrière de jeune premier dont la brièveté et la splendeur ne sont pas sans rappeler douloureusement celle de Gérard Philipe[1]. En quelque huit années, il ne tournera pas moins de vingt-cinq films parmi lesquels plusieurs sont devenus des « classiques ». Quand Jacques-Bernard Brunius le mit en rapport avec Jacques Prévert, Pierre Batcheff avait été notamment le général Hoche du *Napoléon* d'Abel Gance, et l'un des *Deux Timides* de René Clair, rôles à travers lesquels il s'était montré un acteur sensible et fin dont la sobriété de jeu échappait à la tradition « éloquente » de l'époque. Mais, pour Prévert, il était avant tout le principal interprète d'*Un chien andalou*, film de deux amis espagnols de Man Ray : Luis Buñuel, le réalisateur, et Salvador Dalí qui en avait écrit le scénario « après, disait-il, avoir rêvé de fourmis ». Texte que Breton devait publier dans le dernier numéro de *La Révolution surréaliste* en même temps qu'il rompait tout lien avec Desnos, Artaud, Prévert et quelques autres.

En 1928, la sortie du film, au Studio 28 accroché au flanc de Montmartre, rue Tholozé, fut l'objet d'un fameux hourvari. Pour la première, André Breton qui d'autorité avait pris sous son aile Buñuel et Dalí — assurant ainsi brillamment la relève des « dissidents » — avait organisé dans le hall du petit cinéma une exposition des tableaux de Masson, Miró, Max Ernst et Man Ray. Dès la première projection, *Un chien andalou*, produit grâce au mécénat du vicomte et de la vicomtesse de Noailles — couple turbulent du gotha parisien, protecteurs généreux des Arts et Lettres pourvu qu'ils fussent d'avant-garde — déclencha le scandale tant il exprimait l'univers surréaliste grâce à des symboles érotiques et anticléricaux que, soixante-dix ans plus tard, tous les cinéphiles remarqueront encore : un homme aiguise un rasoir sur une peau en cuir tandis qu'un nuage étiré traverse la lune et qu'une lame coupe l'œil d'une jeune fille ; succession de plans symboliques mascu-

---

1. Selon le mot de Roger Boussinot.

lins et féminins suffisamment explicites pour laisser transparaître leur signification sexuelle, diront les exégètes à la vision de ces plans inoubliables auxquels s'ajoutent ceux du piano remorquant des charognes d'ânes et des « bons frères ». Le beau Batcheff tirant le piano, les cadavres et les curés, ne pouvait que plaire à un Jacques Prévert violemment anticlérical et provoquer les réactions musclées des Jeunesses patriotes et autres Camelots du Roi dont les commandos s'empressèrent, après avoir copieusement hué le film, de lacérer les tableaux des peintres surréalistes exposés dans le hall. L'intolérance des ligues d'extrême droite détermina le succès d'*Un chien andalou* qui était encore à l'affiche neuf mois plus tard lorsque Jacques Prévert rencontra Pierre Batcheff. « Ce succès ne plaît pas tellement aux surréalistes, expliqua Denise, la jeune épouse de la vedette. Ils le trouvent "suspect", "empreint de snobisme", "trop facile d'accès" puisque le public y vient[1]... » Son analyse était si juste que Breton et quelques autres conseilleront vivement à Buñuel d'« aller plus loin » lorsque le cinéaste débutant manifestera le désir d'adhérer au mouvement surréaliste.

Dès le premier contact, la confiance fut telle entre Pierre Batcheff et Jacques Prévert que les deux hommes n'eurent plus de secrets l'un pour l'autre. Avec étonnement, Prévert découvrit que la vedette adulée des foules n'aimait pas le métier d'acteur qui lui rapportait certes des fortunes mais qu'il considérait trop souvent comme une véritable prostitution tant les personnages qu'on lui réservait étaient sans consistance et le reléguaient au rôle de portemanteau. Il écrivait des ébauches de scénarios mais était conscient de ne pas avoir la plume pour les développer. Il cherchait un collaborateur avec lequel il puisse « dialoguer », « avoir une réplique sur des sujets qu'il avait en tête[2] ». Si la fonction plaisait à Prévert, Batcheff était tout prêt à rémunérer ce ping-pong intellectuel qui devrait déboucher sur un scénario enfin intéressant pour lequel l'acteur retrouverait le goût de jouer la comédie. La proposition tombait à point pour Jacques Prévert alors dans le plus profond dénuement et dont la tournure d'esprit avait séduit ses hôtes depuis le premier instant. « Le déjeuner fut excitant, dira Denise Batcheff, une vraie rencontre qui nous permit de découvrir dans un long monologue divertissant et neuf un personnage dont l'humour corrosif échappait à toute classification. C'était un langage qui touchait directement l'interlocuteur sans recours à la littérature[3]. »

1. Denise Tual, *Le Temps dévoré*.
2. *Ibid.*
3. *Ibid.*

De la plus plaisante façon, Prévert raconta à ses nouveaux amis sa dernière tentative pour gagner sa vie en exerçant un métier qui ne fût pas trop « désespérant ». Grâce à Brunius il avait rencontré aux Deux Magots Jean Aurenche, le frère de la si jolie Marie-Berthe, l'une des inspiratrices de *Nadja*, qui venait d'épouser Max Ernst. Les deux hommes avaient en commun la passion du cinéma et de nombreuses amitiés surréalistes. C'est ainsi que Jean Aurenche sachant que Prévert était dans une situation financière catastrophique l'avait présenté à l'agence Dam-publicité pour laquelle il écrivait des petits scénarios et des slogans destinés aux dessins animés publicitaires qui passaient pendant les entractes des séances de cinéma. C'est là, dans l'immeuble de verre de la rue Galvani, près de la porte de Champerret, que Jacques Prévert avait fait la connaissance de l'équipe des créateurs engagés par le publicitaire Étienne Damour et placés sous l'autorité d'une femme charmante dont le nom l'avait aussitôt enchanté : Mme de Gironde. Ces créateurs étaient aussi bien scénaristes que *gagmen* et bientôt acteurs pour les films d'une ou deux minutes destinés à la « réclame » des Galeries Barbès, des vins Nicolas, ou des meubles Lévitan. Parmi eux, Jean Anouilh, vedette de l'agence tant il débordait d'idées et écrivait ses sketches à une vitesse phénoménale, Yves Allégret, un jeune cinéaste dont le frère Marc qu'il assistait parfois s'était fait connaître en tournant, dès 1925, *Le Voyage au Congo* d'André Gide, et qui rêvait de voler de ses propres ailes, et surtout un dessinateur comédien Paul Grimault qui, à l'époque, ne dessinait que des stands, des étalages et des petits lions pour Peugeot !

Ce matin-là, Jacques Prévert « était très soigneusement mis comme d'habitude, jeune homme élégant, chemise bien coupée, et tout comme la chemise bien repassée, chaussures d'un beau cuir, entretenues avec l'amour d'une femme pour l'homme qui les porte. Au coin de la bouche une cigarette toujours allumée, dont la fumée taquinait un peu son œil gauche[1] ». Dire que Mme de Gironde avait été sensible au charme irrésistible de Jacques serait un euphémisme. Elle avait laissé le jeune homme s'acclimater à l'ambiance de la maison et faire plus ample connaissance avec ses futurs collègues — Paul Grimault sera l'ami d'une vie et, devenu le père du dessin animé français, réalisera au fil des années ses principales œuvres sur des scénarios et des dialogues de Prévert — avant de lui demander un essai d'affiche et de texte pour un certain sel de cuisine bizarrement baptisé « Le Sauveur ». Alors, aussi soigneusement qu'il

1. Jean Aurenche, *La Suite à l'écran*, et Paul Grimault à Jean-Pierre Pagliano, in *Paul Grimault*.

avait réalisé ses collages pour la mezzanine et les paravents de la rue du Château, Jacques Prévert avait dessiné un joyeux Lazare qui sortait du tombeau en disant : « Frais et rose, grâce au Sauveur !... » À droite du cadre du dessin on apercevait une main qui ne pouvait être que celle du Christ ! Prévert n'avait pas été surpris outre mesure que Mme de Gironde refusât son projet iconoclaste, mais avait été très flatté qu'elle lui demandât de ne pas se décourager et de revenir le lendemain. « Elle aurait bien voulu le garder parmi nous, qui formions ce qu'elle appelait son "écurie" (mais comme elle adorait les chevaux, ça n'avait rien de péjoratif), se souviendra Jean Aurenche. Il n'a rien promis, a pris congé avec une politesse exquise, et n'est jamais revenu. Ainsi ont pris fin les débuts de Jacques Prévert dans la publicité [1]. »

— J'étais surtout venu voir ce qui me menacerait si je devenais publicitaire, expliqua Prévert à Pierre Batcheff en éclatant de rire. J'ai bien fait de ne pas y retourner sinon je ne t'aurais peut-être jamais rencontré et nous n'aurions pas travaillé ensemble.

Jacques Prévert acceptait donc l'offre de Pierre Batcheff et y associa aussitôt son frère Pierrot.

Simone Prévert si elle n'était pas de la première rencontre accompagna son mari à la visite suivante. Mme Grosminou, ainsi que la présenta Prévert, plut beaucoup à Denise Batcheff qui la trouva « merveilleuse ». Les deux femmes étaient du même petit gabarit, très soucieuses de leur vêtement qu'elles voulaient le plus élégant possible. Simone y parvenait en faisant des miracles. Denise, elle, en avait l'habitude depuis l'enfance. Fille du célèbre éditeur d'art Henri Piazza, filleule du non moins célèbre et riche peintre catalan José Maria Sert, le troisième mari de la tapageuse Misia Sert figure incontournable du Tout-Paris, elle faisait partie de cette fraction de la grande bourgeoisie parisienne familière du monde artistique. Elle avait appris le solfège avec Pablo Casals, admirait Jean Cocteau que l'on voyait souvent dans l'entourage de la famille Piazza ainsi que Charles Dullin dont elle avait épousé, sur un coup de tête comme on en a à dix-huit ans, le très riche cousin germain par alliance pour échapper — tout comme l'avait fait Gazelle Duhamel — à la surveillance sourcilleuse de son éditeur de père. Attirée par tout ce qui était spectacles et ballets d'avant-garde, elle avait partagé son temps entre l'Académie Ranson à Montparnasse où elle apprenait le dessin, et le théâtre montmartrois de Charles Dullin pour lequel elle s'était improvisée décoratrice. Folle de cinéma, son milieu — et son

1. Jean Aurenche, *op. cit.*

mariage — lui avait permis de fréquenter assidûment le metteur en scène Raymond Bernard, fils de Tristan, Françoise Rosay
et son mari Jacques Feyder, Abel Gance, René Clair et Marcel L'Herbier. Désœuvrée, peu satisfaite par un mari qui se
contentait de la couvrir de fourrures et de bijoux, elle n'avait
pas résisté au coup de foudre qui l'avait frappée lorsqu'elle
avait rencontré Pierre Batcheff sur le plateau où tournait Raymond Bernard qui l'avait engagée — pour la distraire — dans
son équipe technique. Divorce après un an de mariage à peine.
Remariage éclair à moins de vingt ans avec Pierre Batcheff.
Denise qui venait de perdre son père ne quittait pas l'atmosphère de luxe où elle avait toujours vécu depuis sa naissance.
Pierre gagnait tant d'argent qu'il exigea de sa jeune femme
qu'elle renonçât à son héritage, abandonnant la considérable
fortune paternelle à sa mère — une originale que les plus folles
dépenses n'effrayaient pas — et conservât seulement l'immense maison de Barbizon où la jeune femme avait passé son
enfance. Un tel parcours ne pouvait que faire rêver Simone
Prévert qui, de la rue de Tournon à la rue du Château et aux
petits meublés où l'avait conduite son union avec Jacquot,
n'avait jamais connu l'aisance, encore moins la fortune. Tout
juste quelque répit entre deux aléas de la vie que son heureux
caractère l'aidait à accepter avec philosophie. «Simone, très
liée avec Gazelle Duhamel, était adorable, discrète, sensible,
compréhensive, rappellera Denise qui l'adopta aussitôt. Jacques,
dès qu'il l'a amenée chez nous, manifestait beaucoup de tendresse et de considération à son égard. Il ne faisait rien sans lui
demander son avis et était très gentil avec elle. C'était un vrai
couple. Jacques avait raison de se comporter ainsi car il n'était
pas facile à vivre. Il buvait déjà beaucoup. Je crois qu'il buvait
plus à cette époque qu'il n'a bu plus tard. Avec son merveilleux
sourire et sa douceur, Simone pardonnait tout, admettait tout.
Par exemple de coucher à la belle étoile quand ils ne pouvaient
pas payer l'hôtel [1].» Quand elle apprit les conditions de vie du
couple dans l'atelier d'Alberto Giacometti, Denise Batcheff,
vivement approuvée par son mari, lui offrit de l'héberger tant
square de Robiac que dans la maison de Barbizon.

Pour la première fois depuis les heures heureuses de la
rue du Château, Jacques et Simone avaient à la fois un toit —
et même deux! — et pouvaient compter sur des rentrées régulières. Ayant deviné, sous le monologue torrentiel, le dénuement dans lequel vivait le poète, Pierre Batcheff avait décidé
de le payer tous les jours et d'assumer ses frais quotidiens et
ceux entraînés par les voyages qu'ils n'allaient pas manquer

---

1. Denise Tual à l'auteur.

de faire ensemble. Commencée dans la gêne la plus extrême, l'année 1929 se terminait en conte de fées. Jacques Prévert pouvait poser tranquillement sa valise et entamer sa véritable carrière.

CHAPITRE 7

Les Lacoudem

La collaboration commença dans la joie entre les deux hommes qui abordaient la trentaine sans rien avoir oublié d'une jeunesse agitée. Dans la joie et aussi dans la fantaisie sous les yeux attendris de Denise Batcheff et de Simone Prévert. Comme point de départ du scénario dont Pierre Batcheff entendait être à la fois la vedette et le réalisateur, Jacques Prévert bâtit un synopsis dont le surréalisme n'était pas absent. C'était l'histoire d'un jeune sculpteur qui, faute d'argent pour terminer la queue de son chef-d'œuvre, un éléphant grandeur nature en mie de pain, devait aller mendier quelques croûtons dans la rue ; puis tout ce qui s'ensuivait jusqu'à sa mort — foudroyé par un orage — et l'inhumation de ses cendres dans un aspirateur électrique ! Le sujet était tout à fait dans la lignée de ces films comiques où Pierre Batcheff souhaitait trouver des rôles à la Buster Keaton fort éloignés de ceux de bellâtres de carte postale qu'on lui offrait encore trop souvent. Pour développer *Émile-Émile* ou *Le Trèfle à quatre feuilles*, Batcheff et Prévert s'adjoignirent Jacques-Bernard Brunius, qui était à l'origine de leur rencontre, et Picrrot Prévert, inséparable de Jacques. « Nous nous réunissions tous les quatre presque quotidiennement, évoquera J.-B. Brunius. En principe Batcheff et moi-même étions des gens de cinéma dont le rôle était plus particulièrement le découpage. Jacques et Pierre étaient *gagmen* et dialoguistes. En pratique, il est difficile de spécialiser à ce point. Nous discutions, rigolions, dans une collaboration très intime, aussi bien sur les gags que sur le dialogue et le découpage plan par plan. Une fois d'accord, j'écrivais, car c'est moi qui le plus souvent tenais la plume[1]. » Il n'était pas aisé d'inculquer l'assiduité à ces quatre gamins qui s'offraient des récréations plus

---

1. Jacques-Bernard Brunius, *En marge du cinéma français*, et *Premier Plan*, n° 14.

souvent qu'à leur tour. Leur jeu préféré consistait à disparaître par une porte et apparaître par une autre en les faisant claquer si fort et si rapidement que Denise et Simone, spectatrices indulgentes, avaient du mal à les suivre. Influencé par les gestes et le rythme des poursuites de Mack Sennett, Charlie Chaplin ou Harry Langdon, le comique de leurs entrées était irrésistible. «Ils restaient volontiers au milieu du jeu, la jambe en l'air — le mollet dénudé par le pantalon retroussé — posée sur les genoux de l'une de nous à la manière des Marx qui vinrent plus tard, dira Denise. Ces amusements étaient mal supportés par les bonnes. Les heures tardives des repas, le bruit, les apparitions qui les effrayaient ; enfin le "saugrenu", le désordre permanent leur faisaient croire que nous étions fous ; les unes après les autres rendaient leur tablier[1].» On en trouvait d'autres ! S'ils ne faisaient guère avancer le travail, ces jeux servaient d'exutoires à des jeunes hommes qui, malgré les apparences, n'étaient pas d'un caractère facile. Pour ses proches, Pierre Batcheff était à la fois Dr. Jekyll et Mr. Hyde. Cultivé, sensible, généreux, le contraire de ces acteurs m'as-tu-vu qui pullulaient dans les studios, modeste — au restaurant il recherchait les recoins sombres où l'on ne le reconnaîtrait pas —, il pouvait se transformer avec la soudaineté de l'orage un jour d'été et se montrer alors désinvolte, capricieux, instable, fantasque, même franchement désagréable s'il croisait dans quelque lieu que ce soit une silhouette, un regard qui lui déplaisaient. Imprévisible et déroutant, il impressionnait par son attitude générale. Épris d'idéaux bien éloignés des préoccupations ordinaires des jeunes premiers de l'époque, il se passionnait pour la politique à condition qu'elle eût pour objectif d'améliorer les conditions de vie des plus démunis. L'anar Prévert ne pouvait que l'admirer jusque dans des contradictions dont lui-même était pétri. D'un naturel aimable on a vu néanmoins le poète provoquer violemment des consommateurs inconnus à la terrasse du Dôme ou de La Rotonde, pour le plaisir de les désarçonner ou, s'ils réagissaient bien, de s'en faire des amis comme l'était devenu Robert Desnos rencontré dans de semblables circonstances. Même avec Batcheff, au cours des séances de travail sur *Émile-Émile*, Jacques Prévert ne pouvait s'empêcher de donner libre cours à ses soliloques impétueux, reléguant parfois la star dans un rôle passif qui ne lui convenait guère. «Batcheff qui aimait bien parler, lui aussi, le lui a dit et Prévert en a tenu compte, constatera Denise. Avec des hauts et des bas, ils ont ainsi travaillé plusieurs mois sur ce scénario auquel mon mari a apporté la structure solide dont il avait besoin pour l'interpré-

---

1. Denise Tual, *Le Temps dévoré*.

ter plus tard. Pour le dialogue, c'était à qui s'arracherait la parole. Quand quelque chose lui déplaisait, Prévert faisait le geste de tirer la chasse en se pinçant le nez et en faisant le bruit de l'eau qui coule. Ou bien il affabulait sur un détail, une rencontre sans importance et en faisait le centre d'intérêt de la journée comme s'il s'était agi du roi des Indes. Il lui fallait quelqu'un qui lui réponde, *qui joue* le jeu de ces "Cadavres exquis" parlés. Plus l'heure avançait, plus son débit s'accélérait et devenait presque incompréhensible[1]. »

L'alcool — Prévert avait à cette époque une particulière prédilection pour le whisky (pour refuser l'eau de Seltz habituellement utilisée, il avait inventé le terme « d'eau plate ») — le poussait parfois à des jeux plus dangereux dans lesquels entrait Simone, comme de feindre le somnambulisme et faire de l'équilibre sur le rebord du balcon de l'appartement du square de Robiac. Debout sur le parapet, au cinquième étage, les bras en croix, il marchait, l'œil dans le vague, jusqu'au mur d'angle, puis faisait demi-tour pour revenir vers ses amis. « Nous suivions ses évolutions, haletants, se souviendra Denise, partageant les craintes des voisins dont les plaintes s'amoncelaient au commissariat du quartier. Simone n'intervenait pas de peur, disait-elle, d'éveiller brutalement le somnambule, craignant qu'une parole, même assourdie, ne l'atteigne. Après ces exploits il se plongeait quelquefois tout habillé dans la baignoire. J'aidais la Fouine à le déshabiller, mais ses vêtements collant au corps, cela prenait du temps[2]. » La nouvelle vie enfin préservée de tout souci matériel n'empêchait nullement Prévert d'entretenir les amitiés nouées à Paris depuis le retour de Constantinople. À l'exception d'Yves Tanguy et des proches de Breton avec qui il n'avait plus aucun contact, il avait introduit dans l'entourage de Pierre Batcheff tous ses amis d'hier auxquels se joignaient, au hasard des rencontres, de nouveaux venus dont certains allaient jouer un rôle essentiel dans sa vie.

Un soir, au Dôme, Jacques, Simone, Pierrot, Denise et Pierre Batcheff, Roland Tual et Jean George Auriol, se levèrent de la terrasse pour aller dîner, sans s'apercevoir que Gazelle et Marcel Duhamel qui traversaient une mauvaise passe ne les suivaient pas.

« Je reste assis, avec Gazelle, écrira Duhamel, et ça me fait un petit quelque chose de me trouver à mon tour sans un rond. À ce moment, un beau brun de vingt-cinq ans, à l'air avenant, au regard rieur, nous aborde :

"Vous ne venez pas avec nous ?

---

1. Denise Tual à l'auteur.
2. Denise Tual, *Le Temps dévoré.*

— Désolé, lui dis-je, on ne peut pas.
— Si c'est une question d'argent, permettez..."
Et il me file cinquante balles. C'est plus que généreux, d'autant qu'il n'a pas l'air de rouler sur l'or non plus.
Comme je fais des magnes, il me dit :
"Laissez, laissez, vous me les rendrez."
Finalement j'accepte et nous rejoignons les autres. C'est ainsi que nous avons fait connaissance de Louis Bonin, Avignonnais, dit Lou Tchimoukow[1]. »

Lou Bonin était un jeune affichiste maquettiste, touche-à-tout, passionné de théâtre et de cinéma, dans les coulisses desquels il avait croisé nombre de personnes qui connaissaient Batcheff et Prévert « de vue ». Dès l'enfance, il avait été familier du théâtre de la Porte-Saint-Martin dont son père était régisseur, tout en écrivant, entre deux représentations, des « goualantes » pour les chanteurs des rues. Les droits perçus sur les petits formats[2] de ces œuvres populaires constituaient encore une rente paternelle sur laquelle vivait le jeune homme. « Des chansons qu'on ne connaît pas. Mais grâce à elles Lou avait toujours son petit chèque qui arrivait au moment propice[3]. » Peu soucieux de faire carrière, Lou Bonin s'adapta immédiatement à la bande à Prévert et à sa façon de vivre au jour le jour dans une bohème qui, grâce à la générosité de Pierre Batcheff, était loin d'être désagréable. Sans être affilié au PCF ni à une quelconque organisation communiste, Lou Bonin avait pourtant tenu à afficher sa profonde sympathie pour la classe ouvrière et l'Union soviétique qui la soutenait en se forgeant un pseudonyme à consonance russe : Tchimoukow, ce qui, dans le groupe où il entrait ne devait choquer personne. « Nous avions tous des surnoms, rappellera Denise Batcheff. Jacques et Simone : "Monsieur et Madame Grosminou", cette dernière répondant également au sobriquet de "La Fouine", Pierre Batcheff : "Le Bellâtre", moi-même : "Le Rat", Lou Bonin : "Tchimoukow", le père Prévert : "le Père Picon" ; Pierrot restait Pierrot[4]. » Lou Tchimoukow — appelons-le désormais ainsi puisque c'est sous ce nom qu'il fera carrière dans l'entourage de Jacques Prévert — séduisit sans délai tous les membres de la bande, à commencer par les femmes qui lui trouvaient un charme inouï et étaient très sensibles à la finesse de ses traits, à son crâne rasé pour cause de calvitie précoce, à son visage rond de bébé bla-

---

1. Marcel Duhamel, *op. cit.*
2. Petit format : double feuille sur laquelle figuraient paroles et musique des chansons populaires vendues par les chanteurs ambulants qui animaient alors les carrefours parisiens.
3. Denise Tual à l'auteur.
4. *Id.* et in *Le Temps dévoré*.

gueur qu'illuminaient des yeux marron très vifs. Ses admiratrices le voyaient « mince, beau garçon, charmeur, merveilleux, adorable, sensible, aimant les fleurs. Il n'était pas pédéraste du tout mais avait tout ce qu'une femme aime chez les homosexuels : culture et raffinement. On ne pouvait être plus raffiné que lui. Il aimait beaucoup les dames qui le lui rendaient bien[1] ».

1930 fut une année faste pour l'amitié qui cimentait ce groupe auquel vinrent s'ajouter trois recrues de choix : Jean-Paul Dreyfus — qui se fera connaître plus tard sous le nom de Jean-Paul Le Chanois —, Louis Chavance et Eli Lotar. Les deux premiers furent amenés par J.-B. Brunius qui les avait connus journalistes à *La Revue du cinéma* et au studio d'Épinay où Chavance était également monteur. Quant au photographe Eli Lotar, c'était une vieille connaissance de Gazelle Duhamel qui lors de son arrivée à Paris avait tout fait pour le fuir. Eli Lotar, fils d'un grand poète roumain désargenté, Tudor Arghesi, avait habité à Bucarest la maison du gardien qui veillait sur le splendide hôtel particulier du boulevard Élisabeth dont le père de Gazelle, alors ministre de la Guerre, occupait l'étage noble. « Nous étions les riches, dira Gazelle encore émue soixante ans plus tard. Mon père ne voulait pas de maison mais un appartement "à calorifère" — le comble du luxe — dans le quartier le plus chic. Eli et son père étaient "les pauvres". Et pendant des années, au nom de la lutte des classes, Eli, qui avait presque mon âge, n'a pas voulu avoir de contacts ni parler aux "bourgeoises", élevées par des gouvernantes, que nous étions ma sœur et moi. Quand je l'ai retrouvé à Paris je n'ai pas voulu le voir parce que je me suis dit : "S'il écrit là-bas et que notre père apprend que nous fréquentons Montparnasse, ça sera le drame !" De son côté, Eli, qui bien sûr nous avait reconnues, ne voulait pas, en bon prolo, fréquenter les filles de ce richard de ministre jusqu'au jour où je l'ai rencontré avec Pierrot Prévert. Alors il est entré dans la bande où sa beauté, sa silhouette et son habillement très moderne — on disait *up to date* — ont fait merveille. Ensemble nous avons évoqué nos souvenirs de jeunesse et il est devenu comme un frère pour moi[2]. » Avec les Batcheff et les Prévert, Eli Lotar se retrouvait dans un milieu qui lui était familier puisqu'il avait débuté dans le cinéma en 1925 comme figurant et venait d'être photographe de plateau sur un film de Marcel L'Herbier et sur *Le Petit Chaperon rouge* d'Alberto Cavalcanti, lui-même membre de la « famille » Prévert pour avoir amicalement super-

---

1. Denise Tual, Ida Lods-Jamet, Arlette Besset à l'auteur.
2. Gazelle Bessières à l'auteur.

visé *Paris-Express*. Assistant de la célèbre photographe Germaine Krühl, Eli était devenu chef opérateur de son mari Joris Ivens sur *Zuiderzee*, que le réalisateur néerlandais venait de commencer après avoir remporté un très grand succès en présentant ses premières œuvres en URSS. «Nous ne nous quittions plus, dira Denise, tous les prétextes étaient bons pour faire des sorties inopinées en bande. Comme avec Dullin dix ans plus tôt, je trouvais un nouveau groupe, une autre roulotte à laquelle je m'intégrais. Mais cette fois ce n'était plus l'éblouissement de la découverte, c'était l'amitié qui prenait une forme de spectacle permanent[1].»

Déjà la bande avait ses rites. Dès la première rencontre, Denise et Pierre Batcheff avaient remarqué la curieuse façon qu'avait Jacques Prévert de saluer ses hôtes. Il donnait la main, le bras tendu, l'épaule comme bloquée et accompagnait son geste d'un «Bonjour» à nul autre semblable. Le «bon» venu des profondeurs de la poitrine sur le ton le plus grave et le «jour» sortant comme un rire de gorge, presque aigu. «Cette manière de dire bonjour est plus importante qu'on ne croit, affirmera Denise. Elle fut adoptée par tout notre groupe, puis par d'autres cinéastes, acteurs, techniciens, écrivains de cinéma de même appartenance. Certains l'emploient encore sans en connaître l'origine : c'est entré dans les mœurs du cinéma[2].» L'autre invention fut l'œuvre de Lou Tchimoukow qui, chaque fois qu'il apercevait un membre du groupe, manifestait son amitié par un petit battement d'ailes du bout des coudes, en cherchant à toucher celui du copain. «C'est le signe de ralliement des Lacoudem, expliqua-t-il avec grand sérieux. Les Lacoudem sont ceux-qui-se-reconnaissent-en-se-frottant-le-coude.»

La dignité de Lacoudem fut d'autorité conférée aux compagnes de ces derniers. «Il n'y avait pas un langage Lacoudem, mais une manière, des gestes, un style Lacoudem, se souviendra Denise Batcheff devenue l'égérie de la bande. Peu d'expressions inventées — à l'exception de l'"eau plate" pour le whisky et "entre lac et lune" pour désigner quelqu'un qui n'est pas très stable, formules dues à Prévert — mais des intonations comme le "bonjour" de Jacques et un certain procédé de pensée très rapide, comme des balles reçues et renvoyées au quart de tour. L'esprit Lacoudem était de connivence avec le cœur... une espèce de vibration de l'amitié qui rassurait, qui confirmait, au cours de longues stations dans les studios ou dans l'obscurité des salles de projection, l'amitié que nous nous portions les uns les autres[3].»

1. Denise Tual, *Le Temps dévoré*.
2. *Ibid.*, et Denise Tual à l'auteur.
3. *Ibid.*

S'il débordait d'imagination, tant dans sa conversation que dans son travail sur le scénario d'*Émile-Émile*, Jacques Prévert ne s'en trouvait pas moins fort souvent «entre lac et lune». Situation qu'il devait à l'abus d'alcool qui coulait à flots aussi bien square de Robiac qu'à Barbizon où les domestiques veillaient à ce que la cave et le bar soient toujours amplement approvisionnés. Les Prévert retrouvaient avec joie l'ambiance de pays de cocagne que Marcel Duhamel avait su faire régner dans la masure de la rue du Château, et Jacques mettait un point d'honneur à surprendre ses généreux hôtes en se montrant aussi fantaisiste aujourd'hui qu'il l'était hier dans la cabane du marchand de peaux de lapin. Une nuit, à Barbizon, après avoir forcé sur la bouteille, il grimpa jusqu'au sommet d'un des sapins du parc d'où il hurlait à tue-tête la «Chanson du décervelage» d'Alfred Jarry, tout en sciant la branche sur laquelle il s'était installé à califourchon! Il ne dut la vie sauve qu'à la poigne solide du jardinier qui, alerté par les femmes affolées — Simone Prévert parlait pour la première fois de tendances suicidaires récemment constatées —, déploya la grande échelle qui servait à récupérer les chats téméraires, le saucissonna et le ramena à terre comme un vulgaire ballot. À peine réveillé après quarante-huit heures d'un sommeil ininterrompu, il était prêt à participer à l'une de ces expéditions surprises qu'appréciait tant Pierre Batcheff quand le studio lui laissait quelques jours de liberté. La star entassait alors ses amis dans sa luxueuse voiture décapotable et ne décidait de sa destination que franchies les portes de Paris. C'est ainsi que, en hiver 1930, la petite troupe se retrouva à Chamonix — station jugée aussitôt trop policée pour des amoureux de l'aventure — puis dans une auberge du très sauvage col de Voza gagné en pleine nuit en funiculaire après avoir arraché, à prix d'or, son conducteur au sommeil. Le lendemain, Prévert, qui ne connaissait de neige que celle du Luxembourg, fut dégoûté à tout jamais des sports d'hiver pour avoir voulu suivre à skis Pierre Batcheff, sportif accompli, sur la piste déserte qui conduisait à Chamonix où attendait la voiture. Il paya cette forfanterie de plusieurs dizaines de chutes accompagnées d'une peur bleue et ne retrouva sa bonne humeur que lorsque, de retour à Paris, son ami lui apprit que la production du film qu'il tournait n'aurait pas besoin de lui dans les quatre prochains jours, et lui offrit une escapade au fin fond du Cotentin qui lui ferait oublier Chamonix, le mont Blanc et la mer de Glace! Le soir même ils étaient à Omonville-la-Rogue, dernier village avant le cap de la Hague, péninsule sauvage et venteuse, couverte de landes et de maigres pâturages que Prévert avait fait connaître à ses amis après l'avoir appréciée quelques années plus tôt en remontant de la Bretagne qu'il sillonnait alors avec Tanguy, Duhamel et quelques surréalistes. De cette époque il avait gardé une vive sympathie pour l'épicière du village, qui faisait aussi café-tabac, et pour son mari, qui chaque jour prenait la mer avec la marée et allait ensuite vendre sa pêche à la criée de Cherbourg. Comme avec tous les gens simples qu'il rencontrait depuis l'enfance, Jacques Prévert entretenait avec le couple les relations les plus chaleureuses. Après un dîner de crevettes, de pain et de beurre salé, puis quelques heures de sommeil, le pêcheur embarqua toute la bande qui participa à une miraculeuse pêche aux congres. « Ils étaient tellement heureux, dira Denise, que Pierre Batcheff leur a acheté une barque pour aller en mer quelques jours de plus, ainsi que des tenues de marin-pêcheur en gros tissu bleu et pull-over ras-du-cou pour tout le monde. Casquette sur l'œil et mégot planté à la commissure des lèvres ils se sont fait photographier avec leur copine, la grosse tenancière du café que Jacques faisait tellement rire. Et puis il a fallu rentrer se refaire une santé financière car on vivait au jour le jour. On picolait énormément et, à six personnes, tous ces achats et ces voyages commençaient à faire beaucoup d'argent. Heureusement les studios attendaient Batcheff et aussi Prévert qui devait terminer *Émile-Émile* ou *Le Trèfle à quatre feuilles* promis au président des Studios Pathé, Émile Natan[1]. »

Jacques Prévert n'oublia jamais les heures heureuses de la presqu'île du Cotentin où il se réfugiera quarante ans plus tard et où il repose aujourd'hui dans le minuscule cimetière d'Omonville-la-Petite.

*

Cette même année 1930, Jacques Prévert renoua avec la figuration qui, à une certaine époque de sa vie, lui avait permis de gagner quelques sous sans avoir recours à de fâcheux expédients. On le vit artiste de complément dans *Les Amours de minuit*, d'Augusto Genina et Marc Allégret, un gros mélo produit par Pierre Braunberger qui venait de créer les studios de Billancourt dont il devint un pilier et où Denise Batcheff se perfectionnait dans le métier de monteuse tout en se familiarisant avec la production de longs métrages. Grâce à l'affectueuse vigilance de la jeune femme, les Lacoudem trouvaient ainsi une semaine ou deux de travail bien payé sur un plateau ou sur un autre. « On voyait, accoudés au bar à longueur de journée, Jacques Prévert, Lou Tchimoukow, Marcel Duhamel qui ne buvaient pas que du sirop d'orgeat, se souviendra l'épouse de

---

1. Denise Tual à l'auteur.

Pierre Batcheff qui était la vedette des *Amours de minuit*. Je les surveillais et m'arrangeais pour qu'ils sortent du décor avant de se faire trop remarquer afin qu'ils puissent être repris le lendemain sans que les régisseurs s'y opposent[1].» Outre Pierre Braunberger, Denise et Pierre Batcheff étaient également fort liés à Marie-Laure et Charles de Noailles qui consacraient la somme pharamineuse d'un million de francs à monter le second film du jeune metteur en scène espagnol Luis Buñuel : *L'Âge d'or*. La distribution arrêtée, Pierrot et Jacques Prévert y trouvèrent, ainsi que Max Ernst, un petit rôle aux côtés des vedettes Gaston Modot et Lya Lys.

Si Jacques Prévert avait écrit lui-même le scénario du film, il n'aurait pu lui donner une coloration plus antichrétienne que ne l'avait fait Buñuel, ni plus férocement tourner en dérision toutes les valeurs morales — famille, patrie, armée —, qu'il n'avait pas cessé d'attaquer depuis la fin de l'adolescence et dont il réservait les traits les plus acérés à quelques écrits encore tenus secrets. Bien qu'ayant reçu un carton gravé au nom du vicomte et de la vicomtesse de Noailles pour assister à la première privée du film au cinéma Le Panthéon où se presserait le Tout-Paris de l'aristocratie, des arts et des lettres, Prévert refusa de s'y rendre le mercredi 22 octobre à 11 h 15 comme on l'en priait ; tout comme il avait refusé d'être parmi les happy few à qui les Noailles avaient offert une séance ultra-privée dans leur somptueux hôtel particulier de la place des États-Unis où ils avaient fait construire une cabine de projection dans leur salle de bal pour montrer à leurs amis intimes les films qu'ils avaient commandités ou que simplement ils aimaient. «Ces jeunes gens n'étaient pas commodes, constatera Denise Batcheff. Surtout Prévert qui prenait parfois un ton tellement agressif ! J'avais parlé de lui, de façon très admirative, à des gens susceptibles de le faire travailler, mais c'était loin de marcher toujours. Pour certains de mes amis un peu snobs comme les Noailles, il a inventé un mot admirable. Il les appelait mes "trous d'oiseaux" ! Ça n'a jamais collé entre eux. Il admettait pourtant qu'il s'agissait de gens respectables et respectés qui pouvaient l'aider, mais il les trouvait "trop" en tout. Il y avait chez eux trop de tableaux, trop d'objets d'art. Il n'a jamais apprécié le goût pourtant extraordinaire qu'ils manifestaient en appariant, par exemple, une statue médiévale avec une potiche chinoise. Sa conception simpliste des gens du monde — des "trous d'oiseaux" — l'a empêché de faire la différence entre les Noailles et des gens certes intelligents mais uniquement mondains[2].»

1. Denise Tual, *Le Temps dévoré*.
2. Denise Tual à l'auteur.

Présenté au public du Studio des Ursulines en novembre 1930 puis, en décembre, au Studio 28 accompagné d'une exposition semblable à celle qui avait été saccagée lors de la sortie d'*Un chien andalou, L'Âge d'or* provoqua un épouvantable scandale. Les Noailles furent mis au ban de la société, on parla même d'excommunication. Le vicomte Charles dut démissionner du Jockey-Club dont on menaçait de le chasser et — à l'exception du prince et de la princesse de Faucigny-Lussinge — leurs amis du gotha, oubliant leur extrême générosité et la splendeur des fêtes qu'ils avaient l'habitude d'offrir, leur tournèrent le dos. *Le Figaro*, sous la plume de Richard-Pierre Bodin, en appela même au président de la censure : « Un film intitulé *L'Âge d'or*, auquel je défie quelque technicien autorisé de reconnaître la moindre valeur artistique, multiplie en spectacle public les épisodes les plus obscènes, les plus répugnants, les plus pauvres. La Patrie, la Famille, la Religion y sont traînées dans l'ordure : un ostensoir est posé près du ruisseau, frôlé par les jambes de femmes haut troussées. Le Christ y est représenté, sur un air de paso doble, comme "le principal organisateur de la plus bestiale des orgies, avec huit merveilleuses filles, huit splendides adolescents, etc." [...]. Quel est, parmi vos collaborateurs, le responsable de cette extorsion du visa ministériel ? » La Ligue des patriotes et la Ligue antijuive répondirent à leur manière. Ses membres les plus virulents firent irruption dans la salle, lacérant écran et fauteuils ainsi que les œuvres majeures de l'exposition des peintres et photographes surréalistes qui se tenait dans le hall. Les nervis d'extrême droite et le journaliste indigné furent entendus par la commission de censure. Le 11 décembre 1930, le film était saisi. L'interdiction ne sera levée qu'un demi-siècle plus tard en 1981, cinq ans après que les films pornographiques eurent fait leur apparition sur les écrans français ! Mesure inique prise au nom de « tous ceux qui ont sauvé la grandeur de la France, tous ceux qui respectent les religions même s'ils sont athées, tous ceux qui ont le culte de la famille, de l'enfance, de l'avenir d'une race à qui le monde doit sa lumière, tous ces Français qu'on nous a choisis pour défendre contre l'empoisonnement des bas spectacles[1]... ».

Si Jacques Prévert ne porta pas le deuil des illusions du vicomte et de la vicomtesse, ni ne partagea la déception de Buñuel et Dalí ralliés au clan Breton, c'est à ce moment qu'il jeta — sur un de ces petits papiers dont il bourrait ses poches et qu'il avait commencé à noircir en profitant de la sécurité financière que lui avait ménagée le couple Batcheff — les premiers vers du long poème qui le révélera bientôt au monde littéraire français :

1. *Le Figaro*, 7 décembre 1930.

> Ceux qui pieusement...
> Ceux qui copieusement...
> Ceux qui tricolorent
> Ceux qui inaugurent
> Ceux qui croient
> Ceux qui croient croire
> Ceux qui croa-croa[1]
> [...]

Car depuis l'*Histoire du Lamantin*, Jacques Prévert écrivait régulièrement. «Il m'a montré deux ou trois petites choses composées durant l'année où il a vécu chez nous. Il ne confiait rien de ses projets et ne disait pas grand-chose de ce qu'il faisait. Sauf à Pierre Batcheff pour lequel il écrivait ce scénario qui n'avançait guère, et à moi qui le logeais et veillais à son confort. Il ne cherchait pas de domicile et n'avait aucun scrupule à se faire entretenir. Qu'il n'ait pas de complexes à ce sujet a beaucoup facilité nos rapports[2].»

Le scénario d'*Émile-Émile* ou *Le Trèfle à quatre feuilles* enfin terminé, Pierre Batcheff le communiqua accompagné d'un mot très élogieux à Émile Natan, directeur des productions Pathé-Natan. Il ne doutait pas de pouvoir le tourner dans les plus brefs délais. Mais l'humour surréaliste de Prévert n'était pas du goût du directeur, qui trouva d'abord le titre insultant à son égard — on employait deux fois son prénom par dérision! — et estima le script éminemment subversif. Il refusait le risque de se voir attaqué dans la presse conservatrice comme l'avaient été ces «amateurs» de Noailles! Batcheff traita Natan d'imbécile en se gardant bien de le lui dire en face, et dut accepter une proposition de Rex Ingram, metteur en scène américain qui avait créé les studios cinématographiques de Nice, futurs studios de la Victorine, et avait inventé à Hollywood le personnage du «latin lover» pour Rudolph Valentino puis Ramon Novarro. Après avoir beaucoup espéré de sa collaboration avec Jacques Prévert, Pierre Batcheff se trouvait une nouvelle fois cantonné dans les rôles de jeune premier fadasse dont il voulait tant se débarrasser. On mit de côté *Émile-Émile* en se promettant de le reprendre plus tard et chacun retourna à son labeur : Batcheff lié à sa chaîne dorée et Prévert à la rédaction de scripts qui pouvaient se révéler rentables. Il reprit tout d'abord *Baladar*, le scénario que Marcel Duhamel avait failli vendre en Allemagne, et qui intéressait André Vigneau pour un futur dessin animé. La pieuvre au grand cœur n'inspirera pas plus les

---

1. «Tentative de description d'un dîner de têtes à Paris-France».
2. Denise Tual à l'auteur.

producteurs pressentis par Vigneau qu'*Émile-Émile* n'avait ému Émile Natan. Ils firent faillite avant que le film ne vît le jour! Quatre autres scripts ne connurent pas un sort plus heureux. *Mesdames et Messieurs* ou *Le Conférencier* était lui aussi destiné au dessin animé et utilisait certains des gags inventés pour nourrir les scénarios écrits à l'intention de l'«agent» Marcel Duhamel, comme celui du vampire se refaisant une santé à une «pompe à sang». *Le Grand Compositeur*, encore appelé *Le Malheureux Compositeur*, évoquait les affres d'un musicien que ses voisins amateurs de phonographe et de radio poussée au maximum empêchaient de composer en paix. S'appuyant sur l'actualité — la radio et le disque occupaient une place de plus en plus importante dans la vie quotidienne des Français de 1930 —, Prévert utilisait à merveille le sens du cocasse et de l'absurde qui faisait tout le charme de son intarissable conversation. Quant à *Attention au fakir*, film dont la réalisation devait être confiée à Pierre Prévert, il mettait en œuvre toutes les ressources de la plus folle fantaisie, directement inspirée par les poursuites échevelées des burlesques américains dont Jacquot et Pierrot se régalaient depuis leur petite enfance. Enfin le *Fils de famille*, dernier scénario de la cuvée 1930, était destiné à Eli Lotar qui, à l'image de Pierrot, rêvait de se lancer dans la réalisation. Comme *Le Conférencier*, ce script de cinq pages provenait en partie des premiers essais de 1928, quand Jacques Prévert avait envisagé d'écrire des histoires farfelues plutôt destinées à la scène qu'à l'écran. *Le Fils de famille* racontait celle d'un couple qui, ayant vendu son fils idiot au diable, le recherchait dans Paris. Selon Agnès Capri, qui faisait alors partie de la petite troupe féminine de Pomiès, Prévert aurait écrit le rôle pour son ami danseur, à l'époque où il tournait en famille *Paris-Express* dans les rues de la capitale.

Quel que fût le destin immédiat de ses écrits, Prévert n'était plus le fruit sec qui se laissait nonchalamment entretenir par des amis fidèles mais un auteur qui, se vantant de sa paresse, n'en déployait pas moins une intense activité que prenaient en considération nombre de confrères croisés dans la mouvance surréaliste et dont certains avaient déjà un nom dans le milieu littéraire. C'est ainsi que Georges Bataille, archiviste paléographe attaché au cabinet des Médailles de la Bibliothèque nationale, dissident du groupe surréaliste au moment de la grande purge du Bar du Château, lui demanda pour le numéro 3 de *Documents*, la revue qu'il avait fondée avec Georges-Henri Rivière et Michel Leiris grâce aux capitaux du marchand de tableaux Georges Wildenstein, une participation à l'hommage qu'il entendait rendre à Picasso. Jacques Prévert, pour son deuxième texte imprimé (*Un peu de tenue ou l'Histoire du Lamantin*, publié dans le numéro 18 de *Transition*, datait de cinq mois à peine) se trouvait en bonne compagnie puisque au sommaire son nom figurait auprès de ceux de Jacques Baron, Georges Bataille, Robert Desnos, Eugène Jolas, Marcel Jouhandeau, Michel Leiris, Camille Mauclair, Georges Ribemont-Dessaignes et Roger Vitrac. Familier de l'œuvre de Picasso qu'il avait commencé à découvrir rue de l'Odéon grâce à Adrienne Monnier et dont il avait suivi l'évolution avec passion à travers les multiples expositions qu'il avait visitées depuis son retour d'Istanbul, Prévert, pour sa première contribution à la gloire d'un artiste qu'il admirait entre tous, se distingua de ses confrères qui, pour la plupart jouaient les experts, en brossant en une demi-douzaine de feuillets un sketch qu'il intitula *Hommage-Hommage* comme il avait baptisé *Émile-Émile* le scénario pour Pierre Batcheff. Il y mettait en scène le peintre devenu célèbre aux prises avec les admirateurs professionnels, les détracteurs jaloux et les «trous d'oiseaux» qui se vantaient de l'avoir découvert alors qu'il s'était contenté, pour réussir, de procéder au dressage du génie de la peinture qu'il possédait. Dans ce morceau d'anthologie où se dessine son œuvre poétique à venir, Prévert saisit d'un regard «cinématographique» la scène résumant une situation, et fait l'inventaire des tribus d'amateurs d'art qui, de tous temps, se sont targués de faire ou de défaire par leurs seuls propos la réputation d'un artiste : «[...] les voilà qui se vautrent en hurlant leur admiration, en miaulant leur enthousiasme. Les yeux fermés, soutenus par leurs béquilles intellectuelles, ils s'installent devant la grotte en attendant les miracles, le stylo en bandoulière et rempli de l'eau grasse des "problèmes picturaux" [...]. Ceux qui n'aiment pas cette peinture-là arrivent à leur tour, les hydropiques à lavallière, les tricolores avec leurs drapeaux de lavoir et des boutons sur les dents [...]. C'est la rencontre, la bagarre, un grand combat de seiches qui se jettent mutuellement des nuages d'encre [...]. Mais on entend dehors les sifflements des *critiques-dard* et la sinistre chanson des connaisseurs, des faiseurs de livres, de ceux qui ont découvert Picasso dans un grenier de la rue Ravignan ou dans une pauvre étable à Bethléem en Espagne, ceux qui aiment, comprennent, prévoient, devinent, expliquent si bien et sentent si mauvais, les plisseurs de lampions, les grands buveurs d'eau sale, les trieurs de lentilles, les poussiéreux qui pontifient, qui cataloguent, comptent les poils des pinceaux et tiennent la palette du peintre quand il dort [...]. Le chapeau melon enfoncé sur la tête, Picasso maître de la peinture comme Fantômas de l'épouvante, un pied sur la rive droite, un pied sur la rive gauche et le troisième au derrière des imbéciles, regarde couler la Seine qui prend sa source au mont

Gerbier-des-Joncs quand l'envie lui vient de visiter les châteaux de la Loire. »

Si Prévert n'avait jusque-là quasiment pas publié, la patte était là. Un style naissait. Ses coups d'essai étaient de maître. Georges Bataille ne s'y trompa pas qui demanda au débutant — auprès de vieux routiers des lettres comme Robert Desnos ou Ribemont-Dessaignes, Prévert faisait figure de novice — un autre texte pour le numéro 8 de sa revue[1], laquelle offrait aux artistes un large éventail puisqu'elle comprenait quatre départements : doctrines, archéologie, beaux-arts et ethnographie. Jacques Prévert profita de l'occasion pour rendre hommage à Pierre-Henri Cami, un auteur dont on ne s'attendait pas à découvrir le nom dans une revue aussi « intellectuelle » où l'on pouvait trouver, entre des photographies du surréaliste Jacques-André Boiffard, assistant de Man Ray, « La Mutilation sacrificielle et L'Oreille coupée de Vincent Van Gogh » de Georges Bataille et « Le *Caput mortuum* ou la Femme de l'alchimiste » de Michel Leiris. Les gens sérieux regardaient avec un sourire — pour les plus indulgents — ce Cami qui tenait la rubrique « La Vie drôle » au *Journal*, l'un des cinq grands de la presse parisienne, et collaborait comme auteur, feuilletoniste et dessinateur à une foule de périodiques où il s'était fait une spécialité de saynètes burlesques où s'agitaient mille personnages typés qui enchantaient les lecteurs. Glorifiant l'immortel créateur du *Petit Corbillard illustré, organe corporatif et humoristique des pompes funèbres*, Jacques Prévert annonçait sa filiation avec l'auteur de ces histoires saugrenues « où les personnages les plus inattendus surgissent quand bon leur semble et subissent leur brève destinée avec une logique implacable et simple comme un œuf de piano dans la cervelle d'une poule ». Au passage, dans ce bref texte, le jeune homme prouvait non seulement sa parfaite connaissance de l'œuvre du précurseur de l'humour au second degré, mais d'ouvrages aussi différents que *Les Mille et Une Nuits, Les Pieds-Nickelés, Alice au pays des merveilles*, et même s'il en faisait le symbole de l'ennui, *Le Grand Meaulnes* et *À la recherche du temps perdu* qu'il appréciera tant quelques années plus tard ! Michel Leiris, secrétaire de rédaction et gérant de *Documents*, retrouva dans ces premiers écrits toutes les promesses du « voyou qui incarnait vraiment le surréalisme de la rue », décelées chez un jeune inconnu inculte mais pétillant d'intelligence lors de ses premières visites à la rue du Château.

Ainsi, en quelques mois de l'année 1930, Jacques Prévert était-il devenu une « valeur sûre », remarquée par les revues lit-

---

1. *Documents*, septembre 1930.

téraires les plus en pointe. Son ami Georges Ribemont-Des-saignes, avec lequel il s'était lié définitivement après les exclu-sions de la rue du Château, lui demanda pour *Bifur* dont il était rédacteur en chef un texte plus important dans lequel il traiterait des thèmes qui lui étaient chers et réglerait à son goût de vieux comptes remontant parfois à l'enfance.

Sous sa belle couverture bleue, *Bifur* était une revue d'avant-garde qu'avait créée Pierre Lévy, directeur des Édi-tions du Carrefour, petite maison mais de qualité qui s'inté-ressait à des artistes comme Henri Michaux et Max Ernst. Le conseiller littéraire de Pierre Lévy était un jeune normalien, agrégé de philosophie, marxiste et membre du parti com-muniste français, du nom de Paul-Yves Nizan, qui venait de terminer son premier roman *Aden Arabie* et dont le Paris intel-lectuel disait le plus grand bien. Les conseillers étrangers en étaient James Joyce, Ramón Gómez de la Serna et quelques autres plus obscurs. Ribemont-Dessaignes, qui avait participé avec Tristan Tzara et Marcel Duchamp au mouvement dada sans lequel le surréalisme n'aurait pas réuni autant d'« artistes aux goûts étranges venus d'ailleurs », accueillit les provoca-tions de son cadet[1] avec une profonde satisfaction.

L'homme qui avait écrit dix ans plus tôt :

C'est nous les assassins
De tous vos pctits nouveau-nés
[...]
Voici Dieu à cheval sur un rossignol
Il est beau, il est laid
Madame, ta gueule elle sent la laitance du souteneur.
Le matin
Car le soir on dirait le cul d'un ange amoureux d'un lis.
C'est joli, n'est-ce pas ?

ne pouvait qu'approuver « Souvenirs de famille ou l'Ange garde-chiourme » que Jacques Prévert écrivit à l'automne 1930 d'une plume corrosive.

L'année de ses trente ans, au calme des demeures dont les époux Batcheff lui laissaient la libre disposition tandis qu'ils tournaient à Berlin la version allemande des *Amours de minuit*, Prévert brossa — en douze feuillets couverts d'une petite écriture fine et appliquée qui, au fil des années, ira s'épaississant sans perdre, à de rares exceptions près, de sa lisi-bilité — des croquis d'enfance à sa manière, où la fiction le dis-putait à la réalité. Si ces « souvenirs » égrenés par un petit

1. Georges Ribemont-Dessaignes était né en 1884, Prévert en 1900.

garçon qui lui ressemblait comme un frère n'étaient pas tous
ceux du poète débutant, celui-ci utilisait dans cette première
œuvre d'importance, après l'hommage à Picasso, certains passages de sa vie comme le voyage à Toulon, la fugue du père
envoyant des cartes postales des Saintes-Maries-de-la-Mer,
et surtout sa haine de la famille bourgeoise née des scènes
pénibles vécues dans l'appartement de la rue Monge où sévis-
sait Auguste-le-Sévère et ses commensaux en soutane. Tourner
en dérision les valeurs morales prônées par les bien-pensants
devenait une seconde nature chez Prévert qui dans «Souvenirs
de famille ou l'Ange garde-chiourme» nourrissait avec une
extraordinaire virulence l'anticléricalisme, l'antichristianisme,
l'antimilitarisme qu'il ne cessera de manifester tout au long de
son œuvre. Sa façon de raconter l'Évangile laissait loin derrière les images blasphématoires peaufinées par le Buñuel de
l'*Âge d'or*: «L'abbé, écrivait Prévert, c'était un homme en robe
avec des yeux très mous et de longues mains plates et blêmes;
quand elles remuaient, cela faisait assez penser à des poissons
crevant sur une pierre d'évier. Il nous lisait toujours la même
histoire, triste et banale histoire d'un homme d'autrefois qui
portait un bouc au menton, un agneau sur les épaules et qui
mourut cloué sur deux planches de salut après avoir beaucoup
pleuré sur lui-même dans un jardin, la nuit. C'était un fils de
famille, qui parlait toujours de son père — mon père par-ci,
mon père par-là, le Royaume de mon père —, et il racontait des
histoires aux malheureux qui l'écoutaient avec admiration,
parce qu'il parlait bien et qu'il avait de l'instruction. [...] Assis
sous un arbre, il parabolait "heureux les pauvres d'esprit, ceux
qui ne cherchent pas à comprendre, ils travailleront dur, ils
recevront des coups de pied au cul, ils feront des heures supplémentaires qui leur seront comptées plus tard dans le
royaume de mon père." [...] Il laissait venir à lui les petits
enfants; rentrés chez eux ceux-ci tendaient à la main paternelle
qui les fessait durement la fesse gauche après la droite, en
comptant plaintivement sur leurs doigts le temps qui les sépa-
rait du royaume en question. [...] Ça n'allait déjà plus tout seul,
quand un jour le voilà qui trahit Judas, un de ses aides. Une
drôle d'histoire, il prétendit savoir que Judas devait le dénoncer du doigt à des gens qui le connaissaient fort bien lui-même
depuis longtemps, et sachant que Judas devait le trahir il ne le
prévint pas. Bref, le peuple se met à hurler Barabbas, Barabbas, mort aux vaches, à bas la calotte et, crucifié entre deux
souteneurs dont un indicateur, il rend le dernier soupir, les
femmes se vautrent sur le sol en hurlant leur douleur, un coq
chante et le tonnerre fait son bruit habituel. Confortablement
installé sur son nuage amiral, Dieu le père, de la maison Dieu

père fils Saint-Esprit et Cie, pousse un immense soupir de satisfaction, aussitôt deux ou trois petits nuages subalternes écla-
tent avec obséquiosité et Dieu père s'écrie : "Que je sois loué,
que ma sainte raison sociale soit bénie, mon fils bien aimé a
la croix, ma maison est lancée !" » Le reste du texte était à
l'avenant. Georges Ribemont-Dessaignes, qui s'y connaissait
en blasphèmes, jurements et sacrilèges de toutes sortes, présenta son jeune ami aux lecteurs du numéro 7 de *Bifur* en ces
termes lapidaires : « 30 ans. Écrit, dit-il, en mauvais français
pour les mauvais Français. » Il n'eut de cesse que de faire
connaître ce nouveau venu, dont il attendait beaucoup, à ses
amis les plus « intéressants » tel le peintre, sculpteur et journaliste d'origine hongroise Gyula Halász qui se faisait appeler
Brassaï à Montparnasse où il espérait faire carrière dans la
« photographie d'art ».

« Un jour vers 1930, se souviendra Brassaï, dans son
minuscule bureau boulevard Saint-Germain, il *[Ribemont-Des-
saignes]* me tendit un manuscrit intitulé *Souvenirs de famille
ou l'Ange garde-chiourme.*

"Lisez ça, me dit-il, et retenez bien le nom de son auteur.
Il apporte un son neuf dans la poésie française..."

Je commençai alors à lire : "Nous habitions une petite
maison aux Saintes-Maries-de-la-Mer où mon père était ban-
dagiste..."

"Même quand il écrit, poursuivit Ribemont-Dessaignes,
on dirait qu'il parle... Il vient de la rue et non de la littérature... Un cas à part... Il adore la vie et méprise les 'gens
bien'... Avec sa simplicité, son goût du bonheur, son humour
corrosif, il échappe à toute classification..."

Je m'enquis du nom de l'auteur et, pour la première fois,
j'entendis nommer Jacques Prévert. C'est par Ribemont-Dessaignes d'ailleurs que je fis sa connaissance peu de temps
après [1]. »

Le texte publié par *Bifur* eut un grand retentissement dans
le petit cercle de l'avant-garde. *L'Ange garde-chiourme* figurait au sommaire de ce numéro 7 auprès d'articles de haute
tenue signés Nizan et Eisenstein. Le cinéaste russe, révélé aux
cinéphiles dès 1925 par *Le Cuirassé Potemkine* et par *Octobre*
trois ans plus tard, était venu en France superviser *Romance
sentimentale,* un film de Grigori Alexandrov, son assistant sur
Le Cuirassé Potemkine et coréalisateur sur *Octobre.* Après un
séjour en Europe, les deux hommes étaient en route pour les
États-Unis et le Mexique où ils devaient tourner *Que viva
Mexico !.* Jacques Prévert, mis en rapport avec Eisenstein par

---

1. Brassaï, *Conversations avec Picasso.*

Sadoul et Moussinac, l'avait cornaqué dans les rues de Paris qu'il sillonnait depuis toujours, et avait été très flatté de se retrouver en sa compagnie au sommaire de *Bifur*. Il signala l'événement dans l'une des lettres qu'il envoyait régulièrement à Berlin aux amis Batcheff qui suivaient ainsi l'évolution rapide de sa carrière littéraire, ce qui ne l'empêchait nullement de multiplier les folies en compagnie des Lacoudem dont il avait pris la tête. Depuis des années, on les connaissait du Dôme à La Coupole en passant par La Rotonde et Le Sélect. On apprenait maintenant à les connaître chez Lipp, aux Deux Magots et surtout au Flore que Prévert appréciait particulièrement depuis que la bande accordait ses préférences à Saint-Germain-des-Prés qui sentait encore sa province alors que Montparnasse depuis le début du siècle était l'épicentre de la vie artistique à Paris mais aussi le creuset de tous les excès. Buvant sec et ne mâchant pas ses mots, Prévert avait renoué avec le commissariat du VIᵉ arrondissement, à deux pas de chez Maman Suzanne, rue du Vieux-Colombier où Pierrot habitait toujours. D'ordinaire arrêtés pour scandale sur la voie publique, les Lacoudem étaient relâchés après quelques heures de violon. Là aussi on les connaissait ! Jusqu'au jour où Jacques plus agressif que de coutume insulta violemment les agents. L'affaire allait mal tourner. Alertée à Berlin, Denise Batcheff dut intervenir auprès de Gaston Bergery, l'homme politique qui jouait les anges gardiens des artistes les plus turbulents, pour que Prévert soit élargi sans condamnation. «Le directeur du cabinet du préfet enquête, câbla Bergery à son amie, et me promet de traiter Prévert avec les égards dus à son talent[1].» Le préfet de police agissait de confiance pour être agréable à un politicien influent car il est bien improbable que les premiers essais littéraires de Jacques Prévert aient franchi les portes matelassées de son cabinet ! En revanche le parrainage de Ribemont-Dessaignes fut essentiel pour l'entrée dans le monde littéraire. Toute sa vie, Prévert dira que c'est grâce à lui qu'il écrivit et publia ses premiers textes. «Il a subi l'attrait de Breton qui était très grand, et de certaines perspectives du surréalisme, écrira Ribemont-Dessaignes. Des portes et des fenêtres avaient été ouvertes sur un espace et un temps nouveaux. On respirait un air jamais respiré. Jacques Prévert avait depuis sa tendre jeunesse bu l'air de la rue, dans la liberté totale ; il y avait acquis un certain amour de la vie qui n'avait rien de commun avec ce qu'éprouvent les "gens bien" et avec leur catalogue des faits, des choses, des êtres. Il était arrivé tout net, auprès de Breton et de ses amis, et pas littérateur pour un sou... et ce fut

---

1. Denise Tual à l'auteur et in *Le Temps dévoré*.

pour s'inventer une manière d'écrire... D'écrire? *C'était une union de la parole et de l'écriture*[1], quelque chose que ne ternissait aucune préciosité littéraire, aucun art... une poésie qui s'inventait au fur et à mesure de sa naissance[2].»

Georges Ribemont-Dessaignes fut l'un des premiers lecteurs du long poème que Jacques Prévert avait commencé à l'époque où il faisait de la figuration pour *L'Âge d'or* et qui débutait par le désormais fameux: «Ceux qui pieusement... Ceux qui copieusement...» Le poème avait été achevé durant l'hiver 1930-1931 en même temps que Prévert abandonnait la sécurité que lui offrait le ménage Batcheff retenu à Berlin, où Denise montait le film de Genina, empêchée de le faire à Paris par l'incendie des studios de Billancourt. La séparation entre les deux couples, facilitée par l'éloignement, se fit sans le moindre accroc à une amitié exceptionnelle. Entre Paris et Berlin, la correspondance était d'ailleurs si fréquente et si dense que Jacques avait l'impression de continuer à vivre avec ses amis dans la suite qu'ils occupaient à l'hôtel Éden où, entre autres excentricités, Pierre Batcheff élevait deux lionceaux achetés à l'intention de sa femme. La vedette lui en avait envoyé les photos et, pour ne pas être en reste, Prévert avait acheté un très beau cochon d'Inde baptisé Doudouille dont le bulletin de santé occupait une grande partie des lettres échangées entre la rue Dauphine, où Simone et Jacques s'étaient installés dans une chambre sous les toits, et la suite de l'Éden où Denise et Pierre soignaient leur nostalgie de Paris. «Doudouille sait dire merde en allemand, leur écrivait Prévert. Nous l'enverrons à Oxford d'ici à une dizaine d'années pour qu'il le dise en anglais. [...] Simone a pris (je ne sais où) quatre kilos en trois jours ce qui lui fera quarante kilos à la fin du mois. La neige tombe on la ramasse (12° au-dessous)...» Puis, parlant des lionceaux qui devaient grandir d'une manière inquiétante et, mêlant sans raison à leur vie le personnage d'un commandant de navire qui avait perdu un bras, rôle tenu à l'écran par Victor Francen, il ajoutait dans une image surréaliste étrangère à ce qui précédait: «[...] Ce qui n'empêche pas les petits lionceaux de devenir lions et le commandant d'aller et venir dans les couloirs de l'hôtel avec les domestiques qui l'appellent "mon commandant" long comme le bras qui lui reste[3].»

Dès son retour à Paris, Denise Batcheff, admiratrice inconditionnelle de ce qu'avait écrit son protégé dans *Transition*

---

1. Souligné par l'auteur.
2. Georges Ribemont-Dessaignes, *Déjà jadis*.
3. Lettre reproduite par Denise Tual, in *Le Temps dévoré*.

puis *Documents* et *Bifur*, prit connaissance de la nouvelle
œuvre que Jacques Prévert avait intitulé «Tentative de description d'un dîner de têtes à Paris-France». Elle fut aussi
enthousiaste à sa lecture que Georges Ribemont-Dessaignes.
Et usa, elle aussi, de tout son entregent — et il était grand —
pour faire connaître ce poème pamphlet qui n'existait encore
que manuscrit ou tapé à la machine à quelques exemplaires.
Elle en fit circuler quelques-uns dans les milieux intellectuels
d'avant-garde où il était susceptible d'être apprécié à sa juste
valeur tandis que Ribemont-Dessaignes s'employait à le faire
publier.

Ribemont qui, après « Souvenirs de famille ou l'Ange garde-
chiourme» paru dans *Bifur*, avait demandé un autre texte à
Jacques Prévert estimait, après avoir lu *Un dîner de têtes*, que ce
poème coup de poing méritait une diffusion plus importante et
plus prestigieuse que celle que pouvait lui offrir sa revue qui
battait de l'aile. *Bifur* n'allait pas survivre à la crise de conscience
que vivait son propriétaire, Pierre Lévy, devenu marxiste militant, qui se détachait de la littérature même engagée. En outre
Bifur, revue trop luxueusement imprimée, était devenue bien
onéreuse pour le public de gauche, peu fortuné, auquel elle
s'adressait. En revanche la revue *Commerce* était là et bien là,
occupant une place de choix dans le mouvement littéraire
contemporain. Prévert avait presque assisté à sa naissance,
sept ans plus tôt, dans ce refuge de la littérature moderne
qu'était La Maison des Amis des Livres. Le comité directeur
était composé de Paul Valéry, Léon-Paul Fargue et Valery Larbaud, censés conseiller la princesse Bassiano, créatrice éclairée et banquière de la revue. Georges Ribemont-Dessaignes
avait été présenté à la princesse par Jean Paulhan, directeur de
la NRF et «éminence grise des lettres françaises», et y avait
publié quelques textes importants, tout comme André Breton
lui avait réservé les bonnes feuilles de *Nadja* publiées dans le
numéro 13. Reçu à de nombreuses reprises chez la princesse
Bassiano à Versailles lors des déjeuners un peu cérémonieux
qui précédaient chaque réunion, Ribemont y avait fréquemment rencontré de grands noms de la littérature comme Aldous
Huxley mais, s'il y avait croisé parfois Valery Larbaud, Paul
Valéry et Léon-Paul Fargue brillaient par leur absence bien que
le second excellât à soutirer à la princesse «de l'argent en paie-
ment de textes qu'il ne livrait pas, ou qu'il avait fait paraître
ailleurs[1]». Le plus fidèle conseiller de la généreuse commanditaire était sans conteste Jean Paulhan, et c'était par lui qu'il
fallait passer pour voir le *Dîner de têtes* publié dans la pres-

1. Georges Ribemont-Dessaignes, *Déjà jadis*.

tigieuse revue. En habile stratège du monde des Lettres dont il connaissait tous les arcanes, Ribemont-Dessaignes pressentit que ni l'œuvre et encore moins la personnalité souvent tonitruante de Jacques Prévert ne pouvaient plaire à Jean Paulhan naturellement silencieux, insaisissable, précieux avec simplicité, discret au point que, sous son influence, on chuchotait à la NRF au lieu d'y parler à haute et intelligible voix[1]. Il résolut alors de recommander ce texte qui sortait de l'ordinaire — Prévert refusait déjà, et refusera toujours, le mot poème — à Saint-John Perse, pseudonyme du diplomate Alexis Léger, directeur du cabinet diplomatique d'Aristide Briand[2], publié chez Gallimard et lié d'amitié avec le groupe des écrivains de la NRF : Larbaud, Fargue, Valéry et Gide. Le très hiératique auteur d'*Éloges*, futur prix Nobel, accueillit avec enthousiasme une œuvre au premier abord si éloignée de ses préoccupations et de son style. C'est que le «Dîner de têtes» bousculait les convenances bourgeoises et était directement inspiré par le misérable spectacle du monde des années 30. Prévert y mettait en scène, dans une parodie de dîner officiel à l'Élysée, les exploitants à la jouissance égoïste et cruelle, et les exploités victimes des inégalités sociales les plus criantes, ceux qui allaient à l'église pour faire montre de leurs vertus et ceux qui n'y allaient que l'hiver pour s'y réchauffer,

> Ceux qui debout les morts
> Ceux qui baïonnette... on
> Ceux qui donnent des canons aux enfants
> Ceux qui donnent des enfants aux canons

opposés à la masse pitoyable de :

ceux qui soufflent vides les bouteilles que d'autres boiront pleines
ceux qui coupent le pain avec leur couteau
ceux qui passent leurs vacances dans les usines
ceux qui ne savent pas ce qu'il faut dire
ceux qui traient les vaches et ne boivent pas le lait
ceux qu'on n'endort pas chez le dentiste
ceux qui crachent leurs poumons dans le métro
ceux qui fabriquent dans les caves les stylos avec lesquels d'autres
    écriront en plein air que tout va pour le mieux [...]

---

1. Pierre Assouline, *Gaston Gallimard*.
2. Aristide Briand (1862-1932), homme politique français qui connut une des plus longues carrières ministérielles de la III⁰ République. Il fut plus de vingt fois ministre, en particulier des Affaires étrangères, et onze fois président du Conseil. Il reçut le prix Nobel de la paix en 1926.

Les premiers étaient représentés par un président qui s'était fait une tête d'œuf de Colomb et ne s'exprimait que par des lieux communs éculés, associations d'idées reçues, images stéréotypées, et calembours indignes d'une fin de banquet républicain ; les seconds par « un homme avec une tête d'homme » incarnant la masse de « ceux qui ont le pain quotidien relativement hebdomadaire », et qui, déposant sur la table la tête de Louis XVI dans un panier, annonçait une révolution imminente menée par celui « qui pour échapper à sa misère tente de se frayer un chemin dans le sang ».

Subversif et hilarant en diable, ce *Dîner de têtes* ! Mais terriblement choquant, couché sur le vergé raffiné dont *Commerce* faisait son luxueux support. Saint-John Perse dut user de tout son prestige — de diplomate autant que de poète — pour vaincre les réticences, voire la franche hostilité des membres du comité de lecture. « Je souris encore, écrira-t-il plus tard à Jean Paulhan, au souvenir du petit coup d'État qu'il m'avait fallu effectuer à *Commerce*, en 1931, pour imposer son "Dîner de têtes" contre l'avis de mes trois aînés, les Conseillers en titre. (Là encore, j'imagine, nos pensées secrètes devaient se rejoindre[1].) » Rien n'est moins sûr, car jamais le directeur de la NRF n'apprécia Jacques Prévert bien qu'il lui écrivît le contraire (mais après le succès de *Paroles* accueilli dans le giron de Gallimard !) à la suite d'une réflexion de l'auteur du *Dîner de têtes* qui se plaignait, devant des tiers, de son hostilité : « Ceci par acquit de conscience. Je viens de vérifier nos vieilles fiches : non *aucun* manuscrit de vous n'a jamais passé par mes mains à la NRF. Mais c'est moi (d'accord avec Léger) qui ai fait accepter le *Dîner de têtes* de *Commerce*, contre l'avis formel de Valéry, de Larbaud et de Fargue. Voilà, homme injuste. Et cordialement quand même. J. P.[2] » Maurice Nadeau affirmera que Prévert fut publié par *Commerce* CONTRE l'avis de Paulhan[3]. C'est que, entre-temps, Léon-Paul Fargue s'était rallié à l'avis de Saint-John Perse qui, devant le comité de lecture, se déclara « étonné » par cette œuvre hors du commun. Une revue aussi prestigieuse que *Commerce* ne pouvait laisser passer ce nouveau poète au verbe si mordant.

« Tentative de description d'un dîner de têtes à Paris-France » parut en été 1931 dans le cahier XXVIII sous la couverture rouille de la revue trimestrielle tirée à 2 900 exemplaires dont 100 exemplaires sur hollande Van Gelder, numérotés de 1

---

1. Lettre du 22 juin 1949 in *Cahiers Saint-John Perse*, n° 10, Gallimard, 1992.
2. Archives Gallimard.
3. In *Jacques Prévert, le Cancre magnifique*, film TV d'Alain Poulanges réalisé par Gilles Nadeau pour FR3.

à 100, 300 exemplaires sur pur fil Lafuma, numérotés de 101 à 400 tirés sur grand papier, et 2 500 exemplaires sur alfa, numérotés 401 à 2 900 dont Prévert reçut un exemplaire vendu 20 F dans les librairies qui l'avaient en dépôt. Jacques Prévert figurait au sommaire auprès d'auteurs reconnus sinon prestigieux, puisque ses amis Ribemont-Dessaignes et Robert Desnos y publiaient respectivement *Faust* et *Siramour*. Un Paul Claudel sur le chemin de la gloire, mais qu'il était loin d'apprécier, confiait lui aussi à la revue de la princesse Bassiano un texte d'importance : *Les Cinq Premières Plaies d'Égypte*, extrait d'un volume en préparation sur l'*Apocalypse*. Si Jacques Prévert ne garda pas ce précieux exemplaire, aussitôt perdu ou donné à un ami de rencontre, il conserva un excellent souvenir de sa participation. «*Commerce*! Je trouve ce titre très honnête : les collaborateurs étaient payés[1].» Laissé en dépôt dans quelques librairies choisies, *Commerce* n° 28 trouva sans peine ses lecteurs. Adrienne Monnier dans sa Maison des Amis des Livres en vendit plusieurs centaines d'exemplaires durant les mois qui suivirent. Chez José Corti, rue de Médicis, éditeur des surréalistes, un jeune homme de vingt ans, Maurice Nadeau, qui en deviendra le grand spécialiste, découvrit une pile de la revue sur une table. «J'ouvre *Commerce* et je vois Jacques Prévert, le *Dîner de têtes*, je ne savais pas ce que c'était, je me suis assis... j'ai regardé le prix de la revue : 20 francs. 20 francs à cette époque, je ne les avais pas! Alors Corti très gentiment m'a dit : "Vous êtes assis, vous n'avez qu'à recopier le poème." J'y ai passé trois quarts d'heure. Ç'a été ma première rencontre avec Jacques Prévert. Ce poème, j'en ai fait immédiatement profiter les amis. C'était quelque chose de tout à fait insolite dans le paysage d'alors. Cette espèce de caricature à la Daumier, ce discours satirique, ce n'était pas à la mode. Mais moi, ça m'a remué. Et pas seulement moi mais mes amis. Ils le recopiaient à leur tour ou comme moi l'apprenaient par cœur et le récitaient à haute voix à leurs proches[2].»

L'habitude de recopier les poèmes de Jacques Prévert, qui ne se transmettront que par ce moyen ou par le bouche à oreille jusqu'à l'édition de *Paroles*, quinze ans plus tard, naquit avec la publication du *Dîner de têtes*. Dans les années qui suivirent, Valery Larbaud, interrogé par un groupe de jeunes gens que ce texte avait séduit, s'adressa en avril 1934 à Jean Paulhan pour savoir s'il connaissait cet auteur dont il avait oublié qu'il l'avait un jour refusé! «On me demande avec insistance des rensei-

---

1. Jacques Prévert à André Pozner, in *Hebdromadaires*.
2. Maurice Nadeau à Alain Poulanges in *Jacques Prévert, le Cancre magnifique, op. cit.*

gnements sur Jacques Prévert, auteur d'un poème satirique paru dans le n° 28 de *Commerce*. Ce sont des gens (jeunes) qui admirent ce poème, au point de l'avoir copié de leurs propres mains à plusieurs exemplaires. Ils veulent savoir : qui est-ce ? a-t-il écrit autre chose depuis ? *où habite-t-il*[1] ? Ni Giraud-Badin *[éditeur-gérant de la revue]* ni [...] M. Fréret n'ont pu me donner son adresse. J'avais compté sur la princesse Bassiano ; je viens de la voir ; elle ne se souvient pas du tout des circonstances dans lesquelles le poème a été présenté au comité de lecture de *Commerce*, ni de l'adresse de Jacques Prévert [...]. J'aimerais bien pouvoir renseigner ces gens, dont l'admiration me rappelle mes admirations subites et violentes de la 20e année — et j'en suis capable encore[2]. » Paulhan répondit trois jours après sur le ton de quelqu'un qui n'a jamais eu que de vagues renseignements sur le poète supposé : « Jacques Prévert habite 39, rue Dauphine. Communiste *[sic]*, il a composé quelques chœurs, qui se chantent aux soirées de l'AÉAR *[Association des écrivains et artistes révolutionnaires]*. Il travaille aussi dans les studios (de Billancourt, je crois). Ami de Ribemont-Dessaignes, et de René Daumal. Quelqu'un de très bien, me dit-on[3]. » Renseignements bien succincts pour un homme grâce à qui le poète aurait été « accepté » dans la revue de la princesse Bassiano ! D'autres écriront, sans ciller, que les lecteurs furent sans réaction devant les premiers textes de Prévert et que ceux-ci ne provoquèrent aucun commentaire de la critique !

Le *Dîner de têtes* ne passa pas aussi inaperçu que le voudraient certains, puisque le très sérieux et très influent hebdomadaire *Les Nouvelles littéraires* lui consacra, le 2 janvier 1932, des lignes fort élogieuses après avoir rendu compte du texte de Claudel consacré aux plaies d'Égypte de l'époque contemporaine : « Cette page grenouillante débute par la description d'un dîner officiel où l'on trouve un avant-goût du second texte de *Commerce* : *Tentative de description d'un dîner de têtes à Paris-France*, par Jacques Prévert. À la virtuosité du morceau, à sa redondance, à sa symétrie, je pense que Jacques Prévert est jeune, mais quelle sympathique jeunesse ! Cela commence comme le grand choral funèbre et patriotique de Victor Hugo, lui escamotant sa grandeur et la truffant d'irrévérences irrésistibles : "Ceux qui pieusement... Ceux qui copieusement... Ceux qui tricolorent... Ceux qui inaugurent... Ceux qui croient croire... Ceux qui croa-croa... Ceux qui andromaquent... Ceux

1. Doublement souligné par Valery Larbaud.
2. Lettres conservées par la bibliothèque municipale de Vichy dans le fonds Valery Larbaud. Citées par Danièle Gasiglia-Laster et Arnaud Laster dans les Notes aux *Œuvres complètes* de Jacques Prévert (La Pléiade).
3. *Ibid.*

qui dreadnoughtent... Ceux qui debout les morts... Ceux qui
mamellent de la France, etc. etc." Toux ceux-là étaient invités à
l'Élysée, au dîner de leurs propres têtes, offert par un président
ubuesque. Car ce morceau de Jacques Prévert me semble
prendre place dans le genre littéraire où Jarry et les potaches
du lycée de Rennes, dont il fut le porte-plume, rejoignaient
Rabelais. Jacques Prévert ici rejoint Jarry, à travers Apollinaire, Max Jacob et toute la pantalonnade moderne.» Un critique qui se respecte, dans l'hebdomadaire qui depuis 1922
avait renouvelé le journalisme littéraire français et où son
directeur, Maurice Martin du Gard, donnait un reflet vivant de
l'actualité culturelle, ni trop académique ni trop engagé dans
l'avant-guerre, se devait de tempérer par un léger bémol pareil
dithyrambe: «Mais il a une telle abondance d'images drôles,
conclut le premier journaliste à parler de Jacques Prévert,
qu'elles en paraissent moins drôles à la longue et il utilise si
bien l'histoire et les poncifs historiques, qu'après avoir utilisé la
géographie, la botanique et l'orthopédie, il sera contraint de
dévorer sa propre tête et ce sera dommage[1].»

Toute sa vie, Prévert aura une grande tendresse pour *Tentative de description d'un dîner de têtes à Paris-France*. L'heure
venue, c'est par lui qu'il ouvrira *Paroles*, le recueil qui lui
apportera la célébrité.

Pour l'instant, et malgré la reconnaissance des *Nouvelles
littéraires*, il ne se sentait ni poète ni écrivain, encore moins
«homme de lettres». Il était seulement apprenti scénariste et
attendait du cinéma qu'il lui permît de survivre. Le jour de son
mariage n'avait-il pas machinalement répondu à l'adjoint au
maire du VIᵉ arrondissement qui l'interrogeait sur sa profession: «Cinéaste!»?

1. Article reproduit par André Heinrich dans le remarquable *Album* de
la Pléiade consacré à Jacques Prévert.

CHAPITRE 8

Faire son théâtre soi-même

C'en était bien fini des Années folles, du Montparnasse insouciant où de riches Américains entretenaient la bohème, et les peintres les plus en vogue faisaient vivre une cour empressée. Une époque s'était terminée avec l'enterrement du plus fastueux d'entre eux, Pascin, riche, célèbre et malheureux, suicidé la nuit du 2 juin 1930, les veines tranchées, traçant avec son sang un ultime adieu à la belle Lucy Krohg qui avait été l'enchantement et le tourment de sa vie. Et comme la délivrance tardait à venir, Pascin, acharné à mourir, avait arraché un fil électrique et s'était pendu à un bouton de porte où ses amis les peintres et écrivains Kisling, George Papazoff et André Salmon — l'auteur de *Tendres Canailles* qu'appréciait tant Prévert — l'avaient trouvé à l'aube. Un millier d'amis connus et inconnus, garçons de café, petits modèles, musiciens, surgis de la faune de la nuit, avaient suivi le cortège d'où les Américains du Sélect, de La Rotonde ou du Dôme étaient absents. Tous ceux-là qui, pendant une décennie, favorisés par le change, avaient jeté l'argent par les fenêtres, avaient regagné les États-Unis, mis à mal par le krach de Wall Street. La fête était terminée, les lampions s'éteignaient. La folie de vivre qui avait régné, durant ces années d'après guerre, carrefour Vavin, pour oublier bombardements, assauts et tranchées se dissipait. Restait la triste réalité, «le misérable spectacle du monde des années 30» qui avait inspiré le «Dîner de têtes».

Entre octobre 1929 et l'été 1931, la crise traversa l'Atlantique, touchant d'abord l'Allemagne tributaire des capitaux européens et l'Angleterre qui dévalua la livre sterling et abandonna le libre-échange. La France, où le chômage était insignifiant et qui comptait sur le matelas d'or sur lequel elle était installée — elle disposait du premier stock d'or européen avec un quart des réserves mondiales —, se crut épargnée. Il fallut bien vite déchanter. La chute des exportations et la guerre monétaire ouverte par les Anglais asphyxièrent bientôt l'économie française car les prix devenaient trop élevés pour être concurrentiels. Chez Renault, le temps de travail fut abaissé à trente-deux heures par semaine avec salaire à l'avenant. Pour survivre, les mécaniciens travaillaient au noir dans les garages proches de leur domicile. Faillites et liquidations se succédaient. En 1932, on comptera un million de chômeurs. Pour ceux qui virent disparaître ou s'effondrer pensions et allocations, ce fut bientôt la famine. À son tour Paris vit les files s'allonger à la porte des soupes populaires. Celle du Marais, dans le IIIe arrondissement, en servait sept cents par jour. Accompagnées d'un morceau de viande ou de fromage si un généreux donateur se manifestait. C'était rarement le cas en France où l'égoïsme des riches battait des records. Depuis 1925, la classe possédante s'était coupée du reste de la nation et se refusait à tout sacrifice pour aider à remettre sur pied un pays dévasté par la guerre. L'augmentation des impôts directs ou indirects touchait rudement les classes défavorisées tandis que les revenus des privilégiés échappaient aux prélèvements par des moyens certes légaux mais d'une injustice scandaleuse. Depuis l'époque où Jacques Prévert enfant accompagnait son père pour visiter les pauvres de Paris, rien n'avait réellement changé. La France était toujours en retard sur tous les autres pays occidentaux — en dehors des États-Unis — dans le domaine de la législation sociale[1] : les salaires et les conditions de travail y étaient pires que partout ailleurs. Banquiers, industriels, hommes d'affaires répugnaient à accepter une répartition équitable des sacrifices et se refusaient à comprendre les besoins d'une société industrielle moderne : sécurité sociale et distribution plus juste à la fois de la richesse et des charges fiscales[2]. Il ne fallait pas être grand clerc en économie politique pour constater que, depuis la fin de la Grande Guerre à laquelle ils avaient payé un lourd tribut, les travailleurs français avaient été privés de leur juste part des bénéfices rapportés par le retour de la prospérité.

Chez les Lacoudem, maintenant réunis dans des chambres meublées contiguës d'un petit immeuble au 39, rue Dauphine, en plein cœur de Saint-Germain-des-Prés, on constatait avec impuissance l'indifférence des favorisés de la fortune devant la misère économique des travailleurs français qui dissimulait une détresse morale plus dégradante encore, tant le gouffre

1. À l'exception de la loi sur les Assurances sociales votée en mars 1928 à l'initiative du gouvernement Poincaré, «qui ne couvrait que des risques particuliers et dont le but principal était d'imposer une épargne forcée aux travailleurs les moins favorisés.» (Michel Mourre, *op. cit.*)
2. William L. Shirer, *La Chute de la IIIe République*.

entre les couches sociales était large. Tous, de Prévert à Eli Lotar, de Jean-Paul Le Chanois[1] à Lou Tchimoukow, à leurs amis de longue date ou d'hier comme Marcel Duhamel, Max Morise, les Batcheff, Roland Tual, Brunius ou Jean George Auriol — politisés ou non, trotskistes, membres du PC ou «compagnons de route» comme on dira plus tard —, se désolaient de constater qu'accablés par un sentiment d'humiliation, d'oppression, d'impuissance, les ouvriers se désintéressaient de plus en plus du sort de la République dont le Parlement et le gouvernement leur semblaient avoir partie liée avec les employeurs et les riches pour les exclure de la communauté française. C'était à eux, intellectuels (qu'ils le veuillent ou non, ils l'étaient), cinéastes, poètes, écrivains, scénaristes, dialoguistes, décorateurs, de les pousser à réagir en leur offrant des œuvres propres à les faire réfléchir, et dans un langage qu'ils employaient tous les jours.

C'est dans ce contexte que parut «Dîner de têtes», à l'instant où la dépression allait frapper vraiment la France. On mesure mieux l'impact subversif de ce texte quand on connaît la situation du pays au moment de sa publication, même si *Commerce* et les différentes revues littéraires d'avant-garde qui avaient publié Prévert n'étaient guère susceptibles de parvenir dans les mains ouvrières. L'important était de faire quelque chose au moment où la misère et le mécontentement grandissaient dans la classe la plus défavorisée mais aussi dans la classe moyenne. De nombreux citoyens y avaient, comme les ouvriers, de plus en plus de mal à joindre les deux bouts mais, contrairement à la classe ouvrière dont les espoirs allaient vers le parti communiste, ils se tournaient vers l'extrême droite où des ligues, ayant pour objectif de renverser la République, étaient en gestation.

Chez les Lacoudem, l'activité militante se traduisit aussitôt par l'aide bénévole qu'ils apportèrent à un jeune cinéaste de vingt-six ans, Yves Allégret, que Prévert avait rencontré avec Paul Grimault à l'agence de publicité Damour et qu'il venait de retrouver assistant d'Augusto Genina sur le tournage des *Amours de minuit*. Yves, qui jusque-là avait joué les assistants auprès de son frère aîné Marc, compagnon d'André Gide, devait à son étiquette de militant trotskiste de se voir confier par la CEL (Coopérative de l'enseignement laïc), créée par l'ins-

1. Jean-Paul Dreyfus, secrétaire de rédaction à *La Revue du cinéma*, puis monteur, deviendra Le Chanois durant l'Occupation. Après la guerre il gardera le pseudonyme qu'il avait adopté dans la clandestinité notamment en tournant *Au cœur de l'orage* à la gloire des maquis du Vercors, avant de devenir le metteur en scène célèbre de *L'École buissonnière* et de *Sans laisser d'adresse*.

tituteur Célestin Freinet, la réalisation d'un court métrage : *Prix et profits* ou *La Pomme de terre*. Freinet, instituteur communiste de Saint-Paul[1], petit village des Alpes-Maritimes, était l'inventeur, ô combien contesté! d'une pédagogie de la liberté et de l'apprentissage progressif destinée à instruire des enfants «ni conformes ni uniformes». Au lieu d'imposer à ses élèves une obéissance aveugle, il faisait appel à leur inspiration et à leur initiative. Cette pédagogie populaire fondée sur l'expression spontanée faisait du modeste instituteur de campagne un révolutionnaire des méthodes d'enseignement, vivement combattu par la droite et le clergé qui menaient grand bruit contre les enseignants de ce type et réclamaient leur révocation[2]. Peu enclin à se laisser intimider, Freinet avait créé au sein de la Fédération de l'enseignement une Coopérative de l'enseignement laïc où se retrouvaient des communistes, des libertaires, des trotskistes, des socialistes, des révolutionnaires sans étiquette et des syndicalistes de toutes les tendances. Tous étaient engagés dans la lutte contre le capitalisme et la société bourgeoise et réactionnaire. Le film commandé par la CEL s'insérait dans le combat dont les Lacoudem partageaient les objectifs. Célestin Freinet aurait pu sans modifications figurer dans le «Dîner de têtes»! À travers l'itinéraire d'une pomme de terre, de sa récolte à la vente en ville, Yves Allégret avait conçu un film économico-sociologique montrant le dur labeur des petits paysans et les bénéfices substantiels qu'en retiraient les intermédiaires successifs jusqu'au consommateur. Le film était muet, avec des sous-titres rédigés par Yves Allégret, qui ne fit pas appel à la plume de Jacques Prévert mais à son talent de comédien ainsi qu'à celui de ses amis. Marcel Duhamel fut l'ouvrier, Isabelle Kloukowski, amie des Lacoudem, la femme de l'ouvrier, Jacques Prévert, le commis du mandataire aux halles, Lily Masson, fille du peintre surréaliste André Masson, la fille de l'ouvrier, et Pierrot Prévert, le commis de l'épicier. Auprès d'Yves Allégret, le directeur de la photographie était Eli Lotar. C'est dire que ce film qui sera jugé d'avant-garde, dans la lignée des films militants où l'ennemi de classe est clairement montré du doigt, fut entièrement conçu et répété dans les chambres voisines de la rue Dauphine où un groupe d'amis enthousiastes recréait autour de Jacques Prévert l'ambiance qui avait fait tout le charme de la bicoque de la rue du Château.

1. Plus connu aujourd'hui sous le nom touristique de Saint-Paul-de-Vence, nom qui n'a aucune existence légale.
2. Un des rares éducateurs français à avoir une audience mondiale, Célestin Freinet sera reconnu par les plus hautes instances internationales. En octobre 1996, l'Unesco célébrera solennellement le centenaire de «l'inventeur de la pédagogie moderne».

Ce fut le premier film d'Yves Allégret et le premier film français du genre, dont Eli Lotar dira : «*La Pomme de terre* est un des seuls films vraiment marxistes que je connaisse. »

C'est à cette même époque, dans la petite chambre du 39, rue Dauphine, que, sous la signature de Lacoudem 6 — bien ésotérique pour qui ignorait tout de la tribu de ceux-qui-se-reconnaissent-en-se-frottant-le-coude —, Jacques Prévert écrivit, d'une plume trempée dans le vitriol, un pamphlet contre le cinéma commercial et les actualités, intitulé *Courrier de Paris* et publié par l'ami Jean George Auriol dans le numéro 27 de *La Revue du cinéma*. On le savait depuis « L'Ange garde-chiourme » et « Dîner de têtes », Prévert n'était pas homme à tourner autour du pot ou critiquer doctement. Il visait au cœur de la cible sans trembler. Bien qu'écrivant pour *La Revue du cinéma* sous-titrée « Critique, recherche, documents », il se refusait à jouer les théoriciens. Il annonçait d'emblée la couleur. Ni démonstration ni démolition par l'abstrait mais des flèches bien acérées qui allaient droit au but. Avant même d'avoir commencé sa carrière cinématographique, fin connaisseur d'un milieu dont il savait tout des coulisses grâce à son expérience de figurant puis à la fréquentation de Denise et Pierre Batcheff, Prévert s'en prenait d'emblée aux producteurs sans imagination prêts à servir, toute préparée, une nourriture passe-partout qu'avalerait sans broncher la clientèle du samedi soir, épuisée par une longue semaine de labeur. « Les producteurs, les marchands de soupe lumineuse ont bien fait les choses, écrit-il notamment, ils savent bien que le cinématographe n'est pas un moyen d'expression, mais une machine à raconter des histoires, de même que les machines à fabriquer de fausses hirondelles pour exporter dans les pays qui n'ont pas la chance d'en avoir de vivantes, sont des machines à fabriquer de fausses hirondelles ni plus ni moins. Quelquefois pour donner le change, pour contenter les artistes, les délicats, on laisse partir un véritable oiseau vivant, mais si l'oiseau vole trop haut ou trop bas, si ses plumes sont un peu trop rouges, si son bec est un peu trop dur, les producteurs le mettent en cage comme les barbeaux mettent leur femme en maison, et le cinéma redevient ce qu'il "doit être", quelque chose comme le bébé réclame d'un grand quotidien intègrement véreux : un jeune géant au service du bien public. » Suivaient quelques exemples de navets stéréotypés susceptibles de plaire « aux vieillards officiels » de la commission de censure, instituée aussitôt après la Grande Guerre sous le nom de Commission de contrôle préalable des films, auxquels Prévert aura à se heurter souvent au cours de sa carrière de scénariste dialoguiste. Navets que seuls les aisés, les installés pouvaient se permettre de critiquer et de huer « tandis que dans une salle de quartier, lorsqu'un homme se lève le samedi soir pour protester, sa femme le tire par la manche parce qu'elle sent bien qu'on va l'assommer». Et cela durera jusqu'au jour où ces hommes pourront « se voir, se reconnaître, comprendre leur force et leur véritable "grandeur naturelle", et se lever, sortir, et s'unir pour composer leur programme eux-mêmes».

Par bonheur tous les producteurs n'étaient pas de la race que Prévert décrivait dans *Courrier de Paris*. Pierre Braunberger, créateur des studios de Billancourt, et Roger Richebé, son associé dans de nombreuses productions, étaient de ceux que l'on pouvait fréquenter puisque c'étaient eux qui permettaient à Jean Renoir de tourner — en cette année 1931 — son premier long métrage parlant, *La Chienne*, dont Denise Batcheff était la monteuse. En outre Pierre Braunberger, qui avait débuté très jeune[1] au cinéma — à dix-huit ans il avait présidé à la naissance des premiers films muets de Renoir —, avait déjà produit Alberto Cavalcanti, le Buñuel d'*Un chien andalou* et de *L'Âge d'or*, et donné sa chance à Marc Allégret qui, accompagnant son « oncle » en Afrique, en avait rapporté *Voyage au Congo* présenté au théâtre du Vieux-Colombier avec des œuvres de Fritz Lang, Murnau, Flaherty et Feyder. Jacques Prévert appréciait ce jeune homme de vingt-six ans qui déclarait avec panache que la première vertu d'un producteur était l'éclectisme, qu'il devait aimer toutes les initiatives et s'intéresser à tous les genres, à toutes les formes de la recherche artistique et du spectacle[2]. Grâce à Denise Batcheff, les frères Prévert, Gazelle et Marcel Duhamel s'étaient également liés d'amitié avec Charles David[3], directeur de production du tandem Braunberger-Richebé et directeur technique de leurs studios. Aussi, lorsque le trio de producteurs lui proposa son premier vrai travail de scénariste dialoguiste, Jacques n'hésita-t-il pas un instant. Il s'agissait de mettre au point une série de moyens métrages, dépassant à peine l'heure, d'après une idée d'André Girard, un affichiste célèbre[4], dont le héros, gourdiflot à souhait, portait le nom de Baleydier. Pour le premier épisode — le seul qui sera tourné —, Prévert, partant du scénario original d'André Girard, bâtit l'histoire d'un garçon coiffeur, gagnant d'un concours qui lui permettait d'interpréter un grand film historique avec la partenaire de son choix. Durant le tournage, tout le monde se moquait de lui, mais, lors de la présentation au public, le film

---

1. Il était né à Paris le 29 juillet 1905.
2. Rapporté par Roger Boussinot in *L'Encyclopédie du cinéma*.
3. Futur mari de la jeune star d'Hollywood Deanna Durbin.
4. Et père de la future Danièle Delorme.

remportait un triomphe. Seulement crédité des dialogues additionnels, Jacques Prévert ne figurera même pas au générique de *Baleydier*, première réalisation du monteur Jean Mamy, et second film parlant d'un comédien de trente-six ans, Michel Simon, dont le talent venait d'exploser aux côtés de Louis Jouvet dans la pièce de Marcel Achard *Jean de la Lune*. Prévert lui écrira quelques-uns de ses meilleurs rôles et ceux-ci feront de l'acteur suisse l'un des plus prestigieux comédiens du xxe siècle. Dans le même temps, comme il avait décidément des fourmis dans la plume et trouvait le métier de scénariste dialoguiste à son goût, Prévert termina le premier scénario qu'il ait écrit seul, *Une petite rue tranquille*, que son frère Pierrot, assistant de Jean Mamy sur *Baleydier*, voulait tourner de nuit dans un des décors du film. C'était Charles David qui, profitant d'un grand décor de rue, avait eu cette idée lumineuse. Elle permettait enfin à Pierrot Prévert de mettre en scène son premier film. Hélas, Roger Richebé, qu'Henri Jeanson surnommera cruellement «Pauvre C.», refusera son autorisation et *Une petite rue tranquille* disparut dans les cartons du poète avec son «Président de la Ligue pour le bien et contre le mal» — incarnation d'Auguste-le-Sévère dont Prévert ne se débarrassera pas facilement — et son «Jeune homme à l'air remarquablement stupide» qui réapparaîtra sous les traits de Jean-Paul Dreyfus-Le Chanois dans la prochaine tentative des deux frères pour faire du cinéma sous leur nom. Quelques années plus tard, Prévert fera cadeau des dix-huit pages de ce manuscrit autographe écrit à l'encre rouge — où il faisait revivre un Paris populaire qu'il appréciait entre tous, peuplé de petites gens, une blanchisseuse, une fleuriste, un cordonnier, des passants — à Jean-Louis Barrault qui le conservera jusqu'à la fin de sa vie, et on le retrouvera dans la succession Renaud-Barrault[1]. Sans se décourager du peu de succès de leurs entreprises communes, Pierrot Prévert qui, après avoir travaillé avec Jean Mamy, venait d'être l'un des assistants de Jean Renoir sur *La Chienne*, se joignit à son frère pour écrire à quatre mains un nouveau scénario qu'il parviendrait peut-être à tourner enfin : *L'Honorable Léonard*. Partant d'un héritage inattendu fait par un doux farfelu du nom de Ludovic qui ressemblait comme deux gouttes d'eau à Pierrot — il en avait la gentillesse, la douceur et la modestie —, Jacquot lui faisait recueillir dans la maison dont il était le nouveau propriétaire les représentants de tous ces métiers qu'il aimait tant et qui, dans un proche avenir, étaient

---

1. Vente organisée le 27 juin 1995 au théâtre Marigny par Me Jacques Tajan. Lot n° 395. Le texte sera publié la même année par les Cahiers de la NRF in *Attention au fakir!*.

appelés à disparaître : repasseurs de couteaux, fleuriste à la sauvette, blanchisseuses, marchands d'oiseaux, etc. Sous la plume de Prévert, les méchants qui peuplent notre monde et conspirent contre le bonheur des humbles se révélaient impuissants à troubler le ciel de notre terre et son poétique défenseur. Trop de bons sentiments ? Trop de gentillesse dans le scénario ? Toujours est-il que *L'Honorable Léonard* ne trouva pas sa place parmi les cent cinquante-sept films parlant qui se tournèrent en France durant cette année 1931. Mais les frères Prévert avaient mis un pied dans le monde du cinéma. Et Jacques, même s'il ne l'avait pas signé, avait vu son premier dialogue de film enregistré par des comédiens talentueux. Quant à Pierrot, il devra attendre douze ans avant de réaliser *L'Honorable Léonard*, qui sera devenu *Adieu Léonard* et qu'il tournera en pleine guerre (1943) !

Ces petites déceptions, ces blessures d'amour-propre n'étaient que peu de chose auprès des problèmes qui assaillaient les plus défavorisés des Français atteints de plein fouet par la crise. Préoccupations sociales qui n'empêchaient nullement ces jeunes gens à l'optimisme et à l'insouciance chevillée au corps de mener joyeuse vie dans une bohème prolongée, même si, rue Dauphine — où les Lacoudem s'étaient regroupés autour de Jacques Prévert qui, avec ses presque trente-deux ans, et malgré la juvénile frange de cheveux qu'il arborait maintenant, faisait figure de patriarche —, la table était plus frugale que rue du Château ou square de Robiac et à Barbizon.

Le 39, rue Dauphine était la copie conforme du 5, rue de Tournon où avaient logé jadis les familles Prévert, Dienne et Tiran, et où Jacques et Simone adolescents avaient vécu un premier amour qui durait toujours. C'était un de ces immeubles étroits de Saint-Germain-des-Prés qui, avec ses trois fenêtres de façade, avait abrité, dès la fin du XVIIIe siècle, un bureau des voitures pour Fontenay-aux-Roses avant de se transformer au XIXe en hôtel meublé d'Anjou puis Dauphine et de porter enfin le glorieux nom d'Aubusson. Si les trois premiers niveaux hauts de plafond étaient confortables, le quatrième et surtout le cinquième et dernier étage avec son minuscule balcon terrasse étaient constitués de logements exigus dont le seul avantage était d'être d'un loyer aussi modeste que la bourse de leurs occupants. Sous les toits, Simone et Jacques Prévert avaient comme voisins Eli Lotar, Lou Tchimoukow et une adorable et pulpeuse Ghislaine Aubouin, jeune fille venue de sa province et qui se destinait au cinéma. Presque chaque soir, une joyeuse bande les rejoignait composée de Pierrot venu en voisin de la rue du Vieux-Colombier où il habitait toujours entre le Père Picon, Maman Suzanne et le chat Médor, de Jean-Paul Le Chanois et de Claude Autant-Lara dont le rêve était d'être un jour metteur en scène. Décorateur de Marcel L'Herbier et assistant (notamment de René Clair), Autant-Lara était l'un de ces jeunes privilégiés issus de la bourgeoisie qui se proclamaient pacifistes et ne voyaient du cinéma que l'avant-garde. Fils d'une comédienne célèbre à la Comédie-Française, il avait réalisé à vingt ans un court métrage, *Fait divers*, dont l'unique interprète était Antonin Artaud que Prévert admirait depuis toujours. Claude revenait d'Hollywood où, pendant deux ans, il avait tourné les versions françaises de certains films américains interprétés par Buster Keaton et Douglas Fairbanks Jr pour lesquels il avait mis au point un ingénieux procédé de doublage. Il se sentait si bien en harmonie avec les Lacoudem qu'on le revit souvent rue Dauphine où se pressaient également Louis Chavance, Jacques-Bernard Brunius, Jean George Auriol, sans oublier ceux qui avaient été les mécènes de Prévert : Denise et Pierre Batcheff de retour de Berlin ; Gazelle et Marcel Duhamel qui, pour se refaire une santé financière, avaient ouvert dans leur nouvel appartement du 83, rue du Bac un atelier de modiste où Grety et son mari, le surréaliste Jacques Baron, donnaient la main à la belle Gazelle pour créer les plus jolis chapeaux de Paris. «Tout notre groupe, se souviendra Jean-Paul Le Chanois, communiait dans la même admiration affectueuse pour l'extraordinaire personnalité de Prévert qui eut, sur les petits-bourgeois que nous étions encore, une influence inoubliable pour tous, décisive pour certains. L'hôtel meublé de la rue Dauphine où Jacques habitait avec Simone et un cochon d'Inde nommé Doudouille devint notre lieu de réunion quotidien. Jean George y venait souvent "dîner" avec nous[1].» C'est là que le directeur de *La Revue du cinéma* rencontra Sonia, la jeune sœur de Pierre Batcheff, qu'il devait épouser bientôt. C'est là aussi que Claude Autant-Lara découvrit le charme dévastateur de la très belle Ghislaine qui posait si joliment en maillot de bain entre Lou Tchimoukow et les frères Prévert pour l'objectif d'un Lacoudem en espérant convaincre par sa plastique un de ces producteurs qui faisaient la pluie et le beau temps entre les plateaux de Joinville-le-Pont, Boulogne-Billancourt et Francœur. En même temps que Jacques et Pierre Prévert donneront sa première chance à la starlette en herbe dans leur premier film — *L'affaire est dans le sac* —, Autant-Lara lui signera un contrat d'exclusivité pour le restant de ses jours en en faisant sa femme ! Seule la mort, un demi-siècle plus tard, pourra séparer le couple.

---

1. Jean-Paul le Chanois, préface à la réédition de *La Revue du cinéma*. Pierre Lherminier éditeur, 1979.

Dans cette ambiance d'extrême liberté, les unions se faisaient — parfois temporairement, parfois pour la vie — et se défaisaient sans provoquer de drames véritables. C'est ainsi que la charmante et volage Gazelle succomba un temps au charme non moins efficace de Lou Tchimoukow. Après une brève passade, elle reviendra bientôt dans les bras de Marcel Duhamel, qui lui non plus n'était pas un monstre de fidélité. Très amie avec Gazelle, Simone Piévert, même sans les partager, comprenait ces sautes de température dans la passion qui unissait deux êtres et savait à merveille consoler, ragaillardir, donner de l'espoir à celui ou celle qui en avait besoin. Mme Grosminou était quelque chose comme la bonne fée des Lacoudem qui unanimement lui rendaient hommage. D'une boîte de pilchards pour quatre, d'une omelette et de spaghettis à la tomate, elle faisait un festin pour ces éternels fauchés qu'étaient les amis de son mari. « Quand l'un ou l'autre a un peu d'argent, dira encore Le Chanois, on dîne dans les petits bistrots et on attend minuit pour aller à la séance du Paramount à cent sous. On revient à pied par les Halles chercher des fanes de carottes pour Doudouille, le cochon d'Inde de Jacques[1]... » Pratique, Simone, qui avait partagé les bancs publics et les nuits difficiles, savait mieux qu'une autre traficoter le compteur à gaz du réchaud qui fonctionnait avec des pièces de vingt sous. Il suffisait de l'incliner dans un certain sens pour que le précieux gaz vînt alimenter gratuitement le foyer de la bohème ! « Simone, tout le monde l'adorait. Elle n'était pas très belle mais charmante, rouquine, avec des yeux dorés qui se plissaient quand les garçons commençaient leurs facéties. C'était une personne discrète, sensible, rieuse, incapable d'une méchanceté. Elle était la complice merveilleusement silencieuse du groupe et elle s'accommodait de la vie telle qu'elle se présentait. Depuis qu'ils s'étaient connus rue de Tournon, Simone avait tout partagé avec Jacques. En mûrissant il était devenu moins macho et avait pour elle tendresse et considération. Elle l'admirait plus que quiconque. Elle savait qu'il avait beaucoup de talent et elle croyait en lui. Malgré sa discrétion elle me le disait parfois. Pour moi, sans cette femme il n'y aurait pas eu de Jacques Prévert[2]. » Les moins indulgents lui reprochaient d'être en adoration devant son grand homme, d'être volontiers sa chose et de ne vivre que dans son ombre, sans grande personnalité ; ce qu'elle n'acquerra qu'après leur séparation, dans les années 1935. « Simone a aimé Jacques comme on ne peut l'imaginer,

1. *Ciné-Club*, n° 4, janvier 1949.
2. Denise Tual à l'auteur, et in *Le Temps dévoré*.

dira Gazelle. Elle n'avait que lui en tête et a été très privée de ne pas en avoir d'enfant[1]. »

Malgré son côté sérieux, parfois un peu sévère[2], la compagne de Jacques n'en était pas pour autant la dernière à se réjouir des facéties de la «bande à Prévert», plus soudée que jamais. La provocation, hier chère aux occupants de la rue du Château, était toujours de mise chez les Lacoudem et donnait lieu parfois à des situations détonnantes. Cibles préférées de Prévert : les bourgeois, les militaires, les flics et les curés. Hier comme aujourd'hui. Avec une prédilection pour les soutanes, surtout lorsqu'elles étaient portées par un beau prêtre récemment ordonné. C'était alors que Gazelle, souvent court vêtue, excitante en diable, entrait en action. «La dernière fois c'était à la station Rennes, racontera-t-elle plus tard, là où la bouche de métro se trouve sur un terre-plein du boulevard Raspail. Arrive un jeune curé, beau, blond comme les blés. Avec Prévert et un de ses copains on lui a emboîté le pas. "Marche un peu plus vite, dépasse-le puis ralentis, m'a soufflé Jacques en riant d'avance. On te suis." J'ai obéi aux instructions et j'ai entendu mes deux lascars apostropher le malheureux : "Mais vous n'avez pas honte de toucher les fesses des jeunes femmes !" Je suis entrée dans le jeu, indignée. Le pauvre curé est devenu tout rouge. Un attroupement s'est formé et le gamin-prêtre s'est enfui sous les quolibets[3]. »

S'il était capable d'engueuler n'importe qui dans la rue ou à une terrasse de café sous le plus fallacieux prétexte, Prévert pouvait aussi discuter très sérieusement avec un clochard et se montrer généreux alors qu'il n'avait lui-même pas grand-chose à se mettre sous la dent. Paul Grimault rapportera à Francis Lemarque comment un bon clodo rencontré sur les boulevards livra au poète, toute faite, l'une de ses plus belles répliques de cinéma : «Mon rêve, tu vois, il est pas compliqué : dormir dans un vrai lit avec un drap dessous, un drap dessus[4]. » Pour exaucer ce vœu, Prévert n'hésita pas à louer dans un petit hôtel du boulevard une chambre «pour un honorable vieillard». Tête de l'hôtelier quand la gravure de mode qu'il se réjouissait d'avoir pour client revint avec le vagabond[5] ! Il renouvellera l'expérience avec les Lacoudem à la terrasse d'un café de la Porte-Saint-Martin où il invita un mendiant bien

1. Gazelle Bessières à l'auteur.
2. Francis Lemarque à l'auteur.
3. Gazelle Bessières à l'auteur.
4. Dans *Quai des Brumes*, Jacques Prévert mettra dans la bouche d'Aimos-Quart-Vittel la réplique suivante : « ... Mon rêve... c'est de dormir une fois dans des vrais draps blancs, tu sais... un drap au-dessus... un drap au-dessous... »
5. Francis Lemarque à l'auteur.

crasseux à boire un demi. Devant le refus de servir du garçon, Prévert lui planta un scandale comme le loufiat en avait rarement essuyé de la part de consommateurs aussi bien habillés et accompagnés de si jolies femmes. « Qu'est-ce que c'est que cette foutue baraque où on refuse de servir les clients ! » clamait Jacques Prévert tandis que la terrasse prenait le parti du gérant venu en renfort, et la rue celui des provocateurs qui ce soir-là finirent au poste tandis que les femmes, une fois de plus, alertaient le député Gaston Bergery.

Les incidents de cette sorte nourrissaient les spectacles que les jeunes gens se donnaient à eux-mêmes dans la petite chambre de Jacques Prévert. « C'est Jacques qui commençait presque toujours, constatera Jean-Paul Le Chanois reconstituant ces heures heureuses. Sa truculence, son invention étaient extraordinaires. Il était le meneur de jeu. Il sortait, frappait à la porte, et devenait un personnage qui était le gérant de l'hôtel qui venait réclamer les loyers, ce qui hélas arrivait assez souvent, il était la petite sœur des pauvres qui vient quêter pour la grande sœur des riches, il était un commissaire de police qui venait s'intéresser à la poésie populaire et souhaitait se faire entendre. Il y avait à chaque fois un général qui s'était trompé d'immeuble... Jacques commençait et chacun de nous — Brunius, Tchimoukow, Pierrot, Ghislaine, Chavance, moi — avec ses propres moyens continuait. Selon que nous étions plus ou moins lancés, le sketch durait une heure ou deux. Une heure de discours insensés, de coq-à-l'âne, de dialogues étincelants où se déchaînait le génie poétique de Jacques Prévert. Il déployait dans ces improvisations toute sa fantaisie, son invention permanente, ses associations imprévues d'idées et de mots. Pierre, lui, composait un personnage larmoyant, lugubre, inquiet, lymphatique, heureux mélange de Buster Keaton et d'Harry Langdon. Un personnage poétique et charmant à l'image des films qu'il réalisa par la suite. La profonde amitié des deux frères se manifestait jusque dans ces sketches dont il ne reste bien entendu aucune trace. Je revois toujours Jean George Auriol, couché sur le lit, secoué de hoquets, malade de rire, et criant : "Assez, assez ! Je n'en peux plus." Ce "clan" de la rue Dauphine avait un lien évident avec le cinéma[1]. » Ce cinéma où chacun rêvait de réussir mais où il était si difficile de percer et surtout de durer, quelle que soit la technique choisie. Jean George Auriol fut le premier à en faire les frais. Il dut interrompre la

1. Jean-Paul Le Chanois, préface à la réédition de *La Revue du cinéma* ; in *Ciné-Club*, n° 4, janvier 1949 ; à Michel Fauré in *Le Groupe Octobre*, et dans l'émission de Serge Grand et Jeanne Rollin-Weisz consacrée au Groupe Octobre sur France Culture, 3 mars 1984.

parution de *La Revue du cinéma* à la fin de l'année 1931 au vingt-neuvième cahier[1]. « C'était, dira plus tard Jacques Doniol-Valcroze en fondant *Les Cahiers du cinéma*, un carrefour où tenir un langage sans contrainte, hors duquel le risque était l'abandon, autrement dit : la sorte de neutralité malveillante, qui tolère un cinéma médiocre, une critique prudente, un public hébété[2]. » Trop ambitieuse à une époque où le cinéma était loin d'avoir le prestige culturel qu'il a acquis aujourd'hui, la revue ne faisait plus ses frais, et Gallimard décida d'en interrompre la publication. Jean George Auriol devint alors scénariste adaptateur chez Pathé-Natan où il travailla — sans signer sa participation, tel Jacques Prévert avec *Baleydier* — à *La Petite Lise* avec Charles Spaak et Jean Grémillon. Le 1er janvier 1932, Jean-Paul Le Chanois, sans se soucier de l'échec de son ami, fonda un hebdomadaire, *Spectateurs*, qui prenait appui sur le ciné-club « Spectateurs d'avant-garde ». Tiré en rotative à dix mille exemplaires, vendu dans les kiosques, *Spectateurs* — ancêtre de *La Semaine de Paris*, *Pariscope* — donnait les programmes de la semaine et rendait compte de tous les films et pièces nouvelles. Le Chanois demanda articles et critiques à ses copains de la défunte *Revue du cinéma* ainsi qu'à Jacques Prévert qui, durant les seize semaines que vécut *Spectateurs*, lui donna pour le numéro 6 « Bilan 1931 », qui était une nouvelle mouture de « Courrier de Paris » où il avait si violemment attaqué le cinéma commercial, les actualités et les producteurs sans imagination, sous le pseudonyme de Lacoudem 6. Cette fois il signa de son nom « Bilan 1931 », mais prit un nom d'emprunt à consonance bretonne, Yves Bolorec, pour signer en mars un article destiné au numéro 13, intitulé « Actualités, funérailles, etc. ». En revanche, il retrouva son patronyme pour présenter aux lecteurs du numéro 15 de *Spectateurs* le premier épisode des « Aventures de Tabouret », « grand feuilleton, annonça la revue dès le 25 mars 1932, dont le héros, votre ami, vous vengera tous les vendredis d'une multitude de faits, de brutalités, de vexations, de contraintes, dont la Société actuelle vous fait souffrir. Tabouret a connu toutes les aventures, les meilleures comme les pires ». Elles étaient celles parfois vécues par Prévert et par toutes les victimes des empêcheurs de danser en rond dans un monde qu'il voulait changer. Tabouret était l'un de ces personnages farfelus nés lors des improvisations dans la chambre sous les toits de la rue Dauphine. La première scène, dans le commissariat de la place Saint-Sulpice que Jacquot « fréquentait » depuis l'adolescence, donnait le ton :

1. Elle connaîtra une nouvelle vie en 1946, durant dix-neuf cahiers.
2. Cité par Roger Boussinot in *L'Encyclopédie du cinéma*.

«Nom, prénoms, adresse, profession?

— Tabouret», répondit l'homme et le commissaire fit la moue.

«Tout le monde ne peut pas s'appeler chaise à porteurs ou Nicolas II, je m'appelle Tabouret, ça s'écrit comme le meuble, ça se prononce pareil et si vous voulez savoir mes prénoms, c'est Alpaga, Médor, Lucifer!

— Ce ne sont pas des noms de saints», rugit le commissaire...

Suivait une de ces improvisations dont Prévert avait le secret et qui ravissaient les Lacoudem. Jouant avec virtuosité sur les mots, Tabouret-Jacquot emmenait le commissaire sur des chemins d'où les personnes «sensées» ne revenaient pas indemnes:

«... Savez-vous supposer, monsieur le commissaire?

— Je suppose», répond l'autre, pris au dépourvu.

«Eh bien! supposez que je sois dans la rue au lieu d'être ici, et suivez mon raisonnement.

Je suis dans la rue assis sur un banc, une femme passe, je me lève et je la suis.

Vous me suivez? Bien! Je suis donc un homme qui suit une femme, bien, si je suis une femme, je ne suis pas un homme, puisque c'est une femme que je suis.

Suivez-moi bien... je suis toujours cette femme, elle s'arrête, entre chez elle et me laisse à la porte, je ne suis plus cette femme, je ne suis pas une femme, je ne suis pas non plus Tabouret, puisque je ne suis pas moi-même, vous saisissez et voilà qu'un chien se met à passer, je lui emboîte le pas, c'est très clair, je ne suis pas un homme, je ne suis pas une femme, puisque c'est un chien que je suis, et si je suis chien, ma place n'est pas ici, mais à la Fourrière, vous avez fait une erreur judiciaire.

Je porte plainte en aboyant, écoutez-moi!»

Grimpé sur un banc, Tabouret fait entendre sa voix, il aboie, il hurle à la mort, et le commissaire, le brigadier et les autres bovins vont et viennent dans le poste de police en se serrant les uns contre les autres, comme un troupeau de vaches effrayées par un gros chien fou.

La première livraison des aventures de Tabouret s'achevait sur une altercation du héros qui après avoir ridiculisé les flics s'en prenait aux curés et autres cul-bénis incarnés par M. Petit-Buis, marchand d'articles religieux du quartier Saint-Sulpice, lequel résumait la situation d'une phrase définitive: «C'est fini, il n'y a plus de discipline, plus de patrie, plus de respect!»

C'était, concentré en quelques mots, le credo ricanant de Jacques Prévert dont la plume, de semaine en semaine prenait

de l'assurance. Malheureusement il n'eut pas le loisir de poursuivre immédiatement son œuvre iconoclaste. Tabouret disparut avec *Spectateurs*, n° 16, donnant raison — reconnut
lui-même son créateur Jean-Paul Le Chanois — à Jean George
Auriol qui lui avait refusé sa participation, le trouvant trop
agressif et inutilement engagé. Prévert n'avait pas de ces scrupules. À ses yeux, rien n'était trop engagé lorsqu'il s'agissait
de défendre les moins favorisés. Après avoir descendu en
flammes le cinéma de grande cavalerie dans «Courrier de
Paris» et avoir récidivé dans «Bilan 1931» avec la bénédiction
de Jean-Paul Le Chanois, devenu une sorte de représentant
officieux du parti communiste dans les milieux du cinéma[1],
Prévert continua imperturbablement à enfoncer le clou en
attaquant cette fois le théâtre de boulevard dans un texte aussi
féroce que les précédents et qu'il donna, pour que les choses
soient bien claires, à *La Scène ouvrière*, organe mensuel de la
Fédération du théâtre ouvrier de France (FTOF) qui le publia
— sous le titre «Chez les autres» — en février 1932 dans le
numéro 1 de sa deuxième année de parution. Après avoir violemment attaqué quelques succès à l'affiche — entre autres
ceux d'auteurs fort prisés du public bourgeois comme René
Benjamin, André Obey ou Jean Sarment, déjà rudement étrillé
dans «Courrier de Paris» (je suis trop grand pour moi qui suis
trop petit pour Charlie Chaplin[2]) —, Jacques Prévert n'avait
pas de mots trop durs pour souligner l'absence d'un théâtre
«pour les prolétaires». «Dès qu'on présente un ouvrier, un
paysan sur une scène française, écrivit-il, c'est pour le tourner
en ridicule, ou pour le montrer d'abord révolté au premier acte,
plus réfléchi au second, plus calme et trahissant sa classe au
troisième. Ce n'est pas le moment de se laisser endormir, il
faut critiquer vite, dire non […] c'est le moment ou jamais de
faire son théâtre soi-même.» Au sommaire de *La Scène ouvrière*,
le nom de Prévert apparaissait pour la première fois auprès de
ceux de militants de première grandeur du mouvement ouvrier
comme Paul Vaillant-Couturier, Henri Leduc et Léon Moussinac que sa prose ne laissa pas indifférents.

Maire de Villejuif, membre du Comité central du parti
communiste français, rédacteur en chef de *L'Humanité*, Paul
Vaillant-Couturier, fils d'artistes lyriques fort aisés, avait été
l'un des créateurs — en janvier 1931 — de la FTOF, section
française de l'Union internationale du théâtre ouvrier, dont

---

1. Pascal Ory, *La Belle Illusion*.
2. *Je suis trop grand pour moi* était une pièce de Jean Sarment à laquelle,
selon l'auteur, Charlie Chaplin aurait emprunté de nombreuses scènes des
Lumières de la ville!

Jean-Paul Le Chanois était l'un des trois secrétaires[1]. La FTOF était la branche théâtrale du mouvement communiste et avait comme but avoué de « s'adresser à ceux que la société capitaliste exclut du théâtre et, au besoin, de chasser le répertoire bourgeois, la culture bourgeoise des spectacles ouvriers. Le répertoire proposé devait parler, dans le fond comme dans la forme, la langue du peuple[2] ». Vaillant-Couturier et Léon Moussinac, historien du cinéma, titulaire de la rubrique cinématographique de *L'Humanité*, chef de file de la critique française et ami intime d'Eisenstein, venaient de créer dans le premier trimestre 1932[3] l'Association des écrivains et artistes révolutionnaires (AÉAR), section française de l'Union internationale des écrivains révolutionnaires. Malgré ses multiples activités, Paul Vaillant-Couturier, écrivain de classe tout comme Léon Moussinac, en avait été élu secrétaire général. C'est dire si, malgré sa réputation d'anarchiste refusant tout embrigadement politique, Jacques Prévert avait tout pour attirer par ses écrits l'attention de la FTOF et de l'AÉAR dont les membres influents avaient déjà été alertés par Jean-Paul Le Chanois. Retrouver sa signature parmi les trois cents qui figuraient au bas d'un texte mis au point par les surréalistes pour protester contre l'inculpation d'Aragon auteur de « Front rouge », poème paru dans la revue *Littérature de la Révolution mondiale*, n'étonna aucun des militants de l'AÉAR. On sait que Prévert n'appréciait guère Aragon qui le lui rendait bien, depuis qu'il avait été la cible de son humour ravageur lors du roman d'amour avec Nancy Cunard. De son côté, Jacques Prévert était loin d'avoir approuvé l'attitude autocritique d'Aragon et de Sadoul au congrès de Kharkhov[4] où ils avaient représenté les surréalistes à la IIᵉ Conférence internationale des écrivains prolétariens et révolutionnaires. Ils étaient rentrés conquis d'un congrès stalinien qui enterrait toute velléité d'indépendance des « écrivains révolutionnaires » à l'égard de l'URSS. L'aventure avait inspiré à Aragon ce « Front rouge » qui lui valut, dès janvier 1932, une inculpation « d'incitation de militaires à la désobéissance et de provocation au meurtre dans un but de propagande anarchiste[5] » pour laquelle il risquait cinq ans de prison. André Breton rédigea aussitôt la pétition « L'Affaire Aragon » qui recueillit au mois de mars plusieurs centaines de signatures dont celle de Jacques Prévert[6]. Signer un texte écrit par un homme avec

---

1. Le Chanois en sera l'unique secrétaire général en 1933.
2. Pascal Ory, *op. cit.*
3. Le 5 janvier selon Michel Fauré, in *Le Groupe Octobre*, le 17 mars selon Pascal Ory, in *La Belle Illusion*.
4. Du 6 au 15 novembre 1930.
5. Aragon, *Œuvres romanesques complètes*, La Pléiade.
6. Mais pas celles de Gide, Martin du Gard, Cassou et Valéry, etc.

lequel il avait rompu et dont il avait dit pis que pendre dans le pamphlet *Un cadavre*, afin de soutenir un poète qu'il n'estimait guère, n'était pas dans le caractère d'un Prévert, mais là, plus que l'œuvre d'un écrivain, il s'agissait de défendre la liberté d'expression à l'heure où, la lutte antifasciste étant à l'ordre du jour, il s'agissait de faire bloc avec la classe des «possédés» face à celle des «possédants». Aussi, à peine née, l'Association des écrivains et artistes révolutionnaires pouvait-elle le compter dans ses rangs, même si, par son adhésion, il n'avait pas le sentiment de s'enrôler sous une bannière partisane mais sous le pavillon de la simple justice à laquelle la classe ouvrière aspirait tant.

*

Les dizaines de troupes d'amateurs qui se réclamaient de la Fédération du théâtre ouvrier de France s'efforçaient avec plus ou moins de bonheur de se constituer un répertoire. L'une d'entre elles, parmi les plus étoffées, portait le joli nom de Prémices et était dirigée par Roger Legris, élève de Georges Vitray, comédien très connu de la troupe de Gaston Baty qui facilitait volontiers répétitions et représentations en mettant à sa disposition d'abord le Studio des Champs-Élysées puis le théâtre Montparnasse. Roger Legris était le seul professionnel de la troupe, composée uniquement d'amateurs, ouvriers, employés, couturières, fonctionnaires, en tout une trentaine de personnes. Leur but unique: monter des spectacles destinés à être donnés soit au cour de fêtes organisées par des fédérations syndicales ou groupements ouvriers, soit au cours de soirées préparées par la troupe elle-même. On y présentait des chœurs parlés du genre chœur antique, des scènes mimées et des comédies en un acte. On puisait dans Octave Mirbeau, dans Prosper Mérimée, dans l'œuvre du grand poète belge Émile Verhaeren — dont le socialisme restait dans la tradition idéaliste de Hugo et que Roger Legris appréciait particulièrement —, mais aussi dans les poèmes de Paul Vaillant-Couturier, de Léon Moussinac et de Boris Pasternak. En bon professionnel du théâtre, Roger Legris prônait un long travail de laboratoire et d'innombrables répétitions afin de présenter au public des spectacles parfaits. Ce tenant de «l'art pour l'art» s'opposa bientôt à une partie de la troupe — la plus jeune, la plus combative — qui rêvait de trouver une nouvelle forme d'expression, de participer, à l'heure du chômage et de la misère provoqués par la crise, à l'agitation ouvrière, aux meetings populaires, à l'action politique en vue des élections législatives de mai-juin 1932 et non plus de se contenter de la recherche esthétique pure. Ils furent une dizaine à suivre le conseil de Léon Moussinac qui, après avoir présidé à la naissance du groupe Prémices, conseilla aux trublions de fonder leur propre compagnie.

Ainsi naquit un nouveau groupe que d'aucuns baptiseront plus tard le Groupe de choc Prémices. On y trouvait Suzanne Montel, employée de bureau aussitôt bombardée secrétaire de la nouvelle troupe, Raymond Bussières dit Bubu, dessinateur à l'Hôtel de Ville, un titi dont l'accent parigot et l'humour décapant faisaient le bonheur de tous, la jeune belle-sœur de son frère, Arlette Besset, une amie d'enfance, étudiante en droit, et son camarade de faculté Jean Loubès ; Ida Lods, belle-sœur de Léon Moussinac, danseuse dans la petite troupe de Georges Pomiès, qui avait rallié la chorale de l'AÉAR, et épouse du cinéaste Jean Lods, proche de Moussinac dans l'aventure des ciné-clubs. On y trouvait également Jeanne Chauffour, couturière au chômage, compagne et bientôt épouse de Lazare Fuchsmann, lui-même aide-comptable occasionnel qui se voulait révolutionnaire professionnel et venait de passer un an dans l'effervescence de Berlin ; Ghitel Fruhtman, une jeune et jolie émigrée soviétique venue d'un ghetto de Bessarabie entre Ukraine et Moldavie, que tout le monde adorait, appelait Gisèle et qui deviendra la femme de Pierrot Prévert, enfin Louis Félix et Virginia Gregory, agrégée d'italien. Aussitôt se posa le problème du répertoire qui devait rompre avec celui de Roger Legris trop exclusivement attaché à l'aspect artistique alors que les jeunes dissidents — tous avaient moins de la trentaine — souhaitaient des textes plus musclés. « Legris ne s'intéressait qu'à l'art, nous, nous voulions faire la révolution », affirmera Raymond Bussières[1]. « Nous ne jurions que par l'agit-prop comme on disait dans les années 30, se souviendra Arlette Besset. Il nous fallait des textes de circonstance pour aller sous les préaux d'école appuyer les thèmes de la campagne électorale développés par les orateurs et non plus les textes populistes ou symbolistes ainsi que les chœurs antiques qui constituaient jusque-là notre répertoire et dégageaient un profond ennui[2]. »

Durant son séjour à Berlin, Lazare Fuchsmann — déjà membre du parti communiste comme Raymond Bussières — avait pu observer le travail d'un Erwin Piscator face à la montée du nazisme. Pionnier du théâtre prolétarien d'amateurs, Piscator allait chercher le public ouvrier là où il se trouvait : à la porte des usines, dans les quartiers les plus défavorisés ainsi que dans les endroits les plus divers de la capitale, brasseries, salles de réunions syndicales, ateliers et chantiers, et lui don-

---

1. In *Mon frère Jacques*.
2. Arlette Besset à l'auteur, et in Michel Fauré, *Le Groupe Octobre*.

nait ce théâtre d'agitation et de propagande (l'agit-prop) qui
séduisait tant le Groupe de choc. Mais où trouver les textes susceptibles de toucher le public populaire? Arlette Besset et
Raymond Bussières, familiers de longue date de Paul Vaillant-
Couturier, lui demandèrent conseil avec le secret espoir de se
voir remettre les textes salvateurs par l'homme qui ne se
contentait pas d'être le rédacteur en chef de *L'Humanité*, le
plus brillant orateur et le plus redoutable polémiste du parti
communiste, mais était de surcroît peintre, poète et auteur dramatique des plus estimables. Par malheur, Vaillant-Couturier
n'avait pas assez de vingt-quatre heures par jour pour venir à
bout des multiples tâches qui lui incombaient. Il envoya ses
jeunes camarades à Léon Moussinac, son ami d'enfance, son
presque frère, qui savait tout de Prémices, du Groupe de choc
et de ses espérances. Après un temps de réflexion, Moussinac
leur conseilla de prendre contact avec un certain Jacques Prévert, «un gars très marrant et qui a l'air très bien», rencontré
récemment à une réunion de l'AÉAR. Outre les articles polémiques sur le cinéma commercial et le théâtre de boulevard
publiés par *La Revue du cinéma* et *La Scène ouvrière*, Vaillant-
Couturier et Moussinac avaient particulièrement apprécié les
deux longs textes publiés par *Bifur* et *Commerce* dont ils suivaient attentivement les parutions. «Souvenirs de famille ou
l'Ange garde-chiourme» et «Tentative de description d'un
dîner de têtes à Paris-France» étaient de la veine de ceux qu'espéraient les jeunes comédiens amateurs. Et leur auteur, un garçon à peine plus âgé qu'eux, ne manquait ni de talent ni de
causticité. Il suffisait de lui écrire, villa Duthy, une modeste
impasse du XIVe arrondissement où il venait d'emménager.

   Le 7 avril 1932, Lazare Fuchsmann, qui ne s'embarrassait
ni de ronds de jambes ni de politesses superflues, envoya à
Jacques Prévert le billet suivant: «Léon Moussinac nous a
adressés à vous pour l'exécution d'un sketch relatif à la campagne électorale. Il s'agirait de trouver quelques idées direc-
trices pour la présentation et l'agencement des différentes
parties de ce sketch. Pourrions-nous nous voir dans le courant
de cette semaine? Pour plus de simplicité, veuillez écrire à
l'adresse suivante: Lazare Fuchsmann, 7, rue du Marché-
Popincourt (XIe). Excusez-nous de nous présenter de façon
aussi impromptue. Pour *Prémices*: La. Fuchsmann.»

   Rendez-vous fut pris, villa Duthy, dans l'après-midi du
12 avril, qui ainsi aurait dû voir la naissance du légendaire
Groupe Octobre. Le destin en décida autrement.

*

Depuis leur retour de Berlin, Jacques Prévert sortait très souvent avec les Batcheff auxquels le liait toujours une profonde amitié. La vedette qui conservait l'espoir de monter *Émile-Émile* passait alternativement de l'enthousiasme le plus contagieux à la dépression la plus profonde. Denise continuait à attribuer ces sautes d'humeur à l'angoisse qui saisissait parfois les acteurs refusant de s'identifier aux personnages vains ou stupides que les producteurs leur imposaient et dont ils n'avaient que l'apparence. Chez Pierre Batcheff, l'atavisme slave n'arrangeait pas les choses et donnait à son angoisse une ampleur déraisonnable. Après la version allemande des *Amours de minuit*, il venait de retrouver Rex Ingram pour tourner sous sa direction *Baroud* où, à nouveau, il avait eu l'impression que l'on s'intéressait plus à son apparence qu'à sa personnalité. Il faut dire qu'il était superbe, bronzé au soleil de Nice puis de l'Algérie où avait eu lieu le tournage des extérieurs. Revenu à Paris, il partageait son temps entre les studios où se tournaient les intérieurs du film puis, le soir venu, il entraînait Jacques Prévert qu'il ne fallait pas beaucoup pousser pour faire la tournée des bistros et des boîtes d'un Montparnasse qui jetait ses derniers feux. Le dimanche, racontait la vedette à son ami, il introduisait le cinéma dans les prisons et les asiles psychiatriques pour soulager la détresse des détenus et leur donner une ouverture sur l'avenir. « Cette activité juxtaposée au métier d'acteur influença gravement la santé de Pierre, se souviendra Denise Batcheff. Nous dormions peu ; le soir il ne pouvait pas se coucher. Nous aimions le jazz, les nègres de la rue Blomet et ceux de la rue Blanche. Nous dansions éperdument jusqu'au petit matin chez Brick Top ou chez Florence, qui étaient obligés de nous mettre dehors. Nous avions juste le temps de prendre un bain avant de nous rendre dans nos studios respectifs, non sans être passés par les Halles, et avoir envoyé aux belles Noires qui avaient chanté pour nous des brassées de fleurs. En soupant, on discutait encore de sujets de films[1]. »

Au soir du 11 avril — c'était un lundi —, Jacques Prévert passa comme il en avait l'habitude square de Robiac où ses amis l'avaient hébergé si longtemps. Pierre Batcheff proposa une boîte de Montparnasse. Denise paraissait soucieuse. D'un caractère d'ordinaire enjoué, toujours partante pour la fête, elle affichait ce soir-là un visage morose. Sous le hâle méditerranéen, la gaieté qui éclairait celui de Batcheff avait quelque chose de contraint, comme l'était son enthousiasme à rejoindre quelques connaissances dans cette boîte du carrefour Vavin où on les accueillit en habitués. Prévert aimait modérément la

1. Denise Tual, *Au cœur du temps.*

musique mais appréciait l'alcool et l'amitié. Particulièrement celle de l'acteur qui comme lui ne respectait rien des conventions bourgeoises. Quelques jours auparavant le héros d'*Un chien andalou* l'avait emmené faire une virée dans les allées du Père-Lachaise. Là ils avaient visité le crématorium. « Et s'étaient bien marrés, avait-il raconté à Marcel Duhamel[1]. » Dans la boîte de nuit, Pierre Batcheff s'absenta un très long moment que Denise mit à profit pour raconter à Jacques Prévert les grandes lignes d'une scène qui, le soir même, l'avait opposée à son mari avec lequel d'ordinaire elle s'entendait à merveille. Celui-ci venait de lui expliquer calmement que ses sautes d'humeur, cette angoisse qui le rongeait, tout comme les extravagances auxquelles il se livrait parfois, avaient une cause unique : l'héroïne et la cocaïne dont il usait depuis l'adolescence. « Je me drogue. Je me drogue depuis l'âge de quinze ans, en Suisse, lorsque je faisais de la figuration avec les Pitoëff, lui avait-il dit. J'ai toujours espéré me désintoxiquer et j'ai toujours reculé le moment de te l'avouer. » Denise s'était effondrée puis avait violemment réagi. Elle ne pardonnait pas à son jeune mari de l'avoir pareillement et si longtemps trompée. C'était comme si elle venait d'apprendre que Pierre entretenait une liaison secrète depuis le jour où ils s'étaient rencontrés. « C'est terrifiant de penser que quelqu'un qui vous aime a pu vous tromper à ce point avec cette drogue, expliqua-t-elle à Prévert. Quel don de la cachette, de la dissimulation matérielle, mentale et financière ! Penser que depuis cinq ans on passait des frontières avec ça ! On allait si souvent en Allemagne. On aurait pu être pris. » Des larmes plein les yeux, elle parlait séparation, incapable, disait-elle, de poursuivre une vie commune reposant à ce point sur une dissimulation de tous les instants alors qu'elle avait cru vivre dans une transparence totale[2]. Prévert essayait de la consoler lorsque Pierre Batcheff revint, très calme mais les traits tirés, pour annoncer qu'une soudaine fatigue l'incitait à rentrer se coucher. Il tourna les talons sans plus d'explications.

— Il doit aller se réapprovisionner, murmura Denise, partagée entre la colère et l'angoisse[3].

Peu de temps après, elle décida de rejoindre son mari. Jacques Prévert la raccompagna square de Robiac puis la suivit lorsqu'elle lui demanda de l'accompagner pour voir dans quel état se trouvait Pierre.

— Il avait l'air si épuisé, dit-elle encore.

L'appartement semblait vide, toutes lampes éteintes. Jacques

1. Marcel Duhamel, *op. cit.*
2. Denise Tual à l'auteur et in *Au cœur du temps.*
3. Denise Tual à l'auteur.

et Denise entrèrent dans la chambre. Pierre Batcheff était allongé sur le lit. Inanimé. Prévert bondit sur le téléphone pour prévenir son ami, le docteur Fraenkel[1], qui arriva presque aussitôt et ne put que constater la mort. Il ne s'agissait pas d'une overdose mais bien d'un suicide. Pierre Batcheff avait laissé une lettre pour Denise. Il assumait l'entière responsabilité de son acte et disait ne rien ignorer de la peine qu'il lui faisait ainsi qu'à tous ses amis. Anéantie, glacée, les lèvres scellées et les yeux secs, Denise restait prostrée dans un fauteuil. Jacques alerta la famille Batcheff et les amis les plus proches : Jean George Auriol, fiancé de Sonia, Pierrot Prévert, Lou Tchimoukow et Marcel Duhamel. Toute la nuit, les cinq hommes veillèrent le corps de leur ami et s'efforcèrent avec l'aide de Sonia et du Dr Fraenkel de calmer celle que Pierre Batcheff appelait toujours Mamouchka et qui, dès son entrée, sans un regard pour sa bru, s'était précipitée sur le lit de son fils en hurlant. «Toute son attitude m'accusait, se souviendra Denise. L'intuition me souffla qu'elle savait que son fils se droguait, c'était cette complicité-là qui existait entre eux. Je ne pus supporter plus longtemps ses cris. Je sortis[2].» Durant de longues heures, Prévert s'efforça de réconforter la jeune femme qui, veuve à la veille de ses vingt-six ans, se reprochera longtemps son refus de comprendre ce mari qui ne lui avait caché sa toxicomanie que pour lui épargner les souffrances d'un combat perpétuel. Persuadé — à cause de la violente réaction qu'elle avait eue — d'avoir perdu sa femme, Pierre Batcheff, beau, riche, célèbre, avait préféré se donner la mort à trente et un ans. Après Pascin, Batcheff. Quel gâchis !

Revenu villa Duthy, Jacques Prévert eut à peine le temps d'expliquer à Simone les événements tragiques de la nuit que Lazare Fuchsmann accompagné de quelques amis sonna à la porte. Jacquot ne se souvenait même plus d'avoir donné rendez-vous à ces jeunes représentants du Groupe de choc Prémices. Mais tous connaissaient la grande vedette qu'était Pierre Batcheff et comprirent que leur hôte, bouleversé par sa disparition, n'ait pas le cœur à évoquer leurs problèmes. La véritable rencontre entre le futur auteur et ses futurs interprètes eut lieu au même endroit quelques jours plus tard, après que Prévert eut assisté à l'incinération du corps de son ami à ce même crématorium où celui-ci l'avait entraîné deux semaines

---

1. Originaire d'Odessa, condisciple d'André Breton au lycée Chaptal puis à la faculté de médecine, ami d'Aragon, Théodore Fraenkel (1896-1964) fut une figure du mouvement dada et écrivit dans la revue *Littérature*. Amateur d'art, il fut le médecin de nombreux surréalistes et épousa Bianca Maklès, sœur aînée de l'actrice Sylvia Bataille.
2. Denise Tual, *Au cœur du temps*.

auparavant, comme pour une ultime répétition! Lazare Fuchsmann, Raymond Bussières, Arlette Besset et Jean Loubès expliquèrent ce qu'ils attendaient de l'homme qui savait aussi bien critiquer le cinéma «de digestion» que le théâtre de boulevard. Eux, c'était la presse — la grande presse dite populaire et qui l'était si peu — qu'ils souhaitaient attaquer. Ces quotidiens à grand tirage, dominés par de gros intérêts économiques, qui, depuis des années, apportaient un soutien bruyant aux puissances financières et dont l'appui était si important pour les mouvements d'extrême droite en guerre contre la République, que ce soit en Allemagne, ou en France. Prévert comprenait ce langage et accueillit chaleureusement les jeunes gens. Lazare Fuchsmann qui avait pris le premier contact n'oublia jamais la scène: «Voulant s'assurer de fabriquer quelque chose qui puisse nous convenir par la manière et le style, il va chercher un manuscrit et commence à nous lire une histoire. C'était un fragment d'une future pièce qui, je crois, n'a jamais vu le jour. C'était cocasse, déconcertant, désopilant, inattendu, un peu à la Marx Brothers. Très curieusement, cela jurait avec l'idée de lui qu'imposait d'abord son personnage. Des yeux globuleux, sous une frange de cheveux très court sur le front, un air plutôt sérieux, sinon triste, un peu lunaire à la Buster Keaton, la voix grave, le ton monocorde, enfin le contraire exactement de ce que son esprit baroque peut suggérer. L'accord fut immédiat[1].» Et Jacques se mit sans délai à l'ouvrage non sans avoir prévenu les Lacoudem du travail qu'il avait accepté, et sollicita leur aide pour l'avenir dans ce qu'il estimait susceptible de devenir une aventure intéressante. Jusque-là il avait assisté à certains spectacles montés par des organisations populaires sous l'égide de la FTOF. Pleins de bonne volonté, des gars en blouses bleues brandissaient le poing sur la scène du bal Bullier et scandaient des mots d'ordre. Des chœurs parlés, directement issus de l'exemple des troupes de chocs allemandes en lutte contre le nazisme, tentaient d'illustrer les principaux événements politiques et sociaux. Malgré l'enthousiasme des comédiens amateurs et d'un public acquis d'avance, ces spectacles étaient d'une grande médiocrité et suscitaient chez le spectateur objectif un ennui profond comme l'avait reconnu Arlette Besset lors de la seconde entrevue. Ces jeunes gens manquaient d'un metteur en scène et surtout d'idées originales. Jacques Prévert en débordait depuis des lustres. Pour un homme qui, depuis son passage au *Courrier de la presse* avec Yves Tanguy, dix ans auparavant, avait pris l'habitude de parcourir chaque jour quotidiens et hebdomadaires, et d'y trouver en un éclair

1. Michel Fauré, *op. cit.*

l'information qui l'intéressait, la tâche était aisée. « D'autant, dira Arlette Besset, qu'on savait ce qu'on voulait. Nous avions déjà fait un montage d'articles de journaux. Moi-même pour payer mes études, j'avais travaillé pour la célèbre "banquière" Marthe Hanau. Je rédigeais quelques-unes des cinq ou six revues de presse d'un point de vue différent qu'elle exigeait chaque matin. Nous avions donc eu l'idée de montrer, à travers notre montage, comment les gens retournaient leur veste. Comment, par exemple, les socialistes étaient tantôt rouges, tantôt trico-lores. Nous avons apporté l'idée et Jacques l'a mise en forme. Jean-Paul Le Chanois est arrivé un peu plus tard. Il était le "page" de Jacques Prévert. Il le suivait partout comme un petit chien[1]. » Lorsque le Groupe Octobre sera devenu la troupe mythique du Théâtre ouvrier français, et son auteur principal l'un des poètes les plus lus du monde, Jean-Paul Le Chanois — Prévert disparu — se présentera comme la cheville ouvrière du premier texte offert au public par une troupe promise à entrer dans l'histoire. « *Vive la presse* a été mon premier travail de scénariste, dira-t-il. J'en ai tramé le canevas et naturellement Jacques l'a consolidé de tout ce qu'il pouvait y mettre, notam-ment un chœur parlé extrêmement brillant. Ce n'était pas génial mais apportait un changement considérable par rapport à tout ce qui se faisait jusqu'alors[2]. » « Quand il dit avoir écrit le canevas de *Vive la presse*, il a tendance à tirer la couverture à lui », constatera Maurice Baquet qui rejoignit bientôt la nou-velle troupe. Quant à Arlette Besset, après une émission de Serge Grand et Emma Rollin-Weisz sur France Culture dans les années 80, elle n'enverra pas dire son fait au réalisateur :

Jean-Paul,
Il paraît que tu es coutumier du fait et que te parer des mérites d'autrui ne te pose aucun problème.
À propos du « Groupe Octobre » et du prétendu rôle de « fonda-teur » que tu éprouves le besoin de t'attribuer sans vergogne, tu sembles oublier que des témoins subsistent et qui savent la vérité. Bien sûr Jacques Prévert n'est plus là mais tout le monde sait qu'il n'avait pas besoin de tes idées pour construire un scénario.
Bussières non plus qui était avec moi ainsi que Loubes et [...] Fuchsmann le jour où nous avons pris contact avec Jacques pour lui demander de nous faire un texte d'agit-prop avec des coupures de journaux, idée si séduisante pour lui et facile puisqu'il avait travaillé à l'Argus *[sic]* [...]
Quant au metteur en scène, c'était bien sûr Lou Tchimoukow que nous avions contacté en même temps que Jacques.
Tout cela tu le sais très bien.

1. Arlette Besset à l'auteur.
2. Jean-Paul Le Chanois à Michel Fauré in *Le Groupe Octobre*.

Ce que, nous, nous ne savions pas quand tu es rentré dans le Groupe c'est que tu y as tout de suite trouvé l'opportunité de "faire carrière" ce qui n'est pas un mal en soi mais ce qui devient navrant quand, après une vie professionnelle normale, on a besoin de travestir la vérité et de ternir le souvenir que nous gardons de cette expérience merveilleuse de notre jeunesse qui pour la plupart d'entre nous est restée généreuse et désintéressée[1]...»

Quoi qu'il en soit, c'est bien la patte de Jacques Prévert, et elle seule, qu'on reconnaît dans le texte qu'une semaine plus tard il apporta à ceux qui allaient devenir ses compagnons et qui répétaient un embryon de spectacle dans la salle de la Maison des syndicats, avenue Mathurin-Moreau au cœur de Belleville. À dénoncer les mensonges de la «presse pourrie», il s'en était donné à cœur joie. Un personnage central destiné à être hué à chaque représentation symbolisait le capitalisme qui manœuvrait toutes sortes de pantins portant chacun le nom d'un des grands journaux de l'époque : *Le Temps*, *Le Matin*, *L'Ami du peuple*, *Le Journal*, *Paris-Midi*, etc.

Vive la presse, titre caricatural donné par Jacques Prévert, se terminait par un chœur parlé qui évoquait la misère des classes laborieuses, le travail mal payé et la guerre que préparaient les puissances d'argent :

> Attention, camarades, attention
> Mourir pour la patrie, c'est mourir pour Renault
> Pour Renault, pour le pape, pour Chiappe[2]
> Pour les marchands de canon
> [...]
> Le travail est dur, mal payé, très dur
> très mal payé.
> Et quand vous sortez dans la rue, la rue
> n'est pas à vous.
> la rue est aux flics
> La rue est aux curés.
> [...]
> Ici, les enfants jouent avec la tuberculose
> dans le ruisseau
> [...]
> Regardez vers la Russie, camarades
> La Russie où il y a des hommes et des enfants
> qui rient.
> Des hommes comme vous
> qui vous appellent et qui vous crient :
> PROLÉTAIRES DE TOUS LES PAYS UNISSEZ-VOUS[3]...

1. André Virel, archives personnelles.
2. Jean Chiappe (1878-1940), très populaire préfet de police de Paris dont les sympathies pour les ligues d'extrême droite étaient connues de tous.
3. Suzanne Montel - Serge Grand, archives personnelles.

Les dix du Groupe de choc Prémices applaudirent avec enthousiasme cette première lecture. Les plus politisés de la troupe apprécièrent la conclusion du sketch que n'auraient pas renié les membres du Comité central du PCF... D'ailleurs *L'Humanité* était le seul journal à échapper à la verve caustique du poète qui accusait jusqu'au *Populaire* de Léon Blum de pactiser avec la droite la plus réactionnaire! *Vive la presse* fut accepté avec d'autant plus de gratitude que Prévert, non content d'apporter son talent d'écrivain, amenait dans son sillage Lou Tchimoukow, déjà contacté pour mettre la pièce en scène, et ses amis Lacoudem pour étoffer la jeune troupe, laquelle de son côté battit le rappel des volontaires trop heureux d'avoir enfin un véritable auteur à servir dans la droite ligne d'une cause qui leur était chère.

Après seulement quinze jours de répétition, la première publique de *Vive la presse* eut lieu en mai 1932, à la fête de *L'Humanité*, qui se tenait alors à Garches. Lou Tchimoukow en assura la mise en scène et les décors. À cette occasion, l'ancien affichiste, fils de régisseur, se montra un homme de théâtre exceptionnel. Bien sûr, il était né dans le sérail mais il fallait quelque chose comme du génie pour unifier toutes ces bonnes volontés souvent maladroites et faire éclore des talents nouveaux. « Il s'est révélé, il faut le dire, un metteur en scène de premier ordre, rappellera Pierrot Prévert qui s'apprêtait à réaliser enfin son premier film. Je dois dire que j'étais moi-même stupéfait de voir en Lou des qualités que je ne lui connaissais absolument pas. C'était vraiment un novateur et si le Groupe a eu la notoriété qu'il a eue, c'est grâce à Jacques pour les textes, qu'il écrivait très rapidement en suivant l'actualité, et à Lou qui les mettait en scène et qui savait créer un climat de camaraderie, de collaboration et qui a continué quand il est devenu mon assistant pour *L'affaire est dans le sac*[1]... »

Tous les copains de Jacques Prévert, les Lacoudem et les autres, partagèrent l'enthousiasme des néophytes en interprétant les personnages sortis de son imagination. Jean-Paul Le Chanois accepta d'être — lui, communiste! — la tête de Turc du spectacle en interprétant le personnage du capitaliste en habit et huit-reflets vissé sur le crâne. Jacques-Bernard Brunius incarnait *Le Temps* en s'identifiant par l'un de ces jeux de mots chers à Prévert et qui faisaient la joie d'un public bon enfant : « Je suis *Le Temps*, je suis pressé, je n'ai pas le temps,

---

1. Pierre Prévert, in *Image et son*, n° 189. Lou Bonin-Tchimoukow sera également l'assistant de Pierre Prévert dans *Adieu Léonard* et *Voyage surprise*.

Chautemps[1] m'attend.» Jacques Prévert se distribua dans le rôle du vendeur de *L'Ami du peuple*, le journal à trois sous du parfumeur milliardaire François Coty, qui se distinguait par une démagogie simpliste dont se satisfaisait une masse considérable de Français. Paul Grimault représentait *L'Intransigeant* et, comme son copain Jacquot, n'en menait pas large au moment d'affronter le public de la fête de *L'Huma* : «Avant de monter en scène, on avait bu deux ou trois petits coups pour se mettre en train, parce qu'on avait le trac (on y allait au culot, mais quand même...). J'ai revu une photo, l'autre jour, de cette scène, et ça se voit qu'on s'était "préparé"! Ceux qui étaient le plus à l'aise sur scène, c'étaient Bussières et Duhamel[2].» À cette occasion, Jacques Prévert se révéla l'acteur comique dont les trouvailles étaient jusque-là réservées aux Lacoudem réunis dans les trois chambres de la rue Dauphine. «Il faisait chaque fois un triomphe, se souviendra Jean-Paul Le Chanois, et pour celui qui passait après lui, ça marchait beaucoup moins bien[3].»

C'est au cours d'une des ultimes répétitions de *Vive la presse*, le 25 avril 1932, que la Compagnie théâtrale Groupe de choc Prémices, rattachée à la FTOF, décida de rompre définitivement tout lien avec Prémices où ses membres avaient fait leurs débuts. Il lui fallait trouver un nouveau nom qui servît de bannière aussi bien au groupe de départ qu'aux amis de Prévert venus les rejoindre. «Tout le monde donnait son avis, dira Ida Lods dont le mari Jean Lods, sur les conseils de Léon Moussinac, s'apprêtait à travailler à Moscou pour le cinéma soviétique. Tout le monde cherchait quelque chose de plus marquant, de plus agréable que Groupe de choc Prémices qui n'était pas très satisfaisant. Et tout d'un coup Lou Tchimoukow a dit : "On va l'appeler Octobre", et tout le monde a été d'accord. C'est Lou qui a trouvé ce nom[4].»

Le Groupe Octobre. En hommage à la révolution russe! N'était-ce pas Louis Bonin qui, par amour de l'URSS, s'était rebaptisé Lou Tchimoukow? Normal que ce fût lui qui donnât le coup d'envoi à l'aventure imaginée par Jacques Prévert. Elle allait les mener jusqu'au Front populaire.

---

1. Camille Chautemps (1885-1963), homme politique français. Radical-socialiste et franc-maçon, il fut président du Conseil en 1930 et ministre de l'Intérieur en 1932-1933.
2. Paul Grimault, *in* Jean-Pierre Pagliano, *op. cit.*
3. Jean-Paul Le Chanois, *Le Temps des cerises*.
4. Ida Lods à l'auteur, et *in Les Colporteurs du Front populaire*, de Michel Van Zele, FR3 Lyon, 22 juillet 1987.

CHAPITRE 9

Le Groupe Octobre

La villa Duthy était une étroite et courte voie provinciale avec de l'herbe qui poussait entre ses gros pavés et du lierre qui mangeait certaines façades de maisons ouvrières dont aucune ne dépassait les trois étages. Elle ouvrait sur la rue Didot nichée au fin fond du XIVe arrondissement, à deux pas de la rue du Château et de la rue Hippolyte-Maindron où Giacometti possédait toujours son atelier. C'est dire si, pour Jacques Prévert, le quartier Plaisance était riche en souvenirs heureux. Les loyers y étaient modestes et permettaient à l'auteur de *Vive la presse* de vivre plus au large — et surtout au calme — que rue Dauphine, bruyante et trop riche en amis de toutes sortes. Il en avait besoin pour mettre noir sur blanc les idées qui lui trottaient dans la tête et que l'on attendait impatiemment tant chez les camarades du Groupe Octobre que sur les plateaux de cinéma vers lesquels il se frayait opiniâtrement un chemin.

Durant cette année 1932, Jacques Prévert déploya une grande activité militante. Sitôt *Vive la presse* terminé et mis en scène par Lou Tchimoukow, il s'attaqua à la rédaction d'un chœur parlé destiné à être interprété en plein air lors de la traditionnelle cérémonie au mur des Fédérés à la mémoire des gardes nationaux de la Commune de Paris fusillés en mai 1871 contre une des enceintes du cimetière du Père-Lachaise. Il y commenta sans indulgence la répression versaillaise menée par Thiers et le général Galliffet contre les insurgés. À cet hommage rendu à ce qui lui paraissait constituer la première tentative d'un gouvernement de la classe ouvrière suivirent des « Actualités » destinées à la « Voix des spectateurs » de *La Scène ouvrière*, l'organe mensuel de la Fédération du théâtre ouvrier de France (FTOF) où il avait déjà publié sa diatribe contre le théâtre de boulevard. Et, pour son ami Pomiès, il écrivit quelques scénarios que le danseur révolutionnaire « interpréta avec une sensibilité et une puissance remarquables», estima Suzanne Montel, secrétaire générale du Groupe Octobre[1].

Raymond Bussières, communiste «pur sucre», fut transporté d'enthousiasme. Enfin le Groupe avait trouvé «son» auteur qui savait se plier à tous les genres et exprimer avec un rare bonheur, et dans son langage, ce que pensait la classe ouvrière. Deux de ses arguments de ballet pour Pomiès furent particulièrement remarqués : *Le Chômeur* et *Le Camelot* à travers lesquels le danseur sut toucher un public populaire peu habitué à goûter les subtilités de la chorégraphie, fût-elle «révolutionnaire». Mais les problèmes évoqués étaient ceux auxquels ce même public se heurtait chaque jour.

Un chômeur marchait pendant des heures à la recherche d'un travail. Il se mêlait bientôt à une manifestation où il avait l'occasion de partager la détresse et la lutte de ses compagnons. Mais, là encore, la répression était au coin de la rue barrée par les camions de la préfecture et les agents en pèlerine le poursuivaient jusqu'à ce qu'il trébuche et s'écroule sous les coups de bâton blanc en criant : «Pas sur la tête, pas sur la tête!» Autre argument particulièrement prisé du public, celui qui accompagnait la chorégraphie du *Camelot* ouvrant sa petite valise sur les boulevards et vantant d'une façon toute personnelle les articles de première nécessité proposés aux badauds. Dans ce texte, Prévert s'en prenait une nouvelle fois à ses ennemis de toujours : les curés de Saint-Nicolas-du-Chardonnet qui se gobergeaient aux dépens d'Auguste-le-Sévère, et les flics du commissariat Saint-Sulpice à la matraque facile.

Raymond Bussières éclairait de son bagou la danse quelque peu abstraite imaginée par Pomiès :

Objet de première nécessité : le morceau de pain, la soutane de prêtre, le képi de flic.
C'est pimpant, c'est joli, c'est léger.
Voici un objet de première nécessité :
Un vieux peignoir de putain.
Un vieux peignoir de putain est toujours plus propre qu'une soutane de prêtre. Seulement quand on a la soutane sur le dos on est toujours sûr d'avoir le ventre plein. Amen.
Voici un autre objet de première nécessité : un képi de flic.
C'est pimpant, c'est joli, c'est léger.
Dans le temps leurs ancêtres portaient des bicornes
maintenant ils n'en portent plus.
Il y a plusieurs sortes de punaises, de puces.
Il y a plusieurs sortes de vaches :
Les vaches à pied

1. Suzanne Montel - Serge Grand, archives personnelles.

Les vaches en bourgeois
Les vaches en camion
celles-ci livrées en grosse quantité.
Le bourgeois ne sort jamais sans sa vache
c'est elle qui l'accompagne quand il rentre tard
et le soir dans les squares elle donne des concerts
et celle de la porte Saint-Denis a une si belle barbe
que c'est plaisir que de venir de loin pour la contempler.
N'importe quel droguiste du coin vous vendra de la mort-aux-rats
mais la vente de la mort-aux-vaches est interdite sous peine de
mort[1].

Cette virulence attirait chez Georges Pomiès des jeunes filles plus déterminées par l'aventure militante que par le désir de faire réellement une carrière de danseuse. C'est ainsi qu'arriva dans la troupe des « Petites Filles » une jeune artiste de dix-neuf ans, compagne d'un photographe nommé Gautrot qui gravitait dans les milieux du théâtre et du cinéma. Fille d'une couturière de l'avenue de l'Opéra qui avait créé une maison renommée à l'enseigne de *Jane Couture*, Janine Tricotet, qui prendra le pseudonyme de Janine Jane, était très petite, très menue, blonde et de traits charmants. Ida, la femme du cinéaste Jean Lods, donna à la jeune fille son premier cours de danse « professionnelle ». Elle lui parut très douée, et très jolie, avis partagé par tous les hommes présents. Sur ses conseils, Pomiès l'engagea aussitôt et la distribua dans le rôle de la petite Grenouille verte puis de l'Oiseau bleu dans *Les Animaux ont des ennuis*. Émerveillée par cette chanson qui rompait avec tout ce que l'on entendait à l'époque, la jeune danseuse se promit de rencontrer un jour son auteur que l'on disait ami avec le directeur de la compagnie. Elle tiendra parole... ce qui n'était pas très difficile puisque Prévert était devenu l'auteur principal du Groupe Octobre au côté duquel Pomiès — tout en restant fidèle au premier groupe Prémices que Roger Legris avait rebaptisé Masses — se produira de plus en plus souvent, car, si Legris qualifiait, avec quelque dépit, les textes joués par le nouveau groupe d'« uniformément médiocres, maladroits, pauvres », Georges Pomiès se trouvait plus que jamais en harmonie avec celui dont il disait : « Il écrit comme je sens. » « Le style Pomiès, remarquait Agnès Capri, l'une de ses « Petites Filles », exigeait : vie intérieure, sensibilité, imagination, poésie, désespoir, humour et surtout un esprit révolutionnaire[2] ! » Toutes qualités qui rendaient la personnalité de Jacques Prévert remarquable. Son esprit libertaire se traduisit, au cours des mois qui suivi-

1. Textes perdus. Seule la mémoire de Raymond Bussières permit de les reconstituer en partie in *Mon frère Jacques*, et *Image et Son*, nº 189.
2. Agnès Capri, *Sept Épées de mélancolie*.

rent *Vive la presse*, par une brassée de poèmes et de sketches d'une extrême violence, peignant un tableau sans concession de la situation de la classe ouvrière et de la révolte prête à sourdre de ses rangs. « À cette époque, la misère était grande, témoignera Arlette Besset que sa naissance dans la bonne bourgeoisie et des études universitaires privilégiaient sans la rendre aveugle. Les chômeurs ne touchaient presque rien quand ils touchaient quelque chose. Les soupes populaires étaient très humiliantes pour les hommes qui ne demandaient que du travail. Pas de vacances pour les travailleurs, etc. Les injustices sociales restaient si évidentes que n'importe quel enfant se posait des questions élémentaires. Ce fut mon cas. Pourquoi les ouvrières de l'usine maternelle, où je passais mes moments privilégiés de loisir après l'école, n'avaient pas droit comme moi à des vacances ? C'est à partir de questions aussi simples que des gens de bonne volonté, sensibles aux problèmes des autres, se sont trouvés unis à d'autres plus directement et plus immédiatement concernés par ces mêmes difficultés[1]... » C'est à ces déshérités de la société que Jacques Prévert adressa alors ses images les plus fortes, et toutes prônaient la révolte contre l'ordre établi, l'injustice, la guerre qui se préparait pour le plus grand profit du capitalisme. Poèmes, chœurs parlés, sketches décapants...

> Le soleil luit pour tout le monde...
> sauf pour les travailleurs d'usine,
> sauf pour les mineurs dans les mines,
> sauf pour les employés du métro,
> sauf pour les imprimeurs de journaux,
> sauf pour ceux qui travaillent à la chaîne
> chez Citroën
> [...]
> — Et si je pars à la guerre, que me donneras-tu ?
> — L'estime de tes parents
> Un sabre en acier luisant
> Un uniforme tout flambant
> Le clairon de ton régiment
> Un chant de gloire à tes vingt ans
> ... et qui sait même... de l'argent...
> — Oui... et toute la saloperie avec
> La viande d'hommes pantelants
> La soupe à l'eau rougie de sang
> L'ordure et la ceinture à crans
> Ta peau pour faire un drapeau blanc
> et gueuler : ARMISTICE !!!
> [...]
> Si tu tiens à ta peau, camarade

1. Arlette Besset, *in* Michel Fauré, *Le Groupe Octobre.*

À celle de tes petits, à celle de ta compagne
LUTTE CONTRE LA GUERRE
[...]
Demain nous saurons sur qui nous tirerons
Les machines à tuer, nous les prendrons
Nous avons su les fabriquer
Nous saurons bien les faire marcher
Et ceux qui cracheront tricolore en l'air
leur propre sang leur retombera sur le nez
Il y aura des morts
Mais une nouvelle vie pourra commencer
Alors les hommes pourront vivre
Alors les enfants pourront rigoler
Vous n'empêcherez pas la terre de tourner
Vous n'empêcherez pas le drapeau rouge de flotter[1].

On pouvait difficilement être plus proche du parti communiste que l'était Jacques Prévert à travers ses premiers écrits pour le Groupe Octobre. Pourtant, il ne rejoignit pas plus Raymond Bussières, Lazare Fuchsmann, Jean-Paul Le Chanois ou Arlette Besset au sein du parti qu'il n'avait suivi Aragon, Breton, Eluard et Unik lorsqu'ils avaient pris leur carte en 1927. Aujourd'hui pas plus qu'hier, il n'avait envie de se retrouver « dans une cellule » même s'il mettait son art au service des travailleurs.

Tandis que les premiers textes de Jacques Prévert étaient mis en scène par Lou Tchimoukow sur les tréteaux de fortune qui accueillaient la jeune compagnie, l'auteur de *L'Ange garde-chiourme* s'apprêtait à vivre une nouvelle aventure artistique.

Charles David, qui avait quitté la direction des studios Braunberger-Richebé à Billancourt pour prendre celle de Pathé-Natan à Joinville, avait obtenu du grand patron Bernard Natan ce que lui avait refusé Roger Richebé quelques mois plus tôt : l'autorisation pour Pierrot Prévert d'utiliser les décors encore existants d'œuvres en cours de finition. En contrepartie, Bernard Natan exigeait que le metteur en scène utilisât un scénario du Hongrois Akos Rathony dont Pathé avait acheté les droits quelque temps auparavant. En outre, il fallait que l'affaire — adaptation, dialogue et tournage — se fasse en moins d'un mois pour des raisons budgétaires. Les deux frères se mirent aussitôt au travail. Jacques « boucla » *L'affaire est dans le sac*, la bien-nommée, en huit jours. D'une histoire ultraclassique de kidnapping de milliardaire, le scénariste fit un moyen métrage — le film ne devait pas durer une heure — d'un ton

---

1. Suzanne Montel - Serge Grand, archives personnelles.

très personnel, où la poésie se mêlait au comique le plus débridé et où se retrouvait l'influence de Mack Sennett si souvent admiré depuis les séances familiales au cinéma des Mille Colonnes. Plus qu'un film structuré, *L'affaire est dans le sac* était une succession de sketches articulés sur le plus ténu des fils conducteurs. Difficile de décrire ce film hors normes que Georges Sadoul résumera ainsi : « Un chapelier, son vendeur et un jeune homme veulent kidnapper, dans un sac, le fils d'un milliardaire américain, le roi du buvard. Mais c'est celui-ci qu'ils enlèvent. Le jeune garçon épouse l'héritière, autre enfant du milliardaire qui prend le vendeur pour bouffon cependant que le chapelier "disparaît" avec la rançon[1]... » Dans un délire joyeusement destructeur, Prévert mêlait le milliardaire neurasthénique, dont l'unique distraction était de brûler de temps à autre une liasse de billets, à plusieurs clients qu'escroquait le vendeur peu scrupuleux d'une étrange chapellerie. Prétexte au morceau de bravoure du film qui figurera dans toutes les anthologies : la scène du « bérêt français », magnifiquement interprétée par Carette et Jacques-Bernard Brunius. Car *L'affaire est dans le sac*, réalisé en août 1932 en sept jours de tournage aux studios Pathé-Natan et un en extérieur autour d'un petit pont surplombant un bras de la Marne à Joinville et qui porte aujourd'hui le nom du film, fut une affaire de famille et d'amitié. Pour la réalisation, Pierrot choisit de s'appuyer sur le savoir-faire de Lou Tchimoukow et Jacques-Bernard Brunius. Critique à la *Revue du cinéma*, celui-ci avait une longue expérience de l'assistanat. Très grand, un peu voûté, il avait l'air d'un oiseau de proie avec son grand nez et d'admirables yeux bleus. Sarcastique, drôle, il n'avait pas son pareil pour aider le metteur en scène, vérifier un décor, conseiller un comédien, faire passer un trac bien légitime. Sur ce plateau, il n'essuya qu'un échec : impossible de faire dire la plus simple des répliques à Paul Grimault qui devait interpréter un agent de police en pèlerine, lequel se protégeait de l'orage et disait simplement : « Il pleut ! »

    « Qu'est-ce qu'il tombe, dit Grimault à la première prise.
    — Mais non, tu dois dire seulement : il pleut.
    Deuxième prise :
    — Qu'est-ce qu'il dégringole !
    — Mais non... tu dois...
    — Ah oui... que je suis con !
    Troisième prise :
    — Ah ! la la ! Ah ! la la la la... »

1. *In* Gérard Guillot, *Les Prévert*.

Pierre Prévert ne put rien en tirer d'autre[1] ! Malgré l'amical soutien de Brunius, Paul Grimault, qui pourtant jouait aussi bien dans *Vive la presse* que dans les sketches qu'écrivait Jean Aurenche pour la publicité, fut incapable de surmonter son trac à l'idée de figurer dans le premier film de ses amis, le premier aussi où le Groupe Octobre se retrouvait au grand complet. Parmi les acteurs figuraient entre autres Jean-Paul Le Chanois, Marcel Duhamel, Lou Tchimoukow, Jacques-Bernard Brunius, Jacques Prévert, Guy Decomble, plus une foule de figurants venus du groupe. S'y ajoutaient Lucien Raimbourg au début d'une grande carrière, la jolie Ghislaine Aubouin devenue May avant d'être Autant-Lara, le grand mime Étienne Decroux, maître de Jean-Louis Barrault et plus tard de Marcel Marceau ; et, venu du caf' conc' et du cinéma muet, Julien Carette qui, vendeur malhonnête du fameux «bérêt français», trouvait le premier vrai rôle de sa carrière qui en comptera une grosse centaine ! Révélée par les frères Prévert, sa gouaille faubourienne fera merveille dans nombre de grands films de Jean Renoir, Marc Allégret, Marcel Carné, Claude Autant-Lara, Jean-Paul Le Chanois, dont il sera l'acteur fétiche et l'un des seconds rôles préférés des cinéphiles français. Eli Lotar s'occupait de l'image au côté d'A. Gibory, tandis que Louis Chavance se chargeait du montage. Le film fut tourné dans des décors de Lucien Aguettant pour *La Merveilleuse Journée* d'Yves Mirande, et de Jacques Colombier pour *Sapho*[2], de Léonce Perret, que Charles David, directeur de production du film, mit à la disposition de ses amis, profitant de scènes coupées au montage. Ces décors furent retouchés par Reichenko, un peintre au pistolet d'origine russe et qui travaillait «au litre de rouge». Selon l'importance du travail, certaines nuits voyaient défiler quinze à vingt litres de picrate[3]. Quant à la musique, elle était due au musicien «maison», Maurice Jaubert, directeur de la musique chez Pathé-Natan. Compositeur de grand talent, il avait été amené à la musique de film par Alberto Cavalcanti et était chargé d'illustrer *Quatorze Juillet* de René Clair. Apercevant quelques rushes de *L'affaire est dans le sac*, il fut si enthousiasmé par le ton nouveau de cette œuvre qu'il proposa ses services aux frères Prévert. Il illustrera dans les années à venir les plus grands films écrits par Jacques Prévert, de *Drôle de drame* au *Jour se lève* en passant par *Quai des Brumes*, devenant ainsi le plus important des musiciens de film français d'avant-guerre[4]

---

1. Serge Reggiani à l'auteur.
2. *Sapho* ne sortira qu'en 1934.
3. *Image et Son*, n° 189.
4. Il sera le musicien de : *Le Dernier Milliardaire* de René Clair, *L'Atalante* de Jean Vigo, *Hôtel du Nord* de Marcel Carné, *Carnet de bal* et *La Fin du*

jusqu'au jour de juin 1940 où il trouvera la mort en combattant l'invasion nazie sous cet uniforme que détestait tant son nouvel ami.

En visite sur le plateau, Raymond Bussières, qui au fil des semaines était devenu un des piliers du Groupe Octobre en même temps qu'il affinait son jeu de comédien, put assister à ce miracle : pour la première fois dans l'histoire du cinéma français, une équipe de copains réalisait un film, et pour la première fois on s'amusait sur le plateau. «Avant de nous faire rire, les frères Prévert et leurs amis se font rire. Et ils ont eu raison. Et nous rions parce qu'ils ont bien ri[1]...» Ce qui faisait moins rire Bubu, c'était de ne participer qu'en témoin à cette partie de franche rigolade. Une mauvaise chute lui avait fêlé la rotule, l'empêchant d'interpréter le rôle que lui avait réservé Jacquot. Il se rattrapera dans l'avenir. Tout comme Gazelle Duhamel qui, avant de faire feu des quatre fers sur tréteaux et plateaux, se contenta de réaliser quelques-uns des costumes de l'entreprise familiale — c'est elle qui transforma Ghislaine May en accorte nurse !

La première publique de *L'affaire est dans le sac* eut lieu à la sauvette — comme avait été tourné le film — un samedi soir de novembre dans une salle populaire du lointain XVe arrondissement, le Pathé-Convention, sans que le public ait été prévenu. «Le soir de la "preview", en supplément de programme dans un cinéma de quartier, l'accueil est assez frais, se souviendra Marcel Duhamel. C'est venu trop tôt. Pour que soit vraiment apprécié ce genre d'humour et pour que *L'affaire est dans le sac* devienne un classique au même titre que *Drôle de drame*, il faudra près de vingt ans[2].» «Le sarcasme des Prévert déconcertait les spectateurs au lieu de les faire rire, constata J.-B. Brunius. Sans doute se reconnaissaient-ils trop clairement dans les personnages odieux ou ridicules de l'écran[3].» *L'affaire* fut programmé dans une seule petite salle parisienne, le Hollywood, rue Fontaine à Montmartre, dans l'immeuble même où André Breton avait son atelier que les surréalistes avaient rendu célèbre. Il venait en complément de programme à un film américain en version original, *Cock of the Air*, avec Billie Dove et Chester Morris, et fut annoncé dans *La Semaine à Paris* avec ce commentaire du distributeur : «Une lamentable his-

---

jour de Julien Duvivier. Il écrira des musiques de scène pour Louis Jouvet et Jean Giraudoux (*Tessa* et *La guerre de Troie n'aura pas lieu*). Et, trente-cinq ans après sa mort, François Truffaut fera un choix de ses musiques pour illustrer son *Histoire d'Adèle H.*
    1. Gérard Guillot, *op. cit.*
    2. Marcel Duhamel, *op. cit.*
    3. *Premier Plan*, n° 14.

toire comique. » Le public partagea l'avis du professionnel et il
fut retiré de l'affiche au bout de quelques jours. *L'affaire est*
dans le sac n'était pas dans la norme des vaudevilles, caleçon-
nades et autres bidasseries auxquels le grand public était habitué depuis les débuts du « parlant » — trois ans auparavant
seulement — et il n'aimait pas trop être dérouté surtout quand
au « ciné-massacre » s'ajoutait la critique politique. La fameuse
scène du « bérêt français », porté par une ganache que Brunius
interprétait merveilleusement, horrifia les Croix-de-Feu du
colonel de La Rocque [1] dont c'était le couvre-chef favori, tandis
que les socialistes goûtèrent fort peu que Lucien Raimbourg-le-
client-au-chapeau-de-curé se soit fait la tête de Léon Blum !
Quelques universitaires progressistes et anticonformistes furent
dans les rares supporters du film, tout en convenant pour deux
d'entre eux que « [...] sur un point, nous nous distinguions du
public moyen : nous étions allergiques aux films français, à
cause de l'étonnant Inkichinoff *[sic]*, nous vîmes sans dégoût
La Tête d'un homme, et *L'affaire est dans le sac* des frères Prévert nous ravit : mais, précisément, les Prévert échappaient au
réalisme tantôt grossier, tantôt plat qui caractérisait le cinéma
français et que ne rachetait aucun exotisme [2]. » Ces deux exceptions avaient vingt-quatre et vingt-sept ans et se nommaient
Simone de Beauvoir et Jean-Paul Sartre. La critique cinématographique fut inexistante, ou indignée que l'on se moquât ainsi
du public. Le reproche servira cinq ans plus tard pour *Drôle de*
drame ! Pourtant le film trouva grâce aux yeux de Michel Gorel,
critique dans un hebdomadaire à grand tirage, qui signala la
présence d'un nouvel auteur parfaitement inconnu du grand
public : Jacques Prévert. « Nous connaissons, de Prévert, quelques
contes parus dans *Commerce* et dans *Bifur*. Ses étonnantes ara-
besques verbales, ses images mordantes, les personnages à la
fois invraisemblables et tragiquement quotidiens qu'il créait,
tout cela nous faisait songer à Alfred Jarry, l'immortel auteur
d'*Ubu roi*, de *L'Amour absolu*, du *Surmâle*. Or voici Prévert aux
prises avec l'image, autrement difficile à changer en véhicule, en truchement d'une personnalité ; il sort victorieux de
l'épreuve. Parce que son scénario recherche l'effet comique
immédiat, que chaque "gag" explose comme une bombe au lieu
d'être amené (comme c'est le cas dans nos comédies habituelles), par une suite fastidieuse et longue d'opérations préa-
lables, parce que, aussi, tous les acteurs jouent vraiment,

1. François de La Rocque (1885-1946), homme politique français et officier de carrière qui transforma les Croix-de-Feu, association d'anciens combattants, en une ligue nationaliste et antiparlementaire d'extrême droite
ralliant des dizaines de milliers d'adhérents de 1931 à 1936.
2. Simone de Beauvoir, *La Force de l'âge*.

jouent comme des enfants, des somnambules, ou des sauvages, jouent pour s'amuser, pour être heureux ; Prévert a réussi un film dont il faut proclamer bien haut la saveur, l'excellence. C'est frais comme un jazz, direct comme une scène de la rue ; à travers ce film nous entendons vraiment le rire de son auteur, le rire des interprètes. [...] Comme les bandes de Mack Sennett, de Max Linder, des Marx Brothers, le film de Prévert s'adresse à des fonctions physiologiques, purement physiologiques. C'est, dans toute la force du terme, un film pour la grande masse. Il réjouira l'admirable public des faubourgs davantage que toutes les petites ruses de MM. les auteurs subtils[1]. » Malheureusement, « l'admirable public » ne partagea pas l'enthousiasme de Michel Gorel. Et encore moins les producteurs, distributeurs et propriétaires des studios Pathé, Bernard et Émile Natan. Émile, qui avait cru déceler comme une moquerie à l'égard de son prénom lorsque Pierre Batcheff lui avait présenté *Émile-Émile* — le scénario écrit avec Prévert —, vit dans la nouvelle œuvre de cet auteur subversif et de son frère une attaque directe contre sa firme. Ce ne pouvait être par hasard que le domestique du milliardaire faisait le coq depuis dix ans dans le but de distraire son maître et que « le jeune homme particulièrement stupide » interprété par Jean-Paul Le Chanois, prié de faire « quelque chose de particulièrement drôle » pour obtenir la main de la jeune héritière, ne trouvait qu'une onomatopée pour faire rire son futur beau-père : cocorico ! Il s'agissait là d'un insupportable camouflet dirigé contre la firme Pathé-Natan qui avait pour emblème un coq dont le chant triomphant annonçait invariablement chacune des productions. Humilié par l'échec public de l'œuvre et par l'inconséquence de ses auteurs, Émile Natan, directeur de la production, ordonna la destruction immédiate de toutes les copies de *L'affaire est dans le sac*. Quelques bobines échappèrent à l'autodafé pour le plus grand bonheur des ciné-clubs et de la Cinémathèque française dont le public éclairé acclamera, des décennies plus tard, chacune des projections de cette œuvre devenue un film culte selon l'expression consacrée. « Un film culte avec ses pratiquants qui se reconnaissent, qui échangent des phrases codées[2]. » Plus que Jacques Prévert, alors au début d'une carrière cinématographique des plus glorieuses, Pierrot — l'éternel « petit frère » — paya les pots cassés de cet échec commercial retentissant. « Ça a retardé de dix ans la carrière de mon frère, dira Jacques. Moi j'ai eu plus de chance que lui. Parce que mon frère, lui, aimait mieux le cinéma que moi. Moi j'étais content d'avoir trouvé à la

1. *Premier Plan*, n° 14.
2. Michel Chavance à l'auteur.

fois un moyen de vivre qui était en même temps, malgré tout, un moyen d'expression. Mais mon frère, c'était la mise en scène qui l'intéressait[1]. » Pierrot attendra onze ans avant de faire son deuxième film : *Adieu Léonard*, et quatorze pour mettre en scène son troisième et dernier long métrage destiné au grand écran : *Voyage surprise*. Trois œuvres qui auront chacune une notice plus qu'élogieuse dans les encyclopédies et anthologies du septième art, tout en justifiant le mot fraternel : « Les films de Pierrot riaient sans grincer des dents mais grinçaient des dents ceux qui voyaient ses films[2]. »

Ignorant avec superbe les volées de bois vert, Jacques Prévert, tout en poursuivant l'écriture d'un répertoire pour le Groupe Octobre, enchaîna avec celle d'un nouveau film. Claude Autant-Lara réalisait sa première œuvre et lui avait demandé de l'aider à adapter le livret que Robert de Flers et Francis de Croisset avaient écrit pour *Ciboulette* — l'opérette de Reynaldo Hahn — ainsi que d'en rédiger les dialogues. L'offre était la bienvenue car ni le Groupe Octobre ni *L'affaire est dans le sac* ne lui avaient rapporté un sou. Il était temps que le cinéma nourrisse enfin son homme.

*

À la fin de l'année 1932, le Groupe Octobre était devenu une véritable compagnie avec son metteur en scène, Lou Tchimoukow, ses décorateurs, Lou encore, aidé par Paul Grimault et parfois par un grand nom de passage comme Fernand Léger, qui, enthousiasmé par le travail de ces amateurs, se proposa un jour de créer des décors pour la bande. « Vu la semaine dernière le Groupe Octobre, écrira le peintre à Léon Moussinac. Mise en scène de Prévert, troupe et pièce *épatante* : comment se fait-il que nous n'ayons pas pu travailler avec ces gars-là[3] ? » Il y avait en effet une communauté d'esprit entre le poète et le peintre, son aîné de vingt ans, qui, commentant sa toile devenue célèbre, *La Joconde aux clés* (1930), disait : « Un jour j'avais fait sur une toile un trousseau de clés [...] je ne savais pas ce que j'allais mettre à côté. Il me fallait quelque chose d'absolument contraire aux clés. Alors quand j'eus fini de travailler, je suis sorti. J'avais à peine fait quelques pas et qu'est-ce que je vois dans une vitrine ? Une carte postale de *La Joconde* ! J'ai compris tout de suite. C'est elle qu'il me fallait, qu'est-ce qui aurait pu contraster plus avec les clés ? Comme

---

1. *Image et son*, n° 189.
2. *Ibid.*
3. Lettre reproduite par André Heinrich, *Album Prévert*.

ça j'ai mis sur ma toile *La Joconde*. Après, j'ai ajouté aussi une boîte de sardines. Cela faisait un contraste tellement aigu[1]. » Contraste que l'on retrouvait entre «Ceux qui sont chauves à l'intérieur de la tête» et «Ceux qui ont trop à dire pour pouvoir le dire[2]». «Nous faisions tous nos décors, se souviendra Jacques Prévert. Fernand Léger nous avait dit: "Je veux bien faire des décors pour vous, cela me plaît beaucoup." On lui avait répondu: "On fait tout nous-mêmes, on va au Bazar de l'Hôtel-de-Ville et on achète le nécessaire pour les décors, qui sont détruits immédiatement." Il était très content et il a invité le groupe à déjeuner, on en a gardé un très joli souvenir[3]. » Jusqu'au terme de son existence qui s'achèvera avec le Front populaire, le Groupe Octobre sera aidé financièrement par le grand peintre dont les préoccupations sociales rejoignaient celles des comédiens improvisés. On se mobilisait de partout pour que le Groupe ait les moyens de présenter le meilleur spectacle dans les meilleures conditions matérielles. Certains étaient prêts à tous les sacrifices, même les plus douloureux, comme cet électricien qui, indispensable à la pose des projecteurs, n'avait pas hésité à s'écraser un doigt pour rejoindre ces passionnés bénévoles qu'il admirait.

— Comment voulez-vous que je m'tire de mon boulot, expliquait-il, faut bien que j'pique un macadam!

« Piquer un macadam, traduisait Raymond Bussières, cela voulait dire qu'il se foutait le doigt sous le marteau. Fallait pas seulement se faire un petit bleu, sinon le patron aurait dit: Reste là! Fallait se faire éclater le doigt pour aller à l'infirmerie... Fallait le faire, hein! Et il n'y avait pas de Sécurité sociale[4]! »

Dès *Vive la presse* et les premiers chœurs parlés s'était posée la question des costumes portés par les comédiens. Jacques la résolut en confiant la tâche à celle qui, d'aspect, était la moins «ouvrière» du Groupe: Gazelle Duhamel. Elle était toujours d'une rare élégance et ne s'était jamais défaite de ses manières bourgeoises. Ce qui ne l'empêchait nullement d'être pratique et, sans avoir jamais appris, de savoir faire mille choses de ses mains, au point d'avoir conduit au succès l'atelier de modiste qu'elle avait ouvert un temps avec sa sœur dans leur appartement de la rue du Bac.

— Tu vas les habiller, décréta Jacques Prévert.

Elle décida de créer un uniforme pour les choristes: che-

1. *Beaux-Arts, Fernand Léger*, hors série n° 140.
2. «Tentative de description d'un dîner de têtes à Paris-France».
3. *Images et Son*, n° 189.
4. *Ibid.*

misier rouge avec une lavallière noire, jupe à plis noire pour les filles, chemise bleu marine à pois blancs et pantalon de flanelle grise bon marché pour les garçons, le tout acheté *Aux enfants de la Chapelle*. Quant aux pièces que Prévert commença à écrire dès l'automne 1932, elles nécessitaient des costumes en adéquation avec les personnages. Gazelle se chargea de les créer et de les réaliser à moindres frais en se fournissant au Marché-Saint-Pierre et en se faisant aider par Renée Allégret, première femme d'Yves, par Jeannette Fuchsmann, couturière de profession, et par les sœurs Fruhtman, les petites juives bessarabiennes qui s'intégraient à leur pays d'adoption — Ghitel avait troqué son prénom du ghetto contre un Gisèle bien français — et survivaient en tressant des chaussures dans leur chambre d'hôtel. Gazelle se rappellera avec émotion leur arrivée. «Elles étaient jolies comme tout. Elles parlaient un peu le russe et le roumain mais surtout une langue entre le yiddish et quelque chose que je ne connaissais pas. Les gens de leur village s'étaient cotisés pour envoyer ces jeunes filles qu'ils trouvaient intelligentes à Paris où ils connaissaient quelqu'un. Elles sont entrées par hasard dans le Groupe. Quand je les ai fait venir pour la première fois dans mon appartement pour prendre les mesures des costumes, elles n'osaient pas entrer car il y avait de la moquette et elles n'en avaient jamais vu[1]!»

La troupe était maintenant assez étoffée pour que Prévert laissât aller son inspiration. Il pouvait multiplier les rôles. C'est ainsi que la «pièce épatante» qui avait attiré l'attention de Fernand Léger n'en comptait pas moins d'une trentaine! Il s'agissait de *La Bataille de Fontenoy*, écrite en deux temps trois mouvements en octobre 1932, en même temps qu'il travaillait avec Claude Autant-Lara à l'adaptation et aux dialogues de *Ciboulette*.

À travers les paroles célèbres rabâchées dans tous les manuels et lors de toutes les leçons d'histoire — «Messieurs les Anglais, tirez les premiers» —, Jacques Prévert entendait montrer les horreurs de la guerre, la complicité, sur le dos du petit peuple, de tous les marchands de canon du monde, les profits des trusts internationaux, la sénilité des maréchaux, généraux, rois ou tsars. Il massacrait avec une belle allégresse les bellicistes, les politiques, «ces Messieurs» du Comité des Forges et les patriotards de tout poil, sans oublier les curés «bénisseurs» de régiments, les crétins enthousiastes et les marcheurs au son du tambour. Éléments d'un joyeux salmigondis, Édouard Herriot, président du Conseil depuis la victoire des radicaux aux

1. Gazelle Bessières à l'auteur.

législatives de mai 1932, Paul Déroulède, Clemenceau et Poincaré, Herr Krupp et M. Schneider, Weygand, Raspoutine, Nicolas II, et le bourreau Deibler, s'agitaient dans un guignol où ils jouaient les épouvantails grotesques ne pouvant plus susciter ni le respect ni la peur mais un rire grinçant et salvateur. Par leur esprit revanchard, par leur absence d'humanité, par leurs fonctions politiques ou leur goût du profit, ils se révélaient non seulement les vrais responsables de la mort de millions d'êtres humains durant la Grande Guerre mais encore les artisans zélés de la prochaine qui serait aussi «fraîche et joyeuse» que la précédente. Avec *La Bataille de Fontenoy*, Jacques Prévert, animé d'une juste fureur, brossa une fresque pseudo-historique, riche en mises en garde de toutes sortes. Jouant avec les mots, les lieux communs, les formules toutes faites, mais aussi avec les discours réellement prononcés — comme celui de Gramat où Herriot avait «plaidé la cause du militarisme français» ainsi que l'en accusait *L'Humanité* —, il apportait une note humaine qui devait toucher le public populaire auquel il s'adressait. Le toucher mais aussi provoquer son rire grâce à quelques répliques et morceaux de bravoure dont l'écho traversera le siècle. C'est dans *La Bataille de Fontenoy* que Poincaré, longtemps interprété par Jean-Paul Le Chanois, prononçait ces paroles inoubliables en inaugurant la maquette d'un monument aux morts : «Soldats tombés à Fontenoy, sachez que vous n'êtes pas tombés dans l'oreille d'un sourd... et que je fais ici le serment de vous venger, de vous suivre, et de périr, etc. Soldats tombés à Fontenoy, le soleil d'Austerlitz vous contemple... À la guerre comme à la guerre... Un militaire de perdu, dix de retrouvés... Il faut des civils pour faire des militaires; avec un civil vivant, on fait un soldat mort... et pour les soldats morts on fait des monuments... des monuments aux morts...» Quant à la Victoire, complètement soûle (Prévert s'était réservé le rôle), elle délirait — avant le chœur final où on levait la jambe comme au Casino de Paris à la gloire du canon de 75 — en répondant au «Gloria in excelsis...» du curé et de la sœur de charité :

> *(au plus haut)*... des cieux... des cieux
> Ceux qui ne font pas d'omelette
> sans casser des œufs
> Ont droit qu'à leur cercueil
> la foule vienne et prie!
> Eh bonjour monsieur du corbeau...
> J'en connais d'immortels qui
> sont de purs sanglots...
> Fesse queue doigt
> Advienne que pourra

Tirez la bobinette
La chevillette cherra
etcoetera! etcoetera!

Caricature de tous ceux qui avaient défilé jusque-là, la Victoire au patriotisme exacerbé ne pouvait que sombrer dans la démence...

La Bataille de Fontenoy constitua le premier grand travail d'équipe du Groupe Octobre. La pièce fut répétée, transformée, allongée, répétée à nouveau. «Jacques, au milieu de la troupe, tenait compte des suggestions de chacun, de l'interprétation de tous et modelait sa pièce au fur et à mesure des répétitions, se souviendra Suzanne Montel. Le scénario initial, très concentré, se développa sur la scène[1].» Jacques y joua (outre la Victoire) le rôle de Nicolas II, un Nicolas sinistre mais singulièrement représentatif qui, répondant à Raspoutine curieux de savoir à quoi il pensait tandis que se déroulait la bataille, lâchait simplement: "À la mort de Louis XVI", tandis que Paul Déroulède incarné par Raymond Bussières déclamait son poème «En avant» avec l'accent répandu entre Belleville et Ménilmontant[2].

Il existera au moins quatre versions de *La Bataille de Fontenoy* jusqu'à sa parution dans *Spectacle*, deuxième grand recueil des textes et poèmes de Jacques Prévert édité près de vingt ans plus tard. La première publique eut lieu le 16 janvier 1933 devant les délégués du IIe Congrès de la Fédération du théâtre ouvrier de France. Elle se terminait par un chœur parlé dans la tradition critique de la société capitaliste prônée par les troupes de choc allemandes, de Piscator et Bertolt Brecht. De celui-ci, Prévert connaissait au moins *L'Opéra de quat'sous* dans la version filmée de G. W. Pabst que lui avait fait découvrir Pierre Batcheff et dont le public commençait à fredonner les célèbres *songs* mis en musique par Kurt Weill. Prévert y reprit certaines strophes écrites aussitôt après *Vive la presse*, telles celle qui se terminait par le désormais célèbre «Vous n'empêcherez pas le drapeau rouge de flotter» qui provoqua chez les délégués de la FTOF un enthousiasme indescriptible.

Au côté de Lou Tchimoukow, Jacques Prévert accordait une grande importance à la distribution des rôles. Déjà, en écrivant, il pensait au comédien qui allait interpréter son texte en y apportant sa personnalité, son talent, ses convictions. L'éventail était maintenant très large et les premiers succès

1. Suzanne Montel - Serge Grand, archives personnelles.
2. *Ibid.*

attiraient au Groupe Octobre de nombreux amateurs. *La Bataille de Fontenoy* fut l'occasion de les réunir tous sur scène. Il y avait là, fraternellement mêlés, les « vieux » fidèles, noyau de la bande à Prévert, avec en tête Marcel Duhamel et Max Morise, les deux transfuges du groupe surréaliste, survivants de l'équipe de la rue du Château, et maintenant à la tête d'une prospère entreprise de doublage de film grâce à laquelle Marcel-au-grand-cœur pouvait jouer une nouvelle fois les mécènes ; Jean-Paul Le Chanois qui, après avoir joué le rôle principal de *Vive la presse*, tenait celui de Poincaré, personnage essentiel de *La Bataille de Fontenoy* ; Jean Lévy[1], neveu de José Corti, le libraire éditeur des surréalistes ; Marcel Jean, peintre et poète, et le photographe Jacques-André Boiffard venaient eux aussi du surréalisme. Quant à Léo Sabas, Marcel Duhamel reconnut en lui le chasseur de l'hôtel Ambassador dont il avait été directeur ! Suzanne Montel nota pêle-mêle pour les archives du groupe le nom des autres participants parmi lesquels on retrouvait certaines vieilles connaissances : Yves Allégret et Guy Decomble (alternant dans un rôle de prêtre), Raymond Bussières et Jean Loubès, Louis Félix, l'ouvrier Jean Brémaud, Maurice Hilero, Fabien Loris acteur chanteur que Prévert venait de rencontrer sur le plateau de *Ciboulette*, Jacques-Bernard Brunius, la famille Fuchsmann avec Lazare et les deux belles-sœurs Jeannette et Raymonde, Virginia Gregory, Arlette Besset, Alice Dessenne, Ida Lods, Gisèle Fruhtman, sans oublier la précieuse Gazelle responsable de la panière des costumes que l'on trimballait de salle en salle : de la Maison des syndicats avenue Mathurin-Moreau à la Coopérative ouvrière de la rue Duhesme, de la Bellevilloise à la salle du Grand-Orient de la rue Cadet, des Bouffes du Nord à la Mutualité. C'est à la Maison des syndicats qu'un jeune cinéaste de vingt-six ans, assistant de Jacques Feyder et de René Clair et auteur en 1929 d'un charmant court-métrage d'amateur, *Nogent, Eldorado du dimanche*, qui n'était pas sans rappeler *Souvenirs de Paris* ou *Paris-Express*, découvrit à la fois le Groupe Octobre, Jacques Prévert et *La Bataille de Fontenoy*. « C'était une pièce baroque et folle, d'un humour grinçant, vaguement surréaliste, et antimilitariste de surcroît, notera le jeune homme. Une réplique, entre autres, dont je me suis toujours souvenu, avait causé ma joie : "Soldats de Fontenoy, vous n'êtes pas tombés dans l'oreille d'un sourd !" On voit le genre. Cela s'appelait précisé-

---

1. Sous le nom de Jean Ferry, Jean Lévy deviendra l'un des grands scénaristes dialoguistes du cinéma français en écrivant avec Henri-Georges Clouzot *Quai des Orfèvres, Manon, Miquette et sa mère*, avec Christian-Jaque *Nana*, ou *Vie privée* avec Louis Malle.

ment *La Bataille de Fontenoy*, et son auteur se nommait Jacques Prévert. » Le cinéaste inscrivit le nom dans sa mémoire et se promit de travailler un jour avec cet aîné qui devait être au moins aussi anarchiste que lui. Il se passera pourtant trois ans avant que Marcel Carné rencontrât Jacques Prévert pour former le plus extraordinaire tandem qu'ait connu le cinéma français[1].

Pour la première fois, Jacques avait l'occasion de travailler sur un « vrai » grand film et non à la sauvette comme pour *L'affaire est dans le sac*. *Ciboulette* était certes un sujet imposé par les producteurs mais, pour sa première réalisation, Claude Autant-Lara disposait de moyens considérables. En effet le film avait été offert à sa vedette, la belle Simone Berriau, par d'importants promoteurs à qui elle avait rendu un service de taille. Plutôt que de se faire offrir un collier de perles ou un gros diamant, elle leur avait demandé un film, et comme elle jouait alors à l'Opéra-Comique elle avait choisi *Ciboulette*[2]. Mais pas question pour le jeune metteur en scène et son scénariste[3] de filmer simplement la plus orthodoxe des opérettes. Prévert interpréta *Ciboulette* à sa manière, en transformant l'aventure de la petite maraîchère des Halles devenue une grande cantatrice en une parodie d'opérette bourgeoise pimentée d'un humour dévastateur. L'orchestre surgissait des miroirs, le musicien Olivier Métra, figure populaire de la musique légère du XIXe siècle, devenait un magicien mystérieux coiffé d'un immense gibus, tandis qu'évoluaient dans l'histoire des personnages symboliques à corps d'hommes et à têtes d'animaux comme on en voit parfois dans Shakespeare, et qui, là, chantaient un chœur plein de provocante poésie. Non seulement Jacques Prévert put constater à cette occasion qu'écrire pour le cinéma était un moyen agréable de fort bien gagner sa vie — c'était la première fois que sa plume lui rapportait une importante somme d'argent —, mais encore que les copains pouvaient bénéficier de cette manne en trouvant un rôle au premier plan sur le plateau ou plus modestement dans la foule des figurants. C'est ainsi que Claude Autant-Lara puisa dans le vivier des joyeux lascars de la rue Dauphine — et dans celui du Groupe Octobre. Georges Pomiès, qui avait déjà joué dans *Tire-au-flanc* en 1928 et venait de terminer *Chotard et Cie* sous la direction de Jean Renoir, se vit attribuer le rôle d'Olivier Métra, Marcel Duhamel celui du voleur Robert Macaire pendant que Max Morise, Jean Lods, Léon Moussinac et sa femme, Pierre Sabas,

1. Marcel Carné, *La Vie à belles dents*.
2. Alexandre Trauner, *Décors de cinéma*.
3. Ils avaient 31 et 32 ans.

Gazelle Duhamel et Raymond Bussières «figuraient intelligemment». Lou Tchimoukow et Yves Allégret réalisèrent les costumes avec Autant-Lara, et Jacques Prévert arrondit son pécule en jouant l'âne et en figurant avec l'assistant décorateur dans une séquence qui sera coupée au montage. Claude Autant-Lara était si à l'aise financièrement qu'il avait pu se payer «le» décorateur de Jacques Feyder, René Clair et Marcel L'Herbier : le Russe Lazare Meerson. Ayant fui la révolution soviétique pour s'installer en France, celui-ci jouissait d'une grande cote auprès des réalisateurs après avoir ouvert une voie nouvelle dans la conception du décor qui, selon lui, devait avant tout servir l'esprit de l'œuvre. Son assistant, avec lequel Jacques Prévert jouait quelques scènes du film et auquel il se lia immédiatement, était un petit Hongrois roux aux yeux malicieux et dont le nez mangeait le tiers du visage : Alexandre Trauner. Bavard comme une pie, il se racontait dans un excellent français, seulement déformé par un accent à couper au couteau. Juif de Budapest, il était né non pas du côté de Buda, la ville noble installée sur les collines, mais du côté Pest, la ville industrielle où son père, excellent dessinateur, était tailleur pour dames. Étudiant en peinture aux Beaux-Arts, malgré le *numerus clausus* imposé aux Juifs, il avait quitté l'Université quand le régime ultraconservateur du régent Horthy s'était rapproché de l'Italie fasciste [1] et avait développé dans une population qui n'y était pas hostile un antisémitisme d'État qui se traduisit par une affiche apposée à la porte de l'École et proclamant : «Interdit aux chiens et aux Juifs.» Il fallait fuir. Contrairement à nombre de coreligionnaires des milieux artistiques, Trauner ne se dirigea ni vers l'Allemagne ni vers les États-Unis mais vers la France, patrie de Matisse qu'il considérait comme le plus grand des peintres modernes, et dont il rêvait de suivre les traces au pays de la liberté. Grâce à un ami sculpteur qui l'avait hébergé dès son arrivée, il avait pris ses marques à Montparnasse entre Le Dôme et La Rotonde où se mélangeaient la peinture, la photographie et le cinéma. Il était devenu ami avec les photographes hongrois André Kertész et Brassaï, et espérait vivre de sa peinture quand, en décembre 1929 — il avait alors vingt-trois ans —, le hasard lui avait fait accepter un petit boulot de peintre au studio d'Épinay où, après quelques essais, Lazare Meerson, qui avait tout juste la trentaine, l'avait intégré à son équipe. «Épinay a vraiment été le lieu des recherches les plus excitantes sur le décor, avec les films de René Clair et de Jacques Feyder, et une équipe permanente de décorateurs rassemblée autour de Lazare Meerson», expliqua-t-il à Jacques Prévert qui, à travers

1. Dès 1927.

Ciboulette, apprenait le cinéma des grandes productions et participait au travail quotidien de la centaine de personnes dépendant, le temps d'un film, de son réalisateur.

Le tournage commença en décembre 1932 et Prévert découvrit l'importance du décorateur et combien celui-ci était attentif à l'élaboration du scénario autant qu'à la façon d'œuvrer du metteur en scène. Pour son premier grand scénario, Jacques inaugura une méthode d'écriture qui impressionna Alexandre Trauner aussi bien que Claude Autant-Lara. Avant d'entamer les dialogues quand il n'en était encore qu'au stade de la mise au point de l'intrigue, il présentait ses personnages, leurs rapports et l'enchaînement des épisodes sur de grandes feuilles de papier. « Il épinglait au mur une immense feuille de Canson, grand aigle, qui y restait constamment fixée, témoignera Autant-Lara. Dessus, il inscrivait au fur et à mesure, bien en ordre, toutes les séquences du film… De cette manière, il avait constamment toute la ligne du film sous l'œil… Cet immense plan, il l'agrémentait, en marge, de quantité de petits dessins [1]. » Ces croquis aux crayons de couleur, définissant certains personnages aussi bien que des esquisses de scène ou les gags qui lui passaient par la tête, devenaient autant d'enluminures qui illustreront tout au long de sa carrière cinématographique chacun de ses synopsis, transformé en œuvre d'art. Dès le premier jour, le peintre qu'était resté Alexandre Trauner les admira sans retenue. C'est grâce à *Ciboulette* et à Autant-Lara que Prévert et Trauner apprirent à se connaître et à apprécier leurs talents respectifs. Pour Jacques Prévert, voir les croquis de Meerson se transformer, grâce au génie de Trau, en carreau des Halles avec ses têtes de veau et ses monceaux de choux qui, sous la chaleur des projecteurs et les heures passant, dégageaient une odeur pestilentielle — « le studio avait pué pendant des jours, nous en avions l'estomac retourné », se souviendra le décorateur [2] —, ou encore devenir le superbe décor de la fontaine des Innocents au milieu duquel poussait un grand arbre entièrement fleuri pour la fête du muguet, tenait du miracle. Tout comme le culot du metteur en scène qui s'offrait en plan d'ouverture de son premier film le plus long travelling qu'on ait jamais tourné. « Six cents mètres de pellicule, vingt minutes de projection, racontera Trauner. Il occupait tout le terrain et les plateaux du studio des Réservoirs à Saint-Maurice, loués à la Paramount. Six cents mètres de travelling sans autre coupure qu'un raccord que nous étions obligés de faire dans le mouvement, dans une zone d'ombre sur une colonne, parce que nous

1. Rapporté par Bernard Chardère, *Jacques Prévert. Inventaire d'une vie*.
2. Alexandre Trauner, *Décors de cinéma*.

ne disposions en réalité que de trois cents mètres d'autonomie par bobine. On partait des maraîchers qui franchissaient les portes de Paris, on survolait la ville, on passait sous les voûtes de l'église Saint-Eustache et on arrivait à la fontaine des Innocents et aux anciennes Halles. On les traversait, on traversait encore une rue et on descendait en fin de compte dans un cabaret, *Le Chien qui fume*, où l'on trouvait un chœur d'officiers qui chantait[1]. » Autant-Lara tout comme Meerson et Trauner aimait frapper l'imagination des spectateurs par un plan d'ouverture situant l'atmosphère et par un décor énorme destiné à les impressionner. Pour créer une ambiance, Jacques Prévert n'était pas en reste et était tout prêt à modifier une scène, à retoucher un dialogue qu'il écrivait à la demande sur le guéridon d'un décor avec une facilité déconcertante qui faisait l'admiration de ses complices.

Tout en travaillant sur le film en cours, il suivait l'actualité dont se nourrissait le Groupe Octobre. C'est sur le plateau de *Ciboulette* qu'il apprit un lundi matin de janvier 1933 la victoire d'Adolf Hitler qui, après avoir disposé de 230 puis de 196 députés au Reichstag lors des deux dernières élections législatives, se voyait appelé à la chancellerie par le vieux maréchal Hindenburg. C'était la dernière marche gravie dans la conquête légale du pouvoir, objectif principal que s'était fixé l'auteur de *Mein Kampf* (*Mon combat*, publié en 1924-1925) qui avait réuni sous la bannière nazie les millions de chômeurs et de petits-bourgeois ruinés par la crise économique de 1929. Son but annoncé était de sortir l'Allemagne de la misère provoquée à ses yeux par le « diktat » de Versailles et par le « péril juif » qui menaçait la race aryenne au moins autant que le communisme devant lequel il se présentait comme l'ultime rempart, s'attirant ainsi la sympathie de certains industriels parmi les plus puissants. Aussitôt, sur le plateau même, au milieu du brouhaha qui régnait entre deux prises de vues, Jacques Prévert troussa une de ces « Actualités » qu'il avait inaugurées en mai 1932 dans *La Scène ouvrière* et qu'il multipliera dans les trois années à venir. « C'était la grande époque de Jacques, dira Pierrot, témoin privilégié qui ne quittait guère son frère. Il était brillant, intarissable. Il avait un dynamisme extraordinaire. Dès qu'il se produisait un événement politique, il se mettait à un coin de table et écrivait un chœur parlé, ou un texte qui était mis en répétition immédiatement puis joué presque séance tenante... Il y avait beaucoup de manifestations politiques à ce moment-là. La Fédération du théâtre ouvrier était une filiale du parti communiste, il faut bien le dire. Chaque fois qu'il y avait

---

1. *Ibid.*

une manifestation, la partie artistique était fournie par la FTOF dont faisait partie le Groupe Octobre[1].» Pour alerter ses troupes sur l'importance de la menace que faisait courir l'accession d'Hitler au pouvoir à nos frontières de l'Est, *Commune*, nouveau journal de l'Association des écrivains et artistes révolutionnaires, paraîtra avec sa une éclaboussée d'une tache de sang. Aussitôt le numéro sera saisi[2]. En France aussi ils étaient nombreux ceux qui, dans la classe possédante, étaient prêts à accepter la dictature d'un Hitler plutôt que d'assister à l'avènement d'un gouvernement de Front populaire. Sans revendiquer la moindre étiquette officielle, le moindre imprimatur d'un quelconque parti politique, Prévert, en quelques vers, situa son camp et jeta un cri d'alarme prémonitoire :

HITLER... HITLER... HITLER
L'homme de paille pour foutre le feu
Le tueur
Le provocateur...

On présente d'abord le monstre en liberté
On le présente aux ouvriers

«C'est un ami, presque un frère
un ancien peintre en bâtiment.»

Le moindre mal! Quoi!

C'est moins dangereux qu'un général
un ancien peintre en bâtiment

Le moindre mal

Et maintenant
les quartiers ouvriers sont peints couleur de sang

Travailleurs attention
Votre vie est à vous
Ne vous laissez pas prendre
SOCIALISTES! SANS PARTI! COMMUNISTES!

La main qui tient l'outil ressemble à la main qui tient l'outil
Serrez les poings
Travailleurs attention
Il faut matérialiser votre haine
Haïr

---

1. *Image et Son*, n° 189.
2. Le n° 1 de *Commune* ne sera «libéré» et mis en vente que le 24 juillet 1933. Philippe Robrieux, *Histoire intérieure du parti communiste*.

Lutter
S'unir
Voilà nos cris
Plus que jamais
PROLÉTAIRES DE TOUS LES PAYS UNISSEZ VOUS !

Hitler... l'homme de paille pour foutre le feu...
Et le feu va gagner l'Europe[1].

Écrit le lundi sur le plateau de *Ciboulette*, répété dans la journée suivante, le chœur parlé fut représenté le mardi soir par le Groupe Octobre en conclusion d'une réunion politique sur la scène du bal Bullier. Jacques y participa comme acteur et, pour donner encore plus de poids à son appel à la vigilance, il fit une entrée imprévue qui resta gravée dans les mémoires. Tandis que le chœur psalmodiait « Hitler... Hitler... Hitler... », Prévert bondit sur scène, bousculant ses camarades stupéfaits : il s'était fait la tête du Führer ! Chemise brune, l'œil hagard, la mèche sur le front, la petite moustache hérissée, c'était Hitler en chair et en os qui « venait foutre le feu » tandis qu'une lanterne magique projetait des scènes quotidiennes de la violence nazie prises dans les rues de Berlin quelques jours plus tôt. L'effet fut hallucinant et, l'instant de surprise passé, provoqua l'enthousiasme du public et des acteurs. Octobre gardera le jeu de scène pour les prochaines représentations.

Tout comme *La Bataille de Fontenoy*, *L'Avènement de Hitler* évolua au fil des événements du premier trimestre de cette année 1933. Jacques Prévert lui adjoignit bientôt en ouverture un texte sur la répression qui, en février 1933, avait suivi la mutinerie du bateau hollandais *De Zeven Provincien (Les Sept Provinces)*. Une bombe lancée par un hydravion de la Marine nationale néerlandaise avait fait vingt-deux victimes parmi les mutins, qui s'étaient rendus.

L'équipage vivait mal sur les Sept provinces,
vivait mal, dormait mal, mangeait mal
On avait réduit son salaire de 17 %
[...]
22 hommes qui vivaient mal et qui protestaient
parce qu'ils vivaient mal
22 hommes vivants ont été tués
Les journaux ont publié leur communiqué
Un homme — 22 morts — Tout va bien — L'ordre est rétabli
Et comme chaque matin

1. Suzanne Montel - Serge Grand, archives personnelles, et *Tourisme et Travail*, n° 118, janvier-février 1961.

Les bourgeois de tous les pays
Ont pris leur petit déjeuner au lit[1]...

écrivit notamment Prévert indigné, à un moment où en France les conflits sociaux s'exacerbaient. Les mouvements de grève se multipliaient, souvent provoqués par le parti communiste français, lequel suivait de plus en plus attentivement ce Groupe Octobre indépendant de toutes directives, à l'image de son auteur principal, et dont les membres, à quelques exceptions près, lui échappaient. «Inutile de dire qu'il y avait parmi nous de tout, de tout, dira Raymond Bussières. Il y avait je crois trois membres du parti communiste, il y en avait d'autres qui étaient socialisants, d'autres qui n'étaient rien du tout, mais tous ces gars étaient là pour faire un boulot de gauche, on était autour d'un texte, on discutait. De temps en temps, on était convoqué par le parti communiste qui nous disait: "Écoutez, c'est pas sérieux, c'est ceci, c'est cela... Vous êtes en plein dans la déviation de gauche", et on répondait: "On s'en fout! On fait un boulot qu'on croit être juste!"[2]» Comme partout il y avait les enthousiastes qui croyaient au ciel, et les dogmatiques qui n'y croyaient pas, et ne juraient que par la politique. Néanmoins, la plupart venaient travailler bénévolement au Groupe Octobre où il n'y avait ni cachets, ni programme, ni noms d'acteurs. Ils étaient plus liés par l'immense plaisir qu'ils prenaient à leur tâche que guidés par un élan politique véritable. Ce qu'Henri Leduc, ouvrier le jour, comédien la nuit, et future grande figure du Saint-Germain-des-Prés de l'après-guerre — il sera le créateur du fameux Bar Vert de la rue Jacob —, traduisait à sa manière de titi parisien: «Tu nous emmerdes avec tes histoires de politique! On venait parce qu'on se marrait, c'est tout! Parce qu'on était content de rencontrer Jacques, de rencontrer Lou. Et si les autres groupes n'ont pas marché comme le Groupe Octobre c'est justement parce qu'on s'y emmerdait et qu'on y venait uniquement dans un but politique[3].»

Au sein du Groupe, la fièvre créatrice de Jacques Prévert était contagieuse. Lou Tchimoukow suivit son exemple en écrivant, peu après *L'Avènement de Hitler,* un chœur parlé inspiré par une actualité venue des États-Unis où des hommes de couleur accusés d'avoir abusé de deux jeunes femmes blanches — demoiselles de petite vertu — dans un train près de Scottsborough, dans l'État sudiste d'Alabama, avaient été

---

1. Suzanne Montel - Serge Grand, archives personnelles.
2. *Image et Son*, n° 189.
3. *Ibid.*

condamnés, malgré la rétractation des filles. Événement que le scribe du Groupe Octobre résuma en une formule lapidaire qui, dans la bouche d'un sympathisant de gauche, en disait long sur la considération dont pouvaient jouir, à l'époque et dans leur pays, les Noirs américains : « En 1932, neuf nègres furent accusés par des blancs avec lesquels ils s'étaient battus, d'avoir violé des prostituées ; les nègres, sans aucune preuve, avaient été condamnés à mort[1]. » La condamnation inique suscita dans le monde entier un courant d'indignation comparable à celui provoqué, six ans auparavant, par l'exécution de Sacco et Vanzetti qui avaient payé de leur vie leurs activités au sein du mouvement ouvrier international. Les manifestations en tous genres se multiplièrent pour que les condamnés ne fussent pas exécutés. Le texte qu'écrivit Lou Tchimoukow et que le Groupe Octobre répéta en un temps record pour le jouer dès février 1933 entrait dans le cadre de cette action. L'une de ces représentations fut donnée devant la propre mère de deux des jeunes Noirs. Le *Daily Mail* de Londres, alors premier journal du monde par son tirage, parla du drame en même temps que le Groupe Octobre sortait de l'anonymat à l'occasion du premier spectacle complet que Prévert et Tchimoukow donnèrent le vendredi 10 mars avec le seul concours des membres de la troupe.

L'événement eut lieu rue Cadet dans la salle du Grand-Orient de France et réunit pour la première fois un public où aux ouvriers et travailleurs déjà habitués au langage prévertien se mêlaient des bourgeois et des intellectuels férus d'avant-garde et de poésie révolutionnaire, attirés par la réputation de *La Bataille de Fontenoy*, qui avait franchi les frontières de la Fédération du théâtre ouvrier de France. Outre ce morceau de bravoure, on donna ce soir-là les deux ballets écrits pour Pomiès — *Le Camelot* et *Le Chômeur* —, des chœurs parlés et des « Actualités » comme « L'Avènement de Hitler » dites sur des vues de lanterne magique, ainsi que « Ça c'est du théâtre », sketches parodiant le théâtre et l'opéra bourgeois, concoctés par Guy Decomble, Max Morise, Bussières et Tchimoukow, lequel présenta également ses *Nègres de Scottsborough*. Copieux programme complété par le court métrage d'Yves Allégret, *La Pomme de terre*, où le Groupe Octobre était omniprésent. Entre chaque scène, on jouait de l'orgue de Barbarie et pendant l'entracte le public put visiter une exposition-charge intitulée « Musée-Musique » dans laquelle Lou Tchimoukow s'était livré à une parodie antimilitariste dont le surréalisme n'était pas absent. On pouvait notamment y admirer, entre deux airs de

1. Suzanne Montel - Serge Grand, archives personnelles.

musique militaire distillée par un vieux gramophone, la tartine de confiture grâce à laquelle furent capturés les soldats allemands en 14-18... Le succès de la représentation, saluée de vifs applaudissements et de vivats tonitruants, ne pouvait passer inaperçu aux yeux des journalistes présents. Quatre jours plus tard, pour la première fois, on parlait du Groupe Octobre dans la grande presse parisienne. Oh! pas pour l'encenser, on s'en serait douté.

C'est un certain Prosper, pseudonyme sous lequel les archivistes du mouvement Freinet débusqueront le célèbre Clément Vautel[1], qui ouvrit le feu dans *L'Écho de Paris* du 14 mars. Il s'agissait pour l'écrivain belge de désamorcer en le ridiculisant le brûlot central du spectacle, cette *Bataille de Fontenoy* si chaleureusement applaudie par un public qui pour une fois n'était pas composé uniquement d'ouvriers. «Monsieur a mis un feutre mou et son pardessus le plus fatigué, écrivit Prosper; Madame a déposé dans un tiroir sa broche en diamant et son collier de perles. Ils ont laissé au garage la limousine 30 CV et c'est en taxi qu'ils sont allés rue Cadet. La salle est comble. Des ouvriers endimanchés avec leur petite famille, des intellectuels à lunettes et à barbe et nos bons bourgeois amateurs "d'avant-garde". [...] Pendant plus d'une heure, les spectateurs écoutèrent les plaisanteries les plus abominables contre la patrie, la religion, la famille, contre les héros et les victimes de guerre. [...] Puis vint un second tableau où l'on vit des communistes, habillés en soldats rouges, déclarer que la révolution était proche, qu'ils iraient prendre leurs armes dans les arsenaux et qu'ils sauraient s'en servir pour massacrer tous les tenants du régime actuel. [...] Devant tant de criminelle sottise, on en arriverait, presque, à souhaiter une révolution, rien que pour voir la tête que feront, à ce moment-là, nos ineffables communistes de salon[2]...»

L'éreintement était de bonne guerre de la part de *L'Écho de Paris*, quotidien catholique à grand tirage, très lu dans les milieux militaires qui, à travers le Centre de propagande des républicains nationaux créé par le député Henri de Kerillis, menait la campagne d'opposition à la gauche et à l'extrême gauche avec l'appui des Jeunesses patriotes, groupement s'inspirant du fascisme italien créé par le député de Paris Pierre Taittinger[3]. Ce qui l'était moins fut la critique acerbe que Jacques Chabannes, auteur dramatique et journaliste, lui-

---

1. Maurice Baquet, archives personnelles.
2. Cité par Danièle Casiglia-Laster et Arnaud Laster, in Notes aux *Œuvres complètes* de Jacques Prévert dans La Pléiade, et par Michel Fauré, *op. cit.*
3. Jacques Chastenet, *Cent Ans de République*.

même membre du groupe Douze placé sous la houlette de la FTOF au même titre que le Groupe Octobre, adressa à ses compagnons de lutte dans les colonnes de *La Volonté* d'Albert Dubarry, qui s'enlisera bientôt dans les méandres du scandale Stavisky : «J'avoue avoir été cruellement déçu, écrivit le "camarade" Chabannes dans les numéros des 19 et 20 mars après avoir défavorablement comparé Octobre au Théâtre du peuple tchécoslovaque. Ce que je reproche, plus que tout, à cet effort sincère, c'est son incohérence et son conservatisme. Est-ce vraiment un théâtre révolutionnaire, ce guignol pour *minus habentes* ? M. Poincaré dans un cimetière, Joffre dormant, M. Herriot discourant, Déroulède gâteux ? Et c'est tout ! Quel dommage ! Dans un discours aussi conformiste, au moins, que son spectacle, l'orateur du Groupe Octobre nous a parlé abondamment des bourgeois et des révolutionnaires. On se serait cru dans un meeting libertaire de 1910. [...] *La Bataille de Fontenoy* est une manière de salade russe de tous les arguments de propagande. Rien dans tout cela qui ne choque. De bout en bout, ou presque, je suis d'accord. Mais quelle vulgarité dans l'expression, quelle absence de goût et, je le crains, de talent[1]. »

Il y avait du rival jaloux chez Chabannes dont le groupe était loin d'obtenir au sein de la FTOF le quart du succès que remportait le Groupe Octobre à chacune de ses interventions. On le demandait partout, à l'occasion de grandes manifestations mais aussi pour des fêtes locales de la banlieue «rouge» ou des goguettes organisées par de modestes cellules parisiennes dans une arrière-salle de bistro où la troupe jouait souvent sur des tréteaux improvisés avec des moyens qui ne l'étaient pas moins. «Nous n'avions pas un rond, rappellera Raymond Bussières à qui son emploi à l'Hôtel de Ville permettait d'être de tous les spectacles, absolument pas un rond. C'était toujours les plus riches, comme Marcel Duhamel, qui a toujours très bien gagné sa vie, et qui a toujours été un des gars les plus généreux que j'aie jamais rencontrés dans ma vie, qui payaient les voyages, etc., et cela ne se rencontre pas tous les jours. Chacun amenait sa petite veste, son petit truc. On avait une copine *[Gazelle]* qui faisait des costumes avec des bouts de tissus que Marcel achetait... On avait des copains qui travaillaient comme assistants, tels Tchimoukow, Le Chanois. Lors d'un tournage de film, ils prenaient deux ou trois trucs qu'ils nous apportaient. *La Bataille de Fontenoy*, on l'a jouée dans toutes les conditions possibles, je crois, on l'a même jouée dans un bistro, en mettant les tables au fond pour faire une estrade... Si un tel n'était pas là, un autre prenait son rôle,

---

1. Cité par Michel Fauré, *op. cit.*

c'était improvisé, c'était extraordinaire. On répétait beaucoup, mais en définitive, notre grande valeur c'était d'avoir Prévert[1]...» Grâce au poète qui se nourrissait de journaux autant que d'alcool et de Gauloises dont la cendre maculait en permanence le revers droit de son veston, l'actualité était toujours présente dans les spectacles du Groupe Octobre et celui-ci lui devait une partie de son succès. Les spectateurs fidèles — ils étaient de plus en plus nombreux et les représentations étaient gratuites — se demandaient à chaque séance : « Qu'est-ce qu'ils vont bien nous raconter de nouveau ? »

Si le nombre des chômeurs grandissait de façon catastrophique, l'actualité, elle, ne chômait pas. Devant la valse des gouvernements qui scandalisait le peuple et minait la République — on verra six gouvernements se succéder en moins de deux ans ! — les dissensions intérieures redoublaient d'intensité. La faille entre « possédants » et « possédés » devenait un gouffre. La rancœur et l'intolérance empoisonnaient l'air et certains noms, symboles du grand capital dont l'égoïsme atteignit des sommets à l'heure où la dépression touchait cruellement les moins favorisés, fournirent à Prévert quelques cibles de choix. Parmi ces symboles, celui du polytechnicien André Citroën dont les bancos au casino étaient aussi célèbres que la réussite dans l'industrie automobile alors en pleine expansion. Ses voitures figuraient aussi bien dans les compétitions internationales que dans les concours d'élégance automobile les plus huppés. Les fameuses « Croisière noire » (1924-1925) et « Croisière jaune » (1931-1932) avaient popularisé la marque aux quatre coins de la planète, et elle flamboyait sur la tour Eiffel devenue la plus grande enseigne lumineuse du monde. C'était de ses usines du quai de Javel, à Paris, qu'étaient sorties la Trèfle, la B.12 et la B.14 ; là également que l'on préparait pour l'année suivante la première traction-avant, que l'on disait déjà d'une conception follement audacieuse. C'est aussi dans ses usines de Saint-Ouen qu'éclata l'une des grèves les plus dures de cette époque troublée. Le mardi 7 mars à 12 h 20, les ouvriers de Citroën constatèrent une diminution de la paie sans que quiconque eût été informé de cette décision patronale. L'équipe de 14 h 30 alertée en même temps qu'elle prenait son service se joignit immédiatement à la grève. Le soir même, six cents ouvriers avaient déjà débrayé tandis qu'un comité de grève composé de cent vingt membres élus par les travailleurs entamait le combat. Dix jours plus tard, le mouvement était national, les ateliers et les chaînes de Saint-Ouen mais aussi de Grenelle et de Javel étaient totalement paraly-

---

1. *Image et Son*, n° 189.

sés[1]. Raymond Bussières, dont le bureau de dessinateur à l'Hôtel de Ville servait de PC au Groupe Octobre, fut l'un des premiers alertés sur l'ampleur qu'avait prise le mouvement. «J'avais à ma disposition le téléphone, rappellera Bubu. Je téléphone donc la nouvelle à Jacques vers 2 heures. Tout le monde part travailler sauf les chômeurs. On se retrouve tous à 6 heures à la Maison des syndicats[2].» Dans l'après-midi, au calme de la villa Duthy, Jacques Prévert avait écrit d'une traite un chœur parlé de trois pages mais d'une grande densité qu'il apporta avenue Mathurin-Moreau où Lou Tchimoukow entreprit aussitôt de le mettre en scène. «Le chœur parlé est répété dès le lendemain (samedi après-midi[3]), notera Suzanne Montel dans son compte rendu d'activité. Il est donné immédiatement au cours d'une réunion des grévistes. Tchimoukow imagina une mise en scène permettant aux acteurs (qui n'avaient pas eu le temps de retenir leur rôle) de jeter des coups d'œil sur le texte du chœur posé sur une table devant laquelle se trouvait le personnage principal. Par la suite, la chanson *Sous les toits de Paris* fut jouée en sourdine à l'accordéon dans les coulisses au début du chœur[4].»

Ce fut un moment d'intense émotion quand, devant l'assemblée turbulente des grévistes de Citroën, Jeannette Fuchsmann, par sa seule présence fragile sur les grands tréteaux de la Maison des syndicats, calma l'effervescence. «La môme Fuchsmann entrait en scène, dira Raymond Bussières, elle était joliette et blonde (elle avait vingt ans, quoi!) et disait avec un petit air ingénu (c'était l'époque où Citroën faisait de la réclame sur la tour Eiffel[5]):

> À la porte des maisons closes
> C'est une petite lueur qui luit...
> Quelque chose de faiblard, de discret
> Une petite lanterne, un quinquet
> Mais sur Paris endormi...
> Une grande lumière s'étale
> Une grande lumière grimpe sur la tour
> Une lumière toute crue
> C'est la lanterne du Bordel capitaliste

1. Ce n'est que fin mai 1933 que les usines Citroën retrouveront une activité normale.
2. Raymond Bussières in *Mon frère Jacques*, et in Michel Fauré, *Le Groupe Octobre*.
3. Vraisemblablement le 18 mars 1933. «Les dates, les textes nous importaient peu, hormis à Suzanne Montel. Nous aimions l'action directe», dit Raymond Bussières.
4. Suzanne Montel - Serge Grand, archives personnelles.
5. *Image et Son*, nº 189.

avec le nom du taulier qui brille dans la nuit
Citroën... Citroën[1]

Dans les jours suivants, au fil des représentations, *Citroën*, qui remportait un succès de plus en plus vif car l'action théâtrale suivait l'action sociale et politique, vit sa mise en scène modifiée. Tchimoukow découpa ce qui, à l'origine, était un long poème et en distribua les morceaux entre plusieurs comédiens. Le chœur parlé fut ainsi joué par Marcel Duhamel, Maurice Hiléro, Jean Ferry, Jeannette Fuchsmann, Guy Decomble (les cinéphiles le reconnaîtront sous les traits du forain de *Jour de fête* de Jacques Tati), Raymond Bussières, Ida Lods, Virginia Gregory, Gisèle Fruhtman et Suzanne Montel. Pour rendre le texte sinon plus accessible — Jacques ne pouvait être plus direct — du moins plus spectaculaire, Tchimoukow accentua le réalisme de sa mise en scène par la lumière rouge du bordel, celle clignotante de la tour, la musique de coulisse et jusqu'au bruit des râteaux de croupier lorsque Prévert évoquait avec une rare violence l'industriel tout à sa passion du jeu :

> Il s'en fout des ouvriers
> Un ouvrier c'est comme un vieux pneu
> Quand il y en a un qui crève
> On ne l'entend même pas crever.
> Citroën n'écoute pas
> Citroën n'entend pas.
> Il est dur de la feuille pour ce qui est des ouvriers.
> Pourtant, au casino, il entend bien la voix du croupier :
> Un million, Monsieur Citroën, un million
> S'il gagne, c'est tant mieux, c'est gagné
> Mais s'il perd, c'est pas lui qui perd...
> Ce sont les ouvriers !

Preuve de l'importance du Groupe Octobre au sein de la FTOF, *Citroën* fut donné lors d'une fête de *L'Humanité*, le 21 avril, à la salle Bullier où les micros étaient ce soir-là si mauvais que le peintre surréaliste Marcel Jean, à la belle voix grave, dut remplacer la frêle Jeannette Fuchsmann et jouer tout seul le texte de Prévert en suivant les directives de Tchimoukow : « On éteint toutes les lumières, tu arrives dans l'obscurité avec une lampe électrique pour éclairer ton papier, tu le lis et à la fin on rallume la salle et le groupe entre sur le plateau en criant : Vive la grève ! » Peu à peu le brouhaha de l'assistance recula pour s'éteindre au fond du bal Bullier lorsque Marcel Jean

---

1. Premier état de *Citroën* ; Suzanne Montel - Serge Grand, archives personnelles.

entama l'impitoyable conclusion que Prévert, s'appuyant sur la mauvaise gestion qui conduira l'industriel du quai de Javel à déposer son bilan à la fin de l'année suivante, donna à la plus violente de ses diatribes anticapitalistes :

> Les journalistes mangent dans sa main
> Le Préfet de Police rampe sur son paillasson
> Citron... ? Citron...
> Bénéfices nets
> Millions... Millions
> Et si le chiffre d'affaires vient à baisser
> Pour que malgré tout les bénéfices ne diminuent pas
> Il suffit d'augmenter la cadence
> Et de baisser les salaires des ouvriers
>   BAISSER LES SALAIRES
> Mais ceux qu'on a trop longtemps tondus en caniches
> Ceux-là gardent encore une mâchoire de loup
> Pour mordre
> Pour se défendre
> Pour attaquer
> Pour faire la grève...
> La grève...
> La grève...
>   VIVE LA GRÈVE [1] !

Le lendemain le Groupe Octobre avait les honneurs de *L'Humanité* qui rendit compte, entre deux allocutions de leaders syndicalistes, de « l'émouvant chœur parlé sur la grève de Citroën », applaudi par une salle entière, debout, criant à son tour « Vive la grève ».

Après le succès de *La Bataille de Fontenoy* lors du II⁰ Congrès de la FTOF, deux mois auparavant, celui de *Citroën* devant la base vint ajouter à la gloire du Groupe Octobre qui fut sélectionné, avec les « Blouses bleues de Bobigny », pour participer à l'Olympiade du théâtre ouvrier en juin à Moscou ! Le comité chargé de procéder à une sévère sélection dans la foule de petits groupes d'amateurs qui se réclamaient de la Fédération du théâtre ouvrier français était composé, entre autres, d'hommes de théâtre, de journalistes, d'écrivains et de responsables politiques comme Firmin Gémier, André Boll, Marcel Prenant, Georges Vitray, Charles Vildrac, Eugène Dabit, Paul Nizan, Léon Moussinac, Georges Pomiès, Louis Hamon, Roger Legris — l'ancien patron de Prémices revenu à de meilleurs sentiments —, André-Paul Antoine, etc. Deux places seulement était réservées à la France parmi la cinquantaine de troupes

1. *Ibid.*

venues du monde entier participer à ce premier grand Festival du théâtre ouvrier. «Aller à Moscou, à cette époque, dira Jean-Paul Le Chanois avec une ferveur de catéchumène, c'était pour nous quelque chose d'extraordinaire!»

Après seulement un an d'existence, le Groupe Octobre, soutenu par la chaleur militante de son public et grâce aux talents conjugués de Jacques Prévert et de son metteur en scène Lou Tchimoukow, remontait aux sources mêmes de cette révolution dont il portait le nom!

CHAPITRE 10

Le voyage à Moscou

Si elle faisait de gros efforts de propagande la jeune Russie soviétique ne roulait pas sur l'or. Parmi les deux douzaines de membres du Groupe Octobre, elle ne pouvait en inviter que six en «pension complète». Les autres devraient participer aux frais estimés à trois cents francs par personne, ce qui était peu pour un voyage si lointain mais représentait une belle somme en ces temps difficiles où, à la Préfecture de la Seine, le dessinateur Raymond Bussières voyait les queues s'allonger au bureau d'embauche pour une malheureuse place de cantonnier ou de gardien de square. Même pour un groupe révolutionnaire, la sélection par l'argent jouait! Il y eut ainsi plusieurs défections malgré la solidarité du cœur qui, chez certains, comme Marcel Duhamel toujours prêt à mettre la main à la poche pour aider un copain dans la débine, était comme une seconde nature. Quand on fit les comptes, seuls quatorze membres du Groupe étaient prêts à faire le voyage à Moscou: Jacques Prévert, Lou Tchimoukow, Suzanne Montel, Yves Allégret, Marcel Duhamel, Raymond Bussières, Jean-Paul Le Chanois, Léo Sabas, Arlette Besset, Jeannette Fuchsmann, Jean Loubès, Jean Brémaud, Jacques-André Boiffard — qui officierait également comme photographe — et la jeune Gisèle Fruhtman dont le russe, même imparfait, serait d'une grande utilité dans la patrie de Lénine. Le danseur Georges Pomiès, déjà affaibli par la maladie qui devait l'emporter quelques semaines plus tard, dut renoncer au voyage. Pour Ida Lods et d'autres camarades, la situation politique posa quelques problèmes aux organisateurs. Née en Russie, Ida avait dix-huit ans lorsqu'elle avait suivi ses parents en Allemagne en 1924. Trois ans plus tard elle s'était installée à Paris où elle avait épousé le cinéaste Jean Lods, beau-frère de Léon Moussinac. Elle était française par son mariage, et les Soviétiques, la considérant toujours comme Russe, ne seraient peut-être pas favorables à son retour en France une fois les festivités terminées. Aussi bien Moussinac, qui vivait maintenant avec sa femme à Moscou où il travaillait à l'édition française de *Littérature internationale*[1] et à l'organisation de l'Olympiade du théâtre ouvrier, que ses compagnons du Groupe Octobre jugèrent plus sage que Ida Lods restât à Paris. C'est que, chez les communistes, on ne badinait pas avec le respect de la ligne. Au moment de la constitution des dossiers nécessaires à l'obtention des visas, des enquêteurs du PCF s'aperçurent que le Groupe Octobre abritait en son sein des militants soupçonnés de trotskisme. Parmi eux, Marcel Jean, la «voix» de *Citroën* au bal Bullier, fut instamment prié de ne pas faire le voyage. Yves Allégret, qui militait avec son beau-frère Pierre Naville dans un mouvement trotskiste ainsi que le photographe Jacques-André Boiffard et quelques autres dont la sympathie allait plutôt au grand révolutionnaire exilé par Staline qu'aux apparachiks soviétiques, ne durent qu'à la protection de Paul Vaillant-Couturier — responsable culturel du PCF — de participer à l'aventure. À la direction du Parti on commença à s'inquiéter de leur indiscipline quand Jacques Prévert et Lou Tchimoukow communiquèrent le programme que le Groupe Octobre entendait présenter à l'Olympiade : *Les Nègres de Scottsborough, Citroën* et *La Bataille de Fontenoy*. « Ils étaient très embêtés, rappellera Raymond Bussières, parce qu'ils trouvaient qu'on était des déviationnistes de gauche justement, et ça la foutait un peu mal ! Alors ils ont envoyé un groupe de Bobigny, vraiment communiste cent pour cent, qui faisait du petit boulot honnête et gentil, sans grande classe. Mais il a fallu quand même envoyer le Groupe Octobre : c'était le meilleur, le plus authentique. On nous a convoqués et on nous a dit : "Surtout pas *La Bataille de Fontenoy*, c'est plein de déviations, surtout pas !" Et nous avons donné *La Bataille de Fontenoy*[2] ! » Malgré ses sympathies, Prévert n'était pas homme à céder aux ukases d'instances supérieures ! Supérieures à qui, à quoi ?

Il fallut néanmoins que Louis Bonin, dit Lou Tchimoukow, par amour de l'URSS, remplît le dossier exigé par Moscou. Selon les archives du parti communiste de l'Union soviétique communiquées bien après la guerre par un responsable de la République démocratique allemande, Wolfgang Klein, aux rédacteurs du *Dictionnaire biographique du mouvement ouvrier français*, Lou Tchimoukow répondit ainsi à la demande de ren-

---

1. Revue de l'Union internationale des écrivains révolutionnaires dont la section française était la fameuse Association des écrivains et artistes révolutionnaires (AÉAR) créée par Vaillant-Couturier et Moussinac l'année précédente.
2. *Image et son*, n° 189.

seignements concernant le Groupe Octobre, officiellement né le 25 avril 1932 :

« Qui dirige le travail au point de vue idéologique ?

— Le Parti communiste français.

— Nombre de membres ?

— 26, dont 18 hommes, 10 membres du PC.

— Répétitions ?

— Presque tous les chœurs sont composés, répétés et exécutés au cours de l'actualité, c'est-à-dire en 48 heures ou en 4 heures.

— Comment le collectif participe-t-il à la lutte des classes ? Par son art ou par d'autres moyens ?

— Tout est bon.

— Avez-vous appliqué à votre groupe certaines directives artistiques ?

— Réaction contre toute formule schématique, sens de l'actualité.

[Noté ici en marge et en russe : "Le collectif n'a pas de directeur politique."]

— Réactions du public ?

— Plus le public est prolétaire, plus le succès est grand [1]. »

Quant à Jacques Prévert, on l'imagine remplissant en grommelant le questionnaire remis individuellement à chaque participant au voyage :

« Parti ?

— Sans parti.

— Sport ?

— Trop peu, hélas !

— Opéra ?

— Jamais.

— Film ?

— Très souvent [2]. »

On ne pouvait être plus laconique. Toutes les difficultés furent finalement aplanies grâce à l'intervention de Paul Vaillant-Couturier à Paris et de Léon Moussinac à Moscou qui, connaissant personnellement chacun des membres du Groupe Octobre depuis sa création, se portèrent garants de leur intégrité morale et politique. Ils devraient seulement s'accommoder, tout le temps de leur séjour en URSS de la présence d'un « cornac », représentant du gouvernement russe, qui les prendrait en charge dès l'arrivée à Léningrad. « Il devait sans doute prendre le relais avec quelqu'un dont on ne savait pas le rôle exact, dira Arlette Besset, et qui nous a surveillés depuis le départ de Paris.

---

1. *Dictionnaire biographique du mouvement ouvrier français*, t. 39.
2. *Ibid.*

Nous avions dans ce voyage un journaliste qui nous accompagnait : Stéphane Priacel. Je n'ai jamais su pour quel journal il travaillait. À cette époque j'étais jeune, à peine vingt-deux ans, et un peu légère pour me rendre vraiment compte du rôle de chacun. Mais la seule chose qui m'ait choquée durant ce voyage en Russie, c'était cette surveillance qui intervenait parfois de manière désagréable[1]. » Sur la photo de groupe du voyage, figureront en effet dix-neuf personnes, alors que les membres de la troupe n'étaient que quatorze !

Tandis que leurs camarades bouclaient leurs valises, deux jeunes femmes râlaient ferme à la pensée de ne pas être de la fête alors que leurs hommes y participaient : Gazelle Duhamel et Renée Allégret. Ces ingrats emportaient les panières de costumes qu'elles avaient créés et fabriqués et les laissaient, elles, sur le quai de la gare ! « Pour nous, aller en Russie c'était découvrir le paradis, on voulait voir de près la Révolution, dira Gazelle. Et eux n'ont pas voulu de nous car nous étions trop chic, nous n'avions pas l'air d'ouvriers comme les autres. Trop bien élevées. Ils me trouvaient maniérée parce qu'à table je tenais convenablement mes couverts et que j'étais toujours élégante, tout comme mon amie Renée. Ils nous ont laissées tomber alors qu'ils ont pris des femmes qui ne faisaient pas partie du groupe mais qui étaient amies d'un ouvrier de la troupe[2]. » Gazelle payait aussi ses allers et retours sentimentaux entre Marcel Duhamel et Lou Tchimoukow. « Dire que je suis enthousiaste à l'idée de partir serait exagéré, notera Duhamel, je vis une période cafardeuse et pense plus à mes déboires sentimentaux qu'à autre chose... Rien d'urgent ne me retient à Paris. J'essaie de me persuader que ça me fera du bien et je suis la troupe[3]. » « Au sein du groupe, dira Maurice Baquet sur le point d'y entrer, les couples se faisaient et se défaisaient. Dans la bande on changeait de femmes sans que ça provoque beaucoup de jalousie[4]. » « Avec Jacques Prévert, Marcel Duhamel ou les surréalistes on ne savait jamais avec quelle femme ils étaient, s'ils n'en avaient pas changé la veille, renchérira Arlette Besset qui, elle, venait de rencontrer Julien Davreu avec qui elle fera sa vie. Ils changeaient souvent, et surtout échangeaient. Alors, pour être tranquilles, on ne demandait jamais rien[5]. » Simone Prévert, elle non plus, ne demandait jamais rien. Mais elle sentait son amour de jeunesse s'éloigner sans bruit. Jacques aimait toujours les très jeunes filles — et Simone atteignait la tren-

1. Arlette Besset à l'auteur.
2. Gazelle Bessières à l'auteur.
3. Marcel Duhamel, *op. cit.*
4. Maurice Baquet à l'auteur.
5. Arlette Besset à l'auteur.

taine —, mais, bien que très entouré et auréolé de ses premiers succès sur les scènes ouvrières, il n'affichait aucune liaison extra-conjugale. Il était seulement « absent »… et Simone n'était pas du voyage à Moscou. Pierrot, le petit frère, n'était pas non plus du voyage. Pourtant il aurait bien aimé accompagner la jolie Gisèle Fruhtman qui lui plaisait diablement mais l'argent manquait et il ne pouvait se permettre d'abandonner les studios où il se faisait une excellente réputation de technicien et d'assistant.

Le départ eut lieu dans les premiers jours de juin 1933, non pas vers l'est mais plein ouest. En effet, les bateaux russes n'étant pas autorisés à mouiller dans les ports français — les relations diplomatiques entre la France et l'URSS étaient encore fraîches —, c'est de Londres que devait appareiller le navire soviétique dévolu au Groupe, à destination de Leningrad, l'ancienne Saint-Pétersbourg où, quinze ans plus tôt, avait éclaté la révolution d'Octobre.

Il y avait de la « colo » dans l'air sur le quai de la gare Saint-Lazare où, dans les rires et les cris de joie, les membres du Groupe Octobre retrouvèrent les camarades des Blouses bleues de Bobigny, dirigés par Clamamus qui animait aussi le groupe Combat, une grande gueule antipathique, fils d'un député communiste, et, sur le plan artistique, par un étonnant personnage, comédien de talent d'origine irlandaise, polyglotte, qui, pendant des décennies, jouera au cinéma les rôles les plus inquiétants, Frédéric O'Brady, grand admirateur de Prévert, et auquel un crâne en boule de billard valait le surnom imagé de Bigoudis. À peine arrivé à Londres, après une traversée sans histoire, Clamamus se fit remarquer en prétendant trouver le pain fantaisie et le « kil de rouge » nécessaires, selon lui, au petit déjeuner du prolétaire parisien. Naturellement ses efforts furent vains et il dut se contenter du traditionnel breakfast britannique, tandis que Jacques Prévert adoptait aussitôt les mœurs anglaises et disparaissait dans les brumes londoniennes. « … Nous avions perdu Jacques, rappellera Jean-Paul Le Chanois. Comme nous avions été reçus très chaleureusement par un groupe anglais, il s'était laissé entraîner par ces gars. Nous l'avons retrouvé dans un pub en train de boire avec les Anglais : il parlait en français, eux en anglais mais le rire de Jacques servait d'espéranto. Finalement, nous l'avons récupéré et nous avons pu embarquer[1]. »

Le *Cooperazia*, cargo mixte du premier Plan quinquennal, avait été aménagé en « transport de troupes » au sens théâtral du terme et chacun, garçons et filles, prit possession de sa cou-

1. Michel Fauré, *op. cit.*

chette dans un joyeux brouhaha. Les Soviétiques avaient fait le maximum pour abriter convenablement les quelques douzaines de comédiens amateurs des groupes français, anglais, belges, tchèques, danois et hollandais, qu'ils étaient chargés de convoyer jusqu'en Russie, en traversant la Manche, la mer du Nord et la Baltique sur plus de deux mille kilomètres. « On est logé dans la cale... sur des couchettes des plus sommaires, étagées les unes sur les autres, se souviendra Marcel Duhamel. Mais, finalement, on n'est pas mal. La mer n'est pas mauvaise, ce qui nous permet de répéter toute la journée sur le pont[1]. » Et il y avait du pain sur la planche, surtout pour mettre au point *La Bataille de Fontenoy* avec seulement quatorze comédiens alors que, d'ordinaire, la pièce se jouait à vingt-quatre ! Par bonheur, l'auteur était là, prêt à modifier son texte. Dès les premières répétitions, il apparut que le répertoire du Groupe Octobre tranchait par son originalité avec celui des autres groupes. Ses membres s'en aperçurent à l'intérêt que leur portèrent aussitôt leurs confrères étrangers, et même français bien que Clamamus et les Blouses bleues de Bobigny affichassent un certain scepticisme devant leurs évolutions fantaisistes et les cabrioles de Lou Tchimoukow dont les inventions superbes et spontanées apportaient une dimension supplémentaire aux textes de Jacques Prévert. Auprès de leurs trouvailles, les chœurs parlés des autres compagnies, directement issus de l'agit-prop allemande, faisaient pâle figure. « Sur le bateau, nous effectuions un vrai travail de professionnels, se souviendra Raymond Bussières, mais le soir, avec les petites Anglaises ou Hollandaises, on buvait de la vodka, on rigolait bien[2]... » Arlette Besset remarquera qu'Yves Allégret, qu'elle trouvait « beau garçon, un peu précieux, très aimable et sympathique, appréciait particulièrement deux Hollandaises d'un groupe d'à côté[3] », tandis que Jeannette Fuchsmann — dont le mari Lazare était resté à Paris retenu par un engagement pour une pièce d'Obey — notait, en militante pure et dure, un rien sectaire : « Dès les débuts du voyage — étaient-ce les nuits blanches de la Baltique ? — quelques-uns rendirent notre groupe célèbre par des sketches imprévus au programme, mais connus de l'équipage puisque certains dégénérèrent en scène de jalousie et on en vint aux mains. À l'arrivée à Leningrad, notre réputation était déjà faite[4]... » Réputation de coureurs de jupons — il fallait soutenir la renommée des mâles français — et d'indiscipline chronique qui atteignit des som-

1. Marcel Duhamel, *op. cit.*
2. Michel Fauré, *op. cit.*
3. Arlette Besset à l'auteur.
4. Michel Fauré, *op. cit.*

mets lorsque la troupe — hommes et femmes mêlées — ayant décidé que sur un cargo soviétique il ne pouvait subsister aucune première classe, en envahit illico les quelques cabines ! C'en était trop pour l'équipage qui, chaque jour, matin et soir, se réunissait dans une cabine baptisée « Coin Lénine » où, devant les portraits du père de la Révolution et de Staline, bientôt Petit Père des Peuples, il faisait son autocritique. Bien qu'il n'y eût pas, semble-t-il, de manifestation d'autorité entre « camarade commandant » et « camarades matelots », le premier imposait aux seconds une discipline librement consentie. D'une poigne de fer ! Et l'on expliqua « gentiment » aux Français, qui ne semblaient pas doués pour cet exercice, qu'arrivés à Leningrad ils devraient faire un effort, être plus disciplinés, se conduire un peu mieux et surtout respecter les camarades soviétiques peu habitués à de telles manifestations d'indépendance [1].

C'était une chose de vitupérer Hitler dans un chœur parlé donné sur des tréteaux parisiens, une autre de constater sur place les premiers effets de sa politique. Pour passer de la mer du Nord à la Baltique sans longuement contourner le Danemark, le *Cooperazia* emprunta l'estuaire de l'Elbe jusqu'à Hambourg puis le canal de Kiel jusqu'au grand port, capitale du Schleswig-Holstein, niché au fond de la baie du même nom. Tout au long du parcours, le cargo qui arborait le drapeau rouge frappé de la faucille et du marteau fut observé par les équipages des nombreux bâtiments de guerre allemands battant pavillon à croix gammée. Hitler n'était au pouvoir que depuis quatre mois et déjà il avait marqué le pays de son empreinte : la svastika. Les comédiens qui, s'ils n'étaient pas tous communistes, étaient de cœur avec eux observaient « l'ennemi » avec non moins de curiosité. Chacun d'entre eux savait que le gouvernement du chancelier Hitler avait rendu les communistes responsables de l'incendie du Reichstag et avait procédé aux premières arrestations dans les milieux de gauche. Déjà on parlait de camps de concentration et d'une police secrète d'État nommée Gestapo qui commençait à faire régner la terreur dans le pays. « Les matelots allemands se sont rangés le long de la rambarde pour nous voir passer, remarqua Marcel Duhamel, et les officiers, du haut de la dunette nous regardent à la jumelle. Et tous les dockers, le long du quai, et même des marins allemands, d'un geste ferment le poing et le lèvent furtivement à la hauteur de la poitrine pour saluer le drapeau rouge, sans être vus de la passerelle [2]... » Cette lourde ambiance faite d'inquiétude et de peur, les membres du Groupe Octobre la retrou-

1. Arlette Besset à l'auteur.
2. Marcel Duhamel, *op. cit.*

vèrent à l'escale dominicale de Hambourg où les passagers du *Cooperazia* reçurent l'autorisation de toucher terre jusqu'à minuit. Selon les affinités, les Français essaimèrent aux quatre coins du grand port hanséatique. Jacques Prévert, Yves Allégret et Arlette Besset jouèrent aux touristes parmi les familles dans le magnifique zoo, tandis que Raymond Bussières et Léopold Sabas (qui parlait couramment allemand) nouaient quelques furtifs contacts avec des militants communistes rencontrés à la piscine, et ceux-ci les menèrent à une réunion de cellule dans un quartier ouvrier avec un luxe de précautions qui en disait long sur la surveillance dont ils faisaient l'objet depuis l'incendie du Reichstag. Marcel Duhamel, lui, avait choisi la plage populaire d'Altona et il y vit des milliers de baigneurs, pour la plupart des ouvriers, «tous des communistes, ou à peu près. Le Parti compte six millions de membres. Et parmi cette foule, quelques nazis en uniforme kaki, brassard à croix gammée, se promènent insolemment en balançant leur matraque. Ça fait mal à voir[1]». Et dire qu'en France, les ligues d'extrême droite rêvaient pour leur pays des mesures antisémites et anticommunistes qu'Hitler mettait ici en application! Ces tristes constatations n'empêchèrent pas, le soir venu, les garçons du Groupe Octobre qui n'avaient pas trouvé chaussure à leur pied à bord du *Cooperazia* d'aller constater dans le quartier réservé de Sankt Pauli, célèbre dans tous les ports du monde, que, régime nazi ou pas, les bordels et les filles en vitrine existaient toujours. «On se retrouve dans la boîte hambourgeoise classique : le cabaret doté d'une piste de cirque où des écuyères aux seins nus font leur numéro pour exciter les amateurs, nota Marcel Duhamel. C'est bel et bien un boxon. Un des innombrables claques chantés par Mac Orlan et incidemment, par Aragon[2].» L'atmosphère trouble du grand port, les halos de lumière sur les pavés humides, les silhouettes offertes au chaland, les marins en bordée, les maquereaux surveillant nonchalamment leur cheptel vinrent s'inscrire dans la mémoire de Jacques Prévert qui utilisera bientôt ces images réalistes en y ajoutant sa poésie pour créer un nouveau style dans le cinéma français.

Après l'interminable canal de Kiel — six heures pour parcourir quatre-vingt-dix-huit kilomètres — la traversée de la Baltique fut houleuse et, au sein du Groupe, seuls Arlette Besset et Marcel Duhamel ne manquèrent aucun petit déjeuner, que, pour leur faire plaisir, les Russes agrémentaient de caviar rouge, au prix de sacrifices dont les Français ne découvrirent l'ampleur qu'en foulant le sol soviétique. À l'approche de l'été,

1. *Ibid.*
2. *Ibid.*

l'interminable nuit du Grand Nord avait cédé la place au soleil, et celui-ci, maintenant, refusait de se coucher. À dix heures du soir, il se manifestait encore, empêchant les malheureux qui souffraient du mal de mer de fermer l'œil de toute la nuit...

Enfin le *Cooperazia* aborda l'ex-Saint-Pétersbourg[1], dont les flèches, les colonnes et les coupoles semblaient émerger d'une mer d'étain sous le crachin de la Baltique. L'accueil fut digne de ce que les plus militants espéraient de la patrie du communisme. Orphéon local relayé par la fanfare des cordonniers aussi mal chaussés que dans le proverbe, *Internationale*, poings levés, discours-fleuve en russe avec traduction approximative, à nouveau *Internationale* dont la fanfare et les chœurs, malgré la pluie, n'épargnèrent aucun des interminables couplets, puis le *Chant du Komintern* dans lequel Jacques Prévert reconnut la musique d'Hanns Eisler, un brillant musicien allemand disciple de Schönberg, ami et collaborateur de Bertolt Brecht et dont il venait de faire la connaissance dans un studio parisien. Les membres de la troupe française arrivèrent trempés à leur hôtel — l'hôtel Octobre, place Pierre-et-Paul — face à la statue équestre du tsar Pierre le Grand. « L'hôtel est un des ex-palaces de Saint-Pétersbourg, remarqua Marcel Duhamel. Ex, car du luxe il ne reste que la façade, l'intérieur ayant évidemment souffert des temps troublés et du manque d'entretien. Le régime a des tâches plus urgentes. On nous loge à quatre ou cinq par chambre. Belles salles de bains, mais la plomberie oublie de marcher. Ce qui nous manque le plus, c'est l'eau potable. Dans ce climat, on crève de soif[2]. » Les filles, elles, étaient plus indulgentes peut-être parce que plus impliquées dans l'engagement communiste. « Excellente organisation pour un pays qui, en 1933, commençait seulement à surmonter ses difficultés internes et où la misère était visible à chaque coin de rue », constata Arlette Besset, tandis que sa camarade de Parti, Jeannette Fuchsmann, ne tarissait pas d'éloges sur l'accueil qui, dira-t-elle, « à notre arrivée à Leningrad nous a tous beaucoup touchés. Fanfare, jeunes pionniers, ouvriers, tout un monde nous attendait pour nous saluer. Hôtel confortable, efforts pour nous procurer une bonne table (je revois encore un long saumon sur un plat nappé de mayonnaise), des cigarettes, de l'argent même, si bien que, partie avec rien, j'ai pu rapporter quelques cadeaux... Pendant tout le séjour, nous fûmes l'objet

---

1. Le 26 janvier 1924, au lendemain de la mort de Lénine, la ville avait été débaptisée et était devenue Leningrad. Elle ne retrouvera son nom originel que le 6 septembre 1991.
2. Marcel Duhamel, *op. cit.*

d'une sollicitude que je trouvais exagérée pour ma modeste personne[1]...» Cette sollicitude leur parut pesante lorsque se manifesta le «cornac» assigné aux camarades français par le gouvernement soviétique, comme on le leur avait annoncé à Paris. Il avait fallu l'accepter ou renoncer au voyage. Le Groupe avait accepté.

Il s'appelait Picard, se prétendait d'origine française, élevé en Alsace pour justifier un accent tudesque prononcé. Jacques Prévert, qui n'était pas de nature à accepter une nurse idéologique et encore moins une surveillance incessante, le fera enrager tout au long du voyage. Le premier incident eut lieu le lendemain de l'arrivée au cours de la soirée offerte aux comédiens étrangers par les organisateurs de l'Olympiade. Dîner par petites tables sous les ors et les pâtisseries du palace Octobre. À celle que partageaient Jacques Prévert, Yves Allégret, Marcel Duhamel et Lou Tchimoukow, officiait une «guide traductrice» sans âge, outrageusement maquillée, qui se présenta comme l'ex-professeur de français des enfants du tsar! Son excellente pratique de la langue lui permit de «savourer» — si l'on peut dire — les commentaires qui ne manquèrent pas de fuser lorsque commença le dîner-spectacle concocté par les camarades soviétiques. Tous les poncifs y passèrent: des *Yeux noirs* à *Tchitchornia*, des danses cosaques aux lanceurs de couteaux djiguites, du champagne russe sucré aux rasades de vodka généreusement versées. «Du music-hall russe de foire à Neu-Neu», protestèrent les Français dont la réputation de râleurs fut aussitôt vérifiée. Ils n'étaient pas venus en Union soviétique pour voir ce genre de spectacle! L'infortunée traductrice pensa amadouer ces jeunes hommes au sang vif en proposant, avec des mines gourmandes de sous-maîtresse au One-Two-Two[2], d'inviter à leur table quatre des jolies danseuses d'un groupe folklorique. «Cette fois c'est le bouquet, explosa Duhamel. On râle d'indignation et d'excès de vodka[3].» Terrorisée, la malheureuse vit alors ses hôtes se colleter avec un officiel barbichu mais francophone qui n'était rien de moins que le commissaire du peuple aux beaux-arts!

— Mais voyons, camarade, s'égosillait le petit bonhomme devant la fureur de Duhamel, c'est Lénine qui a recommandé d'utiliser ce qu'il y avait de meilleur dans le régime bourgeois!

— Et vous trouvez que ces exhibitions minables, ces hôtesses sont ce que la bourgeoisie a produit de meilleur? lança Duhamel surexcité[4].

---

1. Michel Fauré, *op. cit.*
2. Célèbre maison close située au 122 rue de Provence à Paris.
3. Marcel Duhamel, *op. cit.*
4. *Ibid.*

Les choses s'arrangèrent lorsque les officiels admirent qu'il y avait eu un léger malentendu. Désormais les membres du Groupe Octobre n'auront droit qu'à des spectacles authentiques, venus des quatre coins de l'immense URSS, ainsi que le racontera Jacques Prévert, rasséréné par l'accueil du public russe dans les premiers clubs d'usine : « Il y avait des troupes extraordinaires qui venaient de tous les pays, il y avait surtout des troupes russes qui venaient de très loin, de provinces très éloignées, qui jouaient des pantomimes extraordinaires. Nous avons reçu un accueil enthousiaste, les gens comprenaient bien, c'était facile, parce que ce sont des choses courtes que l'on pouvait traduire très facilement, et surtout c'était de la pantomime, les Russes étaient ravis, cela leur plaisait beaucoup[1]. » Avec cette joyeuse équipe, Picard-le-cornac estima qu'il n'était pas au bout de ses peines. Il ignorait encore à quel point ! Si les garçons et les filles d'Octobre ne renâclaient pas trop devant la visite des musées et surtout de la ville — tout le monde voulait voir le musée de l'Ermitage et le Palais d'Hiver —, il n'en était pas de même du tourisme révolutionnaire — visites d'usines et rencontres dans les milieux ouvriers — qu'on voulut leur imposer dès le début du séjour. Le chef des refuzniks était sans conteste Jacques Prévert, allergique à toute tentative de conversion politique et que la visite d'ateliers ou de fermes modèles « emmerdait » autant que la lecture de Marx. À son habitude, il disait ce qu'il pensait et, pour faire bonne mesure, s'indigna, auprès d'un Picard ahuri par tant de liberté de langage, du régime privilégié dont bénéficiaient les invités de l'Olympiade. Comment savourer chocolats et petits fours qu'on leur offrait à tout bout de champ alors que le peuple russe crevait de faim et allait pieds nus, que les vitrines poussiéreuses portant encore les traces de balles de la révolution et consolidées avec du papier collant étaient désespérément vides et que — comble d'injustice — les *Torgsin*, magasins d'État réservés aux apparachiks et aux étrangers, n'étaient accessibles qu'à ceux qui pouvaient payer en dollars ou en or ? Mis en verve par cette sortie dans le plus pur style anarchiste, Prévert, pour conforter sa réputation, se plaignit dès lors d'être réveillé chaque matin par une volée de cloches dignes de Saint-Sulpice et de la place Saint-Pierre de Rome.

— L'héritage du passé, protesta timidement Picard.

— Il n'y a pas d'héritage qui tienne. D'ailleurs Marx est contre[2].

1. *Image et son*, n° 189.
2. *Ibid.*

Décidément, l'auteur du Groupe Octobre n'était pas facile à mener.

«Tous les jours, racontera Arlette Besset, Picard nous soumettait le programme des festivités, des visites guidées décidées en haut lieu.

— Aujourd'hui, annonçait-il avec un enthousiasme contraint, les camarades soviétiques vous ont préparé une journée au kholkoze X, à l'usine Y. Et après cela un bon déjeuner.

— Ça m'est égal, grognait Prévert toujours en pyjama. J'ai encore sommeil. D'ailleurs je suis malade...

— On va vous soigner.

— Pas question. Je ne veux pas. Je me soigne par la Christian Science[1].

Devant ces gamineries le malheureux Picard était aux cent coups[2]!»

La bande ne put couper à la visite des usines Poutilov — acier, canons, armements en tout genres — dont les ouvriers avaient fait jaillir l'étincelle des révolutions de 1905 puis de février 1917. Ça aurait été refuser une visite de la grotte à l'évêque de Lourdes! En route pour l'usine. Les membres du Groupe Octobre, dont certains, comme Jacques Prévert, Marcel Duhamel et Lou Tchimoukow, soignaient à Paris leur tenue au point de ressembler à des gravures de mode, avaient choisi pour le voyage en Russie de s'habiller «en prolétaire». Les rarcs photos priscs à bord du *Cooperazia* les montrent vêtus façon sortie des usines Renault à l'île Seguin : veste usagée, foulard croisé sur la poitrine, pantalon avachi, casquette à visière molle ou béret enfoncés jusqu'aux yeux. Ils devaient donc se fondre dans la population ouvrière. Ils ressemblaient pourtant à des milords gros et gras auprès des travailleurs de l'usine Poutilov, que Marcel Duhamel décrivit vêtus de hardes incolores et poussiéreuses et mâchant mélancoliquement, au cours de la pause du déjeuner, des boulettes qui n'étaient pas de viande mais de kasha[3]. Malgré leur sympathie pour les prolétaires de tous les pays, Prévert et certains de ses amis, antimilitaristes dans l'âme, ne se sentirent pas très à l'aise dans ce temple de l'armement. D'autant que, grâce à Gisèle Fruhtman qui put interroger en russe certains ouvriers, ils se rendirent compte que leur guide essayait de leur faire prendre des vessies pour des lanternes en prétendant que tous les ouvriers touchaient un salaire égal de quinze roubles alors que nombre

1. Christian Science : secte religieuse dont la doctrine est que la foi peut guérir non seulement les maux de l'âme mais aussi les maladies du corps.
2. Arlette Besset à l'auteur.
3. Bouillie de sarrasin.

d'entre eux n'en recevaient que cinq! «On se demande pourquoi notre guide tient tant à nous raconter des salades et à nous démontrer que tout va pour le mieux, remarqua Marcel Duhamel. On sait ce que le nouveau régime a eu à combattre, à vaincre... On ne s'attendait pas à autre chose que ce que nous voyons, mais dès qu'on a l'air de vouloir dissimuler, l'imagination travaille et tout commence à devenir suspect[1].»

À force de vanter les avantages du régime, Picard parvint à lasser jusqu'aux plus convaincus. Jacques Prévert, dont l'esprit critique n'était pas altéré par la révérence partisane, fut bientôt excédé et le fit savoir sans ambages, comme il le raconta à Alexandre Trauner: «"Vous nous répétez que tout ce que les ouvriers ont — l'usine, l'État — c'est à eux et que dans les pays capitalistes c'est aux capitalistes. Je veux bien. Mais s'il y a du progrès, la première chose c'est que cela profite à ceux qui ont réalisé ce progrès. Alors première chose, c'est l'hygiène. Si tout vous appartient vos cabinets doivent être plus propres que ceux de Citroën." Toute la troupe se rendit en pèlerinage aux toilettes des ouvriers. Les lieux étaient pires que chez Citroën. Évidemment Picard n'était pas content[2].»

Heureusement, il y avait le théâtre et le merveilleux accueil que partout, dès la première représentation au club Dynamo, vitrine du paradis soviétique où les cheminots privilégiés jouissaient de bons logements, de distractions et d'espaces verts, le public réserva aux camarades français. L'impression fut confirmée à Moscou que la troupe gagna, après une nuit très inconfortable dans un train qui n'avait pas volé son appellation argotique de «dur», les trains «mous» composés de wagons-lits étant réservés aux personnalités de marque. Et ces Français râleurs, indisciplinés et considérés comme trotskistes — le pire des péchés — n'en faisaient pas partie!

Après la splendeur architecturale, même défraîchie, des palais de Leningrad, Moscou leur parut décevante. À l'exception du Kremlin, de la place Rouge et de monuments massifs qui sentaient encore leur xixe siècle, comme la gare Saint-Nicolas, terminus de la ligne reliant Moscou à Leningrad ou les châteaux d'eau Krestovski, la capitale ressemblait à une interminable ville de province avec ses places désuètes comme la place de l'Arbat ou l'ancien marché des Chasseurs bordé d'échoppes et de baraques; avec ses rues étroites et tortueuses même quand on les baptisait pompeusement Champs-Élysées de Moscou, comme la rue de Tver qui avait été la voie com-

1. Marcel Duhamel, *op. cit.*
2. Rapporté par Alexandre Trauner in *Les Colporteurs du Front populaire* de Michel Van Zele (FR3 Lyon) et par Gazelle Bessières à l'auteur.

merciale la plus importante de l'empire et deviendrait bientôt la rue Gorki, après avoir subi un spectaculaire élargissement. D'ailleurs la capitale — Moscou ne l'était officiellement que depuis onze ans — ressemblait à un vaste chantier. Il fallait en faire une ville moderne et loger décemment une population qui augmentait de plusieurs centaines de milliers de personnes par an. Passer de l'ancien baraquement, du chalet en bois et de la maison caserne où s'entassait un prolétariat misérable à des maisons de trois ou quatre étages, comportant quatre logements aérés de deux pièces à chaque palier, avec éclairage, chauffage et eau courante — dont ne disposait hier qu'une maison sur trois — représentait un progrès énorme, expliquaient inlassablement les accompagnateurs, Picard en tête. Mais partout la misère et la pénurie étaient visibles, les queues interminables dès qu'il y avait une distribution d'un quelconque produit. «La famine règne dans Moscou, affirmera Marcel Duhamel qu'on ne pouvait accuser d'anticommunisme primaire. Les vitrines d'alimentation, les restaurants ne contiennent que de la poussière. Qu'est-ce qu'on ne donnerait pas pour un verre de thé! Introuvable. D'ailleurs, on serait bien en peine de s'en payer avec la monnaie qu'on nous a octroyée, valable uniquement dans un ou deux endroits pour étrangers[1].»

À Moscou, la troupe française ne fut pas logée à l'hôtel mais dans un centre d'accueil qui n'avait rien du luxe passé de l'hôtel Octobre à Leningrad. «Ce n'est pas très brillant, remarqua Duhamel, mais au moins c'est sans prétention[2].» Tout comme les lieux où désormais le Groupe Octobre se produisit, parfois plusieurs fois par jour, aussi bien dans le centre qu'en banlieue et aux heures les plus invraisemblables, dix heures du matin, deux heures ou quatre heures de l'après-midi ou encore en soirée, selon la disponibilité des ouvriers. Le public — deux cents personnes ou bien trois mille — était varié. Parfois des spectateurs particulièrement avachis et minables semblaient effectuer une corvée et ne sacrifiaient même pas au jeu des questions posées aux comédiens amateurs à la fin du spectacle, se contentant d'entonner machinalement la sempiternelle *Internationale*. Par bonheur, la plupart du temps, dans les grandes salles bourrées à craquer, les spectateurs d'un niveau sinon social du moins intellectuel plus élevé que dans certaines usines de la périphérie, s'enthousiasmaient pour *La Bataille de Fontenoy*. «Assez correctement vêtus, ils réagissent aux bons endroits, nota encore Duhamel, et rigolent quand apparaissent

1. *Ibid.*
2. *Ibid.*

Joffre, Raspoutine ou le Tsar. Pas complexés. Ils nous posent des questions souvent intelligentes, mais qui montrent une totale ignorance du monde extérieur[1]. »

Enfin, arriva la soirée de gala au Grand Théâtre de Moscou. Depuis trois jours les cinquante troupes en compétition montraient leur savoir-faire devant le jury et un public trié sur le volet. Le Groupe Octobre passa en dernier devant cinq mille personnes : « Une foule élégante, nettement plus favorisée que la population qui travaillait dans les usines, remarqua Arlette Besset, et, en somme il n'y avait pas tellement de différence entre une soirée à l'Opéra et celle qui se déroulait en notre honneur[2]... Le public très compréhensif et très intelligent comprenait visiblement le français car il riait aux bons endroit. C'était un public "astiqué". Il y avait une immense différence entre les gens que l'on voyait dans la salle, au foyer, et ceux que l'on croisait dans la rue. Une nomenklatura se dessinait. C'était dur à avaler pour les idéalistes que nous étions, alors que c'était naturel dans des périodes comme celles-là. Jacques Prévert faisait tout le temps des réflexions à ce propos[3]. »

Joseph Staline en personne assista à la soirée, entouré d'une brochette d'officiels dont quelques généraux et maréchaux caparaçonnés de médailles, ce qui paralysa de trac les plus engagés des Français. Les vieilles gloires de la mise en scène du théâtre russe et leurs confrères allemands chassés par le régime nazi avaient tenu à saluer par leur présence leurs confrères français. Max Reinhardt, Erwin Piscator, Constantin Stanislavski et bien d'autres étaient là. Ceux-là mêmes dont le Groupe Octobre s'était inspiré à ses débuts, les maîtres du théâtre militant qui avaient porté les « journaux vivants » et l'« agit-prop » au rang d'œuvres d'art !

La troupe donna d'abord les chœurs parlés *Citroën* et *Les Nègres de Scottsborough*, dont le ton dramatique bouleversa la salle, pour terminer par *La Bataille de Fontenoy* qui déclencha les rires et la bonne humeur. Le parterre de metteurs en scène manifesta bruyamment son enthousiasme qui, dès le lendemain, trouva un écho dans la très officielle *Pravda* sous la plume de Serge Tretiakov : « Le groupe français Octobre a donné une revue-montage extrêmement intéressante intitulée *La Bataille de Fontenoy*. L'intérêt particulier de cette revue consiste en ce que tout le texte est composé de coupures de journaux, de discours parlementaires, d'aphorismes sur les dirigeants politiques. Beaucoup de caricatures de cette revue sont évoquées

1. *Ibid.*
2. Michel Fauré, *op. cit.*
3. Arlette Besset à l'auteur.

de main de maître. Le Groupe Octobre présente aussi à l'Olympiade une scène de la lutte récente des ouvriers de chez Citroën. » La *Pravda* reflétait fidèlement l'avis des instances organisatrices qui s'accordèrent pour saluer la grande qualité et surtout l'originalité du spectacle offert par les Français. « On était les seuls — grâce aux textes de Jacques Prévert — à ne pas avoir fait comme les autres groupes qui copiaient ce qui se faisait en Russie et en Allemagne avant l'avènement de Hitler[1] », se réjouit Arlette Besset tandis que Raymond Bussières remarquait : « Le rapport établi à la fin du Congrès précisait que le Groupe Octobre était le groupe ayant fourni le meilleur travail, en ce sens qu'en utilisant la forme classique de l'agit-prop, il avait innové dans *La Bataille de Fontenoy* un genre révolutionnaire proche de l'opérette[2]. » Jean-Paul Le Chanois, qui avait remporté un grand succès personnel en interprétant magistralement un Poincaré — avec casquette de tranchée et barbichette — ressemblant comme deux gouttes d'eau à Lénine, put triompher modestement au retour en évoquant devant ses amis parisiens cette soirée inoubliable : « Je dois dire que *[ce soir-là]* nous avions épaté les Russes. Nous en avions beaucoup rajouté et ils étaient très stupéfaits par ce genre de théâtre[3]. »

Cet avis recoupait celui de Pierre Lazareff, l'une des têtes pensantes de *Paris-Soir*, qui sera l'un des seuls à rendre compte favorablement du travail du Groupe Octobre et à l'évoquer en termes somme toute élogieux dans la grande presse parisienne : « "Soldats, tombés à Fontenoy, vous n'êtes pas tombés dans l'oreille d'un sourd." Cette réplique savoureuse est tirée de *La Bataille de Fontenoy*, "pièce historique" de M. Jacques Prévert, qui vient d'obtenir un grand succès à Moscou où elle a été présentée par le groupe d'Octobre *[sic]*, qui s'est partagé les faveurs du public de l'URSS avec le théâtre nomade mongol. Nous avons entendu à la salle Adyar, je crois, cette œuvre riche de substance mais assez curieuse dans sa forme, dans laquelle apparaissent les plus illustres de nos hommes politiques contemporains sous des aspects pour le moins imprévus[4]… »

Si l'on en croit Jacques Prévert, qui signala lui-même l'événement en « Références » à *La Bataille de Fontenoy* lors de sa publication dans *Spectacle*, près de vingt ans plus tard, la pièce obtint le premier prix de l'Olympiade internationale de théâtre ouvrier. Marcel Duhamel, lui, ne garda pas le même souvenir des minutes qui suivirent le baisser de rideau : « Les

1. *Id.*
2. Michel Fauré, *op. cit.*
3. *Ibid.*
4. *Marianne*, 21 juin 1933.

applaudissements durent longtemps. Quand ils se sont tus, nous on attend. Une grande agitation semble régner parmi le jury, installé aux premiers rangs d'orchestre. Des va-et-vient, des discussions qui n'en finissent pas. Dans une avant-scène, Staline se lève et s'en va, escorté d'officiels. Il n'a pas l'air content. Finalement, une déclaration ambiguë nous apprend que le premier prix est attribué au Groupe Octobre, mais qu'il n'y a pas de premier prix. Comprenne qui voudra. Notre réputation de trotskistes y est peut-être pour quelque chose[1].» De toute façon, on fera «comme si». La triomphale ovation venue du public, elle, était bien là. N'était-ce pas le plus important? Le Groupe reviendra à Paris tout auréolé de la réputation d'avoir «fait un tabac» à Moscou.

Le surlendemain, la troupe au complet retrouva le *Coope-razia* à Leningrad. À bord, avant de quitter ses ouailles, Picard-le-cornac, flanqué de deux délégués officiels, présenta aux comédiens un papier à signer. «Une simple formalité que l'on demande à tous les groupes», prétendit-il avec un petit sourire bonasse. Prévert, Allégret, Tchimoukow et Duhamel n'entendaient rien signer sans savoir où ils apposaient leur paraphe et demandèrent à Gisèle Fruthman de leur traduire le texte. C'était ni plus ni moins qu'une adresse «spontanée», un satisfecit à Staline pour ses «géniales» réalisations et sa politique. Prévert et ceux de ses amis qui n'adhéraient pas au Parti refusèrent tout net. «Jacques a dit, rapporta Raymond Bussières: "Écoutez, on sait écrire, si vous avez besoin de quelque chose, demandez-le. On vous fera un petit truc honnête et pas méchant du tout. Nous sommes très heureux d'être venus ici, mais ce rapport nous pouvons l'établir nous-mêmes..." Si cela n'avait tenu qu'à moi, avoua honnêtement Bubu, je me serais laissé, très sûrement, fléchir[2].» Mais les trois mousquetaires du Groupe Octobre s'arc-boutèrent sur leurs positions malgré le visage de Picard qui, devant leur refus, s'était décomposé:

— Camarades, je vous en supplie, faites-le pour moi!

«On ne se rendait pas compte que c'était si dur pour les responsables politiques chargés d'une mission, se souviendra Arlette Besset. Il fallait qu'ils l'accomplissent, sinon il y allait de leur place, sinon de leur tête. C'est après coup qu'on a réalisé. Mais Jacques a été intraitable et personne n'a signé[3].»

Devant ce *niet* sans appel qui marquait l'échec de sa mission, le pathétique Picard à l'accent alsacien disparut sans laisser de regrets. Et le *Cooperazia* prit le chemin du retour, voyage

1. Marcel Duhamel, *op. cit.*
2. Michel Fauré, *op. cit.*
3. Arlette Besset à l'auteur.

au cours duquel se produisit un incident significatif qui toucha au plus profond chacun des membres du groupe. À l'escale de Hambourg, malgré l'expérience vécue à l'aller, quelques camarades voulaient retourner à terre même si, comme en témoignait Arlette Besset, «les jeunes hitlériens, pleins de morgue, faisaient descendre du trottoir tous les gens qui arrivaient face à eux, femmes et vieillards compris[1]». Les autorités du port les en empêchèrent et consignèrent ce cargo battant pavillon communiste sous le fallacieux prétexte qu'il abritait parmi ses passagers un danseur juif que les nazis entendaient faire débarquer. Les palabres durèrent plusieurs heures avant que la capitainerie du port donnât son feu vert sans avoir pu fouiller le navire. Heures interminables durant lesquelles Jeannette Fuchsmann et Gisèle Fruthman, malgré le soutien affectueux de tous leurs camarades, mesurèrent à son poids d'angoisse ce qu'il en coûtait d'être juif sous un régime contrôlé par les nazis.

De retour à Paris, tous les membres du Groupe Octobre demeuraient de farouches opposants à Hitler, mais certains d'entre eux se sentaient moins communistes qu'au départ. «Quand nous sommes revenus nous l'étions toujours, bien sûr, dira néanmoins Arlette Besset. Mais on s'était rendu compte que le communisme en Russie n'était pas tout à fait ce qu'on en espérait en France. On y avait été très bien reçu dans une période de transition normale dans toute révolution. Jacques Prévert, lui, ne se sentait pas du tout communiste. Il n'avait pas la moindre envie d'être embrigadé. Il était et restait profondément anarchiste. Et pour toute sa vie[2].»

Ce qui ne l'empêchait nullement d'aiguiser sa plume. Pourfendre les institutions, toutes les institutions, restait, pour lui, un devoir sacré.

*

À peine de retour à Paris, Jacques Prévert fut sollicité par Paul Vaillant-Couturier qui, maire de Villejuif (dans la banlieue parisienne), y préparait en grande pompe l'inauguration de l'école Karl-Marx. Jean Lurçat, le jeune peintre décorateur, dont les tissus et papiers peints ornaient le caravansérail de la rue du Château, et Fernand Léger, admirateur du Groupe Octobre, avaient également contribué à faire du nouvel établissement une école moderne où les enfants se sentent chez eux et évoluent dans un décor joyeux. Pour la première fois, par exemple, les meubles scolaires étaient à la hauteur des

1. *Id.*
2. *Id.*

élèves de chaque tranche d'âge. Prévert ne pouvait rien refuser à Vaillant-Couturier dont il admirait l'engagement désintéressé, alors que, contrairement à bien d'autres, il ne dépendait nullement du Parti pour devenir riche et célèbre. Jacques écrivit une courte pièce de neuf pages intitulée *Fantômes* qui fut donnée le 9 juillet 1933, jour de l'inauguration par le Groupe Octobre et restera deux ans à son répertoire car, on s'en doute, l'œuvre n'avait rien d'une piécette de patronage. L'action se déroulait au sein d'une famille de fantômes un brin surréalistes. «Le petit garçon fantôme a peur du jour qui vient..., nota Suzanne Montel dans son compte rendu d'activité. Le fils aîné, poussé par ses parents, s'est engagé dans la marine, sur le Vaisseau fantôme (à cette époque le gouvernement faisait une campagne pour faire engager les jeunes gens dans la marine). Il voulait voir du pays... mais il ne voit que le fond de la cale *(au cours d'une revue de tibias à bord du Vaisseau fantôme il a frappé au visage l'amiral Nelson!)* et est mal nourri... Révolte à bord. Le fils est compromis et les parents sont consternés. Le fils revenu chez lui se sent incompris par sa famille qui vit dans le respect des traditions. Un homme habillé en homme arrive. Il chante, s'approche du fils et l'entraîne vers le soleil et la vie[1].» Armée, famille, patrie en prenaient une nouvelle fois pour leur grade, conformément à la tradition prévertienne maintenant solidement établie.

Avec la satisfaction du devoir accompli, Jacques Prévert gagna la Tchécoslovaquie où l'attendait le compositeur allemand Hanns Eisler avec lequel il devait travailler sur l'adaptation et les dialogues du *Brave Soldat Schweik* de Bertolt Brecht pour une maison de production de Prague. Celle-ci prenait en charge tous les frais d'un séjour à Visné Hagy et lui assurait une somme rondelette qui tombait à pic car les succès du Groupe Octobre ne contribuaient guère à assurer le train de vie, pourtant modeste, du couple Prévert. Quelques semaines dans les Tatras — le massif montagneux le plus touristique des Carpates, où abondaient les stations de sports d'hiver — feraient office de vacances aux frais des producteurs qui entendaient mettre leurs auteurs au vert. Le projet était d'envergure puisqu'il comportait la présence de George Wilhelm Pabst comme réalisateur et de deux grands comédiens dans les rôles vedettes : Michel Simon et Charles Laughton, Hanns Eisler se chargeant de la musique. Prétextant un travail intensif, Prévert laissa Simone à Paris et lui promit de vraies vacances, dès qu'il aurait constitué une cagnotte digne de ce nom.

À peine le scénariste avait-il eu le temps de débroussailler

---

1. Suzanne Montel - Serge Grand, archives personnelles.

le travail qu'il y eut du sable dans la belle machine. Finalement, Pabst renonça à tourner le film, et l'affaire tomba à l'eau comme cela arrive souvent. La production tchèque semble avoir alors tenté de sauver les meubles en demandant à Prévert d'écrire le scénario d'un film franco-tchèque, *Dolina*, dont l'action — dans un climat social lourd — se situerait dans les Carpates. Celui-ci s'exécuta, et le film connut un début de réalisation avec des acteurs engagés à Paris et des émigrants allemands. Hanns Eisler, qui devait en écrire la musique, ne se montra guère enthousiaste. «Mon affaire du film tchécoslovaque est en ordre, écrivit-il à son ami Bertolt Brecht le 10 août 1933, mais très bête et très lassante[1].» L'aventure ne dépassa pas les deux cents mètres de film tourné. « La mésentente entre les réalisateurs ainsi que des problèmes financiers entraînèrent l'arrêt des prises de vue[2]. »

Jacques Prévert profita de ce séjour à la montagne pour écrire les paroles de sa première chanson d'amour : *Embrasse-moi*. Une chanson d'amour désespérée mettant en scène deux adolescents pauvres qui s'aiment «dans un quartier de la ville Lumière où il fait toujours noir où il n'y a jamais d'air. Et, en hiver comme l'été, là, c'est toujours l'hiver», un de ces taudis qu'il connaissait bien pour les avoir visités jadis, ou y avoir vécu à Toulon, place Armand-Vallée, et à Paris dans l'hôtel misérable de la gare de Lyon. Souvenir aussi des rapides étreintes dans l'escalier de la rue de Tournon, avec Simone, alors adolescente, dont il s'éloignait maintenant sur la pointe des pieds.

Été singulièrement productif pour ce faux paresseux qui jouait les dilettantes, puisque Prévert le mit à profit pour écrire également *La Pêche à la baleine*, le plus acéré de ses textes depuis *Dîner de têtes*, sous une apparence de simple divertissement destiné au Groupe Octobre. Poème de révolte. Révolte de Prosper, le fils du pêcheur, qui refuse d'aller «pêcher une bête qui ne m'a rien fait», puis, lorsque le père la ramène à la maison, refuse de la dépecer en

Regardant son père dans le blanc des yeux,
Dans le blanc des yeux bleus de son père,
Bleus comme ceux de la baleine aux yeux bleus :
Et pourquoi donc je dépècerais une pauvre bête qui m'a rien fait ?

Révolte aussi de «la belle baleine aux yeux bleus» qui, s'emparant du couteau jeté par le garçon, se précipite sur le père et «le transperce de père en part». Surréalisme pas mort :

1. Cité par André Heinrich dans sa préface à *Dolina*, in *Attention au fakir*, les Cahiers de la NRF.
2. *Ibid.*

Prévert se souvenait encore de *Baladar*, l'argument de dessin animé écrit trois ans plus tôt pour André Vigneau. Là encore, l'enfant qu'était resté Prévert s'alliait à l'animal, tous deux victimes des adultes, pour se dresser contre la fureur destructrice de l'homme.

Embrasse-moi, mis en musique par Wal Berg dès le retour à Paris, sera chanté l'année suivante par la volcanique Marianne Oswald puis par Agnès Capri, qui interprétera également *La Pêche à la baleine* sur une musique de Joseph Kosma. Marianne Oswald, Agnès Capri, Joseph Kosma : ces trois personnes allaient faire leur entrée dans la vie de Jacques Prévert et jouer un grand rôle dans l'édification de sa notoriété.

Hanns Eisler, qui n'avait guère apprécié *Dolina*, se sentit inspiré par deux autres poèmes que Prévert, infatigable, écrivit durant le séjour à Visné Hagy : *Histoire du cheval* et *Vie de famille*. Si *Histoire du cheval*, que Prévert intitula d'abord «La Complainte du pauvre cheval», était de la veine de *La Pêche à la baleine* — l'animal, comme l'homme exploité, peut maîtriser son destin et échapper à son misérable sort en s'enfuyant — *Vie de famille* était dans la pure tradition révolutionnaire et reflétait la misère de toutes les victimes du capitalisme en donnant la parole à un fils du peuple qui, faisant le bilan de la vie de son père mort à la tâche, appelait à la révolte :

> Chaque jour il travaillait
> dans l'électricité
> il était mal payé
> maintenant il est dans la terre
> et chez lui le gaz est coupé
> c'est ceux qui fabrique la lumière
> qui vivent dans l'obscurité...
>
> Est-ce que c'est une vie
> de vivre comme on vit
> Pourquoi faire, cette vie d'enfer
> Pourquoi se laisser faire
> Non ce n'est pas une vie de vivre comme nous vivons
> et cette vie, cette vie d'enfer
> c'est nous qui la changerons.

Cette profession de foi ne pouvait qu'aller dans le sens que Hanns Eisler entendait donner à sa vie. L'auteur du *Chant du Komintern* [1] que, dans la Russie de 1933, Prévert avait chanté

---

1. *IIIᵉ Internationale communiste* fondée par Lénine en mars 1919, et regroupant sous le nom de Komintern tous les partis communistes mondiaux sous l'impulsion du parti communiste russe.

aussi souvent que *L'Internationale*, venait, en s'éloignant de son maître Arnold Schönberg, de se rattacher aux musiciens « prolétariens » du Komsomol[1]. *Vie de famille*, avec sa virulence, fera désormais partie du répertoire du Groupe Octobre qui le donnera sous forme de chœur — ancêtre du rap ! — interprété par Guy Decomble, Raymond Bussières, Jean Ferry, Jean Brémaud, Gérard Milhaud et Suzanne Montel.

Même si Prévert se refusait à tout engagement au sein d'un parti politique — contrairement à Hanns Eisler et à beaucoup de ses compagnons d'Octobre —, son engagement aux côtés des prolétaires et des mouvements antifascistes ira dès lors en s'affirmissant jusqu'à l'explosion du 6 février 1934 et au Front populaire.

À la fin de cet été prolifique, de retour à Paris, il écrivit d'une traite *La Famille Tuyau de Poêle*, une pièce qui deviendra avec *La Bataille de Fontenoy*, la favorite du Groupe. À une vive critique parodique du théâtre de boulevard — à laquelle il s'était déjà livré dans « Chez les autres », article virulent destiné au numéro 1 de la revue de la FTOF — Jacques Prévert ajoutait les préoccupations politiques de la classe ouvrière outrée par l'expression de celles, misérablement terre à terre, d'une certaine bourgeoisie. Dans cette satire au vitriol — le parfum préféré du Prévert de ces années militantes —, où l'on retrouvait un concentré de Feydeau, que le poète admirait entre tous, mais mâtiné de Freud et de surréalisme, le sempiternel trio du Mari, de la Femme et de l'Amant se frottait avec délectation à l'inceste et à la pédérastie sous l'œil complice de l'ineffable Troudoizeau, réminiscence du surnom dont il affublait hier les riches amis de Denise Batcheff. Le lieutenant-colonel Desgamesley-Desbidons — vieux souvenir de chanson de marche apprise avec Marcel Duhamel au 66e R.I. d'Istanbul — confesse devant sa fille (venue annoncer un amour incestueux à son amant) sa passion pour les très jeunes garçons qu'il déguise en zouave ! Devant tant de turpitudes exposées grâce au procédé du théâtre dans le théâtre, le bon sens des prolétaires relégués au paradis du dernier balcon s'exprime par la bouche d'un machiniste gouailleur dont le rôle, riche en morceaux de bravoure, était dévolu à Raymond Bussières, lequel, au fil des interprétations, peaufinait son métier et devenait la vedette du Groupe Octobre :

---

1. Ligue léniniste de la jeunesse communiste de l'Union (URSS), mouvement d'élite qui ne comptait, au début des années 30, que 3 millions de membres.

Ah! je les connais vos histoires, vos pièces de théâtre, j'en ai planté des décors, toujours les mêmes : des colonnes romaines, de grands urinoirs de famille, des casernes, des casinos, des églises, des lavabos... Avant, il n'y avait qu'un cocu ou deux dans vos pièces, mais maintenant ça se complique, tout le monde se grimpe en famille, quelle histoire !

Au premier acte le jeune homme du meilleur monde apprend que sa mère est un gros bonhomme ; il songe à se tuer, le jeune homme, mais sa sœur arrive et l'entraîne dans la salle de bains. Petits divertissements nautiques, bataille de fleurs, c'est la passion, et le jeune homme possède sa sœur sur le paillasson, sur le balcon, partout, en avion, dans les églises. Tout le monde s'intéresse à leur bonheur. On distribue des jetons de voyeur !

Et puis c'est l'ennui, ils essaient toutes sortes de choses, ils souffrent, on les voit souffrir, ils s'ouvrent les veines, ils fument l'opium, ils achètent un fox-terrier et font ménage à trois, mais le vieil oncle arrive en voiture, il est archevêque quelque part, il veut éviter le scandale.

Arrivée du vieil oncle, le chien lui saisit la jambe et l'oncle se demande si véritablement un chien comme celui-là ça ne vaut pas la peine de se divertir un peu !

TROUDOIZEAU *(debout et vibrant d'indignation sénile)* : C'est honteux !

DES GENS AUTOUR DE TROUDOIZEAU : Oui ! C'est honteux, c'est un scandale !

DES GENS AU-DESSUS : Vos gueules ! Laissez-le parler !

LE MACHINISTE *continue et s'adresse directement aux gens du monde dressés devant leurs fauteuils* : ... et vos histoires de famille, vos comédies, vos histoires d'argent, elles sont fraîches ! Dans vos histoires d'amour il y a toujours un vieux pansement qui traîne, ou un vieux porte-monnaie...

Et quand vous voulez faire rire, c'est toujours de bons adjudants rigolos, des petites femmes qui perdent leur soutien-gorge...

Et puis les allusions discrètes, grivoises, si vous plissez les yeux, c'est d'une capote anglaise qu'il s'agit, si vous vous poussez du coude, c'est les trente-deux positions, si une femme se lève et sort, c'est qu'elle va au petit endroit ! Tout le monde se tord !

... Allez-y au petit endroit ! Il n'y a qu'une place assise, mais groupez-vous les uns sur les autres, le dernier tirera la chaîne avec ses dents.

La Famille Tuyau de Poêle, loufoque mais révolutionnaire, fut l'occasion d'une collaboration avec deux autres troupes de la FTOF Combat de Clamamus et Masses, celle-ci toujours dirigée par Roger Legris, qui était au départ de l'aventure de Prémices, embryon du Groupe Octobre. Les trois troupes donnèrent ensemble *La Famille Tuyau de Poêle*, accompagnée des *Fantômes* et de *La Pêche à la baleine*. La suprématie des textes de Prévert que Clamamus se gardait bien de moquer et que Legris n'osait plus qualifier d'«uniformément médiocres, maladroits et pauvres», avait affirmé, en moins de deux ans, celle du Groupe Octobre devenu, dans le monde ouvrier parisien mais aussi dans celui de l'avant-garde, une sorte d'institution.

«C'est le moment où jamais de faire son théâtre soi-même», avait écrit Jacques Prévert en conclusion de *Chez les autres*, son premier article pour *Scène ouvrière*. La promesse était tenue et le contrat rempli. Désormais le Groupe Octobre possédait un répertoire et Prévert le début d'une œuvre.

CHAPITRE 11

La bande à Prévert

1933-1934. Ce fut un hiver épouvantable. La neige recouvrait les rues de Paris. En gagnant son bureau de l'Hôtel de Ville, Raymond Bussières voyait le fleuve charrier de gros blocs de glace. Ce fut aussi l'hiver des grands bouleversements pour le Groupe Octobre qui, par la force des choses, renouvela la distribution des œuvres à son répertoire. Les pionniers, les vieux de la vieille, ceux du Groupe de choc Prémices qui étaient venus solliciter Jacques Prévert le jour de la mort de Pierre Batcheff, s'étaient dispersés. Jean-Paul Le Chanois et Lazare Fuchsmann étaient appelés sous les drapeaux. Jeannette Fuchsmann allait accoucher. Arlette Besset et son copain de fac, Jean Loubès, Virginia Gregory et quelques autres ne pouvaient plus, pour diverses raisons, consacrer autant de temps à la troupe. Ils la suivront mais de loin, en spectateurs. Par bonheur, de nouvelles bonnes volontés se présentaient, attirées par l'esprit qu'y faisaient régner Lou Tchimoukow et Jacques Prévert, dont les textes agissaient comme un aimant sur ces jeunes gens animés à la fois par un idéal politique et par la passion de révéler sur scène un talent qui ne demandait qu'à éclore. Certains d'entre eux avaient déjà une petite expérience et s'étaient frottés au public en participant aux prestations d'autres groupes ouvriers. Yves Deniaud avait une certaine habitude des tréteaux; Maurice et Nathan Korb, eux, se produisaient au sein d'une excellente troupe — le groupe Mars — dirigée par un comédien professionnel, Sylvain Itkine, aidé de l'inénarrable O'Brady au crâne rasé dont Prévert avait fait la connaissance lors du voyage en Russie. Avant de mourir en octobre 1933 des suites d'une longue maladie, le danseur Georges Pomiès avait chaleureusement recommandé les frères Korb à Jacques Prévert, qui fit leur connaissance lors d'une représentation populaire à la salle Japy. Les deux jeunes gens avaient monté un numéro de duettistes, copie conforme de celui du tandem

Gilles et Julien dont le talent venait d'éclater dans le monde du music-hall parisien. Maurice et Nathan Korb, dix-neuf et dix-sept ans, nés, tout comme leur cadette Rachel, rue de Lappe au-dessus d'un modeste bal musette, étaient les fils d'émigrés juifs polonais et lituanien qui avaient fui les pogroms tsaristes. Chez les Korb, où l'on tirait l'aiguille et créait des modèles pour le prêt-à-porter féminin (à l'époque on l'appelait la « confection » avec une touche de mépris dans les milieux bourgeois), on pratiquait plus le yiddish que le français, mais la communale s'était chargée de transformer les garçons en vrais petits pari-gots. Maurice travaillait dans la messagerie où il usait ses manches de lustrine à gratter du papier, tandis que Nathan, plus indépendant, était tantôt garçon de courses, tantôt apprenti fourreur. Leur numéro de duettistes plut beaucoup à Louis Ara-gon qui, le découvrant dans le cadre de l'Association des écri-vains et artistes révolutionnaires et de sa revue *Commune*, le baptisa « Les Frères Marc ». « Le plus jeune sera Marc cadet, leur expliqua-t-il, en souriant de son jeu de mots, le plus âgé, vieux Marc. Ça fait peut-être penser à un numéro de cirque mais je suis certain que ce nom-là se retiendra facilement, et puis, s'il ne vous plaît pas, rien ne vous empêchera de l'aban-donner et d'en choisir un autre[1]. » Nathan Korb, dit Marc cadet, n'en changera plus, ou presque, puisqu'il deviendra, pour la plus grande gloire de la chanson française, Francis Lemarque, nom sous lequel nous le suivrons désormais.

Le soir où Prévert vint féliciter les frères Marc après leur prestation, qui avait été chaleureusement accueillie (il leur fal-lait bien du talent car, faute de moyens d'accompagnement, les deux gamins chantaient a cappella), Francis Lemarque accepta son invitation de venir boire un pot au Flore, devenu depuis quelque temps le QG du Groupe Octobre.

Depuis son installation avec les Lacoudem de la rue Dau-phine et surtout après la mort de Pierre Batcheff, Prévert avait abandonné Montparnasse qu'ils avaient écumé ensemble, pour prendre ses habitudes à Saint-Germain-des-Prés, où Raymond Bussières et Arlette Besset habitaient déjà dans un immeuble de studios, 7 rue du Dragon. Le triangle constitué par les trois brasseries voisines Les Deux Magots, Lipp et le Café de Flore avait remplacé le quadrilatère qui allait de La Rotonde au Dôme, et du Sélect à La Coupole. Par fidélité au passé, Prévert avait d'abord entraîné ses amis aux Deux Magots où il venait tout enfant avec le Père Picon et où avait été rédigé *Un cadavre*, puis il avait déserté l'auguste café, où se réunissaient quelques intellectuels hors d'âge dont le costume et le propos sentaient

1. Francis Lemarque, *J'ai la mémoire qui chante.*

encore le XIXe siècle, pour le Flore où la bande bruyante était mieux accueillie par le patron, M. Boussige[1], et surtout par Pascal, le garçon principal au visage en lame de couteau et au crâne dégarni engagé au début des années 30 et qui connaissait son village sur le bout du doigt. Car Saint-Germain était encore un village, avec ses figures familières. Chez Lipp, se retrouvaient déjà députés, sénateurs, ministres, vedettes du barreau, académiciens, auteurs arrivés, personnalités du théâtre, dont la boutonnière était abondamment fleurie par les décorations de la République, tandis que le Flore était la serre qui abritait dans un silence feutré à peine troublé par le froissement des pages des journaux de vénérables membres de l'Institut bientôt chassés par les plaisanteries de la bande à Prévert en tête de laquelle officiait Paul Grimault licencié ès farces et attrapes. Au premier abord, Francis Lemarque fut déçu par le Café de Flore. «Je trouvais l'endroit un peu triste et me demandais pourquoi tous ceux du Groupe Octobre se retrouvaient là plutôt que dans les bistros de quartier dont j'aimais le laisser-aller bon enfant autour de la Bastille. Je venais directement du monde ouvrier où un sou était un sou et j'étais soufflé de voir ces garçons et ces filles attablés autour du mécène qu'était Duhamel, à mener une vie de milliardaire en sirotant une consommation alors que je savais ces comédiens amateurs dans la même purée que moi! J'ai tout de suite envié cette vie et l'aisance qu'ils manifestaient. Eux, pour la plupart, ne travaillaient pas dans la journée, ou s'ils travaillaient c'était au théâtre, au cinéma, dans la publicité. À deux ou trois exceptions près, ils n'étaient ni ouvriers ni petits employés. Moi j'avais quitté l'école à onze ans et demi et j'allais de petit boulot en petit boulot, dans la bimbloterie, dans l'imprimerie, dans la métallurgie, avant d'être apprenti fourreur. Dix heures par jour, soixante par semaine, une heure et demie de trajet quotidien, ça ne laissait pas beaucoup de temps pour bavarder ou se cultiver! Gosses de la rue, nous n'avions guère de communication avec l'extérieur. Je ne pensais qu'à l'argent que je pouvais rapporter à la maison. Quand par miracle j'allais voir un film, c'était un film d'action américain. On a vécu la première partie de notre existence uniquement préoccupés par notre petit horizon ouvrier. Puis Prévert est arrivé, a aimé notre numéro. Et mon existence a changé. Son intrusion dans ma vie a peut-être été plus importante que pour d'autres car, inconsciemment, je me sentais fait pour une

---

1. Le célèbre Boubal, que Jacques Prévert surnommera «Terrasse Boubal» par analogie avec le héros du film à succès *Tarass Boulba* et qui dominera pendant des décennies la limonade germano-pratine, ne prendra possession des lieux qu'à la veille de la Deuxième Guerre mondiale.

vie de création. Connaître Jacques Prévert m'a donné envie de fréquenter les endroits où il se tenait, les gens qui gravitaient autour de lui. J'ai été intégré au groupe du Flore. Quand je quittais mon boulot je venais directement à Saint-Germain-des-Prés. Et puis, consécration, j'ai eu mon ardoise chez Chéramy[1]. »

Découvert par Robert Pontabry, jeune architecte ami de la bande, Augustin Chéramy était un brave restaurateur qui avait ouvert un établissement, 10 rue Jacob, au rez-de-chaussée d'un immeuble étroit, copie conforme de ceux de la rue de Tournon ou de la rue Dauphine, familiers à Prévert, et où il préparait une excellente cuisine de ménage pour une clientèle de quartier attirée par la modicité de ses prix — on y déjeunait pour 4,25 F[2] — et le crédit qu'il accordait généreusement à ses habitués. « Vous n'allez quand même pas faire des dettes ailleurs ! Quand vous avez faim, venez chez moi[3] », disait-il en remplissant l'une des nombreuses ardoises qui s'empilaient derrière le comptoir. Une seule règle chez Chéramy : payer lorsque l'ardoise était remplie. Et encore, Augustin fermait-il les yeux lorsqu'un des membres de la bande à Prévert, qui en avait fait son restaurant attitré, était en difficulté. Il savait que Jacquot, et surtout Marcel Duhamel et Max Morise, dont l'affaire de doublage de films était florissante — ils s'intitulaient plaisamment « doubleurs de navets » mais travaillaient très sérieusement —, effaceraient, le moment venu, les ardoises les plus criantes.

Francis Lemarque adopté par la bande, son directeur au sein du groupe Mars se rapprocha du Groupe Octobre. Sylvain Itkine était un excellent comédien professionnel et un metteur en scène déjà considéré dans le métier. Bon compagnon, il fut accueilli à bras ouverts par Prévert dont il partageait le goût pour les très jeunes filles et la passion du théâtre et du cinéma. En même temps que certains éléments du Groupe Octobre le quittaient pour tenter l'aventure professionnelle, d'autres s'y intégraient, comme Henri Leduc et sa femme qui amenèrent la phalange du XVIIIe à fusionner avec lui tandis que Prévert constituait le répertoire de son ami Itkine en donnant au groupe Mars des chœurs parlés et chantés et plusieurs chansons aux Frères Marc.

Parfois le renouvellement des troupes se faisait depuis la terrasse du Flore sur un coup de cœur, une rencontre impromptue, une image fugitive. Celle par exemple d'un très jeune homme à l'œil aussi vif que le jarret, qui trimballait inva-

1. Francis Lemarque à l'auteur.
2. Margot Capelier à l'auteur.
3. Maurice Baquet à l'auteur.

riablement un violoncelle presque aussi grand que lui. Fabien Loris, que Prévert avait pris en amitié après l'avoir rencontré sur le plateau de *Ciboulette* et qui avait fait ses débuts dans le Groupe en jouant *La Bataille de Fontenoy*, se proposa d'éclairer ses compagnons sur la personnalité attachante de ce presque gamin qu'il avait rencontré l'été précédent aux Bains Deligny où le beau comédien-chanteur entretenait avec un soin maniaque un bronzage entamé en Afrique Équatoriale et poursuivi à Tahiti. C'est qu'à vingt-sept ans, Dominique Fabien Loris Terreran, Apollon d'origine italienne dit Fabien Loris, dit encore Lolo, touche-à-tout aux dons multiples, avait roulé sa bosse aux quatre coins du monde. Après des études de dessin à l'école Germain Pilon et une carrière prometteuse de boxeur, il s'était embarqué pour les pays tropicaux, qui le tentaient depuis l'enfance, et en avait rapporté de fort beaux dessins illustrant des nouvelles que Malraux, récent Prix Goncourt pour *La Condition humaine* avait remarquées. Son camarade Pomiès lui avait fait faire de la figuration en même temps qu'il se produisait dans les cabarets où son physique exceptionnel et une fort jolie voix lui valaient, sinon la fortune, du moins quelques succès flatteurs auprès d'innombrables admiratrices parfois un peu fanées qui se disputaient la joie de lui épargner les affres de fins de mois difficiles. Cela ne l'empêchait nullement d'apprécier la fraîcheur de gamines de vingt ans, comme Janine Tricotet, la jeune danseuse que l'on a vue interpréter des *Animaux ont des ennuis* dans la troupe de Pomiès, et qui elle aussi fréquentait les Bains Deligny.

Le jeune homme au violoncelle, expliqua Fabien Loris, était originaire de Villefranche-sur-Saône, avait vingt-deux ans et suivait les cours du Conservatoire de Paris après avoir remporté un Premier prix de violoncelle au Conservatoire de Lyon. Exploit qu'il entendait bien renouveler dans la capitale en cette année 1934. Artiste et sportif à la fois, il adorait la montagne, le ski, le beaujolais, son cher violoncelle et le théâtre où il rêvait de débuter. Atout supplémentaire : Maurice Baquet aimait rire de lui comme des autres. Il n'en fallait pas plus pour que le Groupe Octobre lui ouvrît grand les portes de la famille. Jacques Prévert, Yves Allégret et Marcel Duhamel se rendirent en délégation rue des Feuillantines où habitait le jeune homme. « Il neigeait à gros flocons, se souviendra Maurice Baquet. Trois messieurs très élégants se tenaient sur le palier et se présentèrent fort civilement. "On vous voit presque chaque jour passer devant le Flore à vélo avec votre violoncelle dans le dos, c'est amusant et ça nous plaît bien, me dit Marcel Duhamel qui avait pris l'initiative de la démarche. Vous connaissez Loris, vous connaissez aussi tous les bistros du coin. Nous, on a un groupe théâtral qui s'appelle Octobre, on revient de Moscou. Voudriez-vous venir avec nous faire quelques entrées et sorties sur des scènes diverses? Nous répétons au studio Wacker, rue de Douai." Derrière Marcel Duhamel, un peu à l'écart, coiffé d'un feutre et mâchonnant un mégot : Jacques Prévert. Il n'avait pas dit un mot, se contentant d'approuver de la tête. Dès la première répétition où, bien sûr, je me suis rendu, il s'est bien rattrapé. Je n'ai jamais vu un homme autant parler... et autant travailler. Presque chaque semaine le Groupe Octobre mettait une nouvelle œuvre à son répertoire [1]. »

Au cours de ce rude hiver 1933-1934, l'équipe s'étoffa ainsi que son répertoire. À Fabien Loris et Maurice Baquet s'ajoutèrent de fortes personnalités comme Roger Blin, au visage rugueux mais attachant, qui dans la vie quotidienne bégayait lamentablement mais retrouvait une diction sans défaut dès qu'il était sur scène ou devant un micro ; Margot Capelier [2], future reine du casting si appréciée des producteurs français, sœur du docteur Raymond Leibovitch, ami du Groupe Octobre, chanteur et musicien de talent qui deviendra l'un des maîtres de la stomatologie française et, l'amour aidant, le beau-frère de Francis Lemarque dont il épousa la cadette Rachel — le Groupe deviendra ainsi une véritable famille — ; Jean Rougeul, un inspecteur d'assurances trotskiste venu de la phalange du XVIIIe avec Raymonde et Henri Leduc ; Germaine, la très jolie femme de l'architecte Robert Pontabry, et Sylvia Bataille, la non moins jolie épouse de l'écrivain Georges Bataille pour lequel Prévert avait écrit l'hommage à Picasso. Sylvia était déjà une comédienne confirmée, grande amie de Marcel Duhamel, lequel, toujours marié à la charmante et parfois volage Gazelle, ne savait qui de Sylvia ou de Germaine l'émouvait le plus. Arriva encore, en cet hiver rigoureux pour les corps mais bienveillant pour l'amitié, le musicien Louis Bessières, pianiste, organiste, accordéoniste aussi talentueux dans le classique que dans le jazz, que Maurice Baquet avait connu au service militaire où il jouait dans la musique du 46e d'Infanterie à la caserne Reuilly-Diderot. Discret, voire timide, Louis Bessières fit néanmoins partie presque immédiatement de la « garde rapprochée » de Jacques Prévert qui le baptisa aussitôt Frère Nougat tandis qu'il devenait P'tit Louis pour tous les autres. Il signera, quelques mois après son arrivée, la musique de *Marche ou crève*, un poème antimilitariste de Jacquot, écrit à la suite

---

1. Maurice Baquet à l'auteur, et in *On dirait du veau*.
2. Margot Leibovitch deviendra Margot Capelier en épousant Auguste Capelier, assistant d'Alexandre Trauner, puis architecte décorateur de nombreux films célèbres, comme *Voyage surprise*, *La Marie du port* ou *Du rififi chez les hommes*.

de la grève des mineurs du Pas-de-Calais matée par l'Armée, et qui sera désormais l'hymne du Groupe Octobre, chanté lors de chaque spectacle par toute la troupe et, à titre individuel, par Guy Decomble et Fabien Loris lors de spectacles improvisés.

L'une des premières manifestations de l'équipe renouvelée fut sa participation à *L'Atalante* de Jean Vigo. Fils de Miguel Almereyda, célèbre militant anarchiste, cible des attaques de *L'Action française*, retrouvé mort dans la cellule où il avait été emprisonné pour propagande pacifiste en 1917, le jeune cinéaste ne parvenait pas à tourner, faute de moyens, une scène essentielle de son deuxième film. Après *Zéro de conduite*, interdit à la suite des protestations de «pères de famille organisés» qui le qualifiaient d'antifrançais, Jean Vigo avec l'aide d'un producteur éclairé, Nounez, de son opérateur Boris Kaufman et de son monteur Louis Chavance, ami fidèle du Groupe Octobre, réussit à tourner *L'Atalante*, malgré l'hostilité de la Gaumont, productrice majoritaire et distributrice du film, qui n'appréciait guère la critique de la société bourgeoise à laquelle, malgré une santé vacillante, se livrait le metteur en scène «révolutionnaire». Manquait seulement une scène à la gare d'Austerlitz pour que son film fût terminé. «Finalement, se souviendra Pierre Prévert, Vigo a obtenu l'autorisation de tourner cette séquence avec Dita Parlo. Il disposait de la lumière, de l'équipe technique mais il n'avait pas les moyens d'avoir de la figuration. Louis Chavance est venu à Saint-Germain-des-Prés nous retrouver. Il nous a expliqué que, le soir même, Vigo pourrait tourner à la gare d'Austerlitz, mais qu'il n'avait pas de figurants et qu'il fallait absolument qu'on se débrouille. Alors, ça n'a pas fait un pli. On s'est débrouillé et entre le Flore, Les Deux Magots et Montparnasse on a réuni — ce n'était pas de la figuration à la *Ben Hur* — une cinquantaine de personnes, des copains et des comédiens. On a passé une des plus belles nuits de notre existence cinématographique en compagnie de Jean Vigo. Il y avait Roger Blin, Brunius, qui faisaient deux "hirondelles" à pèlerine, Gilles Margaritis, Jacques, Lou Tchimoukow, etc.[1]» *L'Atalante* — aujourd'hui considéré comme un des chefs-d'œuvre du cinéma français des années 30 — eut à l'époque une triste destinée. Jean Vigo, surmené, mourut à vingt-neuf ans d'une septicémie, alors que son film sortait en exclusivité au Colisée, sur les Champs-Élysées, mais horriblement mutilé et maladroitement transformé par un producteur distributeur qui, craignant que le film ne fût pas assez commercial, en avait coupé certaines scènes, refait le montage et inséré *Le Chaland qui passe*, une rengaine à la mode de 1934. Ajoutée à la musique de Mau-

---

1. *Image et son*, n° 189.

rice Jaubert, elle devait dans son esprit attirer le public à un film dont il la croirait tirée. *L'Atalante* fut d'ailleurs rebaptisée *Le Chaland qui passe* et essuya un des plus beaux flops de l'année[1]. La mésaventure n'était pas faite pour rabibocher Prévert et le cinéma commercial avec lequel il devait pourtant composer puisqu'il était sa seule source de revenus.

Après que le film de Claude Autant-Lara eut été lui aussi mutilé par les producteurs, *Ciboulette* avait néanmoins permis au nom de Jacques Prévert d'être remarqué par l'élite de la profession, sensible au tour surréaliste donné au scénario original. Il signa ainsi avec Pathé pour un commentaire sur le court métrage réalisé par Yves Allégret et photographié par Eli Lotar à Tenerife, la plus grande île des Canaries. Le film ne sera monté que trois ans plus tard, et Pathé refusera le texte de Prévert en raison du ton emphatique, propre aux commentaires de documentaires de l'époque, adopté par l'auteur. Pathé demanda à Eli Lotar de le modifier. Celui-ci se contenta de recopier mot pour mot le texte de Jacques Prévert et de le présenter comme le sien. On le trouva bien meilleur. La déplorable réputation de certains producteurs n'était pas usurpée !

Il en fallait plus pour démonter le poète qui attendait d'abord du cinéma les moyens financiers d'œuvrer en paix avec son cher Groupe Octobre. Coup sur coup, il accepta d'écrire l'adaptation et les dialogues du second film d'Autant-Lara d'après *Mon associé M. Davis*, roman de Jenaro Prieto, à la demande de l'ami Pierre Braunberger[2] puis de revoir, sans les signer, les dialogues de *Si j'étais le patron*, le premier film de Richard Pottier, écrits par René Pujol alors le scénariste à la mode. Jacques Prévert y fut si à l'aise que le metteur en scène le retint pour l'année suivante, qui le verrait signer — de son nom, cette fois — l'adaptation et les dialogues d'*Un oiseau rare*. Ce deuxième film assurera la jeune carrière du nouveau réalisateur, tandis que Prévert verra son nom sortir de l'anonymat et apparaître dans les papiers des journalistes cinématographiques. Roger Leenhardt, critique et essayiste, l'un des meilleurs défenseurs du cinéma de qualité, écrira ainsi : « Il reste l'auteur du film comme Joffre le vainqueur de la Marne. [...] Allez voir les films où a travaillé J. Prévert (*Un oiseau rare*, le meilleur film comique de l'année), même si son nom n'y est pas en gros caractères comme celui du metteur en scène[3]. »

1. En 1940, *L'Atalante* sortit aux Ursulines dans une version partiellement restaurée, (cf. Roger Boussinot, *L'Encyclopédie du cinéma*).
2. Le jeune producteur dut renoncer à son projet et le film fut finalement tourné à Londres en septembre 1936 sous le titre *My Partner Mr Davis*. Il ne vit jamais le jour en France.
3. *Esprit*, n° 38.

Dans la série des films alimentaires non signés, Prévert avait donné à Marc Allégret, le frère de Yves, quelques gags extraits d'*Une petite rue tranquille* que Pierrot Prévert n'avait pu tourner à cause de l'opposition de Richebé; Marc les avait utilisés, dès 1931, dans *La Petite Chocolatière*, à la plus grande satisfaction des producteurs qui engagèrent les frères Prévert sur la prochaine réalisation du «neveu» d'André Gide : *L'Hôtel du libre-échange*, mis en chantier à la fin de l'hiver 1933-1934. Ce fut là encore une affaire de famille et d'amitié comme les appréciait Prévert. Il était chargé de l'adaptation et des dialogues additionnels d'après le vaudeville de Feydeau tandis que Pierrot participait au scénario au côté de Marc Allégret qui l'engageait également comme premier assistant-réalisateur. Alexandre Trauner épaulait Lazare Meerson pour la réalisation des décors, tandis que Denise Batcheff, qui avait repris pied après le choc causé par la dramatique disparition de son mari, était chargée du montage. Auprès des vedettes du film, Fernandel et Mona Lys, Jacques Prévert fit engager Marcel Duhamel, Paul Grimault, Lou Tchimoukow et Raymond Bussières, qui faisait dans ce film ses débuts au cinéma; et, pour compléter son salaire de dialoguiste, il campa avec Alexandre Trauner, plusieurs silhouettes de «figuration intelligente», dont les cachets étaient les bienvenus.

C'est qu'en ce début d'année 1934, la situation matérielle n'allait pas en s'améliorant et chaque rentrée d'argent était chaleureusement accueillie. «On était toute une bande de copains, se souviendra Paul Grimault. Les copains du Groupe, ça voulait dire quelque chose... Dès qu'il y avait un petit boulot qui se présentait, un film qui se préparait, immédiatement Jacques ou Pierrot Prévert se débrouillaient pour que les copains viennent jouer dedans... C'est comme ça que j'ai été embarqué dans *L'Hôtel du libre-échange* où je jouais un petit rôle de flic... J'ai été surpris pendant ce tournage. Il y avait plusieurs figurants habillés en flics avec pèlerine et képi. Eh bien, dès qu'un figurant revêtait l'uniforme, il éprouvait le besoin d'emmerder tout le monde : il agrippait les gens au collet, il commençait à leur foutre des coups de matraque sur la gueule, et tout ça... J'ai été soulagé en revoyant le film à la cinémathèque : la scène du commissariat avait été sucrée. Tant mieux ! Ouf[1] !» Suzanne Montel, dans son compte rendu d'activité, soulignera l'aide matérielle apportée par Jacques Prévert au Groupe Octobre, et en particulier à ses membres les plus défavorisés : «Le chômage s'accentue. Depuis déjà quelques mois Jacques avait aidé de son mieux la troupe et les camarades. Avec ses

---

1. Jean-Pierre Pagliano, *Paul Grimault*.

amis Marcel Duhamel et Yves Allégret, il procure des cachets et de la figuration dans des films. Jean Lods et Sylvain Itkine apportent aussi leur appui. Les théâtres du Vieux-Colombier et de L'Œuvre font participer des éléments de la troupe à leurs spectacles. Le Groupe, pour tenir, donne des séances de cinéma (*L'affaire est dans le sac, Zéro de conduite, Encre rose*). Pour assurer tous les spectacles auxquels il participe, Octobre se renforce. La troupe du XVIIIe de Leduc fusionne avec Octobre qui lui-même parraine un groupe de Draveil, lui envoie du répertoire. Tchimoukow va donner un coup de main à une troupe du XXe qui, de son côté, vient renforcer Octobre dans ses manifestations. Le répertoire de Jacques est diffusé par la Fédération du théâtre ouvrier, ainsi que les textes de Tchimoukow. Les frères Marc, duettistes de cette troupe, chantent les chansons de Jacques[1].» La publicité, à laquelle Jacques Prévert revenait épisodiquement, lui permit à cette époque de boucler quelques fins de mois problématiques. Depuis la brève expérience du sel « Le Sauveur » chez Damour, où il avait fait la connaissance de Paul Grimault, d'Yves Allégret et de Jean Aurenche — devenu le beau-frère de Max Ernst —, Prévert s'était tenu éloigné de la publicité. Puis, à l'exemple de son vieil ami Robert Desnos qui, fort bien rémunéré à Radio Luxembourg où il inventait des sketches radiophoniques pour la Boldoflorine et autres marques pharmaceutiques, pouvait poursuivre dans une certaine aisance son œuvre poétique, il participa, comme auteur de gags aussi bien que comme acteur, à l'entreprise montée par Jean Aurenche avec Paul Grimault. Aurenche avait eu l'idée, toute nouvelle à l'époque, de faire des sketches publicitaires faisant intervenir des comédiens et destinés aux entractes des salles de cinéma. Grâce à la dot de son épouse, une ravissante Lyonnaise fort riche de surcroît, il avait pu monter sa propre agence et produire les premiers sketches de l'histoire publicitaire française écrits, réalisés et montés comme de vrais films. Au début, Paul Grimault tenait la caméra tandis qu'Aurenche jouait tous les autres rôles : metteur en scène, scénariste et acteur. Puis, l'affaire se révélant lucrative, le réalisateur — qui entrait dans le cinéma à la fois en pionnier et par la porte de service[2] — constitua une véritable troupe : y figuraient le potier et céramiste Pépito Artigas, grand ami de Picasso et de Miró, Max Ernst, Jean Anouilh, Roger Blin, le critique Roger Leenhardt, Pierre Chenal — qui venait de réaliser *La Rue sans nom* —, Yves Allégret, Jacques-Bernard Brunius, Ghislaine

---

1. Suzanne Montel - Serge Grand, archives personnelles.
2. Jean Aurenche, *La Suite à l'écran*.

Autant-Lara, Maurice Baquet et les frères Prévert autour desquels se reconstituaient ainsi les Lacoudem de la rue Dauphine. Cette joyeuse bande déploya alors des trésors d'imagination pour vanter les mérites des meubles Lévitan, du Bonhomme-en-bois, des Galeries Barbès, des vins Nicolas ou d'une marque de fixe-chaussettes dont l'histoire n'a pas retenu le nom. « Moi, je montais des décors et je jouais la comédie avec Artigas, dira Paul Grimault. On faisait tandem, un peu comme Laurel et Hardy : moi, un mètre quatre-vingt-deux, et Artigas qui m'arrivait un peu au-dessus du nombril ! En ce temps-là, nous touchions un forfait de trois ou quatre mille francs pour faire un film. À nous de nous débrouiller. Pour tourner un film à la gloire de Lévitan où une chaise tombant du sixième étage arrivait intacte au sol — bien sûr, dans la réalité elle s'écrasait en miettes —, il ne fallait pas recommencer plusieurs fois les prises de vues si on ne voulait pas en être de sa poche ! Mais c'était pour nous une occasion unique de manier de la pellicule et d'apprendre notre métier[1]. »

Et de mettre un peu de beurre dans les épinards. En l'occurrence de payer un loyer en souffrance ou de régler les ardoises du brave Chéramy.

Un de ces petits films sans prétention mais aujourd'hui recherchés par des cinéphiles amateurs de pièces de collection provoqua même un incident avec les troupes de choc de la très royaliste Action française qui, en ce début 1934, témoignaient bruyamment de leur présence dans les rues de Paris où les ligues multipliaient les manifestations. « Les Camelots du Roi aimaient beaucoup faire du tapage dans les salles, rappellera Jean Aurenche. Le titre du film était *Le Trône de France*. Je jouais tous les rôles des rois de France — enfin un certain nombre. Je passais simplement sur le trône, saluais et repartais. Arrivé à Louis XVI (que je jouais avec un coussin sur le ventre car j'étais très maigre), le trône s'effondrait. Alors, passait Grimault en héraut du roi, avec une trompette — merveilleux Paul ! —, qui disait : "Le trône de France aurait duré plus longtemps s'il avait été signé Lévitan." Le film a dû être retiré des Champs-Élysées[2]. »

Minuscule incident mais révélateur d'un certain état d'esprit en ce début d'année 1934 qui vit la République vaciller sous les coups de boutoir de ligues extrémistes prêtes à renverser la démocratie. L'atmosphère était lourde. La crise économique frappait douloureusement la France en proie à un

---

1. Maurice Baquet, archives personnelles.
2. Jean Aurenche, *op. cit.*

chômage de plus en plus dramatique et à un déficit budgétaire sans cesse accru. La valse des gouvernements exacerbait la colère non seulement des plus démunis mais des classes moyennes qui n'avaient pas de mots assez durs pour fustiger un régime parlementaire chaque jour plus déconsidéré. Le scandale Stavisky dans lequel étaient compromis nombre d'hommes politiques, de hauts fonctionnaires et de directeurs de journaux fit exploser une marmite dont la vapeur ne pouvait plus être contenue. Le 6 février 1934, l'émeute place de la Concorde fit une vingtaine de morts et près de deux mille blessés, tant chez les manifestants que dans les rangs des forces de l'ordre. Le lendemain, le gouvernement Daladier, investi pendant l'affrontement, démissionnait et on alla arracher à sa paisible retraite de Tournefeuille le vieux Gaston Doumergue, ancien président de la République, fort aimé de la population française qui l'avait affectueusement surnommé Gastounet. Jamais, depuis la Commune, les rues de Paris n'avaient vu de désordres aussi sanglants, et l'on comptait sur le souvenir qu'avait laissé l'aimable politicien de droite pour ramener le calme dans les esprits surchauffés. Dans les jours qui suivirent, socialistes et communistes se rassemblèrent pour manifester contre les ligues. Là encore, l'affrontement fut sanglant : quatre tués et vingt-quatre blessés par balles.

Pour Jacques Prévert et les membres d'Octobre, il fallait maintenir la pression, appeler à la révolte à travers de nouvelles œuvres. Et, plus que jamais, continuer l'agit-prop qui avait si bien réussi au Groupe et amené au théâtre militant beaucoup de travailleurs jusque-là exclus de cette forme de culture. Au lendemain du grand choc du 6 février, plusieurs des membres du Groupe et de leurs proches — dont Yves Allégret, Roger Blin, Paul Grimault, Sylvain Itkine, Fabien Loris, les frères Prévert, Léo Sabas et Lou Tchimoukow — apposèrent leur signature au bas de l'Appel à la lutte lancé à l'initiative du groupe surréaliste pour l'union des intellectuels aux forces de gauche, dont le finale proclamait : « Vive la grève générale ! » Deux jours plus tard, pour la première fois depuis des années, travailleurs socialistes et communistes défilaient côte à côte sur le cours de Vincennes. La CGT de Léon Jouhaux déclenchait ce même 12 février une grève générale à laquelle participait sa rivale, la CGTU communiste. Quatre millions et demi de travailleurs suivirent le mot d'ordre et participèrent à de multiples manifestations unitaires pour la défense de la République parlementaire. 1934 voyait se dessiner l'unité d'action entre socialistes et communistes, bientôt suivis par le parti radical. Les bases du Front populaire étaient jetées.

À la pointe du combat, depuis la naissance du Groupe Octobre, Prévert ne pouvait manquer d'apporter son concours au nouveau mouvement qui portait les espoirs de millions d'ouvriers et d'employés. Il n'avait rien à changer à l'inspiration qui le guidait depuis *Vive la presse*, seulement à monter le ton d'un cran. Il s'y employa dès le mois d'avril en composant une nouvelle version de ces «Actualités» qui, à chaque spectacle, remportaient un vif succès. Reprenant le thème de l'unité, il s'adressa directement à ceux qui *devaient* se révolter, ces Parisiens au chômage qui vivaient dans des conditions déplorables, mais aussi à leurs frères en pauvreté que l'on trouvait en si grand nombre au-delà des frontières. Tous exploités par le système capitaliste, trop souvent endormis par une presse corrompue ou par le fallacieux espoir de gagner à la Loterie nationale, récemment créée, seul moyen qu'on leur offrait pour s'arracher à la misère, quand on ne leur organisait pas quelque belle et bonne tuerie comme celle de 1914-1918 :

> [...]
> Qu'est-ce qu'ils vous disent les journaux ?
> [...]
> Des millions ! Des millions !
> [...]
> Il y en a qui ont de la chance
> Ils vont tomber les millions
> [...]
> En 1914 il y a eu des veinards
> [...]
> Chacun son billet
> chacun son petit bifeton
> son petit fascicule de mobilisation
> C'était la grande loterie bleu horizon
> Des millions d'hommes tombaient
> et les journaux disaient le moral est bon
> C'est du velours, c'est du melon
> 1934 — Février — Vienne
> Misère !
> Chômage !
> [...]
> Des centaines d'ouvriers sont tombés
> On a tiré sur les femmes, sur les enfants
> Des milliers de prolétaires sont emprisonnés
> matraqués
> martyrisés
> [...]
> *L'Intransigeant* du 16 février, en parlant des ouvriers
> de Vienne, luttant pour leur pain et pour leur liberté, disait :
> "Ils ont une mentalité différente de la nôtre.
> C'est déjà plus près de l'Orient, la mort ne compte pas

ou si peu. Il faut manger et boire, que diable,
sans sentimentalité inutile…"
[…]
À Paris il y a beaucoup de taudis
On parle souvent de les détruire par mesure de salubrité
Il faut les détruire, ces taudis, ces grandes casernes de misère,
ces maisons grises de Belleville et de Ménilmontant
Mais il faut détruire avec, tous ceux qui vivent dedans
Sans sentimentalité inutile!
[…]
    PROLÉTAIRES ATTENTION
Ceux qui vous haïssent s'unissent
Déjà plusieurs d'entre vous sont tombés
[…]
Communistes, socialistes, sans parti,
Protégez-vous
Défendez-vous
FAITES-VOUS CRAINDRE
UNISSEZ-VOUS!

                                          Jacques Prévert[1].

Après avoir donné ces «Actualités 1934» à la fête du Front commun qui se déroula le 29 juin, Prévert récidiva en écrivant pour le groupe Mars de Sylvain Itkine un *Quatorze juillet* particulièrement corrosif à l'occasion d'une fête de la chanson antimilitariste qui devait se tenir à la Mutualité. La réunion fut interdite par le gouvernement de Gaston Doumergue, qui entendait affirmer les pouvoirs de son ministère d'union nationale, et les plus décidés parmi les membres des groupes Mars et Octobre allèrent porter la bonne parole jusque dans les bals de quartier célébrant la fête nationale. Raymond Bussières, Francis Lemarque et Guy Decomble se montrèrent alors parmi les plus actifs. «On allait dans les quartiers chic, de la Madeleine aux Champs-Élysées, faire un peu de provocation auprès des danseurs», racontera Francis Lemarque qui gardera en mémoire ce texte que Prévert égara avec tant d'autres. «On attendait qu'une série de danses soit terminée et on profitait de la pause pour attirer l'attention sur notre groupe. C'était la tradition orale. Tout commençait par un refrain, une rengaine de l'époque: "Amusez-vous, faites les fous, la vie passera comme un rêve." Lorsqu'on était sûrs d'avoir bien capté l'attention des personnes présentes, on leur demandait de faire cercle autour de nous, et l'on attaquait *Quatorze juillet*.

Camarades, deux minutes, écoutez-nous
C'est le 14 juillet

1. Suzanne Montel - Serge Grand, archives personnelles.

Aujourd'hui vous avez le droit de danser
Demain, c'est le 15 juillet
Le terme
C'est la fête nationale
Pour les propriétaires
Passez la monnaie
On paie tout d'suite après la danse
On n'danse pas souvent, mais on paie tout l'temps
Chaque jour les salaires baissent
Et le coût de la vie augmente
Et les impôts, les impôts si légers pour les gros, si lourds pour les
    petits
C'est le 14 juillet, il faut danser
Nous dansons avec la vie chère
Nous dansons avec la misère
Avec la misère, avec les huissiers
Nous dansons devant l'buffet
Les huissiers emportent les buffets
On n'sait plus sur quel pied danser.
Nous danserons sur le pied d'guerre puisque les crédits sont votés
Trente milliards
Trente mille millions de francs
Pour la guerre
Nous dans'rons au pas cadencé, la valse bleu horizon
Et nous chant'rons la Madelon
Nous dans'rons sur nos moignons, pour les marchands d'canons
Et puis quand on s'ra sous terre, ce sera le moment de se taire
Disparus, ni vus ni connus, à qui l'tour d'être le poilu inconnu ?
Demain les lampions s'ront éteints, et l'année prochaine, ce s'ra
    la même rengaine, amusez-vous faites les fous
Mais l'année prochaine, ce s'ra peut-être l'année de la prochaine
L'année prochaine où s'rez-vous ?... morts peut-être !
Le voulez-vous ? Non ! et bien alors défendez-vous ! ! !

À peine le message délivré, on se dispersait comme des moineaux[1]. »

« Vous voyez ça, trois gars dans un bal populaire, disant cela ; ça jetait un petit froid quand même, ajoutera Raymond Bussières. Un jour, des flics nous ont ramassés. Alors un groupe de prolos les a bloqués dans un coin, et j'en revois un qui disait gentiment en levant le pied : "Vous allez les laisser, hein, ces gars-là ? Ils sont gentils, ils font pas de mal." Alors les flics ont disparu[2]. »

Jacques Prévert poursuivit son œuvre révolutionnaire destinée au Groupe Octobre jusqu'à l'été 1935, tout en restant ouvert à toute proposition cinématographique. Plaisant dialo-

1. Francis Lemarque à l'auteur et in *J'ai la mémoire qui chante*.
2. *Image et son*, n° 189.

guiste de *Si j'étais le patron*, pour Richard Pottier, il écrivit
coup sur coup deux chœurs parlés et une pièce relevant du brûlot mais sans perdre une once de cet humour que percevait si
bien le public ouvrier qui se pressait à la Maison des syndicats,
avenue Mathurin-Moreau, à la Bellevilloise ou à la Maison de
la Culture de l'AÉAR. Si certaines situations restaient comiques,
l'engagement ne faisait plus aucun doute. Et les textes appelaient à la révolte pure et simple contre les possédants et les
puissants qui exploitaient sans vergogne les travailleurs avec
la complicité de trop nombreux «élus du peuple». Il composa ainsi — outre *Actualités* et *Marche ou crève*, au titre expli-
cite —, *Il ne faut pas rire avec ces gens-là*, sur la nécessité de la
lutte des classes pour résister à la grande bourgeoisie toute
prête à mater les grèves par les moyens les plus sanglants ;
Mange ta soupe et tais-toi, fustigeant l'hypocrisie et la propagande démagogique des Croix-de-Feu, organisateurs de soupes
populaires ; enfin une nouvelle pièce intitulée *Le Palais des
mirages* qui, prenant le Gastounet chéri des Français comme
tête de Turc, entendait révéler aux dupes sa véritable personnalité. Dans le cadre du musée Grévin, où était inaugurée son
effigie en cire, Gaston Doumergue remplaçait son propre man-
nequin pour savoir ce que le peuple pensait de lui. Aux yeux
d'une ganache de soixante-cinq ans, amateur de lieux communs et d'expressions toutes faites, militant des Jeunesses
patriotes *(sic)*, le vrai président était «un régal des yeux [...] gai
comme un pinson, bon comme du bon pain, solide comme un
roc, pas fier pour deux sous, honnête comme Crésus, doux
comme un mouton, tranquille comme Baptiste... bref un vrai
"Français de France"». Mais un ouvrier socialiste et un vendeur de *L'Humanité* le dépeignaient comme «le clou du musée,
le croque-mitaine du canal de Suez, le bon Gastounet, l'ennemi
public n° 1, le sage de Tournefeuille, le fou de la radio... le
micro entre les dents... Doumergue Gaston, président du conseil
d'administration de la société "France d'abord et Courants
d'Air-union" [allusion au gouvernement d'unité nationale qu'il
présidait], société au capital de onze cent mille morts... sang...
et sueur, entièrement versés [...]». Dans une scène annexe, Prévert donnait le coup de grâce au vieux politicien de droite qu'il
ne cessera de railler jusqu'à sa mort, deux ans plus tard. On y
voyait le président du Conseil recevoir ses amis les plus réactionnaires — Tardieu, Bailby, Daudet et Maurras — dans sa
retraite de Tournefeuille, et, après leur départ, lâcher ses chiens
contre un chômeur qui sonnait à la grille du parc pour demander du travail et du pain !

Jacques Prévert acheva son entreprise subversive en pré-
parant un grand spectacle destiné à une manifestation qui

devait se tenir à la fin du printemps 1935 à Saint-Cyr-l'École. Objectif : tourner en dérision ses ennemis de toujours — l'armée, la bourgeoisie et la religion — dans la commune proche de Versailles abritant la plus prestigieuse des écoles militaires françaises. La provocation était irrésistible. Il convenait de lui donner l'éclat qu'elle méritait.

Pour répondre à l'invitation de la municipalité communiste, la troupe répéta avec un soin tout particulier cette revue musicale en six tableaux que Prévert intitula *Suivez le druide*, et pour laquelle il imagina une visite guidée de la région de France qui lui était la plus chère depuis l'enfance : la Bretagne. Mais à la Bretagne telle qu'elle était présentée aux touristes avec ses paysages magnifiques, ses côtes découpées, son folklore si présent dans la vie quotidienne, il ajouta celle des fermes misérables, des paysans grevés de dettes et guettés par la saisie, des ouvriers d'usine soumis à des cadences infernales. Au cœur de la pièce — jouée pour la première fois à Saint-Cyr le 16 juin 1935 en présence de Marcel Cachin, l'un des fondateurs du PCF et premier sénateur communiste —, les touristes, interprétés par Marcel Duhamel et Germaine Pontabry, après avoir été charmés par la beauté du pays, visitaient une usine où l'on préparait ces excellentes sardines qui faisaient la fierté de la gastronomie bretonne grâce au savoir-faire de jeunes ouvrières exploitées par un patronat qu'animait le seul profit et que les conditions de vie misérables laissaient parfaitement indifférents. C'est pour les appeler à la révolte que Prévert écrivit sa *Chanson des sardinières*, lancinante et désespérée, qui devait être souvent reprise et faire couler tant d'encre en cette période de gestation du Front populaire. Elle devint avec *Marche ou crève* le symbole de la condition ouvrière de ces années 1934-1936 vue par le Groupe Octobre :

> Tournez tournez
> petites filles
> tournez autour des fabriques
> bientôt vous serez dedans
> tournez tournez
> filles des pêcheurs
> filles des paysans
>
> Les fées qui sont venues
> autour de vos berceaux
> les fées étaient payées
> par les gens du château
> elles vous ont dit l'avenir
> et il n'était pas beau

Vous vivrez malheureuses
et vous aurez beaucoup d'enfants
beaucoup d'enfants
qui vivront malheureux
et qui auront beaucoup d'enfants
qui vivront malheureux
et qui auront beaucoup d'enfants
beaucoup d'enfants
qui vivront malheureux
et qui auront beaucoup d'enfants
beaucoup d'enfants
beaucoup d'enfants...

Tournez tournez
petites filles
tournez autour des fabriques
bientôt vous serez dedans
tournez tournez
filles des pêcheurs
filles des paysans.

La *Revue bretonne* de Jacques Prévert n'aurait pas dépassé l'impact habituel des productions du Groupe Octobre sur un public acquis d'avance dans une municipalité communiste si la joyeuse bande n'avait pas décidé de faire précéder le spectacle par un défilé de chars fleuris rappelant le passé révolutionnaire de la Bretagne pourtant traditionnellement présentée comme réactionnaire. Le conseil municipal de Saint-Cyr-l'École était ancré à gauche, mais la cité n'en restait pas moins le berceau de la prestigieuse école militaire[1]. «C'était un fief très réac, rappellera Paul Grimault qui était de la fête, c'était plein de militaires, de la graine d'officiers, quoi, c'était exactement le contraire de ce qu'on aimait dans l'existence[2].» Le défilé en ville — «du Prévert et du Tchimoukow tout craché[3]» — était iconoclaste en diable. Les comédiens déguisés en prêtres, en officiers supérieurs et généraux, en pipelettes et en filles de petite vertu — Jacques Prévert, en soutane et chapeau de curé, bénissait la foule d'une main onctueuse, mais il était flanqué de la très jolie Germaine Pontabry qui le serrait de près! — brandissaient des pancartes, des banderoles et des panneaux qui tournaient en dérision l'Église, l'Armée, les Croix-de-Feu, l'Action française, les Jeunesses patriotes, bref, tous les porteurs de

---

1. L'école spéciale militaire de Saint-Cyr fut détruite en 1944 et transférée à Coëtquidan, au cœur de la Bretagne!
2. Paul Grimault in *Les Colporteurs du Front populaire*, de Michel Van Zele, FR3 Lyon, 1987.
3. Arlette Besset à l'auteur.

«bérêts bien français», au propre comme au figuré. Dans ce
«défilé historique», la reine Margot généreusement décolle-
tée était entourée de ses «mignons», parmi lesquels Roger Blin,
Maurice Baquet, Fabien Loris et Marcel Duhamel — qui
n'avait d'yeux que pour l'appétissante Germaine Pontabry —,
tandis que Raymond Bussières et Guy Decomble, tout de noir
vêtus, parapluie sur le bras, jouaient les pieds plats avec un
brassard marqué POLICE entourant le biceps. Le carnaval eut
sur la population un très vif retentissement qui resta gravé dans
la mémoire de Jacques Prévert : «On avait fait un cortège dans
les rues avec les gens du pays qui nous avaient prêté leurs trac-
teurs. C'était un grand défilé de mi-carême, mais édifiant : il y
avait énormément d'ecclésiastiques, costumés, et nous chan-
tions des cantiques. Cela s'est bien passé, on arrêtait les gens
sur les routes pour les rançonner au nom du Sacré-cœur. Le
soir, on a joué la pièce, et, quelques jours plus tard, il y a eu une
interpellation à la Chambre. Il y a même eu un article de Clément Vautel qui disait aux Saint-Cyriens : "Vous auriez dû sortir !" Il est certain que si les Saint-Cyriens étaient sortis cela
n'aurait pas été leur fête [1] !» Le défilé anarchiste, sous les fenêtres
des futurs officiers français, provoqua une plus vive réaction de
l'opinion publique que *Suivez le druide* dans lequel, outre les
coups habituels portés aux curés et aux militaires, Prévert
appelait à l'union entre les ouvriers des villes et les travailleurs
des champs et de la mer, contre «tous ceux qui possèdent et
s'unissent pour nous posséder, nous affamer», thèmes repris
en clôture de la manifestation dans le très officiel discours de
Marcel Cachin. Le Palais Bourbon, qui avait été moins bra-
vache l'année précédente lors de l'émeute antigouvernemen-
tale du 6 février, retentit des cris d'indignation d'un député de
Haute-Saône qui protesta contre cette journée «au cours de
laquelle l'armée et ses chefs ont été bafoués pendant plusieurs
heures en face de l'École d'élèves officiers». Dans les colonnes
du *Journal officiel*, on somma même le gouvernement de prendre
des mesures «pour rappeler au préfet du département intéressé, qui paraît depuis plus de huit jours l'ignorer, le devoir
qui s'impose en pareil cas à un préfet [2]». Ce qui n'empêcha nullement le Groupe Octobre d'inscrire *Suivez le druide* à son
répertoire et de donner la pièce les 20 et 21 juillet au cours d'un
meeting électoral de Paul Vaillant-Couturier à Villejuif avec les
«vedettes» de la troupe : Guy Decomble, Raymond Bussières,
Max Morise, Jean Ferry, Raymonde et Henri Leduc, Margot Capelier, Suzanne Montel, Roger Blin et deux nouveaux

---

1. *Image et son*, n° 189.
2. *JO* du 27 juin 1935.

couples édifiés sur les ruines d'anciennes amours: Fabien Loris qui venait d'épouser (le 27 avril 1935) Janine Tricotet, dite Janine Jane, la minuscule ballerine qui avait dansé à ses débuts chez Pomiès l'Oiseau bleu et la Grenouille verte des *Animaux ont des ennuis* imaginés par Prévert, et Marcel Duhamel sur le point d'arracher de haute lutte Germaine Pontabry à son architecte de mari, tandis que la tendre Gazelle n'était pas loin de se laisser séduire par les mélodies et les arpèges que Louis Bessières tirait de son instrument. Tout était pour le mieux dans le meilleur des mondes affectifs où, de tradition au Groupe Octobre, chacun trouvait sa chacune sans larmes ni grincements de dents. En tous cas apparents. Jacques Prévert n'allait pas échapper à ces bouleversements sentimentaux.

*

Au lendemain du 14 juillet 1935, où la troupe tout entière participa aux Assises de la Paix et de la Liberté au stade-vélodrome Buffalo, le torrent puissant qui depuis quatre ans avait charrié tant d'idées révolutionnaires devint ruisseau à l'étiage. Après une dernière représentation de *Suivez le druide*, à la fin du mois de juillet, le Groupe, sans se dissoudre formellement, dut interrompre ses activités. Malgré l'aide de quelques amis qui la soutenait financièrement et dont Fernand Léger était le plus fidèle et le plus généreux, la troupe était dans l'incapacité de faire face à ses lourdes dettes. Même si aucun comédien n'était payé, il fallait régler les frais de déplacement, de décors et de costumes. Jonglant avec les maigres fonds dont elle disposait, Suzanne Montel voyait apparaître le fond de la caisse. Le Groupe Octobre devait attendre des jours meilleurs, lesquels arriveraient peut-être avec le Front populaire que laissait présager le rapprochement entre militants socialistes et communistes. Certains comédiens s'éloignèrent temporairement et trouvèrent du travail dans le cinéma ou le théâtre. Fabien Loris et Guy Decomble montèrent un tour de chant et participèrent, en compagnie de Bussières, Grimault et Leduc, à des goguettes locales où ils se faisaient quatre sous. D'autres encore, comme Roger Blin, rejoignirent un confrère de vingt-cinq ans, Jean-Louis Barrault, protégé du grand Charles Dullin qui lui donnait toute latitude pour monter *Autour d'une mère*, d'après le célèbre roman de Faulkner *Tandis que j'agonise*. Le jeune comédien réunissait quelques camarades pour réaliser sa première mise en scène dans un vaste atelier situé 7 rue des Grands-Augustins, à quelques dizaines de mètres de la rue Dauphine où étaient nés les Lacoudem. Jacques Prévert en prendrait bientôt le chemin.

Pour l'heure il consacrait tous ses efforts au cinéma, où les besognes alimentaires alternaient avec des travaux plus gratifiants. Ainsi les deux films de Richard Pottier avaient-ils suivi le rafistolage, fort bien payé, d'un scénario destiné à un ami de Marcel Duhamel, producteur amateur mais véritable millionnaire. *Médor ou Un chien qui rapporte*[1] avait surtout permis au poète de séjourner agréablement à Biarritz et de terminer l'année 1934 sans trop de problèmes matériels. «Avec du pognon à ne savoir qu'en faire, constatait Marcel Duhamel, tout est permis, même les pires conneries[2].» Prévert dut se surpasser dans le genre puisque, jugé trop fantaisiste, son travail fut refusé par le producteur réalisateur qui honora néanmoins ses engagements financiers! En même temps que le Groupe Octobre se mettait en veilleuse, Prévert, sur la lancée de *Si j'étais le patron* et d'*Un oiseau rare* — qui venaient de révéler Richard Pottier —, se vit proposer par un autre producteur amateur, Albert Pinkévitch, plus féru de coups de Bourse que de chefs-d'œuvre cinématographiques, d'écrire le premier film d'un assistant de Julien Duvivier, Jean Stelli, dont les ambitions modestes étaient de réaliser une comédie commerciale dans le goût de l'époque. D'abord intitulée *L'Empereur des vaches*, puis *Cette petite est parfaite*, la banale histoire de quatre jeunes gens qui se marient selon leur cœur, en dépit de leurs parents, devint *Jeunesse d'abord* sous la plume de Prévert et n'eut d'autre intérêt que de faire entrer le nouveau réalisateur dans le club envié des cinéastes dont le nom figurera souvent parmi les mieux placés du box-office français durant les vingt années à venir. Sans pourtant faire d'étincelles ni réaliser d'œuvres mémorables. Autres avantages pour Prévert: effacer le souvenir de *L'affaire est dans le sac* — synonyme d'échec commercial dans l'esprit des producteurs — et travailler à nouveau avec Pierre Brasseur qu'il avait connu jadis hésitant entre l'écriture et l'art dramatique à l'époque glorieuse du surréalisme flamboyant de la rue du Château et pour lequel il venait d'écrire son premier rôle important dans *Un oiseau rare*.

À peine s'était-il éloigné par force de la politique et du Groupe Octobre que Jacques Prévert s'y retrouva plongé par Jean Renoir, lorsque ce dernier fit appel à lui pour écrire son prochain film. À vrai dire, Renoir avait avancé le travail en compagnie de Jean Castanyer, familier du Groupe Octobre et du Flore, décorateur du récent *Boudu sauvé des eaux* qui, après *La Chienne* et *La Nuit du carrefour*, avait contribué à la réputa-

---

1. Aussi appelé *Un chien qui raccroche* dans l'anthologie des navets mort-nés!
2. Marcel Duhamel, *op. cit.*

tion de celui que, dans le milieu cinématographique, on nommait jusque-là «le fils du peintre». À l'origine, Jean Castanyer avait apporté l'idée d'un film, intitulé *Sur la cour*, à Jacques Becker, alors assistant de Jean Renoir, et rêvant, comme tous les assistants, de réaliser son premier long métrage. Le producteur Halley des Fontaines avait été intéressé par cette histoire dont le cadre était l'atelier fort sympathique d'ouvriers imprimeurs qui, à la suite des indélicatesses de leur patron en fuite avec la caisse d'un petit journal populaire, sont amenés à redresser l'entreprise grâce au génie inventif du correcteur de l'hebdomadaire. Quand, l'affaire devenue florissante, l'ancien patron réapparaît avec la ferme intention de reprendre «son» entreprise et de réduire à néant les efforts des ouvriers, le correcteur le tue et se livre à la justice, qui le déclare «non coupable». Jacques Becker jugé trop tendre pour ce sujet ambitieux — il n'avait encore comme titre de gloire que *Le commissaire est bon enfant*, un court métrage coréalisé l'année précédente avec Pierrot Prévert —, Halley des Fontaines proposa le film à Jean Renoir et celui-ci, approuvé par Castanyer, l'accepta sans complexe. «Dans l'équipe que nous formions avec Renoir, dira celui-ci, personne n'avait une idée bien à lui. On travaillait dans l'esprit de la communauté. L'essentiel était de faire un film qui nous intéressait, de le faire ensemble, peu importait qui le signait. Et si un film fut l'œuvre collective d'une équipe ce fut bien celui-là, qui s'appela en définitive : *Le Crime de M. Lange*. Quoi qu'il en soit, Jacques *[Becker]* ne comprit pas et il nous abandonna[1].» Becker reviendra l'année suivante et Renoir, dans cette aventure, se passa de son aide pour s'appuyer sur Jacques Prévert dont il partageait les idées humanistes révolutionnaires et dont il attendait beaucoup pour améliorer le prédécoupage réalisé par Castanyer. «Nous sentions qu'il y manquait quelque chose, rappellera le metteur en scène, et j'ai eu l'idée d'aller demander à Prévert s'il l'aimait et s'il voulait me donner un petit coup de main pour le parachever, ce qu'il a accepté[2].» Prévert se mit au travail dès qu'il eut terminé les dialogues de *Jeunesse d'abord* pour Jean Stelli, en août 1935. Était-ce l'été qui faisait penser à la plage et au soleil de Belle-Île ou du Lavandou où il avait passé quelques semaines l'année précédente avec Simone, dernières vacances avant la séparation définitive pour une incompatibilité d'humeur tenant chaque jour un peu plus à la cour que faisait le poète aux très jeunes filles dont il aimait s'entourer? Toujours est-il que le producteur Halley des Fontaines, patron de la société Oberon,

---

1. Pierre Leprohon, *Jean Renoir.*
2. *Ibid.*

trouva que, s'il avait un talent fou, son dialoguiste ne se tuait pas à la tâche! «Il était alors très paresseux, dira-t-il. Renoir et moi étions obligés de l'enfermer dans un bureau pour qu'il travaille. On ne le libérait qu'aux heures des repas. Entre-temps il nous glissait les feuillets de son scénario sous la porte à mesure qu'il écrivait[1].» En fait, ce travail servit surtout à Prévert à développer une foule de rôles secondaires qu'il destinait à ses copains du Groupe Octobre et à donner au scénario de Jean Castanyer et Jean Renoir une coloration politique absente des premières moutures, qui fera dire aux historiens du cinéma que *Le Crime de M. Lange*, dont la sortie sur les écrans coïncidera avec l'avènement du Front populaire, était un film de Renoir *et* du Groupe Octobre.

Sous une forme romancée, Jacques Prévert reprenait les thèmes exploités dans les chœurs parlés et les pièces destinées à la troupe théâtrale. Sur les bases jetées par Castanyer pour Jacques Becker, il se livra à un travail «joyeusement vengeur, une démolition du patronat, des curés, des vieux militaires, des préjugés de classe et de la justice bourgeoise[2]». Bref, un concentré de tout ce qu'il avait écrit jusque-là. Renoir, qui partageait sa tendresse pour les travailleurs exploités, le suivit lorsqu'il entreprit de trouver une solution économique, sociale et politique à cette exploitation. *Le Crime de M. Lange*, tourné du 19 septembre au 16 octobre 1935, sera non seulement le film le plus «avancé» de Jean Renoir mais le seul de tout le cinéma français où l'on puisse voir, grâce à Jacques Prévert, une entreprise de production transformée en coopérative que ses membres conduisent au succès et à la prospérité alors que toutes les autres tentatives d'autogestion par des ouvriers étaient d'ordinaire vouées à l'échec. Selon Jean Renoir lui-même, l'apport de Prévert fut primordial non seulement par son génie du dialogue «populaire» — il écrivait comme on parle dans les ateliers —, mais par l'esprit qu'il fit régner dans cette cour d'un quartier ouvrier où donnaient les locaux du journal de Batala, le patron escroc incarné par le flamboyant Jules Berry, et la blanchisserie tenue par Florelle, alors à l'apogée de sa carrière de chanteuse[3]. René Lefèvre, le jeune premier tendre et lunaire, adulé par le public populaire des salles du samedi soir, complétait le trio vedette d'une production qui n'avait pas lésiné sur les grands noms pour ses têtes d'affiche. Mais c'est aux rôles secondaires que Jacques Prévert apporta, en même

---

1. Pierre Leprohon, *op. cit.*
2. Selon le mot de Bernard Chardère.
3. Elle avait été révélée par Léon Volterra, alors grand manitou du music-hall parisien. Il en avait fait l'une des «Reines de Paris».

temps que sa connaissance de la rue et du monde ouvrier, toute sa tendresse et sa causticité. L'atelier des blanchisseuses fut peuplé par les filles qui venaient de figurer dans le cortège de *Suivez le druide* : Janine Jane, toute nouvelle épouse de Fabien Loris et que Maurice Baquet avait présentée à Jacquot un soir de grande java arrosée, Margot Capelier, la jolie sœur du Dr Leibovitch et Germaine Pontabry que Duhamel dévorait des yeux, toutes plus fraîches, plus joyeuses et plus blondes les unes que les autres. Quant aux employés, typographes, livreurs et créanciers de l'ignoble Batala, ils étaient incarnés par Maurice Baquet, dans son premier rôle important à l'écran, Jacques-Bernard Brunius, Sylvain Itkine, Marcel Duhamel, Max Morise, Jean Dasté, Paul Grimault, Guy Decomble, Yves Deniaud, Fabien Loris et Jean Brémaud. Avec Sylvia Bataille, interprétant la secrétaire complaisante, esclave de son amour pour l'escroc beau parleur, c'était à quelques exceptions près, le Groupe Octobre tout entier reconstitué aux studios de Billancourt ! Prévert fignola pour le concierge Baisenard — incarné par Marcel Levesque, vedette du cinéma muet dès 1910 — un rôle d'ancien combattant colonial, somptueux imbécile gérant le petit monde de la cour, et pour son ami Sylvain Itkine une silhouette d'inspecteur véreux plus stupide que méchant. Mais c'est avec Jules Berry, merveilleux comédien jusque-là cantonné dans des personnages de séducteurs mondains, que Prévert cisela un de ces rôles de canaille au charme pervers que le grand acteur interprétera à plusieurs reprises tout au long de sa carrière.

Les grandes lignes du scénario établies, Jean Renoir convainquit Jacques Prévert de travailler avec lui sur les lieux mêmes du tournage. « C'est pendant les prises de vues que nous avons établi la plupart des dialogues, soulignera le réalisateur. Nous avons réécrit un canevas avant de partir, mais la plupart des dialogues et surtout des dialogues dits par Jules Berry sont des dialogues improvisés[1]. » Pour les titulaires des seconds rôles, c'était retrouver l'ambiance et les méthodes de travail auxquelles ils étaient habitués depuis des années au Groupe Octobre. Le résultat fut époustouflant tant leur jeu était réaliste, tant l'accord entre le metteur en scène et le dialoguiste était minutieusement réglé. « Prévert apporta sa vivacité et son mordant à Renoir qui a prêté la résonance de son romantisme authentique à ce qu'a d'un peu court, d'un peu sec, la fantaisie de Prévert[2]. » Pourtant, tout ne fut pas toujours rose entre les deux hommes. Denise Batcheff, qui vivait maintenant avec Roland Tual — il sera bientôt son mari —, était aussi intime

1. Pierre Leprohon, *op. cit.*
2. Roger Leenhardt, *Esprit*, 1er mars 1936.

avec Jean Renoir qu'elle l'avait été avec M. et Mme Grosminou. « Les rapports entre Prévert et Renoir n'étaient pas très bons. Renoir que j'aimais beaucoup était d'un abord très difficile. C'était un égocentrique. Et Prévert était Prévert... Pas toujours facile lui non plus et d'opinions très tranchées[1]. » « Jacques ne militait pas au Parti mais était beaucoup plus fortement ancré à gauche que Jean Renoir, dira Maurice Baquet, témoin de la vie quotidienne sur le plateau de Billancourt. Quand on a tourné *Le Crime de M. Lange*, sorti en janvier 1936, la campagne pour le Front populaire battait son plein mais Renoir gardait son quant-à-soi. Il est allé vers le Groupe Octobre, qui était le seul "agissant" à cette époque, pour s'en servir. Il avait la haine de l'hitlérisme mais n'était pas aussi communiste qu'on aurait pu le croire lorsqu'il a réalisé, dans la foulée du *Crime*, *La vie est à nous* qui était une commande du Parti. Très violent dans ses écrits de l'époque, Prévert, lui, n'était pas du tout communiste et n'a participé en rien à ce film de propagande[2]. » Lors de la sortie du *Crime de M. Lange*, Jean Renoir précisa : « C'est un film enlevé, sans prétention... J'essaye de vous fournir des événements et de vous donner les moyens de juger, de tirer les conclusions, sans prendre moi-même parti pour mes personnages[3]. » Présenté à Paris, le 24 janvier 1936, alors que les ligues d'extrême droite venaient d'être dissoutes, que les personnalités politiques compromises dans l'affaire Stavisky étaient sévèrement condamnées et que se préparaient les élections législatives prévues pour le mois de mai, *Le Crime de M. Lange* remporta aussitôt un très vif succès populaire. Le public fut sensible à cette histoire simple où les bons, victimes des méchants, sortaient vainqueurs d'un combat d'ordinaire perdu d'avance. Cette fois, l'ouvrier était gagnant, et le méchant patron payait de sa vie les nouvelles injustices qu'il s'apprêtait à commettre. Les cœurs simples y trouvaient leur compte, tandis que les cinéphiles avertis soulignaient l'humour percutant de Prévert auquel le film devait de ne pas sombrer dans la mièvrerie. On y vit le chef-d'œuvre d'un certain populisme ; les historiens du cinéma y découvriront les prémices « d'une glorieuse esthétique, celle que l'on a qualifiée de *réalisme poétique* mais qui serait plus justement appelée l'école du *fantastique social* », comme le soulignera Roger Boussinot. Margot Capelier, l'une des jolies blanchisseuses de la cour de l'immeuble où se déroulait toute l'action, et grande connaisseuse du cinéma français, dira : « C'est à partir du *Crime de M. Lange*, bientôt

---

1. Denise Tual à l'auteur.
2. Maurice Baquet à l'auteur.
3. Pierre Leprohon, *op. cit.*

suivi de la série des films avec Marcel Carné, que Jacques Prévert devint une vedette dans le métier en même temps que naissait le Front populaire, porteur de tous nos espoirs[1].» Si la collaboration de Prévert avec Renoir fut quasiment sans lendemain, il n'en fut pas de même de celle unissant le poète à un musicien alors inconnu qui courait le cacheton et les galas du samedi soir : Joseph Kosma.

Tout comme Alexandre Trauner, membre de la bande du Flore depuis *Ciboulette*, Joseph Kosma était un Juif hongrois qui, devant la politique instaurée par le dictateur Horthy, avait dû fuir son pays. Contrairement au décorateur issu d'une famille modeste, Joseph Kozma — telle était la véritable orthographe de son nom —, était né sur la colline de Buda, le quartier chic de Budapest. Sa grand-mère maternelle, élève de Franz Liszt, aurait pu se consacrer à une brillante carrière de concertiste si, dans la grande bourgeoisie hongroise, être pianiste virtuose n'avait été déchoir ! Elle avait fait le riche mariage auquel la destinait ses parents et avait passé le reste de sa vie à remâcher son rêve déçu. Moins docile, sa fille avait épousé un coreligionnaire, instituteur sans le sou mais d'esprit pratique qui avait introduit en Hongrie la sténo-dactylographie, invention alors récente, et en avait ouvert avec succès la première école à Budapest, institution qu'il avait encore développée lorsque la sténotypie avait été mise au point. C'est donc dans une famille fort aisée qu'était né, le 22 octobre 1905, Joseph Kosma ; il grandit dans une atmosphère artistique, bercé par le piano dont sa grand-mère jouait divinement et intéressé par les recherches picturales et les sculptures cinétiques de son jeune oncle maternel Laszlo Moholy-Nagy[2], l'un des futurs fondateurs du Bauhaus où il dirigera, jusqu'en 1928, le cours préparatoire puis l'atelier du métal. Après des études secondaires au très smart lycée François-Joseph, où il fit connaissance avec l'antisémitisme des fils de nobles et de hobereaux encore plus stupides et bornés que leurs pères — les bagarres étaient fréquentes et Io, comme on surnommait affectueusement l'adolescent, regagnait souvent le foyer familial en sang et les vêtements déchirés —, il entra à l'université où il se passionna pour la culture grecque. Mais les soubresauts de l'histoire avaient bouleversé l'Europe centrale. Après l'effondrement de l'Empire austro-hongrois et la brève expérience communiste de Béla Kun, le «régent» Horthy avait imposé au pays un régime réactionnaire antisémite. Frappé par le numerus clausus limitant à 5 % le nombre des étudiants juifs à la

---

1. Margot Capelier à l'auteur.
2. Né à Bacsborsod en 1895 ; mort à Chicago en 1946.

faculté, Kosma dut en quitter les bancs et, se souvenant que, sous l'impulsion de sa grand-mère, il avait fréquenté assidûment un de ces petits conservatoires de quartier alors nombreux à Budapest où il avait manifesté des dons évidents pour la musique, il entra à l'Académie Franz-Liszt (le conservatoire de Budapest) où il eut comme professeur Béla Bartók qui l'apprécia assez pour lui faire tenir la partition de piano lors de la générale de son ballet *Le Mandarin merveilleux*, bientôt interdit par le régime pour « immoralité ».

Diplômé de composition et de direction d'orchestre, nommé assistant chef d'orchestre à l'Opéra de Budapest où il travailla deux ans avec l'illustre chef italien Failone, Joseph Kosma, qui étouffait dans une Hongrie chaque jour un peu plus semblable à un camp retranché, obtint un stage à l'Institut hongrois de Berlin[1], où il arriva en 1929 muni d'une recommandation pour Hélène Weigel, la femme de Bertolt Brecht, qui l'intégra aussitôt au théâtre ambulant que dirigeait son mari. En ces années 30, passer de Budapest à Berlin où les nazis s'efforçaient par tous les moyens de conquérir le pouvoir, c'était tomber de Charybde en Scylla. À travers Bertolt Brecht et Hélène Weigel, Kosma se trouva tout naturellement mêlé au groupe d'artistes et d'intellectuels progressistes qui menaient campagne contre les nazis. Comme pianiste il participa à des manifestations semblables — toutes proportions gardées — à celles du Groupe Octobre en France où récitations, chœurs parlés, musique et danse concouraient à la lutte contre le fascisme. Souvent la police devait intervenir lors de ces représentations hasardeuses d'agit-prop qui se tenaient dans les faubourgs ouvriers et où Hélène Weigel jouait les pasionaria. Dans cette ambiance de lutte permanente qui opposait le parti communiste à la social-démocratie et au national-socialisme, Joseph Kosma se lia avec plusieurs musiciens dont Hanns Eisler, qui devint l'un de ses plus chers amis et dont il apprécia aussitôt la musique aussi savante que populaire. Comme le remarquera le musicologue Gérard Pellier, « de son contact avec Brecht et ses "songs", Joseph Kosma tirera l'esthétique et la philosophie de ses futures chansons, sans toutefois imiter les compositeurs habituels de Brecht, Kurt Weill, Paul Dessau et Hanns Eisler ». C'est à Berlin, durant ces années difficiles, qu'il fit la connaissance de Lilly Appel Annabell, une excellente pianiste de quinze ans son aînée, avec laquelle il perfectionna son allemand et qui, sur un coup de tête, quitta son mari, chef d'orchestre réputé, pour vivre avec le jeune compositeur une bohème correspondant à son caractère. Elle avait fait ses études à Strasbourg et parlait

1. Équivalent de notre Villa Médicis à Rome.

aussi bien le français que l'allemand, contrairement à son compagnon qui, avec Bertolt Brecht et Hélène Weigel, se souciait surtout de s'investir à travers son art dans la défense de la condition ouvrière tout comme le faisaient en France Prévert, Tchimoukow et leurs amis comédiens. Mais, tandis que de l'autre côté du Rhin, le Front populaire se dessinait à travers le rapprochement entre socialistes et extrême gauche, en Allemagne, sociaux-démocrates et parti communiste, dont Kosma sans y être inscrit, se sentait désormais solidaire, restaient farouchement opposés.

Avec l'avènement de Hitler, Kosma comme nombre d'artistes de sa génération sombra dans le plus profond découragement. «Je découvrais que le jeu se jouait ailleurs, dans l'unité ouvrière, constatera-t-il, et que la musique chorale, les chansons, les spectacles progressistes, tout cela ne suffisait pas. Grâce à la désunion et à la misère, la trahison du peuple se consommait. Hitler donnait du travail aux ouvriers et peu importait, à la fin, que ce fût pour la préparation à la guerre. Le *lumpenproletariat* lui était acquis. Les dés étaient jetés. L'atmosphère à Berlin était très lourde : les SS, l'incendie du Reichstag, la terreur et l'espoir, les amis qui partent et ceux qui ne partent pas, ceux qui n'ont pas peur d'Hitler et ceux qui en ont peur mais qui pensent que, finalement tout va s'arranger… Mille petites tragédies dans la grande[1].» Juif et politiquement suspect, Joseph Kosma, qui se disait «toujours en retard d'une langue», décida d'émigrer en France et, maintenant qu'il possédait bien l'allemand, d'apprendre le français à Paris ! Après avoir obtenu par miracle un visa, le couple s'installa dans une modeste chambre près du métro Barbès-Rochechouart où Lilly donna des leçons de piano à quelques gamins du quartier, tandis que l'élève préféré de Béla Bartók, l'ami de Kurt Weill et de Hanns Eisler, se retrouvait dans une école de gymnastique très sélecte, le cours Dalcroze, pour rythmer à dix francs de l'heure les danses et les mouvements d'assouplissement de riches oisives, sur un méchant piano ! «On a tiré le diable par la queue, racontera Joseph Kosma à Jacques Prévert qui savait d'expérience ce que cela voulait dire. Parfois nous n'avions que du pain à manger, alors avec Lilly nous nous installions devant une rôtisserie pour agrémenter notre pain sec des effluves du traiteur[2] !» Puis la situation s'améliora. Excellente instrumentiste, Lilly donnait des leçons, de petits récitals, seule ou avec Io qui commençait à écrire des chansons pour Lys Gauty sur des paroles d'un avocat versifi-

---

1. *La Revue musicale*, 1989.
2. Gérard Pellier à l'auteur.

cateur, Maurice Courchet[1]. *Dis-moi pourquoi*, *La Goualeuse*, *L'Or du rêve* auront un certain succès mais d'un faible rapport financier, car la SACEM refusait d'accueillir les réfugiés politiques. Tandis que Kurt Weill et Hanns Eisler se préparaient pour cette raison à émigrer aux États-Unis, Joseph Kosma voulant rester en France où, malgré les difficultés posées par la langue, il se plaisait beaucoup, envisagea de se tourner vers le cinéma tant qu'il n'aurait pas trouvé le poète qui répondrait à ses goûts et le ferait reconnaître. Malgré le gentil succès de ses musiques pour Lys Gauty qu'il accompagna un temps, les chansons qui séduisaient le public ne lui donnaient aucune envie de poursuivre l'expérience : rythmes stéréotypés, mélodies commerciales, structure rigide du refrain, bref la « soupe » dans toute sa splendeur. Découragé d'avance à la pensée de se couler dans le moule, il fit le siège de différents bureaux de production pour « caser » la musique de film qu'il se sentait capable de composer et qui lui permettrait de vivre tout en lui donnant quelques joies artistiques.

C'est dans l'une de ces antichambres que Jacques le rencontra peu avant de commencer le scénario et les dialogues du *Crime de M. Lange*. Les deux hommes sympathisèrent aussitôt. Entre eux le nom de Hanns Eisler avec lequel Prévert avait travaillé en 1933 fit office de sésame. Ils se revirent souvent et Prévert, qui recevait volontiers les chiens perdus sans collier, prit Kosma sous son aile protectrice et recueillit ses confidences. Enthousiasmé par les œuvres que Kurt Weill et surtout Hanns Eisler avaient composées sur certains textes de Bertolt Brecht, le musicien confia à son nouvel ami son désir de trouver un poète qui lui permettrait, devant le péril nazi, « d'éveiller la conscience populaire de la façon la plus efficace possible[2] ». C'était ce à quoi Prévert s'efforçait sans relâche depuis sa rencontre avec le Groupe Octobre.

Quelque temps plus tard, le poète apporta au musicien *À la belle étoile*, un texte qui devait répondre à leurs communes préoccupations. Prévert y utilisait nombre de ces images qu'il accumulait depuis son plus jeune âge quand il déambulait dans les rues de Paris entre Momo Bazar, le marlou de Pigalle, Paulo, le perceur de coffres-forts, et André Tiran, le casseur de flics, ces « tendres canailles » qu'il n'avait jamais oubliées et dont il gardait encore, parfois, les mauvaises manières !

Entre deux couplets évoquant le boulevard de la Chapelle où « de vieilles poupées font encore le tapin à soixante-cinq ans » et le boulevard Richard-Lenoir où elle rencontrait

1. *Id.*
2. *La Revue musicale*, 1989.

« Richard Leblanc, il était pâle comme l'ivoire et perdait tout son sang » (souvenir des passages à tabac au commissariat de Saint-Sulpice), l'héroïne de la complainte reprenait en guise de refrain :

> Au jour le jour à la nuit la nuit
> À la belle étoile
> C'est comme ça que je vis
> Où est-elle l'étoile
> Moi je n'l'ai jamais vue
> Elle doit être trop belle pour le premier venu
> Au jour le jour à la nuit la nuit
> À la belle étoile
> C'est comme ça que je vis
> C'est une drôle d'étoile c'est une triste vie
> Une triste vie.

Quant au racisme et à la xénophobie qui, avec le chômage, tenaient la tête des fléaux de l'époque, Prévert, en cinq vers libres, les clouait au pilori :

> Boulevard des Italiens j'ai rencontré un Espagnol
> Devant chez Dupont tout est bon après la fermeture
> Il fouillait les ordures pour trouver un croûton
> Encore un sale youpin qui vient manger notre pain
> Dit un monsieur très bien.

Seize ans plus tard, enregistré par Juliette Gréco, le titre sera interdit sur les ondes de la radio nationale par une censure qui n'osera dire ce qui l'effarouchait encore : « les vieilles poupées de soixante-cinq ans », « l'assaisonnement » de Richard Leblanc ou la réaction de ce « monsieur très bien » qui, comme tant d'autres, n'aimait ni les youpins ni les Espagnols ? Séduit par la virulence du texte, Joseph Kosma écrivit en quelques jours une superbe musique dont l'apparente simplicité eut l'heur de plaire au poète, alors que celui-ci avouait avec franchise être insensible à la musique classique et redoutait que son nouvel ami ne fût marqué à jamais par les années passées à l'Académie nationale de musique. « Jacques ne comprenait rien à notre musique, regrettera l'éclectique Maurice Baquet qui venait de décrocher son Premier prix de violoncelle au Conservatoire de Paris, en même temps que l'équipe de France de ski le réclamait comme entraîneur ! Ce n'était pas qu'il fût fondamentalement allergique à la musique mais il prétendait que nous — c'est-à-dire "P'tit Louis" Bessières, moi et parfois quand ils ont beaucoup travaillé ensemble, Joseph

Kosma — nous jouions des choses trop savantes pour lui. Dès que les accords étaient un peu compliqués, il se fermait[1].»

Avec la musique qu'il composa pour *À la belle étoile*, Kosma réussit haut la main son examen d'entrée dans la bande à Prévert, avec lequel on le vit de plus en plus souvent. Pourtant, était-il possible d'être plus différents que les deux hommes? Jacquot jouait volontiers au «beau mec», toujours frais et rose, rasé de près, soucieux de son aspect, assortissant ses chaussettes à sa cravate, chapeauté chez les grands faiseurs, portant le prince-de-galles avec une suprême élégance, et le Burberrys négligemment ceinturé même si son acquisition n'était pas très orthodoxe — Ghislaine Autant-Lara, encore mineure, se souvenait avec angoisse de la façon dont, en sa compagnie, il avait décroché le trench-coat de ses rêves du cintre qui l'exposait à La Samaritaine et, «oubliant» de passer à la caisse, s'admirait dans le reflet que lui renvoyait la vitrine de la rue de Rivoli avec la plus parfaite bonne conscience!

Joseph Kosma soignait aussi sa mise mais sans véritable élégance ni recherche. Il semblait en outre gêné autant par son physique que par son accent qui trahissaient ses origines presque orientales: noir de poil, la peau bistre comme celle d'un gitan, court de taille, râblé sans être gros mais de chair drue, épaisse comme le casque d'ébène qui le coiffait, des sourcils en broussaille émergeant de larges lunettes aux verres épais qui protégeaient des yeux à la fois innocents, malins et rieurs. Sa nature taciturne et son visage volontiers fermé ne traduisaient que rarement la gaieté et l'humour dont Prévert débordait, et qui étaient comme la marque de fabrique de tous les membres du Groupe Octobre. Ses manières mêmes choquaient certains. Autant Prévert était bavard, brillant, parfois étrange, autant Kosma se montrait effacé, «un peu cauteleux dans ses rapports, dira même Francis Lemarque qui fut dans les premiers à travailler avec lui. Je n'ai jamais pu vraiment me lier d'amitié. J'avais de l'admiration pour son talent mais pas d'affection pour l'homme, tandis que j'en avais pour sa femme Lilly que je ne sentais pas heureuse. Par exemple, avec nous il manifestait d'une politesse tout à fait exagérée, presque servile. Quand il nous disait bonjour en modulant sa belle voix grave, il se découvrait. Devant nous, des gamins! Je trouvais qu'il en faisait un peu trop dans la politesse[2]».

À la belle étoile fut la première chanson de Prévert et Kosma, bientôt suivie de *Familiale*, diatribe antimilitariste

1. Maurice Baquet à l'auteur.
2. Francis Lemarque à l'auteur.

qu'enregistreront Gilles et Julien[1], et *L'Enfance*, un texte terrible où Jacques disait son horreur des vieillards, sans doute née rue Monge chez Auguste-le-Sévère dont le nom n'était jamais prononcé dans l'univers des Prévert mais dont le souvenir brûlant avait dû hanter bien des cauchemars pour inspirer trente ans après de pareilles strophes :

> Tout ce qui sort de la bouche des vieillards
> Ce n'est que mauvaises mouches vieux corbillards
> Oh comme elle est triste l'enfance
> Nous étouffons dans le brouillard
> Dans le brouillard des vieux vieillards
>
> Et quand ils retombent en enfance
> C'est sur l'enfance qu'ils retombent
> Et comme l'enfance est sans défense
> C'est toujours l'enfance qui succombe

Pour ces chansons où l'amour n'avait pas sa place, Kosma composa des mélodies déchirantes auxquelles le poète fut si sensible que — pour fournir de nouvelles chansons — il fouilla dans le fatras de papiers qui le suivait de déménagement en déménagement et qui pouvait faire figure d'archives. Depuis *Les animaux ont des ennuis*, mis en musique par Christiane Verger, et *Un peu de tenue ou L'Histoire du Lamantin*, son premier texte publié en 1929 dans la revue *Transition*, à l'époque de la rupture avec André Breton, Jacques Prévert avait écrit des dizaines et des dizaines de textes, scénarios, sketches, chansons, poèmes qu'il lisait ou disait à ses amis autour d'un guéridon du Flore. Puis il les leur donnait, les déchirait, ou les perdait comme il l'avait fait pour *Le dîner de têtes* qui lui était pourtant cher et dont il n'avait pas même conservé l'exemplaire de *Commerce* où il avait paru en 1931. Par bonheur, certains de ses camarades avaient gardé la précieuse revue ou l'avaient recopiée, se repassant de l'un à l'autre un texte devenu introuvable. Aussi Jacques Prévert donna-t-il à Luc Decaunes, un instituteur qui créait *Soutes*, revue littéraire se réclamant du «romantisme révolutionnaire», l'autorisation de reproduire cette *Tentative de description d'un dîner de têtes à Paris-France*[2] devenu le poème mythique de celui que l'on considérait à juste titre comme l'âme du Groupe Octobre. D'ailleurs, en ces années 1935-1936, Prévert commençait à se soucier un peu plus, sinon de sa notoriété, du moins de la diffusion de sa

1. En 1937.
2. Parue en décembre 1935 dans le n° 1 de *Soutes* dont la devise était «À la vie, à la culture et à la joie».

pensée poétique et humoristique. Dès novembre 1934, il avait publié à compte d'auteur *Un qui dépasse les limites*, et *Le Béret français*, autre sketch extrait de *L'affaire est dans le sac*. Puis, sur le conseil d'amis soucieux de ses intérêts, il avait passé, le 18 décembre 1934, l'examen de la SACEM en écrivant sous surveillance, isolé dans un bureau, une pochade : *Retour des courses* qui lui valut d'être définitivement admis au sein de l'illustre société, le 6 février 1935 ; et il commença ce jour-là à déposer les textes qu'il possédait encore depuis *Les animaux ont des ennuis*, ou ceux qu'il récupérait chez des amis. Suzanne Montel lui permit ainsi de faire enregistrer dans le catalogue vert à couverture marbrée de noir, ouvert à son nom à la SACEM sous le numéro 779095, la plupart des textes écrits pour le Groupe Octobre et ceux donnés à diverses revues quand il les retrouvait.

Autre rencontre de ces années décisives pour sa carrière, celle de Jacques Enoch, fils de l'éditeur de musique Daniel Enoch, grand bourgeois juif dont le père avait établi sa fortune sous le second Empire en important de Francfort les catalogues de gros éditeurs allemands. Sise au 27 boulevard des Italiens, la maison Enoch publiait surtout de la musique classique — Emmanuel Chabrier, dont l'influence sur Ravel fut essentielle, était une de ses têtes d'affiche — et de la musique légère où Paul Delmet avec *La Petite Église* et *Envoi de fleurs* avaient fait la gloire de l'éditeur. Boulevard des Italiens, on nageait dans le conformisme bien-pensant fort éloigné des textes explosifs de l'anarchiste Prévert ; car si celui-ci jouissait d'une certaine réputation dans les milieux de la gauche intellectuelle et révolutionnaire ainsi que dans le monde du cinéma d'avant-garde, il était totalement inconnu du grand public. Mais Jacques Enoch, le fils de la maison, était le contraire d'un bourgeois conformiste et avait créé au sein de l'entreprise paternelle *Les Éditions du cinéma* qui, depuis l'avènement du « sonore », six ans plus tôt, publiait les musiques des films à succès. Fou de littérature, son cadet sous le nom de Mathias Lübeck avait lui-même publié une petite revue littéraire *L'Œuf dur*, d'un esprit proche des surréalistes et, encore adolescent, avait initié son aîné à Lautréamont, Mallarmé, Jarry et André Salmon. C'est dire si Jacques Enoch se trouva avec Jacques Prévert en pays de connaissance littéraire lorsqu'ils se rencontrèrent à la SACEM, dont l'éditeur connaissait les arcanes. Jusque-là, Prévert et Kosma avaient échoué dans leurs tentatives de proposer leurs œuvres musicales à des chanteurs et surtout à des éditeurs. Elles ne correspondaient pas à l'idée que l'on se faisait alors de la chanson. Jacques Enoch, lui, fut séduit non seulement par la conversation éblouissante du poète mais par tous ces petits papiers que Jacquot trimballait dans ses poches et qu'il déchiffra avec passion. C'est lui qui insista pour que le poète déposât désormais, jusqu'au moindre sketch, toute sa production littéraire et se proposa d'éditer dans la vénérable maison Enoch toutes les chansons déjà écrites ou à venir, qu'elles aient été composées par Christiane Verger comme *Les animaux ont des ennuis*, par Wal-Berg comme *Embrasse-moi*, ou par Joseph Kosma, qui savait si bien mettre en musique les textes les plus difficiles de Prévert que même le vieux Daniel Enoch fut séduit[1].

Encouragés par ces bonnes nouvelles, les deux compères poursuivirent sur leur lancée, et Jacques Prévert donna au musicien hongrois deux des textes qui lui tenaient le plus à cœur : *La Pêche à la baleine* et *La Chasse à l'enfant*. Il avait déjà psalmodié le premier lors d'un court métrage tourné par Lou Tchimoukow durant l'été 1934 et interprété par les auteurs et le surréaliste Jacques-André Boiffard. Monté par Louis Chavance, le film n'avait jamais été et ne sera jamais exploité. Quant au second, il restait lié à l'une des pires expériences que le poète ait jamais vécues. À la fin du mois d'août 1934, après s'être retiré à Belle-Île-en-Mer pour travailler dans le calme au premier film de Richard Pottier et à des sketches sur des coléoptères afin d'aider ses amis «doubleurs de navets» auxquels une firme allemande les avait commandés, Jacques Prévert assista à la révolte d'une trentaine de pensionnaires d'une maison de redressement qui, las des mauvais traitements, de la nourriture infecte et des coups de nerfs de bœuf dont les accablaient des gardiens sadiques, s'échappèrent du bagne où ils étaient enfermés à l'ombre de la citadelle de Vauban. Les malheureux gamins furent traqués durant plusieurs jours aux quatre coins de l'île dont ils ne pouvaient s'échapper. Rattrapés un à un par les argousins avec l'aide bénévole d'estivants — «mouchards ou tortionnaires refoulés», dira le grand journaliste Jean Galtier-Boissière[2] —, ils furent ramenés au pénitencier, menottés, passés à tabac et jetés en cellule au pain et à l'eau pour des semaines ! Révolté contre une société qui ne savait que réprimer et marqué à jamais par le récit des mauvais traitements que le frère cadet de son père avait subi pour une peccadille dans la terrible maison de correction de Mettray, Prévert écrivit d'une traite *La Chasse à l'enfant*, l'un de ses textes les plus forts et les plus beaux qu'il confia à Joseph Kosma dès qu'il fut sûr que leurs sensibilités s'accorderaient.

1. Témoignage de Jacques Enoch, in *La Revue musicale*, 1989.
2. Le *Canard enchaîné*, 26 septembre 1934.

> Bandit ! Voyou ! Voleur ! Chenapan !
> C'est la meute des honnêtes gens
> Qui fait la chasse à l'enfant

Sur ces paroles devenues célèbres, Kosma composa une musique dramatique, répétitive et angoissante qui s'accordait aux coups de poing de Prévert. Elle contribuera puissamment au choc qu'éprouveront les premiers spectateurs qui l'entendront dès l'automne 1936 chantée par Marianne Oswald. Quant à *La Pêche à la baleine*, Io réserva à ce texte écrit à l'origine pour être dit par le Groupe Octobre, une mélodie tour à tour dramatique puis drolatique, pleine d'humour, se terminant sur une valse à matelots qui prouvait l'étendue de son registre. Jean Renoir ne s'y trompa pas lorsque Prévert lui présenta son nouvel ami sur le plateau du *Crime de M. Lange*. Le metteur en scène avait commandé la musique de son film à Jean Wiener, remarquable compositeur qui formait alors avec Clément Doucet le plus populaire des duos de pianistes et qui était pour beaucoup dans le succès du célèbre *Bœuf sur le toit*. Mais il lui manquait une chanson pour Florelle, la vedette féminine de son film. Les deux amis lui proposèrent alors *À la belle étoile*, leur première œuvre commune, que Jean Renoir enthousiaste incorpora aussitôt au film. *Le Crime de M. Lange*, aussi brillamment dialogué que mis en scène, était par son thème dans l'air du temps. Il obtint, on l'a vu, un triomphe qui se poursuivit de salle en salle au fil des mois. Et Florelle fit de *À la belle étoile* un succès populaire. Bientôt la chanson fut sur toutes les lèvres. Le tandem Prévert-Kosma était formé. Sa renommée allait faire le tour du monde.

CHAPITRE 12

Grand écran, grand amour

Parmi les innombrables filles-fleurs qui évoluaient entre le Café de Flore, Chéramy et les différents studios de cinéma que fréquentait Jacques Prévert, Jacqueline Laurent était sans nul doute l'une des plus jeunes et des plus jolies. Brune, élancée, un visage aux traits réguliers inscrit dans un ovale parfait, une bouche pulpeuse, attirante, des yeux changeants, tantôt vert amande, tantôt noisette dorée selon le temps et son humeur, un corps à damner un saint, qu'elle savait admirablement mettre en valeur, tout comme elle savait aussi admirablement se maquiller avec discrétion, juste ce qu'il fallait pour gommer ce que sa physionomie conservait de l'adolescence toute proche. «Elle avait à peine seize ans quand nous l'avons rencontrée sur le plateau du *Crime de M. Lange,* se souviendra Maurice Baquet qui en avait dix de plus. C'était presque une enfant. Une adorable brune dont la peau était douce et qui sentait bon. Elle était merveilleusement "plaisante" à regarder, très désirable. Tout le monde était amoureux d'elle[1].» Elle était la fille de Jacques Janin, compositeur de musique symphonique qui avait écrit la partition de tous les films d'André Hugon, pionnier français du cinéma sonore[2], et, grâce à son père, elle avait fait des débuts remarqués à l'écran en interprétant un second rôle dans *Gaspard de Besse,* film que le même Hugon venait de présenter à Paris. Elle y avait si bien réussi qu'elle était déjà engagée pour tenir dans le suivant, *Sarati le Terrible,* le rôle principal au côté de Harry Baur. Sous un aspect de jeune fille sage dont la beauté allumait tous les désirs, Jacqueline cachait un tempérament de feu. «J'étais remuante, dira-t-elle en maniant l'euphé-

---

1. Maurice Baquet à l'auteur.
2. André Hugon avait réalisé *Les Trois Masques,* premier film parlant français, sorti à Paris le 31 octobre 1929. Aux USA, la Warner avait produit le premier film parlant de toute l'histoire du cinéma, *Le Chanteur de jazz,* le 6 octobre 1927.

misme, j'étais jeune, j'avais toujours envie de sortir et surtout de me sortir de mon milieu familial tout en y étant très attachée. Mais, dans le grand appartement de l'avenue du Parc-Monsouris, mon père vivait dans l'abstrait. Il restait dans son bureau où il composait et où il ne fallait pas faire de bruit. Je ne voulais qu'une chose, m'en échapper, vivre ma vie, être indépendante. Lui se faisait du souci, voulait me contrôler, ne voyait pas d'un bon œil la vie que je voulais mener, même si j'avais eu mon premier rôle grâce à lui. J'étais directement passée du lycée Victor-Duruy à un plateau de cinéma sans être obligée de me commettre et de couchailler à droite à gauche. Et l'année même de *Gaspard de Besse* (1935), je me suis mariée. Bien sûr avec un homme beaucoup plus âgé que moi, les seuls qui m'attiraient à l'époque [1]. » Son choix se porta curieusement sur Sylvain Itkine, animateur trotskiste du groupe Mars, rallié au Groupe Octobre, ami de Jacques Prévert, auteur de *La Chanson de la faim* dont la musique était de Maurice Korb, le frère de Nathan Korb alias Francis Lemarque, et de Jean Jacquin, pseudonyme qu'empruntait Jacques Janin quand il composait de la musique légère. Itkine était presque un ami de la famille. Il fut accepté sans trop de réticence, et la jeune fille prit son envol. On ne pouvait pourtant imaginer couple plus désassorti. Autant Jacqueline était jeune, jolie, vive, enjouée, exubérante, élégante, soucieuse de l'effet qu'elle ne manquait pas de produire sur les autres, autant Sylvain Itkine, qui n'avait guère plus de trente ans mais en paraissait quinze de plus, était lourdaud, maussade, volontiers bougon. « Il était chauve, pas beau, à tel point que quand on m'a dit qu'il était comédien j'ai été déçu, dira Francis Lemarque évoquant leur rencontre. Pour moi un comédien c'était un beau mec, bien habillé, qui respire la joie de vivre dans un monde magnifique. Itkine avait l'air d'un professeur ennuyeux. Je ne l'ai jamais vu rire aux éclats, seulement sourire du bout des lèvres. J'ai même failli quitter le groupe Mars tellement je le trouvais sinistre, plein de théories sur les conditions de vie des déshérités de ce monde maintenus par les puissances d'argent à un niveau d'étouffement moral et matériel tel qu'il fallait leur faire savoir sans délai que des artistes se préoccupaient de leur sort ! Puis on a commencé à mettre en scène des chœurs parlés de Jacques Prévert et la vie avec lui est devenue terriblement exaltante [2]. »

Sylvain Itkine fit néanmoins bien des jaloux lorsqu'il présenta sa femme à ses jeunes camarades. Certains la connaissaient déjà pour avoir remarqué sa taille fine et sa silhouette

---

1. Jacqueline Laurent à l'auteur.
2. Francis Lemarque à l'auteur et in *J'ai la mémoire qui chante*.

dansante à la sortie du cours Simon, boulevard des Invalides, où ils venaient chercher leurs petites amies et où, sur les conseils de son mari, elle prenait des cours pour assumer dignement son rôle à venir dans *Surati le Terrible*. Sylvain, dont la fort jolie voix était appréciée dans les studios de doublage, lui fit connaître également Marcel Duhamel et Max Morise qui en étaient devenus les grands spécialistes, dans l'espoir de la voir engagée. Ce curieux couple qui, dans le milieu théâtral qu'il fréquentait exclusivement, évoquait irrésistiblement Arnolphe et Agnès de *L'École des femmes*, devint chez les membres de la bande à Prévert le sujet de bien des conversations. Les filles trouvaient Jacqueline «mignonne mais sans plus» — un signe! — et les garçons, jeunes et moins jeunes, en faisaient l'héroïne de leurs rêves romantiques... ou érotiques. Francis Lemarque qui, à l'époque, filait le parfait amour avec la fille très délurée de son patron chemisier — elle avait treize ans mais en paraissait dix-sept —, était très impressionné par la beauté de Jacqueline qu'il baptisa «l'Inaccessible» même si elle était sa cadette de trois ans. «Avec Sylvain, avouera plus tard Jacqueline, ce n'était pas de l'amour, même si c'est avec lui que j'ai découvert l'amour physique. Il était intelligent mais un peu étriqué. Je n'avais pas de sentiments profonds pour lui. Je m'en suis aperçue très vite. Mais, pour moi, ce mariage était un moyen de ne plus rendre de comptes, de n'avoir plus à rentrer à telle heure le soir. Bref, de partir de chez mes parents où je me sentais étouffer[1].» C'est peu après son mariage que Jacqueline Laurent — tel était le pseudonyme définitif choisi par la jeune femme après avoir joué dans *Gaspard de Besse* sous celui de Jacqueline Sylvère — rencontra Jacques Prévert, dont Sylvain lui avait confié combien il l'aimait et l'admirait. Les occasions de se voir se multiplièrent sur le plateau du *Crime de M. Lange* où Prévert inventait chaque jour de nouveaux dialogues à la demande de Jean Renoir et dans lequel Sylvain Itkine tenait le rôle peu reluisant de l'inspecteur véreux qui seyait à son physique ingrat. Le comédien aurait dû se souvenir que son ami le poète aimait les fruits verts au moins autant que lui et que les mœurs du Groupe Octobre devaient beaucoup à *La Famille Tuyau de Poêle*. Toujours est-il que, de regards en phrases anodines puis en compliments plus appuyés, le colibri se laissa éblouir par ce M. Grosminou qui ne manquait pas de séduction. Malgré des yeux légèrement globuleux, Prévert était plutôt beau garçon et l'abandon de la frange de cheveux pour une coiffure rejetée en arrière accentuait son charme viril. Quant à son élégance raffinée, elle ne faisait pas oublier qu'il débordait

1. Jacqueline Laurent à l'auteur.

d'humour; et sa faconde captivait ceux qui avaient le privilège de l'entendre, à commencer par les membres de la bande sur lesquels il régnait sans partage et qui buvaient littéralement ses paroles. «Il était très attiré par les femmes très jeunes et je l'étais par les hommes plus âgés, reconnaîtra Jacqueline. S'ils n'avaient pas au moins dix ans de différence avec moi ils ne m'intéressaient pas[1].» Jacques Prévert en avait vingt de plus, une personnalité affirmée et l'habitude d'obtenir ce qu'il voulait. Sans hésiter, il s'empara de la nymphette qui ne demandait pas mieux. «Le temps de quitter celui qui était mon mari depuis six mois et lui de s'éloigner définitivement de Simone qu'il avait épousée dix ans plus tôt et nous avons vécu ensemble! Le coup a dû être très rude pour la pauvre Simone qui était de la même génération que lui. Il était si amoureux qu'il m'a pratiquement enlevée. Je me suis laissé faire. J'étais ravie, subjuguée, admirative devant l'autorité de cet homme que tout le monde trouvait si intéressant. Il disait des choses que je n'avais jamais entendues dire par d'autres[2].»

Simone, qui depuis la rue de Tournon admirait son Jacquot et n'avait jamais douté de son talent, se retira sans faire d'éclat. Elle savait depuis longtemps que leur couple battait de l'aile et que Prévert, sans la tromper de manière éhontée, multipliait les aventures sans lendemain. Elle-même, après des vacances écourtées au Lavandou, avait ébauché un flirt avec Louis Chavance. Celui-ci venait de se séparer de Dora Maar, une volcanique Yougoslave, photographe de plateau pendant le tournage du *Crime de M. Lange*, qui allait faire une entrée tonitruante dans la vie de Picasso. Ce flirt aurait pu être sans lendemain, mais Simone, dans sa grande honnêteté, eut le tort de l'avouer à son mari, comme s'en souviendront Arlette Besset et Gazelle Bessières, témoins de ces allées et venues amoureuses. «Simone aurait dû tenir secret son coup de cœur sur une plage où l'occasion fait le larron. Jacques a très mal pris la chose. Il s'est senti trompé. Pourtant il connaissait les mérites de son amour d'enfance qui était une femme très discrète, très effacée mais compétente. Plus tard, Jacques a regretté Simone. "Ce qu'on peut être bête d'être aussi orgueilleux, me dira-t-il un jour à Saint-Paul-de-Vence. Tant pis pour moi." Il se mordait les doigts de ne pas avoir eu la patience ou la générosité d'attendre, puis de pardonner[3].» «Simone, c'était sa chose à lui, renchérira Gazelle. Elle avait partagé la vache enragée, les bancs publics. Jacques a voulu s'ouvrir les veines quand Simone a eu

---

1. *Id.*
2. *Id.*
3. Arlette Besset à l'auteur.

cette petite aventure avec Chavance. Mais, plus qu'un vrai chagrin, c'était surtout une question d'orgueil[1]. » L'événement bouleversa le microcosme du Café de Flore et de quelques maisons de production où chacun ajoutera son grain de sel : « Ce qui est inimaginable pour moi, c'est que Jacques l'ait laissée tomber, se désolera Denise Batcheff. Elle qui avait tant fait pour lui ! C'est tout de même quand Jacques était avec Jacqueline Laurent que Simone a eu cette aventure. Il a été très moche avec elle, qui a été complètement désemparée[2]. » Jacques Prévert demeurera toujours très discret sur les circonstances de cette séparation d'avec celle qui restera « la femme de sa vie », ainsi qu'il le confiera à son ami le poète André Verdet[3]. Michel, le fils qu'elle aura dix ans plus tard avec Louis Chavance devenu son mari, s'approchera de la vérité en disant : « Simone n'a pas quitté Prévert pour mon père. Elle a quitté Prévert car elle n'était plus heureuse avec lui, même si, par certains côtés, elle lui est restée très attachée. Elle a déserté leur domicile (sans doute encore la villa Duthy) pour aller se réfugier chez Colette Jeramec, l'ex-épouse de Drieu la Rochelle puis de Roland Tual et grande amie de la famille Dienne. C'est là que mon père est venu la chercher. S'ils avaient déjà été ensemble, elle n'aurait pas eu besoin que Colette Jeramec la recueille. D'autant que ce n'était pas le genre de la bande de faire des complications quand, dans un couple, l'un en avait marre de l'autre. Des chassés-croisés dans ce genre il y en a eu pas mal à cette époque[4]. »

Une page était tournée. Désormais on vit « l'Ours » veiller sur « la Petite Fille » : tels étaient les surnoms qui remplacèrent M. et Mme Grosminou. Il s'était installé avec elle à l'hôtel Acropolis voisin de La Rhumerie martiniquaise, boulevard Saint-Germain, avant d'emménager rue Saint-Benoît, au cœur de Saint-Germain-des-Prés, à l'hôtel Montana, lequel sera pour un long temps l'hôtel préféré de Jacques Prévert avant de devenir, après la Deuxième Guerre, un des hauts lieux du plus célèbre quartier du monde. Lorsqu'il apprit que le vaste studio occupant tout le septième étage du petit hôtel s'était libéré, Prévert bondit sur l'occasion. C'était le lieu idéal pour abriter une nouvelle vie et pour répondre à l'élan créateur que le poète sentait bouillonner en lui. Et puis, le Montana avait l'immense avantage d'être contigu au Café de Flore. Trois pas à faire seulement, midi et soir, pour retrouver les copains ! Le couple y emménagea à la fin de l'automne 1935 en même temps que

---

1. Gazelle Bessières à l'auteur.
2. Denise Tual à l'auteur.
3. André Verdet à l'auteur.
4. Michel Chavance à l'auteur.

Jacques Prévert mettait la dernière main à la troisième œuvre d'importance écrite pour le Groupe Octobre qui, avec les espoirs de victoire du Front populaire, renaissait de ses cendres. « Il ne me parlait pas des moments où il travaillait, témoignera Jacqueline Laurent. Il disait seulement : "Il faut que je bosse. Ah ! c'est pas marrant, j'ai pas envie de bosser mais il faut que je bosse !" Quand il me disait cela en tirant sur son éternelle cigarette — il fumait du lever au coucher —, je ne lui demandais pas à propos de quoi il écrivait. Tant qu'il écrivait, je ne lui demandais rien. Après, il me montrait ou ne me montrait pas. Pendant qu'il travaillait, je passais des heures dans la salle de bains, je me maquillais, je me faisais belle puis je sortais avec la plus entière liberté. J'étais insouciante, très femme d'un côté, très gamine de l'autre. Comme Jacques, j'aimais cette vie d'hôtel sans contrainte. Par exemple, nous ne prenions jamais un repas dans notre immense studio. Deux fois par jour, nous allions au restaurant, le moindre café, c'est au Flore que nous le prenions. La vie, malgré la crise, était pour nous facile. Quand je l'ai connu, Prévert n'avait pas beaucoup d'argent, mais il en avait. Ses scénarios commençaient à lui rapporter des sous. Et il était si généreux qu'il y avait toujours à notre table deux ou trois personnes qui étaient fauchées. Alors, il payait pour tout le monde. Autant il pouvait être dur, rude, même violent, avec les gens qu'il n'aimait pas — il leur disait parfois des choses terribles qui me rendaient malade —, autant avec ses amis, les anciens comme les nouveaux, il était le meilleur des hommes [1]. »

Parmi ces nouveaux amis figurait en bonne place Jean-Louis Barrault, le metteur en scène protégé de Charles Dullin, que Roger Blin lui avait présenté. Prévert avait été séduit par la passion du théâtre et de la pantomime animant ce comédien à la silhouette squelettique et au visage chevalin — il suivait les cours du vieux maître Étienne Decroux et passait des heures à imiter toutes les attitudes du cheval, son animal favori —, passion qui égalait celle qu'il nourrissait lui-même pour le théâtre et le cinéma. Prévert revint souvent dans cet immense grenier, 7 rue des Grands-Augustins, qui servait à Barrault à la fois de domicile, de lieu de réunion pour ses amis et de répétition pour la troupe qu'il rêvait de constituer un jour. « Dans un coin de ce vaste atelier, une pile de sacs de toile et quelques matelas permettaient d'héberger un ou plusieurs camarades quand les répétitions se prolongeaient, rappellera Margot Capelier. Chaque samedi soir, Jean-Louis "faisait à dîner" pour la bande, c'est-à-dire qu'il y avait toujours une femme ravissante et aisée qui apportait le plat principal. Nous, on apportait chacun un petit

---

1. Jacqueline Laurent à l'auteur.

quelque chose, une bouteille de pinard, du pâté, un hors-d'œuvre[1].» Les copains se réunissaient sur des bancs, autour de la grande table de ferme et d'un réchaud à gaz qui, avec l'énorme poêle ronflant au milieu de la pièce quand son locataire était en fonds, constituait tout l'ameublement du «grenier» de ce splendide hôtel particulier du XVIᵉ siècle, dit hôtel Brière de Bretteville où Balzac avait situé *Le Chef-d'œuvre inconnu*. C'est dans ce lieu historique que Jean-Louis Barrault confia à son aîné — Prévert avait exactement dix ans de plus que lui — son désir de reprendre, fin janvier 1936, *Autour d'une mère* accompagné de deux intermèdes extraits de *Huit Comédies et Huit Intermèdes* de Cervantès qu'il demanda au poète d'adapter librement d'après le texte publié en 1615 et qu'il voulait voir jouer par les membres du Groupe Octobre en s'en réservant la mise en scène. Début décembre, Jacques Prévert se mit à la tâche et adapta en quelques semaines *Le Tableau des merveilles* en ne conservant que les grandes lignes de l'intermède de Cervantès : Chanfalla, le montreur de marionnettes, et sa compagne Chirinos ont constaté qu'on gagne davantage à duper son prochain qu'à montrer des marionnettes ; au lieu du spectacle habituel, ils prétendent représenter une scène magique dont les personnages ne doivent être visibles qu'aux spectateurs nés d'une union légitime et n'ayant pas d'ascendants juifs. Pour sauver leur dignité, les spectateurs, qui, naturellement, ne voient rien, feignent de goûter dans leurs moindres détails les scènes et figures que suggèrent les deux charlatans. Jusqu'au moment où un officier de passage, ignorant la supercherie gitane, vient demander aux autorités du village de fournir des logements à la troupe qu'il commande. Naturellement, le soldat ne voit rien sur le théâtre des merveilles et passe aux yeux des crédules notables pour un bâtard ou un converti ! Le quiproquo se termine en bataille où les villageois assomment le militaire avec allégresse en vertu de la faculté que possède chacun de voir ce qui ne se voit point en passant ainsi pour un homme de bien.

On devine avec quelle allégresse Prévert se servit de cet argument pour exercer sa verve satirique aux dépens de ses têtes de Turc de toujours : les bons chrétiens, les jeunes filles vertueuses, les gens «honnêtes» et les «notables» de tout acabit. Afin d'actualiser le propos, Prévert substitua au gouverneur, à l'alcade et au *regidor*, le préfet, le sous-préfet et le capitaine de la gendarmerie d'un chef-lieu d'une province française reculée. Aux conditions fixées par Cervantès pour contempler *Le Tableau des merveilles* — ne pas être juif ni bâtard —,

1. Margot Capelier à l'auteur.

Prévert ajouta mille précisions de son cru : il fallait « avoir la conscience tranquille », être « lettré, homme d'esprit, épouse fidèle, bon chrétien... La fille d'officier peut voir le tableau, la fille à soldat pas ! ». Quant à l'importance accordée à la hiérarchie sociale, elle devenait essentielle, tout comme la présence de l'enfant enlevé par les bohémiens qui joue une musique si grinçante que les notables la trouvent insupportable alors que les gens du peuple s'en régalent. Cette musique est de leur condition, c'est-à-dire misérable, et elle leur ressemble par plus d'un point. Elle ne devient mélodieuse que lorsqu'ils se décident à assommer les notables et que les jeunes filles qui, hier, se livraient aux voluptés de l'amour avec un don Juan aujourd'hui étouffé par de vieilles femmes furieuses d'avoir été délaissées, découvrent dans les bras des hommes du peuple que ceux-ci sont « plus vivants que don Juan de son vivant ». Et Suzanne Montel de noter dans son compte rendu de travail : « Les jeunes filles fiancées à de tristes sires suivront à la fin du spectacle de jeunes hommes sains et joyeux qui chasseront les hypocrites et les notables. » Ces notables, qui refusaient d'entendre la musique populaire, refusaient tout aussi obstinément de croire que leur vie confortable de privilégiés pouvait être perturbée par le sursaut de paysans et d'ouvriers proclamant : « Bientôt tout cela va changer. On n'a rien à perdre, peut-être qu'on a quelque chose à gagner. Il faut remuer les gens et les choses, déplacer les objets. » Venue en janvier 1936 sous la plume de Jacques Prévert, la réplique ne pouvait plus clairement annoncer l'explosion du Front populaire.

C'est dans ces conditions que Jean-Louis Barrault mit en scène sur la grande estrade qu'il avait fait construire au fond de son atelier *Le Tableau des merveilles* auquel participa la totalité du Groupe Octobre qui allait ainsi jeter ses derniers feux. Il se distribua dans le rôle du bohémien Chanfalla, et Denise Lecache dans celui de Chirinos, tandis que Max Morise jouait le préfet, Marcel Duhamel le sous-préfet, Guy Decomble le capitaine des gendarmes, Roger Blin don Juan et que les jolies Rolande Labisse — femme du peintre que Prévert avait rencontré à l'automne — et Germaine Pontabry interprétaient ses victimes consentantes et Suzanne Montel, Margot Capelier, Henri Leduc et Maurice Baquet, grimés, les vieillardes jalouses qui l'assassinaient. Raymond Bussières, Fabien Loris, Jean Rougeul et bien d'autres — au total vingt artistes — complétaient la distribution, la plus importante depuis *La Bataille de Fontenoy*.

Pour les costumes, Gazelle Duhamel fit des miracles. Quarante-sept, tous cousus à la main dans les tissus du Marché Saint-Pierre achetés, ainsi que les éléments de décors, grâce

aux fonds avancés par Jean-Louis Barrault et quelques camarades. «Le metteur en scène et moi avons décidé de trois couleurs dominantes : blanc, noir, rouge, se souviendra Gazelle.
Avec la compagne du surréaliste devenu médecin Jacques-
André Boiffard, nous avons réalisé tous les costumes, les coif-
fures, les chaussures que j'ai piquées de faux brillants. Je
connaissais tous les spécialistes de la rue du 4-Septembre qui
vendaient les plumes, les ballerines de cuir souple, les strass.
J'ai habillé Roger Blin dans le rôle de don Juan en prince charmant. Il était d'une beauté à couper le souffle. Quand il est
entré en scène, il a provoqué un tonnerre d'applaudissements.
Picasso m'a même félicité pour mes trouvailles comme d'avoir
mis certains personnages féminins, par exemple deux petites
gouines qui vont à la messe escortées de leurs vieilles duègnes,
sur des patins à roulettes cachés par leur longue robe. Elles
glissaient, c'était d'un effet formidable. Tout comme les yeux de
porcelaine achetés chez un marchand de farces et attrapes[1].»
Jacques Prévert demanda la musique de scène à Joseph Kosma
qui, entrant dans la bande, était mis désormais à toutes les
sauces. Mais la grande révélation du *Tableau des merveilles* fut
le gamin choisi par Jean-Louis Barrault pour le rôle de l'enfant
volé. Il s'appelait Marcel Mouloudji, avait une frimousse à la
fois attachante et délurée, et, malgré ses treize ans, une sacrée
expérience de la rue et de la vie que l'on menait du côté de Belleville. Sylvain Itkine l'avait remarqué lors d'une manifestation
communiste à la Grange-aux-Belles où il chantait une chanson
médiévale, et lui avait communiqué le nom et l'adresse de Jean-
Louis Barrault. Quelques jours plus tard, Gazelle Bessières, sur
le chemin de la Bellevilloise où elle devait prendre des mesures
pour les costumes du *Tableau*, croisa le gamin qui, avec son
frère André, jouait les chanteurs des rues en interprétant
Le Turlututu, une bourrée corrézienne en patois dont elle se
demanda où il l'avait dénichée. Rien dans leur physionomie, à
la carnation et aux traits maghrébins, n'indiquait une quelconque origine auvergnate ! Pourtant, ils chantaient avec conviction et une justesse certaine ces paroles que connaissaient par
cœur tous les bougnats de Paris :

> L'autré jourier, mi perménage   } *bis*
> Tout lé long d'un Turlututu
> Tout lé long d'un lonlonla-lonlirette   } *bis*
> Tout lé long d'un-un-boissou
> Ji rencontré oune bergère [...]

---

1. Gazelle Bessières à l'auteur.

Au moment de la quête, plutôt que de leur donner quelques piécettes, Gazelle les mena dans une pâtisserie où ils se gavèrent de gâteaux, tout en répondant la bouche pleine à ses questions. Plus déluré, Marcel parlait pour son frère. Il racontait sa vie de gosse des rues, grandi dans le ruisseau entre une mère bretonne, catholique et folle — elle était internée à l'asile de Maison-Blanche —, et un père kabyle, musulman, chômeur et communiste. La mère l'avait inscrit au patronage où on l'avait catéchisé, baptisé et où il avait fait sa première communion ; le père l'avait embrigadé chez les pionniers rouges à la Maison des syndicats de l'avenue Mathurin-Moreau. C'est là que, outre *L'Internationale*, *La Jeune Garde* ou *La Varsovienne*, un dirigeant épris de vieilles chansons françaises, et toujours prêt à faire éclore de jeunes talents, avait appris aux frères Mouloudji l'essentiel de leur répertoire : la complainte médiévale qui avait attiré l'attention de Sylvain Itkine, deux chansons révolutionnaires et la bourrée limousine, à laquelle ils devaient cette orgie de gâteaux offerts par la belle Gazelle, tout émue par le récit de ces gavroches qui semblaient tout droit sortis d'un roman d'Hector Malot. Habitué à produire ses chansonnettes au hasard des fêtes populaires et goguettes du Parti, Mouloudji — le prénom de Marcel se perdit en route et on ne l'appela plus que Moulou — ne fut pas très impressionné par les répétitions du *Tableau des merveilles* auxquelles Jean-Louis Barrault le fit participer sans délai. Il savait apprendre un texte et le donner à ses partenaires avec un naturel ébouriffant. Il devint sans tarder la mascotte de la bande à Prévert. Celui-ci, à l'âge du gamin, avait tant traîné entre le Luxembourg, Saint-Sulpice, Montparnasse et Saint-Germain-des-Prés qu'il se retrouvait avec un certain attendrissement dans cet enfant élevé comme lui à l'école de la rue mais privé de la tendresse que ne lui avait jamais ménagée Maman Suzanne et le Père Picon. Dès qu'il entra dans l'atelier aux poutres apparentes du 7 rue des Grands-Augustins — lieu mythique où, moins de deux ans plus tard, Picasso, qui en aura fait son atelier, entreprendra *Guernica* —, la vie de Mouloudji bascula. «On répétait tard dans la nuit, écrira-t-il un jour, je restais dormir au grenier dans une longue pièce à gauche. Au petit matin, je prenais le métro et me rendais à l'école. Je passais d'abord chez le père qui ne savait pas que penser de mes escapades. Après la classe, je manifestais un peu de présence chez nous puis je retournais répéter... Guidé par le hasard, j'entrai du jour au lendemain dans le monde des artistes[1].» Malgré le froid régnant dans l'atelier quand ni Bar-

1. Mouloudji, *Le Petit Invité*.

rault ni ses copains n'avaient de quoi remplir le poêle, c'était le paradis comparé à l'unique pièce de la rue de Crimée qui donnait sur une cour sale et étroite, où l'on devait chercher l'eau broc par broc et dont les vitres cassées étaient colmatées au papier journal. Jusque-là, les deux gamins y couchaient dans le même lit avec le père sous une unique couverture où grouillaient puces et punaises. Marcel Duhamel, fidèle à sa vocation de mécène et de bon Samaritain, décida avec Gazelle de faire bénéficier les deux gamins de leurs confortables conditions de vie. Ils habitaient désormais la très aristocratique rue de Varenne, dans une sorte de maison avec balcon édifiée au septième étage du numéro 42, flanquée de deux chambres de bonne luxueusement aménagées dont l'une était occupée par Genica, la mère roumaine de Gazelle. L'autre fut dévolue aux Mouloudji, qui découvrirent à la fois l'eau courante, chaude et froide, la salle de bains, le téléphone et un couvert dressé trois fois par jour! Jamais Marcel Duhamel n'oubliera les premiers repas pris en commun: «Ils attendent poliment que tout le monde soit servi, après quoi, ils se jettent sur la cafetière, les confitures, la viande et les légumes, remplissant leurs tasses et leurs assiettes à ras bord puis, s'il en reste, conservent farouchement les plats par-devers eux. Pas question de laisser les autres toucher au rab... Mais impossible de ne pas fondre devant la beauté et la gentillesse de ces gosses[1].» Puis, avec Gazelle qui, tout en les gavant en plein hiver de fraises à la crème, leur dessert favori, n'oubliait pas sa vocation de costumière dont l'élégance était proverbiale, il entreprit le plus facile: rendre les gosses présentables. Le couple les emmena au Bon Marché où il fallut les habiller au rayon garçonnets tant ils étaient fluets. «Les voilà sapés gandins de vestes marron clair, knickers assortis, bas, chaussures et le reste. Le plaisir qu'on a, Gazelle et moi, à les équiper[2].» En quelques semaines, les gamins — Moulou surtout, Dédé son frère étant moins attiré par le spectacle — devinrent des membres du Groupe à part entière. Mouloudji faisait merveille dans le *Tableau* du même nom, et, grâce à Marcel Duhamel, commença une carrière de professionnel à la radio, dans le doublage puis au cinéma. Soucieux de leur éducation, celui qui jouait pour la première fois de sa vie les pères adoptifs — il s'était entendu avec le père naturel — les inscrivit à l'École du spectacle, rue du Cardinal-Lemoine, d'où Moulou rapportera triomphalement le prix de camaraderie! Tout le monde l'adorait: de Youki et Robert Desnos, dont le bel appartement de la rue Mazarine l'accueillait quand l'envie lui

---

1. Marcel Duhamel, *op. cit.*
2. *Ibid.*

en prenait, jusqu'à Maurice Baquet dans sa soupente, et, bien sûr, Jacques Prévert et Jacqueline Laurent qui lui ouvrirent le studio du Montana où ils vivaient leur grand amour. «Dans cette nouvelle famille, je me baladais au petit bonheur la chance, dira Mouloudji. Ce monde des artistes devenait ma seconde famille... Éberlué d'être accepté par eux, sans vergogne, je déployais tout le charme possible pour leur plaire. Je crois que je jouais un peu plus l'enfant que je ne l'étais réellement. Je fignolais mon personnage de gosse des rues, confusément décidé à ne pas rater ma chance... Sorti du ruisseau, doté de faibles armes, je me battais à ma manière afin de ne pas être rejeté de leur univers[1].» Loin d'être rejeté, Moulou fut immédiatement de toutes les sorties des membres de la bande à Prévert — il était chaque jour au Flore et partageait leur table chez Chéramy — et adoré par leurs femmes et les filles éphémères qui gravitaient autour d'eux et que Roger Blin avait baptisées «les émouvantes». Elles se répétaient, ravies, les mots de l'adolescent lorsqu'elles l'emmenaient partager leur promenade avec escale chez le meilleur pâtissier. Un jour qu'il se trouvait en taxi avec les plus ravissantes d'entre elles — Janine Loris, Germaine Pontabry, Sylvia Bataille et Jacqueline Laurent qui sans gêne déballaient leurs secrets d'alcôve —, Mouloudji les regarda avec des yeux émerveillés et leur dit tout à trac :

— Dites, vous croyez qu'il y en aura encore des filles aussi jolies que vous quand je serai grand[2] ?

Dans l'ambiance d'érotisme enjoué régnant au sein du Groupe Octobre, où les filles après trois petits tours de lit en changeaient sans que cela provoquât de drame, Moulou avait le sentiment de circuler entre les nuages roses du paradis. «Ce ballet sexuel se déroulait, du moins à mes yeux naïfs, dans le moelleux des fondus enchaînés cinématographiques, dira-t-il en évoquant cette période heureuse. Aucun rapport avec les hurlements, coups et injures qui ponctuaient les scènes de ménage de mon enfance. L'ouvrier, à cheval sur les grands principes, réagit en primitif. Le bourgeois, lui, lave son linge sale en famille. Les membres du Groupe Octobre, eux, avaient adopté une conduite libertaire[3].» Admis dans l'intimité du Montana, il y reçut de la plus agréable façon, et mieux qu'à l'École du spectacle, une éducation sentimentale qui lui laissera d'inoubliables souvenirs. «L'amie de Prévert était une ravissante demoiselle à tête de chatte de luxe dont le joli corps dessinait sous la robe des promesses de bonheur. Il m'arrivait de rester

1. Mouloudji, *Le Petit Invité*.
2. Marcel Duhamel, *op. cit.*
3. Mouloudji, *Le Petit Invité*.

seul avec elle *[elle n'avait pas trois ans de plus que lui!]* et d'assister à la cérémonie du maquillage... Un jour, par l'entrebâillement du peignoir, j'entrevis un sein à ligne de colombe. Jacqueline surprit mon regard et, humectant de salive d'un coup de langue rose le bout d'un doigt, elle me décocha un clin d'œil complice en caressant la pointe du mamelon; un sourire malicieux donnait à cette mimique un sens que je ne compris pas[1].» Jacques Prévert le mit sur la voie lorsqu'un jour le gamin, pénétrant sans frapper dans le studio, sur les talons de Fabien Loris, se fit cueillir par un hurlement: «Et alors, on ne peut plus faire l'amour tranquille?» qui arrêta net les deux importuns. «Je ne savais pas, dira Moulou ce que signifiait cette expression "faire l'amour" mais, prononcée sur ce ton de colère inhabituel de la part d'un homme aussi affable que Prévert, elle m'emplit de perplexité. Je n'osais me renseigner, demander à un copain sa signification sur le plan pratique[2].» Marcel Duhamel, redoutable fripon, et quelques «émouvantes» se chargeront sans tarder de l'information... et de la mise en pratique. Lorsqu'il fit ses débuts de comédien professionnel devant un vrai public, Mouloudji n'avait plus grand-chose à apprendre dans ce domaine.

Tandis que Jean-Louis Barrault mettait la dernière main à la mise en scène du *Tableau des merveilles* qui fut donné pour la première fois à la fin du mois de janvier 1936 par le Groupe Octobre reconstitué (dans les locaux exigus de la toute nouvelle Maison de la Culture de la rue de Navarin, dirigée par Aragon), Jacques Prévert, tout à ses amours et fidèle à son vieil esprit anarchiste, s'éloignait de plus en plus de l'esprit sectaire régnant dans les milieux intellectuels communistes, pour donner le meilleur de ce qu'il avait à dire à des marginaux selon son cœur. Luc Decaunes était de ceux-là, qui avait publié en décembre 1935 dans le numéro 1 de sa revue *Soutes*, *Le dîner de têtes*. Jacques lui donna pour le numéro 2 *Le Temps des noyaux*, violent poème antimilitariste, «on ne peut plus fidèle à l'esprit surréaliste, dira André Breton, même si leur auteur a choisi de faire route à part. En ce sens, la démarche de Prévert — on pourrait dire aussi celle de Queneau qui trouve à ce moment sa voie définitive — puisent leur principale force dans l'humour[3]». En éditant *Soutes*, l'instituteur Luc Decaunes restait fidèle à sa devise: «À la vie, à la culture, à la joie». Sa revue n'avait rien à voir avec les publications littéraires sur Hollande Van Gelder ou pur fil Lafuma, comme *Bifur* ou *Commerce*.

1. *Ibid.*
2. *Ibid.*
3. André Breton, *Entretiens.*

Publiée en format de poche, imprimée sur un mauvais papier, proposée «au prix invraisemblable de dix francs la série» (de quatre numéros d'une centaine de pages chacun), elle entendait mettre son action politique en accord avec sa doctrine, en multipliant les occasions de rencontre et de travail avec le «prolétariat[1]». Elle devait toucher exactement le public auquel Prévert destinait ses textes les plus contestataires, qu'il se refusait toujours à appeler poèmes. Même s'il appréciait les revues qui «payaient bien», c'est à *Soutes* qu'il donnera, durant la période du Front populaire, ses écrits les plus importants. Ce fut d'abord *Le Temps des noyaux* :

> Soyez prévenus vieillards
> soyez prévenus chefs de famille
> le temps où vous donniez vos fils à la patrie
> comme on donne du pain aux pigeons
> ce temps-là ne reviendra plus
> prenez-en votre parti
> c'est fini
> le temps des cerises ne reviendra plus
> et le temps des noyaux non plus [...]

Puis viendront les huit cent cinquante-deux vers de *La Crosse en l'air* :

> Rassurez-vous braves gens
> ce n'est pas un appel à la révolte
> c'est un évêque qui est saoul et qui met sa crosse en l'air
> comme ça... en titubant
> il est saoul
> il a sur la tête cette coiffure qu'on appelle mitre
> et tous ses vêtements sont brodés richement
> il est saoul
> il roule dans le ruisseau [...]

Entre-temps aura retenti dans *Soutes* le «petit bruit de l'œuf dur cassé sur un comptoir d'étain» de *La Grasse Matinée*, qui allait devenir si célèbre. *Soutes* lui devra beaucoup de son succès, au point de consacrer une plaquette entière à *La Crosse en l'air*, premier des poèmes de Jacques Prévert à faire l'objet d'une publication autonome.

C'est également au début de cette année 1936 que les chansons de Prévert et Kosma sortirent des cartons de Jacques Enoch pour prendre leur essor par la voix d'interprètes au moins aussi marginales dans le monde du music-hall que Luc

---

1. Pascal Ory, *op. cit.*

Decaunes l'était dans le monde de l'édition : Agnès Capri et Marianne Oswald.

Petite-fille d'un grand rabbin russe dont la nombreuse descendance avait fui les pogromes tsaristes en émigrant aux quatre coins du monde, de la Palestine au Chili, Sophie-Rose Friedman était née en 1907 dans la banlieue lyonnaise où son père, directeur paradoxal d'une usine de chapeaux en vernis, était devenu patron « par haine du patron exploiteur de l'ouvrier[1] ». Mais c'est à Paris qu'elle avait grandi suivant les fluctuations de la fortune paternelle. Après des études cahotiques, Rose, devenue Rosette puis Zézette, s'était sentie une vocation artistique où la danse et la chanson, pour lesquelles elle possédait un don certain, occupaient la place essentielle. Elle fit ses débuts dans la troupe de Pomiès et changea son patronyme juif d'Europe centrale en un Agnès Capri qu'elle trouvait plus seyant pour une future étoile de la scène. Amoureuse folle, mais sans espoir, du beau Pomiès, comme l'étaient la plupart de ses danseuses, elle crut ne pas survivre à sa brusque disparition et abandonna la danse après avoir fait un essai dans la troupe de Weidt, un maître de ballet allemand qui avait accueilli les rescapées de la première troupe de danse révolutionnaire qu'ait connue la scène parisienne. Trotskiste puis membre du parti communiste, Agnès Capri était devenue l'une des secrétaires de l'Association des écrivains et artistes révolutionnaires (AÉAR) créée par Vaillant-Couturier, et militait activement au sein de la Fédération du théâtre ouvrier français (FTOF) tout en cherchant sa voie comme comédienne. C'est au sein de l'AÉAR qu'elle rencontra Jacques Prévert, aperçu jadis avec Pomiès, qui lui proposa de faire partie du Groupe Octobre. Elle participa donc aux répétitions du grenier des Grands-Augustins, où naviguaient déjà des copines, ex-« petites filles » de Pomiès — comme Ida Lods ou Janine Tricotet devenue Janine Jane, puis Janine Loris après son mariage éclair avec Fabien Loris qui l'avait quittée après trois semaines de vie commune : le record de Jacqueline Laurent avec Sylvain Itkine était largement enfoncé ! Et Agnès Capri y noua des contacts de plus en plus étroits avec la bande à Prévert. Intéressé par les tentatives de la jeune femme — elle avait maintenant vingt-neuf ans — pour monter un tour de chant cohérent et surtout original, Jacques Prévert lui confia quelques textes parmi ceux que Joseph Kosma venait de mettre en musique : *La Pêche à la baleine* et *L'Enfance*, l'hymne antivieillards que chantait le jeune Mouloudji dans *Le Tableau des merveilles* ; il y ajouta trois compositions de Christiane Verger, dont son tout premier poème, *Les*

---

1. Agnès Capri, *Sept Épées de mélancolie*.

animaux ont des ennuis, et *Adrien*, chef-d'œuvre de loufoquerie surréaliste d'abord destiné au Groupe Octobre et qui électrisa littéralement le petit monde du music-hall lorsqu'il le reçut de plein fouet :

> Adrien ne fais pas la mauvaise tête !
> Reviens !
> La boule de neige
> que tu m'avais jetée
> à Chamonix
> l'hiver dernier
> je l'ai gardée
> Elle est sur la cheminée
> près de la couronne de mariée
> de feu ma pauvre mère
> qui mourut assassinée
> par défunt mon père
> qui mourut guillotiné
> un triste matin d'hiver
> ou de printemps...
> [...]
> Adrien ne fais pas la mauvaise tête !
> Reviens !
> Et Brin d'osier
> ton petit fox-terrier
> qui est crevé
> la semaine dernière
> je l'ai gardé !
> Il est dans le Frigidaire
> et quand parfois j'ouvre la porte
> pour prendre de la bière
> je vois la pauvre bête morte
> Ça me désespère !
> Pourtant c'est moi qui l'ai fait
> un soir pour passer le temps
> en t'attendant...

Agnès Capri donna cette chanson dans l'une des boîtes les plus courues de Paris : le fameux Bœuf sur le Toit qui avait déménagé de la rue Boissy-d'Anglas, où Cocteau, Radiguet, Kessel, Picabia et tant d'autres avaient fait sa gloire, à l'avenue Pierre-1er-de-Serbie, où se pressait la plus snob des clientèles tout heureuse de se frotter à l'intelligensia parisienne venue de Montparnasse et de Saint-Germain-des-Prés. Le jour de la première, le 6 février 1936, ce fut comme une explosion. Cette petite bonne femme tout en angles, au nez pointu et à la voix acide, avec les chansons incroyables qu'elle chantait — c'était la première fois que les textes de Prévert sortaient du ghetto du théâtre ouvrier pour être livrés au public le plus difficile, celui du Tout-Paris —, fit l'effet d'un gaz urticant sur les peaux blasées des noctambules les plus huppés de la capitale. «Certains me traitaient de folle en se frappant le front de leur médius, écrira Agnès Capri, d'autres affirmaient que j'étais une simulatrice et me faisaient des clins d'œil. On se battait. On s'envoyait le contenu des verres à la figure. Jacques Prévert se dressait, criait, gesticulait, engueulait, montrant les poings[1].» Jacqueline Laurent, qui accompagnait son nouveau compagnon, ne l'avait jamais vu dans cet état d'excitation. Ce soir-là, la rumeur qu'il y avait une «nouveauté» au Bœuf courut dans le Paris des noctambules et, durant plusieurs jours, suffit à remplir le cabaret comme un œuf. Moysès, le célèbre patron de la boîte, avait un flair exceptionnel : ce soir du 6 février, il avait également fait débuter un duo de jeunes chanteurs, Charles et Johnny, dont le premier allait devenir Charles Trenet ! Après avoir engagé la jeune femme pour une semaine, il prolongea son contrat jusqu'à l'été, période pendant laquelle elle devait participer à une tournée organisée par Samuel «Mitty» Goldin, le tout-puissant directeur de l'ABC dont elle ferait bientôt les beaux jours. Le grand acteur de théâtre Marcel Herrand, bouleversé par ce talent éclos soudain grâce à sa rencontre avec celui de Prévert, lui prédit le triomphe d'Yvonne George, l'amour mythique de Robert Desnos. En tout bien tout honneur — Herrand préférait les garçons et Capri, déçue par Pomiès, les filles —, Herrand devint son plus ardent défenseur avenue Pierre-1er-de-Serbie, où Agnès avait à parer les mauvais coups de la directrice artistique. Celle-ci, l'accusant de provoquer des scandales, voulait qu'elle retirât de son répertoire *Adrien* sous prétexte que la SPA s'offusquait de l'entendre raconter comment, après avoir tué son petit chien, Brin d'osier, elle l'avait conservé au Frigidaire ! Herrand sauva l'intégralité du tour de chant de la jeune interprète ; et Prévert, l'auteur de ce crime de lèse-animal, s'en souviendra lorsqu'il écrira pour lui deux rôles inoubliables dans *Les Visiteurs du soir* puis *Les Enfants du paradis*, qui marqueront les vrais débuts au cinéma de ce comédien exceptionnel. Au soir du 6 février 1936, Agnès Capri était lancée et la réputation de poète anarchiste d'un Jacques Prévert, volontiers redresseur de torts, s'établissait dans un public de plus en plus vaste où se mêlaient — déjà — toutes les classes de la société.

La seconde voix qui installa cette réputation fut celle de Marianne Oswald, tout aussi marginale que celle d'Agnès Capri et encore plus controversée. Si, chez Capri, tout était pointu, acidulé, chez Marianne Oswald tout venait du cœur, du ventre

1. *Ibid.*

et criait la révolte. L'artiste semblait directement sortie des faubourgs de Berlin où grouillaient les personnages les plus noirs
de Bertolt Brecht ou d'Otto Dix. Rousse, volontiers échevelée, la voix rauque, presque cassée, l'accent germanique prononcé[1], elle disait — et même rugissait — plus qu'elle ne chantait, des textes plus violents les uns que les autres. Tout chez
elle n'était que provocation. Kosma dira : «*[C'était]* la personnalité extraordinaire et compliquée qu'elle n'a jamais cessé
d'être : exigeante, impatiente, malheureuse, impétueuse, flottant toujours entre la tendresse et l'agressivité, entre la bonté et
la méchanceté, entre la vie et le suicide[2].» Jacques Prévert ne
s'y était pas trompé en lui dédiant sa terrible *Chasse à l'enfant*
qui souvent provoquera ce que l'on appelait pudiquement des
mouvements divers dans les différentes salles où l'artiste se
produisait. Les gardiens de prison manifesteront à plusieurs
reprises leur vive hostilité à la chanteuse et au poète, lequel s'en
souciait comme de sa première chemise. Marianne Oswald partagera avec Agnès Capri *Embrasse-moi*, la chanson d'amour
tragique que Jacquot avait écrite lors de son voyage en Tchécoslovaquie ; et cette chanson sera, avec *Les animaux ont des
ennuis* et *La Chasse à l'enfant*, l'un de ses premiers titres gravés
dans la cire à lui valoir l'estime du célèbre romancier et
redouté critique littéraire du *Temps*, André Thérive. Celui-ci,
après avoir assisté à un récital d'Agnès Capri, remarquera particulièrement *Embrasse-moi*, «un de ces textes qu'on voudrait
avoir écrit. Le thème en est l'idylle désespérée de deux adolescents dans un taudis au fond d'une ville sans air ni lumière.
Quelques mots à peine, quelques sourires tristes, et voilà de
quoi vous donner l'impression atroce et poignante de toutes ces
destinées où semble écrite, selon la formule d'une romancière
de mes amis, la formule "Défense de vivre[3]"». Un jeune couple
d'intellectuels, que l'on a vu apprécier l'humour de *L'affaire est
dans le sac*, suivait l'itinéraire de Jacques Prévert qu'il croisait
au Café de Flore sans avoir jamais l'envie de lui parler. La
jeune fille, surtout, goûtait peu les réflexions de sa bande
qu'elle jugeait avec une sévérité de bas-bleu guère porté sur la
gaudriole et la vie de bohème. «La plupart se rattachaient, de
manière incertaine au monde du cinéma et du théâtre, écrira-
t-elle ; ils vivaient de vagues revenus, d'expédients ou d'espoirs
[...]. Ils passaient leur journée à exhaler leur dégoût en petites
phrases blasées entrecoupées de bâillements. Ils n'en avaient

1. Elle était née en janvier 1903 à Sarreguemines, alors annexée par
l'Allemagne.
2. Marc Soriano, in *La Revue musicale*, 1989.
3. *La Liberté*, 6 mai 1937. Cité par Danièle Gasiglia-Laster et Arnaud
Laster, *op. cit.*

jamais fini de déplorer la connerie humaine[1].» Seul Prévert, dont l'anarchisme sans concession lui convenait, échappait au jugement sévère porté par Simone de Beauvoir. Jean-Paul Sartre, lui, appréciait tout particulièrement les textes du poète chantés par Marianne Oswald qui, de son côté, se souciait peu de plaire au public mais savait toucher le cœur des spectateurs sensibles à l'injustice. Évoquant un récital de la chanteuse, Simone de Beauvoir dira : «Elle chanta beaucoup de chansons de Prévert, et entre autres celle que lui avait inspirée l'évasion manquée des petits colons de Belle-Île :

> Bandit ! Voyou ! Voleur ! Chenapan !
> C'est la meute des honnêtes gens
> Qui fait la chasse à l'enfant.

Il y avait dans l'anarchisme de Prévert une virulence qui me satisfaisait[2].» Sartre en fut si profondément marqué que, quinze ans plus tard, il reprendra ces mêmes vers en épigraphe au livre I de son *Saint Genet, comédien et martyr*!

À la veille du «merveilleux printemps 1936», Jacques Prévert n'était plus un inconnu et ses vers commencèrent à courir sur les lèvres.

*

Au même moment, Marcel Carné, alors âgé de vingt-neuf ans, voyait surgir la chance de sa vie. Il était bien décidé à la saisir aux cheveux. Après avoir été l'assistant de René Clair, lors de la réalisation de *Sous les toits de Paris*, il venait de tenir le même rôle auprès de Jacques Feyder sur trois œuvres d'importance : *Le Grand Jeu*, succès populaire qui marquait les débuts du metteur en scène dans le «parlant»; *La Pension Mimosas*, un mélodrame sobrement conduit par son épouse Françoise Rosay, et enfin son chef-d'œuvre incontestable, qui allait marquer l'histoire du cinéma : *La Kermesse héroïque*. Ce rôle de premier assistant d'un réalisateur aussi exigeant que talentueux valait à Marcel Carné, malgré son jeune âge, une considération certaine dans le métier. C'est ainsi qu'Albert Pinkévitch, le boursicoteur producteur amateur qui avait ramassé une belle somme grâce au succès de *Jeunesse d'abord* — premier film de Jean Stelli, dialogué par Jacques Prévert —, proposa au jeune homme de réaliser à son tour son premier film, d'autant qu'il avait appris que, au cours des prises de vues de

---

1. Simone de Beauvoir, *La Force de l'âge*.
2. *Ibid.*

La Kermesse héroïque, la grande Françoise Rosay avait laissé entendre au petit Marcel qu'elle tournerait gratuitement pour lui, si cette occasion se présentait! Marcel Carné accepta immédiatement la proposition de Pinkévitch, bien que celui-ci ne lui laissât pas le choix du sujet. Grand amateur d'histoires de mauvais garçons, le producteur avait acheté à Pierre Rocher, journaliste à Nice, un sujet intitulé *Prison de velours*, mélodrame qui accumulait les poncifs et ravissait le boursier dont le goût n'était pas la qualité première. Malgré ses réticences, Carné dut en passer par là. C'était cela ou rien. Pinkévitch lui laissait seulement le choix de l'adaptateur dialoguiste. Carné se souvint alors de la pièce qu'il avait vu jouer par le Groupe Octobre à la Maison des syndicats, et de la réplique géniale : «Soldats de Fontenoy, vous n'êtes pas tombés dans l'oreille d'un sourd.» Son auteur, Jacques Prévert, était l'homme idoine pour sauver le mélo indigent qu'on lui proposait de porter à l'écran. «Comment me vint l'idée de penser à lui pour travailler à l'adaptation de *Prison de velours* (je ne me ferai décidément jamais à ce titre!) alors que son talent était aux antipodes du réalisme, je n'en ai pas encore compris la raison. C'était une de ces idées saugrenues dont on ne mesure pas la folie, qu'on ne s'explique pas, et qui, parfois, à l'étonnement général, se révèlent extraordinairement bénéfiques. Ce devait être le cas[1].» Encore fallait-il convaincre l'amateur de mélo. À la grande surprise du cinéaste, Albert Pinkévitch se montra d'autant plus favorable à sa suggestion que c'était à ce même Prévert qu'il devait le succès de *L'Empereur des vaches*! «Comment l'anarchiste que devait être l'auteur de *La Bataille de Fontenoy* avait-il pu travailler avec un homme comme Stelli dont les films montraient la bourgeoisie dans ce qu'elle a de plus mesquin et de plus conventionnel? s'étonna Carné. Mais j'oubliai vite cette interrogation : Pinkévitch acceptait Prévert, c'était le principal[2].» Le poète rencontra son cadet au théâtre Édouard-VII où il vérifiait une copie du *Crime de M. Lange* en compagnie de Jean Renoir. À l'issue de la projection, Marcel Carné fut persuadé que le scénariste transformerait aisément le mièvre *Prison de velours* en un premier film dont il n'aurait pas à rougir. Flatté par l'enthousiasme que manifestait le jeune homme, Prévert lui donna rendez-vous pour le lendemain au Café de Flore. Là, «au calme», ils discutèrent du sujet et du titre envisagé, que Carné s'était bien gardé de révéler. Après avoir lu le script à une vitesse qui impressionna le cinéaste, Jacques Prévert eut une moue qui en disait long.

1. Marcel Carné, *op. cit.*
2. *Ibid.*

«Avec ça, on n'est pas foutus! grommela-t-il.
— Je sais. Et alors?»
Carné n'était pas plus rassuré que cela.
«Et alors on va essayer de se démerder[1]!»

Comme toujours, Prévert avait besoin d'argent, et, s'il n'était pas génial, le scénario de *Prison de velours* n'était pas beaucoup plus stupide que *L'Empereur des vaches* transformé en *Jeunesse d'abord* pour la plus grande gloire de Jean Stelli. Il se mit aussitôt à la tâche dans le grand studio du Montana où Jacqueline Laurent savait se faire discrète, et réserva une table de la salle du Flore aux séances avec Marcel Carné; dans un climat de confiance amicale, il lui faisait scrupuleusement part de l'évolution de son travail. Ensemble ils décidèrent, faute de pouvoir changer le scénario, de changer le titre du film. Il devint *Jenny*, nom du personnage principal: une mère entremetteuse dont la louche activité se dissimule derrière la devanture d'une boutique de lingerie propre à faire rêver les hommes. Autour de ce personnage, joué par Françoise Rosay, de l'amant gigolo (Albert Préjean), d'un caïd de la prostitution (Charles Vanel) et d'un marquis décavé (Roland Toutain), Jacques Prévert proposa à son jeune confrère toute une galerie de seconds rôles dont il avait le secret et qui, inconnus avant lui dans le cinéma français, avaient fait le succès du *Crime de M. Lange*. Ainsi apparurent, entre autres, le monsieur qui, dans un bordel clandestin, «veut être aimé pour lui-même», puis Dromadaire, l'homme de main bossu, que son infirmité rend d'une redoutable méchanceté et l'Archevêque, richissime marchand d'armes n'aimant que les fleurs, la douceur, et les pures jeunes filles comme l'enfant de Jenny. Des rôles certes secondaires mais que le talent de Jean-Louis Barrault et de Robert Le Vigan rendra inoubliables. Pour faire engager son petit copain Mouloudji, Jacquot lui écrivit une de ses chansons d'amour tristes qui d'entrée donnait au film une tonalité désespérée propre à faire oublier la banalité du sujet. Elle s'appelait *Cosy Corner* et réunissait des souvenirs de jeunesse dans la misère d'Istanbul mêlés à ceux d'un récent voyage à Londres où il aimait, dès qu'il en avait les moyens, renouveler sa garde-robe.

> Oh vous qui connaissez l'Angleterre
> vous n'avez pas connu Cosy Corner
> Cosy Cosy
> Un soir derrière une palissade
> un soir d'été

1. *Ibid.*

je t'ai aimée
Au milieu des tessons de bouteilles
tes cheveux roux brillaient comme le soleil
Un gros pasteur qui titubait
tout doucement dans le brouillard
avec un grand geste insensé
nous a mariés sans le savoir

Mangez vos sandwiches hommes riches
buvez votre bière
Mangez vos sandwiches hommes riches
et payez vos verres
Ouvrez la porte et sortez
Celle que j'aimais est morte
J'en ai assez
Elle s'est jetée dans la rivière
la plus belle fille de l'Angleterre
Elle s'est jetée dans l'eau glacée
Disparaissez

Oh vous qui connaissez l'Angleterre
avez-vous jamais connu la misère
Cosy Cosy
tu t'es jetée dans la Tamise
un soir d'hiver
à dix-sept ans
Tu n'avais pas même une chemise
Toutes les nuits tu dormais sur des bancs
Et tu ne mangeais pas souvent
Un beau jour tu en as eu marre
Cosy Cosy je te comprends
C'était un trop beau jour vraiment
[...]
La tempête souffle sur l'Angleterre
Le roi et la reine et tous les dignitaires
sont décoiffés
La couronne est tombée par terre
elle a roulé
roulé roulé
et sur les côtes la mer est démontée
elle écume elle est en colère
elle engueule le roi d'Angleterre
à cause de la mort d'une enfant
Cosy noyée à dix-sept ans

C'est avec cette chanson — mise en musique par Joseph Kosma dans la tonalité d'un *band* de l'Armée du salut, et joliment interprétée par Mouloudji qui retrouvait là son emploi de chanteur des rues — que les ennuis commencèrent. Adaptation, dialogues et chanson terminés, le tout fut soumis, selon

l'usage, à la censure par la maison Gaumont, le distributeur du film. Ladite censure se déclara choquée par le surnom l'Archevêque attribué au personnage vicieux interprété
par Le Vigan. Prévert, ricanant de cette offensive de ses vieux
ennemis les curés, en fera l'Albinos sans trop renâcler. Plus
grave, la chanson *Cosy Corner* fut jugée offensante pour
l'Angleterre, et le producteur la remplaça par une bluette anodine signée de Jean Granier et Lionel Cazaux. Enfin, huit
jours avant le premier tour de manivelle, la Gaumont fit savoir
que la censure menaçait le film d'interdiction si l'on conservait le magasin de lingerie suggestive comme décor de la
maison de rendez-vous. Paniqué, Marcel Carné à qui déjà
Pinkévitch avait imposé un «directeur technique» en la personne de Jean Stelli, décidément bien en cour, informa
Jacques Prévert des exigences de la censure. Pour la première
fois, celui-ci prit fort mal la chose. «Vous me faites tous chier,
s'écria-t-il. Faites ce que vous voulez, moi, je me taille aux
Baléares[1]!»

Jacques Prévert avait le sentiment de rouler sur l'or car,
parallèlement à *Jenny*, il venait d'écrire, pour Noël-Noël et
Michel Simon, *Moutonnet*, dans lequel René Sti avait eu le bon
goût d'engager Pierrot Prévert comme premier assistant et ses
amis Marcel Duhamel et Jacques-Bernard Brunius dans des
rôles secondaires. Riche de deux cachets confortables, il n'entendait se laisser mener par le bout du nez ni par la censure ni
par un distributeur timoré. Il avait promis à sa jeune maîtresse
des vacances au soleil de l'Espagne, et il n'y renoncerait sous
aucun prétexte. Pour mener à bien son projet, il accepta de partager la signature de l'adaptation et des dialogues avec Jacques
Constant, un scénariste ami du producteur qui se chargerait
des modifications imposées par la censure. En échange d'un
luxueux séjour au Trianon-Palace de Versailles — follement
arrosé au champagne, propice selon lui au travail intellectuel —, le «sauveur» se contenta de transformer la boutique de
lingeries féminines en boîte de nuit-maison close, cercle de jeu
de surcroît, et limita là sa collaboration à la première œuvre du
tandem Carné-Prévert qui apprendra plus tard que la censure
n'était pour rien dans l'affaire. Seule la Gaumont, craignant de
choquer une partie de sa clientèle, avait exigé ces modifications!

Tandis que Carné prenait pour la première fois possession
de «son» studio, l'Ours et la Petite Fille se dirigeaient main
dans la main vers les Baléares. Objectif fixé par le poète:
Ibiza, par le chemin des écoliers.

1. *Ibid.*

*

Depuis cinq ans, l'Espagne vivait sous le régime républicain. Après le triomphe éclatant de la gauche, au printemps 1931, le roi Alphonse XIII avait préféré quitter Madrid sans signer d'abdication. La naissance de la seconde république espagnole s'était accompagnée de sanglantes manifestations d'anticléricalisme populaire qui avaient vu des monastères incendiés, des prêtres et des religieuses assassinés. La gauche au pouvoir avait proclamé le pays « République démocratique des travailleurs de toutes classes », institué une chambre unique, et le suffrage universel avait été étendu aux femmes et aux soldats, tandis que les titres de noblesse étaient abolis et le divorce autorisé. La redistribution des terres avait timidement suivi l'expropriation des grands *latifundios*. Mais les violences antireligieuses, les rebellions de gauche et de droite s'étaient succédé, rendant vaines les grandes réformes votées dans l'enthousiasme et qui, pour la plupart, étaient restées sur le papier. Jacques Prévert avait suivi avec attention l'évolution politique d'une contrée dont on lui vantait souvent la beauté, la douceur du climat au printemps et la possibilité d'y vivre facilement en raison d'un change extrêmement favorable. En outre, depuis les élections législatives de février 1936, la gauche, unie désormais dans un Frente Popular que les amis de Prévert espéraient pour la France, prenait sa revanche sur un gouvernement centriste qui avait freiné toutes les réformes et brisé aussi bien l'autonomie catalane que la révolte ouvrière des Asturies. Denise Batcheff, désormais lancée dans la production cinématographique avec son nouveau mari Roland Tual, était une familière de la Costa Brava, où son parrain, le richissime peintre catalan José Maria Sert, possédait une admirable propriété sur les hauteurs de Palamos où l'on conservait le souvenir de Barberousse qui avait assiégé la ville au xvie siècle. Elle ne tarissait pas d'éloges sur cette merveilleuse côte, célèbre pour le charme de ses criques sauvages surplombées de rochers et de pinèdes, lieu de prédilection des artistes et des intellectuels. « J'ai présenté Prévert aux Sert qui faisaient partie de la haute société espagnole et parisienne, dira Denise Tual. Misia Sert, l'égérie de Diaghilev, l'inspiratrice de Mallarmé, l'amie de Cocteau, la plus parisienne des Polonaises, était l'épouse de mon parrain après avoir été celle du directeur de la *Revue blanche*, puis celle du propriétaire du *Matin* ! Les Sert, tout comme hier les Noailles, auraient pu lui être très utiles. Mais, entre eux, ça n'a pas marché. Ce n'était pas du tout son climat, ou bien il était trop ivre ce jour-là[1].» Décidément, Jacques Prévert n'était pas fait pour évoluer dans le monde des Troudoizeau! En revanche, il retint la description idyllique que lui fit Denise de l'île d'Ibiza, l'une des Baléares où son père, l'éditeur d'art Henri Piazza, avait accompagné en pèlerinage la petite-fille de George Sand au début des années 20. Dans la haute bourgeoisie espagnole, il était de bon ton d'aller en voilier à Ibiza et de séjourner dans l'une des grandes propriétés de cette île dont la beauté avait inspiré Pruna, l'un des derniers décorateurs des Ballets russes. Marcel Duhamel, qui appréciait autant les jolies femmes que les paysages enchanteurs, y avait emmené Gazelle en voyage de noces. Il fallait que le pays eût tous les charmes pour que le «doubleur de navets» en gardât le meilleur souvenir. C'était en effet à cette occasion que Lou Tchimoukow, qui était de la fête, avait testé l'efficacité de son regard de velours sur la jeune épousée! L'Ours et la Petite Fille n'avaient nullement l'intention de convoler ni de s'encombrer d'un témoin de leurs amours, mais l'idée de s'offrir un voyage sur les rivages méditerranéens les ravissait.

Aux premiers jours du printemps 1936, Jacques Prévert gagna en train Barcelone où il choisit un petit hôtel sur les Ramblas chaleureuses, à proximité du Barrio chino réputé être le quartier le plus mal famé de la capitale catalane. «Jacques a beaucoup aimé Barcelone qui est une ville extrêmement cosmopolite, constatera Jacqueline Laurent. Nous n'avions pas énormément d'argent car, avant de partir, il avait payé la "douloureuse" du Montana qu'il réglait toujours avec beaucoup de retard. La propriétaire lui courait souvent derrière : "M. Prévert, M. Prévert, il faudrait penser à ma petite note!" Alors nous ne sommes pas descendus à l'hôtel Colón, célèbre à l'époque, mais pas très loin du port, dont il aimait l'ambiance un peu louche. On se promenait. Il était heureux d'avoir une jolie et très jeune femme à son bras. Il m'a emmenée assister à une course de taureaux qu'il n'appréciait pourtant pas. Pour que je voie. J'ai vu. Une horreur. Je n'ai pas pu rester. Mais il voulait connaître l'Espagne avec toutes ses coutumes et retrouver son riche passé. Alors nous sommes descendus vers le sud, en voyageant avec les moyens du bord, en train, avec l'autocar des Espagnols, et même en cargo pour gagner Ibiza. Il aimait la mer, il aimait les ports. Il n'était jamais venu en Espagne mais savait tout de l'histoire des villes de la côte que nous avons traversées[2].» La connaissance de l'influence phénicienne et carthaginoise sur les principales escales de la Méditerranée lui

1. Denise Tual à l'auteur.
2. Jacqueline Laurent à l'auteur.

venait des emprunts faits jadis chez Adrienne Monnier, rue de l'Odéon, qui lui avaient permis de se familiariser avec l'histoire grecque et romaine qu'il n'avait guère fait qu'effleurer au cours de ses brèves études. Avant de gagner Ibiza, Prévert s'offrit un séjour réparateur à Alicante après la fatigue des cinq cents kilomètres de route encore vierges d'asphalte reliant Barcelone au grand port méridional. L'*Akra Leuka* (la citadelle blanche) des Grecs, la *Lucentum* (la ville lumière) des Romains qui avaient succédé aux Carthaginois, mollement étendue au centre d'une vaste baie formant le plus accueillant des ports naturels, séduisit le couple par son ciel d'un bleu intense et une luminosité avec laquelle même la Côte d'Azur ne pouvait rivaliser. Jacqueline, déjà hâlée par le soleil méditerranéen, resplendissait et rêvait de parfaire son bronzage sur les plages des Baléares dont on lui vantait partout la beauté. Elle était si fraîche, si belle, si jeune que Prévert lui offrit *Alicante*, bref et sobre poème écrit dans la pénombre d'une chambre sur le port, les premiers vers d'amours heureuses qu'il ait jamais écrits et qui annonçaient ceux de l'admirable *Sanguine* que le poète donnera plus tard à Yves Montand.

> Une orange sur la table
> Ta robe sur le tapis
> Et toi dans mon lit
> Doux présent du présent
> Fraîcheur de la nuit
> Chaleur de ma vie.

Enfin le bonheur transparaissait dans une de ses œuvres ! Jamais Jacqueline n'avait été si heureuse... et si fière de son grand homme qui lui parlait si bien d'amour.

L'arrivée en bateau à Ibiza fut inoubliable. Les innombrables maisons cubiques blanchies à la chaux, enchâssées dans les pins et les genévriers, dégringolaient des collines et justifiaient le surnom d'Île Blanche que la troisième des Baléares portait depuis l'époque carthaginoise. Jacques et Jacqueline — Prévert s'enchantait de la consonance de leurs prénoms — s'installèrent au sommet de la Dalt Vila, la Ville haute aux nobles demeures massées autour de la cathédrale, cernée d'épaisses murailles flanquées de tours massives qui défendaient, depuis le XVIe siècle, la vieille ville contre les attaques des Barbaresques. La Ca Vostra était un hôtel charmant perché en haut du rocher, tenu par deux lesbiennes allemandes dont l'aînée, Erika, fut immédiatement subjuguée par la beauté rayonnante de Jacqueline. Volontiers jaloux, Prévert, après l'avoir été de Louis Chavance lors de son flirt avec Simone, ne voulut pas se donner le ridicule de l'être des attentions d'une jolie aubergiste auprès de sa très jeune maîtresse! Après quelques jours passés à la Ca Vostra, il loua une petite maison au bord de la mer, à proximité des plages de Talamenca et de Ses Figueretas où, prétexta-t-il pour quitter dignement les entreprenantes Allemandes, sa compagne rêvait de jouer les Robinson. « Moi, avec mes dix-sept ans, dira-t-elle, je voulais du sable blanc, plonger dans cette mer tantôt bleu marine tantôt turquoise, bronzer et profiter des maillots de bain que j'avais fait faire à Paris et qui, s'ils ne portaient pas encore le nom de bikinis, n'étaient pas beaucoup plus grands, m'allaient fort bien et me mettaient en valeur[1]! » Prévert ne se lassait pas de les contempler et de savourer son plaisir. À partir de la sympathique bicoque où, pas plus qu'au Montana, il n'aimait flâner longtemps, il sillonna l'île et se passionna, dans les musées, pour les découvertes archéologiques: objets phéniciens, carthaginois et romains, découverts au cours des fouilles et dont l'influence se faisait sentir sur des objets d'artisanat local, comme de charmantes statuettes en terre cuite très proches de celles que photographiait au même moment son copain Eli Lotar au musée d'Athènes qui lui inspireront, de retour à Paris, *Terres cuites de Béotie*. Surtout Prévert écuma tous les bistros qui lui paraissaient accueillants et dont la cuisine embaumait à l'heure des repas. Avec Jacqueline, aussi gourmande qu'indifférente à la préparation des plats, il se régala de soles, de mérous, de rougets et d'espadons, de langoustes et de gambas simplement grillés *a la plancha* quand il ne sacrifiait pas à la paella, laquelle n'avait rien à voir avec les horribles plâtrées qu'ils avaient pu goûter en France. Et le *vino de la casa* se laissait agréablement boire, rite auquel Prévert sacrifiait allègrement en attaquant le *vino blanco* vers dix heures du matin comme Jacqueline s'était habituée à le voir faire au Montana, pour continuer au *vino tinto* dès le repas de midi et jusque tard dans la nuit. Ces libations ne l'empêchaient nullement de palabrer interminablement avec Claude Martin et sa compagne Denise dont il avait fait la connaissance à Saint-Germain-des-Prés et qui étaient venus le rejoindre à Ibiza. « Claude n'avait pas trente ans et Denise, charmante et fort intelligente, était plus âgée, se souviendra Jacqueline. Tous deux admiraient Jacques qui n'était pas fâché d'avoir une petite cour autour de lui. Il n'avait pas tant besoin d'interlocuteurs que d'"écouteurs" et moi j'étais très bavarde! Il lançait une idée qui l'amenait à une autre et ainsi de suite... C'étaient des paroles intelligentes — pas toujours — mais qui subjuguaient son auditoire.

1. *Id.*

Il aimait constater son pouvoir de séduction sur les cerveaux. Il en avait besoin. Peut-être pour se rassurer lui-même sur ce qu'il faisait[1]. »

C'est durant le séjour à Ibiza que Prévert raconta à son jeune ami de Saint-Germain-des-Prés le synopsis de *Médor ou Un chien qui rapporte*, le scénario qu'il avait écrit à Biarritz trois ans auparavant et qui lui avait été refusé par le producteur espagnol, relation de Marcel Duhamel. De dépit, le poète avait déchiré le scénario, que Claude Martin lui fit la surprise de reconstituer. Ce fut comme un déclic. Sans plus se souvenir de vacances, Jacques Prévert se mit à écrire *Lumières d'homme*, long poème à l'image de ces conversations à sens unique qui fascinaient les membres de la bande au Café de Flore, ou Claude Martin, Denise et Jacqueline Laurent à Ibiza. Il y traduisit le désengagement qu'il ressentait depuis quelques mois à l'égard de certains de ses «camarades» du Groupe Octobre et qui, ajouté à l'agacement qu'il avait éprouvé devant la pusillanimité de la maison Gaumont, avait provoqué la retraite en Espagne, tant pour prendre du recul que pour combler l'adolescente dont il était épris. Cette lumière d'homme qu'il entretenait entre mille depuis des années de révolte ne plaisait pas à tout le monde, surtout parmi les camarades soumis aux directives d'un parti qu'il avait, lui, toujours refusé de suivre.

Somnambule en plein midi
[...]
toujours très près des camarades
mais si loin tout de même si loin
[...]
j'avais cette lumière-là sur moi
comme ça
mais ce n'était pas
ma lumière
elle était là comme ça
j'aurais voulu
j'ai tout essayé
j'aurais voulu m'en débarrasser... partager
mais elle brûlait tout le monde
personne n'en voulait
mais
si je la mettais en veilleuse
tout le monde applaudissait
[...]
je hurle à la lumière avec de l'encre et du papier
le soir tard

1. *Id.*

et je crie
tout de même
il y a la lumière
[...]
c'est la lumière vivante que chacun porte en soi
et que tout le monde étouffe pour faire comme tout le monde
[...]
soleil de nuit
lune de jour
étoiles de l'après-midi
battements de cœur avant l'amour
pendant l'amour
après l'amour
[...]
vos deux têtes
tête de garçon
tête de fille
vos deux têtes tournent et oublient...
[...]
lorsque la lumière de celle qui aime l'amour
rencontre la lumière de celui qui aime l'amour
drôle d'incendie
peu importe sa durée
toujours hier demain bonjour bonsoir autre fois jamais toujours et
   vous même
qu'est-ce que ça fout pourvu que ça flambe.

Quatre autres pièces de la même tonalité rejoignirent *Lumières d'homme* qui donnait son titre au recueil que Prévert se promit de confier dès son retour à Paris à Guy Lévis Mano. Pour la première fois, il envisageait de publier certains de ses poèmes. Ceux écrits à Ibiza formaient un tout empreint de désenchantement et donc destiné à un éditeur moins engagé que celui de *Soutes* qui prévoyait de publier, avant la fin de l'année, *La Crosse en l'air* à prix modique mais sur un mauvais papier. Guy Lévis Mano était un éditeur rare ayant une haute idée de la littérature. Typographe et poète, employé à la librairie-galerie La Plume d'Or, il avait créé, dès 1935, une petite maison d'édition à ses initiales — qui publiait les poètes surréalistes — et une revue, *Les Cahiers de G.L.M.*, dans laquelle se retrouvaient les noms de Man Ray, Paul Eluard, André Breton, Philippe Soupault, tous vieilles connaissances de Jacques Prévert ; et celui-ci, depuis les *Œuvres complètes* de Lautréamont merveilleusement imprimées, s'était promis de travailler un jour avec le jeune passionné. *Lumières d'homme* était fait pour lui. Guy Lévis Mano aurait pu être ainsi le premier éditeur de Prévert si — négligences des deux hommes ? — les poèmes n'avaient été perdus, retrouvés, reperdus, à nouveau sauvés de l'oubli, durant les vingt années suivantes… *Lumières d'homme* ne verra le jour qu'au printemps 1955, Prévert devenu célèbre !

En ce printemps 1936, les nouvelles venues de France où se déroulaient les élections législatives, laissaient prévoir, après un premier tout décevant, la victoire du Front populaire au second. Il en aurait fallu plus pour arracher Prévert à son île idyllique si de funestes rumeurs n'avaient commencé à parcourir les ruelles étroites d'Ibiza. «Jacques n'était pas communiste, dira Jacqueline, il n'a jamais appartenu à aucun parti mais, de cœur, il pensait que la fraternité humaine était quelque chose d'indispensable à la vie. Il estimait que celui qui avait de l'argent devait entretenir ceux qui n'en avaient pas, à partir du moment où leurs idées se rejoignaient et qu'il y avait entre eux amitié et sympathie. Ce qu'il avait fait sans le moindre scrupule avec Marcel Duhamel. En outre il ne cachait rien de ses idées. À Ibiza, où l'on commençait à nous connaître, on nous a dit que la guerre civile était imminente, qu'il fallait qu'on boucle nos bagages et qu'on regagne la France. Ce que nous avons fait sans discuter[1].»

Ils furent à Paris pour assister au triomphe du Front populaire.

Dix semaines plus tard, une révolte militaire antirépublicaine, menée par le général Franco, éclatait au Maroc espagnol et, en quarante-huit heures, gagnait l'Espagne tout entière. C'était le début de la guerre civile.

1. *Ibid.*

CHAPITRE 13

Une poignée d'espoirs déçus

En France, le 3 mai, comme on l'attendait, le Front populaire remporta une victoire sans appel, à la mesure de l'espoir suscité dix mois auparavant par le grand rassemblement unitaire qui avait réuni 500 000 manifestants de la Bastille au cours de Vincennes, et que Marcel Carné filma à la demande du parti communiste. Ce 14 juillet 1935, les représentants de toute la gauche avaient fait le serment «de rester unis pour défendre la démocratie, pour désarmer et dissoudre les ligues factieuses, pour mettre les libertés hors de l'atteinte du fascisme [...], donner du pain aux travailleurs, du travail à la jeunesse, et au monde la plus grande paix humaine». Sur ce programme, le Front populaire obtint 378 sièges contre 220. L'alliance avec l'extrême gauche se faisait aux dépens des radicaux qui tombaient de 160 à 106 sièges, tandis que les communistes passaient de 11 à 72, et les socialistes de 132 à 149. Chef du parti le plus puissant, Léon Blum forma un gouvernement composé de socialistes et de radicaux, les communistes ayant adopté l'attitude du soutien sans participation, tandis qu'une semaine après la victoire commençait la grande vague de «grèves sur le tas» et d'occupations d'usines pour forcer la main aux patrons. Léon Blum n'avait pas encore formé son gouvernement que 100 000 ouvriers métallurgistes cessaient le travail. Tout alors alla très vite. Le 7 juin, devant l'extension des mouvements de grève, les représentants du patronat et de la CGT signèrent, à l'instigation du gouvernement Blum, les accords Matignon : établissement des contrats collectifs, reconnaissance du droit syndical, élection des délégués d'atelier et relèvement des salaires de 12 %. Quatre jours plus tard, au milieu d'un enthousiasme populaire qui n'avait d'égal que l'hostilité active du patronat symbolisé par «les 200 familles», la Chambre des députés vota la loi instituant les congés payés et les conventions collectives. La semaine de travail passait de 48 à 40 heures, sans diminution de salaire. Au Groupe Octobre on exultait. « Le Front populaire, ce fut une merveilleuse période, se souviendra Maurice Baquet, comme je n'étais pas tellement roué sur le plan politique, je pensais que les spectacles allaient durer très longtemps. Nous nous sentions si bien à ce moment-là que je ne voyais aucune raison à ce que ça ne continue pas. Jacques écrivait à tour de bras mais, une fois les textes appris, à son habitude il ne gardait rien. On a vécu dans une période d'un tel bonheur euphorique qu'on n'avait pas le temps de penser que ce que nous vivions serait par la suite si important et qu'il fallait conserver ces textes... Avec le Front populaire on a vécu un espoir extraordinaire[1]. » Francis Lemarque, qui n'avait pas vingt ans, nageait dans un océan de béatitude : « J'ai cru que, d'un jour à l'autre, le monde allait changer. C'était le rêve, l'image d'Épinal, un peu comme l'idée que je me faisais de l'Union soviétique. J'allais tutoyer tout le monde, du président du Conseil à l'homme de la rue ! Tout de suite il y a eu les congés payés, les premières vacances, les auberges de jeunesse, cette rencontre avec une humanité de mon âge qui se retrouvait en toute liberté, échangeant des idées sur l'avenir qu'on voyait repeint en bleu. Jacques Prévert était fou de joie comme nous tous. Il montrait un enthousiasme aussi grand que le nôtre. C'était l'aboutissement de tout ce qu'il réclamait dans ses textes. Il s'imaginait qu'en partant des premières victoires du Front populaire, il allait se produire des choses grandioses. Et il y en a eu[2]. » Ce qui n'empêchait pas les plus mesurés de considérer les événements avec une lucidité vigilante, tel Jean-Louis Barrault : « [...] l'éclosion du Front populaire. Nous allions dire des poèmes dans les usines. Les ouvriers de chez Renault, les vendeuses des grands magasins découvraient Jacques Prévert, Paul Éluard, Louis Aragon. Les premiers campings apparaissaient, le tandem était mis à la mode. Les boutiques du Printemps lançaient les premières petites robes imprimées, prêt-à-porter avant la lettre. Les filles étaient belles à croquer. Les peuples s'émancipaient. Léon Blum que j'admirais presque autant que Trotski, inventait, en prophète, le ministère des Loisirs. Le monde des humains entrevoyait le droit de vivre. Période extraordinaire que les "honnêtes gens" ne devaient pas pardonner ! Le droit à la vie ? Dans la liberté et le respect humain ? Tout, mais pas ça ! Plutôt la guerre ! Ils y mirent trois ans. Trois ans de sursis[3]... »

Avec la victoire du Front populaire, le Groupe Octobre, en

1. Maurice Baquet à l'auteur et *in* Michel Fauré, *op. cit.*
2. Francis Lemarque à l'auteur.
3. Cité par Michel Fauré, *op. cit.*

sommeil depuis *Suivez le druide*, retrouva une nouvelle jeunesse et brûla à nouveau planches et tréteaux. On le demandait partout. Les ouvriers s'organisaient tout seuls et voulaient célébrer leurs conquêtes. La joie, l'espoir se lisaient sur les visages, dans les regards. La droite avait prédit les pires catastrophes, et c'était l'accordéon et la valse musette qui régnaient dans les cours d'usine et les ateliers. La France était une immense kermesse. Le Groupe Octobre, avec sa *Bataille de Fontenoy*, son *Tableau des merveilles*, ses chœurs parlés, ses chansons militantes, tendait à ces milliers d'ouvriers spectateurs un miroir où se reflétait leur victoire.

« Avez-vous des nouvelles ? chantait Prévert pour ses camarades de toujours.

— Des nouvelles de quoi ?

— Des nouvelles du monde, il paraît qu'il va changer ! La vie va devenir très belle, tous les jours on pourra manger, il y aura beaucoup de soleil, tous les hommes seront grandeur naturelle et personne ne sera humilié [1]. »

L'agitation n'avait pas cessé avec les accords Matignon. Si, dans certaines entreprises, le travail avait repris, de nouveaux conflits éclataient dans d'autres secteurs où l'on négociait au coup par coup. Ce qui importait aux travailleurs c'étaient les accords que leur patron à eux allait signer dans leur propre usine, magasin ou atelier. Beaucoup de dirigeants de petites ou moyennes entreprises ne se sentaient nullement engagés par les accords signés avec le grand patronat. C'était à leurs employés et ouvriers de les y contraindre. La pénurie menaçait. Les stocks diminuaient ou étaient bloqués. Le commerce s'étiolait. Les rayons des grands magasins étaient occupés, les réserves sous haute surveillance ouvrière. C'était l'occasion pour le sous-prolétariat des livreurs, des vendeurs et des vendeuses d'exposer leurs misérables conditions de travail aux camarades comédiens, musiciens, chanteurs du Groupe Octobre et aux journalistes qui les accompagnaient parfois. Les livreurs à casquette cirée, à la grande blouse de toile délavée qui faisaient partie du spectacle de la rue, révélaient au dépôt de la Samaritaine, boulevard Saint-Jacques, sous quel aiguillon se déroulait leurs journées : trois minutes pour livrer un colis, six pour monter une cuisinière au sixième étage (les ascenseurs étaient inexistants), huit pour une salle à manger complète... Au moindre manquement, amendes et mises à pied pleuvaient. Aux rayons de la Samaritaine, du Printemps ou des Galeries Lafayette, la situation n'était pas meilleure. Trois fois une minute de retard, et c'était le renvoi. Défense de parler entre vendeuses, entre

1. *36*, film de Henri de Turenne.

vendeurs, défense de s'asseoir, robe noire pour les femmes, pantalon rayé pour les hommes qui n'avaient que le droit de répondre aux clients. Deux ouvriers étaient renvoyés pour avoir apporté leur casse-croûte enveloppé dans un numéro du *Populaire*, le quotidien du parti socialiste!

Pourtant l'heure n'était qu'à la révolte, pas à la vengeance. C'était une révolution, pas un coup d'État, expliquait-on. Une révolution pacifique et joyeuse, qui voulait chanter et danser. Des hommes, des femmes, des gens très simples étaient boule-versés que des «artistes viennent jouer pour eux», sur leur lieu de travail, au rayon «Communiantes» des magasins du Louvre, aux ateliers et hall aux voitures de la Samar pavoisés de trico-lore, aux studios Pathé de la rue Francœur, familiers à nombre de membres du Groupe Octobre. Durant les mois de mai et juin, tout le répertoire y passa, on écoutait religieusement Mau-rice Baquet développer pour des oreilles plus habituées aux accents du *Dénicheur*, une *Sarabande* de Jean-Sébastien Bach sur son violoncelle, les Trois Barbus et Agnès Capri donner un tour de chant plutôt intellectuel, Prévert dire ses *Actualités* particulièrement remarquées par Georges Altmann, brillant journaliste de *L'Humanité* qui, mêlé aux grévistes, ressentait l'impact de cette âpre poésie sur un public d'abord surpris puis soudain enthousiaste: «Ce soir, la belle et jeune troupe du Groupe Octobre est venue chez eux, pour eux, chanter, danser et rire. Hâtons-nous de fixer ces minutes étonnantes. On ne les reverra plus de sitôt... Cet humour féroce, frénétique, crispé, d'un animateur du Groupe Octobre, Jacques Prévert, et qui sourd de ces âcres refrains ou poèmes qu'on leur chante, peut-être les déconcerte-t-il un peu, mais il les émeut et les fait rire aussi. Ils sentent confusément tout ce qu'il y a de vif, de sain, de rageur et de tendre dans ces jeunes femmes et ces jeunes gens qui croient à la fois à la force du lyrisme et à la force du peuple. L'ironie, si difficile à faire comprendre à un public populaire, raille ici ce dont ils souffrent: morale égoïste, "travail libéra-teur", production inhumaine. Ils sont aussi sensibles à cela qu'à l'admirable clownerie poussée au paroxysme de deux musiciens d'harmonium et de violoncelle qui arrivent à s'en-chevêtrer follement dans leurs instruments, leur musique, leurs partitions, leurs chaises, leurs pupitres et leurs propres membres, bras et jambes... Le rire explosif, libérateur... On s'en va dans la nuit et dans la pluie, sous les bravos, les cris de gratitude[1].»

Réactions inoubliables chez les plus jeunes interprètes du Groupe, comme Francis Lemarque, qui conservera gravées dans sa mémoire ces heures d'enthousiasme à nulles autres

---

1. Suzanne Montel - Serge Grand, archives personnelles.

pareilles dans une vie pourtant jalonnée des plus grands succès populaires. «C'était beaucoup plus important pour les grévistes de nous entendre et de nous voir que si nous avions été des vedettes confirmées. C'était un message de leurs semblables que nous leur apportions. Nous étions *eux*, ils étaient *nous*. À tel point que lorsqu'arrivaient des vraies vedettes, leurs prestations n'étaient pas plus acclamées que les nôtres. Je me souviens d'une après-midi où nous avons chanté sur le grand escalier d'honneur des Galeries Lafayette. Le recueillement des employés était extraordinaire. Il y avait des gens qui pleuraient... Quelque chose que je n'ai jamais vu. Ils se rendaient compte que nous ne donnions pas un simple spectacle pour les conforter dans leur combat mais que nous leur témoignions une solidarité qui venait de beaucoup plus loin. On avait le sentiment d'être les ambassadeurs d'un monde plein d'espoir, capable de réaliser les plus grandes utopies. C'était une vraie révolution mais où le sang ne coulait pas, une révolution pacifique[1].»

Le bouquet final eu lieu le 1er juillet 1936 au Palais de la Mutualité ou cinq cents places gratuites avaient été réservées aux chômeurs. Le Groupe Octobre assura à lui seul la totalité du spectacle dont le clou était la représentation par toute la troupe du *Tableau des merveilles* dans une nouvelle mise en scène de Lou Tchimoukow. La première partie montrait la diversité des talents d'un groupe exceptionnel dont c'était le chant du cygne. Leduc, ouvrier chez Renault, racontait *Deux histoires d'ouvriers anonymes...* de chez Renault! Maurice Baquet et Gilles Margaritis faisaient un numéro de machinistes burlesques intitulé «Ceux qui donnent un coup de main». Agnès Capri interprétait *Embrasse-moi* et *Adrien* avec la même acidité et plus de succès encore qu'au Bœuf sur le Toit. Maurice Baquet, Max Morise et Yves Deniaud, fabuleux bonimenteur à la gouaille inimitable, formaient le groupe vocal des Trois Barbus, tandis que les frères Mouloudji retrouvaient les accents de la rue. Guy Decomble et Fabien Loris interprétaient *Marche ou crève*, l'hymne du Groupe Octobre, écrit par Jacques Prévert et mis en musique par Louis Bessières, et enfin, Prévert lui-même lisait sa dernière œuvre, *Printemps... Été... 1936*, suite des fameuses *Actualités* qu'il rédigeait depuis quatre ans et qu'il renouvelait à chaque saison, à chaque événement d'importance. Celle-ci — à contre-courant — était comme un pavé dans la mare à l'heure où l'euphorie régnait, où les communistes faisaient risette aux socialistes, ennemis de toujours, où Maurice Thorez fustigeait l'anarchie, tendait la

1. Francis Lemarque à l'auteur.

main aux catholiques, prônait la rigueur et expliquait comment terminer une grève. «Discipline, camarades, discipline...» Tout à l'opposé de ce que pensait Jacques Prévert qui entendait bien s'exprimer publiquement en disant lui-même ce texte, le dernier qu'il écrivit pour le Groupe Octobre et qu'on peut considérer comme son testament politique. Il vaut d'être reproduit en entier tel que Suzanne Montel le garda toute sa vie, dernière pièce des archives d'un groupe glorieux, témoignage irremplaçable du désenchantement d'un poète qui allait à rebours des illusions du temps :

PRINTEMPS... ÉTÉ... 1936

La faim...
La fatigue... le travail... la misère... le chômage
Le travail... la faim... le froid... la chaleur
La poussière...
La poussière... la fatigue... la fatigue et l'ennui

L'ennui et la fatigue... la fatigue et l'ennui
voilà la vie des travailleurs

Le froid... la chaleur... la fatigue... la misère
L'ennui... le travail à la chaîne... la misère et l'ennui
Soudain le travail se réveille, casse sa chaîne...
pose son outil... et tous les travailleurs se réveillent avec lui

et tous les cœurs se mettent à battre avec un grand bruit...

L'ennui s'enfuit... l'espoir s'amène...
et voilà qu'il pousse un grand cri : la grève...
La grève... partout... partout la grève...

C'est une grève comme on n'en a pas vue souvent
et le patronat grince des dents
Les ouvriers occupent les chantiers... les usines...

Les mineurs couchent dans leurs mines

Les garçons-épiciers campent chez Félix Potin

Et ça dure des jours et des jours

Et ça dure des jours et des nuits...

Et les grévistes dorment... ils ont des rêves
mais pour les gros c'est l'insomnie.

Pour le capital, c'est la mauvaise nuit...

La mauvaise nuit...
De sa fenêtre, le capital voit ses usines occupées
Par les hommes des taudis
Il voit les drapeaux rouges flotter
Et le tricolore aussi...

Mais les drapeaux tricolores, c'est pas ça qui lui fait peur
C'est son affaire... Il en a tellement vendus avant,
pendant, après la guerre...
Il en a tout un stock pour la dernière, dernière des dernières

C'est le rouge qu'il craint
Celui de la Commune...
Celui du Cuirassé Potemkine, celui d'Octobre 1917
Celui qu'on agite dans toutes les rues... dans tous les pays
quand ils firent griller vifs Sacco et Vanzetti
Et le capital se fait de la bile... il rage...

Tout se passe très bien... aucun incident
Le calme est impressionnant...

Il ne manque pas un boulon chez Renault
Pas une pompe à vélo chez Peugeot
Pas un bouton de guêtre chez Raoul
Pas un jambon chez Olida.
Et l'on raconte même qu'aux Galeries Lafayette
Une vendeuse du rayon des Layettes
a trouvé par terre une épingle de sûreté
et qu'elle l'a rapportée au rayon de mercerie!!!

L'ordre...
Le calme...
La correction...
Pas le moindre petit incident.
C'est inquiétant...
Sa tête chauve dans ses mains mortes, le capital réfléchit
Le capital calcule... puis il se lève et il appuie sur un bouton
Et voilà qu'entrent à quatre pattes
ses valets de pied,
ses hommes de main
Ils ont la croix de feu au derrière
Et un joli collier de chien
Voilà toute la lie du faubourg St-Germain
Toute la crapule dorée du faubourg St-Honoré
Le gratin...
Toutes les duchesses à tête de chouette
Et leur vieux duc à tête de chouan

Voilà les zouaves du capital
Voilà les perroquets, les membres du barreau
Les académiciens de garde
Les polytechniciens policiers
Les Mauras *[sic]*, les Daudet, sortis de leurs vieux encriers
Voilà les affameurs
les architectes à taudis
Les entrepreneurs de malheur
les amiraux malades de la peste
les garde-chiourmes *[sic]*
les retourneurs de veste...

Voilà les montreurs d'ombres religieuses
les prestidigitateurs de la misère...
Ces messieurs prêtres... curés de St-Sulpice
archevêques de Paris... de la Villerabel[1]...
ou de St-Laurent du Maroni

Tout ce monde grouille et supplie
Sacré capital... ayez pitié de nous *(bis)*

Le capital alors leur dit...

Pavoisez... Pavoisez... Pavoisez...

Mettez des cocardes à vos drapeaux
et des bouquets de fleurs à la queue de vos chevaux

Pavoisez... et si vous voulez mon avis
le tricolore, voilà l'ami!

Alors tout ça se sauve et s'en va... pavoiser en famille
Le père, la mère, les filles et les fils de famille
Et il y en a des milliers et des milliers
De fils de famille
Et comme ils sont beaux à voir quand ils défilent

Le tricolore au bout d'une perche
Le tricolore à la boutonnière
Le tricolore à la braguette
Comme ils sont beaux à voir, le tricolore au suspensoir

Écoutez la jeunesse dédorée qui crie d'une voix de châtré
La France aux Français... La France aux Français...
C'est l'écume du Quartier latin
La jeunesse des écoles du crime...
Bête comme ses pieds... fière comme un pape
Sourde comme Mauras *[sic]*
Elle a dans ses oreilles du coton tricolore
Et les seuls cris qu'elle sait pousser
Sont des derniers cris de mort...
[...]
Évidemment... évidemment
tout ça paraît ridicule et grotesque
et risible... et con...

Mais il faut se méfier tout de même, camarades
Il tient le coup, le capital

On sait bien, grâce à vous
il en a pris un bon coup
Mais tout de même il tient le coup, camarades...
Méfiez-vous... Méfiez-vous... Méfiez-vous...
Il est dur, rusé, sournois... le capital

---

1. Mgr de la Villerabel, archevêque de Rouen, qui baptisa, comme le veut l'usage, le paquebot *Normandie* avant son premier voyage en 1935.

Il vous passera la main dans le dos
Pour mieux vous passer la corde au cou
Méfiez-vous
Défendez-vous
Il est malin le capital, camarades
Il a plus d'un tour dans son sac

Le sac au dos, par exemple, c'est un de ses plus fameux tours

Tout est bon d'être gagné

Méfiez-vous camarades

La vie n'est pas encore tellement rose

Elle n'est pas tricolore non plus...

Elle est rouge la vie...

Comme le sang qui coule dans vos veines

C'est votre vie vivante
La vie des travailleurs vivants

Défendez-la contre la mort
Contre le monde des morts
Le monde des blêmes et des aigris
Le monde des affameurs
Qui voudraient bien vous voir mourir
au champ d'honneur
pour la patrie [1]...

Prévert ne supportait plus — et le criait bien haut — les usines pavoisées de tricolore, *La Marseillaise* qui éclatait à tout bout de champ, enfonçant au box-office populaire *L'Internationale*, la main offerte aux chrétiens, la révolution manquée, l'Espagne républicaine abandonnée un mois à peine après que la guerre avait éclaté... Son pessimisme se vérifiait tous les jours. En septembre — au retour des premiers congés payés —, le franc aura perdu le quart de sa valeur et les ouvriers ce qu'ils avaient gagné en juin. La semaine de 40 heures appliquée trop brutalement freinait la reprise. Les capitaux fuyaient à l'étranger, l'emprunt était boudé. Pour le Front populaire c'était le coup de grâce : la défaite économique sonna le glas du mouvement.

Le Groupe Octobre suivit la déroute. Cette fois l'hémorragie financière le laissait exsangue. La débâcle financière signa son arrêt de mort. Le cœur n'y était plus, soulignera Raymond Bussières. Et pas seulement pour des questions de gros sous : « La fin du Groupe Octobre après le Front populaire, c'est pour

---

1. Suzanne Montel - Serge Grand, archives personnelles. Texte inédit dans sa totalité.

des raisons politiques évidentes. Les rapports Hitler/Staline, les désaccords au sujet de la guerre d'Espagne, les différents pactes, ça nous a quand même ébranlés. L'intérêt de notre boulot disparaissait de plus en plus. À ce moment-là, pour nous, la Révolution c'était pour demain et les mots d'ordre qu'on nous proposait n'étaient pas excitants. Tout a craqué parce que notre boulot ne correspondait plus à rien. Il y avait toujours la joie des copains de se revoir, mais de se revoir pour faire quoi, pour dire quoi[1]?» Les désillusions, Jacques Prévert les avait prévues de longue date, précisément quand Maurice Thorez et son ami Jacques Duclos, prenant les rênes du parti communiste en main, avaient réconcilié le drapeau tricolore avec le drapeau rouge, symbole des sacrifices et des espoirs de la classe ouvrière, et quand, selon leur formule, *L'Internationale* avait retrouvé sa sœur aînée *La Marseillaise*. «Moi j'ai abandonné *[le Groupe Octobre]* au moment des accords Laval[2], expliquera le poète. C'était le moment où dans les milieux ouvriers il devenait de bon ton de remplacer *L'Internationale* par *La Marseillaise*. Cela ne me plaisait pas, parce que *La Marseillaise* je la connaissais depuis que j'étais tout petit, je l'avais vue à toutes les sauces, et j'aimais bien *L'Internationale*, alors cela s'est arrêté là[3].» En outre il ressentait au plus profond la méfiance du parti communiste à l'égard de l'intransigeante indépendance qu'il avait toujours manifestée aussi bien dans ses écrits que dans ses actes. Lorsque, un mois avant les élections, la Fédération du théâtre ouvrier français (FTOF) avait été dissoute au profit de l'Union des théâtres indépendants de France, aucun membre du Groupe Octobre n'avait été convié à son comité directeur. Mieux encore, lorsque, sur les conseils d'Aragon, le PC avait commandé à Jean Renoir *La vie est à nous*, court métrage de propagande politique réalisé pour les Jeunesses du Front populaire, ni Pierre ni Jacques Prévert n'avaient été sollicités pour faire partie de l'équipe de techniciens, d'artistes et d'ouvriers qui, selon le générique, avait contribué collectivement à sa réalisation, alors même qu'on reconnaissait parmi elle nombre de leurs «complices»: Jean-Paul Le Chanois, Marcel Duhamel, O'Brady, Jean Dasté, Sylvain Itkine, Francis Lemarque et son frère Maurice, Roger Blin, Jacques-Bernard

---

1. Cité par Michel Fauré, *op. cit.*
2. Le 2 mai 1935, Pierre Laval, ministre des Affaires étrangères — bientôt président du Conseil — avait signé un traité d'assistance mutuelle avec l'URSS. Au cours d'un voyage à Moscou, il avait obtenu de Staline le ralliement des communistes français à la politique de défense nationale. Ces «accords Laval» avaient facilité le rapprochement des communistes avec les autres partis de gauche et permis la naissance du Front populaire.
3. *Image et son*, n° 189.

Brunius, Fabien Loris et quelques autres ! Le dictionnaire bio-graphique du Mouvement ouvrier remarquera qu'« ils ne furent pas davantage invités à collaborer à *Ciné-Liberté*, une revue de cinéma créée dans l'esprit du Front populaire, qui s'était fixé comme premier objectif de rétablir "la liberté à l'écran" » !

Le rôle prééminent d'Aragon dans l'évolution de la poli-tique culturelle du PCF n'allait pas arranger les choses. Depuis l'époque de la rue du Château, on s'en souvient, les relations entre les deux hommes n'étaient guère chaleureuses. Elles devinrent franchement mauvaises lorsque Prévert, qui venait de donner à *Soutes*, la revue gauchiste de Luc Decaunes, *Le Temps des noyaux* et *La Grasse matinée* — dont le « petit bruit de l'œuf dur cassé sur un comptoir d'étain » avait retenti au-delà du cercle des admirateurs inconditionnels du Café de Flore —, fit la sourde oreille aux sollicitations de l'ancien surréaliste devenu, grâce à Vaillant-Couturier, le véritable animateur de *Commune*, la revue de l'Association des écrivains et artistes révolutionnaires (AÉAR), qui lui écrivit :

> Mon cher Prévert,
> J'ai eu par deux fois à lire *Soutes* le plaisir d'y trouver des poèmes de toi. Je te rappelle une fois de plus que *Commune* aimerait avoir ta collaboration. C'est ton droit de me répondre merde mais c'est le mien de ne pas y faire attention : si donc tu ne considères pas absolument que toute demande émanant de moi ne doit pas être prise en considération, si tu considères qu'il y a dans le monde des enne-mis autrement graves de tout ce que tu aimes et défends que ton humble serviteur, peut-être me feras-tu la grâce de me répondre. Ne prends pas ce qui précède pour autre chose que ce que c'est : le désir que ne se perde pas de son côté une force que j'estime, et qu'il me semble essentiel de joindre, fût-ce à d'autres que tu méprises, pour un but qui dépasse l'une et les autres.
> Bien cordialement
>
> Aragon
> 18, rue de la Sourdière
> Paris 1er [1]

L'histoire ne mentionne pas de réponse à cette lettre mais on rechercherait en vain une collaboration de Prévert à *Com-mune* qui, sous la férule d'Aragon — rapide vainqueur de Paul Nizan, seul écrivain de sa génération qui aurait pu lui contes-ter la prééminence culturelle au sein du Parti —, devint comme une première mouture de ces *Lettres françaises* où, quelques années plus tard, l'auteur du *Dîner de têtes*, adulé par

---

1. Cité par Danièle Gasiglia-Laster et Arnaud Laster, *op. cit.*

la jeunesse de Saint-Germain-des-Prés puis par le plus vaste public, ne sera jamais persona grata !

Le rideau fermé à la Mutualité sur *Le Tableau des merveilles* retomba définitivement sur le Groupe Octobre dont les membres, devenus des professionnels par la force des choses, se dirigèrent les uns après les autres vers le théâtre, le cinéma, le music-hall et le cabaret où la renommée de la troupe les avait précédés et servis. Un Roger Vitrac écrivant dans *La Flèche* de Gaston Bergery tout le bien qu'il pensait de cette ultime représentation ne pouvait que les aider à y faire carrière. Son article, publié le 11 juillet 1936, rendait le plus vibrant hommage à une troupe et à son auteur que l'on n'avait jamais vus brûler les planches d'un théâtre parisien mais seulement consacrer tout leur talent à la culture des masses laborieuses dans des locaux syndicaux ou dans les réunions d'arrière-salles de bistro :

« L'adaptation du *Tableau des merveilles*, de Cervantès, par Jacques Prévert, que le Groupe Octobre vient de présenter au Palais de la Mutualité, constitue dans le domaine théâtral, un événement dont on n'a pas assez souligné l'importance.

Pour moi, que le théâtre attire dans ce qu'il a de plus simple, de plus contagieux, de plus immédiat et par conséquent de plus actuel, j'ai trouvé dans ce spectacle tous les éléments retrouvés et rajeunis du jeu, de la scène, de ce vernis de sympathie où l'acteur et le spectateur échangent des balles pour le plaisir de rire et de s'émouvoir.

... À une époque où le monde va comme il peut, le théâtre doit aller comme il doit. Il est à l'avant-garde des préoccupations humaines, il signale les changements profonds. En France, on prépare enfin la révolution au théâtre. Et voilà une formule qui peut se renverser d'elle-même comme un sablier. »

La grande aventure d'Octobre s'achevait en apothéose, saluée par le dithyrambe de l'auteur de *Victor ou les enfants au pouvoir*, qui avait participé autrefois au pamphlet « Un cadavre ». Jacques Prévert traduira sa déception en écrivant quelques années plus tard *Le concert n'a pas été réussi*, évoquant tout à la fois la dispersion des surréalistes familiers de la rue du Château et l'éclatement du Groupe Octobre, deux périodes de bonheur qui, l'une et l'autre, s'étaient terminées sur un adieu à une collectivité :

> Compagnons des mauvais jours
> Je vous souhaite une bonne nuit
> Et je m'en vais
> La recette a été mauvaise
> C'est de ma faute

Tous les torts sont de mon côté
J'aurais dû vous écouter
J'aurais dû jouer du caniche
C'est une musique qui plaît
Mais je n'en ai fait qu'à ma tête
Et puis je me suis énervé
Quand on joue du chien à poil dur
Il faut ménager son archet
les gens ne viennent pas au concert
pour entendre hurler à la mort
[...]
Compagnons des mauvais jours
Je vous souhaite une bonne nuit
Dormez
Rêvez
Moi je m'en vais.

Jacques Prévert, lui, ne s'endormira pas. Désormais il s'engagera encore... Mais seul.

*

Après celui du *Crime de M. Lange*, le succès de *Jenny* assit la valeur commerciale du poète dans les studios parisiens. Pourtant, tout avait mal commencé. La présentation à la presse dans l'immense salle du Rex n'avait réuni qu'une dizaine de critiques. Puis le déjeuner avait été l'occasion pour Marcel Carné, Jacques Prévert et Jean-Louis Barrault d'« emboîter » l'un des commanditaires du film, un gros garçon joufflu, associé de Pinkévitch, intarissable sur les qualités d'un film qui, à l'entendre, lui devait tout. Enfin, Prévert s'était vigoureusement accroché avec Charles Vanel lorsque celui-ci avait pris la défense du financier dont il attendait sans doute beaucoup : « Ah ! Je vous en prie, monsieur Vanel ! Vous êtes le dernier à pouvoir vous indigner ! Durant tout le repas, vous n'avez cessé de faire circuler des photos obscènes ! Alors, hein ? » « Le lendemain, se souviendra Marcel Carné, il n'était question dans la profession que de ce déjeuner burlesque, où deux débutants avaient osé ridiculiser et injurier les producteurs qui leur avaient donné leur première chance [1]. » La critique, visiblement désarçonnée par le style de Carné — le jeune réalisateur n'avait pas hésité à situer un dialogue amoureux dans la lumière glauque du canal de l'Ourcq, ce qui ne s'était jamais fait — et par celui de Jacques Prévert, déjà remarqué par l'avant-garde, était restée dans une prudente expectative. À l'exception de

---

1. Marcel Carné, *op. cit.*

Lucien Rebatet qui, sous le pseudonyme de François Vinneuil avait souligné dans *L'Action française* « l'influence pernicieuse des idées socialistes chez les artistes, même lorsqu'ils font œuvre neutre », et d'Alexandre Arnoux, enthousiaste, qui n'avait pas craint d'annoncer à ses lecteurs des *Nouvelles littéraires* : « Ou je me trompe fort, ou nous tenons un homme de grande classe. » Le public, lui, sans beaucoup se soucier du nom du réalisateur ni de celui du dialoguiste — ces préoccupations ne concernaient que les familiers des ciné-clubs et des salles d'art et d'essai comme le Studio 28 où Prévert était déjà connu comme le loup blanc —, fit à *Jenny* un accueil des plus chaleureux. Il suivait ainsi l'avis de Maurice Bessy qui, dans *Cinémonde*, y voyait un premier film plein de promesses, tranchant sur la médiocrité de la production de l'époque. Dans les bureaux des producteurs, on dit bientôt que le film était en train de rapporter sept fois sa mise ! Pierre Braunberger, créateur des studios de Billancourt, n'en fut pas autrement étonné. Depuis qu'il avait confié à Prévert son premier vrai travail de scénariste dialoguiste dans *Baleydier*, film de Jean Mamy où Michel Simon s'était familiarisé avec le cinéma parlant, de l'eau avait coulé sous les ponts. Prévert avait signé huit films, et avait grandement contribué à la notoriété de Richard Pottier et de Jean Stelli ainsi qu'à celle de Jean Renoir, qui avait trouvé avec *Le Crime de M. Lange* son premier vrai succès populaire. Après avoir permis aux premiers films muets de Renoir de voir le jour, le jeune producteur avait sur les bras *Partie de campagne*, film d'après la nouvelle de Maupassant que le réalisateur du *Crime* avait mis en route aussitôt après avoir terminé *La vie est à nous* pour le compte du parti communiste. Par malheur, le tournage, prévu en quinze jours d'extérieurs à Marlotte en Seine-et-Marne — où Renoir avait hérité d'une des maisons de son père — s'était éternisé, retardé par une série de semaines pluvieuses du 15 juillet au 15 septembre 1936 ! Durant cette longue attente, l'atmosphère du tournage s'était alourdie. Sylvia Bataille, pour laquelle le film avait été écrit, s'était fâchée avec le metteur en scène lorsque celui-ci lui avait refusé l'autorisation de s'absenter une journée pour signer un contrat, alors que lui-même, devant tant de difficultés, s'était engagé pour la réalisation d'une autre œuvre, *Les Bas-Fonds*, d'après Gorki. *Partie de campagne* avait été interrompu alors que n'avaient été tournées que les scènes aujourd'hui connues des cinéphiles. Pierre Braunberger demanda à Jacques Prévert et à Jacques-Bernard Brunius d'écrire un nouveau scénario où seraient insérées les séquences déjà tournées. Malgré les frictions nées lors du tournage du *Crime de M. Lange*, Jacquot avait une vive admiration pour Renoir, et il accepta la tâche d'autant qu'il était très lié avec Sylvia Bataille, l'épouse de son vieux copain Georges Bataille, qui tenait à terminer le film dont elle était la vedette, et que Joseph Kosma, chargé de la musique du film, avait avancé son travail en assistant à toutes les prises de vues déjà mises en boîte. C'était également l'occasion de faire engager d'autres comédiens qui, tels les compagnons du défunt Groupe Octobre, lui étaient chers et avaient tous besoin de travailler. «Prévert reprit alors le scénario, se réjouit Pierre Braunberger, et lui ajouta des personnages et scènes complémentaires qui nourrissaient singulièrement le sujet[1].» Le poète bâtit pour Michel Simon, qu'il considérait comme l'un des plus grands comédiens de sa génération, un rôle sur mesure de boulanger pédéraste et pour Jacqueline Laurent dont il était de plus en plus épris, un personnage qui devait la faire remarquer de la profession en attendant qu'elle tourne le rôle principal de *Sarati le Terrible*, sous la direction d'André Hugon. L'arrivée de la très jeune actrice dans une histoire construite au départ autour du personnage qui lui était dévolu fut loin de ravir Sylvia Bataille : «Prévert était à ce moment fou éperdu amoureux de Jacqueline Laurent, racontera-t-elle... Il a voulu écrire pour elle un rôle très important, ce qui démolissait tout ce qu'on avait fait, et le fil même de l'histoire. Tout d'un coup la petite marchande de fleurs... enfin tout à fait un truc à la Jacques Prévert[2].» Nouveau scénario et nouveaux dialogues furent soumis à Pierre Braunberger et à Jean Renoir par un Prévert très satisfait de son travail. «Après de nombreux entretiens, il nous a lu son scénario dans un café près de la salle Pleyel, rapportera le producteur. Renoir l'a aimé mais m'a dit en sortant : "J'ai réalisé *Le Crime de M. Lange*, je ne vais pas recommencer à travailler sur du Prévert[3]."» Le décorateur hongrois, Alexandre Trauner — qui, depuis *Ciboulette*, faisait partie de la bande —, même si sa situation d'immigré sans papiers l'avait empêché de participer à l'aventure du Groupe Octobre dont les activités «subversives» étaient étroitement surveillées par la police, confirmera les rapports complexes entre le scénariste et le metteur en scène : «Jacques était très intéressé par le cinéma et il avait des idées très arrêtées sur le sujet. Il n'aimait pas Feyder, par exemple, et guère René Clair dont il disait qu'il avait inventé le cinéma sans relief, ce qui n'est pas tout à fait faux. Il aimait beaucoup Jean Vigo en revanche, et Renoir avec qui il entretenait amitié et complicité.

1. Pierre Braunberger à la revue *Art et Essai*.
2. Jean-Pierre Pagliano, «Entretien avec Sylvia bataille», *Positif* février 1995.
3. *Cinémamémoire*, propos recueillis par Jacques Gerber. Centre Pompidou/C.N.C.

Renoir respectait beaucoup Prévert et en même temps, il se méfiait de lui ; quand il pouvait, il le contournait, parce qu'il avait bien senti le risque : "Tout le monde va dire que c'est du Prévert, pas du Renoir[1]." » Selon le critique Jean Quéval, Renoir, après avoir lu à tête reposée le scénario de Prévert, ajouta : « C'est admirable mais je n'ai plus rien à faire[2]. » Toujours est-il que le metteur en scène refusa le texte du poète. « Renoir n'en était pas content, rapportera Sylvia Bataille. Moi non plus. On a dit que ça n'allait pas du tout avec ce qu'on avait fait, et on n'a pas pris le scénario[3]. » *Partie de campagne*, écrit par Jacques Prévert, ne verrait jamais le jour. *Le Crime de M. Lange* restera la seule collaboration et l'œuvre unique de la trop brève association Renoir-Prévert. Pour calmer les susceptibilités, Pierre Braunberger avancera que le film ne fut pas tourné « car, lorsque Jean Renoir fut libre, les acteurs s'étaient transformés physiquement[4] ». La *Partie de campagne* que nous connaissons est celui que Marguerite Renoir remonta à la Libération en collaboration avec Pierre Lestringuez et Jacques Becker, à partir des plans tournés à Marlotte, et accompagné par la musique de Joseph Kosma. Les cinéphiles le considéreront comme le vrai chef-d'œuvre de Jean Renoir. Jacques Prévert après avoir beaucoup travaillé sur le sujet n'y était pour rien !

1936, qui, avec l'avènement d'un Front populaire si ardemment espéré, aurait dû être l'année de tous les bonheurs, fut à marquer d'une pierre noire. Prévert vit ses projets s'écrouler les uns après les autres à la veille de leur réalisation. Quinze jours avant le début du tournage, Raimu refusa l'adaptation et les dialogues de *Vous n'avez rien à déclarer* que Jacques avait écrits à la demande de Pierre Braunberger pour Léo Joannon. L'adaptation fut refaite par Yves Allégret et Jean Aurenche, les dialogues par Jean Anouilh. Coup dur pour la fierté d'un homme qui avait signé successivement quatre des plus grands succès des années 1935-1936 et dont la réputation de poète s'affirmait de revue en revue. Deux autres projets avec Braunberger, qui avait à cœur d'adoucir les déceptions de son ami, firent long feu durant l'hiver 1936-1937. D'abord *Le Grand Matinal*, satire du journalisme que Jean de Limur devait mettre en scène avec Maurice Chevalier et Jacqueline Laurent, puis *Le Métro fantôme*, sorte de remake du *Fantôme du Moulin-Rouge* de René Clair pour lequel Braunberger avait réuni une distribution éclatante avec Michel Simon, Louis Jouvet, Jean-Pierre

---

1. Alexandre Trauner, *Décors de cinéma*, entretiens avec Jean-Pierre Berthomé.
2. *Premier Plan*, n° 14.
3. *Positif*, février 1995.
4. Pierre Braunberger à la revue *Art et Essai*.

Aumont et Jean-Louis Barrault. Le scénario, entièrement dialogué et terminé, s'éloignait complètement du film de René Clair dont il ne restait rien. Il ne fut jamais réalisé! Même *Bonne nuit, capitaine*, comédie musicale que Prévert avait écrite avec Joseph Kosma et qu'il avait laissée en legs à Lou Tchimoukow et à ses compagnons comédiens, dut être interrompue en pleine répétition faute d'argent, au grand dam d'Alexandre Trauner qui avait enfin trouvé un moyen d'entrer dans l'équipe: «Lou possédait un vaste atelier place Pigalle et il essayait d'y monter des pièces de théâtre dont une de Jacques que j'aimais beaucoup intitulée *Bonne nuit, capitaine*. Il avait besoin de grands tableaux de bataille que je peignais pour lui. Ce n'était déjà plus le Groupe Octobre, mais c'était un peu la continuation de son esprit[1].» Là encore, échec complet. Octobre et son esprit étaient bel et bien morts. Par bonheur — c'était le seul en cette fin d'année maudite sur le plan professionnel —, Pierre Braunberger mettait un point d'honneur à régler rubis sur l'ongle les commandes passées à son ami, et la vie au Montana, aux côtés de la belle Jacqueline, se déroulait somme toute agréablement. La comédienne restait plus enfant que jamais — c'est ce qui plaisait à Jacques — et n'était pas femme à s'inquiéter des aléas de la vie d'artiste. Sur l'échec de *Partie de campagne*, où son compagnon lui avait réservé un rôle enviable, elle dira sans plus s'en soucier: «Il a seulement évoqué un scénario original qui devait s'intégrer à *Partie de campagne* de Jean Renoir. Il m'avait dit grand bien de Renoir pour lequel il nourrissait une vive admiration. Il devait faire quelque chose avec lui et pour lui. Et je n'en ai plus entendu parler. Je crois que le projet est tombé à l'eau. Je n'ai jamais rencontré Jean Renoir[2].»

Vivre comme l'oiseau sur la branche convenait à merveille à ce colibri et ne déplaisait pas à Prévert qui ne gardait pas un trop mauvais souvenir des quelques périodes de vache enragée où il avait eu faim. Il avait toujours eu, ou presque, un Marcel Duhamel, un Pierre Batcheff pour l'aider à vivre, puis sa plume avait assuré son existence — largement même depuis que le cinéma lui faisait les yeux doux. Avec Jacqueline au Montana, avec la bande au Flore ou chez Cheramy, la vie était facile, entouré d'amis admirateurs et de jolies femmes prêtes à céder à tous ses caprices. Heureusement, Jacqueline était si jeune et si jolie qu'elle pouvait se permettre de ne pas être jalouse quand les «petites blanchisseuses» du *Crime de M. Lange* jouaient à la ville leur rôle de cinéma. Janine Tricotet, redevenue célibataire depuis sa séparation d'avec Fabien Loris, y excellait au grand

1. Alexandre Trauner, *op. cit.*
2. Jacqueline Laurent à l'auteur.

étonnement de la petite Louise, nouvelle venue dans la bande, que l'on appelait Lola et qui deviendra la femme de Mouloudji. «Depuis que Pomiès lui avait donné à danser *Les animaux ont des ennuis*, Janine avait été séduite par l'auteur du ballet, constatera Lola Mouloudji. Le moins que l'on puisse dire est qu'elle avait des vues sur Jacques Prévert. Elle essayait de se rendre utile pour se mettre en valeur. Par exemple c'est elle qui s'occupait du linge de Jacques et Jacqueline, le portait à la blanchisserie et le rangeait dans le studio une fois repassé. Janine était très mignonne. Toute petite, très bien faite, de très beaux yeux bleus, aussi blonde que Jacqueline était brune, moins jolie qu'elle pourtant. Mais prête à tout pour faire enfin tomber dans ses filets l'homme qu'elle convoitait[1].» Forte de l'avantage de ses seize printemps sur les vingt-trois de Janine, Jacqueline était pleine d'assurance et s'offrit même le luxe de devenir son amie, puis sa confidente. «Elle n'était pas heureuse, dira-t-elle. Elle ne s'entendait pas avec sa mère, la couturière de l'avenue de l'Opéra chez qui je me fis habiller un temps, qui ne voulait pas que sa fille soit danseuse. Son mariage éclair avec Fabien Loris l'avait marquée. Elle parlait toujours de son beau Lolo comme si c'était le bon Dieu. Bien qu'elle soit de sept ans plus âgée je l'ai prise sous ma coupe comme si c'était moi l'aînée. Elle me disait : "Je n'ai pas eu de chance", ce qui était un peu vrai, mais c'était aussi son état d'esprit. Elle n'avait pas une bonne santé, avait été soignée à Berck pour une tuberculose osseuse, mais si elle faisait beaucoup de sport pour améliorer, disait-elle, une sorte de scoliose, elle ne mangeait pas suffisamment tant sa hantise de grossir était forte. Ce qui n'arrangeait pas les choses! Même lorsque j'ai quitté Jacques, nous sommes restées très amies au point de partager un temps le même appartement. Je lui remontais le moral. Voilà une fille qui tombait systématiquement amoureuse de garçons qu'elle n'intéressait pas du tout. Jacques d'abord. Puis Roland Malraux, le frère d'André, qui était amoureux de moi et qui lui plaisait beaucoup. Je lui donnais des conseils: "Ne te précipite pas… Laisse-le venir…" Mais non. Elle s'ancrait sur son idée et ça tournait toujours mal. Avec Jacques, elle n'est parvenue à ses fins que beaucoup plus tard, vers la fin de la guerre, peu avant la Libération[2].»

Jacques Prévert observait ces «histoires de filles» avec un plus grand détachement qu'il ne ressentait les échecs successifs dans sa carrière cinématographique durant l'année 1936. Mais le chagrin le foudroya au dernier jours de cette maudite année.

1. Lola Mouloudji à l'auteur.
2. Jacqueline Laurent à l'auteur.

Après soixante-six ans de bons et loyaux services, le foie d'André Prévert lâcha le 31 décembre, justifiant le surnom de Père Picon dont était affublé le père de Prévert depuis l'aube du siècle, à Neuilly. Le farfadet en chapeau melon, tiré à quatre épingles, qui avait appris à ses fils sinon la recette pour faire fortune, du moins l'amour du théâtre, du cinéma et de la fantaisie, s'éclipsait sur la pointe des pieds. Et, après s'être battu maladroitement et en vain pour offrir à sa famille la vie aisée dont il rêvait, il laissait Maman Suzanne seule et inconsolable, entourée d'une demi-douzaine de gros chats. Malgré les périodes de grande dèche qu'ils avaient eu à subir, Jacques et Pierrot ne gardaient que des souvenirs amusés de ce père si peu conscient de ses responsabilités et si attentif à ce que ses enfants ne deviennent pas trop vite des adultes. C'était évidemment sa seule réussite mais si entière que les amis de ses fils l'avaient adopté, tel André Breton qu'il «épatait», Michel Leiris qui le trouvait «remarquable», et bien sûr Marcel Duhamel qui lui rendra le plus beau des hommages en écrivant de lui : «Il a pu offrir à Jacques et à Pierrot une jeunesse quasi enchantée où Charlot, Mack Sennett, le mélo et les numéros de music-hall faisaient oublier les jours de disette. Par là-dessus, le tempérament tendre et gai de leur mère ne le cédant en rien à la fantaisie de son mari, les deux mômes n'en ont pas trop bavé durant leur prime jeunesse[1].» Comme il aidait ses amis en difficulté, comme il était attentif à la situation matérielle de Pierrot qui avait épousé Ghitel, sa belle Bessarabienne transformée en Gisèle, prénom plus adapté à l'air parisien, Prévert veilla, comme il le faisait dès qu'il avait quatre sous, au bien-être de sa mère et celle-ci jamais ne manqua de rien. Au lendemain des obsèques du Père Picon, il chargea Jacqueline d'une mission de confiance. «Il m'a donné de l'argent en me disant : "Tu es mignonne, tu as du goût, emmène maman dans un grand magasin acheter au moins une belle robe, tu sauras la conseiller." C'est ce que nous avons fait. Je l'ai aidée à choisir quelque chose qui corresponde à son style. C'était une très brave femme, aimable, gentille, toujours égale d'humeur. Et pourtant elle n'a pas dû avoir une vie très rose tous les jours avec un mari alcoolique, le manque d'argent qui l'avait amenée toute sa vie à tirer le diable par la queue. Jacques parlait souvent de son père en rigolant car il picolait. Et lui aussi aimait la bouteille. Il était du genre à se moquer de lui-même et de sa famille qui avait connu la faim, la pauvreté, les punaises et la joie de vivre... et pas du style à se répandre en pleurs à l'enterrement de son père[2].»

1. Marcel Duhamel, *op. cit.*
2. Jacqueline Laurent à l'auteur.

En héritage, le Père Picon lui laissait une nette propension à boire plus qu'il n'était raisonnable — dans la soirée, l'élocution de Jacques Prévert allait de plus en plus souvent en s'empâtant — et le goût d'excentricités dangereuses où d'aucuns voyaient un penchant à l'autodestruction. Il n'avait jamais oublié le jour où, enfant, sur les quais de Toulon, il avait empêché son père de mettre à exécution un projet de suicide mûri dans de nombreux bistros. Si elle n'avait guère ému Maman Suzanne, cette tentative avait marqué le gamin de six ans. Dès l'âge d'homme il avait multiplié les exercices périlleux comme pour se prouver qu'il était maître de sa vie et de sa mort. « Il n'arrête pas de se défier lui-même, pour peu qu'il ait un verre dans le nez, constatait déjà Marcel Duhamel à Istanbul. Un trait de son caractère[1]. » On l'avait vu à l'époque des Batcheff jouer les somnambules en plein jour sur le rebord du balcon du square de Robiac ou scier à Barbizon la branche de l'arbre du haut duquel il chantait à tue-tête *La Chanson du décervelage* d'Alfred Jarry. Les proches mettaient cela sur le compte de l'alcool dont il abusait souvent. Seule Simone, son ex-femme, avait alors parlé de tendances suicidaires, récemment constatées. Elles se renouvelèrent durant ce néfaste hiver 1936-1937. « Il avait un goût morbide pour ce qui était dangereux, pour les exercices au cours desquels il risquait de se faire mal, rappellera Jacqueline Laurent. Une espèce de petite autodestruction qu'il ne mettait pas tout à fait à exécution mais qui relevait de la provocation : "Ah! Ah! Je vais voir ce que ça va donner[2]." » Marcel Duhamel et quelques amis le virent ainsi, cigarette au bec, suspendu des deux mains au rebord du balcon de son studio au septième étage de l'hôtel Montana, menaçant — moitié sérieux moitié rigolard — de tout lâcher malgré les supplications de ses copains qui estimaient avoir assez ri! « C'était encore sous l'influence de l'alcool, dira Denise Tual, qui avait déjà vécu la scène dans sa propriété de Barbizon. Quand il avait bu, il était tenté par le vide. Il était depuis longtemps très atteint par l'alcool[3]. » « Nous essayons de l'empêcher de "faire le con", renchérira Duhamel, mais bien entendu nos exhortations le poussent à en remettre et à lâcher une main pour tirer sa cigarette de sa bouche et l'appliquer sur celle qui se cramponne, histoire de la forcer à lâcher tout à fait. Un défi qu'il se lance... Le spectacle est terrifiant et constitue en même temps une prouesse car il n'a jamais fait de sport. Nous avons, heureusement, une certaine habitude de ce genre de choses et com-

---

1. Marcel Duhamel, *op. cit.*
2. Jacqueline Laurent à l'auteur.
3. Denise Tual à l'auteur.

prenons qu'il vaut mieux le laisser se calmer tout seul[1].» La crise passée, ils durent se mettre à trois pour le hisser à l'intérieur! Puis, la vie reprenait son cours. Et l'on oubliait ces dangereuses fantaisies pour ne se soucier que d'une œuvre dont les admirateurs, de plus en plus nombreux, devaient picorer d'une revue à une autre pour réunir les divers ébats. Pour lire du Prévert, il fallait être familier de publications de gauche comme *Soutes* ou *La Flèche*. Outre *La Grasse Matinée*, en passe de devenir le grand succès du nouveau poète dont s'entichait Saint-Germain-des-Prés, *Soutes* avait publié *Le Temps des noyaux*, réimprimé dans «Cinq Poèmes contre la Guerre d'Espagne» réunis par Luc Decaunes, et *La Crosse en l'air*, d'abord proposé en extraits en octobre puis en totalité aux derniers jours de 1936 et aussitôt épuisé tant le bouche à oreille avait été efficace. *La Flèche*, le journal du député Gaston Bergery qui avait si souvent sorti Prévert et quelques copains de la bande du commissariat de la place Saint-Sulpice, avait diffusé *Cosy Corner* censuré dans *Jenny*, qu'Yves Deniaud avait mis à son répertoire. Y avait aussi paru *Maison de redressement* écrit sous le coup d'une vive indignation quand, après le scandale du pénitencier de Belle-Île-en-Mer qui lui avait inspiré le virulent poème *La Chasse à l'enfant*, Jacques avait appris que plusieurs jeunes filles s'étaient échappées du Bon Pasteur, une maison de correction de Boulogne-Billancourt où elles étaient plus maltraitées que «redressées». Dès qu'il sut que la directrice de l'établissement n'était autre que la comédienne Marcelle Géniat, Prévert dirigea contre elle une manifestation au Théâtre des Arts où elle jouait chaque soir une pièce... sur les jeunes délinquants! Il y ajouta un article assassin où il attaquait «l'actrice garde-chiourme» et prenait la défense de ses pensionnaires marquées si jeunes pour la vie. La presse bien pensante s'apitoya sur le sort de cette «pauvre directrice» sauvagement agressée par l'énergumène qui avait fait les beaux jours du Groupe Octobre et dont la plume était si acerbe. Prévert n'aggravait-il pas son cas en concluant son article vengeur par ces lignes: «Les enfants enfermées ne demandent pas l'aumône. Sensibles et fières, elles sont blessées par les simulacres de la charité autant que par la maladie, les coups, la misère. Mme Géniat peut dire et faire dire, écrire et faire écrire, qu'il y a des enfants "irrémédiablement mauvaises", on peut facilement lui répondre qu'elle est irrémédiablement bonne, mais que les jeunes filles qui se sont enfuies de son pénitencier n'appréciaient sûrement pas son genre de bonté[2].»

---

1. Marcel Duhamel, *op. cit.*
2. *La Flèche*, n° 33, cité in *Premier Plan*, n° 14.

Les conditions dans lesquelles les adolescents étaient traités, tant à Belle-Île qu'à Boulogne-Billancourt, amenèrent Jacques Prévert à reprendre un projet proposé à Marcel Carné qui en avait aussitôt trouvé le titre : *L'Île des enfants perdus*. Mais le sujet — un jeune garçon évadé d'un pénitencier, poursuivi par ses gardiens, se réfugie sur le yacht de riches jeunes gens — était d'une brûlante actualité, propre à déclencher des polémiques dont le gouvernement, même présidé par un humaniste comme Léon Blum, n'avait guère besoin. Prendre fait et cause pour des délinquants en soulignant leurs conditions de vie atroces au regard des délits mineurs qu'ils avaient commis risquait fort d'attirer sur le film les foudres de la censure. Prévert et Carné avaient pour producteur un homme qui ne se laissait pas désarçonner, Édouard Corniglion-Molinier, aviateur célèbre, héros de la Grande Guerre, homme d'affaires avisé, séduit par le cinéma et par-dessus tout épris d'aventures en tous genres : il était parti en 1934 avec André Malraux à la découverte de la capitale de la reine de Saba au cœur du désert yéménite ; et, depuis, s'était engagé à ses côtés dans la guerre civile espagnole. Soutenu par lui, Prévert qui, après *Jenny*, tenait à travailler à nouveau avec Marcel Carné, persista dans son projet, allant jusqu'à déclarer à *Paris-Soir* où Pierre Lazareff suivait sa carrière depuis la création du Groupe Octobre : «Marcel Carné et moi avons décidé de passer outre, de poursuivre jusqu'au bout notre scénario... de le tourner sans bruit, faisant fi de la censure préventive qui pesait sur nos têtes... Peut-être la censure l'autorisera-t-elle ? Sait-on jamais[1] ? » Il ne fallait pas rêver. Front populaire ou pas, les instances qui entendaient contrôler la «santé morale» du pays veillaient au grain. Après lecture du synopsis de Prévert auquel Carné avait participé, la censure fit savoir au commandant Corniglion-Molinier qu'un film de ce genre serait interdit à tout coup. Sans se décourager, le producteur aventurier proposa à Carné et à Prévert un roman anglais *His First Offense*, de J. Storer Clouston, dont il avait acheté les droits à la société Synops que venait de créer, en association avec Gaston Gallimard, l'industrieuse Denise Tual, jamais en retard d'une idée[2]. Synops, installée dans un immeuble moderne de la rue d'Astorg où Corniglion-Molinier avait ses bureaux, fournissait aux professionnels du

---

1. Cité par Jean-Claude Lamy, *op. cit.*
2. Synops, société de recherche et vente de scénarios. Denise Tual en était cogérante associée avec Colette Clément (née Grünzaum) et portait 40 parts, la librairie Gallimard 400 et sa filiale ZED 130 (sur un total de 650 parts). Synops devint, le 5 mai 1941, une société de production cinématographique dont Denise Tual partagera la cogérance avec son mari Roland Tual. (Jean-Pierre Dauphin à l'auteur.)

cinéma le résumé en quelques pages de centaines de romans prospectés chez les principaux éditeurs, à commencer par le fonds Gallimard-NRF. Le choix arrêté par un producteur ou un réalisateur, Denise Tual jouait alors les intermédiaires pour l'achat des droits. C'est ainsi que, faute de pouvoir monter *L'Île des enfants perdus*, sujet dramatique entre tous, Corniglion-Molinier changea son fusil d'épaule et confia au tandem Prévert-Carné le soin d'adapter et de réaliser l'histoire saugrenue, à l'humour très anglais, d'un archevêque extravagant faisant la cour, dans un hôtel de Soho, à une dame excentrique pendant que son mari, vieux savant farfelu, est amené à enquêter sur un crime qu'il est censé avoir commis! Ce sujet singulier, insolite, était autrement excitant que celui de *Jenny*, pourtant plébiscité par le public. Prévert se mit aussitôt au travail, d'autant plus enthousiaste que Corniglion-Molinier avait accepté la brillante distribution prévue auparavant pour *Le Métro fantôme*: Michel Simon, Louis Jouvet, Jean-Pierre Aumont et Jean-Louis Barrault. Le fastueux producteur y ajouta Françoise Rosay, à laquelle Carné était reconnaissant de l'avoir aidé à réaliser son premier film, et comme directeur de production l'ami Charles David grâce à qui Pierre Prévert avait pu mettre en scène *L'affaire est dans le sac*. Ayant engagé Pierrot comme premier assistant, Carné obtint en outre une équipe technique de premier ordre. Elle était dirigée par le grand chef opérateur allemand Eugen Schüfftan, qui avait contribué au succès de Fritz Lang, Robert Siodmak et Georg Wilhelm Pabst, avant d'émigrer en France lors de l'avènement de Hitler. Deux jeunes opérateurs l'assistaient, dont la réputation allait s'affirmer pendant un demi-siècle: Louis Page et Henri Alekan. Quant aux décors, Carné accepta sans barguigner la suggestion de Prévert: on les confia à Alexandre Trauner qui, après deux films avec Marc Allégret (*Sans famille* et *Gribouille*) et un avec Léo Joannon (*Vous n'avez rien à déclarer?*), comptait parmi les plus talentucux décorateurs du cinéma français en prenant la suite de son maître Lazare Meerson, désormais installé à Londres. «En réalité, c'est Prévert qui m'a appelé, dira Trau. Mais Carné et lui s'entendaient très bien à cette époque et Carné avait en lui une confiance absolue. En plus, il avait été l'assistant de Feyder pour plusieurs films où j'assistais Meerson et il me connaissait. J'avais fait mes preuves et ils ne couraient pas gros risque à faire appel à moi. On savait que je connaissais les ficelles. Mais le premier contact a tout de même été avec Prévert et c'est avec lui que je discutais le style du film alors qu'il était encore à l'écrire[1].» Pour que sa joie fût complète et pour mettre un

---

1. Alexandre Trauner, *op. cit.*

visage sur ces personnages secondaires dont il aimait fignoler le caractère, Prévert obtint de son ami Carné l'engagement d'un nombre important de copains. Outre Lou Tchimoukow, chargé des costumes, il réserva les rôles de deuxième plan et les silhouettes à Agnès Capri (la chanteuse des rues), Marcel Duhamel (le fêtard), Yves Deniaud, Fabien Loris et Frédéric O'Brady (le maquereau), Francis Lemarque (le vendeur de journaux). Carné, de son côté, retenait René Génin et Henri Guisol, issus du *Crime de M. Lange*, le remarquable Pierre Alcover dans le rôle de l'inspecteur principal, Annie Carriel dans celui de la pudibonde femme de l'archevêque de Bedford, et un jeune et magnifique garçon de vingt-trois ans qui allait faire ses débuts devant la caméra dans un rôle muet de poivrot mondain : Jean Marais. Prévert fit évoluer tout ce petit monde dans un Londres plus vrai que nature, reconstitué dans les studios de Joinville par un Trauner qui, pour la première fois, pouvait donner la pleine mesure de son génie. Au fur et à mesure que Prévert écrivait son scénario, les couleurs avec lesquelles il peignait ses maquettes faisaient regretter que la pellicule en fût encore privée.

Du roman de J. Storer Clouston, le poète ne garda que les trois héros principaux qu'il entoura de personnages inoubliables, tous issus de son imagination fortement influencée par le surréalisme de ses débuts : un vieux savant botaniste, Irwin Molyneux (Michel Simon), spécialiste des plantes carnivores qu'il nourrit de mouches attrapées dans la journée, et spécialiste du « mimétisme du mimosa » qu'il abreuve de gin et de whisky pour que les fleurs titubent en cadence, écrit en secret sous le pseudonyme de Felix Chapel des romans policiers scabreux. Leur succès permet à sa femme Margarett (Françoise Rosay), en perpétuel conflit avec ses domestiques, de « tenir son rang » dans la bourgeoisie londonienne mais déclenche les foudres de son cousin, l'évêque anglican de Bedford (Louis Jouvet), venu spécialement à Londres pour fustiger au cours d'une réunion publique le « pornographe » dont il ignore la véritable identité. À la suite d'un imbroglio dont Jacques Prévert avait le secret, le vieux savant est amené à se faire passer pour l'assassin de sa femme sous son véritable nom et, sous son nom de plume, à enquêter sur son crime supposé. Et il doit se grimer, tant pour échapper à une police stupide qui l'accuse sans preuves ni cadavre qu'à la vengeance de William Kramps, « le tueur de bouchers » (Jean-Louis Barrault), lui-même amoureux transi de la prétentieuse Margarett que l'opinion publique, prompte à s'échauffer, désigne comme la victime de son horrible, lâche et pervers époux !

On imagine la jubilation de Prévert en écrivant ce qu'il

pensait de la police en général et de Scotland Yard en particulier, de l'Église anglicane, des puissants quotidiens de Fleet Street, de la bonne bourgeoisie hypocrite — anglaise, elle ne valait pas mieux que la française — aussi bien que de la versatilité de la foule excitée, alléchée par le crime et prompte à faire justice elle-même, appliquant à nombre de ses personnages secondaires la logique de l'absurde qui faisait si belles les nuits de la rue du Château. « J'aime les moutons, faisait-il dire à William Kramps, les bouchers tuent les moutons, alors moi, je tue les bouchers. » À un « brave balayeur » présentant ses regrets à l'épouse de l'homme qu'il était prêt à pendre l'instant d'avant, il faisait débiter les lieux communs les plus éculés qui servaient hier encore sur la scène du Groupe Octobre : « Au nom des voisins du quartier... toutes nos condoléances... Ah ! quel homme admirable c'était... et le cœur sur la main... et pas fier avec ça... et gai comme un pinson... Et tout... et tout... » On croirait entendre le vieil admirateur du président Doumergue devant son double en cire au musée Grévin dans *Le Palais des mirages* !

Grâce à *Drôle de drame* — le titre fut trouvé par une assistante de Denise Tual du nom de Violette Leduc qui se fera connaître près de trente ans plus tard en écrivant *La Bâtarde* —, Jacques Prévert procédait une fois encore, mais avec moins de brutalité que dans ses textes pour le Groupe Octobre, à l'allègre destruction des valeurs établies. Et surtout, à trente-sept ans, il se servait admirablement de sa riche expérience en empruntant aux événements, présents ou passés, autant qu'aux anecdotes qu'on pouvait lui raconter. C'est ainsi que naquit sous sa plume la scène qui allait marquer le film et l'histoire du cinéma : le fameux « Bizarre... bizarre... » échangé au cours d'un mémorable dîner, entre le savant Molyneux et son cousin l'archevêque. Prévert tenait l'histoire de Pierre Lazareff. À ses débuts comme modeste échotier, Lazareff s'était lié d'amitié avec la Goulue, ancienne vedette du french cancan, qui lui rapportait volontiers quelques épisodes de sa jeunesse du temps qu'elle était belle et désirable, immortalisée par Toulouse-Lautrec sur les affiches du bal de la place Blanche. « Avec la bande à Lautrec nous étions attablés au Moulin-Rouge, racontait l'ex-danseuse aux formes alourdies, quand le maître d'hôtel vint présenter l'addition. Il s'appelait Bizard. "Vous avez dit Bizard ? s'étonna Lautrec. Comme c'est bizarre[1] !" Et la vieille femme de s'étrangler de rire quarante ans plus tard... Mise en forme et développée par Jacques Prévert qui avait un sens aigu du dialogue, la réplique, surréaliste, devint une scène inoubliable :

1. Cf. Yves Courrière, *Pierre Lazareff*.

MOLYNEUX : Qu'est-ce qu'il a ?...

L'ÉVÊQUE *(surpris)* : Qui ?

MOLYNEUX : Votre couteau...

L'ÉVÊQUE : Comment ?...

MOLYNEUX : Oui... vous regardez votre couteau et vous dites ..
bizarre... bizarre... Alors je croyais que...

L'ÉVÊQUE : Moi j'ai dit « bizarre »... bizarre... comme c'est étrange...
Pourquoi aurais-je dit... « bizarre » ? ...

MOLYNEUX : Je vous assure, cousin, vous avez dit... « bizarre »...

L'ÉVÊQUE : J'ai dit « bizarre »... comme c'est bizarre !...

Selon Alexandre Trauner, Jacques Prévert s'amusa beaucoup à en écrire les dialogues. Au Montana, l'atmosphère était au beau fixe. Jacqueline, qui tournait *Sarati le Terrible*, était d'une humeur délicieuse. Amoureuse de son grand homme et vedette à dix-sept ans, elle n'avait jamais imaginé que la vie pût être aussi belle. Jacquot exerçait le plus beau métier du monde et il vivait agréablement entouré d'amis chers pour lesquels il peaufinait des rôles sur mesure, que le talent de Carné allait mettre en valeur, et de nymphettes dont la plus jolie partageait sa vie.

La jeune Claudy ne pouvait trouver moment plus propice pour aborder le poète dont elle admirait l'élégance quand elle le croisait entre la rue Saint-Benoît et la rue de Seine où elle habitait avec un père divorcé la laissant fort libre. C'était une très jolie brunette qui, tout en gardant le teint et les rondeurs de l'enfance, paraissait un peu plus que ses quinze ans. Moins femme que Jacqueline, sa silhouette fine, ses jambes magnifiquement galbées qu'une démarche dansante découvrait volontiers et la masse de cheveux noirs qu'elle rejetait en arrière d'un mouvement autoritaire du menton, dégageaient une sensualité animale qui attiraient tous les regards des familiers du quartier où les amateurs de tendrons ne manquaient pas. Parmi eux, elle connaissait déjà Maurice Baquet et Michel Simon qui la saluaient toujours gentiment mais elle ne s'arrêtait jamais, malgré son désir d'approcher le monde du spectacle. Elle était moins méfiante à l'égard de Youki, l'une des reines du Montparnasse de la grande époque, épouse de Foujita, puis compagne du poète Robert Desnos, avec laquelle elle bavardait volontiers lorsqu'elle la rencontrait faisant ses courses au marché de Buci. « Je me souviens d'une dame, pour moi d'un "certain âge" [Youki avait *trente-quatre ans* !], un peu forte. On se disait bonjour. À chaque fois elle me répétait : "Toi, avec ton physique, il faut que tu fasses du cinéma." Et un beau jour elle m'a donné un mot pour un de ses amis qui habitait l'hôtel Montana, rue Saint-Benoît. Je suis allée le voir avec ma sœur aînée.

C'était le monsieur toujours bien habillé que j'avais déjà remarqué à Saint-Germain-des-Prés : Jacques Prévert. Ni ma sœur, ni moi ne savions qui il était ! Nous étions très jeunes. Il a été plus que gentil. Après m'avoir bien observée, il m'a dit : "On va essayer de vous faire faire de la figuration." Il m'a présentée à son frère Pierrot, assistant de Marcel Carné, qui m'a fait engager sur *Drôle de drame*. Et j'ai découvert la place que Jacques tenait déjà dans le cinéma. J'ai senti que je ne lui déplaisais pas. On s'est revu plusieurs fois mais gentiment, sans qu'il me fasse la cour. Physiquement, il me plaisait beaucoup. Je trouvais qu'il ressemblait à Humphrey Bogart ! J'étais en admiration devant lui, devant ce qu'il disait. Comme il m'avait mise en rapport avec le cinéma qui me tentait mais sans plus, le cinéma a soudain pris une grande importance pour moi. J'étais surtout très attirée par Jacques[1]. » Claudy — avec un Y, elle y tenait beaucoup — avait un petit cheveu sur la langue et disait Zacques pour Jacques, ce qui ajoutait encore à son charme. D'origine autrichienne, elle s'appelait Claudy Cech que l'on prononçait Tchetche et que Prévert ne parvint jamais à articuler convenablement ni même à écrire correctement. Sans arrière-pensée, il se réjouit seulement d'avoir à croiser sa jolie silhouette sur le tournage de *Drôle de drame*. Il venait pourtant de rencontrer celle qui sera la troisième compagne de sa vie !

Le tournage se déroula aux studios Pathé de Joinville dont Charles David était le directeur, dans une ambiance de franche camaraderie qui tenait beaucoup à la présence de nombreux membres du Groupe Octobre. Ils avaient tellement l'habitude de jouer ensemble que chaque scène où ils se retrouvaient tenait plus de la récréation que du travail. « Nous avons beaucoup ri pendant le tournage, se souviendra Marcel Carné. Au point qu'on avait créé une caisse où l'on mettait un franc quand on riait pendant une prise de vues[2]... Michel Simon surtout provoquait l'hilarité de tous, avec ses soupirs d'enfant malheureux, ses répliques embarrassées, empêtrées dans des mensonges inextricables... Je crus que je n'arriverais jamais à tourner la scène d'ivresse entre Simon et Barrault-le-tueur-de-bouchers. Ce dernier éclatait toujours de rire au beau milieu de la prise. Une autre fois, Barrault jouait de face. Simon de dos en amorce. Je vis soudain, à mon grand étonnement, le premier se déplacer au cours de la scène, pivotant autour de Simon afin de se placer le dos à l'appareil, et faire apparaître Simon de face. J'arrêtai net et m'enquis des raisons de ce jeu de scène

---

1. Claudy Carter à l'auteur.
2. Marcel Carné à Didier Decoin au cours de la soirée d'Arte consacrée au grand metteur en scène.

imprévu : "Je n'en pouvais plus, avoua Barrault, j'allais de nouveau éclater !" Humblement, d'une voix timide et faible, Simon s'excusait. Dans le fond, il était aux anges. Quant à moi, si j'ai eu un jour, devant les yeux, l'image même du génie, je crois bien que c'est ce jour-là, en regardant jouer Michel Simon[1]. » Tout ne fut pourtant pas si idyllique durant le tournage de ce film mythique. D'abord entre le jeune metteur en scène — Marcel Carné était né en 1906 — et son premier assistant — Pierrot Prévert avait trois mois de plus que lui ! Carné avait derrière lui le succès populaire de *Jenny*, Pierrot l'échec financier de *L'affaire est dans le sac*. « Pour *Drôle de drame*, dira Carné, il y avait quatre-vingts ou quatre-vingt-dix personnes aux ordres d'un metteur en scène qui, hier encore, était en culottes courtes. On les portait alors jusqu'à seize ou dix-sept ans ! Je vouvoyais tout le monde... Je n'étais pas grossier. Je le suis devenu avec Jacques Prévert qui m'a appris des jurons au cours de notre collaboration. C'est un des plus grands poètes français qui m'a appris à dire "merde[2]". » « C'était son premier film important, expliquera Pierrot Prévert, la première fois qu'il travaillait avec autant de grandes vedettes. Il était très nerveux, si bien que nos relations, qui avaient toujours été très bonnes, se sont détériorées. Une espèce d'incompatibilité d'humeur s'est installée entre nous et je suis resté dans mon coin. Il faut dire que Carné devait affronter une situation délicate. Pour la première fois, Jouvet et Simon se retrouvaient face à face. Ils étaient fâchés depuis qu'ils avaient travaillé ensemble à la Comédie des Champs-Élysées[3]. » Jacques Prévert avait ciselé des répliques propres à mettre en valeur le génie de comédien de Michel Simon qu'il appréciait depuis qu'il avait écrit pour lui les dialogues additionnels de *Baleydier*, tandis que celui-ci triomphait dans *Jean de la Lune* au sein de la compagnie Louis Jouvet. La coexistence de deux personnalités aussi fortes sur une scène ou sur un plateau de cinéma n'allait pas sans provoquer des frictions. En fait Simon et Jouvet se haïssaient cordialement. Ignorant tout, au départ, de cette inimitié, Carné en fit les frais et retourna sa hargne contre Pierre Prévert qui s'efforçait de maintenir la bonne humeur dans le reste de la troupe. « Je me suis beaucoup amusé avec Michel Simon, se souviendra Pierrot, et pas très bien entendu avec Jouvet. C'était un monsieur qui méprisait le cinéma et, du reste, il le disait. J'étais plus proche de l'esprit de Michel Simon que je considère comme un des comédiens les plus intelligents que j'aie rencontrés[4]. » Lors

1. Marcel Carné, *La Vie à belles dents*.
2. Marcel Carné, soirée sur Arte.
3. Pierre Prévert *in* Marcel Carné, *Drôle de drame*.
4. *Ibid.*

1. Maman Suzanne devant un piano dont elle ne savait pas tirer un accord. «Grand-mère avait beaucoup tenu à ce que la chose soit faite parce que la chose "faisait bien...".»

2. André Prévert-Leys écrivant *Diane de Malestreck*, feuilleton pour *Le Plébiscite.* Il sera bientôt le Père Picon.

3. Jacques Prévert, écolier à l'école religieuse André-Hamon...

4. ...recommandée par Auguste-le-Sévère, le terrible grand-père.

5. Jacques Prévert, 54 rue du Château, en 1925.

6. Quelques surréalistes familiers de la rue du Château (de gauche à droite: André Breton, Louis Aragon, Max Morise, Roland Tual, Simone Breton, Man Ray, Colette Jéramec, ex-épouse de Drieu la Rochelle puis de Roland Tual).

7. La rue du Château, haut lieu du surréalisme (de gauche à droite: Maurice Touzé, Jacques Prévert, un cousin de Duhamel, Jeannette Tanguy et Marcel Duhamel).

UN CADAVRE

Il ne faut plus que mort cet homme fasse de la poussière.

André BRETON (*Un Cadavre*, 1924.)

PAPOLOGIE D'ANDRÉ BRETON

Le deuxième manifeste du Surréalisme n'est pas une révélation, mais est une réussite.

On ne fait pas mieux dans le genre hypocrite, faux-frère, pelotard, sacristain, et pour tout dire : flic et curé.

Car en somme : on vous dit que l'acte surréaliste le plus simple consiste, revolvers aux poings, à descendre dans la rue et à tirer au hasard, tant qu'on peut, dans la foule.

Mais l'inspecteur Breton serait sans doute déjà arrêté s'il n'avait pas tout de l'agent provocateur, tandis que chacun de ses petits amis se garde bien d'accomplir l'acte surréaliste le plus simple.

Cette impunité prouve également le mépris dans lequel un Etat, quel qu'il soit, tient justement les intellectuels. Principalement ceux qui, comme l'inspecteur Breton, mènent la petite vie vide de l'intellectuel professionnel, *les révolutions* touchant, par exemple Aville ou Masson ont le caractère des chantages quotidiens exercés par les journaux vendus à la police. La méthode et le ton sont absolument les mêmes.

[...] les autres appréciations sur d'anciens amis, chers parce que l'inspecteur Breton espérant qu'ignorant sa qualité le nommeraient président d'un Soviet central des Grands Hommes, elles ne passent pas les ignominies ordinaires ni le prêtre à la sauce moutarde ni les coups de pied en vache. A cette heure sont maîtresses de la rue ces deux ordures : la littérature et la police, il ne faut s'étonner de rien. Aux deux extrêmes, comme Dieu et Diable, il y a Chiappe et Breton.

Que Dada ait abouti à ça, c'est une grande consolation pour l'humanité qui tourne à sa colique. — Mais dira-t-on, n'avez-vous pas aimé le surréalisme ? Que oui : amours de jeunesse, amours ancillaires. D'ailleurs une récente enquête donne aux petits jeunes gens autorisation d'aimer même la femme d'un gendarme.

Ou la femme d'un curé. Car on pense bien que dans l'affaire le flic rejoint le curé : le frère Breton qui fait accommoder le prêtre à la sauce moutarde ne serre plus qu'en chaire. Il est plein de mandarin curaçao, sait ce qu'on peut tirer des femmes, mais il impose

G. RIBEMONT-DESSAIGNES.

(Voir la suite page 2)

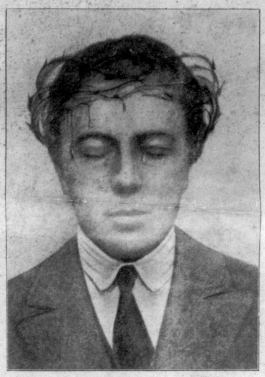

AUTO-PROPHÉTIE

Ce monde dans lequel je subis ce que je subis (n'y allez pas voir), ce monde moderne, enfin, diable ! que voulez-vous que j'y fasse ? La voix surréaliste se taira peut-être, je n'en suis plus à compter mes disparitions. Je n'entrerai plus, si peu que ce soit, dans le décompte merveilleux des années et de mes jours. Je serai comme Nijinsky qu'on conduisit l'an dernier aux Ballets russes et qui ne comprit pas à quel spectacle il assistait.

ANDRÉ BRETON, *Manifeste du Surréalisme.*

MORT D'UN MONSIEUR

Hélas, je ne reverrai plus l'illustre Palotin du Monde Occidental, celui qui me faisait rire !

De son vivant, il écrivait, pour abréger le temps, disait-il, pour trouver des hommes et, lorsque par hasard il en trouvait, il avait atrocement peur et, leur faisant le coup de l'amitié bouleversante, il guettait le moment où il pourrait les salir.

Un jour il crut voir passer en rêve un Vaisseau-Fantôme et sentit les galons du capitaine Bordure lui pousser sur la tête, il se regarda sérieusement dans la glace et se trouva beau.

Ce fut la fin, il devint bègue du cœur et confondit tout, le désespoir et le mal de foie, la Bible et les chants de Maldoror, Dieu et Dieu, l'encre et le foutre, les barricades et le divan de Mme Sabatier, le marquis de Sade et Jean Lorrain, la Révolution Russe et la révolution surréaliste (1).

Bien lyrique il distribua des diplômes aux grands amoureux, des jours d'indulgences aux débutants en désespoir et se lamenta sur la grande pitié des poètes de France.

« Est-il vrai, écrivait-il, que les Patries veulent le plus tôt possible le sang de leurs grands hommes. »

Excellent musicien il joua pendant un certain temps du luth de classe sous les fenêtres du Parti communiste, reçut des briques sur la tête, et repartit déçu, aigri, maîtrechanter dans les cours d'amour.

Il ne pouvait pas jouer sans tricher, il trichait d'ailleurs très mal et cachait des boules de billard dans ses manches ; quand elles tombaient par terre avec un bruit désagréable devant ses fidèles très gênés il disait que c'était de l'humour.

C'était un grand honnête homme, il mettait parfois sa toque de juge par dessus son képi ; et faisait de la Morale ou de la critique d'art, mais il cachait difficilement les cicatrices que lui avaient laissées le lierre à phynances de la peinture moderne.

Un jour il criait contre les prêtres, le lendemain il se croyait évêque ou pape en Avignon, prenait un billet pour aller voir et revenait quelques jours après plus révolutionnaire que jamais et pleurait bientôt de grosses larmes de rage le 1er mai parce qu'il n'avait pas trouvé

Jacques PRÉVERT.

(Voir la suite page 2)

8

8. Tract « Un cadavre », consacrant la rupture avec André Breton.

Le Groupe Octobre

9. Fabien Loris.

10. Le Groupe Octobre sur le bateau soviétique qui l'emmène à Moscou en mai 1933 (1er plan, de gauche à droite: Loubes, Sabas, Arlette Besset, Marcel Duhamel, Jean-Paul Le Chanois, Brémaud; 2e plan, debout: Raymond Bussières, Gisèle Fruhtman, Suzanne Montel (foulard blanc), Lou Tchimoukow (casquette claire), Jacques Prévert (frange)).

11. Le Groupe Octobre (presque au complet) joue *Le Palais des merveilles* dans le grenier de Jean-Louis Barrault.

12. Les Lacoudem de la rue Dauphine (de gauche à droite: Lou Tchimoukow, Ghislaine Auboin (bientôt Autant-Lara), Jacques Prévert, Pierre Prévert).

13. Pierre Batcheff et sa femme Denise (future épouse du surréaliste Roland Tual) à Barbizon où ils hébergeaient Jacques Prévert.

14. Simone, première épouse de Jacques Prévert, et Janine qui sera la seconde après avoir été celle de Fabien Loris.

13

14

15. Janine Loris (future Prévert), Simone Prévert (future Chevance), Gazelle Duhamel (future Bessières), Louis Bessières.

15

16. Jacques Prévert en 1937, un nom dans le cinéma et bientôt dans la chanson.

17. Dernier jour de tournage de *L'affaire est dans le sac* (de gauche à droite: X, Pierre Prévert, Jacques-Bernard Brunius, Pierre Desouches, Eli Lotar, Jean-Paul Le Chanois, Jacques Prévert, Y).

18. La glorieuse équipe qui marqua l'histoire du cinéma français (de gauche à droite: Kosma, Prévert, Carné, Gabin, Trauner, à l'époque de *Quai des Brumes,* 1938).

19

20

21

22

23

19 à 24. Mouloudji enfant, Agnès Capri, Maurice Jaubert (premier musicien de ses films), Germaine Montero avec Joseph Kosma, Marianne Oswald, Francis Lemarque.

25. Pierre Brasseur, l'un des plus anciens amis. Prévert lui écrit ses premiers grands rôles. Ici, avec Arletty, dans *Les Enfants du paradis*.

26. Les Frères Jacques, caricature du peintre surréaliste Maurice Henry.

27. Jean-Louis Barrault, le Baptiste des *Enfants du paradis*.

24

25

26

27

28

29

28. Maurice Baquet, Jacqueline Laurent, Jacques Prévert à la plage.

29. Beverly Hills: Jacqueline Laurent dans la Packard du grand périple américain.

30. Le premier «petit format» des *Feuilles mortes*.

31. Jacques et Jacqueline: un grand amour.

32. Un autre «fruit vert», un autre grand amour: Claudy Carter.

33. La première édition de *Paroles* (1945) avec la couverture de Brassaï.

34. Préparation du *Dîner de têtes* à la Fontaine des Quatre-Saisons (de gauche à droite: Roger Pigaut, Jacques Prévert, Janine Prévert et Pierrot Prévert).

35. Jacques Prévert et René Bertelé, son premier éditeur. À droite, Jean-Claude Simoën, codirecteur de *La Pochade*.

36. Carte publicitaire pour la Fontaine des Quatre-Saisons.

37.

37. Avec Minette, sa fille adorée.

38. Avec son ami André Verdet, à Saint-Paul-de-Vence.

« J'ai mieux
qu'un grand
Picasso.
J'ai Picasso... »

38

40

40. Cité Véron, dernier domicile parisien, avec une « merveille de terrasse dissimulée derrière les ailes écarlates du Moulin-Rouge...».

Sources et crédits photographiques :

1 à 4 : Collection Catherine Prévert. 5, 7, 14, 15, 28, 30 : Collection Maurice Baquet. 6, 13 : Collection Denise Tual. 8, 9, 35 : Collections particulières. 10 : Collection Colette Crolla. 11 : Collection Serge Grand. 12 : Photo © Eli Lotar. 16, 20, 22 : Photos X. 17 : Photo © BIFI. 18 : Collection Roland Lesaffre. 19 : Photo © Wols. 21 : Photo © Lipnitzki-Viollet. 23 : Photo © Roger-Viollet. 24 : Photo © Union Française Photographique. 25, 27 : Collection André Bernard. 29 : Collection Jacqueline Laurent. 31 : Photo Wols. Collection Jacqueline Laurent. 32 : Collection Claudy. 33 : Photo Archives Gallimard. Collection Yves Courrière. 34 : Collection Elsa Henriquez. Photo © Émile Savitry. 37, 38 : Photos © André Villers. 39 : Photo © Robert Doisneau/Rapho. 40 : Photo © Béatrice Heyligers.

Sauf mention contraire, photos droits réservés.
© ADAGP, 2000 pour le dessin de Maurice Henry.

de la scène fameuse du repas, couronnée par le non moins fameux «Bizarre... bizarre...», les deux monstres sacrés du cinéma français multiplièrent pièges et chausse-trappes. «Chacun avait fait le pari de soûler l'autre, rappellera Marcel Carné. Déjà ils ont mangé deux canards à l'orange durant les répétitions du matin, arrosés de vrai champagne. S'ils n'avaient plus très faim pour le tournage, ils avaient encore soif! On peut dire que, cet après-midi-là, le champagne coula à flots sur le plateau. Durant toute la scène, tous les deux étaient demeurés assis. Je ne m'aperçus de leur ivresse que lorsqu'ils se levèrent à la fin de la journée. Titubant, Simon alla soulager sa vessie derrière le décor. Quant à Jouvet, droit comme un if, il s'en fut dignement jouer *La guerre de Troie* de Giraudoux au théâtre de l'Athénée. Le lendemain je me renseignai : il paraît qu'il y avait été excellent[1]! »

Le tournage s'étendit durant les mois de mai et juin dans la plus franche bonne humeur. À l'exception de Louis Jouvet et de Françoise Rosay, l'équipe mit un point d'honneur à remplir à ras bord la caisse qui accueillait les amendes infligées aux participants, à chaque fou rire. Éperdument amoureux de Madeleine Ozeray, la très belle et très blonde héroïne du *Liliom* de Fritz Lang, Jouvet n'appréciait guère que Prévert l'eût ridiculisé en le costumant en Écossais, le kilt au-dessus du genou. Quant à Françoise Rosay, elle goûtait encore moins que le scénariste se soit moqué de son côté «grande dame», fille du comte de Nalèche, soucieuse de son quant-à-soi, en lui imposant la vision «de face» de la nudité de Jean-Louis Barrault lors de la scène dans la serre du savant Molyneux. Furieuse, elle refusa même de participer au traditionnel pot de fin de tournage! *Drôle de drame* fut aussi l'occasion pour le trio Carné-Prévert-Trauner de se transformer en quatuor tant le musicien Maurice Jaubert se trouva d'affinités avec eux. Jaubert avait participé à la première aventure cinématographique des frères Prévert en écrivant la musique de *L'affaire est dans le sac*. Trauner le connaissait, et l'appréciait, depuis le *Quatorze juillet* de René Clair pour lequel il avait écrit une musique sublime que tout le métier avait remarquée. Malgré l'amitié que Jacques Prévert portait à Joseph Kosma, qui continuait à mettre en musique la plupart de ses nouveaux poèmes comme *Les Bruits de la nuit* et *La Grasse Matinée* que Marianne Oswald inscrivait à son répertoire, et *Familiale* que venaient de graver Gilles et Julien alors à l'apogée de leur succès, le poète dont l'avis comptait désormais dans le métier n'aurait rien fait pour

1. *Ibid*; soirée sur Arte; Marcel Carné, *La Vie à belles dents* et in *Mon frère Jacques.*

imposer Kosma sur les films qu'il tournait. D'ailleurs depuis la rencontre — grâce à Prévert — entre Kosma et Jean Renoir et la chanson du *Crime de M. Lange* pour Florelle, Io n'avait plus besoin de l'aide de son ami. Il avait travaillé sur la *Partie de campagne* inachevée, sur *La Grande Illusion*, préparait la musique de *La Marseillaise* et était déjà engagé pour le prochain film du «gros ours génial[1]», qui sera *La Bête humaine*. Prévert avait trop d'admiration et même d'affection à l'égard de Jaubert pour susciter une quelconque rivalité entre les deux hommes. Cependant, origines et convictions — qui avaient uni Prévert et Kosma et scellé leur amitié — n'auraient jamais dû réunir Jaubert à Prévert ainsi que le remarqua malicieusement Alexandre Trauner : «Maurice Jaubert était un personnage intéressé et curieux en même temps, un grand bourgeois, catholique militant, musicien à la solide formation classique dans l'esprit de l'époque. Il différait de nous en tout, mais nous avions des relations très amicales, et en plus le sentiment qu'il aimait beaucoup ce que nous faisions, qu'il avait beaucoup de respect pour notre travail... C'était un homme de jeunesse et d'enthousiasme ; et je crois qu'il nous aimait beaucoup aussi en dépit des différences de surface. Mais il y a des amitiés, des affinités qui se créent, et Jaubert avait évidemment dans ces affinités un rôle assez central. Il était aussi le musicien de Jean Vigo, notre ami à tous. Prévert l'aimait énormément[2].» Avec une pareille équipe pour écrire, décorer, mettre en musique et en scène un scénario si original, servi par la plus brillante des distributions, le succès était assuré.

La première de *Drôle de drame* était fixée au 20 octobre 1937 et devait avoir lieu au Colisée, la plus prestigieuse salle des Champs-Élysées, que Corniglion-Molinier avait retenue pour la durée de l'exclusivité[3]. En attendant, Prévert participa avec son vieil ami Jean Aurenche au nouveau film de son non moins vieil ami Claude Autant-Lara, dont la si jolie femme Ghislaine avait régné jadis sur les Lacoudem de la rue Dauphine et en compagnie de laquelle il lui était arrivé de compléter à bon prix sa garde-robe ! Il s'agissait d'une nouvelle version de l'increvable *Affaire du courrier de Lyon*, mélo vedette du Boulevard du Crime au xixe siècle, dont le producteur Maurice Lehmann, directeur du Châtelet, voulait faire un film. Il avait acheté fort cher — deux cent mille francs — les droits de la pièce de Moreau, Siraudin et Delacour, et sur les conseils de Denise et

---

1. Selon le mot de Denise Tual.
2. Alexandre Trauner, *op. cit.*
3. À l'époque le mot exclusivité avait tout son sens. Un film nouveau ne sortait à Paris que dans une seule et unique salle, sur les Champs-Élysées ou sur les Grands Boulevards.

Roland Tual avait engagé Jean Aurenche pour en faire l'adaptation, et Prévert les dialogues. Tout le monde connaît l'histoire de ce premier hold-up à l'époque du Directoire, commis par les ancêtres du gang des tractions-avant. Chef de bureau accusé par la maréchaussée d'avoir volé la paye de l'Armée d'Italie, attendue par Bonaparte, Lesurques est condamné à mort. Mais Prévert écartant la possibilité qu'il ait été complice de Dubosc, bandit de haut vol lui ressemblant comme un jumeau, en a fait un innocent et n'a pas manqué une si belle occasion de se livrer à une violente satire de la justice et des erreurs qu'elle peut commettre. Furieux de ne rien retrouver de la pièce acquise si cher, Maurice Lehmann imposa à ses auteurs de glisser dans leur adaptation une scène du mélodrame initial. Aussitôt, Prévert exigea que son nom fût retiré du générique. «Jacques était comme ça, dira Jean Aurenche. Tout d'une pièce. Il claquait la porte dès qu'il avait l'impression de faire un compromis... J'étais moins courageux[1].»

Si donc l'on chercherait en vain le nom de Prévert au générique d'un film qui lui devait tout, en revanche celui de Maurice Lehmann brillait par son omniprésence, de la production à la réalisation! «Le producteur Maurice Lehmann a extraordinairement réussi matériellement en se servant des autres, précisera Aurenche, grand connaisseur des mœurs cinématographiques de l'époque. Il s'y prenait de la façon suivante: il faisait semblant de faire la mise en scène d'un film et la signait. C'est ainsi qu'il a signé *Le courrier de Lyon* sans avoir jamais mis les pieds sur le plateau... Le film a été fait par Lara: c'est pour ça qu'il est intéressant. Il était officiellement assistant de Lehmann, qui n'en fichait pas une rame. Ni Lara ni Lehmann n'avaient collaboré au scénario. Je n'avais pas eu d'atomes crochus avec Lara... Il connaissait surtout Prévert qui avait alors de l'admiration pour lui. Après, ça a changé un peu; il a dû commencer à perdre confiance quand Lara ne l'a pas bien défendu contre Lehmann. Ensuite il a rencontré Carné, avec lequel il s'est sûrement senti plus libre[2].»

Pour leur seconde collaboration, et après le succès populaire de *Jenny*, Prévert et Carné attendaient un triomphe. Édouard Corniglion-Molinier en était moins sûr. Certes, le producteur soutenait «son» film comme «ses» auteurs, mais *Drôle de drame* était loin de convaincre Gaumont, la firme à la marguerite qui devait le distribuer. «Le film est si mauvais, si ridicule que même Jouvet et Michel Simon ne s'en sortent

1. Jean Aurenche, *op. cit.*
2. *Ibid.*

pas... et puis quel titre[1]!» décrétèrent les dirigeants en refusant tout net de le présenter. «Pour mettre fin aux disputes sordides, se souviendra Denise Tual, Édouard leur donnera deux de ses films en cours de production (commerciaux ceux-là): *Mollenard*, avec Harry Baur, et *Courrier Sud* (d'après Saint-Exupéry), à des conditions encore meilleures pour eux, mais seulement s'ils sortent *Drôle de drame*. La Grande Marguerite se fait tirer l'oreille et sort le film dans ses salles, en boudant, avec une publicité insuffisante[2].»

Le bide fut à la mesure des espoirs que *Drôle de drame* avait suscités. Au Colisée, le public dérouté hurla: «On se fout de nous. On nous prend pour des cons[3].» La critique, complètement insensible à l'humour britannique, fustigea à la fois la sottise du sujet et les dialogues trop poétiques de Prévert. Même la technique de Carné et sa science de l'image ne furent pas épargnées. «Un film excellent, tué par une merveilleuse photographie, écrivit Marcel Achard qui n'était pas parmi les plus virulents contempteurs. Les éclairages sont savants, les ombres exquises, les contre-jours subtils, les visages parfaitement mis en valeur. Chaque image est en soi un petit chef-d'œuvre de joliesse, de cadrage ou de luminosité et c'est cela qui tue le film... Carné a de la force et peut-être du rythme, mais il manque de vitesse[4].» Bref on n'aimait pas cette œuvre venue trop tôt et qui sera portée aux nues par le public dix ans plus tard. Mais une guerre mondiale aura passé, précédée par une Drôle de Guerre dont le nom venait directement d'un titre «catastrophique» qui ne tint que quelques jours l'affiche du Colisée. En revanche, cette histoire farfelue fut favorablement reçue en province où le distributeur avait publié une affichette avec la mention: «Ne manquez pas le film le plus idiot de l'année[5].»

«Après ce terrible échec parisien, dira Denise Tual, tous nos projets s'effondrèrent. Il fallut oublier tous les sujets originaux préparés par Marcel Aymé, Vitrac, Audiberti, Aurenche, Chavance, Brunius. Et, bien sûr, ceux que mijotait Jacques Prévert avec qui il fut très difficile de repartir[6]...»

Et pourtant dans le tohu-bohu qui régnait à chaque séance du Colisée, une jeune femme sculpturale avait adoré le ton nouveau que Prévert avait donné à ce *Drôle de rame* qu'elle voyait pour la deuxième fois. Elle s'appelait Dominique, on la surnommait Dodo, et elle était la femme de Jean Gabin.

1. Denise Tual, *Le Temps dévoré*.
2. *Ibid*.
3. Marcel Carné, soirée sur Arte et in *Mon Frère Jacques*.
4. *Premier Plan*, n° 14.
5. Marcel Carné in *Mon Frère Jacques*.
6. Denise Tual à l'auteur et in *Le Temps dévoré*.

CHAPITRE 14

Le Quai des Brumes

À trente-trois ans, Jean Gabin était devenu la coqueluche du cinéma français. Sa popularité était incomparable. Les filles adoraient ce beau gosse à la fois dur et tendre ; ses yeux clairs les faisaient chavirer, ses lèvres minces savaient sourire de la plus séduisante façon, mais aussi se moquer gentiment de la gamine qui tombait trop facilement dans ses bras avant de solliciter ses baisers. Les garçons aimaient sa gouaille un brin canaille, imitaient sa façon de marcher, de toucher de deux doigts la visière de sa casquette ou le bord de son chapeau mou, de rouler des épaules juste ce qu'il fallait pour qu'on n'ait pas envie de le bousculer. Après une carrière anonyme de « boy » au Moulin-Rouge et aux Folies-Bergère, de chanteur d'opérettes et de meneur de revues légères — il avait accompli ses classes entre *La Dame en décolleté*, *Trois Jeunes Filles nues*, *Ta bouche* ou *Dédé!* —, il s'était fait un nom au cinéma, dès 1934, et il était devenu l'acteur fétiche de Julien Duvivier qui lui avait fait tourner quelques succès comme *Maria Chapdelaine* et *Golgotha*, avant de lui offrir en deux ans (1936 et 1937) le tiercé royal de *La Bandera*, *La Belle Équipe* et *Pépé le Moko*. Avec *Les Bas-Fonds* et surtout *La Grande Illusion*, Jean Renoir, en le confrontant à Pierre Fresnay et Erich von Stroheim, l'avait placé en tête des vedettes françaises, démodant à jamais les jeunes premiers fadasses qui avaient régné jusque-là sur les écrans européens. Désormais, on montait un film sur son seul nom. Quant à sa femme, Dominique, elle était non seulement très belle — Gabin l'avait connue « nu vedette » de la revue des Folies-Bergère où il figurait en aide de camp du maréchal de Saxe ! — mais fort intelligente et veillait, depuis qu'elle avait quitté les plumes et les strass, sur la carrière de son mari qu'elle conseillait judicieusement dans le choix de ses rôles, bien qu'il s'en défendît comme un beau diable[1] !

1. Marcel Carné, *La Vie à belles dents*.

Lorsqu'elle lui dit son enthousiasme après la première de *Drôle de drame*, Gabin tournait *Gueule d'amour* sous la direction de Jean Grémillon à Neubabelsberg, dans les studios de la célébrissime UFA[1], à laquelle le liait encore un double contrat. Lors d'un de ses retours à Paris, on lui organisa une projection de *Drôle de drame*. Il rit beaucoup aux dialogues et fut surpris par la réalisation de Carné, même s'il émit des doutes sur le rendement commercial du film. L'avis de Dodo et de l'amie qui l'avait accompagnée, qui n'était autre que la femme de Raoul Ploquin, remarquable producteur, responsable général des films français que tournait la UFA à Neubabelsberg, ne fit que le conforter dans son jugement.

— Je veux Prévert et Carné pour mon prochain film avec la UFA, dit Gabin[2] à son ami Ploquin et à Dodo, heureuse de le voir partager son emballement. Ça devrait marcher d'autant mieux que le même Carné me voulait déjà pour *Jenny*, son premier film.

— Et pourquoi ne l'as-tu pas fait? demanda Dominique.

— Dudu[3] m'avait mis le marché en main : si je tournais le truc de Carné, je faisais ballon pour *La Belle Équipe* qu'il préparait!

— Je ne suis pas sûre que tu aies eu raison. Maintenant rien ne t'empêche de rencontrer Carné[4].

Le premier contact eut lieu Chez Allard, rue Saint-André des Arts, un restaurant de cochers devenu à la mode; les manteaux de vison y traînaient dans la sciure répandue sur le carrelage mais on savait prendre son temps pour savourer le navarin et le petit salé aux haricots rouges arrosés de beaujolais, ce que Gabin appréciait par-dessus tout. Il deviendra le bistro préféré du trio. Pour cette première rencontre, Jacques Prévert, en vacances à Belle-Île avec sa dulcinée, ne jugea pas utile de les interrompre et laissa Carné proposer seul un sujet qui leur tenait à cœur depuis longtemps : *Le Quai des Brumes* de Pierre Mac Orlan, dont l'action se déroulait à Montmartre au début du siècle, plus particulièrement au Lapin Agile. Gabin lut le livre dans la nuit et donna son accord pour que Raoul Ploquin monte l'affaire avec la UFA. Prévert revint dare-dare à Paris pour faire la connaissance de la vedette et jeter sur le papier

1. UFA. Universum Aktien Gellschaft, firme allemande de production et de distribution qui dominait le cinéma germanique depuis 1917. Elle avait ouvert les studios les plus modernes d'Europe à Neubabelsberg, dès 1928, où elle attirait, malgré l'avènement du nazisme et grâce à une politique de doubles et triples versions, les plus grandes vedettes françaises, anglaises, italiennes, hongroises, polonaises et autrichiennes.
2. Jean Gabin, in *Mon frère Jacques*.
3. Surnom familier que Gabin avait donné à Julien Duvivier.
4. Marcel Carné, *La Vie à belles dents, op. cit.*

avec son metteur en scène les grandes lignes de l'adaptation. Recréer le Montmartre de la Belle Époque dans les studios allemands avec des équipes techniques allemandes ne serait pas «du gâteau». C'est ce que conclurent Gabin et Prévert dès leur première rencontre, sous l'égide de Denise Tual, dans ses bureaux de Synops, rue d'Astorg. «Gabin ne connaissait pas du tout Prévert, mais bien sûr Prévert savait quelle immense vedette était déjà Gabin. Entre les deux hommes, ça a collé tout de suite car ils parlaient la même langue, presque sur le même ton. Un langage de la rue, un argot très poétique sans la moindre vulgarité. Ils juraient autant l'un que l'autre mais n'étaient jamais trivialement grossiers. L'un et l'autre venaient du même milieu, se servaient des mêmes images. Il est évident que Prévert a plus apprécié le monde de Gabin que celui des Noailles où j'avais tenté en vain de le faire entrer[1]. »

L'affaire fut rondement menée. Gabin d'accord, Mac Orlan aussi, les contrats furent signés en un temps record, ce qui tenait du miracle compte tenu des critiques défavorables qui avaient accueilli *Drôle de drame*. Aussitôt, Jacques Prévert regagna Belle-Île où régnait une admirable arrière-saison propice au travail. Jacqueline Laurent rayonnait. *Sarati le Terrible*, si ce n'était pas un chef-d'œuvre, lui avait valu d'alléchantes propositions d'un *scout-talent* américain et son Ours lui promettait un rôle à sa mesure dans *Quai des Brumes*. Que désirer de plus à dix-sept ans ?

Depuis l'été 1934, Jacques Prévert avait pris ses habitudes à Belle-Île-en-Mer dont il aimait le visage à la fois sauvage et aimable. Sauvage dans la lande de fougères dont le seul joyau était les genêts par milliers qui la couvraient d'avril à la fin du mois d'août d'un tapis jaune d'or, et sur la côte de Tonnant, ainsi nommée parce que la mer y faisait un bruit terrible ressemblant à celui du tonnerre. Les jours de tempête, la plage la plus belle de l'île et les rochers disparaissaient sous l'écume que le vent dispersait comme autant de morceaux de ouate dans toute la campagne environnante. Aimable, l'île l'était aussi dans certaines zones de l'intérieur presque uniformément plat et sans arbres — les pins ne seront plantés qu'après guerre — où un climat quasi méditerranéen permettait aux aloès, palmiers et cactées de croître à l'abri du vent, tandis qu'asphodèles et fleurs de yuccas déployaient leurs grappes blanches.

Pour éviter la promiscuité et la trop grande animation régnant à l'Hôtel de Bretagne, l'établissement insulaire le plus confortable, qui donnait sur le port du Palais, Prévert s'était installé au nord-ouest des terres dans le petit port de Sauzon

---

1. Denise Tual à l'auteur.

niché sur la rive gauche de la ria qui prolongeait le vallon de Loqueltas, à quelques kilomètres de la pointe des Poulains dont Sarah Bernhardt était tombée amoureuse au point d'y acheter un fortin désaffecté puis le vaste manoir de Penhoët. Plus modeste, Jacques Prévert s'était contenté de louer pour ses vacances une de ces confortables villas édifiées pour quelques citadins séduits à la fois par la beauté calme du petit port de pêche et par la proximité de la pointe des Poulains, déchique- tée et battue par les vents, et de la grotte de l'Apothicairerie, une des curiosités naturelles de Belle-Île, qui tenait son nom de la multitude d'oiseaux de mer et de ramiers dont les nids étaient collés et arrangés contre le rocher comme les pots et les fioles dans la boutique d'un apothicaire.

De retour dans sa villa dominant la pointe Cardinal qui protégeait la ria et le phare du port semblable à un jouet d'en- fant, Jacques Prévert oublia ses vacances et commença l'adap- tation du roman de Mac Orlan. L'entreprise n'était pas aisée. Le Père Mac, comme l'appelait Gabin, avait situé dans le Mont- martre de 1910, entre la place du Tertre et le Lapin Agile, une histoire de misère et de mort — ou plutôt un faisceau d'his- toires liées entre elles par cette atmosphère mi-réaliste mi-fan- tastique dont il avait le secret. En accord avec Carné et Gabin, qui connaissaient la façon de travailler des techniciens de la UFA, Prévert transforma le lieu de l'action. Faire revivre la Butte au début du siècle, la rue des Saules et Le Lapin Agile à Neubabelsberg, tenait de la gageure. «J'imaginais la reconstitu- tion à l'allemande : lourde, théâtrale, dira Marcel Carné. Jacques partageait mes craintes. Le titre de l'ouvrage de Mac Orlan nous fournit une idée : transporter l'intrigue dans un port, Ham- bourg par exemple [1].» Le décor convenait à Prévert, et il ima- gina aussitôt ce qu'en ferait Alexandre Trauner entre la bruine, le brouillard et le crachin qui laque les pavés, tandis que mugis- sent les cornes de brume. Situant l'action en 1937, il simplifia considérablement les grandes lignes de l'intrigue. Un déser- teur de l'armée coloniale (Jean) rencontre une jeune orpheline (Nelly) dans le port où il se cache avant d'embarquer pour l'étranger. Elle l'aime mais un demi-sel (Lucien) la poursuit de ses assiduités, et son «tuteur» (Zabel) — oncle aussi cauteleux qu'équivoque, chez qui elle loge — ne manque, lui non plus, aucune occasion d'exprimer son désir, à l'abri du magasin de souvenirs qu'il tient dans la rue centrale du port. L'ignoble Zabel vient de tuer par jalousie le précédent amant de Nelly auquel celle-ci s'était donnée pour échapper aux manœuvres de son oncle ; ce n'était pas cet amour vrai et profond qu'elle

---

1. Marcel Carné, *La Vie à belles dents*, op. cit.

ressent dès le premier jour de sa rencontre pour le soldat déserteur. Amoureux à son tour, Jean, révolté par la pression qu'exercent ces hommes sur la jeune femme apeurée, «corrige» Lucien — aussi veule que pleutre —, menace Zabel du même sort s'il poursuit son manège autour de sa pupille et, après une nuit d'amour avec Nelly — «une des seules fois où il ait été heureux dans la vie» —, s'apprête à quitter la France pour refaire sa vie au Venezuela où la jeune femme le rejoindra. Malgré l'aide de sympathiques marginaux, comme l'ivrogne-clochard Quart-Vittel, le misanthrope Panamá — qui ne vit que dans le souvenir de sa traversée du canal trente ans plus tôt — et le peintre suicidaire qui «peint les choses cachées derrière les choses», rien n'empêchera cependant le destin de séparer tragiquement les amants. Parti d'une histoire autrement forte que le médiocre scénario de *Jenny*, Jacques Prévert, stimulé par un cadre qu'il affectionnait, entouré par une Jacqueline qui serait bientôt Nelly à l'écran et qu'il aimait de plus en plus, construisit en quelques semaines une œuvre poétique dont Carné fera l'un des grands moments du cinéma français. «Une sorte de sommet cinématographique de ce que Mac Orlan lui-même a appelé le "fantastique social[1]".»

«Durant ce séjour à Belle-Île, Jacques ne me montrait pas son travail ni ne m'en parlait, dira Jacqueline Laurent. Je savais seulement qu'il écrivait le rôle de Nelly en pensant à moi, tout comme il voyait Jean Gabin en soldat déserteur ou Zabel interprété par Michel Simon. On parlait beaucoup plus des propositions flatteuses que me faisait un délégué d'Hollywood. Les Américains envoyaient toujours des "délégués" là où il y avait des petites vedettes qui naissaient, des personnalités étrangère à l'Amérique qui venaient d'obtenir un gentil succès et qui pouvaient représenter pour eux un certain intérêt. C'est ainsi qu'un *scout-talent* m'a contactée après *Sarati*. Bien sûr, ça m'intéressait de tourner à Hollywood. La proposition a surpris Jacques. Mais pourquoi pas? Il était étonné. Moi, un peu éblouie. La Metro-Goldwyn-Mayer c'était quand même Garbo, Marlene, Hedy Lamarr. Et elle demandait à une débutante si elle voulait bien lui signer un contrat! On a décidé d'accepter tout de suite après *Quai des Brumes*[2].»

Autour des personnages principaux, Prévert brossa de ces seconds rôles qui avaient puissamment contribué au succès de *Jenny* ou du *Crime de M. Lange*. Pour l'inoubliable Quart-Vittel, le clochard alcoolique qui met le déserteur en rapport avec Panamá, il n'eut qu'à puiser dans ses souvenirs de l'époque de

---

1. Roger Boussinot, *L'Encyclopédie du cinéma*.
2. Jacqueline Laurent à l'auteur.

la rue du Château ou des virées arrosées avec Pierre Batcheff
lorsqu'ils décidaient un soir de finir la nuit à Dieppe, Rouen
ou Omonville! Le clodo de la porte Saint-Martin auquel il
avait offert une chambre d'hôtel lui avait expliqué le rêve de sa
pauvre vie : «Dormir dans un vrai lit avec un drap dessous, un
drap dessus.» Et Labeur, un traîne-patins de Rouen, lui avait
raconté dans un bouge comment, en faisant semblant d'uriner
contre un de ces tonneaux de rhum entreposés sur les quais, il
le mettait en perce d'un petit coup sec d'une alène à manche
de bois et, sortant de sa braguette un tuyau en caoutchouc,
remplissait la bouillotte accrochée à sa ceinture. «Chaque jour
je me fais deux litres que je revends au Café de la Marine.
C'est pas légal, mais je suis le seul piqueur qui rebouche le fût
avec une cheville. On n'y voit que du feu et pas une goutte se
perd. Simple question de conscience professionnelle...»

Durant le mois consacré à l'écriture de *Quai des Brumes*,
Jacques et Jacqueline sacrifièrent abondamment à la gastronomie bretonne que Prévert appréciait depuis l'enfance. Ils écu-
mèrent bistros et restaurants au nord de l'île à la recherche des
crustacés les plus frais ou du palempin[1] le plus moelleux, dont
ils raffolaient, et du meilleur gros-plant ou muscadet qui permettait au poète d'arroser largement le déjeuner pris selon les
jours à l'hôtel du Phare, Chez les Deux Sœurs ou à la terrasse
de l'hôtel Guerveur, tous proches du petit port. Moins souvent
à l'hôtel de l'Apothicairerie, situé plus loin sur la côte sauvage,
qui devait sa renommée autant à ses homards et à ses langoustes qu'à son livre d'or riche en signatures célèbres du
monde artistique et littéraire. Ni le nom ni le physique de Jacques
Prévert, dont pourtant l'élégance britannique se remarquait
— Jacqueline lui avait acheté chez Old England une série de
chemises polo en fine laine anglaise qu'elle lavait délicatement
dans le lavabo de l'hôtel en s'efforçant d'éviter les bouloches! —,
n'étaient assez connus pour qu'on lui demandât d'apposer son
paraphe sur le livre d'or. Ce dont il se moquait éperdument.

Début septembre, le synopsis était terminé et envoyé à la
UFA par le canal de Raoul Ploquin. C'est alors que les ennuis
commencèrent.

D'abord la UFA, étroitement contrôlée depuis l'avènement
des nazis par les services de propagande du Dr Goebbels,
refusa le film tel qu'il était écrit. Certes il était adapté du roman
d'un auteur bien vu des Allemands — le romantisme héroïque
de Pierre Mac Orlan leur plaisait beaucoup ainsi que le choix
de Hambourg ou Kiel pour les extérieurs —, mais il n'était pas
question, le chancelier Hitler au pouvoir, de faire l'apologie

---

1. Gâteau dont Le Palais, chef-lieu de Belle-Île, s'est fait une spécialité.

d'un déserteur. Le chef scénariste de la UFA faillit sauter pour avoir imprudemment déclaré que le *Quai des Brumes* traité par Jacques Prévert était certainement le meilleur scénario qu'il ait jamais lu. « Ploutocrate, décadent, sentiments négatifs et j'en passe... », résuma Raoul Ploquin qui faisait la liaison entre Synops et la UFA. La haute direction de la UFA prétendait que produire un film dont le héros était un déserteur de l'armée coloniale serait offenser le public français. C'était un comble dans les derniers jours de l'année 1937, tandis qu'Hitler annonçait secrètement à l'état-major de la Wehrmacht ses projets d'expansion territoriale ! Raoul Ploquin, qui s'était terriblement avancé en signant les contrats de Mac Orlan, Prévert et Carné, risquait sa place. Il proposa, « pour sauver les meubles », de repasser l'affaire à un producteur français. Ce que tout le monde — Gabin en tête — accepta. La compagnie allemande fut d'accord pour faire racheter son contrat par un autre producteur, et il ne serait pas difficile à trouver. En effet l'engagement qui liait Gabin datait de quelques années. Entre-temps, le succès de ses films avec Duvivier et Renoir avait accru sa popularité et fait monter sa cote. Le contrat que la firme de Neubabelsberg entendait céder tel quel fit accourir plusieurs postulants sérieux ; ils n'étaient attirés ni par Prévert ni par Carné, qu'ils ne connaissaient pas — et cela valait mieux, après le flop de *Drôle de drame* —, mais par Jean Gabin « que l'on pouvait avoir à la moitié de sa valeur » ! Paradoxalement, à l'heure où en Allemagne une loi excluait les Juifs des professions commerciales et confisquait leurs biens [1], la UFA accepta de traiter non avec les candidats aryens mais avec Grégor Rabinovitch, producteur juif d'origine russe, de nationalité allemande, qui avait fui Berlin à l'arrivée d'Hitler au pouvoir, et était en passe d'être naturalisé français ! Il avait fait la meilleure offre financière et, nazies ou pas, les affaires restaient les affaires... En outre, Grégor Rabinovitch avait les faveurs de la société Synops et de Denise Tual qui s'occupait désormais de la carrière de Jean Gabin avec son associé Dominique Drouin dont l'aspect grave et l'élégance britannique plaisaient beaucoup au comédien. « J'entretenais d'excellents rapports avec Rabinovitch, rappellera Denise, et je le respectais comme un des rares hommes du métier ayant le sens de la qualité, sans exclure le flair commercial. Et pourtant, il ne pouvait pas lire ; non par paresse mais parce qu'il ne comprenait pas assez notre langue. L'instinct de producteur ne se définit pas, ne s'apprend pas, mais il existe [2]. » Avis favorable que Prévert, Carné et Gabin seront loin de partager tout au long du

1. Depuis le 23 décembre 1937.
2. Denise Tual, *Le Temps dévoré*.

tournage. Pour l'heure, l'important était de mettre cette production assez lourde sur les rails. Ayant repris le contrat de Gabin, Rabinovitch accepta ceux de Mac Orlan, Carné et Prévert sans en changer un iota. Metteur en scène et dialoguiste se remirent au travail. N'ayant plus d'obligations en Allemagne, leur première décision fut de choisir un port français pour y tourner les extérieurs. Brest ou Le Havre. Après un bref voyage de repérages, Prévert, Carné et Alexandre Trauner choisirent Le Havre bien que la municipalité manifestât beaucoup de réticences à la lecture du synopsis qui semblait indiquer que cette ville «comptait des voyous dans sa population» ! Elle se laissa convaincre quand elle sut que même le représentant du ministère de la Guerre à la commission de contrôle acceptait que le héros fût un déserteur de la Coloniale, à condition qu'on ne prononçât jamais le mot, que «le militaire n'ait à aucun moment l'allure d'un homme disposé à faire un sale coup…» et qu'il pliât soigneusement ses vêtements au lieu de les jeter pêle-mêle aux quatre coins de la chambre !

Le choix des acteurs se fit, comme à l'ordinaire, entre Prévert et Carné. Depuis le début de l'écriture — Gabin étant d'autorité la vedette —, Prévert voyait Michel Simon, qu'il adorait dans le rôle de l'ignoble Zabel. Quant aux rôles de second plan, après avoir pensé sans enthousiasme à Louis Jouvet pour interpréter Panamá, ils se mirent d'accord sur des acteurs qu'ils aimaient depuis toujours et avec lesquels ils avaient eu souvent l'occasion de travailler : le minuscule Aimos pour jouer Quart-Vittel, le piqueur de rhum qui couchera enfin dans ses draps blancs, l'inquiétant Robert Le Vigan pour le peintre suicidaire, Édouard Delmont pour le solitaire Panamá, et des copains de plateau ou directement issus du Groupe Octobre comme René Génin, Marcel Pérès et Roger Legris. Pour le rôle de Lucien, le fils de famille dévoyé aussi lâche que peureux, Prévert se fit fort de convaincre Pierre Brasseur, son ami de jeunesse, familier de la rue du Château, franc buveur comme lui, pour lequel il avait déjà écrit trois rôles dans des films de Richard Pottier, Jean Stelli et Léo Joannon. La tâche n'était pas aisée car il fallait «faire avaler» au comédien trois scènes de gifles honteuses solidement assénées par un Gabin en fureur. «Tu es venu dans ma loge au théâtre où je jouais *L'homme qui se donnait la comédie*, rappellera Brasseur. J'interprétais pour la première fois un rôle de gigolo dramatique alors que jusque-là j'étais voué aux gigolos légers. Tu es arrivé avec Carné. Nous étions de vieux copains et je me doutais qu'un jour où tu aurais un bon rôle pour moi tu me le donnerais. Mais Carné, ça m'étonnait car il avait eu avec toi des succès alors que je ne jouais que des choses médiocres. Vous m'avez parlé du *Quai des Brumes* avec des précautions oratoires, comme s'il eût été possible que je n'accepte pas. Et sur la pointe des pieds tu m'as décrit les scènes de gifles comme si j'allais me vexer. Carné m'a regardé et m'a dit : "Vous porterez un chapeau comme ça, un pardessus comme ça." Je me suis dit : ça c'est un grand ! La mise en scène, c'est ça ! Et toi, tu me faisais gifler par l'immense Gabin. Là on ne manquerait pas de me remarquer ! [1] »

Restait à trouver la partenaire de Gabin. Jacques Prévert avait écrit le rôle de Nelly pour Jacqueline Laurent. Carné avait annoncé à la presse qu'il ferait des essais avec Marie Déa et Gaby Endreu ainsi qu'avec la jeune vedette à qui Hollywood faisait les yeux doux. Denise Tual l'en dissuada. Elle n'aimait rien chez Jacqueline Laurent. Ni son physique, qui était pourtant fort agréable, ni son talent qui en valait bien d'autres. Elle ne comprenait pas que Jacques, qu'elle aimait beaucoup, se fût séparé de Simone qu'elle appréciait plus encore, pour vivre avec une gamine qui n'avait pas la moitié de son âge. « C'est vrai que la Fouine n'était pas assez belle, même pour faire de la figuration, mais elle était charmante, dira-t-elle. C'était quelqu'un qui avait une perception, une finesse, un regard sur les choses, tout à fait exceptionnels. Jacqueline Laurent, elle, ne m'a pas du tout impressionnée. Elle n'était pas à la hauteur de Jacques. C'était une petite poule [2]. » Mais Prévert l'aimait. Et la jeune fille le lui rendait avec la légèreté de ses dix-sept ans.

Rien n'était encore décidé lorsque Jean Gabin vit coup sur coup les deux films à succès réalisés par Marc Allégret en cette année 1937 : *Gribouille*, avec Raimu, et *Orage* où triomphait Charles Boyer. Aux côtés de ces vedettes adulées, une très jolie fille blonde aux yeux d'eau claire faisait des débuts convaincants : Michèle Morgan. « C'est elle qu'il nous faut », dit Gabin à Carné, et celui-ci s'empressa d'aller voir *Gribouille* puis convoqua la jeune comédienne dans les bureaux de Synops où Denise Tual, qui la découvrait, n'oublia jamais son extraordinaire présence : « Lorsqu'elle entra, elle ne nous vit pas, son regard illuminé traversait les murs et allait se perdre au loin. Elle vivait son avenir avec une intensité rare. Je n'ai jamais rencontré quelqu'un de si modeste qui ait une telle assurance de sa destinée. Cette sérénité a certainement contribué à sa réussite. Ignorante des choses de la profession, proie facile pour qui aurait voulu exploiter sa désarmante honnêteté, nous avons été, Drouin et moi, un radeau solide qui lui permit de plonger dans cette carrière. Gabin et Prévert lui expliquaient le rôle de *Quai des Brumes*. Pendant leurs commentaires je voyais son visage

1. Pierre Brasseur, *Ma vie en vrac*, et in *Mon frère Jacques*.
2. Denise Tual à l'auteur.

prendre l'expression exacte du rôle. C'était surprenant chez quelqu'un d'aussi jeune. Son merveilleux instinct la guidait[1]. »

De son côté, la jeune fille presque sans expérience — elle n'avait que six mois de plus que Jacqueline Laurent et, comme elle, seulement deux films à son palmarès[2] — fut impressionnée par Jacques Prévert et immédiatement séduite par Gabin : « Prévert était un homme d'une simplicité incroyable. Étant donné l'immense talent qu'il avait, il n'en faisait jamais état. Son mégot à la bouche, il parlait comme un parigot de l'époque. L'accent un peu traînant, toujours gouailleur. Cet accent qui est un enchantement car il est tellement de chez nous et qui disparaîtra quelques décennies plus tard, remplacé par le langage des banlieues. Nous nous rencontrions au studio quand j'ai fait des essais pour le rôle de Nelly, puis ensuite sur le plateau quand il venait assister au tournage. Il ne disait rien qui puisse empêcher Marcel Carné de faire sa mise en scène. Il m'a laissé le souvenir d'un homme très gentil, très bon enfant, très simple. J'étais toute môme. D'ailleurs, tout le monde m'appelait la môme. Et Gabin appelait aussi Carné le Môme, car c'était un tout jeune metteur en scène de trente ans à peine. Gabin en avait trente-quatre. Prévert trente-huit. Si le grand public ignorait le nom de ce dernier, le milieu du cinéma le connaissait déjà très bien comme le représentant d'un *nouveau style*. Prévert était au cinéma de l'immédiat avant-guerre ce que sera Godard pour la nouvelle vague. Quant à Gabin, c'était la star, la "grande vedette" comme on disait alors[3]. » « Je ne l'avais jamais rencontré, même pas aperçu. De lui, je ne connaissais que le personnage de ses films, celui qu'il offrait à tous : gouailleur, un peu tombeur, avec des tendresses dans la clarté de l'œil, des colères qui blanchissaient les lèvres... À le voir le plus souvent vêtu en trimardeur qu'en prince, j'avais de lui une image toute faite, un stéréotype de ses personnages... Le souvenir que j'ai conservé de cette première rencontre : le choc d'une étonnante blondeur, rien de la pâleur décolorée du nordique, un blond chaud de blés au soleil. Ses yeux bleus sous des cils drus et dorés : un paysage de Beauce ou de Brie. Quant au costume, quelle découverte ! Une élégance très golf, cachemire anglais, strict costume en prince-de-galles, cravate club et bleuet à la boutonnière, sa coquetterie. Tout est net en lui, il est ce que j'appelle "superbement récuré". Un homme à after-shave et lavande. Il a la même aisance dans cette tenue que dans celle

---

1. Denise Tual, *Le Temps dévoré*.
2. « Les encyclopédies disent que *Quai des Brumes* fut mon septième film mais elles assimilent à de vrais rôles les quelques silhouettes et la figuration que j'avais pu faire auparavant. » Michèle Morgan à l'auteur.
3. Michèle Morgan à l'auteur.

de ses personnages, à se demander qui est dans la peau de l'autre, du prince ou de l'ouvrier... Il s'est emparé de moi avec une telle autorité que j'en ai un peu oublié Marcel Carné...[1] » Lui ne l'oubliait pas. Sous prétexte d'un essai baptisé maquillage-photo, il fit passer à la jeune actrice — qui croyait ingénument avoir dépassé ce stade — un véritable bout d'essai sous forme d'une scène enregistrée dans sa continuité, sans rupture ou changement de plans. Michèle Morgan croyait pouvoir y échapper, mais comprit qu'on lui demandait à nouveau d'être jugée comme une débutante lorsque Denise Tual lui donna le texte de Prévert concernant la scène choisie par Carné : celle de la fête foraine où le couple se retrouve dans un étroit passage entre deux baraques proches d'un manège d'enfants « avec des petits lapins blancs ».

— Vous allez voir, dit Denise, ce texte est admirable. C'est du Prévert. Et quel plaisir pour une comédienne.

Le soir même, Michèle Morgan lisait la brochure dont elle n'avait à apprendre qu'une scène pour le lendemain. « Le style de ces quelques répliques me surprend, cela ne correspond en rien à l'idée que j'avais des dialogues de films, dira-t-elle. À la première lecture, il m'apparaît étonnamment simple : des répliques quotidiennes, écrites avec les mots de tous les jours. Seulement, dès que je les prononce, elles se transforment, prennent un sens nouveau. Est-ce la poésie qu'elles contiennent qui les rend, en quelque sorte, plus vraies que nous-mêmes[2] ? »

Lors de l'« essai maquillage-coiffure », Jean Gabin avait tenu à être là pour donner la réplique à la jeune fille dans le bout de décor que Marcel Carné avait fait planter dans le studio.

Clap de départ. Pour la première fois, Nelly, rôle écrit pour une autre, vivait, perdue, vulnérable... attendant la protection d'un déserteur en rupture de ban. « Je lui crie : "Protège-moi !..." se souviendra Michèle Morgan. Les autres mots suivent, tellement naturels que je pourrais les croire miens[3]. »

JEAN : Tu n'as pas faim ?...

NELLY : Non... je n'ai envie de rien... *(Elle se serre contre lui.)* Je suis bien...

Jean s'arrête... prend Nelly par les deux épaules... la regarde...

JEAN : C'est vrai ?... tu es bien avec moi ?...

NELLY : Oh ! Vous ne pouvez pas savoir... quand je suis avec vous... je respire... je suis vivante... Ça doit être comme ça quand on est heureux...

Jean, très tendre, prend le menton de Nelly dans sa main... la force à le regarder.

1. Michèle Morgan, *Avec ces yeux-là.*
2. *Ibid.*
3. *Ibid.*

JEAN: Tout ce que tu dis, ça ne tient pas en l'air... tu le dirais à un autre, je trouverais ça idiot... mais que tu le dises à moi... comme ça... c'est marrant... mais ça me fait plaisir... *Tu as de beaux yeux, tu sais...*
NELLY: Embrassez-moi...

La réplique qui allait marquer à tout jamais l'histoire du cinéma français fut prononcée pour la première fois au cours d'un banal bout d'essai. «Michèle s'y révéla bouleversante, dira Marcel Carné. Je ne sais si c'est le trac ou l'émotion, elle s'y montra encore supérieure à ce qu'elle devait être par la suite dans le film[1].»

C'en était fini de Jacqueline Laurent pour le *Quai des Brumes*. Jacques Prévert n'insista pas. Il trouverait bien le moyen de faire tourner sa protégée un jour ou l'autre. «Je ne me souviens pas si j'ai été déçue ou non de ne pas avoir le rôle, dira Jacqueline. Mais ce n'est en aucun cas par déception que j'ai décidé de répondre à l'offre des Américains. De toute façon, nous avions décidé avec Jacques de le faire après le *Quai des Brumes*[2].» À l'hôtel George V, elle rencontra longuement le délégué qui l'avait repérée dans *Sarati le Terrible* au côté de Harry Baur. Il sut se montrer convaincant et fit miroiter un contrat de trois cents dollars par semaine que Prévert et Marcel Duhamel, grand connaisseur du monde anglo-saxon, l'aidèrent à convertir moins en francs français qu'en niveau de vie américain. Puis elle se rendit à Londres à la demande du manager hollywoodien Ritchie qui lui ménagea une rencontre avec Louis B. Mayer. Le grand patron de la MGM se montra enthousiaste à l'idée de compter bientôt la jeune française dans la liste des futures vedettes de Los Angeles. Le rêve américain prenait forme pour Jacqueline en même temps que *Quai des Brumes* pour Jacques Prévert et Marcel Carné. Leur troisième film suscita, dès le début du tournage, l'intérêt de la presse. Les échotiers rapportèrent que la grande Mademoiselle Chanel, sollicitée par la production pour habiller l'héroïne du film, fit la moue à l'énoncé d'un nom qu'elle ignorait au point de le faire répéter plusieurs fois à Denise Tual: «Michèle qui?» Elle ne voulut pas même regarder le croquis qu'avait conçu la jeune fille pour sa robe et lâcha seulement après avoir pris connaissance des grandes lignes du scénario qui lui inspira une grimace de dégoût: «Un film comme celui-là n'a pas besoin d'une robe; un imperméable, un béret, voilà tout!» «C'était la marque de son génie[3]»,

1. Marcel Carné, *La Vie à belles dents*.
2. Jacqueline Laurent à l'auteur.
3. Denise Tual, *Le Temps dévoré*.

écrira Denise Tual. « Quel talent avait Coco Chanel », notera de son côté Michèle Morgan. On ne prête qu'aux riches et, sans enlever une once au génie créatif de la « Grande Mademoiselle », Michèle Morgan avouera avec franchise qu'elle n'avait jamais entendu Coco Chanel donner de telles indications pour vêtir la jolie Nelly. En revanche, le scénario de Jacques Prévert avait tout prévu dès la première rencontre entre le déserteur et l'orpheline dans la cabane de Panamá : « Sans quitter le soldat des yeux... elle se lève, toujours avec cette même gêne craintive dans l'aspect et le geste... Elle a de très beaux yeux... beaucoup de rouge aux lèvres... *Elle est vêtue d'un imperméable et coiffée d'un petit béret*[1]... » Le génie, en l'occurrence, c'était celui de Prévert et des habilleuses car c'est eux qui choisirent cet imperméable gris transparent laissant apercevoir une robe en fin lainage vert éclairée par un petit col blanc et le fameux béret qui fera le tour du monde.

Le tournage commença au lendemain du 1er janvier 1938 et fut un vrai bonheur pour des comédiens heureux de jouer un grand texte malgré l'hostilité constante du producteur Rabinovitch et de Simon Schiffrin. Ce dernier était un excellent directeur de production mais il nourrissait une vive antipathie à l'égard de Marcel Carné qu'il avait connu à ses modestes débuts de troisième assistant sur un film muet de Jacques Feyder. Jusqu'à la veille des premières prises de vues, Rabinovitch, se contentant d'avoir Jean Gabin sous contrat, n'avait même pas lu le scénario de Prévert. Il finit par se le faire traduire dans son volapük et crut s'évanouir d'indignation. Il n'aimait rien des personnages, encore moins des indications de mise en scène et du décor de Trauner construit derrière le dock où était mouillé le *Normandie* et qui mêlait fort habilement le studio avec des découvertes peintes et le port avec ses bateaux, eux, bien réels. Dans l'histoire d'amour entre Jean et Nelly, et dans leurs rapports avec les personnages secondaires, tout était « sale ». C'était son mot, qu'il répéta à l'envi tout au long des deux mois de tournage. Rien ne trouvait grâce à ses yeux. Le merveilleux baiser dans le passage entre deux baraques foraines, les gifles que recevait Brasseur sur le port, puis sur le manège d'autos tamponneuses, le carton à chapeau dans lequel Zabel transportait la tête de l'homme qu'il avait assassiné, le suicide du peintre, le meurtre du tuteur libidineux, la scène d'amour dans la chambre du petit hôtel, tout était « sale ». Il était inconcevable qu'un aussi grand artiste que « Missieu John Gabine », sous contrat avec le grand Rabinovitch, pût apprécier une pareille histoire ! Et ce décor misérabiliste du petit Trauner qui recons-

---

1. Jacques Prévert, *Le Quai des Brumes, scénario*.

tituait une cabane minable en bord de mer et une rue du Havre aux pavés luisants, noyées de cette brume qui donnait son titre au film. Nul! Et à l'heure où, sur les écrans parisiens, triomphaient les comédies musicales à la figuration innombrable, regorgeant de paillettes, de soleil et de ciel bleu, le jeune Marcel Carné entendait montrer une boîte de nuit déserte où deux couples d'entraîneuses dansaient entre elles en attendant que le temps passe, comme si Rabinovitch n'avait pas les moyens! Et ce directeur de la photo, son compatriote Eugen Schüfftan, soi-disant génial, qui, avec ses tulles, ses éclairages, ses fumigènes, cachait dans la grisaille un décor si coûteux! Même la musique de Maurice Jaubert ne convenait pas au producteur irascible qui voulait du Wagner. «Non, répliquait fermement le tandem Carné-Prévert, on a Jaubert, pour nous c'est suffisant, on n'a pas besoin de Wagner.» Que Maurice Jaubert fût le plus important des musiciens de films français laissait le producteur parfaitement indifférent! Jaubert était trop discret et trop cultivé pour un Rabinovitch et ce dernier entreprit de convaincre Gabin de la justesse de ses réflexions sur ce film dont il attendait le pire. Impavide, le grand comédien anéantit en quelques mots les espoirs du producteur prêt à massacrer le scénario de Prévert: «Moi j'aime bien. Et je crois qu'on peut faire un bon film [1].» Ces quelques mots scellèrent pour la vie une amitié incomparable entre Carné, Prévert, Trauner et Gabin dont le contrat stipulait qu'on ne pouvait rien changer sans son accord, ni le texte des dialogues, ni les collaborateurs. «Il faut lui rendre hommage, dira Alexandre Trauner, c'est grâce à lui et à son contrat que le film a pu être réalisé tel que Prévert et Carné le voulaient. Nous, nous avons beaucoup aimé y travailler et il a été tourné dans cet enthousiasme qui naît toujours quand on sent qu'on participe à quelque chose d'important [2].» Pour calmer Rabinovitch et son «âme damnée» Simon Schiffrin, Marcel Carné, fort habilement, leur fit quelques concessions en supprimant par exemple le plan où l'on voyait vraiment la tête de l'amant de Nelly coupée par l'affreux Zabel, tout en leur faisant remarquer que la scène figurait dans le scénario accepté à la signature du contrat! «Les producteurs, ça ne comptait pas, se vantera après coup Jacques Prévert. Il suffisait de leur faire croire qu'ils étaient intelligents et de leur dire: "Comme vous le faisiez très justement remarquer hier, nous allons tourner cette scène selon vos indications." Ce qu'ils avaient indiqué, c'était naturellement le contraire mais ils n'osaient pas s'en apercevoir [3].»

1. Marcel Carné, *La Vie à belles dents*.
2. Alexandre Trauner, *Décors de cinéma*.
3. Jacques Prévert à Yvan Audouard, *Le Nouveau Candide*, août 1961.

Comme Trauner, Michèle Morgan avait conscience de participer à une grande aventure cinématographique, et elle admirait l'enthousiasme qui animait cette troupe de jeunes gens où Prévert, avec ses trente-huit ans, jouait les patriarches! Ayant écrit le scénario, il était beaucoup plus détendu que Marcel Carné, déjà d'un naturel très nerveux, presque colérique, et qui portait l'énorme responsabilité du film sur ses jeunes épaules. Une merveilleuse complicité, une chaleur humaine remarquable unissaient les membres de l'équipe dont la production se sentait exclue malgré les apparences. «J'étais nouvelle dans cette équipe où Michel Simon, Pierre Brasseur et Jean Gabin se connaissaient et avaient déjà travaillé avec les auteurs, se souviendra Michèle Morgan. Moi, malgré leur gentillesse, j'avais peur, j'étais angoissée. J'ai eu mes dix-huit ans en plein tournage! Heureusement, j'avais Gabin devant moi et cela m'a beaucoup aidée de le voir faire[1].» On remarqua aussi que, après une brève période d'indifférence polie, Jean Gabin portait une attention de plus en plus soutenue à sa jolie partenaire, laquelle de son côté n'était pas insensible à son charme viril et à son regard d'un «si joli bleu auquel la mer allait si bien». «Ah! dis donc, remarqua Micheline, l'habilleuse de la grande vedette, M'sieur Gabin il a l'œil qui frise, j'ai l'impression qu'tu lui déplais pas[2]...» L'impression se confirma lorsqu'il s'agit de tourner le premier baiser qui suivait le fameux: «Tu as de beaux yeux, tu sais...» Gabin, durant les jours précédents, taquina la jeune actrice, prétendant qu'à son âge elle ne devait pas savoir embrasser.

— Peut-être que tu ne sais pas qu'avec le môme Carné il n'est pas question de jouer ça au chiqué, c'est du vrai, on ne peut pas faire semblant[3].

«Ça me fichait en rogne, ces taquinceries. Je voulais lui montrer que je savais embrasser et faire une scène d'amour. Des baisers de cinéma, j'en avais déjà reçus et donnés, et celui-là serait comme les autres. Pour moi c'était tout de même impressionnant, mais, comme Jean m'énervait, j'y ai mis tout ce dont j'étais capable. Et lui a osé m'embrasser "pour de vrai"... Elle était bien pudique quand je la revois, cette scène. Le baiser était appuyé mais on n'ouvrait pas la bouche, c'étaient les lèvres seules qui embrassaient[4].» La vraie «romance amoureuse», selon le mot de Michèle Morgan, débutera au cours du prochain film dans lequel ils se retrouveront, *Remorques* de

---

1. Michèle Morgan à l'auteur.
2. Michèle Morgan, *Avec ces yeux-là*.
3. Michèle Morgan à l'auteur et in *Avec ces yeux-là*.
4. *Ibid.*

Jean Grémillon — encore sur un dialogue de Prévert —, dont la poésie restera le symbole d'une aventure sentimentale qui durera le temps de la drôle de guerre.

C'est pourtant sur le *Quai des Brumes* que se fit le déclic, aux dépens de Pierre Brasseur, victime d'une mésaventure qu'il avait bien cherchée. Lui aussi était particulièrement sensible au charme de la jeune fille et, lorsque celle-ci reçut sur le plateau la visite de son flirt de l'époque, Brasseur qui ce jour-là avait énormément bu se permit à haute voix des réflexions graveleuses qui, si elles ne parvinrent pas immédiatement aux oreilles du jeune couple, provoquèrent la fureur rentrée de Gabin. Installée à la Grosse Tonne (fameux restaurant du Havre), l'équipe masculine du film faisait chaque soir honneur à sa cave. Si Jacques Prévert buvait beaucoup, il n'avait pas le vin méchant, à la différence de Pierre Brasseur. « Merveilleux acteur dont j'admirais le talent, dira Michèle Morgan, il devenait infernal dès qu'il avait bu, alors que Jacques restait adorable et Gabin impassible. Lorsque Brasseur renouvela au cours du dîner son agression verbale contre mon ami qui ne pipait mot, je saisis le regard de Jean, ses yeux étaient gris de colère[1]. » Michèle Morgan n'oublia jamais la scène qui se déroula le lendemain. Le flirt ayant regagné Paris, sortant par la même occasion de la vie de la jeune vedette, Jean Gabin fit envoyer à celle-ci une superbe gerbe de roses comme pour faire pardonner l'incongruité de son partenaire. Ce matin-là, Carné réglait précisément la scène de la gifle que le déserteur assénait au faux dur qui persécutait Nelly. Dire que Gabin gifla Brasseur sans retenir sa main serait une litote :

> [...] tout à l'heure tu voulais tout becqueter *[avait écrit Prévert]* ..., *(il le secoue)* maintenant t'es tout pâle... tu manques d'air..., tu perds tes arêtes... t'es pas beau à voir, tu sais...
> *Tenant Lucien de la main gauche, de la main droite Jean le gifle deux fois à toute volée...*
> ... et si jamais tu me rencontres... je te conseille de changer de trottoir... et vite... parce que sans ça... tiens... comme ça... tu entends... comme ça...
> *À nouveau, il le gifle à toute volée...*

« La main de Gabin atterrit sur la joue de Brasseur avec une violence inouïe », dira Michèle Morgan. Il chancela sous le choc, pâlit, serra les poings.

— Coupez ! cria Carné. Absolument superbe !

---

1. *Ibid.*

« Cette gifle est restée dans la mémoire du public car, à l'écran, Brasseur est devenu vert. Dans les anthologies du cinéma on pourra lire à son propos : "Jamais on n'a vu un acteur recevoir une gifle comme Pierre Brasseur[1]." La réalité a pris la place de la fiction. Voilà la véritable histoire de la gifle de *Quai des Brumes* qui est restée fameuse[2]. »

Brasseur ne s'était pas trompé en prévoyant que les gifles de Gabin ne manqueraient pas de le faire remarquer ! Il était condamné aux rôles de salaud pour de nombreuses années ! Il les jouait si bien qu'ils lui valurent quelques triomphes. Nombre d'entre eux seront dus à la plume de Prévert. C'est le *Quai des Brumes* qui valut à Pierre Brasseur ses galons de vedette à part entière et une popularité que *Les Enfants du paradis* confortera, sept ans plus tard.

Le film monté et mixé, Grégor Rabinovitch, qui n'y croyait pas plus qu'à la lecture du scénario, organisa une *preview* pour quelques dizaines de personnes dans une salle de projection des Champs-Élysées. Ce fut une catastrophe. Ses invités sortirent en criant au désastre. Seuls Raymond Bussières et un autre copain du Groupe Octobre estimèrent que l'équipe Carné-Prévert-Trauner-Jaubert avait réalisé un chef-d'œuvre. Comme ils l'avaient dit après avoir vu *Drôle de drame* ! Ce n'était naturellement pas l'avis du producteur qui, à l'issue de la projection, ordonna de retirer son nom du générique malgré l'avis chaleureux de Pierre Mac Orlan. Au bas du script de Prévert que lui avait soumis Denise Tual, l'un des écrivains les plus populaires de l'époque avait ajouté ces quelques mots : « Lu et approuvé avec enthousiasme. Le scénario tiré du *Quai des Brumes*, bien que très différent du livre, me plaît sans réserve[3]. » Au lendemain de la première, il écrivit encore, cette fois dans *Le Figaro* : « Le *Quai des Brumes* de Carné est un témoignage de la misère, cette misère sans éclat qui traîne dans les bas quartiers des villes comme un brouillard impénétrable. Gabin connaît la qualité de cette misère et les images violentes de son silence. Michèle Morgan, sans robes et sans parures, sans défense devant ceux qui la guettent, offre sa vie imaginaire, si pure, de jeune fille marquée par le malheur. Ah ! Carné, Prévert, Gabin, Morgan, Simon, Le Vigan et les autres de l'équipage de *Quai des Brumes*, je ne peux vous dire que ma gratitude. Elle est profonde. Elle vient de cette année 1927 où, pour écrire, je me rappelais l'atmosphère de cette chronique de la faim. Il y avait là des fantômes. Ces fantômes réapparaissent aujourd'hui dans

---

1. René Jeanne et Charles Ford, *Histoire du cinéma parlant*.
2. Michèle Morgan à l'auteur et in *Avec ces yeux-là*.
3. Denise Tual à l'auteur et in *Le Temps dévoré*.

un autre décor que celui d'un vieux cabaret de Montmartre, mais ce sont bien les mêmes[1]. »

Le film fut présenté au public le 17 mai au cinéma Marivaux, sur les Grands Boulevards. À la séance de 14 heures, la salle était pleine de spectateurs payants qui, non seulement ne demandèrent pas à être remboursés comme l'avait fielleusement prévu Rabinovitch mais, fait rarissime pour une séance de l'après-midi, applaudirent à la fin de la projection ! Le directeur du Marivaux prédit aussitôt trois mois d'exclusivité et peut-être plus. Le soir, le public d'un jour de semaine — c'était un mardi —, se mêla aux invités célèbres parmi lesquels on reconnaissait Michèle Morgan, Marlene Dietrich, Pierre Brasseur, Dita Parlo, Albert Préjean, Armand Bernard. Tous firent une ovation au film, et Marcel Carné fut entouré, félicité, embrassé comme il ne l'avait jamais été. Une matinée et une soirée triomphales, *Quai des Brumes* était un succès ! Rabinovitch donna aussitôt l'ordre de réinstaller son nom au générique, mais en caractères aussi importants que ceux utilisés pour Jean Gabin ! Et, en veine de générosité, il dit à Marcel Carné : « Missieu Carné, j'y croyais pas au film, mais il paraît qu'il va avoir grand succès. Alors j'ai organisé petite fête après au Bagatelle. J'y vous invite[2]. » Carné, qui avait prévu de recevoir quelques amis chez lui, déclina l'invitation. Quant à Gabin et Prévert, ils brillaient par leur absence. Ils attendaient les résultats du film en saucissonnant dans un petit troquet de la rue des Saint-Pères où Pierrot Prévert les tenait au courant des réactions du public quart d'heure par quart d'heure. Quand le triomphe fut certain, de l'aveu même de Gabin, « ils glissèrent sur un bouchon de limonade[3] » avant d'aller fêter le succès de « leur » film à La Cloche d'Or, le plus célèbre restaurant de nuit de Montmartre. Ils quittèrent fin soûls la rue Fontaine et décidèrent alors d'aller au Pré Catelan dire son fait à ce producteur qui se parait des plumes du paon... Tenant « une petite soupe », comme disait Jean quand il était ivre, ils se rendirent à la fête de Rabinovitch et y déclenchèrent un scandale dont tous les participants se souvinrent pour la vie. S'approchant de la table où Grégor Rabinovitch et son directeur de production Simon Schiffrin se congratulaient en acceptant avec un sourire modeste les félicitations unanimes des invités dont certains préféraient oublier qu'ils avaient assassiné le film lors de la *preview*, Jean Gabin commença par s'esclaffer : « Le succès ! Tiens donc ! », tandis que Prévert saluait d'un magnifique « bras d'honneur ».

1. Cité par André Heinrich, préface à *Le Quai des Brumes, scénario*.
2. Marcel Carné, *La Vie à belles dents*.
3. Jean Gabin in *Mon frère Jacques*.

«En tout cas, poursuivit Gabin, en montrant successivement du doigt Rabinovitch et Schiffrin, si succès il y a, c'est pas à toi, Rabi… ni à toi, mon pote, qu'on le doit. On l'a fait contre vous tous. Vous n'avez pas arrêté de nous emmerder… vous n'avez pas cessé de faire chier le Môme jusque dans son boulot. Buvez tranquillement vot' champ' et foutez-nous la paix! On vous ignore! On vous méprise!» Sous les clameurs offusquées de l'assemblée en tenue de soirée, Jean Gabin et Jacques Prévert firent une sortie titubante mais néanmoins royale[1]. Évoquant plus tard cette mémorable soirée — qu'il rapprocha de la sortie mouvementée de *Jenny* —, Marcel Carné écrira: «Je trouvais naturellement l'incident fort drôle. Pourtant je ne pouvais m'empêcher de me demander si, à la présentation de chacun de mes films, on allait continuer à malmener ceux qui l'avaient financé! Si oui, cela promettait[2].»

La presse fut partagée comme à chaque fois que Prévert signait les dialogues d'un nouveau film — celui-ci était son dixième — et que Carné le mettait en images. Ce dernier, en trois expériences, s'habituait aux éreintements comme aux dithyrambes. Les journaux dits de grande information furent de l'avis de Claude Briac dans *Ce Soir*: «Il n'y a pas dix metteurs en scène au monde capables de réaliser un tel film… Jamais, même dans *Le Mouchard* de John Ford, atmosphère n'a été recréée avec tant de précision, de force, de densité… L'adaptation et les dialogues de Jacques Prévert *[…]* contribuent pour une grande part à faire ressortir ce qui reste de bon de chacun des personnages de ce film, ainsi que l'influence du milieu néfaste sur l'homme[3]…» Par contre, la presse d'extrême droite rejoignit paradoxalement celle d'extrême gauche — qui prônait maintenant le réarmement moral! — pour attaquer violemment les auteurs de *Quai des Brumes*. Dans *L'Action française*, François Vinneuil, alias Lucien Rebatet — qui allait s'illustrer sous peu dans la pire politique de collaboration —, dénonçait chez Prévert l'influence déplorable du surréalisme et du Front populaire; tandis que Georges Sadoul, l'ancien familier du phalanstère de la rue du Château, le surréaliste si proche de Léon Moussinac, passé au marxisme pur et dur, parlait dans *L'Humanité* de «la politique du chien crevé au fil de l'eau», un jugement à l'emporte-pièce que rien n'étayait et qu'il regrettera plus tard. Le soutien le plus vif vint néanmoins des revues de cinéma et des journaux satiriques comme *Le Canard*

---

1. André Brunelin, *Jean Gabin*; Marcel Carné, *La Vie à belles dents*, Jacques Prévert et Jean Gabin, in *Mon frère Jacques*.
2. Marcel Carné, *La Vie à belles dents*.
3. *Ce Soir*, 20 mai 1938, cité par André Heinrich dans sa préface à *Le Quai des Brumes, scénario*.

enchaîné et *Le Merle blanc* dont le célèbre fondateur, Eugène
Merle, publia *Le Temps des noyaux* paru seulement dans le
confidentiel *Soutes*, en hommage au talent de Jacques Prévert à
qui il offrit publiquement une collaboration régulière : « Pré-
cisons également, écrivit Eugène Merle, en ce qui concerne
Jacques Prévert — à qui le cinéma est redevable de tant de
scénarii et de dialogues d'une fantaisie si savoureuse —, qu'il
entendait garder son indépendance absolue. Et que le fait
d'avoir reproduit un de ses poèmes n'implique évidemment pas
une collaboration à notre journal. Nul ne le déplorera autant
que *Le Merle*. Car si Jacques Prévert disposait de quelques loisirs pour être des nôtres, même de façon intermittente, ce n'est
pas un farouche hérétique de sa taille qui est fait pour nous
effrayer[1]. »

La foule des spectateurs, par le succès qu'elle fit au film,
justifia les prévisions optimistes du directeur du Marivaux. Prévert et Carné se révélaient aux yeux du public — le plus populaire aussi bien que le plus intellectuel — comme les artistes
non seulement témoins mais baromètres de leur temps. Évoquant cette période où la France broyait du noir et prévoyait le
pire, Simone de Beauvoir, que l'on voyait de plus en plus souvent à Saint-Germain-des-Prés en compagnie de Jean-Paul
Sartre, prof de philo comme elle, qui venait d'écrire *La Nausée*,
notera : « Nous aussi, nous goûtions les poèmes et les chansons
de Prévert : son anarchisme rêveur et un peu biscornu nous
convenait tout à fait... Surtout nous avions aimé *Quai des
Brumes*, admirablement joué par Gabin, Brasseur, Michel Simon
et par la merveilleuse inconnue qui s'appelait Michèle Morgan ;
le dialogue de Prévert, les images de Carné, le brumeux désespoir qui enveloppait le film qui nous avaient émus : là aussi
nous étions d'accord avec notre époque qui vit en *Quai des
Brumes*, le chef-d'œuvre du cinéma français[2]. »

Ce n'était pas l'avis de tous les cinéastes. Et non des
moindres ! Jalousie d'auteur, qui voyait *Quai des Brumes* enfoncer les records de recettes de *La Grande Illusion* ? Lassitude
d'avoir à se battre contre vents et marées pour mener à bien *La
Règle du jeu* ? Toujours est-il que Jean Renoir, plutôt que de
s'occuper de terminer son nouveau film, partit en guerre contre
celui de ses amis d'hier. À la grande surprise de Jacques Prévert, qui l'admirait toujours malgré un caractère difficile, il
profita d'une intervention lors de la présentation de *Quai des
Brumes*, le 7 juillet 1938, dans le cadre d'une séance de Ciné-
Liberté à la Maison de la Culture dirigée par Aragon, pour

1. Archives Prévert-Bachelot, citées par Jean-Claude Lamy, *op. cit.*
2. Simone de Beauvoir, *La Force de l'âge.*

démolir le film écrit par l'homme auquel il devait une bonne part du succès du *Crime de M. Lange*! Devenu, depuis *La Vie est à nous*, le scénariste du parti communiste français, non seulement il traita l'œuvre de «bonne propagande fasciste» mais l'assortit d'une contrepèterie — «Le Cul des brèmes» — qui fut loin de faire s'esclaffer le Café de Flore et indigna Jacquot ordinairement pacifique. «Il décrocha sur-le-champ son téléphone, racontera Marcel Carné, et ne ménagea pas son ancien metteur en scène: "Si tu continues, menaça-t-il, je te casse la gueule!" Renoir protestait, plus pataud encore qu'à son habitude: "Jacques, tu me connais! Jamais je ne dirai qu'un film auquel tu as travaillé est fasciste! Non, j'ai voulu dire que certains personnages appelaient la trique fasciste." Je ne voyais pas très bien la différence, mais Jacques se contenta de la réponse. Je crus inutile d'insister, d'autant que je considérais que la seule réaction à ce genre d'attaque était le mépris[1].»

Le «Gros Ours génial» récidivera dans le maniement des idées malheureuses, lorsque en 1940, sur le point d'embarquer à Lisbonne pour les États-Unis, il s'interrogera devant des journalistes portugais sur l'opportunité de s'entendre avec Adolf Hitler qui avait au moins rendu à la France le service de mettre fin à la domination juive qui lui avait causé à lui-même, Jean Renoir, et à tant d'autres Français, des vexations sans fin[2]! *Sic* transit...

Plébiscité par le public, *Quai des Brumes* fut couvert d'honneurs et de récompenses: prix Louis Delluc 1938, Grand prix national du cinéma français 1939, prix Méliès décerné par l'Académie du film récemment créée par Henri Langlois et ses amis cinéphiles, ex aequo avec *La Bête humaine* de Jean Renoir, distingué pour ses qualités artistiques à la VIᵉ Mostra Internazionale d'Arte Cinematografica à Venise en 1938 où il est opposé aux *Dieux du stade* de Leni Riefenstahl!, désigné comme le meilleur film étranger à Cuba puis aux États-Unis, avec *Les Aveux d'un espion nazi* d'Anatole Litvak.

Quai des Brumes rendait Marcel Carné célèbre et Jacques Prévert devenait l'un des auteurs les plus appréciés du cinéma français. Raison de plus pour se montrer intransigeant quand un producteur ou un réalisateur ne respectait pas son texte. C'est ainsi que, s'il signa l'adaptation et les dialogues du film de Christian-Jaque *Ernest le Rebelle*, écrit pour Fernandel, sitôt après le tournage de *Quai des Brumes*, il refusa la paternité des *Disparus de Saint-Agil* et fit enlever son nom du générique du film que le même Christian-Jaque avait tourné au début de

1. Marcel Carné, *La Vie à belles dents*.
2. Cf. Yves Courrière, *Pierre Lazareff*.

l'année d'après le roman de Pierre Véry, adapté par Jean-Henri Blanchon avec lequel le poète ne parvint que rarement à s'entendre. «Dialogues non signés à cause des difficultés avec l'adaptation», dit pudiquement la fiche technique établie par la production. Une fois de plus, comme l'avait remarqué son ami Jean Aurenche, «tout d'une pièce, Prévert claquait la porte dès qu'il avait l'impression de faire un compromis». De son côté, Denise Tual remarqua avec un peu d'amertume que le succès de *Quai des Brumes*, qui lui valait des offres de plus en plus intéressantes sur le plan financier, lui était monté à la tête. «J'aurais trouvé normal qu'il vienne avec moi à l'agence Synops qui comptait tant de "gens biens" animés d'un grand enthousiasme comme Gabin, Michèle Morgan qui l'avait rejointe, ou Antoine de Saint-Exupéry, dira-t-elle. Je lui avais tout de même fait faire *Drôle de drame* puis *Quai des Brumes*. Mais non, il n'est pas venu à cause de l'argent. Il était devenu intéressé et il fallait donner dix pour cent à l'agent[1]!»

En cet été 1938, Prévert reconnu par le cinéma, était également sollicité par les revues les plus raffinées: *Essais et Combats* d'Emmanuel Peillet, *Les Cahiers GLM* de Guy Lévis Mano, ou encore le prestigieux *Minotaure* d'Albert Skira, auquel collaboraient notamment Breton, Dalí, Picasso, Henri Michaux, Man Ray, Matisse, Marcel Duchamp, etc., et où il avait publié deux ans plus tôt *Terres cuites de Béotie*. Mais Prévert avait autre chose en tête. Jacqueline Laurent était à Hollywood et lui manquait terriblement, au point qu'il avait quitté le studio du Montana, tout imprégné de son parfum, pour un meublé de la place Dauphine puis un autre rue du Bac avant de prendre la décision de sa vie: rejoindre la jeune femme qu'il imaginait sans plaisir dans les bras du jeune Mickey Rooney, le partenaire que lui avait choisi la Metro-Goldwyn-Mayer. Le Havre-New York à bord du *Normandie*, puis la traversée du continent de New York à Los Angeles en avion. Plus de quatre fois le trajet Paris-Istanbul! Jusque-là son plus long voyage. Il était volontiers casanier, mais l'amour lui donnait des ailes. Cependant pour rejoindre sa belle, il fallait de l'argent. Il n'en manquait pas mais il n'allait pas amputer ses économies en en dilapidant dix pour cent dans les caisses de Synops! Il resta insensible aux appels du pied de Denise qui aimait si peu Jacqueline. Après tout, c'était Batcheff qui l'avait aidé au début de sa carrière. Et pas Tual!

Début septembre, Jacques Prévert quitta Paris l'esprit en paix et le cœur battant. L'Ours allait rejoindre la Petite Fille à l'autre bout du monde.

---

1. Denise Tual à l'auteur.

CHAPITRE 15

Go West!

Le Havre-New York à bord du *Normandie* qui, depuis deux ans, arborait le «ruban bleu» en alternance avec le *Queen Mary*, fleuron de la Cunard Line, était le rêve de tous les Français. Traverser l'Atlantique à plus de trente nœuds de moyenne[1] à bord du paquebot que les Américains eux-mêmes appelaient *«The greatest single moving unit ship in the history of the world»* fut pour Jacques Prévert un souvenir inoubliable qu'il évoquera plus souvent encore que le voyage exotique à Istanbul. Depuis son départ pour Hollywood, Jacqueline lui avait très souvent écrit. Très souvent et d'abondance. Et il lui avait répondu de même. Jusqu'au jour où elle lui avait avoué combien il lui manquait. «Je lui disais m'ennuyer beaucoup de l'ambiance de Saint-Germain-des-Prés, des hommes mûrs que j'y rencontrais, des hommes qui, comme lui, avaient quelque chose dans le cerveau et quelque chose à dire. Les Américains, je les trouvais charmants, très gentils mais pas du tout intéressants. J'ai connu de forts beaux hommes comme Gary Cooper ou Cary Grant que je piloterai plus tard à Paris, mais aucun, même parmi les stars, n'a su capter mon intérêt. J'ai dit à Jacques que cela me ferait très plaisir de le voir, qu'il vienne me retrouver. La MGM m'accordait des vacances à New York après mon premier film. Je lui ai donné rendez-vous là-bas[2].» Contrairement à une légende tenace, ce n'est pas Jacqueline Laurent qui lui envoya un billet, mais lui qui réserva et paya son passage à bord du *Normandie* dont tout le monde parlait et qu'il voulait découvrir. Il en avait largement les moyens, grâce aux trois films écrits durant l'année écoulée. Quand on lui demandera ce qu'il avait aimé là-bas, il dira simplement: «L'amour. C'est pour ça que j'y allais. J'avais rendez-vous[3].»

1. 30 nœuds = 56 km/h.
2. Jacqueline Laurent à l'auteur.
3. Jacques Prévert, à André Pozner, in *Hebdromadaires*.

Quatre jours et quelques heures à passer parmi les 2 000 passagers et les 1 300 membres d'équipage, avant de serrer Jacqueline dans ses bras ! Prévert les mit à profit pour rendre visite — ainsi que l'avait fait Blaise Cendrars lors de la traversée inaugurale — aux employés de la Compagnie générale transatlantique qui, quel que fût leur emploi, se mettaient en quatre pour que leurs passagers, qu'ils soient de première ou de deuxième classe comme le poète, n'oublient jamais leur traversée. Rien n'était trop beau ni trop bon. Les mets les plus fins et mille crus de vins étaient proposés par une armada de sommeliers dans des bars à n'en plus finir. L'aménagement était admirable comme celui de la salle à manger de première classe où il put déjeuner un jour ; invité par Jacques Canetti, Jean Antoine et Jean-Jacques Vital, l'équipe de Radio-Cité à laquelle Marcel Bleustein — qui n'était pas encore Blanchet[1] mais dirigeait déjà Publicis et sa nouvelle chaîne de radio — avait payé des passages de première classe pour aller voir ce qui se faisait en Amérique en matière de radio commerciale. Une pure merveille que cette salle à manger gigantesque, œuvre de deux des plus grands architectes contemporains — Pierre Patout, maître des Arts décos, et Henri Pacon à qui l'on devait les plus récents hôtels particuliers de Neuilly, ainsi que l'ultramoderne gare du Havre par laquelle était arrivée l'équipe de *Quai des Brumes*. Les deux hommes avaient vu grand — à la mesure du *Normandie* — puisque les appliques géantes de René Lalique montaient presque jusqu'au plafond culminant à 6,50 m, tandis que la pièce, équipée pour la première fois à bord d'un paquebot d'un système d'air conditionné, avec ses 85 m de long dépassait de 11 m la grande galerie des Glaces du château de Versailles ! Quant au grand salon, on y roulait chaque soir un tapis de 450 kilos pour dégager un parquet s'inspirant modestement de la salle de bal du château de Fontainebleau ; et l'escalier de 25 marches menant à l'immense fumoir fermait une perspective plus longue que la piste où Jesse Owens avait remporté la médaille d'or du 100 m aux derniers jeux Olympiques de Berlin. Seule l'obligation de revêtir habit ou smoking pour le dîner avait fait reculer Prévert. Sinon, c'est en première classe qu'il aurait gagné New York. Toujours soucieux de son élégance, celui qui avait été l'âme du Groupe Octobre, s'il se fournissait chez Old England et se faisait habiller à Londres quand ses rentrées le lui permettaient, ne pouvait décemment pas se déguiser chaque soir en pingouin !

Avec Jacques Canetti, il évoqua le succès d'Agnès Capri

---

1. Son pseudonyme durant son engagement dans les Forces françaises libres, qu'il ajoutera à son patronyme après la Seconde Guerre mondiale.

qu'il lui avait présentée deux ans plus tôt pour qu'elle partcipât à l'émission en vogue, «Le Music-Hall des Jeunes» — patronnée par Lévitan —, où sa voix acidulée avait séduit le public de la radio comme elle avait conquis la clientèle snob du Bœuf sur le Toit. C'est dans cette émission, entre les «réclames» pour «André, le chausseur sachant chausser», «le vin de Frileuse» ou «le vermifuge Lune», que l'on avait pu entendre pour la première fois sur les ondes des chansons signées Prévert, et celles-ci, d'après le directeur artistique de Radio-Cité, commençaient à susciter un engouement certain chez les auditeurs les plus jeunes. Ceux-là mêmes qui appréciaient au cinéma les films non conformistes du tandem qu'il constituait avec Marcel Carné ou Jean Renoir. Pour ce spécialiste de l'air du temps, le nom de Jacques Prévert devenait une valeur sûre dont on n'avait pas fini d'entendre parler. Cette notoriété palpable dans les milieux artistiques n'empêchait pas le poète de jeter sur le papier des images révolutionnaires qu'il transformait en vers libres auxquels il refusait toujours le nom de poèmes. Il ne s'en livrait pas moins à des fantaisies provocatrices qui ravissaient ses amis mais choquaient Jacqueline, souvent effrayée par l'humour féroce et décapant de son amant. C'est ainsi qu'après trois jours de mer joyeusement arrosés, ayant fait la connaissance d'un de ces riches passagers qui occupaient l'une des dix suites au luxe pharaonique ouvrant sur le pont principal, il exerça à ses dépens sa verve la plus caustique. Le milliardaire américain, amoureux de la France dont il parlait parfaitement la langue, avait passé sa vie à collectionner les plus petits objets du monde et offrit à l'admiration du «Frenchy» quelques spécimens acquis à grands prix en Europe et destinés à enrichir sa collection à Phoenix ou Dallas. Dans une de ces grandes envolées à la logique implacable dont il était coutumier, Jacques Prévert entreprit de démontrer à son compagnon de bar à quel point il avait perdu son temps en sacrifiant à une passion qui relevait d'«une manie tout à fait ridicule et sans intérêt[1]». Tout en tirant sur son éternelle cigarette et en gardant un visage impassible à la Buster Keaton, Prévert s'attendait à une belle empoignade verbale et même à quelque bagarre, quand le vieil homme, anéanti par la force de conviction que le poète avait déployée dans sa démonstration, se mit soudain à pleurer à chaudes larmes sur ses illusions perdues. Si le malheureux milliardaire avait su de quelle virulence était capable le scénariste quand il se faisait poète pour stigmatiser le grand capital comme il l'avait fait avec *Le Paysage changeur*[2], sa dernière

---

1. Cité par Danièle Gasiglia-Laster, *op. cit.*
2. Le titre original du poème était *Le Paysage changera* qu'une

publication dans laquelle il fustigeait ceux qui exploitaient les pauvres, et leur promettait une révolution où «le faux soleil» du capital serait remplacé par «le vrai soleil», et où «les exploités changeront l'hiver en printemps», il aurait réagi différemment. Mais comment imaginer que ce dandy au costume bien coupé, la chemise impeccable et la cravate admirablement nouée, était ce redoutable révolutionnaire des mots pour lequel André Breton et Paul Éluard, dans leur *Dictionnaire du surréalisme*, venaient de trouver cette merveilleuse définition : «Celui qui rouge de cœur»? Cœur rouge, peut-être, mais tendre et sensible, sans nul doute. Prévert consolera si bien son ami le milliardaire qu'ils visiteront, sans en manquer un seul, les nombreux bars que comptait le *Normandie* et termineront la traversée en remportant haut la main le «ruban bleu» de la consommation de boissons diverses, plus alcoolisées les unes que les autres!

C'est un Ours rayonnant et ravi de son voyage qui débarqua au *pier* 88 construit spécialement pour le *Normandie* à la pointe sud de Manhattan, où l'attendait une Jacqueline plus belle que jamais mais à laquelle les coiffeurs et les maquilleurs de la Metro-Goldwyn-Mayer avaient fait perdre un peu de ses allures et de son teint de Petite Fille. Elle avait déjà balisé le terrain depuis quelques jours en visitant New York pour la première fois sous la houlette de Spencer Tracy. Le grand comédien qui avait triomphé à Broadway avant d'être appelé à Hollywood avait été chargé par la MGM de la chaperonner durant sa découverte de la grande cité. Ayant fêté ses dix-huit ans le jour où elle foulait pour la première fois le macadam de Sunset Boulevard, Jacqueline était assez délurée pour se passer de chaperon mais elle avait vivement apprécié le vrai visage d'une ville que lui avait révélé le «Capitaine Courageux[1]».

Après les embrassades des retrouvailles, le couple s'installa dans un petit hôtel de Manhattan — Jacques et Jacqueline n'avaient ni les moyens ni le goût de descendre à l'hôtel Pierre, face à Central Park, ou au Waldorf Astoria, sur Park Avenue, prisés par les étoiles de Hollywood —, le temps de constater agréablement que la séparation n'avait en rien altéré la vigueur de leurs sentiments. Ils passèrent la fin de la semaine à jouer les touristes de Down Town à Harlem en passant par les ferries de l'embarcadère sur l'Hudson River qui permettaient de contem-

---

coquille transforma en «Paysage changeur». La «faute» avait un petit goût de surréalisme qui ne déplut pas à l'auteur. Il la conserva dans toutes les éditions à venir. Le poème fut publié dans *Essais et Combats*, organe mensuel de la Fédération des étudiants socialistes.

1. *Captain Courageous*, film de Victor Fleming qui, l'année précédente, avait permis à Spencer Tracy d'accéder au rang de vedette à part entière.

pler les plus beaux gratte-ciel de New York sans ressentir l'impression d'étouffement que l'on éprouve ordinairement en parcourant pour la première fois Wall Street ou même la 5e Avenue. «Durant ce trop bref séjour, évoquera Jacqueline Laurent, on s'est promenés comme des amoureux contents de se retrouver. Malgré ce qui se racontera, Jacques n'a pas rencontré Buñuel à New York, pas plus qu'à Hollywood. Il était venu exclusivement pour me voir. Nous n'avons croisé aucune connaissance à Broadway, et comme nous ne nous sommes jamais quittés, même un instant… Dès le premier soir, Jacques a voulu aller à Harlem. Je l'ai mis en garde : "Les Noirs ne nous voient pas d'un bon œil ! — Mais non, ce sont des gens formidables qui font une musique épatante !" Et nous voilà en route pour Harlem ! Nous sommes entrés dans des bars où il n'y avait que des Noirs. Jacques ne parlait pas un mot d'anglais mais leur souriait, faisait des gestes d'amitié. Les gens comprenaient que c'était fraternel. Moi, j'étais la jeune petite Française plutôt jolie. En 1938, des Blancs dans certains coins de Harlem, ça ne se faisait pas. Mais pour nous, tout s'est bien passé. Comme Jacques, j'étais passionnée de jazz. Marcel Duhamel et surtout notre ami Henri Filipacchi, qui possédaient l'un et l'autre une fabuleuse collection de disques venus des USA, m'avaient déjà appris beaucoup de choses sur le jazz. Le premier soir, nous avons d'abord assisté à un concert de Duke Ellington dans un grand night-club du haut Broadway. C'est là que j'ai entendu pour la première fois *I Let a Song Go Out of My Heart*, une ballade aérienne qui allait avoir un beau succès. Toute la salle applaudissait debout. Ensuite, seulement, nous sommes allés à Harlem où nous sommes retournés tous les soirs [1].»

Tout se passait dans la 131e Rue, entre Lenox Boulevard et la 7e Avenue, dans cette Jungle Alley où les Blancs n'étaient admis qu'à la seule condition d'être accompagnés d'une jolie femme. Certaines boîtes, comme le Saratoga Club, imposaient à leurs clients de danser uniquement avec la personne qui les accompagnait ! Règlement que Prévert estima des plus judicieux en serrant dans ses bras le corps ravissant de son bel amour qui attirait bien des regards. La piste immense du Small's Paradise était ouverte à une clientèle mixte tandis que l'archi-célèbre Cotton Club à l'angle de la 48e Rue et de Broadway accueillait une clientèle internationale et des artistes étrangers et que le Clam House, dans Jungle Alley, fréquenté surtout par des Blancs, passait pour l'endroit le plus dévergondé. Les enseignes lumineuses étaient un rêve pour les amateurs de jazz et de music hall. Elles annonçaient pêle-mêle, entre Times Square et

---

1. Jacqueline Laurent à l'auteur.

Harlem, le Chick Webb Band et sa chanteuse vedette de vingt ans, Ella Fitzgerald, les Ziegfeld Follies avec Bob Hope et Joséphine Baker, Benny Goodmann and his Band avec, en « extra », le jeune Frank Sinatra, nouveau venu de la chanson. Au Big Apple, « la Grosse Pomme » — un night-club de Harlem sur la 7ᵉ Avenue qui donnera son surnom à la gigantesque métropole —, passait souvent la sulfureuse et géniale Billie Holiday, et l'on pouvait retrouver au milieu de la nuit Duke Ellington, en rupture de concert, dirigeant son grand orchestre au Kentucky Club, simple dancing de Harlem.

Après ces nuits de folie au pied des plus impressionnants buildings du monde, Los Angeles, gagné au prix d'interminables heures d'avion — près de cinq mille kilomètres [1] séparent New York de la grande cité californienne —, apparut bien provinciale à Jacques Prévert, malgré son étendue considérable. La ville présentait une enfilade de rues, de boulevards et d'avenues interminables — Sunset Boulevard, disait Jacqueline tout heureuse de présenter « sa » ville à l'homme qu'elle aimait, s'étirait sur pas moins de quarante kilomètres ! — bordés de constructions basses et de maisons individuelles précédées de carrés de gazon taillés aux ciseaux et entretenus avec un soin maniaque. Rares étaient les immeubles dépassant quatre étages. La plupart n'en comptaient qu'un. En raison des tremblements de terre qui ébranlaient régulièrement la région — Los Angeles se trouve à proximité de la fameuse faille de San Andreas —, la loi interdisait la construction de bâtiments dépassant quarante-six mètres de hauteur [2]. Ainsi la tour de City Hall dominait-elle de ses modestes treize étages d'un blanc éclatant la masse compacte du Civic Center où étaient réunis les édifices administratifs, et le cœur historique de L.A. — comme les Angelinos appellent affectueusement leur cité —, jalousement conservé tel que les Hispano-Mexicains l'avaient construit au début du XIXᵉ siècle autour de Nuestra Señora la Reina de Los Angeles, la plus vieille église de la ville érigée par des franciscains espagnols. Quel que fût le quartier traversé — L.A. en comptait plus de quatre-vingts —, les trottoirs étaient quasi déserts. On se demandait où étaient passés les habitants de la capitale de la Californie du Sud qui, depuis huit ans, avaient dépassé le million [3]. Prévert remit à plus tard le soin de résoudre cette délicate question et se laissa bercer par le babillage de sa compagne qui avait hâte de lui faire les honneurs de son « home ».

1. 2 745 miles. 1 mile = 1 609 m.
2. Il faudra attendre 1957 pour que la loi soit abrogée et qu'une forêt de gratte-ciel surgisse autour du Civic Center.
3. À la fin du XXᵉ siècle, la population du grand Los Angeles dépassera les quinze millions d'habitants !

La Metro-Goldwyn-Mayer avait bien fait les choses en louant pour sa jeune vedette française une délicieuse petite maison située dans Rodeo Drive qui, si elle n'était pas encore devenue l'artère la plus luxueuse de tout Los Angeles et peut-être du monde, n'en était pas moins une rue du meilleur aloi puisqu'elle bordait au coin du Wilshire Boulevard l'ultrachic Regent Beverley Wilshire Hotel, renommé pour son confort, son mobilier Directoire et Empire authentique, et les bouquets somptueux qui faisaient de son hall de réception le *lobby* le plus prisé pour donner un rendez-vous d'importance, de Hollywood à Beverly Hills. Entre Santa Monica Boulevard et Sunset Boulevard, Rodeo Drive se transformait en route de campagne si soigneusement entretenue qu'on l'eût crue tracée par les décorateurs des studios MGM. Elle s'enfonçait dans les collines de Beverly Hills jusqu'à devenir un canyon torturé comme les branches des arbres trop bien taillés qui la bordaient et dont Jacqueline ignora toujours le nom. Même la petite bonne noire répondant au joli prénom de Dorythea, née à Los Angeles, n'en savait pas l'espèce. Dorythea, elle aussi, avait été choisie par la Metro-Goldwyn-Mayer tout comme la Packard gris métallisé, décapotable, avec des pneus aux flancs blancs que l'on avait remise à la jeune actrice. Si elle eût fait sensation entre le Café de Flore et la Rhumerie martiniquaise, elle lui était indispensable pour se déplacer dans cette ville sans fin. Les moyens de transport collectifs y étaient en effet limités à un réseau de tramways qui desservaient les quartiers les plus populaires en oubliant Beverly Hills où tout le monde était censé être aussi riche que beau! Pour gagner chaque jour les studios de la MGM situés au 10202 Washington Boulevard, entre Culver City et les collines de Baldwin Hills à l'extrême sud de Hollywood, Jacqueline devait emprunter sa voiture personnelle. Son statut ne lui donnait pas encore droit à la limousine avec chauffeur dont disposaient les vedettes à part entière. Mais elle avait fait suffisamment impression sur Louis B. Mayer, le grand patron de la MGM lors de leur rencontre londonienne, pour que la maison qu'il lui attribua soit située à Beverly Hills. Ses voisins les plus proches n'étaient autres que Clark Gable et Carole Lombard qui occupaient une charmante demeure cachée dans les arbres et les buissons et clôturée par un mur blanchi à la chaux au cachet mexicain. D'ailleurs la plupart des maisons «anciennes» de Beverly Hills — y compris le somptueux Beverly Hills Hotel à la façade ocre rosé, né en 1912, en même temps que les premiers studios de cinéma — s'inspiraient du style baroque espagnol et étaient entourées de palmiers royaux qui balançaient leurs plumets haut dans le ciel, ou de palmiers éventails du plus exotique effet. Quant aux villas récentes de ce quartier de rêve aux abords aussi déserts que le reste de la ville, elles tenaient tantôt de la fermette normande, tantôt du manoir élisabéthain et faisaient penser à un décor de cinéma.

Ce n'est que dans la maison de Rodeo Drive que Jacqueline confia à son compagnon à quel point elle était déçue par le rôle qu'elle avait tourné et ceux que la *major company* ne cessait de lui proposer. En outre, habituée à jouir de la plus entière liberté depuis qu'elle avait quitté l'appartement de son père pour vivre avec Sylvain Itkine, puis avec Jacques Prévert, elle souffrait de la discipline de fer qu'elle devait observer, même et surtout lorsqu'elle ne tournait pas. «Tu te rends compte... du choix de Dorythea jusqu'à mon emploi du temps personnel, ils décident de tout pour moi, se plaignit la jeune femme. À 7 h 30, Dorythea me réveille. Petit déjeuner et en route pour le studio où m'attend ma leçon d'anglais quotidienne. 10 h 30, culture physique jusqu'au déjeuner que l'on peut prendre dans un des restaurants du studio de Culver City. Après-midi libre avant la lecture d'un scénario ou la projection d'une bande réalisée par la compagnie. Quant à mon premier film, parlons-en... Dire que j'aurais pu jouer dans *Quai des Brumes* et que j'ai tourné ce navet!» Elle ne décolérait pas, la petite Jacqueline. Elle rêvait d'un rôle dramatique, et le metteur en scène de *Judge Hardy's Children* lui avait donné un rôle de gamine en socquettes auprès d'un Mickey Rooney encore plus jeune qu'elle — il avait seize ans en 1938. L'acteur, cabotin comme pas deux, n'avait eu de cesse durant tout le tournage que de pousser la jeune actrice française hors du champ de l'objectif pour avoir la première place à l'image. Seul bon souvenir: une scène de danse échevelée avec son partenaire. «Là, ça a très bien marché avec Mickey Rooney, malheureusement ce n'était qu'une toute petite séquence... Avec mes dix-huit ans, ils ne me proposent que des rôles de pucelles de quinze, seize ans, avec leurs fameuses socquettes blanches!» Avant son départ à New York, elle était allée se plaindre auprès de Louis B. Mayer du manque d'imagination de ses scénaristes et des emplois convenus qu'ils lui destinaient. Prévert, tout comme le patron de la MGM, lui conseilla de patienter quelques mois. Le temps de s'habituer aux manières d'Hollywood et de recevoir des propositions de rôles plus consistants. Elle accepta d'autant plus volontiers que les vacances que lui octroyaient les studios et la présence rassurante de Jacques lui permettaient l'escapade qu'elle n'avait osé jusquelà effectuer seule au volant de sa jolie Packard. Un large circuit par San Francisco, la Sierra Nevada, le grand parc de Yosemite aux séquoias millénaires et peut-être une excursion vers Las Vegas, une bourgade de 8 000 habitants plantée dans le désert de Mojave où l'administration de l'État voisin du Nevada avait légalisé le jeu sept ans plus tôt pour distraire, et plumer, les milliers d'ouvriers participant à la construction du barrage Hoover, à cinquante kilomètres au nord, ainsi que la foule de curieux qui venaient observer l'avancement des travaux. Tout Hollywood en parlait comme d'un nouveau Macao! Des stars du cinéma muet s'y étaient installées, Clara Bow et l'acteur de western Rex Bell y avaient un ranch et invitaient leurs copains les plus célèbres comme Clark Gable, Norma Shearer ou Tyrone Power à visiter cet «enfer du jeu» surgi par un tour de passe-passe diabolique à proximité de la Death Valley, la vallée de la mort où la température pouvait atteindre les 57° à l'ombre. Les autres avaient suivi, et il était devenu du dernier chic pour les vedettes du Tout-Hollywood de perdre quelques centaines ou milliers de dollars sur des tables de jeu ressemblant comme des sœurs à celles qui figuraient dans les *saloons* de leurs films. Les gazettes spécialisées parlaient de l'époque *glamour* de Las Vegas qu'il ne fallait manquer à aucun prix. Jacqueline était si excitée à l'idée de ce circuit que Prévert remit à plus tard sa découverte de Los Angeles et embarqua à bord de la Packard grise, qu'il était bien incapable de diriger mais que la jeune femme conduisait avec virtuosité, pour une expédition de deux mille kilomètres sur la piste des chercheurs d'or et de la ruée vers l'ouest. Go West!

*

La route qui conduit de Los Angeles à San Francisco longe l'océan Pacifique sur la presque totalité des sept cent quarante kilomètres séparant les deux villes phares de la côte Ouest. Les conquérants espagnols qui l'avaient tracée au XVIIe siècle l'avaient appelée El Camino Real, «le chemin du roi», tant était somptueuse et variée la nature qu'elle traversait. Tout en cultivant l'aspect enfantin et primesautier de son caractère qui plaisait tant à son amant, Jacqueline Laurent avait préparé en compagnie d'amis américains ce voyage découverte de la Californie avec le soin d'une femme d'expérience désireuse de combler la curiosité d'un homme qu'elle savait sensible à la beauté d'un paysage autant qu'à la poésie qui s'en dégageait. Aussi, pour gagner San Francisco, avait-elle négligé la *Highway* 101, utilisée par les limousines des hommes d'affaires et les camions géants des transporteurs, pour privilégier la SR 1 qui avait recouvert El Camino Real d'un léger manteau de bitume sans pour cela élargir la voie séculaire ni dénaturer le paysage. Dès la sortie de Los Angeles, les noms des localités bordées de plages de sable fin chantaient à l'oreille: Santa Monica, Malibu, Santa Barbara, où les maisons de bois sur pilotis du bord de mer tradui-

saient l'opulence de leurs propriétaires. Nombre des étoiles
d'Hollywood y possédaient des résidences secondaires, racontait Jacqueline qui espérait bien devenir un jour l'une d'entre
elles, maintenant qu'elle parlait un anglais presque parfait,
grâce à la discipline des cours quotidiens et à une oreille musicale approchant la perfection, comme s'en était réjoui son musicien de père. Dès Santa Barbara, qui ignorait encore que la
télévision — alors dans les limbes — la rendrait célèbre à travers
le monde entier, El Camino Real méritait son surnom. La petite
ville avait su conserver le caractère historique hérité du temps
des missions. Décidé à jouer les touristes, le couple parcourut le
wharf sur pilotis qui s'avançait suffisamment dans le Pacifique
pour qu'on pût y embrasser d'un seul regard le panorama de
carte postale que constituaient la succession d'immenses plages
dorées, de milliers de palmiers longilignes se détachant sur un
fond bleu d'azur, et au loin le cirque des collines à la végétation
tropicale dans laquelle de splendides propriétés dissimulaient à
demi le style espagnol de leur architecture. Si la mission de
Santa Barbara, surnommée la « Reine des Missions » à cause de
ses massives tours jumelles édifiées au XVIIIe siècle — souvenirs
de la conquête espagnole et à ce titre l'un des plus anciens monuments historiques des États-Unis —, laissèrent Jacques Prévert
aussi indifférent que la façade de l'église Saint-Nicolas-du-Chardonnet, place Maubert, où sévissaient les abbés honnis de son
enfance, il apprécia particulièrement le County Courthouse qui
avait à peine dix ans d'âge mais comptait parmi les reconstitu-
tions hispano-mauresques les plus réussies de la ville. Du haut
de sa tour, on jouissait d'une vue remarquable sur les toits de
tuiles qui apportaient un charme tout méditerranéen à la petite
cité où s'épanouissait, pour le bonheur des touristes et des ren-
tiers, l'un des plus grands figuiers du monde, le *Moreton Bay Fig
Tree* : la souche originelle venait d'Australie et avait si bien pros-
péré en soixante années qu'elle couvrait maintenant la moitié
d'un terrain de football !

À partir de San Luis Obispo, où la mission franciscaine et
le quartier historique — reconstruits cinq ans plus tôt après
avoir été endommagés par de multiples tremblements de terre —
gardaient le caractère ibérique de leurs fondateurs, le paysage,
lui, abandonnait la douceur méditerranéenne pour afficher
une rugosité toute bretonne. El Camino Real lui-même se faisait moins accueillant. La route devenait plus étroite, montait,
descendait, tournait et demandait à Jacqueline toute son attention. Jamais Prévert n'avait été si heureux de ne pas savoir
conduire pour profiter pleinement d'une nature selon son cœur.
Il y avait du Finistère le long de cette côte. À San Simeon, à mi-
chemin de San Francisco, commençait le domaine de la forêt

profonde et des falaises abruptes. Là s'étendait aussi la propriété où William Randolf Hearst, le magnat de la presse, amateur d'art, faisait construire depuis seize ans une extravagante
demeure au sommet d'une hauteur — la «colline enchantée» — dominant une terre de 55 hectares, que son père, exploitant de mines de cuivre et d'argent, avait acquis pour 1,75 dol-
lar l'hectare. Hearst Castle ne comptait pas moins de 115
pièces, 38 chambres, 14 salons et 2 piscines mirobolantes, l'une
à l'extérieur en marbre de Carrare, dominée par un portique
gréco-romain et une colonnade en demi-cercle de style étrusque,
l'autre, intérieure, inspirée par un mausolée de Ravenne, revê-
tue d'une mosaïque vénitienne bleu et or du plus somptueux
effet. William Randolf Hearst, propriétaire de vingt-six quotidiens, de magazines innombrables, de stations de radio et de
compagnies cinématographiques, avait fait édifier cette propriété au luxe ahurissant — la façade de la Casa Grande, la
maison de maître, s'inspirait d'une cathédrale espagnole, et les
trois pavillons réservés aux invités étaient meublés de pièces
somptueuses d'origine italienne et flamande — pour abriter
une fantastique collection d'œuvres d'art achetées à prix d'or
en Europe par une armée d'émissaires et rapportées par
bateaux entiers jusqu'au port de San Simeon. Hearst et sa maîtresse adorée, l'actrice Marion Davies, y donnaient des fêtes
somptueuses et recevaient les plus célèbres vedettes d'Hollywood comme les hommes politiques internationaux les plus
éminents. Winston Churchill côtoyait ainsi Charlie Chaplin, tandis que Carole Lombard et Clark Gable — alors au sommet de
leur gloire — échangeaient quelques balles sur le court de
tennis installé sur le toit de la piscine intérieure. Jacqueline
Laurent n'avait jamais mis les pieds à San Simeon mais elle
pouvait raconter tous ces détails à son ami grâce aux «indiscré-
tions» des «commères» comme Louella Parsons ou Elsa Maxwell, vedettes incontestées de chaînes de journaux qui couvraient
tous les États-Unis de l'Atlantique au Pacifique et dont les
«potins» passionnaient des millions de lecteurs. Le magnat de
la presse réactionnaire américaine était de ces personnages
mégalomaniaques qui avaient inspiré à Prévert nombre de ses
sketches les plus virulents lors de la grande époque du Groupe
Octobre où il mitraillait à bout portant les tenants du capitalisme, exploiteurs du petit peuple des travailleurs. Ce temps
était passé, et le désenchantement était venu. Durant ce voyage
californien, il était bien décidé à ne s'occuper que d'amour, à
s'enivrer de l'air du Pacifique et des merveilleux paysages
côtiers; éventuellement à imprimer dans sa mémoire silhouettes
et situations susceptibles de trouver une place dans de futurs
scénarios. Hearst n'était pas de ceux-là. Trop de réussite, trop

d'argent, trop d'ostentation pour intéresser le public français d'alors qui n'imaginait même pas qu'un tel personnage et une telle fortune puissent exister. Citroën annonçant un banco d'un million à Deauville, passe encore, mais Hearst et son *castle* aux cent quinze pièces, orné des dépouilles royales de quelques châteaux européens démantelés, personne n'y croirait, même au cinéma[1]! Autrement intéressants étaient les animaux qui peuplaient la région de Big Sur, sauvage et isolée entre mer et montagne. La route grimpait sur la crête des falaises plongeant dans le Pacifique, cent vingt mètres plus bas. Dans l'épaisse forêt de *redwoods* qui venait mourir sur le bord du Camino Real, quelques originaux, amateurs de solitude, avaient fait construire des maisons de bois dans le voisinage de cerfs, renards et écureuils gris, sangliers et surtout de ratons laveurs que l'on appelait ici des *racoons*, et que Jacques Prévert rêvait de découvrir depuis l'enfance; depuis que Henri, l'aîné des frères Tiran, fils de la pétroleuse de la rue de Tournon, en avait fait la scie de sa conversation. Malheureusement, il n'y avait pas un hôtel d'où l'on pût les observer. On ne pouvait espérer apercevoir ces animaux mythiques qu'aux abords d'une sorte de manoir 1930, tout en rondins que ses propriétaires n'avaient pas encore eu la bonne idée de transformer en auberge. Il faudra attendre une bonne dizaine d'années pour que Henry Miller venu s'y installer, fasse connaître cette région isolée où «tout ruisselle de lumière», comme l'écrira, enthousiaste, l'auteur de *Tropique du Cancer*. Il y a fort à parier que c'est à l'escale du soir, à Carmel-by-the-Sea, que vint à Prévert l'idée de faire figurer le raton laveur dans son poème *Statistiques* qu'il datera lui-même de 1938 sans plus d'indications et que l'on retrouvera sous le titre *Inventaire* dans *Paroles*. «Un inventaire à la Prévert» entrera dès le début des années 50 dans le langage quotidien qui, jusque-là, ignorait superbement l'existence de ce «gros rat d'Amérique ainsi appelé parce qu'il lave ses aliments (poissons, mollusques) avant de les absorber[2]».

La halte du soir, choisie par Jacqueline, avait tout pour séduire son compagnon. Découvert et mis en valeur par les infatigables franciscains qui y avaient construit la plus belle et la plus importante mission espagnole de Californie, le site de Carmel-by-the-Sea était devenu un lieu éminemment culturel

---

1. Un jeune comédien américain de vingt-trois ans, directeur d'une petite compagnie théâtrale, qui s'apprêtait à donner sur les ondes de la CBS une adaptation de *La Guerre des mondes* de H. G. Wells, si réaliste qu'elle fera souffler un vent de panique sur un auditoire terrorisé (30 octobre 1938), choisira deux ans plus tard le même Hearst comme héros de son premier film qui lui apportera la gloire... et la haine de l'establishment. Le comédien inconnu s'appelait Orson Welles et le film *Citizen Kane*!
2. Selon la définition du dictionnaire Robert.

avec l'installation, trente ans plus tôt, d'un groupe d'artistes qui en avaient vanté le charme à leurs amis. C'était devenu un petit bourg résidentiel et luxueux qui — tel Beverly Hills à Los Angeles — abritait toujours de nombreuses personnalités[1]. Pour plus de tranquillité, les habitants privilégiés avaient refusé les trottoirs, signes flagrants d'urbanisation, les maisons n'avaient pas de numéro mais des noms, et l'on devait se contenter de la poste restante pour recevoir son courrier ! Quant à la sécurité, elle y était si parfaitement assurée que, pas plus qu'à Beverly Hills, on ne rencontrait âme qui vive dans ses rues désertes. Lors d'une promenade avec Jacqueline, le dîner terminé, il arriva à Jacques une mésaventure qui fera beaucoup rire entre le Café de Flore et Lipp, lorsqu'il la racontera à son retour à Paris. Il goûtait la douceur du soir sous un magnifique clair de lune, Jacqueline pendue à son bras, quand une voiture de police fonça sur eux à grand renfort de sirène et s'arrêta pile à leur hauteur. Deux flics en descendirent et leur demandèrent ce qu'ils faisaient là. Jacqueline traduisit à Jacques qui lui dit sans sourciller : « Réponds-leur qu'on regarde la lune ! » Ce qu'elle fit. Les deux *cops* éberlués se consultèrent du regard, contemplèrent la lune comme s'ils ne l'avaient jamais vue et dirent : « *The moon... the moon*[2] ? » avant de regagner leur véhicule comme s'ils avaient rencontré deux Martiens ou deux fous ! Curieux pays où, dans les quartiers chics, on ne pouvait se promener à pied sans susciter la méfiance des forces de police !

Le lendemain, ayant repris la route de San Francisco, ils trouvèrent une ambiance bien différente dans la presqu'île de Monterey. Le site de la petite ville avait été lui aussi découvert par les Espagnols débarquant pour la première fois sur la côte Ouest. Après avoir exploité la pêche à la baleine, on n'y vivait maintenant que pour et par la sardine dont les bancs abondaient dans la baie de Monterey. Dix-huit conserveries se partageaient la pêche miraculeuse traitée sur Cannery Row (la rue de la Sardine), nom qui inspirera le titre donné, quelques années plus tard, par John Steinbeck à l'un de ses plus fameux romans. Les cabanes de planches des pêcheurs et des ouvriers des conserveries, siciliens, mexicains, polonais ou chinois, les usines, en planches elle aussi, étaient imprégnées de l'odeur du poisson. Quelle que soit l'heure du jour ou de la nuit, les quatre mille ouvriers et ouvrières étaient toujours prêts à travailler les sardines, dont deux cent trente mille tonnes leur passaient

1. Clint Eastwood, amoureux de la région, en sera maire dans les années 1980-1990.
2. Marcel Duhamel, *op. cit.*, et Maurice Baquet à l'auteur.

annuellement entre les mains. Pas d'horaire, seulement un sif-
flet différent pour les prévenir de l'arrivée d'un bateau de
« leur » conserverie. Il fallait aussitôt sauter dans les bottes, les
combinaisons de caoutchouc, les tabliers de toile cirée, et se
ruer à la fabrique. « La rue tout entière gronde, braille, rugit
[témoignera Steinbeck], et tant que le flot argenté des poissons
coule en ruisseaux le long des bateaux, tant que le dernier poisson n'est pas lavé, trié, coupé, cuit, mis en boîte, les usines
grondent, braillent et rugissent. Alors encore une fois, les sifflets retentissent et les Chinois et les Polaks, les hommes et les
femmes retournent vers la ville, puants et graisseux… La rue de
la Sardine est alors rendue à elle-même, calme et magique. Elle
rentre dans la norme[1]. » Jacques Prévert aurait pu y écrire la
Chanson des sardinières s'il ne l'avait déjà fait à Saint-Cyr-
l'École lorsqu'il composait *Suivez le druide* pour ses amis du
Groupe Octobre et la municipalité communiste.

D'un bout du monde à l'autre, le sort des miséreux restait
le même.

> Tournez, tournez
> petites filles
> tournez autour des fabriques
> bientôt vous serez dedans
> [...]
> Vous vivrez malheureuses
> et vous aurez beaucoup d'enfants

La *Chanson des sardinières* aurait pu se lire aussi en
anglais ! Et la police était toujours là pour protéger la quiétude
de Beverly Hills comme de Neuilly, de Carmel comme de
Deauville. Il fallut quelques heures plus tard l'arrivée à San
Francisco pour calmer l'indignation de Jacques Prévert contre
les injustices du monde que, malgré ses égoïstes résolutions de
ne penser qu'à l'amour et à jouir du paysage, il ne pouvait toujours pas admettre, même s'il faisait maintenant partie de la
caste privilégiée du milieu cinématographique.

Avec San Francisco, ce fut le coup de foudre, la grande histoire d'amour, de quoi rendre Jacqueline jalouse si elle avait
été capable de l'être. « Ça a été le point culminant de notre
voyage qui ne manquait pourtant pas d'étapes exceptionnelles,
se souviendra-t-elle. Nous voulions tellement connaître San
Francisco ! Nous avons commencé par Chinatown. Jacques
disait que c'était le plus beau quartier chinois du monde. On
montait, on descendait ces extraordinaires rues en pente où

---

1. John Steinbeck, *Rue de la Sardine* (1945).

tout était écrit en chinois et où même les réverbères de Grant Avenue avaient des airs de pagode. Il ne voulait plus en sortir. Il ne souhaitait que se fondre dans le grouillement de cette foule exotique[1].» Des années plus tard, prétendant être resté près d'un an entre New York et la Californie, alors que son séjour ne dura que quelques semaines[2], il parlera brièvement à un jeune confrère de ce voyage exceptionnel : «Je connais San Francisco, c'est pour moi la ville la plus agréable parce qu'elle ressemble le plus au rêve d'un enfant français pensant à l'Amérique. Vous savez, je ne parle pas l'anglais ni l'américain, mais j'avais la bonne excuse, je disais : quand on ne connaît pas la langue, on connaît mieux la ville parce qu'on s'y perd. C'est un peu vrai. La nuit, au milieu de Londres ou de New York, vous pouvez trouver, dans n'importe quelle langue, à qui parler. C'est ce qu'on appelle communiquer[3].» Coquetterie de poète vieillissant, devenu archicélèbre. À San Francisco, Jacqueline était à ses côtés pour interroger, traduire, répondre, lui apprendre la ville qu'elle découvrait avec lui. Grâce à elle, il savoura Frisco comme un gamin un bâton de réglisse.

D'abord Chinatown, de long en large. On y parvenait par ces merveilleux *cable cars* qui, telles des araignées accrochées à leur fil, partaient à l'assaut des collines sur lesquelles la ville était construite ou plutôt reconstruite après le terrible tremblement de terre qui l'avait anéantie trente-deux ans plus tôt. Ces étranges tramways à crémaillère aux couleurs rutilantes étaient l'œuvre d'un ingénieur anglais, Andrew Hallidie, qui à la fin du XIXe siècle avait vu périr cinq chevaux sur la colline de Nob Hill, écrasés par la charge trop lourde qu'ils tiraient le long d'une rue à la pente redoutable. Un accident presque semblable vécu dans son enfance, place du Carrousel à Paris, avait inspiré à Jacques Prévert le poème du même nom :

> Place du Carrousel
> vers la fin d'un beau jour d'été
> le sang d'un cheval
> accidenté et dételé
> ruisselait
> sur le pavé...

Sans être poète, l'ingénieur était aussi sensible qu'efficace, et il conçut alors un moyen de transport unique au monde, mieux adapté à la topographie de la ville. Il imagina un câble circulant dans une fente creusée entre les rails à 70 cm de pro-

1. Jacqueline Laurent à l'auteur.
2. *Id.*
3. Jacques Prévert à André Pozner, in *Hebdromadaires*.

fondeur. Pour relier le câble souterrain tracté par un moteur puissant à la voiture, il suffisait d'une pince actionnée par le conducteur grâce à un levier. Une fois accrochée au câble, la voiture roulait à une vitesse constante de 15 km/h, quelle que fût la dénivellation, et les voyageurs pouvaient contempler l'admirable paysage qu'offrait chacune des rues-toboggans entre Market Street, Fisherman's Wharf et The Embarcadero le long de la baie de San Francisco. Malheureusement, durant leur séjour, Jacques et Jacqueline ne purent en jouir autant qu'ils l'auraient voulu car, malgré l'été encore proche, la ville était noyée dans un brouillard et une atmosphère moite auxquels ses habitants étaient habitués et qui étaient dus à la rencontre des masses d'air brûlant venues du Nevada, et de celles, glaciales, du Pacifique. Ainsi, en début d'automne, San Francisco jouait-elle le *Quai des Brumes* durant toute la matinée pour s'y replonger en fin d'après-midi. Cette condensation naturelle ajoutait encore au mystère de Chinatown qui attirait Prévert comme un aimant au point d'y passer chaque jour. La plus grande « ville » chinoise hors d'Asie s'organisait autour de Grant Avenue, la rue la plus ancienne de San Francisco puisqu'elle suivait le tracé de la calle de la Fundación, première véritable artère du village mexicain de Yerba Buena qui avait donné naissance à la grande cité. Toits en pagode, façades colorées, réverbères au sommet desquels se tenaient des dragons rouges et verts, enseignes et plaques de rue en caractères chinois avant d'être en anglais donnaient à Grant Avenue et aux voies avoisinantes un cachet exotique qu'on trouvait seulement de l'autre côté de l'océan. Bazars chinois, boutiques à souvenirs pour touristes où se mêlaient bric-à-brac, précieux vases anciens, bijoux de jade, nappes brodées et tissus de soie, succédaient aux herboristeries aussi minuscules que mystérieuses qui offraient des poudres et potions capables de guérir tous les maux de la terre. À un *block* de là — Chinatown en comptait vingt-quatre — Stockton Street et le fouillis de ruelles qui y aboutissait permettaient d'avoir une image plus authentique de la vie du quartier avec ses ménagères en costume traditionnel qui faisaient leurs courses entre les vendeurs de poissons, de fruits et légumes, les rôtisseries avec des dizaines de canards laqués en vitrine, tandis que de respectables vieillards qui avaient sorti une chaise sur le trottoir guettaient le premier rayon de soleil en lisant leurs quotidiens rédigés en chinois. On y trouvait une myriade de restaurants offrant une sélection incroyablement variée de cuisines régionales, de la pékinoise à la cantonaise en passant par celle du Hunan, que Prévert appréciait entre toutes. Il aimait particulièrement *the three delicacies*, un mélange de coquillages, de crevettes, de poulet au poivre, d'oignons et de pousses de bambou, le tout généreusement épicé, auquel un petit restaurant de Columbus Avenue, qui ne payait pas de mine, devait sa réputation. «Durant tout notre séjour à San Francisco, se souviendra Jacqueline, il n'y a pas un jour où nous n'ayons mangé chinois[1].» Après, il suffisait de reprendre le *cable-car* de la ligne Powell-Hyde pour gagner le quartier favori de Prévert après Chinatown : Fisherman's Wharf, où rien ne semblait avoir changé depuis R. L. Stevenson et Jack London, pas même les colonies d'otaries. Avant d'y parvenir, le miraculeux tramway s'arrêtait devant Lombard Street, une des montées les plus raides de la ville. Pour la rendre moins dangereuse, on y avait construit huit virages artificiels ornés de buissons d'hortensias qui en avait fait sinon la rue la plus fleurie du moins «la rue la plus sinueuse du monde»! Fisherman's Wharf où le conducteur du *cable-car* faisait pivoter son wagon sur une plaque tournante pour repartir en sens inverse, était un quai le long duquel s'alignaient les *piers* où s'amarraient les centaines de bateaux de pêcheurs. Ceux-ci, pour la plupart originaires du sud de l'Italie, fournissaient les restaurants et les poissonniers de la ville. Le retour de la pêche était devenu une des attractions préférées des San-Franciscains qui venaient admirer le spectacle coloré de la flotille rentrant au port ou bien encore les vieux pêcheurs siciliens réparant leurs filets comme leurs ancêtres le faisaient en 1860. Des échoppes datant de l'époque où les marins devaient vendre au plus vite une marchandise périssable proposaient à ciel ouvert les fameux crabes de Dunganess juste ébouillantés, des langoustes fraîchement pêchées ou une douzaine d'huîtres accompagnées du fameux pain «Sourdough» de San Francisco. Selon les uns, ce pain de grande conservation arrivé en Californie avec les chercheurs d'or était d'origine basque. Selon les autres, on le devait à Isidore Boudin, pâtissier français immigré à San Francisco, qui l'avait inventé en lui donnant une croûte épaisse et craquante et une mic moelleuse un peu acide au goût inimitable. La *french bakery* d'Isidore Boudin existait encore, et son pain accompagnait toujours les festins en plein air de Fisherman's Wharf. Nulle part mieux qu'ici, on ne sentait l'influence européenne. Ses traces étaient visibles à chaque coin de rue comme les impressionnants bâtiments de brique rouge de la célèbre chocolaterie italienne Ghirardelli dont l'immense enseigne lumineuse, aussi lisible que le signe géant Hollywoodland[2] au sommet du mont Lee à Los Angeles, se déchiffrait de l'autre

---

1. Jacqueline Laurent à l'auteur.
2. Ce n'est qu'en 1949 que le fameux *Hollywood Sign* perdit ses quatre dernières lettres.

côté de la baie! San Francisco présentait, telles les strates de l'immigration, les diverses communautés venues d'Europe et d'Asie dont certains quartiers portaient encore le nom : Russian Hill avec son petit cimetière russe, North Beach aussi appelé «la petite Italie» et, bien sûr, Chinatown avec ses larges avenues comme Grant Powell et Colombus mais aussi ses ruelles telle Commercial Street qui conduisait au quartier financier. Ce dernier était riche en bars à matelots, en maisons de jeu clandestines et en bordels, théâtres de beuveries et de bagarres comme celle à laquelle Prévert assista sans doute et qu'il se rappellera dans une scène des *Portes de la nuit*, lorsque sa jeune vedette, Yves Montand, reconnaît *Les Feuilles mortes*, jouées à l'harmonica par un clochard, et qu'il lui fait dire :

DIEGO : Ça alors, c'est formidable... Je me rappelle où je l'ai entendue... la chanson... c'était en 36... à San Francisco... dans Chinatown...

CLAIRE *(une amie)* : C'est beau, San Francisco ?...

DIEGO : Oui... c'est un beau port... J'ai bien failli y laisser mes os... à Frisco... Une bagarre idiote... comme toutes les bagarres... Enfin ce n'était pas mon heure... *(souriant)*... Le Destin, quoi !...

San Francisco comportait d'autres quartiers pleins de charme comme Western Addition où, s'ils en avaient eu les moyens, Jacqueline n'aurait pas eu à faire grande violence à Prévert pour louer une de ces admirables maisons victoriennes aux couleurs pastel rechampies de blanc que l'on appelait des *painted ladies* (les dames peintes), rescapées du tremblement de terre de 1906 qui bordaient Alamo Square, le long de Fulton Street et Steiner Street. Depuis l'année précédente, la ville présentait en outre une attraction de choix que le couple s'offrit pour un modeste péage d'un nickel (5 *cents*) : la traversée à pied du Golden Gate Bridge, le plus grand pont suspendu du monde qui unit la grande cité au petit village portuaire de Sausalito et boucle ainsi par la Porte d'Or la baie de San Francisco. Cet ouvrage à nul autre pareil était devenu, dès son inauguration[1], le symbole du grand port du Pacifique au point que l'un des plus célèbres groupe vocaux de jazz qui avaient participé aux fameux concerts de 1938, «Spirituals to swing», au Carnegie Hall de New York, avait pris son nom : le Golden Gate Quartet. Voir un après-midi les superstructures orange du pont du Golden Gate émerger d'un océan de brume, puis la baie se dégager en moins d'une heure fut un choc émotionnel d'une exceptionnelle intensité ; tout comme de découvrir, soixante-huit mètres

1. En mai 1937.

plus bas et à quelques dizaines d'encablures d'une des merveilles du monde moderne, l'îlot d'Alcatraz — l'île des Pélicans des découvreurs espagnols —, symbole de la lutte contre le crime qui inspira à Jacques Prévert un scénario de film qu'il développera à son retour à Los Angeles. Depuis quatre ans, au lendemain de la levée de la prohibition, Alcatraz était devenu un pénitencier fédéral destiné à mater les criminels les plus endurcis. Al Capone était le pensionnaire le plus célèbre de cette « prison dont on ne s'évade pas ». Faute de pouvoir condamner le gangster napolitain émigré à Chicago au début des années 20, en raison de la terreur que faisait régner son gang sur les éventuels témoins à charge, les autorités fédérales étaient parvenues, en 1931, à le faire condamner à onze ans de prison pour infraction à la loi sur les impôts[1]. Son histoire, ajoutée à celle de Abe Ruef, racontée à Prévert lorsqu'il avait remarqué dans Colombus Avenue la Colombus Tower — extraordinaire immeuble vert, blanc et cuivre coiffé d'une coupole, où l'avocat-homme d'affaires avait installé ses bureaux au début du siècle[2] — mit en marche le processus de la création. Abe Ruef, brillant avocat du barreau de San Francisco, auteur d'une thèse fameuse : « De la pureté en politique », avait oublié l'idéalisme de ses vingt-deux ans pour s'acoquiner avec les politiciens locaux dont il avait étudié attentivement les pratiques. Ayant misé sur le chef du Labor Party en qui il avait deviné la marionnette idéale à manipuler, il avait puissamment aidé à l'élection du bel Eugène Schmiz à la mairie de San Francisco, en vertu de l'adage : « Les électeurs sont comme les enfants ou les primitifs : entre deux candidats, ils choisiront toujours le plus beau et le plus costaud. » En quelques années, Abe Ruef, qui n'était ni l'un ni l'autre mais suprêmement intelligent en même temps que dénué de tout scrupule, était devenu dans l'ombre le véritable patron de la ville, maître des pots-de-vin, des passe-droits, des compromissions de toutes sortes avec la majorité des hommes politiques. Cinq ans plus tard, il sera condamné à quatorze ans de prison pour extorsion de fonds et corruption mais la collusion entre gangsters et politiciens peu regardants sur les moyens de parvenir au pouvoir aura encore de beaux jours devant elle. C'est à San Francisco que Jacques Prévert conçut les grandes lignes du prochain film qu'il destinait à son ami Jean Gabin, construit sur une idée nouvelle, typiquement américaine : la collusion entre la politique et le milieu.

1. Relâché en 1939 dans un très mauvais état de santé, il se retira dans sa luxueuse propriété de Miami Beach où il mourut le 25 janvier 1947. Il avait quarante-huit ans.
2. Quarante ans plus tard, Francis Ford Coppola la rénovera pour y installer le siège de sa compagnie de production.

Le principe en était bien connu en France, révélé entre autres par l'affaire Stavisky, mais personne n'avait encore osé l'exposer à l'écran.

Avoir à nouveau envie de travailler, dans une ville aussi fascinante que San Francisco et auprès de la femme aimée, aurait été un projet séduisant. Prévert serait volontiers resté au bord du Pacifique pour le réaliser, mais Jacqueline était moins libre. Elle voyait arriver la fin de ses vacances et rêvait encore de certains lieux mythiques qu'elle projetait de découvrir avant de retrouver les studios d'Hollywood. En premier lieu, cette Sierra Nevada aux montagnes enneigées qui avait si longtemps isolé la Californie du reste du continent et où subsistaient, dans le parc national de Yosemite, le premier parc américain créé par Abraham Lincoln, des séquoias géants dont certains avaient commencé à pousser à l'heure où Romulus fondait Rome ! Dans la Mariposa Grove, la plus étendue des trois forêts de séquoias que le couple visita, le *Grizzly Giant* était âgé, selon les spécialistes, de près de 2 650 ans. Un de ses voisins — le *California Tunnel Tree* — s'enorgueillissait, lui, d'un tronc si gigantesque qu'on l'avait fait traverser, dès la fin du xixe siècle, par une route carrossable où passaient les diligences des premiers voyageurs assez aventureux pour affronter les flèches des Indiens dont la vallée de Yosemite constituait le meilleur terrain de chasse. Les dimensions de ces colosses végétaux étaient telles que leur cime se perdait dans le ciel — certains atteignaient plus de deux fois la hauteur de l'Arc de Triomphe ! — et qu'en posant auprès du *Fallen Monarch*, tombé plus de trois cents ans auparavant, Prévert ressemblait à un nain.

Le plus surprenant de ce voyage inoubliable au pays du western et de la ruée vers l'or était les changements de température incessants. Si, à San Francisco, le Golden Gate n'échappait jamais aux brouillards d'été et à une température plutôt frisquette, il suffisait de s'en éloigner d'une quinzaine de kilomètres pour gagner 15° C ! Puis on retrouvait la fraîcheur dans les sous-bois millénaires et au contact des sublimes Yosemite Falls, grossies à cette époque par la fonte des neiges de la Sierra Nevada et qui tombaient en trois paliers de près de 750 mètres. Moins de deux cents kilomètres à l'est, la chaleur revenait. Intense. C'était la fournaise de Death Valley, la célèbre Vallée de la Mort qui faisait partie de l'histoire de la conquête de l'Ouest. Paysage lunaire, l'un des endroits les plus chauds de la planète, où un groupe de pionniers, pressés de rejoindre au plus vite le pays de l'or, s'était perdu quatre-vingt-dix ans plus tôt, surpris par des conditions climatiques extrêmes que rien ne laissait prévoir. Les rescapés, secourus au bout d'un mois de souffrances, parlèrent d'«antichambre de la mort». Le nom resta à la vallée. D'autres lieux-dits non moins explicites parsemaient les pistes de cette région classée «site national» cinq ans auparavant : «le paysage de Dante», «le terrain de golf du Diable», «la crique de la fournaise», «le lac de la mauvaise eau». Rien qui puisse faire oublier à Jacques le charme de San Francisco, et à Jacqueline la vie de Hollywood où l'attendait un nouveau film. Le couple s'attarda peu à Las Vegas dont la réputation lui parut bien surfaite. La bourgade se limitait à une vaste avenue rectiligne comme on en voyait dans les films de cow-boys et que l'on appelait déjà *The Strip*, «le Ruban». Elle épousait le tracé de l'ancienne piste espagnole reliant Santa Fe à la Californie. Les salles de jeu étaient concentrées en haut de cette voie dans Fremont Street où se trouvaient les hôtels modestes et les tripots destinés, à l'origine, à la distraction des ouvriers employés sur le chantier du barrage Hoover. Ils avaient été remplacés par des hôtels modernes et scintillants de lumière comme le Horseshoe, le Golden Nugget ou le Frontier qui se livraient à une concurrence acharnée pour garder leurs clients le plus longtemps possible autour des tables de jeu et des machines à sous rutilantes, étincelantes de nickel. Le Frontier allait même chercher ses clients à l'aéroport ou à la gare en diligence ! Partout était recréé l'esprit «western» de la ruée vers l'or. On trouvait même sur South Las Vegas Boulevard une chapelle — la Hitching Post Wedding Chapel — où l'on pouvait se marier en dix minutes et dont le succès ne se démentait pas depuis dix ans ! Pas plus qu'à Ibiza, deux ans auparavant, ni Jacques ni Jacqueline, parfaitement libres dans leurs rapports, n'avaient la moindre envie de se marier, même pour rire, dans cette chapelle en miniature. D'ailleurs ni l'un ni l'autre n'était divorcé ! Après une brève visite aux saloons fort animés à n'importe quelle heure du jour et de la nuit, et où Jacques Prévert montra qu'il était plus sensible au tintement des glaçons dans de multiples verres de whisky qu'au choc des jetons sur le tapis vert ou au cliquètement d'un «bandit manchot» auquel s'agrippaient les passionnés de machines à sous, ils prirent la route du retour. Quelque cinq cents kilomètres à travers le désert de Mojave, et la vaillante petite Packard ramena les amoureux au bercail. La tête encore pleine de tant d'images diverses et de paysages à nuls autres pareils, Prévert se promit de découvrir Los Angeles selon son rythme. En tout cas, plus calmement que le train imposé par Jacqueline au cours de ce voyage néanmoins inoubliable. Que diable, il n'avait plus dix-huit ans, lui !

*

Dans la tranquillité de la maison de poupée de Rodeo Drive, tandis que Dorythea, la mignonne petite bonne noire, roucoulait entre la cuisine et le salon, amusée de ne rien comprendre à ce que lui disait ce si bel homme aux yeux bleus délavés, Jacques Prévert après avoir embrassé Jacqueline Laurent qui partait au studio comme une secrétaire s'en va le matin au bureau, se mettait aussi au travail et rédigeait le scénario dont l'idée lui était venue entre le Golden Gate et Columbus Avenue. Bien sûr, l'histoire, qu'il destinait à Marcel Carné, se déroulait en France mais son héros Jean (Gabin en serait la vedette) rentrait d'un long séjour aux États-Unis où il avait poursuivi une belle carrière de gangster et avait beaucoup appris. Le sujet, bien différent de tout ce que Prévert avait écrit jusque-là, reposait sur un lieu et une situation ainsi qu'il l'expliqua dans un courrier adressé à Alexandre Trauner chargé de préparer les décors. Le lieu était une sorte d'Auberge des Adrets, une auberge des Alpilles arides où avait eu lieu un meurtre, transformée en musée du crime où l'on vendait des petits couteaux souvenirs, d'où les titres du futur film : *L'Auberge des quatre couteaux* puis *L'Eau fraîche* avant de devenir *La Rue des Vertus*. Un bandit revenait en France, porteur d'idées nouvelles qu'il expliquait à ses anciens complices restés de modestes casseurs : « Écoutez, c'est fini maintenant, les casses, les hold-up dans les banques, c'est fini de faire le petit voyou. À quoi bon risquer un casse, alors qu'on peut rester dans la légalité ? Ce n'est pas la peine de faire du banditisme, mieux vaut faire de la politique. Au moins, c'est sans danger. Il n'y a rien à perdre et tout à gagner[1]. » Franche déclaration de guerre à l'ordre établi qui, lui, faisait la part belle au grand banditisme en le rendant légal à travers la politique. Jacques Prévert restait fidèle à l'esprit du défunt Groupe Octobre et n'avait pas renoncé à attaquer cette société qui ménageait les puissants et enfermait dans d'atroces conditions ses délinquants mineurs. Malgré l'hostilité de la censure, Jacques n'avait pas renoncé à *L'Île des enfants perdus* dont la chanson *La Chasse à l'enfant* constituait le leitmotiv. Il en avait emporté le manuscrit pour le retravailler durant son séjour outre-Atlantique. La proximité d'Hollywood, « la Mecque du cinéma », selon le titre d'un reportage de Blaise Cendrars, semblait lui donner des ailes puisqu'il entreprit parallèlement la rédaction d'une comédie dans le style américain de l'époque, *Demain nous serons heureux*, dont le héros farfelu se déplaçait dans les lieux mêmes qui l'avaient intéressé durant son voyage jusqu'en Californie. Pourtant, il refusa catégoriquement de pénétrer le milieu du cinéma, comme le lui proposait Jacqueline :

« "Je ne veux voir personne !

---

1. Rapporté par Alexandre Trauner, *Décors de cinéma* et in *Traces*, nº 3.

— Mais viens me chercher au studio. Je te présenterai...
Tu pourras peut-être faire un film !

— Non. Ça ne m'intéresse pas. Fais ton boulot. On se
retrouvera le soir chez toi. Je ne veux pas voir des gens de
cinéma."

Et durant tout son séjour il n'a jamais mis le pied à la
Metro-Goldwyn-Mayer[1]. »

Il se contenta de brèves visites touristiques dans les hauts
lieux d'Hollywood que lui indiquait Jacqueline et de longues
balades à pied comme celles qu'il faisait depuis l'adolescence
dans les rues de Paris. Sur Hollywood Boulevard, il s'intéressa
surtout aux grands théâtres Arts Déco comme le Pantages
Theatre, le Huntington Hartfond Theatre et surtout l'imposant
Egyptian Theatre où l'impresario et promoteur de spectacle
Sid Grauman avait inventé, dès 1922, le système des « premières » d'Hollywood en présentant *Robin des Bois* avec Douglas Fairbanks et Wallace Beery devant un parterre de stars. Le
même Sid Grauman avait récidivé en construisant l'ahurissant
Mann's (Grauman's) Chinese Theatre à l'occasion de la sortie
en 1927 du *Roi des rois* de Cecil B. De Mille. On considérait cet
extravagant édifice qui avait tout de la pagode chinoise — deux
des colonnes de la façade provenaient d'un véritable temple
de l'époque Ming — comme le cœur d'Hollywood. C'est là
qu'étaient décernés chaque année les Academy Awards symbolisés par la statuette en bronze revêtu d'or baptisée Oscar par
une secrétaire de l'Academy qui trouvait au trophée une res-
semblance étonnante avec son oncle justement prénommé
Oscar. Les plus grandes vedettes d'Hollywood des dix dernières années avaient laissé l'empreinte de leurs pieds et de
leurs mains ainsi que leur signature dans le ciment de la
cour de la pagode où le rouge dominait. Cette coutume avait
une histoire. Durant la construction, Sid Grauman, toujours
soucieux de sa publicité, avait invité ses amis, Mary Pickford,
Douglas Fairbanks et Norma Talmadge — la brune vamp exotique si prisée du public d'alors — à constater l'avancement
des travaux sous les flashes des photographes. En descendant
de voiture, Norma Talmadge avait marché par mégarde dans
le ciment frais. Homme de spectacle autant qu'habile publicitaire, Sid Grauman demanda à la star de compléter son
« œuvre » en ajoutant l'empreinte de ses mains puis en la signant
devant les photographes. Mary Pickford et Douglas Fairbanks
en firent autant. La tradition était née. Déchiffrer les glorieuses
empreintes avant de visiter le théâtre était devenu une attraction fort prisée du public, tout comme être invité à déposer ses

---

1. Jacqueline Laurent à l'auteur.

empreintes était pour les comédiens un honneur auquel aucune star n'était insensible.

Jacques Prévert revint souvent à Hollywood où il aimait prendre un verre dans le cadre hispano-mauresque du Roosevelt Hotel situé presque en face du Mann's Chinese Theatre, ou bien déjeuner en solitaire dans le plus vieux restaurant du quartier, le Musso and Frank's Grill dont les sombres boiseries étaient à Hollywood ce que les faïences murales de Lipp étaient à Saint-Germain-des-Prés. Il préférait les longues balades au hasard des rues qui le menaient un jour à Olvera Street, dernier vestige du village hispano-mexicain construit en *adobe*[1] par une cinquantaine de fermiers qui l'avaient baptisé modestement El Pueblo de Nuestra Señora la Reina de Los Angeles de Porciuncula d'où il marchait jusqu'à Union Station, la magnifique gare de style mauresque, avec ses patios, ses jets d'eau et les profonds fauteuils de cuir ornant son hall. Un autre jour, il gagnait Farmer's Market, le marché couvert créé quatre ans plus tôt en plein cœur du quartier juif par des agriculteurs au bord de la ruine qui vendaient directement leurs produits ; un autre encore, il s'attardait devant les Watts Towers, tours formées d'une structure de câbles d'acier renforcée de ciment incrusté de morceaux de verre et de vaisselle. Conçues par un émigré italien, émule du facteur Cheval, elles auraient ravi les surréalistes de la rue du Château. Chacun de ces lieux exceptionnels marquait une étape de l'histoire de la ville tentaculaire et soulignait à quel point elle manquait d'une identité propre et d'une architecture locale comme New York ou Paris. Los Angeles n'existait pas. La réalité était cette multiplicité de quartiers dont chacun était comme une petite ville qui n'éprouvait que peu de sympathie pour l'autre. Pasadena et Beverly Hills pour les riches, Watts pour les Noirs démunis, East Los Angeles pour les Mexicains d'Amérique, et les rues impersonnelles courant à l'ouest d'Hollywood jusqu'aux plages du Pacifique pour les centaines de milliers d'émigrants qui, venus des quatre coins de l'Amérique, avaient réussi à s'offrir un de ces bungalows à toit plat, édifiés sur un petit lopin de terre au soleil, preuve de leur réussite et de leur intégration. Rien pour séduire Prévert, qui envisagea bientôt son retour à Paris ainsi qu'il l'expliqua à Claudy Cech — devenue Claudy Carter au cinéma —, la gamine de la rue de Seine à laquelle il avait permis de débuter en lui procurant une figuration dans *Drôle de drame* et qui venait de récidiver avec *Hôtel du Nord*, le nouveau film que Carné avait tourné en son absence avec des dialogues d'Henri

---

1. Briques de boue séchée qui servirent à ériger les premiers édifices californiens à la fin du XVIIIᵉ siècle.

Jeanson. L'ayant rencontrée rue Saint-Benoît avant son départ il lui avait promis de lui écrire d'Hollywood. « Il avait trouvé Harlem formidable, dira Claudy Carter. Hollywood lui avait beaucoup plu. Il aimait que les Américains ne soient pas comme ici où les gens sont sur leur quant-à-soi, même à Saint-Germain-des-Prés. Il était bien dans les rues et n'avait aucune envie de visiter les studios. Son voyage représentait un dépaysement complet qui le comblait, m'écrivait-il, et il n'avait pas cherché à voir les choses du cinéma. S'il l'avait fait, ça aurait été renoncer à l'agrément de son voyage pour entrer à nouveau dans la vie professionnelle. Il serait bien temps à son retour à Paris[1]. » À l'approche des fêtes de fin d'année, Prévert décida de regagner la France. Il tenait à développer avec Carné cette histoire de gangsters où il traiterait sur un mode satirique de l'affrontement entre deux conceptions différentes du crime : la légale et l'illégale. Son projet était assez avancé pour qu'il songeât à la distribution des rôles. Autour de Gabin, il pensait à Arletty et Jules Berry que Carné appréciait autant que lui. Quant à la jeune première — cette fois c'était juré —, il ne pourrait s'agir que de Jacqueline Laurent. Après la déception du *Quai des Brumes* il lui devait bien cela. Si l'affaire se faisait, il serait temps pour la jeune femme de dénoncer son contrat avec la MGM ou d'obtenir un congé pour la durée du tournage. À moins que l'histoire en décidât autrement. En cette année 1938, ses soubresauts — de l'Autriche de l'Anschluss à la Tchécoslovaquie des Sudètes, de l'Espagne au fascisme triomphant à l'Allemagne de la Nuit de Cristal — étaient pour le moins inquiétants. Prévert n'était pas parmi les plus optimistes sur l'avenir du monde malgré les accords de Munich par lesquels, pour préserver la tranquillité de leur peuple, la Grande-Bretagne et la France venaient de céder aux prétentions territoriales de Hitler. La dernière réplique de *Demain nous serons heureux!*, écrite dans la petite maison de Rodeo Drive, traduisait son inquiétude devant certains préparatifs guerriers auxquels les populations, tout à leur satisfaction de voir « la paix sauvée », refusaient de croire : « Mais ne rigolez donc pas comme ça, bande d'idiots! Vous ne comprenez donc pas que c'est sérieux? »

---

1. Claudy Carter à l'auteur.

DEUXIÈME PARTIE

Expiration

CHAPITRE 1

Chassé-croisé et bruits de bottes

La bande à Prévert était toujours là. Fidèle au poste entre le Café de Flore, Lipp et Chéramy. Regagner Saint-Germain-des-Prés, après une si longue absence dans un pays si différent, c'était comme rallier son port d'attache où l'attendait une famille dont il aurait choisi tous les membres. Prévert les retrouva avec un plaisir d'autant plus vif qu'il était partagé. Tous, même Simone, sa première femme qui vivait maintenant avec Louis Chavance devenu assistant réalisateur et scénariste après avoir été un monteur fort apprécié dans le métier. Chez elle, il récupéra, soigneusement rangées dans des valises, les affaires personnelles — linge, vêtements, photos, documents divers — qu'il n'avait pas emportées aux États-Unis mais trimballait de domicile en domicile depuis son départ de l'hôtel Montana. « Quand il est revenu d'Amérique, témoignera Claudy Carter, Simone lui avait préparé ses valises. Ils étaient séparés depuis 1935 mais étaient restés bons amis. À son retour, il a tout de suite cherché à me revoir. Je connaissais l'existence de Jacqueline que j'avais croisée une ou deux fois au Montana mais elle était à Hollywood... S'il avait été tellement amoureux et marqué par la séparation, il n'aurait pas cherché à me revoir si vite[1]. » Entre la jeune fille de seize ans et le poète qui allait sur la quarantaine, le courant, établi dès la première rencontre sous l'égide de Youki Desnos, devait devenir au fil des mois de plus en plus intense. À croire que l'ambiance du Groupe Octobre où les couples se faisaient et se défaisaient sans drame avait survécu à sa dissolution. Prévert en constatait la pérennité avec la même joie qu'il éprouvait en voyant les compagnons militants d'hier se diriger vers des carrières artistiques tout en constituant, pour certains, des couples dont l'avenir prouvera la solidité. La belle danseuse de la troupe de Pomiès, Ida Lods, était

1. Claudy Carter à l'auteur.

tombée amoureuse de Pierre Jamet au sein de la chorale de l'AÉAR[1] et elle avait quitté son mari Jean Lods (beau-frère de Léon Moussinac) installé en Union soviétique où il avait été engagé dans une « fabrique de cinéma[2] », pour vivre enfin avec l'homme qu'elle aimait. Pierre Jamet musicien, photographe amateur, qui n'avait jamais fait partie du Groupe Octobre mais en avait été très proche, dirigeait une colonie de vacances à Belle-Île où il avait reçu, en cet été 1938, les frères Mouloudji et Daniel, le jeune fils d'Henri Filipacchi, auquel son père avait transmis sa passion pour le jazz. Il avait monté « Les 4 à 4 », un numéro vocal inspiré du célèbre ensemble allemand « Les Comedians Harmonists » avec quelques transfuges du Groupe : Guy Decomble, « le Roi des Camelots » Yves Deniaud, et « le Roi des Flemmards » que tout le monde adorait, le magnifique comédien Fabien Loris dit Lolo, ex-mari de Janine Tricotet qui dansait sous le nom de Janine Jane. « Les 4 à 4 » chantaient naturellement du Prévert, l'ami de toujours. En outre, Pierre Jamet avait monté un duo surréaliste de « nains flûtistes » avec le docteur Raymond Leibovitch, frère de Margot, la jolie blanchisseuse du *Crime de M. Lange*, compagne d'Auguste Capelier, décorateur de plateau, bientôt assistant d'Alexandre Trauner.

Quant à Mouloudji, la mascotte de la bande, il avait tourné dans *La Guerre des gosses*, une adaptation de *La Guerre des boutons*, le roman de Louis Pergaud, dans *L'Entraîneuse* avec Michèle Morgan, dans *Claudine à l'école* d'après Colette et dans *Les Disparus de Saint-Agil* de Christian-Jaque qui l'avait engagé pour ses deux prochains films tant il avait trouvé de talent à ce gamin de seize ans. Après avoir longtemps habité chez Gazelle et Marcel Duhamel, puis chez Youki et Robert Desnos, Moulou vivait maintenant une extraordinaire aventure platonique avec une jeune comédienne, à peine plus âgée que lui, Louise Fouquet. Élève du fameux cours Simon, où tous ses amis l'appelaient Lola, elle venait de faire ses débuts dans *Entrée des artistes*, le dernier film de Marc Allégret. Elle avait approché la bande à Prévert par son ami le comédien Roger Blin qui vouait au poète une admiration touchant à la vénération : « Il m'a appris l'amitié, disait-il. Avant je bégayais. Depuis Jacques Prévert, je fais semblant[3]. » Blin voulait que Lola — émouvante parmi les « émouvantes » — quitte le cours Simon au profit de l'école de Charles Dullin. « Il m'a emmenée chez ses amis, dira la comédienne. J'étais assez flattée car il ne leur amenait pas tout le monde. La bande à Prévert qui siégeait au

1. Association des écrivains et artistes révolutionnaires.
2. Pierre Jamet à l'auteur.
3. Margot Capelier à l'auteur.

Flore c'était un monde très filtré, très fermé, pas du tout accueillant. Ils se méfiaient toujours des nouveaux. Mais avec moi, ça s'est bien passé[1].» C'est au théâtre de l'Atelier où il jouait le rôle de Buckingham dans *Richard III* sous la houlette de Charles Dullin que Roger Blin lui présenta Mouloudji lequel interprétait l'aristocratique duc d'York à sa façon, c'est-à-dire avec un accent faubourien qui soulevait la joie de la troupe. «Ce soir-là nous avons dîné ensemble, se souviendra Lola. Le lendemain, le petit Mouloudji a rappliqué à mon hôtel, rue de Verneuil, où j'habitais avec une amie et il n'a plus décollé! Roger Blin qui occupait la chambre en face lui a dit : "Moulou, tu ne peux décemment pas habiter chez ces deux jeunes filles! — Mais pourquoi?" Il était incroyablement innocent. Comme il logeait au théâtre de l'Atelier depuis qu'il avait quitté Duhamel puis Desnos qui l'hébergeaient jusque-là, il est venu s'installer dans ma chambre. On lui a fait mettre un lit et on vivait ainsi tous les trois, en tout bien tout honneur. Pendant quatre ans, ça a été effrayant, il me suivait partout! Et voilà, c'est comme ça que ça s'est fait. Ensuite, est venue la guerre. Il est parti à Marseille en septembre 1940, où je suis allée le rejoindre. Et on s'est mariés en 1944[2]!»

Les frères Marc — «vieux Marc et Marc cadet» — poursuivaient eux aussi une carrière commencée dans les goguettes et manifestations diverses animées par le Groupe Octobre. Ils étaient devenus des artistes à part entière, irrémédiablement perdus pour la classe ouvrière. Même quand son frère aîné avait dû remplir ses obligations militaires, Nathan Korb, alias Marc cadet, bientôt plus connu sous le nom de Francis Lemarque, avait poursuivi son numéro en s'associant avec un garçon qui deviendra, lui aussi, célèbre en s'accompagnant d'un orgue de Barbarie après la guerre dans les cabarets de la rive gauche : Léo Noël. Le tour de chant des frères Marc avait pris de l'ampleur grâce à Joseph Kosma, qui les accompagnait quand il en avait le temps, puis au travail acharné de Francis Lemarque qui prenait des leçons de piano avec la concertiste Lilly Kosma dans la modeste chambre d'hôtel que les musiciens hongrois occupaient rue de Beaune. Les leçons étaient complétées par le dessinateur et publiciste Paul Grimault, guitariste de surcroît, qui, à la demande de Jacques Prévert, lui avait appris à placer sa voix, à articuler et à se déplacer en scène. Le clou de leur numéro restait les chansons que l'auteur du *Dîner de têtes* leur avait données à leur débuts : *La Chasse à l'enfant*, *Le Cauchemar du chauffeur de taxi* et *La complainte du Petit*

---

1. Lola Mouloudji à l'auteur.
2. *Id.*

Cheval. Jacques Prévert jouait pour ces cadets le rôle de l'ange tutélaire en influant par sa seule présence, par sa seule conversation, par tant d'amitiés partagées, sur leur vie aussi bien personnelle que professionnelle. Ils lui en manifestaient leur reconnaissance en répandant sur les ondes et dans quelques cabarets ces textes rares que l'on ne trouvait nulle part imprimés et qui avaient pourtant leurs admirateurs — fanatiques au point d'en recueillir la trace écrite, grâce au bouche à oreille et à la copie manuscrite. Un jeune comédien, beau comme un dieu grec, nouveau venu dans la bande du Café de Flore où il se rendait dès que ses cours au Conservatoire lui en laissaient le loisir, était de ceux-là. Roger Pigaut qui avait dix-neuf ans et une admiration sans bornes pour Jacques Prévert, s'était mis dans la tête de collationner tous les poèmes que son ami, son maître, semait aux quatre vents avec une rare prodigalité. « Prévert ne veut pas se prendre au sérieux, dira René Bertelé qui sera son premier éditeur après la guerre, aussi les textes qu'il compose à ce moment traînent-ils un peu partout. Ils circulent au hasard des rencontres, des amitiés nouées et dénouées, transmis le plus souvent oralement mais aussi sous forme de notes prises sur un bout de papier au cours d'une audition ou d'une lecture, tantôt griffonnés à la main, tantôt dactylographiés. Le plus souvent, ils sont distribués par l'auteur à ses "copains" du moment sans s'inquiéter de ce qu'ils en feront par la suite. Beaucoup de poèmes présentent des variantes. C'est que Prévert les a réécrits sans se souvenir des rédactions précédentes. D'ailleurs, lui-même ne sait pas exactement quelle est la version qu'il faut considérer comme définitive [1]. » Par malheur, le travail ardu auquel le jeune Roger Pigaut se livra à cette époque avec l'aide de quelques copains comme Raymond Bussières ou Lou Tchimoukow qui savaient par cœur l'œuvre de Prévert destinée au Groupe Octobre, fut malencontreusement perdu durant la tourmente de la guerre.

C'est au retour de Jacques, en décembre 1938, qu'Agnès Capri, qui avec Marianne Oswald contribuait depuis ses débuts au Bœuf sur le Toit à répandre la bonne parole prévertienne, ouvrit, au 5 rue Molière, entre l'Opéra et la Comédie-Française, le cabaret Chez Agnès Capri dont tout Paris vanta bientôt l'originalité et l'esprit. Le quartier était aussi chic que vivant, le cabaret-théâtre — le premier du genre à Paris — se voulait un laboratoire de recherche en idées révolutionnaires et ne devait d'exister qu'à la générosité de Renaud de Jouvenel, dont le père,

---

1. René Bertelé à Andrée Bergens in *Jacques Prévert*, coll. « Classiques du xxe siècle ».

Henry[1], et le demi-frère Bertrand s'étaient illustrés, eux, dans la presse quotidienne de droite. Amené au contact de la bande à Prévert par sa compagne d'alors, Sylvia Bataille, le cadet de la famille avait été séduit par les idées progressistes du Groupe Octobre et les avait épousées avec l'enthousiasme du néophyte. Compagnon de route du parti communiste français, il avait contribué, grâce à sa fortune, à la création de la compagnie de disques Le Chant du Monde à l'époque des grandes grèves du Front populaire que son demi-frère, Bertrand[2] — loin de partager ses idées — qualifiait de «pique-niques prolongés[3]». Il avait également participé à la survie du Groupe Octobre grâce à des dons souvent renouvelés. Tous ses amis, avec en tête Pierre Brasseur, connaissaient sa généreuse hospitalité à Castel-Novel, le charmant château que les Jouvenel possédaient à Varetz en Corrèze et qui avait longtemps fait le bonheur de Colette, deuxième épouse de Henry de Jouvenel[4]. C'est grâce aux fonds qu'il mit à sa disposition qu'Agnès Capri, dont il admirait le talent, put acheter un bar tout en longueur, proche de l'avenue de l'Opéra, qu'elle transforma par l'adjonction d'une scène minuscule en cabaret. Celui-ci bénéficia aussitôt des faveurs de l'intelligentsia parisienne. Chaque soir, une soixantaine de personnes étaient ravies de s'entasser dans ce lieu étroit ressemblant à un wagon-restaurant capitonné de rouge et d'or avec un vrai zinc à l'entrée. Mince, brune, presque fragile, l'hôtesse cultivait une apparence d'Agnès de Molière jusqu'au moment où s'ouvrait le rideau rouge de son «guignolet», selon l'expression de Marcel Herrand. Alors elle laissait éclater sa verve, intelligente et cocasse, en présentant elle-même son spectacle; et cet allègre préambule égalait, d'après les critiques, les meilleurs numéros de la soirée. Tous les sketches, entrées, parodies, mis au point par le Groupe Octobre trouvèrent leur place sur la scène de cette bonbonnière raffinée où se pressait un public qui n'avait jamais mis les pieds dans les lieux ouvriers où s'était produit le Groupe pendant près de quatre ans. Raymond Bussières, habillé en peintre en bâtiment, chantait en s'accompagnant d'une flûte dans laquelle il soufflait... par le nez. Maurice

---

1. Henry de Jouvenel, mort en 1935, avait été rédacteur en chef du *Matin*, sénateur de la Corrèze et délégué de la France à la Société des Nations. C'est lui qui avait eu l'idée de faire inhumer le Soldat inconnu sous l'Arc de Triomphe.
2. Bertrand de Jouvenel, né en 1903, était le fils que Henry de Jouvenel avait eu avec sa première femme, Claire Boas, tandis que Renaud, né en 1907, était le fruit de ses amours avec sa maîtresse, Mme de Comminges.
3. *Marianne*, 17 juin 1936.
4. Henry de Jouvenel avait épousé en secondes noces l'écrivain Colette dont il eut en 1913 une fille Colette de Jouvenel, dite Bel-Gazou, demi-sœur de Bertrand et de Renaud. La liaison entre Bertrand et sa belle-mère Colette, de 1920 à 1925, avait défrayé la chronique parisienne.

Baquet, lutin bondissant, se transformait en patineur, gardien de football, violoncelliste virtuose célébrant «le papillon de la Norvège, papillon aux blanches couleurs de neige», si drôle qu'un des plus importants critiques parisiens écrira: «Baquet, un grand artiste. Et c'est bien la première fois que l'on m'a fait rire avec un violoncelle.» Après avoir provoqué par son bagout les rires de la salle en racontant les mille et un avantages d'un appareil à faire les nœuds de cravate, Yves Deniaud s'adjoignait le talent de Paul Frankeur — qui allait bientôt entamer une des plus belles carrières du cinéma français — ou de Fabien Loris pour former l'inénarrable duo des «Deux Barbus» dont Simone de Beauvoir dira: «Ils avaient un remarquable répertoire de chansons 1900; la plus applaudie mettait en scène un officier allemand dont l'enfant nouveau-né, par un obscur concours de circonstances, était en train de mourir de faim: il offrait une fortune à une jeune matrone alsacienne pour qu'elle consentît à allaiter le bébé. *Non, non, jamais, ma mamelle est française / Je n'allaiterai pas le fils de l'Allemand*, répondait d'une voix vibrante et la main sur le sein l'Alsacienne barbue[1].» Malgré l'exiguïté de la scène, Agnès Capri offrait même à sa clientèle de plus en plus huppée au fil des jours un numéro de danse moderne exécutée par Janine Jane accompagnée par un très beau flûtiste de dix-neuf ans, mime et comédien, Sacha Vierny, futur directeur de la photo de tous les films d'Alain Resnais, de *Hiroshima mon amour* à *Mon oncle d'Amérique*, de *L'Année dernière à Marienbad* à *Stavisky*!

Mais la vedette incontestée de ce petit théâtre était son animatrice, Agnès Capri, dont le talent, le visage aux lèvres minces, la voix enfantine devinrent d'un jour à l'autre familiers au Tout-Paris qui se piquait d'être dans le vent. «Agnès Capri, un air de candeur jeté sur son visage aigu, chantait des chansons de Prévert, se souviendra encore Simone de Beauvoir; elle disait des poèmes de lui, des vers d'Apollinaire; je goûtai la fraîcheur acide de sa voix; je ne me lassai jamais de l'entendre dans *La Pêche à la baleine*, ni de voir éclore entre ses lèvres la vénéneuse colchique[2].» Pour mettre en scène son spectacle, Agnès Capri avait fait appel à Sylvain Itkine et avait commandé à des compositeurs comme Maurice Jaubert ou Francis Poulenc des mises en musique d'auteurs classiques et de textes comme ceux d'Aragon, de Robert Desnos ou de Max Jacob. L'accompagnement musical était assuré par Louis Bessières, alias Frère Nougat, alias P'tit Louis — l'auteur de *Marche ou crève* — qui avait une telle habitude du répertoire de ses copains interprètes

1. Simone de Beauvoir, *La Force de l'âge*.
2. *Ibid.*

qu'il les accompagnait sans les voir, dissimulé, côté jardin, derrière un paravent. Aussi, quand il trouvait le temps long, lisait-il des romans policiers sans s'arrêter de jouer, son livre ouvert sur le pupitre du piano… ou écoutait-il les histoires comiques que Francis Lemarque lui murmurait à l'oreille pour ne pas gêner l'artiste en scène au même moment! Quand il avait bien ri et qu'il était en fonds, Frère Nougat glissait une pièce de vingt francs dans la poche de Marc cadet, lequel, s'il adorait les chansons de Prévert, était totalement allergique aux poèmes surréalistes dits par certains comédiens. «J'avoue en toute franchise que cela m'ennuyait prodigieusement. Pourtant ils devaient être très beaux puisque les spectateurs les ovationnaient. Je découvrais avec étonnement que je n'étais pas un intellectuel[1].» Le jeune homme devait faire du surréalisme comme M. Jourdain de la prose, puisque la chanson de Prévert qu'il préférait restait *Adrien* qui, écrite pour Agnès lors de ses débuts triomphaux au Bœuf sur le Toit en février 1936, n'était pas un modèle de chanson populaire:

> Adrien ne fais pas la mauvaise tête!
> Reviens!
> La boule de neige
> que tu m'avais jetée
> à Chamonix
> l'hiver dernier
> je l'ai gardée […]

Agnès Capri avait ajouté à son répertoire à peu près tout ce que Christiane Verger et Joseph Kosma avaient déjà composé sur les vers de Jacques Prévert, y compris les chansons comme *Embrasse-moi* ou *La Chasse à l'enfant*, créées sur scène par Marianne Oswald qui viendra parfois les chanter rue Molière. À l'occasion de l'ouverture de son cabaret, le poète lui avait donné — et dédié — un monologue destiné à fustiger le snobisme dont faisait preuve une bonne partie du public qui, chaque soir, se pressait pour l'entendre au point qu'on ne décrochait pas une place sans avoir d'influentes relations. Le cabaret était toujours complet. Pour écrire *Il faut passer le temps*, Prévert s'était inspiré d'une réplique déjà utilisée dans les dialogues du film de Richard Pottier, *Si j'étais le patron*: «Il faut passer le temps, c'est un travail de Titan.» Comme on pouvait s'y attendre les «Trous d'oiseaux» se pâmèrent en entendant la petite voix acide d'Agnès Capri leur jeter:

---

1. Francis Lemarque à l'auteur, et in *J'ai la mémoire qui chante*.

> On croit que c'est facile
> de ne rien faire du tout
> au fond c'est difficile comme tout
> il faut passer le temps
> c'est tout un travail
> il faut passer le temps
> c'est un travail de titan...

Prévert s'amusa beaucoup de voir cette parodie du snobisme devenir chez les snobs une clef de plus pour pénétrer dans leur club. «En le disant, ce monologue, se souviendra Agnès Capri, j'inventerai la première Marie-Chantal et l'on m'imitera dans les salons où je m'exclamais avec préciosité : "C'est Mer' veilleux! C'est Fan' tastique!" On m'imitera d'abord en riant puis ce devint un tic : éternel jeu de miroirs[1].» L'un des rois du Tout-Paris mondain, le milliardaire chilien Arturo Lopez, s'enticha alors de la jeune artiste et emmena la clientèle la plus huppée dans son minuscule cabaret. Chez Agnès Capri devint en quelques semaines follement à la mode, au point qu'un des plus brillants chroniqueurs de la vie parisienne écrira de ce spectacle précurseur du style Saint-Germain-des-Prés de l'après-guerre : «C'était charmant, un peu recherché dans la bonne franquette, très intellectuel dans le populaire. Le Groupe Octobre, feu d'artifice tiré à l'intention des faubourgs et des usines, s'y éteignait, près de l'Opéra, en un snobisme de bon ton[2].»

Le cabaret de la rue Molière fut, avec quelques émissions de radio appréciées des plus jeunes auditeurs, la véritable rampe de lancement des poèmes de Jacques Prévert, même si Agnès Capri et Marianne Oswald, bientôt rejointes par Germaine Montero, ne touchèrent par leur art subtil qu'une clientèle d'avant-garde souvent gagnée aux idées de gauche dont Renaud de Jouvenel était l'archétype. Succès dans quelques petits cercles qui ne suffit pas à les lancer dans le grand public populaire, mais Prévert s'en moquait puisque sa véritable affaire restait le cinéma qui, lui, atteignait sa cible.

Un autre poète, et pas des moindres, se souciait pourtant de ce qu'il écrivait. Il s'agissait d'Henri Michaux, revu vers la fin de l'année 1938. Quelques mois auparavant, les deux hommes s'étaient appréciés grâce à Adrienne Monnier qui avait fait lire à Prévert le *Voyage en Grande Garabagne* dont il se souviendra toute sa vie. Avec une certaine coquetterie, Prévert, devenu célèbre, évoquera, un quart de siècle plus tard, les

---

1. Agnès Capri, *op. cit.*
2. Guillaume Hanoteau, *Ces nuits qui ont fait Paris.*

conditions de cette nouvelle entrevue : «*[Quand j'ai commencé à écrire ?]* Moi ? Très tard. Je m'y suis mis à cause de Michaux. Je revenais d'Amérique. Il me dit : "Vous avez déjà écrit, vous ?" Je lui dis : "Oui." Il me dit : "Pourquoi vous n'écrivez plus ?" Je lui dis : "Je ne sais pas." Il me dit : "Vous avez tort." Je lui dis : "Ah !" Il me dit : "Oui, il faut écrire, vous allez le faire et vous me direz ce que vous faites…" Et je l'ai fait. C'est marrant, hein ? Il a insisté pour lui, pour son plaisir personnel, parce que ça lui faisait plaisir que j'écrive [1]…» On ne peut pas dire que Prévert se précipita sur sa plume «pour faire plaisir à Michaux» car Marcel Carné et le cinéma avaient la priorité, mais l'idée fit son chemin puisque, quelques mois plus tard, il remit à son confrère quelques textes dont *Chanson dans le sang* où éclataient sa fascination-répulsion devant le sang versé, et son obsession du rouge :

> le sang des meurtres… le sang des guerres…
> le sang de la misère…
> et le sang des hommes torturés dans les prisons…

Le long poème — 68 vers — se nourrissait de l'expérience vécue lorsque, enfant, il avait vu, à la naissance de Pierrot dans l'appartement de la rue de Chartres, l'accumulation des linges sanglants que l'on sortait de la chambre maternelle, ou bien lorsqu'il avait assisté, au cours de ses longues heures d'école buissonnière, à la chute tragique d'un ouvrier zingueur du toit qu'il réparait :

> et le sang du couvreur
> quand le couvreur glisse et tombe du toit
> Et le sang qui arrive et qui coule à grands flots
> avec le nouveau-né… avec l'enfant nouveau…
> la mère qui crie… l'enfant pleure…
> le sang coule… la terre tourne
> la terre n'arrête pas de tourner
> le sang n'arrête pas de couler
> Où s'en va-t-il tout ce sang répandu
> le sang des matraqués… des humiliés…
> des suicidés… des fusillés… des condamnés…

Ce poème admirable souleva l'enthousiasme d'Henri Michaux qui le destinait avec les autres textes plus souriants à la très intellectuelle revue *Mesures* qu'il dirigeait avec son propriétaire Henry Church, ainsi que Bernard Groethuysen, Giuseppe Ungaretti et Jean Paulhan. Ce dernier qui faisait la pluie

---

1. Jacques Prévert à Madeleine Chapsal, *L'Express*, 14 mars 1963.

et le beau temps à la NRF, s'il avait été le premier à apprécier le génie de Michaux — poète avec qui il restait fort lié —, ne partagea pas plus l'enthousiasme de son ami pour *Chanson dans le sang* qu'il n'avait partagé jadis celui de Saint-John Perse pour *Le Dîner de têtes* auquel huit ans plus tôt il avait bien failli fermer les portes de la revue *Commerce*. La réticence, pour ne pas dire la franche hostilité, de l'éminence grise des lettres françaises provoqua la fureur de Michaux qui estima qu'il était devenu incapable d'aimer un auteur original. Paulhan n'avait-il pas qualifié de « répugnants » les textes de Prévert ? « Répugnant ? répliqua Michaux dans une lettre à son ami. Mais parfaitement. Grâce à ce bel argument on refuse Baudelaire, Rimbaud, et le *Voyage au bout de la nuit* et l'on devient une nouvelle *Revue des Deux Mondes*... Pourquoi n'annonces-tu pas enfin la vérité à M. Church, qui dit la chercher ? La raison pour laquelle sa revue ne se vend pas est qu'elle est ennuyeuse. Jamais une surprise. Et pour une fois qu'on lui donnait quelque chose de drôle, et même d'uniquement drôle, voilà le résultat ! Puis-je te rappeler que toi-même tu voulais du Prévert, que tu cherchais à lui écrire, que tu m'as chargé de le solliciter. Allons fait un dernier effort et ne passe pas du côté de ceux qui veulent que le comique même soit digne[1]. » Paulhan restera ferme. Hostilement ferme à l'égard de Jacques Prévert dont Henri Michaux pourra dire à son ami le photographe Brassaï, témoin attentif des heures glorieuses de Montparnasse et bientôt de Saint-Germain-des-Prés :

« "Il produit peu... En tout cas, il publie très peu... Çà et là quelques poèmes, de rares textes...

— À 'gratter', il préfère 'bavarder'"... répliquera Brassaï qui connaissait bien et admirait Prévert, découvert grâce à Ribemont-Dessaignes[2]... "C'est avant tout un causeur. Quand il se lance dans un de ses monologues interminables, personne ne peut l'arrêter. Comme souvent chez les brillants causeurs, *la parole fait chez lui une concurrence déloyale à l'écriture*[3]...

— C'est dommage... Car Prévert est un poète. Aujourd'hui, on découvre tous les jours un nouveau 'grand poète'. Mais, parmi ceux que l'on nous propose, je n'en vois aucun qui soit vraiment original. Or, Prévert a écrit quelques poèmes dont la nouveauté est incontestable. J'aime beaucoup *Le Dîner de têtes* et aussi celui sur le pape... Son titre m'échappe[4]"... »

---

1. Lettre citée par Brigitte Ouvry-Vial, *Henri Michaux, qui êtes-vous ?*
2. Dès 1930, Brassaï avait été le premier lecteur de « Souvenirs de famille ou l'Ange garde-chiourme » qu'allait publier *Bifur* dont Ribemont-Dessaignes était directeur.
3. Souligné par l'auteur.
4. Brassaï, *Conversations avec Picasso*.

Dans quelques années, nul n'oubliera le titre de *La Crosse en l'air*. Pour l'heure, Jacques Prévert se souciait surtout de mettre en route *La Rue des Vertus*, écrit à Hollywood. Avec Marcel Carné il entendait exploiter au plus tôt le succès public de *Quai des Brumes* et renflouer ses finances sérieusement écornées par le voyage américain. Après *Quai des Brumes* et *Hôtel du Nord*, Carné avait signé pour un second film avec Gabin que devaient produire Pierre Frogerais et la compagnie Sigma. Frogerais ayant accepté *La Rue des Vertus* avec la distribution prévue par les auteurs — Arletty, Jules Berry et Jacqueline Laurent autour de Jean Gabin —, Jacques Prévert, Marcel Carné et Alexandre Trauner se rendirent dans le Midi pour faire les repérages des extérieurs entre Arles, le pont du Gard et les Baux-de-Provence où devaient se situer les dernières scènes du film, une grande fusillade entre deux bandes rivales sur le parvis de l'église, la nuit de Noël. C'est au retour à Paris, en janvier 1939, que la belle mécanique se grippa. Selon Marcel Carné, Jacques éprouvait quelques difficultés à avancer dans son scénario : « Il m'avait donné les premières scènes, trop abondamment dialoguées à mon gré. Ce qui était mauvais signe. D'autre part, quand je demandais à discuter de la suite, il me répondait évasivement, assurant qu'il savait parfaitement où il allait[1]. » Selon Alexandre Trauner, qui suivit toutes les étapes de l'élaboration du film, Carné et son producteur Frogerais prirent peur devant le scénario de Prévert, tant celui-ci leur paraissait politiquement risqué : « On travaillait sur un scénario devenu impossible à réaliser parce qu'on entrait dans le domaine politique et que tout le monde se dégonflait... C'était un film merveilleux mais Carné s'est dégonflé... À la dernière minute on a pris à la place *Le jour se lève*[2]. »

L'idée de ce nouveau film avait été livrée à domicile à Marcel Carné par son voisin de palier, rue Caulaincourt, où le metteur en scène occupait un vaste atelier d'artiste qui dominait tout Paris. Jacques Viot, scénariste ou dialoguiste de quatre films pour Jacques Feyder, Pierre Colombier et Marc Allégret, avait écrit trois pages d'un synopsis susceptibles, disait-il, d'intéresser Carné : le héros, un ouvrier estimé de ses voisins, revit son passé et la douloureuse histoire d'amour qui l'a amené à commettre un meurtre. L'argument était d'une simplicité faite pour plaire aux producteurs, toujours inquiets de ne pas se faire comprendre du public. La seule originalité de cette histoire, pour laquelle le metteur en scène de *Drôle de drame* avait ressenti un coup de foudre, était que pour la première fois au

1. Marcel Carné, *op. cit.*
2. Alexandre Trauner, *Décors de cinéma* et in *Traces*, n° 3.

cinéma elle commencerait par la fin et se déroulerait à la faveur de *retours en arrière*[1]. C'est du moins ce qu'il raconta à Prévert pour le convaincre de travailler sur ce sujet destiné à Gabin, alors que Jacques venait de refuser d'écrire l'adaptation et les dialogues de *Martin Roumagnac*, roman sans grand intérêt dont la vedette venait d'acheter les droits. Prévert était vexé de voir abandonné son travail sur *La Rue des Vertus* sous le fallacieux prétexte qu'il y avait déjà trop de films de gangsters dans le cinéma français. Gabin était déçu de devoir remballer son acquisition en attendant de la voir adaptée par un cinéaste plus compréhensif. En signe de bonne volonté, tous deux acceptèrent *Le jour se lève* puisque « le Môme », leur ami, avait envie de tourner cette histoire ! Jacques d'autant plus facilement que Jacqueline Laurent, engagée pour *La Rue des Vertus* l'était également pour *Le jour se lève* et pouvait regagner la France avec un contrat dûment signé.

Jacques Viot et Jacques Prévert s'installèrent au luxueux hôtel de L'Aigle Noir à Fontainebleau et se mirent au travail en se répartissant la tâche : le scénario à Viot qui avait esquissé l'histoire originale, l'adaptation et les dialogues à Prévert. Mais ce dernier, travaillant sur mesure pour ses vedettes, modifia considérablement la donne. François (Jean Gabin), sableur dans une usine de fonderie, aime Françoise (Jacqueline Laurent), une jolie fleuriste qu'il ne laisse pas indifférente mais qui subit l'attraction de Valentin, un dompteur de chiens (Jules Berry), aussi beau parleur que sans scrupules. Celui-ci a pour partenaire la très belle Clara (Arletty) qui, après avoir été sa maîtresse, s'en est éloignée. Celle-ci confie son dégoût à François qui devient son amant sans cesser d'aimer la mignonne fleuriste. C'en est trop pour le saltimbanque au charme vénéneux : prétendant tour à tour être le père puis le séducteur de la jeune fille, il entend entraver leurs amours. Il provoque si bien l'ouvrier sentimental que celui-ci le tue puis, acculé par la police et les gardes mobiles appelés en renfort, se donne la mort.

On ne peut pas dire que, durant leur collaboration, Prévert et son scénariste travaillèrent dans un accord parfait. Carné parlera d'indifférence polie de la part de Jacques et d'une certaine amertume de la part de Viot qui espérait peut-être écrire seul scénario et dialogues. Certes, il y avait un monde entre un Prévert qui affectionnait la présence de très jeunes et jolies femmes et un Viot dont Mouloudji dira évoquant un dîner partagé avec le scénariste : « Entre les plats, il me couvrait d'un regard attendri et posait parfois une main protectrice sur la mienne. Parfois aussi, il me fixait, un sourire un peu hagard sur

1. Marcel Carné, *op. cit.*

une bouche gênante, l'air énamouré. Il me zieutait sans cesse. La vue de ses lèvres gourmandes qu'il humidifiait de temps à autre d'un coup de langue agrémenté d'une moue curieuse me mettait mal à l'aise. Je ne creusais pas trop[1]. » De son côté, s'il jouissait de l'estime des principaux producteurs du cinéma français, Prévert possédait une personnalité qui n'était pas appréciée de tous. « Il est étonnant, en effet, de constater que l'immense talent de celui-ci ne fut reconnu que beaucoup plus tard, se souviendra Carné. Tout le temps que dura notre collaboration, il fut discuté, parfois même âprement... Autant les Français acceptent une sorte de médiocrité dorée, s'extasiant même sur elle, autant le talent véritable, voire le génie, provoque leurs sarcasmes quand ce n'est pas leur colère[2]. »

Dans l'écriture des dialogues, Prévert mit beaucoup de sa vie personnelle et de ses rapports avec Jacqueline. La jeune femme avait quitté Hollywood sans espoir de retour. Elle avait résilié son contrat avec la MGM, persuadée de ne jamais s'intégrer à la vie de Beverly Hills et à sa tradition de l'*evening party*, selon elle symbole américain du samedi soir. « J'étais très jeune mais, si j'aimais m'amuser, je ne pouvais plus supporter leur façon de boire pour boire. Toute la semaine au studio la discipline était de fer, l'emploi du temps draconien. Le samedi, à cinq heures, c'était la grande *party*, à huit heures tout le monde était soûl, à dix heures la plupart roulaient sous la table. Le fin du fin pour ceux qui conservaient encore leurs esprits était de jeter une femme en robe du soir dans la piscine et de l'y rejoindre en smoking[3]. » De retour en France, Jacqueline gagna aussitôt Fontainebleau où Prévert l'attendait. Pourtant elle ne s'installa pas à L'Aigle Noir mais dans une auberge de Barbizon pour garder la même liberté qu'elle avait lors de leur vie commune au Montana. « Avec Jacques, notre romance marchait encore bien, se souviendra-t-elle, mais je souffrais d'une certaine insatisfaction, d'un certain mal de vivre. Je ne partageais pas sa vie complètement. C'était sans doute dû au fait que je ne m'y intéressais pas suffisamment à cause de mes dix-huit ans et que les gens qu'il fréquentait n'étaient pas toujours faciles à comprendre ni à cerner. Plus âgée, j'aurais sans doute participé plus intensément à sa vie mais il me laissait vivre la mienne comme je l'entendais. "C'est très beau d'être une femme libre, me répétait-il. Toi tu es faite pour être libre. Il faut que tu le restes !" D'ailleurs il a transposé notre couple Jacques et Jacqueline en François et Françoise dans *Le jour se lève*. Il y a

1. Mouloudji, *La Fleur de l'âge*.
2. Marcel Carné, *op. cit.*
3. Jacqueline Laurent à l'auteur.

beaucoup de moi dans le personnage de la petite fleuriste. Ce qu'il a voulu faire comprendre c'est que l'héroïne avec son air de jeune fille naïve et innocente n'était pas tellement une ingénue. C'était une fille qui voulait sa liberté avant tout. Elle refusait de s'attacher. C'était moi à l'époque. Au fond je n'aimais pas l'amour mais la passion. Et Jacques n'était pas un amant passionné pour qui le sexe compte énormément. Il était plus sentimental que sensuel. Ça ne veut pas dire qu'il n'appréciait pas, mais ce n'était pas un amant qui ne pense qu'à ça. De ce côté, ce n'a pas été une révélation pour moi. J'avais connu avant d'autres hommes qui étaient plus brillants, plus passionnés mais sans pour cela m'enthousiasmer sentimentalement. À cette époque, je pouvais m'amuser comme une folle à danser toute la nuit mais je n'étais pas de nature spécialement rigolarde. Le fond de mon tempérament n'était pas gai[1]. »

Prévert sentait qu'une histoire d'amour était en train de se terminer. On en trouvera le reflet dans son dialogue quand il fera dire à Arletty, désabusée par ses dernières déceptions sentimentales : « J'en ai ma claque des hommes qui parlent d'amour. C'est vrai, ils en parlent tellement qu'ils oublient de le faire ! » D'aucuns feront allusion au désespoir personnel du poète, tandis que Jacqueline usait de cette liberté dont il s'était toujours refusé à la priver. Mais pouvait-on parler de désespoir alors qu'il n'hésitait pas à recevoir à L'Aigle Noir la jeune Claudy Carter qui ne cachait nullement l'intérêt qu'elle lui portait ? Lors de la scène de rupture entre Clara-Arletty et François-Gabin, ce n'est pas un homme désespéré qui s'offrira le luxe d'un clin d'œil amical et souriant à son confrère Henri Jeanson dont la réplique « Atmosphère... atmosphère » avait marqué *Hôtel du Nord*, en ciselant la paraphrase prêtée à Arletty : « Des souvenirs... des souvenirs... Est-ce que j'ai une gueule à faire l'amour avec des souvenirs ! » En outre, c'est durant le séjour à l'Aigle Noir que Prévert composa le poème *Presque* qu'il lira aussitôt à Claudy comme si c'était elle qui l'avait inspiré[2] :

> À Fontainebleau
> Devant l'hôtel de l'aigle noir
> Il y a un taureau sculpté par Rosa Bonheur.
> Un peu plus loin tout autour
> Il y a la forêt
> Et un peu plus loin encore
> Joli corps
> Il y a encore la forêt

1. *Id.*
2. Claudy Carter à l'auteur.

Et le malheur
Et tout à côté le bonheur
Le bonheur avec les yeux cernés
Le bonheur avec des aiguilles de pin dans le dos
Le bonheur qui ne pense à rien
Le bonheur comme le taureau
Sculpté par Rosa Bonheur
Et puis le malheur
Le malheur avec une montre en or
Avec un train à prendre
Le malheur qui pense à tout...
À tout
À tout... à tout... à tout...
Et à Tout
Et qui gagne «presque» à tous les coups
Presque.

« C'est à ce moment qu'a commencé notre liaison, rappellera Claudy. J'étais mineure — je devais avoir seize ans — mais je ne m'en rendais pas compte et Jacques non plus qui ne m'a jamais forcée à rien. J'étais très jeune et très heureuse d'être avec lui. J'allais le voir quand il écrivait *Le jour se lève* à L'Aigle Noir. J'avais l'impression que ces dialogues constituaient un dernier cadeau à Jacqueline. Mais nous n'avons vraiment vécu ensemble que bien après le retour à Paris où nous nous sommes installés à l'Hôtel de l'Univers, rue de l'Université[1]. »

Marcel Carné tourna *Le jour se lève* de février à mai 1939, au studio Paris-Studios-Cinéma de Billancourt, dans une ambiance électrique due à la situation internationale — tandis que la guerre civile se terminait en Espagne par la déroute des Républicains, des bruits de bottes nazies résonnaient de plus en plus fort en Europe centrale — aussi bien qu'aux réactions du producteur Frogerais, effrayé par les méthodes de travail de son réalisateur qu'il jugeait trop dispendieuses. Dans la cour des studios de Billancourt, là où avait été édifié le canal d'*Hôtel du Nord*, Trauner avait construit l'immense décor de la place avec l'immeuble de cinq étages dominant les autres constructions du quartier populaire où se déroulait l'action. Pour parfaire l'impression d'enfermement, François-Gabin devait occuper une mansarde au-dessus de la place que la foule envahirait lorsque la police assiégerait l'immeuble. «J'ai eu de longues discussions avec le producteur qui savait bien que plus on monte haut, plus ça coûte cher et qui essayait de me faire rogner un étage ou deux, se souviendra Trauner. Tous les jours il menaçait de se suicider et nous on lui disait : "On n'a jamais vu un

1. *Id.*

producteur se suicider pour ça ; on a vu des acteurs se tuer, des auteurs, mais jamais un producteur..." Heureusement, Carné et Prévert ont tenu bon et on a quand même obtenu de monter la maison comme on le voulait[1]. » En outre, pour obtenir un décor absolument clos et montrer le héros allant et venant, muré en quelque sorte dans sa chambre, tel un condamné à mort dans sa cellule, Carné tourna entre quatre murs au lieu des trois utilisés d'ordinaire au cinéma, obligeant techniciens et ouvriers à s'allonger sur le sol lorsque la caméra « panoramiquait » sur la glace au-dessus de la cheminée ou découvrait les quatre cloisons dans un même mouvement. Ils s'allongeaient encore plus vivement — et Gabin se rencogna avec un naturel qui ne devait rien à son talent de comédien ! — lorsque Carné, pour conserver la trace des impacts, fit tirer *à balles réelles* dans la fenêtre, puis dans la porte pour faire sauter la serrure. Le panneau et le montant complètement déchiquetés, la serrure à demi arrachée, la porte devenait à son tour impraticable à l'équipe qui dut sortir par le plafond grâce à une échelle conduisant aux passerelles où les électriciens accrochaient leurs gamelles. Ce dispositif inspira à Jean Gabin une réplique qui ne devait rien à Prévert : « Quand vous aurez fini vos petites conneries, vous le direz... » bougonna-t-il en posant le pied sur le premier échelon. La grande vedette ne goûtait guère les acrobaties !

Depuis la conception de l'histoire, Prévert écrivait le rôle de Françoise pour Jacqueline Laurent, et il se trouva soudain fâcheusement influencé par les prémices d'un éloignement sentimental qui sentait la rupture. Revenant à Paris pour le tournage du *Jour se lève* et ne sachant rien de l'existence de Claudy Carter, la jeune femme avait décidé de vivre seule et avait loué un vaste studio, avenue George-V, à deux pas de la place de l'Alma. Était-ce cette manifestation d'indépendance qui le troubla ou une simple panne d'inspiration, toujours est-il que pendant plusieurs jours il fut dans l'impossibilité de dialoguer la dernière scène du film : celle du meurtre de Valentin par François. La situation ne se débloqua qu'à la dernière minute. Jacques Prévert remit le texte de la scène entre Jean Gabin et Jules Berry le matin même du jour où elle était prévue au plan de travail ! Dire que Carné était ravi serait exagéré mais il fit bon cœur contre mauvaise fortune et, après avoir réglé la scène, brochure en main, comme au théâtre, il la tourna en deux jours grâce à la bonne volonté de Jules Berry. Celui-ci, en effet, apprit son texte pourtant fort copieux en une nuit, ce qui relevait du miracle chez un comédien dont les

---

1. Alexandre Trauner, *Décors de cinéma* et *Traces*, n° 3.

trous de mémoire étaient aussi célèbres que les brillantes improvisations grâce auxquelles il les comblait! Le producteur Frogerais, lui, s'en prit évidemment à Jacques Prévert et ne lui pardonna jamais une «nonchalance» qui lui avait donné des sueurs froides. Il faisait tellement peu confiance à Prévert et Carné et à l'admirable musique de Maurice Jaubert que, le film terminé, il fit ajouter sans les prévenir un carton préliminaire disant: «Un homme a tué... Enfermé, assiégé dans une chambre, il évoque les circonstances qui ont fait de lui un meurtrier.» S'il faisait peu cas de ses auteurs, il n'avait pas plus de considération pour l'intelligence du public!

Avant d'être considéré comme un des chefs-d'œuvre du cinéma français, *Le jour se lève* ne souleva pas l'enthousiasme. À commencer par celui de ses principaux artisans. À l'issue d'une projection organisée pour eux par Marcel Carné, Prévert et Trauner «s'éloignèrent après quelques phrases incertaines[1]», Viot résuma sa pensée en deux mots: «Quel avortement!» Néanmoins, tous avoueront plus tard avoir un «petit faible» pour *Le jour se lève*... et Jacques Prévert «un grand fort»!

La critique, comme toujours devant une œuvre du tandem Carné-Prévert qu'elle encensera dix ans plus tard — mais l'immense succès populaire de *Paroles* sera venu rétablir la hiérarchie des valeurs! —, fut déroutée aussi bien par la modernité de la construction en flash-back, qu'Hollywood n'avait pas encore exportée, que par celle du jeu des acteurs. «Après le film muet et le film parlant, le film chuchoté», se moquera Paul Reboux dans *Paris-Midi*, tandis que l'auteur dramatique Pierre Wolff titrera son article: «*Le Jour se lève*... du pied gauche.» Sans commentaire.

Le film sortit en exclusivité au cinéma La Madeleine sur les Grands Boulevards, le 17 juin 1939. Compte tenu de la situation internationale inquiétante, le producteur n'avait pas attendu l'automne pour présenter au public une œuvre dont le titre volontairement dérisoire lui échappait complètement. *Le jour se lève*, «porteur de mélancolie et de mort», selon les termes mêmes de Marcel Carné, n'était guère propice à distraire des spectateurs avides d'oublier dans le rire et les paillettes la menace que les nazis faisaient peser sur eux. L'accueil fut glacial et les files d'attente se firent rares aux portes de La Madeleine. Prévert n'assista pas à la déroute. Depuis le mois de mai, il travaillait sur le nouveau film de Jean Grémillon, metteur en scène de deux ans son cadet qu'il admirait presque autant que Jean Vigo, mais aussi écrivain et compositeur estimé de Maurice Jaubert, apprécié autant par Raoul

1. Marcel Carné, *op. cit.*

Ploquin, le producteur des films français de la UFA, que par Jean Gabin qu'il avait dirigé avec brio dans *Gueule d'amour*. Autant de raisons pour Prévert de travailler avec lui, même si la nouvelle œuvre — *Remorques* — avait été commencée par d'autres.

Là encore, le scénario, inspiré d'un roman de Roger Vercel, auteur à succès d'aventures maritimes, était d'une grande simplicité : un capitaine de remorqueur qui pratique le sauvetage des navires en difficulté au large de Brest recueille en mer une jeune inconnue. Un grand amour va naître entre eux. Alors qu'il entrevoit le bonheur, le marin devra y renoncer pour se rendre au chevet d'une épouse possessive, minée par une grave maladie et qui, depuis dix ans, le dispute à la mer jusque-là sa plus grande rivale. Sa femme morte, sa jeune maîtresse disparue, le capitaine continuera son métier dans l'atmosphère lugubre de Brest où, la plupart du temps, règnent la pluie et le vent. Rien de bien folichon dans cette histoire dont Grémillon avait fait l'adaptation avec Charles Spaak, auteur des dialogues. Le producteur indépendant Lucachewitch, qui avait racheté l'affaire à la UFA comme Rabinovitch pour *Quai des Brumes*, refusa le tout d'une manière si brutale que Grémillon, sensible à l'extrême, dut s'aliter quinze jours ! Halte forcée que Lucachewitch mit à profit pour engager André Cayatte pour une seconde adaptation, Roger Vercel se chargeant des dialogues. À leur tour, Gabin et Grémillon refusèrent la nouvelle mouture et imposèrent Prévert qui, s'il n'était pas très à l'aise dans le développement d'une histoire originale, excellait à rapetasser les scénarios bancals et à écrire des dialogues « sur mesure » pour les vedettes choisies par le metteur en scène et le producteur : en l'occurrence Jean Gabin — le capitaine — et sa jeune maîtresse, Michèle Morgan, qui vivaient à la ville la belle aventure amoureuse écrite pour l'écran ! Jacques Prévert, après avoir bouclé la troisième adaptation avec Grémillon, s'attela aux dialogues, mais ils étaient loin d'être terminés quand son metteur en scène commença le tournage dans le port de Brest.

C'est le moment que choisit Jacqueline Laurent pour annoncer à Jacques la fin d'une liaison qui battait de l'aile depuis Fontainebleau. Après le tournage du *Jour se lève*, elle avait rencontré au Flore, où il s'était intégré à la bande, Renaud de Jouvenel pour lequel elle avait éprouvé « un petit coup de foudre[1] » chez Agnès Capri. « Pour quitter Jacques dont j'ai été sincèrement amoureuse je n'ai pas fait beaucoup de phrases, se souviendra-t-elle. Je lui ai seulement dit avec une franchise

---

1. Jacqueline Laurent à l'auteur.

peut-être un peu brutale : "Voilà, c'est fini, j'ai rencontré quelqu'un d'autre. C'est Renaud de Jouvenel. Il me plaît et je pense que ça va aller plus loin." Ça ne lui a pas plu. Non pas que je le plaque — il avait toujours voulu que je sois libre —, mais que je le quitte pour Renaud de Jouvenel dont il n'aimait pas la famille grande bourgeoise même si, pour sa part, celui-ci professait des idées d'extrême gauche. Jacques m'a dit plusieurs fois : "Tu fais ce que tu veux mais ce n'est pas un type pour toi." Notre histoire s'est terminée ainsi. Sans éclats. En restant bons amis. Claudy était entrée dans sa vie en même temps que j'en sortais. C'était une petite vengeance contre moi. Puis la guerre est arrivée et nous avons eu à penser à d'autres choses[1]. »

Prévert termina ses dialogues à Brest, tandis que l'équipe du film attendait avec impatience la pluie qui, pour une fois, faisait défaut sur le grand port breton, au point que Grémillon dut avoir recours aux lances à incendie des pompiers ! C'est alors que Prévert enregistra cette image qui, cinq ans plus tard, Brest disparue « sous cette pluie de fer, de feu, d'acier, de sang », lui inspira *Barbara* : « Une fille regardait tout ça. Elle se mettait sous la pluie, se demandant si c'était la pluie du ciel ou l'eau du tuyau qu'elle recevait[2] ! » La guerre que tout le monde attendait depuis que, le 23 août, l'Europe stupéfaite avait appris la signature d'un pacte de non-agression entre Ribbentrop et Molotov, c'est-à-dire entre Hitler et Staline qui, en grand secret, se partageaient les zones de conquêtes, éclata alors que les trois quarts du film restaient à tourner, y compris les scènes de sauvetage en mer, lors de la tempête. Scènes pour lesquelles Trauner aidé d'ingénieurs avait conçu un dispositif extrêmement astucieux, monté sur vérins, qui permettait de reconstituer en bassin, au studio de Billancourt, toutes les manœuvres d'un sauvetage risqué impossibles à tourner en conditions réelles. Les scènes d'extérieur mises en boîte à Brest, toute l'équipe se replia sur Paris tandis que, le 30 août, l'Allemagne lançait un ultimatum à la Pologne, exigeant Dantzig et un plébiscite dans le Corridor. La Pologne répliqua par la mobilisation générale. Le 1er septembre les troupes allemandes pénétraient en Pologne, sans déclaration préliminaire, et après qu'Hitler avait feint d'offrir la paix. La guerre que, un an plus tôt, la France et l'Angleterre avaient refusé de faire pour sauver la Tchécoslovaquie, préférant croire au marché de dupes des accords de Munich, les deux nations phares de l'Europe démocratique étaient contraintes de la déclarer au Reich, le 3 sep-

---

1. *Id.*
2. Jacques Prévert in *Mon frère Jacques*.

tembre. La veille, *Paris-Soir* titrait : « Mobilisation générale.
Premier jours de la mobilisation : 2 septembre. »

D'un jour à l'autre, les hommes — acteurs et techniciens —
en âge d'être mobilisés disparurent du plateau de Billancourt.
Grémillon, versé dans le train des équipages, Gabin dans les
fusiliers marins, *Remorques* fut interrompu. Jacques Prévert,
qui n'avait rien renié des idéaux antimilitaristes et pacifistes du
Groupe Octobre avait pris les devants dans la dernière semaine
d'août. Pour lui, pas question d'aller jouer au petit soldat. Il fallait trouver quelque chose pour le faire réformer, dit-il à Jacqueline qui, toujours soucieuse du bien-être de son ancien
amant, lui proposa de se faire opérer de l'appendicite. Acte chi-
rurgical bénin qui lui éviterait même d'être mobilisé ! Parmi
leurs nombreuses relations, il se trouverait bien un médecin
pour justifier l'urgence de l'intervention. « Voilà une bonne
idée, m'a dit Jacques. Il a été opéré. Puis je l'ai quitté définitivement [1]. » C'est le Dr Raymond Leibovici qui se chargea de
l'opération à la clinique Remy-de-Gourmont, en plein cœur du
XIXe arrondissement, à deux pas de l'avenue Mathurin-Moreau
où le Groupe Octobre naissant répétait ses premiers spectacles
à la Maison des syndicats. Raymond Leibovici, membre du
parti communiste, était un ami cher de Pierrot, de Jacques et
de la bande. « Il nous a tous opérés dans sa clinique des Buttes-
Chaumont, dira Prévert [2]. » Le praticien, futur responsable des
services de santé de tous les maquis de France au sein du
Conseil national de la résistance, fit ensuite transporter son
patient à l'hôpital militaire du Val-de-Grâce, boulevard du Port-
Royal, pour qu'on ne puisse l'accuser de se dérober à ses obligations militaires en temps de guerre. Il espérait pour lui une
permission de convalescence, éventuellement transformable
en permission libérable. Claudy Carter, qui avait dorénavant le
champ libre, partageait cet optimisme. On la vit rendre visite à
son Monstre, ainsi que Prévert signait parfois les lettres qu'il lui
adressait, avec dans les bras un énorme bouquet de fleurs qui
impressionna fort les occupants de la salle commune à laquelle
le modeste grade de caporal du poète ne lui avait pas permis
d'échapper. Ce dernier n'eut pas le temps de voir faner les
fleurs de sa nouvelle compagne. Un médecin-major décida de
le transférer à l'hôpital militaire de Rennes, lequel le renvoya à
l'hôpital complémentaire de Coëtquidan, localité du Morbihan
qui n'engendrait pas la gaieté. Un seul espoir de réforme : l'avis

---

1. Jacqueline Laurent à l'auteur.
2. In *Les Inédits des heures chaudes de Montparnasse*, de Jean-Marie
Drot.

du Dr Leibovici accompagnant le dossier de son patient. « Pas tout à fait normal et un peu fou[1]. »

Une première carte à Claudy, datée du 7 septembre 1939, traduisait un optimisme tout relatif :

Claudy, peut-être serai-je, si tout va bien, à Paris en même temps que cette lettre. Je ne vais pas trop mal. Et toi. Je pense à toi très fort et je me rappelle de ta jolie tête au-dessus de la mienne lorsque j'étais couché. Je voudrais que tu sois heureuse et que tu ries plus souvent. Embrasse-moi.

Jacques

Je t'embrasse. Je suis dans un pays affreusement morne qui s'appelle Coëtquidan. Envoie-moi une carte même si je suis parti avant[2]. *[Suivait une adresse :]* Hôpital complémentaire. Bâtiment G.2. Coëtquidan. Morbihan.

Trois semaines plus tard l'amoureux de la Bretagne qui, dans ces heures difficiles, aurait tant aimé la quitter, y séjournait encore, contraint et forcé :

Claudy, je m'ennuie beaucoup ici, je suis très fatigué aussi. Je pense à toi. Je pense que tu n'as pas la vie heureuse et qu'avant que je m'en aille tu étais tellement fatiguée. Tellement fatiguée sous ton fond de teint doré. Petite bête de soleil qui traîne dans la guerre, dans la nuit et dans la pluie, je pense à toi et je voudrais t'avoir près de moi. Je t'embrasse. T'embrasser et t'entendre rire… Enfin il y a tout de même de fortes chances pour que je retourne *bientôt* à Paris. Je m'ennuie mais je ne suis pas triste. Je pense à toi et je suis gai. Je t'embrasse. Je t'embrasse.

Le Monstre
[Signature suivie du dessin d'un chat[3]]

Fin octobre, parfaitement rétabli de son opération chirurgicale mais le moral en berne et plein d'incertitude sur son sort, Jacques Prévert fut transféré au centre de triage d'Avord, près de Bourges, où l'autorité militaire déciderait de son statut. La drôle de guerre avait commencé qui allait durer cahin-caha jusqu'à la débâcle de mai 1940. Une petite guerre faite d'escarmouches et de patrouilles entre Rhin et Moselle, qui devait son nom au film qu'il avait écrit deux ans plus tôt pour Marcel Carné et que la critique avait si mal accueilli ! Les journalistes n'en avaient gardé en mémoire que le nom mis au goût du jour. *Drôle de drame* était devenu *Drôle de guerre* dans leurs commentaires. Au camp d'Avord, Jacques Prévert décida

1. André Virel à l'auteur.
2. Claudy Carter, archives personnelles.
3. *Ibid.*

de prendre son sort en main et de justifier par son attitude l'avis du Dr Leibovici. Marcel Duhamel, réformé temporaire, estima, lors d'une visite impromptue, que son ami jouait parfaitement son rôle dans ce camp où régnait la plus gigantesque pagaille : « J'y trouve Jacques en civil, imperméable et petit béret basque, coiffure qu'il affectionne tout particulièrement, on le sait, depuis *L'affaire est dans le sac [racontera-t-il].* Il n'a pas trouvé d'uniforme qui lui aille, prétend-il quand on lui demande ce qu'il fabrique là dans cet accoutrement. Qui fait très bien dans le tableau, car la plus grande agitation, le désordre et la confusion règnent dans le camp. Jacques passe tantôt inaperçu, tantôt attire l'attention. À des gradés que son comportement intrigue, il tient des propos saugrenus. Tant et si bien qu'il sera transféré à Bourges[1]. »

Le 4 novembre 1939, Jacques Prévert rejoignit le dépôt d'infanterie n° 52 *bis* de Bourges où sa situation fut régularisée, dit son livret militaire, grâce à un délai d'arrivée valable jusqu'à ce jour. Il ne figurera pas longtemps sur les effectifs du D.I. 52 *bis* puisque, dix-huit jours plus tard, il passa devant la Commission de réforme de Bourges dont le diagnostic loin de l'effrayer le transporta de joie : « Syndrome de la maladie de Basdowe[2] *[sic]*, angoisse, palpitations, hyperémotivité, spasmes gastriques et intestinaux, exophtalmie, asthénie, amaigrissement, tachycardie, T.A. 19/9. Réformé définitif n° 2 par la Commission de réforme de Bourges le 22-11-1939. Rayé des contrôles ledit jour[3]. » Ce qui fera dire à Marcel Duhamel : « Le voilà réformé comme goitreux, atteint par surcroît de sénilité précoce ! » Le 22 novembre 1939, le caporal Prévert, Jacques, André, Marie, classe 1920, matricule 1537, en avait presque fini avec la Seconde Guerre mondiale. Presque...

Les allusions réitérées à la tristesse de Claudy se justifiaient par une situation personnelle difficile à laquelle il tenta de remédier dès son retour à Paris. Si la mère de son amie était française, son père, avec lequel elle vivait, 41 rue de Seine, depuis le divorce de ses parents, était de nationalité autrichienne et ne s'était jamais soucié d'obtenir pour ses filles la double nationalité à laquelle elles avaient droit. À la déclaration de guerre, il avait été arrêté et interné dans un camp réservé aux sujets étrangers dont le pays d'origine était en conflit avec la France. « Je devais avoir des papiers plus ou moins français ;

---

1. Marcel Duhamel, *op. cit.*
2. Maladie de Basedow : synonyme de goitre exophtalmique (saillie anormale du globe oculaire hors de l'orbite). Médecin allemand, Karl Basedow (1799-1854) fut le premier à donner la description de l'hyperthyroïdie et de ses symptômes.
3. Archives de Paris, cote 1495 W Art. 112.

ou en tout cas qui prouvaient la nationalité française de ma mère, précisera Claudy. Jacques s'est beaucoup soucié de cette situation et m'a aidée à la régulariser tout comme celle de mon père qui avait passé l'essentiel de sa vie à Paris[1].» La guerre touchait nombre de proches, d'amis d'hier et d'aujourd'hui. En majorité des artistes, étrangers ou juifs, personnellement menacés par les décrets xénophobes d'Albert Sarraut, ministre du troisième gouvernement Daladier, au nom de «La France aux Français». C'est ainsi que Max Ernst, surréaliste des débuts, beau-frère de Jean Aurenche mais toujours ressortissant allemand avait été interné, dès la déclaration de guerre, au camp des Milles près d'Aix-en-Provence où il avait retrouvé le peintre Hans Bellmer. Pareille mésaventure était arrivée au peintre allemand Wols, fils d'un chancelier de Saxe et beau-frère par alliance de Marcel Duhamel puisqu'il avait épousé Grety, sœur de la blonde Gazelle. «La racaille», comme disaient si élégamment les gendarmes français venus les arrêter. C'est à Wols que l'on doit la seule photo qui nous soit parvenue de Jacqueline Laurent dans les bras de Jacques Prévert, un cliché si romantique qu'il avait provoqué la fureur de la jeune femme, laquelle préférait les portraits bien léchés de Sam Levin, alors photographe des plus grandes stars françaises. Max Ernst avait été libéré grâce à l'intervention personnelle de Paul Eluard auprès d'Albert Sarraut. Il venait d'être à nouveau arrêté et réincarcéré au camp des Milles. Jacques Prévert intervint alors en sa faveur en remplissant un imprimé que bien peu de Français étaient prêts à signer en ces temps troublés où régnait la phobie des «oreilles ennemies qui nous écoutent» et de la cinquième colonne. L'imprimé in-octavo oblong, selon le langage administratif, avait pour titre : «Caution écrite à fournir par toute personne intervenant en faveur d'un interné». En inscrivant de sa main, son nom, son adresse, sa profession (auteur de films), le nom de Max Ernst, le nom du camp et sa signature, Jacques Prévert se portait caution pour le peintre allemand et certifiait son loyalisme vis-à-vis de la France. C'était faire montre d'un beau courage à l'heure où *Le jour se lève*, né de sa plume, avait été interdit aux moins de seize ans pour pessimisme et alors que *Quai des Brumes* sera bientôt accusé d'avoir sapé le moral des Français, avant d'être purement et simplement interdit par Vichy pour cause de «défaitisme»! Ernst parviendra à échapper aux griffes des gendarmes français grâce à l'appui financier de la grande collectionneuse américaine Peggy Guggenheim qui lui achètera quelques œuvres et à l'intervention politique de Varian Fry, journaliste américain qui, dès le printemps de

---

1. Claudy Carter à l'auteur.

1940, sous la couverture du Centre américain de secours aux réfugiés, arrachera plusieurs centaines de «fauteurs de guerre» aux camps nazis auxquels ils étaient promis.

Les interventions de Jacques Prévert n'étaient pas toujours aussi discrètes et adroites. C'est ainsi qu'il vint en aide à sa façon à son collègue Henri Jeanson qui comparut le 20 décembre 1939 devant le 2e tribunal militaire de Paris siégeant dans les locaux de la XIe chambre correctionnelle pour «provocation de militaires à la désobéissance» à la suite d'un article pacifiste intitulé «Vivre libre et ne pas mourir» et publié dans *Solidarité internationale antifasciste*, le brûlot de l'anarchiste Louis Lecoin. Les témoins à décharge étaient prestigieux, puisque se succédèrent à la barre Gaston Bergery, l'homme politique qui savait si bien protéger ses amis artistes, Antoine de Saint-Exupéry en tenue d'aviateur, botté et couvert de décorations, Joseph Kessel et François Mauriac, Marcel Achard et Louis Jouvet qui dirent tout le bien qu'ils pensaient du spirituel dialoguiste. Arriva le tour de Jacques.

«Que pensez-vous de l'accusé?» demanda le colonel qui présidait le tribunal militaire.

Un long temps s'écoula puis Prévert lâcha quatre mots. Pas un de plus:

«Il aime son chien.

— Vous n'avez pas entendu. Je répète ma question: Que pensez-vous de l'accusé M. Henri Jeanson?»

Même manège.

«Il aime son chien[1].»

Et, à cinq reprises, Jacques Prévert répondra la même chose jusqu'à ce que la salle commence à étouffer ses rires et le colonel à comprendre que le témoin se moquait de lui sans vergogne. «Ça c'était émouvant, dira Arletty assise dans le public, et il n'avait pas besoin de dire autre chose. Jeanson aimait son chien. Il ne voulait pas en savoir davantage. Pour Jacques, cela suffisait largement à le disculper de n'importe quel "crime". Puisqu'il aimait son chien[2]...» De même que Jeanson aurait laissé périr son meilleur ami s'il avait été sûr de faire un bon mot à son enterrement[3], Jacques Prévert n'avait pas résisté au plaisir d'égratigner une fois de plus l'ordre établi et cette Armée qu'il détestait au moins autant que l'Église et la Bourgeoisie. Jeanson en prit pour cinq ans et trois mille francs d'amende, alors que le ministère public n'avait requis contre lui que dix-huit mois de prison!

---

1. Arletty à Jean-Claude Lamy, *op. cit.*, et in *France-Soir*, 16 mai 1992.
2. *Ibid.*
3. Marcel Carné, *op. cit.*

Jacques Prévert fut plus efficace quand il s'agit de faire redémarrer *Remorques*, interrompu par la déclaration de guerre. «Prévert très complice avec Grémillon s'est beaucoup exposé pour le faire revenir du train des équipages où il avait été mobilisé à transporter des sacs de ciment», témoignera Alexandre Trauner qui observait avec angoisse l'évolution de la situation. Hongrois, il n'avait pas été mobilisé puisque son pays n'était pas en guerre mais il savait qu'on le gardait à l'œil. On lui avait déjà interdit de se déplacer sans autorisation spéciale et il apprenait jour après jour à se méfier de tout et de tous. Prévert et Gabin, qui avaient une très grande estime pour Gré-millon, durent intervenir fermement auprès du producteur qui voulait profiter des événements pour remplacer le Breton[1] par un réalisateur plus malléable. Dans le monde politique, on pensait, en ce printemps 1940, qu'il fallait démobiliser les personnes indispensables dans leur activité professionnelle. Profitant de cet état d'esprit et utilisant quelques relations bien placées, Prévert fit revenir Jean Grémillon et son assistant Louis Daquin au titre du ministère de la Marine. Le 7 mai, le tournage de *Remorques* pouvait reprendre au studio de Billan-court. L'œuvre était sauvée, en grande partie grâce au poète et à son sens de l'amitié. Le film, ses interprètes et ses techniciens n'étaient pourtant pas au bout de leurs peines. Vendu aux États-Unis, dès le début de son tournage par le producteur Lucachevitch, *Remorques* sera à nouveau interrompu par l'en-trée des Allemands en France à la fin du printemps. Grémillon le terminera en studio, courant 1941, en réalisant de nouvelles scènes de tempête pour remplacer celles effectuées en 1939 et devenues inutilisables. L'équipe, elle, aura éclaté : Jacques Pré-vert réfugié en Provence et son ami Alexandre Trauner caché quelque part dans le Midi. Juif, il n'existera plus officiellement. Tout comme Joseph Kosma. La débâcle était passée par là et les Allemands avaient commencé une occupation qui allait durer quatre ans et bouleverser tant de destins.

---

1. Surnom que Gabin avait donné à Jean Grémillon qui aimait tant la mer qu'il ne quittait jamais sa casquette de marin !

CHAPITRE 2

La Colombe d'Or, une famille pour la vie

Ce fut vraiment un printemps délicieux. Des Champs-Élysées au Luxembourg, les marronniers étaient en fleur. Les jardiniers municipaux semblaient ne pas avoir été mobilisés tant les massifs rivalisaient de somptuosité, mêlant les teintes neuves et vives du mois de mai. Le ciel était limpide. Il n'avait pas plu depuis des semaines et, à chaque aube, aux quatre coins de Paris, les caniveaux étaient comme autant de ruisselets gais et frais dont l'eau claire purifiait les trottoirs. Dès les premières heures de la matinée, les terrasses arrosées par des garçons en bras de chemise se remplissaient de Parisiens prenant le soleil. Selon l'heure, elles embaumaient de l'odeur du café puis du pastis. Le vin blanc avait un goût de pierre à fusil, disait-on dans les bistros les plus populaires. Les gens semblaient avides de savourer la douceur et la beauté d'une ville qui s'offrait en toute innocence, sans se douter de l'imminence de la catastrophe. On s'était fait un peu peur en septembre 1939, lors de la déclaration de guerre, mais, au café du Commerce, on avait bien remarqué que ce n'était pas comme en 1914 quand les Allemands avaient fondu sur la capitale et qu'il avait fallu utiliser jusqu'aux taxis pour les arrêter sur la Marne. On avait certes distribué des masques à gaz, mais leurs étuis gris qui battaient le bas du dos avaient bien vite disparu, rangés dans un placard. Le soir, la ville, comme toutes les agglomérations au nord de la Seine, était plongée dans l'obscurité par crainte des attaques aériennes. Mais, comme elles ne venaient pas, la vie avait repris son cours avec deux millions d'hommes croupissant dans l'inaction, tandis que le reste de la population vaquait à ses activités habituelles. Les théâtres, cinémas, music-halls, fermés au premier jour de la guerre, avaient rouvert leurs portes. Ils faisaient même salle comble. Tout comme les tribunes des champs de courses. Jamais le PMU n'avait fait de si bonnes affaires. L'insouciance était dans l'air. Le réveil n'en fut que plus brutal.

Le vendredi 10 mai 1940, sans crier gare, la Wehrmacht envahit la Belgique et le Luxembourg. Trois jours plus tard, trois *Panzerdivisionen* s'engageant à travers les Ardennes belges franchirent la Meuse dans la région de Sedan et foncèrent vers l'Ouest avec une rapidité foudroyante qui laissa le haut commandement allié complètement désemparé. En moins de trois semaines, les divisions anglaises décrochèrent pour rembarquer à Dunkerque, emmenant avec elles cent vingt mille Français. Le 3 juin, Paris fut violemment bombardé, déclenchant un vent de panique qui n'ira qu'en s'amplifiant dans les jours suivants. Les usines Citroën des bords de Seine, Auteuil, Passy et les banlieues ouest et nord-ouest furent particulièrement touchées. Le nouveau front fut percé, le 6 juin sur la Somme et le 7 juin sur l'Aisne. Dans la capitale, au matin du 12 juin, un ciel de suie succéda au temps magnifique des semaines précédentes. On apprit en même temps que le gouverneur militaire avait ordonné de mettre le feu aux réservoirs d'essence de la banlieue — ce qui assombrissait les rues d'épais nuages de fumée noire —, que les armées françaises avaient reçu l'ordre de se replier en direction de la Loire, et que les Allemands campaient désormais au voisinage de Paris, déclarée ville ouverte. Si l'on ne voulait pas tomber entre leurs mains, il fallait déguerpir sans plus tarder. Ce que décida Jacques Prévert, alors que les troupes ennemies n'étaient qu'à quelques lieues de la capitale. Il aver-tit les amis proches qui n'avaient pas encore fui pour les convaincre de le faire sans tarder. Marcel Duhamel et quelques autres qui possédaient une voiture étaient déjà en route pour la Corrèze où Renaud de Jouvenel ouvrait toutes grandes les grilles de son château. Invitation à laquelle le scénariste ne pouvait décemment pas répondre pour les raisons que nous savons.

Il se soucia d'abord de ceux qui avaient le plus à craindre de l'arrivée des nazis et des mesures antisémites qu'ils n'allaient pas manquer de prendre sitôt la ville tombée : Alexandre Trauner et Joseph Kosma. Que n'avaient-ils décampé les premiers, ces juifs hongrois qui avaient déjà fui le régime de Horthy dix ans plus tôt ? « C'est vrai que j'aurais pu agir comme beaucoup de mes confrères, et rejoindre les États-Unis, expliquera Trau. Il y avait des filières plus ou moins organisées qui le permettaient. Mais j'étais tellement attaché à ce pays que je n'ai pas pensé une seconde à partir. Je ne croyais pas que la guerre pourrait durer aussi longtemps. J'étais optimiste, bêtement même, puisque la réalité s'est avérée beaucoup plus dure que je l'avais escompté. Peut-être ai-je eu tort dans ces circonstances, mais j'étais littéralement lié à mes amis, aux Prévert, aux films de Carné et de Grémillon. Tout cela, c'était mon monde et je n'imaginais pas de l'abandonner[1]. » À l'hôtel Montana où logeait le décorateur, Prévert se fit persuasif et le convainquit de quitter Paris avec sa femme Sâri, en profitant de la voiture d'un ami, le sculpteur Petrus Bride qui emportait des machines d'imprimerie appartenant à l'Information pour les mettre en sécurité. Il lui donna rendez-vous à Jurançon, petit village à deux kilomètres de Pau, où le peintre et costumier Mayo lui offrait l'asile de sa propriété. Quant à Joseph Kosma, il était si attaché à la France, devenue son pays d'adoption, qu'au premier jour de la guerre il s'était engagé dans la Légion étrangère! Maladroit, toujours dans la lune, il n'avait pu s'y intégrer et avait été réformé sans tarder. Il avait regagné le petit hôtel de la rue de Beaune où Lilly faisait bouillir la marmite en donnant des leçons de piano, tandis que Io courait le cachet. Il était si emprunté, si démuni qu'il serait à n'en pas douter parmi les premières victimes du régime nazi. Prévert ordonna au couple de faire ses valises et de se préparer à le suivre tandis qu'il réitérait l'opération auprès du troisième Hongrois de la bande, le photographe Brassaï, et de Simone, sa première femme, prête à suivre son «ex» à condition que ce soit pour rejoindre son compagnon Louis Chavance — bloqué quelque part dans le Midi — et d'emporter dans un panier sa chatte qui allait avoir des petits d'un jour à l'autre! L'opération fut moins facile à réaliser avec Claudy dont Jacques n'envisageait pas un instant de se séparer. Elle ne voulait pas quitter l'appartement de la rue de Seine où son père viendrait tout naturellement la rejoindre dès qu'il serait libéré du camp où il était encore en détention. Io vint à la rescousse pour convaincre la jeune fille partagée, en ces temps difficiles, entre l'amour filial et la passion pour son beau poète dont le geste prouvait un attachement qui la toucha au plus profond. Elle se laissa persuader par leurs arguments conjugués, et la petite troupe, faute d'automobile, quitta Saint-Germain-des-Prés, son village, à pied! Direction : les Pyrénées!

Ce départ impromptu, des valises faites à la va-vite à bout de bras, avait quelque chose de surréaliste, mais qu'est-ce qui ne l'était pas à la veille de l'entrée des troupes allemandes? On quittait Paris en pleine débâcle. On voyait déjà le feu au-dessus de Saint-Denis. Tout était fichu. Il suffisait de parvenir — à grand-peine — aux abords du boulevard Saint-Michel en direction de la Porte-d'Orléans pour se persuader de l'ampleur de la catastrophe. Les voies d'accès aux sorties sud de la ville étaient embouteillées par les véhicules les plus hétéroclites : autos particulières, taxis, camions militaires, corbillards, ambulances, et même des voitures attelées dont les chevaux n'avaient aucune

---

1. Alexandre Trauner, *Décors de cinéma*.

peine à soutenir l'allure générale tant elle était lente. Aux gares de Lyon et d'Austerlitz, c'était pire encore. Les trains étaient pris d'assaut, quelle que fût leur destination, et débordaient par les portières et les fenêtres d'une humanité piaillante, harassée d'avance, où les corps semblaient enchevêtrés avec les valises, les colis, les ballots, les mêmes que d'autres traînaient avec eux sur les routes dans des carrioles, parfois même des voitures à bras, mêlés aux meubles d'une vie dont les fuyards ne s'étaient pas résolus à se défaire. Dans cette foule, image navrante d'un peuple à la dérive, on apercevait çà et là des militaires désemparés que leurs officiers avaient abandonnés à eux-mêmes et qui se laissaient porter par le mouvement. En haut du boulevard Saint-Michel, sous sa verrière rococo, le train de la ligne de Sceaux fonctionnait encore, comme par miracle. Qui aurait eu l'idée de quitter Paris par la petite gare du Luxembourg utilisée dans la semaine par les ouvriers, les employés et étudiants de la banlieue sud, et le dimanche par les amoureux qui allaient pique-niquer entre les bois de Verrières et ceux de la vallée de Chevreuse ! Jacques Prévert eut cette idée-là. Un ticket de métro suffisait à la réaliser !

— Saint-Rémy-lès-Chevreuse. Terminus. Tout le monde descend, expliqua-t-il. C'est la route de Chartres et d'Orléans. On trouvera bien à faire de l'auto-stop. Et ça nous rapprochera toujours de Pau !

Rassuré sur le sort de ceux qu'il aimait et sur qui il veillait avec des attentions de mère poule — Pierrot et Gisèle avaient quitté leur appartement de la rue Blomet avec Marcel Duhamel pour se réfugier à Varetz chez Renaud de Jouvenel —, Prévert était d'une humeur délicieuse. Il avait une ample provision de gauloises dans sa valise et, avec de l'argent dont il ne manquait pas, suite aux derniers travaux effectués pour différents producteurs — tels *Feu follet* ou *La Clé des champs* pour Jack Cohen et *Le Baron de Crac*[1] auquel Jean Renoir s'intéressait —, on trouvait encore à chacune des étapes de ce petit vin blanc sec qu'il appréciait depuis toujours et dont le goût était chaque fois renouvelé selon les régions traversées. Quant à l'amour, il avait le tendre et frais visage d'une Claudy de dix-huit ans auquel l'exode n'enlevait pas une once de charme. Malgré le tragique de la situation, elle resplendissait dans un de ces petits tailleurs si pratiques pour voyager. Son Monstre, qui lui avait tant manqué lors de l'épisode de Coëtquidan, était là, à ses côtés, veillant sur sa Petite Feuille[2] — tel était le nou-

1. Aucun de ces films ne sera réalisé.
2. Claudy Carter à l'auteur.

veau surnom qu'il lui avait trouvé — qui voletait à la brise de l'été naissant.

À Saint-Rémy-lès-Chevreuse, ils s'intégrèrent au flot ininterrompu des réfugiés en route vers Orléans, Tours et Poitiers. Puis, comme les deux millions de Parisiens qui avaient quitté la capitale pour se mêler à la misérable cohorte des réfugiés du Nord et de l'Est, ils s'abandonnèrent au courant qui guidait la foule, profitant de tous les moyens de transport disponibles. «Nous étions six, inséparables, se souviendra Claudy, Jacques, Joseph et Lilly Kosma, le photographe Brassaï, Simone, son chat et moi. Partis en métro, nous avons marché assez longtemps le long de la vallée de Chevreuse, puis fait de l'auto-stop en camion, en autobus. Ensuite on s'est joints à une colonne d'artillerie en retraite. Les militaires nous donnaient à manger. Je me souviendrai toujours de Jacques et moi à cheval sur un canon de 155. Ce n'était pas très confortable. Mais ce n'était rien à côté du mitraillage de l'aviation. À chaque attaque, on s'égaillait dans les champs, puis le groupe se reconstituait. On s'entendait tous très bien. Jacques adorait Brassaï et Kosma. Quant à Simone, sa première femme, c'était sans doute sa meilleure copine. Il n'y avait que Lilly à être une vieille emmerdeuse, toujours à faire des messes basses[1]!»

Les nouvelles se transmettaient à l'étape du soir. Parfois des bruits divers parcouraient la caravane. On apprit ainsi que, le 14 juin, Paris était tombé sans combat tandis que le gouvernement français gagnait Bordeaux. Paul Reynaud, partisan de la continuation de la guerre, démissionnait deux jours plus tard remplacé par le maréchal Pétain chargé de former le dernier gouvernement de la IIIe République. Le lendemain, le nouveau président du Conseil demandait l'armistice qui entrait en vigueur le 25 juin, instaurant l'occupation de la moitié du territoire français. Sur proposition de Pierre Laval, l'Assemblée nationale réunie à Vichy donnait, par 569 voix contre 80, tous les pouvoirs à Pétain qui, de sa voix chevrotante — il avait quatre-vingt-quatre ans — avait annoncé aux Français qu'il faisait «don de sa personne à la France». La République était morte, l'État français était proclamé, porté sur les fonts baptismaux par la Chambre du Front populaire! Difficile à avaler pour un homme qui, au sein du Groupe Octobre, avait tant œuvré pour son succès!

Jacques Prévert et ses amis arrivèrent enfin à Jurançon où Alexandre Trauner et son épouse Sâri, auxquels s'était jointe Consuelo de Saint-Exupéry, les avaient précédés seulement de trois jours.

1. *Id.*

Mayo, un beau garçon de trente-cinq ans, de son vrai nom Antoine Malliarakis, était né à Port-Saïd, en Égypte, d'un père grec et d'une mère française. Dès l'enfance — à sept ans il s'était fait appeler Mayo —, il avait été attiré par le dessin puis par la peinture. À Paris il s'était lié avec Tzara, Picabia et bientôt avec les surréalistes, tout en suivant les cours de l'École des beaux-arts. Familier de la rue du Château, il y avait connu Prévert et sa bande. Malgré plusieurs expositions, dont une en compagnie de Giorgio De Chirico qu'il admirait autant que Jacques, il avait dû convenir que, dans son cas, la peinture ne nourrissait pas son homme et, pour gagner sa vie, avait mis son art au service des décors et des costumes de théâtre et de cinéma. Toute la famille Malliarakis baignait dans ce milieu puisque sa femme et sa belle-mère travaillaient chez Jeanne Lanvin, l'une des plus grandes artistes de la haute couture parisienne. Son père, fort aisé, passait son temps entre ses affaires au Caire, et les Basses-Pyrénées où il avait acheté une vaste propriété viticole à Jurançon constituée de deux grosses maisons principales et d'une foule de petites maisons de viticulteurs perdues dans les vignes. C'est cette propriété que Mayo mettait à la disposition de ses amis qui, outre le couple Trauner et Mme de Saint-Exupéry, retrouvèrent leur « vieille » copine Sylvia Bataille et son nouveau compagnon, le psychiatre Jacques Lacan. Dernier arrivé, un habitué du Café de Flore, superbe garçon à la peau mate et aux yeux de velours d'un prince éthiopien — il était né à Addis-Abeba vingt-deux ans plus tôt — et qui sera l'un des grands animateurs de Saint-Germain-des-Prés : Nico Papatakis. En outre, comme pour resserrer les liens entre les réfugiés, Mayo avait accueilli le mari de sa sœur Hélène, Gilles Margaritis, ancien du Groupe Octobre qui, avec Caccia, avait mis au point un duo de comiques musicaux, Les Chesterfollies, et, à ce titre, connaissait tout le monde du spectacle. La généreuse hospitalité de Mayo et de son père — qui ouvrit sa cave à cette bande hétéroclite — fit de ces quelques semaines passées dans les Basses-Pyrénées une joie de tous les instants. Prévert ne se lassait pas de comparer les mérites du jurançon blanc, sec ou moelleux, issu de vignes nobles appartenant à des variétés locales très anciennes comme le gros-manseng, le petit-manseng et le corbu, roi des vins et vin des rois puisqu'il avait servi au baptême d'Henri IV ! Et Mayo n'était pas le dernier à lui en faire apprécier les différents crus auxquels il ajoutait une grande connaissance des armagnacs dans l'assemblage duquel le jurançon occupait une place de choix.

Une triste nouvelle vint pourtant assombrir un séjour si gai qu'il avait presque fait oublier l'existence de la guerre. Le compositeur Maurice Jaubert était tombé à la tête de sa compagnie, à Azerailles, en Meurthe-et-Moselle. Grièvement blessé à la suite de l'explosion d'un pont qu'il avait miné[1], il était mort six jours avant l'armistice! Ainsi disparaissait à quarante ans l'auteur rare — par sa personnalité comme par son talent — de la musique des films parmi les plus importants de la décennie : *Quatorze juillet* de René Clair, *Un carnet de Bal* de Duvivier, pour lequel il composa l'inoubliable «Valse triste», *L'Atalante* de Jean Vigo, et quatre des chefs-d'œuvre de Marcel Carné : *Drôle de drame, Hôtel du Nord, Quai des Brumes* et *Le jour se lève*.

Lors de leur première rencontre en 1935, Jacques Prévert avait dit à Mayo : «Le mot d'ordre maintenant, c'est vive la joie, vive l'amour[2]!» Il n'avait pas changé malgré les aléas de la vie, même si chez lui l'anarchiste antimilitariste qui se tenait désormais à l'écart des combats idéologiques n'hésitait pas un instant à exprimer ce qu'il pensait des forces répressives triomphantes de l'extrême droite. À la fin du mois de juillet, tandis que les photos du vieux maréchal qui régnait à Vichy sur la moitié sud de la France, envahissaient les lieux publics et nombre de vitrines commerçantes, il écrivit *L'Ordre nouveau* que Georges Bataille qualifiera bientôt de «poème de résistance». Il y stigmatisait les atrocités des sections d'assaut nazies dont les réfugiés moins chanceux avaient été parfois victimes, plus souvent témoins, et l'affreux ex-héros de Verdun qui apportait déjà sa caution morale à l'occupant :

> [...] Une jeune fille est allongée
> Un homme à genoux près d'elle
> Est en train de l'achever
> Dans la plaie où remue le fer
> Le cœur ne cesse de saigner
> [...]
> Et l'homme au visage de poussière
> L'homme perdu et abîmé
> Se redresse et crie «Heil Hitler!»
> [...]
> Automate de l'Europe nouvelle
> Détraqué par le mal du pays
> Adieu adieu Lily Marlène
> Et son pas et son chant s'éloignent dans la nuit
> Et le portrait du vieillard blême
> Au milieu des décombres
> Reste seul et sourit

---

1. Gérard Pellier à l'auteur.
2. Cité par Danièle Gasiglia-Laster et Arnaud Laster, «Notes préparatoires» au tome II des *Œuvres complètes* de Jacques Prévert, *op. cit.*

Tranquille dans la pénombre
Sénile et sûr de lui.

Le gouvernement de Vichy préparait alors un « Statut des Juifs » qui allaient être exclus des services publics, de l'armée et des professions exerçant une influence sur l'opinion publique : l'enseignement, la presse, la radio, le cinéma et le théâtre[1]. Déjà, au lendemain même de l'accession de Pétain au pouvoir, tous les Français nés de père étranger avaient été exclus de la fonction publique et la population avait été sommée de regretter les « erreurs du passé », la vie trop facile prônée par le Front populaire responsable — avec les Juifs — du désastre. Prévert reprit alors la plume pour se moquer ouvertement de cette autocritique de commande. Pour lui, cela ne faisait aucun doute, le peuple français avait rudement bien fait de perdre son temps et de prendre des heures supplémentaires pour rêver, ainsi que s'en indignaient déjà les thuriféraires du nouveau régime. Dans *Confession publique*, Prévert épingla sur le mode ironique ces donneurs de leçons, empêcheurs de danser en rond. Il retrouvait, pour les fustiger, ses vieux ennemis de toujours : ceux qui détestent la vie et le bonheur des autres et les bombardent d'interdits, depuis l'enfance jusqu'à la mort. Il leur demandait, sarcastique :

Et une minute de vacarme
s'il vous plaît
Une minute de cris de joie de chansons de rires et de bruits et de longues nuits pour dormir en hiver avec des heures supplémentaires pour rêver qu'on est en été et de longs jours pour faire l'amour et des rivières pour nous baigner de grands soleils pour nous sécher
Nous avons perdu notre temps
c'est un fait
[...]
vous en étiez déjà aux forteresses volantes
et vous allez plus vite pour raser une ville que le petit barbier pour raser son village un dimanche matin
Ruines en vingt-quatre heures
le teinturier lui-même en meurt
Comment voulez-vous qu'on prenne le deuil.

C'est à partir de ces deux poèmes par lesquels, sans s'engager physiquement, il choisissait un camp dont nul de ses familiers ne pouvait douter, que Jacques Prévert commença à conserver ses textes sans les distribuer à droite ou à gauche comme il l'avait fait depuis une bonne dizaine d'années.

1. Il sera publié le 3 octobre 1940.

Après plusieurs semaines d'un séjour idyllique et un échange de courrier avec Pierrot toujours hébergé à Varetz, Prévert, qui commençait à se soucier de l'avenir, décida de gagner la Côte d'Azur où les gens de cinéma avaient jugé plus prudent de se replier. Marcel Duhamel, de passage à Jurançon, lui proposa de l'emmener avec Claudy entre Cannes et Nice où des affaires commençaient à se monter autour des studios de la Victorine. Mais Prévert se refusait à abandonner à leur sort ses amis hongrois Brassaï, Kosma et Trauner, lequel n'avait rien trouvé de mieux que de se rendre à Vichy où son ami Henri Langlois avait transporté ses bagages à l'Hôtel du Parc, siège du gouvernement Pétain ! Il ne se décida à partir que quand Joseph Kosma, dont le sens pratique n'était pas la qualité cardinale, fut casé dans un village béarnais puis à Palavas-les-Flots où la chanteuse Germaine Montero vint préparer avec lui un tour de chant dont il serait l'accompagnateur.

« C'est ainsi que nous avons atterri à l'Hôtel de Castille à Cannes où nous sommes restés quelques mois avec mille difficultés », se rappellera Claudy Carter[1]. « J'ai retrouvé Jacques dans ce petit hôtel du boulevard des Italiens où nous descendions quelquefois à Cannes, ajoutera Alexandre Trauner qui avait récupéré ses précieuses valises. Je conserve de ceux qui le tenaient un merveilleux souvenir. Nous étions nombreux à être dans la même situation : il y avait Brassaï, Jacques avec Claudy, bientôt Joseph Kosma et sa femme, moi et la mienne. Finalement, nous étions bien une vingtaine sans un rond et l'hôtel nous a fait crédit, tout comme le restaurant La Rascasse où nous prenions nos repas, jusqu'à ce que Jacques décroche son premier film avec Pierre Billon et Tino Rossi et qu'il puisse payer toutes nos dettes[2]. » Situation bien précaire, que confirmera Jean Gabin dans une longue lettre adressée de Saint-Jean-Cap-Ferrat à Denise et Roland Tual réfugiés en Lozère : « J'ai reçu un coup de fil du citoyen Prévert en rade de carbure à Cannes. La collectivité du Flore est raide à blanc. J'ai donc fait le nécessaire comme bien tu penses, et l'ai dépanné[3]... » La chaîne de la solidarité amicale, forgée rue du Château puis au sein du Groupe Octobre et enfin sur certains plateaux de cinéma, se consolidait et Jacques Prévert n'en était pas le maillon le plus fragile. En ces temps difficiles, pas question de faire la fine bouche. Ayant rencontré à Cannes Pierre Billon, un réalisateur qui, dès 1928, avait fait ses classes dans le cinéma muet, Prévert accepta aussitôt la proposition d'écrire avec lui l'adap-

---

1. Claudy Carter à l'auteur.
2. Alexandre Trauner, *Décors de cinéma*.
3. Denise Tual, *Le Temps dévoré*.

tation d'une nouvelle de Pierre Galante dont la société Miramar, représentée par le directeur de production André Parant,
possédait les droits. L'intrigue du *Soleil a toujours raison* était
bien mince. Dans un port méditerranéen, le beau Tonio, mi-
pêcheur mi-charpentier de marine est fiancé à Micheline. Dans
les marais embrumés de l'intérieur habite l'inquiétant « homme
du mas » qui vit retiré en compagnie de la gitane Georgia. Tonio
livre une barque au couple, plaît à la gitane et tombe blessé par
l'homme devenu fou de jalousie. Au port, Micheline, déçue
dans son amour, est prête à céder aux avances de Gabriel, vendeur ambulant d'articles de Paris au bagout intarissable, mais
Tonio rentre à temps et, loin des brumes, retrouve sa fiancée et
le soleil. Avec Tino Rossi, alors au sommet de sa popularité,
dans le rôle du beau Tonio et Micheline Presle — une gamine
de dix-neuf ans devenue vedette en trois films [1] — dans celui de
la piquante fiancée, la firme Miramar qui les avait sous contrat
était certaine de tenir un succès et Jacques Prévert le moyen de
régler les dettes de sa bande, tout en faisant engager nombre de
ses amis comédiens. Au cours de l'adaptation, il créa ou développa à son habitude de nombreux rôles secondaires qui donnaient quelques couleurs au scénario. Outre Claudy Carter en
amoureuse déçue, Marcel Duhamel en consommateur senten-
cieux, et Pierre Prévert dans un rôle ébouriffant d'idiot de village — trois comédiens « de la famille » —, Jacques Prévert fit
engager Germaine Montero, devenue une de ses interprètes
favorites, Édouard Delmont, un acteur avec lequel il s'était lié
lors de *Quai des Brumes*, et son vieux copain Pierre Brasseur
qui, de film en film, bâtissait — un peu grâce à lui — une des
plus belles carrières du cinéma français. Qu'il fût par ailleurs
un joyeux compagnon de bars et cafés en tout genre n'était
aux yeux de Prévert qu'une qualité supplémentaire. Lou Bonin
qui depuis le pacte germano-soviétique, avait jugé plus prudent
d'abandonner son pseudonyme de Tchimoukow devint, le
temps de la préparation du tournage, le premier assistant de
Pierre Billon.

C'est néanmoins en recherchant des positions de repli
pour ses amis Alexandre Trauner et Joseph Kosma que Jacques
montra à quel point, chez lui, l'amitié n'était pas un vain mot.
Visés par les premières lois antisémites de Vichy, ceux-ci
n'avaient plus le droit de travailler pour le cinéma et leur situation de Juifs hongrois les destinait, s'ils tombaient dans les

---

1. *Jeunes Filles en détresse* de G. W. Pabst (1939) et *Paradis perdu* d'Abel
Gance (1939). Micheline Presle forma, cette même année, un couple étonnant
avec Louis Jourdan dans *La Comédie du bonheur* de Marcel L'Herbier, rôle
qui lui valut le prix Suzanne-Bianchetti.

mailles du filet que tendait la police française aux citoyens
étrangers, à quelque camp d'internement semblable aux Milles
d'où Prévert avait réussi à tirer Max Ernst qui voguait maintenant vers l'Amérique. Pour Trauner auquel étaient confiés les
décors du *Soleil a toujours raison* mais dont le nom ne pouvait
figurer ni au générique ni sur les feuilles de paye de la production, le poète monta un stratagème permettant à son ami de
poursuivre son œuvre : Trau ferait les dessins de chaque décor
dont Auguste Capelier, le mari de Margot, devenu son assistant, surveillerait la réalisation et le montage en studio, tandis
que Georges Wakhevitch, talentueux décorateur de la même
génération — il avait été lui aussi assistant de Lazare Meerson
avant de réaliser entre autres les décors de *Madame Bovary*, de
La Grande Illusion et de *La Marseillaise* pour Jean Renoir —,
superviserait le tout et accepterait de lui servir de prête-nom en
signant officiellement à sa place ! Ce stratagème, la guerre
durant, permettra à Trauner de participer à tous les films écrits
par Jacques Prévert. « Je dois avouer que c'est grâce à Prévert
que nous avons tous survécu en fin de compte, moi et bien
d'autres, se souviendra-t-il. Pour ce qui me concerne, nous
étions comme des frères et c'est grâce à lui que j'ai pu travailler, dessiner ces films qui ont été exécutés par Wakhevitch,
par Barsacq ou par Douy. Tout cela avec la complicité de tout
le monde, de Carné qui a toujours été d'accord pour que je
continue à travailler sur ses films, comme de mes confrères qui
ont accepté l'arrangement et m'ont protégé d'une certaine
façon. Il y avait une sorte d'entente tacite qui n'allait pas jusqu'à partager les salaires mais qui m'a permis de survivre au
jour le jour, jusqu'au moment où je suis grimpé dans la montagne participer un peu à la Résistance[1]. »

La situation de Joseph Kosma était encore plus compliquée. Lorsque Prévert avait quitté Jurançon pour gagner la
Méditerranée, Io avait été évacué vers Ozenx, un adorable village du Béarn où il avait travaillé aux champs, puis à Palavas-
les-Flots, la plage de Montpellier, où des réfugiés de toutes
sortes occupaient les cabanons que les estivants louaient à prix
d'or durant l'été. Mais l'hiver était venu, le terrible hiver 1940-
1941 qui, sans galéjade aucune, avait vu des congères obstruer
la Canebière et la neige remplacer le sable de Palavas ! Pour
retrouver Prévert qui le réclamait dans les Alpes-Maritimes en
vue de participer au *Soleil a toujours raison*, Joseph et Lilly
avaient besoin d'une autorisation spéciale de changement de
département exigée des étrangers. Ils étaient si peu doués pour
les démarches pratiques — et celle-ci était d'importance lors-

1. Alexandre Trauner, *Décors de cinéma*.

qu'on imagine le face à face du Juif hongrois au physique orien-
tal et à l'accent à couper au couteau avec un brigadier de gendarmerie béarnais soupçonneux par vocation — que Jacques
Prévert fit jouer toutes ses relations pour obtenir le précieux
document. Pour Kosma, travailler sur un film avec Prévert —
leur collaboration en ce domaine se limitait à *Jenny* — était une
occasion à ne pas manquer[1]. Surtout — et c'était triste à dire —
à l'heure où Maurice Jaubert dont le savoir-faire et la réputation lui avaient jusque-là barré la route[2], avait disparu. Dès
réception de son laissez-passer, il mit le cap sur Cannes que
Prévert s'apprêtait à quitter. Les dettes payées grâce aux premiers versements de la société Miramar, Jacques Prévert jugea
plus prudent de s'éloigner de la Côte proprement dite où le
danger se précisait — Cannes et Nice, comme Marseille, regorgeaient d'individus peu recommandables — pour réunir ses
amis les plus menacés dans des villages de l'intérieur, comme
Saint-Paul-de-Vence, vanté par l'actrice Katti Gallian, la compagne de Pierre Billon, ou encore Tourette-sur-Loup.

À l'intention des autres membres de la bande réfugiés dans
le Midi, qui, sans avoir à craindre de la police, devaient néanmoins assurer leur pitance quotidienne, deux vieux de la vieille
du Groupe Octobre, Jean Rougeul et Sylvain Itkine, avaient
fondé à Marseille avec l'aide financière du libraire-éditeur des
surréalistes, José Corti, une petite entreprise artisanale de pâtes
de dattes, de noisettes et de noix à l'enseigne poétique de Croquefruit. On y retrouva bientôt Francis Lemarque, Mouloudji
et sa jolie Lola, Jean Mercure, Jean Effel qui avait dessiné le
papier d'emballage et les placards publicitaires, Yannick et
Loleh Bellon, Léo Sauvage, Sylvia Bataille, Marcel Duhamel et
bien d'autres intellectuels résistants moins célèbres que l'on
rencontrait aussi au Brûleur de Loup, une brasserie du Vieux-
Port devenue succursale du Flore, de Lipp et des Deux Magots!
C'est là qu'était née l'idée de Croquefruit. C'est là aussi que se
réalisèrent des projets de tours de chant comme celui de Germaine Montero qui, accompagnée au piano par Joseph Kosma,
l'entraîna, à peine arrivé, dans une tournée rémunératrice des
cabarets en vogue de la Côte d'Azur comme le célèbre Perroquet
à Nice et au cours de laquelle elle donna avec un immense succès un récital où figuraient une dizaine de chansons de Prévert.
« On a même réussi à franchir la frontière suisse pour passer au
Coup de Soleil, le cabaret de Gilles et Julien à Lausanne[3] », dira

---

1. Jusque-là, à l'exception d'un mélo de Fernand Rivers *La Goualeuse*,
et du *Temps des cerises*, film militant de Jean-Paul Dreyfus (Le Chanois),
Kosma n'avait illustré que *La Bête humaine*, *La Marseillaise*, *La Règle du jeu*.
2. Gérard Pellier à l'auteur.
3. Jean-Claude Lamy, *op. cit.*

la grande chanteuse. La même aventure arriva à Francis Lemarque qui, engagé par Jacques Canetti, directeur artistique de Radio-Cité devenu par la force des choses «tourneur» de spectacles, se rendit à Genève avec Françoise Rosay. «Il suffisait de remplir les formulaires imprimés par les services de la Préfecture, de se parjurer en déclarant sur l'honneur ne pas appartenir à la race juive, de faire viser son répertoire par la censure, et le tour était joué, raconstera-t-il. Ensuite ce fut une tournée dans les principales villes du sud de la France, avec le célèbre accordéoniste Fredo Gardoni, puis deux semaines au casino Aletti à Alger, avec l'extraordinaire guitariste Django Reinhardt et Hubert Rostaing à la clarinette[1]. »

Katti Gallian avait le goût sûr. Saint-Paul, auquel s'ajoutera «de Vence» quand la célébrité mondiale l'aura touché, était un magnifique village médiéval qui couronnait une des innombrables collines annonçant, au-delà du col de Vence et des gorges du Loup, la montagne du Cheiron et la montagne du Gourdan, sentinelles du Mercantour au cœur des Alpes-Maritimes. Ce joyau de l'arrière-pays niçois avec ses remparts massifs du XVIe siècle, son clocher et sa tour de guet carrée édifiés au Moyen Âge, séduisit aussitôt Prévert. Dominant les oliviers, les orangers et les cyprès du paisible pays de Vence, les vieilles pierres blondes resplendissaient au soleil tandis que les briques et les tuiles provençales des toits offraient des teintes de pain d'épice et de fruits confits aux regards gourmands. L'air printanier était léger, le ciel d'une pureté rare. Le poète y retrouva instantanément cette lumière inoubliable qui avait adouci le séjour toulonnais de son enfance marquée par la misère, le dénuement et les idées suicidaires du Père Picon. Avec Claudy, il s'installa au pied des remparts, à l'hôtel La Résidence, une grosse bâtisse provençale qui, de l'autre côté du jeu de boules et de ses platanes centenaires faisait face au lavoir municipal — dont les pierres avaient été usées par des générations de lavandières — contigu à une modeste auberge à l'enseigne de La Colombe d'Or. Tout en poursuivant avec Pierre Billon son travail pour Tino Rossi, il y entreprit pour le metteur en scène Edmond T. Gréville *Une femme dans la nuit* dont la vedette devait être Viviane Romance. Rien ne l'emballait dans ce travail, si ce n'est qu'il lui apportait un complément financier dont il avait bien besoin pour assurer la survie de ses camarades. Il lui donnait aussi l'occasion de travailler avec Pierre Laroche, journaliste au *Merle blanc*, le grand rival du *Canard enchaîné*, et qui était l'un des rares critiques cinématographiques à avoir écrit un article très élogieux sur *Drôle de drame*. Ami d'Henri

---

1. Francis Lemarque à l'auteur, et in *J'ai la mémoire qui chante*.

Jeanson et de Jeanne Witta — la secrétaire et script-girl la plus efficace et la plus populaire du cinéma français —, Pierre Laroche, doté d'une plume alerte, s'était essayé aux dialogues de cinéma en écrivant pour Christian-Jaque ceux de *L'Enfer des anges*, film sur l'enfance délinquante auquel Jacques Prévert avait collaboré anonymement[1] et où s'étaient distingués Sylvia Bataille et Mouloudji quelques semaines avant la déclaration de guerre. Pour Prévert qui appréciait peu de travailler seul sur un scénario, Laroche était le partenaire idéal. Haut en couleur et en taille, grande et fine gueule, cultivé et beaucoup plus subtil que son apparence aurait pu le laisser croire, c'était un charmant bonhomme dont les mauvaises langues, jalouses du succès du poète auprès des producteurs, dirent à l'époque qu'il fut, durant les quatre films dont ils écrivirent ensemble l'adaptation et les dialogues, «le stylo de Jacques». «Ce qui était méchant et gratuit, s'insurgea Margot Capelier. Laroche aida beaucoup Prévert, volontiers prolixe dans ses écrits comme dans sa conversation, à couper dans ses dialogues, tout comme il aidera Cocteau et Delannoy à arranger deux ans plus tard les dialogues de *L'Éternel Retour*[2].» Pour *Une femme dans la nuit*, il n'eut pas à faire jouer le couperet. Viviane Romance s'y employa sans la moindre délicatesse. L'adaptation de Prévert et Laroche d'après un scénario de Jacques Companeez (signé Jean-Bernard Luc, car Companeez, juif, n'avait plus le droit de travailler) était très originale mais elle n'eut pas l'heur de plaire à Mademoiselle Romance. Pour satisfaire la vedette, on demanda à Pierre Rocher, le journaliste niçois auteur du médiocre *Prison de velours* qui avait servi de point de départ à *Jenny*, de «revoir» le travail des deux hommes! Il tripatouilla si bien leur texte que, à l'arrivée, il ne restait quasiment rien de l'adaptation originale, tandis que les maquettes de Trauner étaient refusées — il était juif — et la musique du film que devait écrire Kosma était confiée à un compositeur bien aryen! «Le résultat de tout cela, dira un jour Pierre Laroche, fut *Une femme dans la nuit*, un très joli navet de serre où il restait deux scènes que nous pouvions reconnaître. Le reste appartenait, en sale, à Mme Romance et à ses collaborateurs occasionnels. Bien entendu, nos signatures ne figurent pas sur cette croûte[3].»

Durant l'écriture des deux films en cours, Prévert vécut à La Résidence sur le compte des producteurs qui assumaient tous les frais. La situation était beaucoup plus difficile pour Trauner et Kosma qu'il envoya se cacher à Tourette-sur-Loup,

---

1. André Heinrich, *Album Jacques Prévert*, La Pléiade.
2. Margot Capelier à l'auteur.
3. *Ciné-Club*, n° 4, janvier 1949.

autre village médiéval dont la situation un peu écartée, à douze kilomètres de Saint-Paul, était un gage supplémentaire de sécurité. En attendant que Prévert le fasse travailler sous un faux nom, Trau assurait sa subsistance en multipliant les petits boulots discrets. « À cette époque, on avait l'habitude de dire qu'on ne trouvait dans le Midi que des garçons de café, des maquereaux et des croupiers, se souviendra-t-il. Moi, j'y ai rencontré les gens les plus serviables, les plus merveilleux : ceux de La Colombe d'Or qui ont beaucoup fait pour nous, mais aussi les paysans qui nous ont hébergés, chez qui je faisais de petits travaux. J'ai ramassé comme cela des escargots que j'allais vendre au car qui desservait le pays, des sacs d'escargots qu'on vous payait assez bien parce qu'il n'y avait pas grand-chose à manger. Cela nous faisait au moins un peu d'argent. Il y avait beaucoup d'amitié, beaucoup de politesse et de discrétion. Les gens fermaient les yeux, ils ne voulaient pas se mêler à l'espèce de folie de dénonciation, au contraire. J'ai toujours eu le sentiment que si j'ai survécu c'est qu'ils l'ont bien voulu. On faisait des petits travaux à droite et à gauche et on nous faisait crédit. Quand Jacques gagnait de l'argent, il y en avait pour tout le monde. Quand le robinet d'argent se fermait, il n'y en avait pour personne. Alors on attendait. Les gens se disaient que si l'on survivait on les paierait, sinon tant pis[1]. » De son côté, Kosma assurait sa subsistance en faisant les cabarets avec Germaine Montero ou d'autres artistes et, quand la situation était trop difficile, il allait passer quelques semaines au Croquefruit où, pour soixante-quinze francs par jour, il emballait les pâtes de fruits salvatrices ! La musique du film de Pierre Billon avait été demandée à Jean Marion, mais Kosma put néanmoins y collaborer en écrivant, sur des paroles de son ami, *Tu étais la plus belle*. Cette chanson, interprétée par Tino Rossi, sera officiellement signée Jean Marion et Georges Mouqué, un musicien belge installé à Nice qui sera l'un de ses prête-noms pendant toute la durée de la guerre.

C'est à Tourette-sur-Loup que Pierre Laroche et Jacques Prévert terminèrent d'écrire *Le soleil a toujours raison* que Pierre Billon tourna de juin à septembre 1941 à Saint-Tropez et aux Saintes-Maries-de-la-Mer pour les extérieurs ainsi qu'aux studios de Saint-Laurent-du-Var pour les intérieurs. Au premier abord, Tino Rossi, adulé des foules — des jeunes femmes en particulier —, était aux antipodes d'un Prévert, plus profond, plus antimilitariste et anar que jamais. Et pourtant, les deux hommes s'entendirent merveilleusement. Amoureux de la chanson populaire, Jacques admirait Tino. « C'est un des

1. Alexandre Trauner, *Décors de cinéma*.

meilleurs chanteurs actuels, disait-il. Une des plus belles voix du monde[1].» Lorsque Tino vint à Tourette-sur-Loup discuter de son rôle avec Prévert, et de ses chansons avec Kosma, ce fut comme une petite révolution dans le paisible village provençal élu refuge idéal pour sa tranquillité! Les jeunes filles du cru, pourtant habituées au mistral et à la tramontane, succombèrent au vent de folie que déclenchait alors Tino Rossi dans tous les lieux où il passait. À sa sortie de la pension où l'équipe du film avait établi ses pénates, elles attaquèrent en force le chanteur et déchirèrent ses vêtements pour conserver un souvenir de leur dieu[2]. Par bonheur, le tournage fut plus calme. «Tino Rossi était arrivé dans le Midi avec ses amis les Corses, se souviendra Alexandre Trauner, pas plus rassuré que cela. Il y avait là Léandri qui a été fusillé à la Libération à cause de ses responsabilités dans la Gestapo française, et une femme richissime, Mme Tokalon, qui devait sa fortune aux crèmes du même nom. Prévert était content de travailler, Tino était gentil, il chantonnait, et on a fait ce petit film qui nous a au moins permis de manger. Je n'ai fait que les dessins, car je ne pouvais déjà plus signer. C'est Georges Wakhevitch qui l'a fait officiellement, avec l'assistance de Capelier qui l'a beaucoup aidé[3].»

Grâce au *Soleil a toujours raison* — film dont il ne se glorifiera jamais —, Prévert s'installa dans ce coin de Provence béni des dieux. Il n'était pas le premier à succomber à son charme, comme il s'en aperçut rapidement, car Saint-Paul n'était pas le petit village endormi dans son passé depuis que François Ier l'avait visité le 31 mai 1538, ainsi que l'histoire locale se plaisait à le rappeler; dans un certain milieu social, Saint-Paul était fort connu, même si Saint-Germain-des-Prés l'ignorait superbement. Prévert le découvrit en franchissant la place du jeu de boules et en entrant dans la cour ouverte à tout vent de la modeste auberge à l'enseigne de La Colombe d'Or qui affichait fièrement: «Ici on loge à cheval, à pied ou en peinture.» L'endroit était bien différent de La Résidence choisie par la production, auberge de campagne très bourgeoise et très tranquille qui ne correspondait guère au style de Jacques. Une petite servante en robe noire et tablier blanc lui fit connaître Paul et Titine Roux, les propriétaires de La Colombe d'Or[4] avec lesquels le poète partagea aussitôt mille affinités, ce que la jeune fille avec son bon sens campagnard avait pressenti depuis l'arrivée des «gensses du cinéma». Malgré son apparente simpli-

1. André Verdet à l'auteur.
2. Témoignage de Joseph Kosma in *La Revue musicale*, n°s 412 à 415.
3. Alexandre Trauner, *Décors de cinéma*.
4. *Ibid.*

cité, La Colombe d'Or avait déjà une histoire que Paul Roux, fils de paysans provençaux, raconta bientôt — non sans orgueil — à « son ami Prévert » car, entre les deux hommes, le contact fut immédiat. En 1920, à trente ans, Paul Roux peu attiré par la terre avait ouvert un petit café-restaurant, À Robinson, qui, avec le succès, était devenu une guinguette renommée alentour pour l'excellence de ses pissaladières, beignets de fleurs de courgettes et autres poulets au thym rôtis à la broche, cuisinés par sa mère, Maman Marie, et aussi pour le sens de la fête dont il avait le goût inné. Tant de qualités réunies firent de Robinson le lieu de rendez-vous des bandes rivales des villages voisins avec leurs bagarres sporadiques qui effrayèrent les visiteurs venus de la Côte, attirés par la renommée grandissante de soirées mémorables. Paul Roux, marié avec une Baptistine dite Titine, solide et jolie fille de la Colle-sur-Loup qui lui avait donné un fils, Francis, en 1929, décida alors de fermer la guinguette et d'ouvrir La Colombe pour offrir à sa parentèle le paisible bonheur de vivre loin du tumulte dans un des plus beaux villages de France, niché au cœur d'une nature généreuse faite de vallons, de collines et de bois. « Paysage heureux, écrira le poète du lieu, qu'on dirait prédestiné, évoquant celui des Primitifs toscans et dont la lumière immanente tissée de fils argent et or amène le regard à la félicité[1]. »

Ce sublime paysage inspira bientôt de nombreux peintres qui débarquèrent à Saint-Paul du charmant tramway reliant Cagnes à Vence, avec chevalet, palette, toiles et carnets de croquis. Certains ne se contentèrent pas de reprendre la dernière rame du tram, ils voulaient dîner et loger au village. Ils s'appelaient entre autres Pierre Bompard, Yves Allix, Touchagues, Menkès, Makovski et le pointilliste Mendjisky. Quelques-uns ne connaîtront qu'une petite gloire mais tous étaient passionnés. À travers eux Paul Roux eut la révélation de la peinture et décida d'ouvrir à leur intention une auberge provençale à la place de la défunte guinguette. À nouvelle entreprise, nouveau nom. Puisque la mode de ces années-là était d'« aurifier » les appellations d'hôtels et de restaurants, Robinson devint La Colombe d'Or, enseigne que justifiaient les blancs volatiles qui venaient picorer le grain sur le sable rouge de la cour devenue terrasse. C'est à ce moment que Paul Roux ajouta « en peinture » à la formule traditionnelle des auberges d'antan : « Ici on loge… etc. » Autodidacte, mais aussi passionné que ses pensionnaires, il commença à acheter les tableaux qui lui plaisaient le plus et n'hésita pas à entretenir certains peintres en échange de leurs œuvres, lesquelles vinrent orner peu à peu les murs de son

---

1. André Verdet, *Saint-Paul-de-Vence et sa légende*.

modeste établissement. Dufy, Signac, Soutine et Dunoyer de Segonzac comptaient parmi les familiers de cette auberge du bonheur devenue, grâce à son propriétaire, lieu de travail et de rencontre pour les artistes amoureux comme lui de la lumière magique du Midi. La cuisine mijotée de Maman Marie, le charme et l'efficacité de l'accorte Titine firent le reste. On parla de La Colombe d'Or et de ses peintres dans les palaces de la Côte, d'Antibes à Monte-Carlo où l'on menait joyeuse vie durant toutes ces années d'immédiat avant-guerre. Et l'on vit l'impensable : des voitures de grand luxe conduites par des chauffeurs à casquette et gants blancs s'arrêter à côté des carrioles paysannes, au pied des murailles séculaires, le long du terrain de pétanque. Le prince de Galles venait en habitué, et Paul Roux, très au fait du snobisme parisien et international, le saluait d'un sonore « Bonjour Prince ! Comment vas-tu aujourd'hui ? » sans quitter le grand feutre qui le protégeait du soleil lorsqu'il jouait aux boules ou préparait avec talent les immenses bouquets de fleurs qui éclairaient la salle à manger. Le prince de Bourbon-Parme était lui aussi habitué des lieux qu'il avait quittés un jour à la cloche de bois en sautant par la fenêtre de sa chambre dans une charrette de foin ; et Paul Roux l'avait rattrapé en gare d'Antibes pour lui rappeler sa « petite note [1] ». Les jaloux parlèrent de complicité entre les deux hommes, l'un pour conforter une réputation scandaleuse dont il s'amusait, l'autre pour faire la publicité de son établissement. Ducs, comtesses, aventurières, artistes célèbres et personnalités des professions les plus diverses se retrouvèrent désormais entre La Colombe d'Or et le mini-théâtre où se produisaient Hélène Vanel et Loïs Hulton, deux somptueuses et talentueuses danseuses nues qui attirèrent à Saint-Paul tout le gratin de la Côte [2]. La guerre avait disséminé ce petit monde privilégié que Paul Roux sut merveilleusement décrire à Jacques Prévert qui en était bien éloigné, tout en l'assurant que si les rires se faisaient plus discrets, la lumière d'été, l'amitié, et le bon vin du Midi restaient à disposition de qui savait les apprécier et en user sans modération. En cet été 1941, Jacques trouva à La Colombe d'Or un nouveau havre et en Paul, Titine et le petit Francis une famille pour le reste de sa vie.

C'est en ce même été, alors qu'il en avait terminé avec *Le soleil a toujours raison* et attendait de nouvelles propositions en flânant à son habitude qu'il rencontra par hasard André Verdet qui allait, tout comme Paul Roux, devenir son ami et jouer un grand rôle dans les années à venir.

---

1. André Verdet à l'auteur.
2. Martine Buchet, *La Colombe d'Or, Saint-Paul-de-Vence.*

Cela commença par un gag un après-midi de juillet. Jacques avait bien déjeuné à La Colombe, où l'on ne souffrait pas encore des restrictions, et avait un petit coup dans le nez. En compagnie d'une amie, Marion, épouse de Robert Toutain, futur P-DG du Palm Beach de Cannes, il visitait le vaste jardin d'une villa — L'Ormeau — que le couple avait louée près de la poste du village installée dans l'ancienne gare du tramway désaffecté. Au pied d'un olivier séculaire, plus haut que la maison, un homme était profondément endormi.

— Qui est-ce ? demanda Prévert.

— Notre ami André Verdet, un poète, répondit Marion. C'est même «le» poète de Saint-Paul.

— Un poète ! s'exclama Prévert qui, depuis qu'il écrivait, refusait cette appellation. Un poète, c'est fait pour s'asseoir dessus !

Et, joignant le geste à la parole, l'auteur du *Dîner de têtes* s'assit sans façon sur le jeune homme réveillé en sursaut.

[...] c'est là que je l'ai rencontré précisément, *[écrira bientôt Jacques]*
dormant couché dans la campagne ce fameux jour de fête au pied d'un olivier
comme un cornac dormant couché aux pieds d'un éléphant
et la comparaison est exacte
parce qu'un bois d'oliviers quand la nuit ne va pas tarder à tomber
c'est tout à fait un troupeau d'éléphants guettant le moindre bruit immobile dans le vent
et c'est vrai que l'olivier et l'éléphant se ressemblent utiles tous deux
utiles anciens identiques graves et souriants
et tout nouveaux tout beaux malgré le mauvais temps[1]...

Le «cornac» avait le sens de l'humour et fit très vite la conquête de Jacques Prévert, au point que, dès lors, on ne les vit pratiquement plus l'un sans l'autre. André Verdet avait treize ans de moins que son nouvel ami et, sans se faire prier, lui raconta quelques épisodes de sa jeune existence aventureuse tout en lui avouant son amour immodéré pour la poésie, les femmes et la vie sans contrainte. Il possédait une très vieille maison sur les remparts de Saint-Paul provenant d'un héritage familial et il s'y prélassait sans grand souci du lendemain grâce à la riche épouse d'un remarquable acteur de théâtre[2] qui adorait entretenir les jeunes gens pas trop mal faits de leur per-

---

1. Jacques Prévert, *C'est à Saint-Paul-de-Vence, Histoires et d'autres histoires.*
2. André Verdet à l'auteur.

sonne et poètes à leurs heures. André Verdet avait à son actif plusieurs dizaines de poèmes et des rubriques artistiques écrites pour un oncle marseillais qui éditait un petit journal près du Vieux-Port et répondait toujours présent lorsque la maîtresse en titre n'était pas aussi généreuse que son jeune amant l'eût souhaité. Il en fallait plus pour choquer Prévert. De sa période «Tendre Canaille» il avait gardé une certaine admiration pour les hommes qui, comme son vieil ami Fabien Loris, se laissaient dorloter par leurs admiratrices. «Prévert avait été fasciné par deux personnages : Pierre Batcheff et Fabien Loris, affirmera André Verdet. Fabien était talentueux, beau comme un dieu et vivait des femmes. Jacques aimait bien les types qui se faisaient entretenir par leurs conquêtes, du moment qu'ils étaient dans la peau véritable du personnage[1]. »

Si Prévert avait eu une jeunesse agitée, Verdet n'avait rien à lui envier, et le récit de son aventure au fin fond de l'Asie occupa plusieurs soirées. À vingt ans, le jeune homme s'était engagé dans la Coloniale — au 8e régiment des tirailleurs sénégalais — ce qui l'amena en garnison dans la Concession française de Shanghai. Cet engagement volontaire aurait dû l'éloigner du poète, lequel s'était fâché pour moins que cela avec un des frères Tiran — ses amis d'enfance de la rue de Tournon — qui avait eu le mauvais goût de rempiler. Mais Verdet avait des circonstances atténuantes : il s'était engagé pour fuir le courroux du frère d'une jeune Corse, Rosella, dont il avait fait sa maîtresse et dont l'ombrageuse fratrie exigeait — fusil à l'appui — qu'il l'épousât sans délai ! À Shanghai, André, jusque-là indifférent à la politique, découvrit la misère sordide, l'exploitation coloniale des ouvriers, la prostitution qui conduisait des petites filles de neuf à quinze ans sur les trottoirs des bas-fonds aussi bien que dans les bordels des Concessions internationales. Tout comme Prévert revenant d'Istanbul, il savait au retour de Chine qu'il serait désormais du côté des opprimés contre les oppresseurs, quels qu'ils fussent. En Provence, il restaura une santé délabrée par le climat et les conditions de vie asiatiques (il avait dû être rapatrié sanitaire et définitivement réformé). Remis sur pied, il consacra dès lors son temps à la poésie — à laquelle l'avait initié Jean Giono, rencontré dans les années 1930 et souvent revu depuis — et aux femmes, qu'il aimait sans retenue. Deux sujets qui ne laissaient pas Prévert indifférent. Il voulut lire les poèmes de son nouvel ami, poèmes rustiques, régionaux, sur les fleurs et les villages d'alentour, alors qu'on ne trouvait dans ses œuvres aucune allusion à son expérience à Shanghai et à Barcelone où il s'était rendu pendant la guerre

---

1. *Id.*

civile pour apporter vivres et vêtements au peuple catalan.
Mais Prévert non plus n'avait rien écrit sur ses séjours turc ou
américain. « Ce sont de très jolis poèmes, dit-il à Verdet. Garde-
les. Si tu veux, je t'écrirai quelque chose[1]... » Dès lors, Prévert
entreprit de familiariser son cadet avec la littérature moderne
et contemporaine comme il l'avait été lui-même, rue de l'Odéon,
par Adrienne Monnier. Sous sa conduite, André découvrira plus
avant Rimbaud, Nerval, Lautréamont, Villiers de l'Isle-Adam,
Germain Nouveau et les surréalistes. « Il fallait l'entendre sur
Rimbaud, ce qu'il en disait était exceptionnel, se rappellera-t-il.
Rimbaud était pour lui un poète très jaillissant, très direct, qui
prêtait à trop d'interprétations littéraires. Et Valéry ou Mallarmé, on pourrait croire qu'ils étaient aux antipodes de Prévert.
Eh bien, pas du tout ! Il suffisait qu'il lise un de leurs poèmes : la
façon dont il créait des silences le rendait directement accessible[2]. » Dans cette nouvelle éducation littéraire, Kafka succéda
à Proust et aux grands Américains Dos Passos, Hemingway,
Steinbeck, que Jacques appréciait tout particulièrement.

Au chapitre des femmes, Verdet n'était pas avare de confidences. Il racontait aussi bien son « mariage à la chinoise »
avec l'exotique La May, taxi-girl de première classe au Moon
Garden, dancing de grand luxe de Shanghai, que sa liaison
affectueuse avec Marie Glory, l'une des jeunes femmes les plus
en vue du cinéma français de l'entre-deux-guerres, appréciée
aussi bien par Marcel L'Herbier que par Julien Duvivier, Marc
Allégret ou Jacques Feyder qui en avaient fait une vedette.
Jacques Prévert, lui, évoquait parfois — et Verdet fut l'un des
rares à recevoir de telles confidences — sa liaison avec Jacqueline Laurent. « Il m'en a parlé très rarement mais avec
beaucoup de chaleur. Elle avait été le grand amour de sa vie.
Il était resté sous le charme de cette fille énigmatique qu'il
avait connue très jeune. Avec elle, ça avait été l'amour, la passion. Dans son souvenir, elle avait pris une aura presque angélique. Malgré les années et la présence de Claudy, qu'il aimait
tendrement, il restait fasciné par Jacqueline qui le tenait toujours sous son charme. Il prétendait ne pas connaître la jalousie "au nom de la liberté des êtres", mais, tout en ne le laissant
pas paraître, il était rétrospectivement jaloux de Jacqueline
qui l'avait quitté pour un autre, et de Claudy qui, il faut bien le
dire, était très jolie. J'avoue qu'elle ne me laissait pas indifférent, d'autant que, bientôt, il me l'a confiée lorsqu'il avait à
s'absenter. "Sors avec Claudy et le chien Dragon", me disait-il.
Avec elle, j'en suis sûr, il était très jaloux et il y avait de quoi !

1. *Id.*
2. André Verdet à Jean-Louis Ferrier, *Le Point*, nᵒ 717, 16 juin 1986.

Elle ne papillonnait pas mais était aguicheuse de nature. Aguicheuse et aguichante[1]. » Gazelle Bessières, qui s'y connaissait en femmes amoureuses et l'avait souvent rencontrée au début de leur liaison, disait de la jeune fille : « Claudy ? Une diablesse, très bien faite, avec une poitrine admirable[2] ! » La « diablesse » se transforma en femme d'intérieur en aménageant de la plus agréable façon la maison que Jacques Prévert, pressentant un avenir difficile, avait louée à Tourette-sur-Loup, où il avait déjà mis à l'abri les couples Trauner et Kosma et terminé *Le soleil a toujours raison* avec Pierre Laroche.

Tourette était un extraordinaire village en forme d'escargot dont les ruelles circulaires semblaient se mordre la queue. L'enceinte du village perché sur la colline était formée par des maisons médiévales accrochées à l'à-pic qui surplombait la vallée du Loup. C'est l'une de ces antiques demeures aux toits plusieurs fois centenaires recouverts de tuiles roses dominant « les olivaies à perte de vue et des allées de cèdres noirs dans une fuite de campagne sur fond de montagne[3] » que loua le scénariste. Située du côté ensoleillé du ravin, elle était assez vaste pour recevoir les amis. Outre les Kosma et les Trauner, Prévert aimait accueillir un vieil ami photographe et peintre postcubiste de l'époque de Montparnasse, habile guitariste souvent partenaire de Paul Grimault et de Django Reinhardt, Émile Savitry, et sa femme, l'artiste peintre Elsa Henriquez, ainsi que l'opérateur Raymond Picon-Borel. Jacques les avait fait engager tous deux — le photographe et l'opérateur — pour le film de Pierre Billon qui devenait, comme souvent quand le poète travaillait sur un film, une « affaire de famille » ! Propice aux réunions amicales, la maison l'était également au travail. Une grande table ronde en pierre, abritée du soleil redoutable en été, ornait le jardin protégé des regards et invitait à l'écriture. Prévert et Pierre Laroche, désormais complices inséparables, l'inaugurèrent en écrivant à quatre mains *Monsieur Casa* ou *Comme la plume au vent*, une comédie sentimentale qui devait être réalisée par Marc Allégret et Louis Jourdan. Le personnage principal, que Raimu tenait à interpréter, était inspiré par le Père Picon auquel le poète tenait depuis longtemps à rendre hommage. Projet avorté, tout comme le fut *La Lanterne magique* ou *Jour de sortie* dont Jacques Prévert avait écrit, seul pour la première fois, le scénario, l'adaptation et les dialogues, tant il se sentait en confiance avec un producteur comme André

---

1. André Verdet à l'auteur.
2. Gazelle Bessières à l'auteur.
3. Jacques Prévert à Dominique de Wespin in *Jacques et Janine Prévert. L'un est l'autre.*

Paulvé, grand admirateur de *Drôle de drame*, et un réalisateur comme Marcel Carné. Malheureusement, Paris sous la botte allemande n'avait rien à voir avec l'aimable climat qui régnait sur la Côte d'Azur où l'Occupation était représentée par quelques troupes italiennes encore laxistes en cette année 1941. «Le sujet très "dur" effraya le producteur et distributeur André Paulvé, signalera la filmographie complète du dialoguiste dans la très sérieuse collection *Cinéma d'aujourd'hui*. Le film fut abandonné, à la grande tristesse de Jacques Prévert[1].»

Pour se remettre de ces déceptions successives — dont il avait tout de même tiré quelque argent —, Jacques décida d'offrir à Claudy, qui adorait la plage et la mer, un petit «voyage de noces» destiné à prouver son amour à celle qu'il suppliait quand il se languissait encore à Coëtquidan: «Écrivez-moi un mot, cher petit souriceau. Je pense à vous. Je vous caresse. Je vous embrasse. Et peut-être que je vous reverrai bientôt[2].» La jeune fille ne se séparera jamais de cette brève déclaration signée d'un cœur percé d'une flèche et du dessin d'un petit chat suivant le prénom de son romantique auteur. Le couple s'installa à La Bouée, un agréable hôtel-restaurant sur la plage de La Garoupe, à l'extrémité du Cap-d'Antibes, capitale mondiale de la rose, truffée de discrètes et luxueuses propriétés noyées dans une épaisse végétation, dont le joyau était le célèbre Hôtel du Cap flanqué de sa piscine pour milliardaires et stars hollywoodiennes Eden Roc. C'étaient aujourd'hui les nouveaux maîtres de la France et leurs séides vichystes qui constituaient l'essentiel de la clientèle. La Bouée était plus en harmonie avec ce que recherchaient Jacques et Claudy. «Désormais on a fait le va-et-vient entre Tourette et La Garoupe. Quand l'envie nous en prenait ou que Jacques avait besoin de travailler, on changeait de lieu. Les passagers habituels du car avaient fini par nous connaître tout comme ils connaissaient Dragon[3].» Dragon était un gros chien à la race indéterminée, trop habile à piller les poulaillers, que Prévert avait sauvé de la mort alors que son maître, un paysan de Saint-Paul, las des récriminations de ses voisins, lui avait déjà passé la corde au cou. «Jacques me l'a apporté un matin à La Résidence. J'étais encore couchée. "Tiens, voilà un cadeau", m'a-t-il dit en riant. C'était Dragon. Après on l'a emmené partout avec nous. Ce que j'ai pu l'aimer! C'est Jacques qui l'a appelé Dragon[4].»

Après avoir agréablement profité de la plage, du soleil et de

1. Gérard Guillot, *Les Prévert*.
2. Claudy Carter, archives personnelles.
3. Claudy Carter à l'auteur.
4. *Id.*

la mer, il fallut penser à réamorcer «la pompe à phynance».
S'il n'était pas connu du grand public, Jacques Prévert l'était
du milieu cinématographique et, malgré les échecs successifs
essuyés par les projets qu'il avait développés depuis *Le soleil a
toujours raison*, c'est entre Saint-Paul, Tourette et La Garoupe
que l'atteignit une proposition émanant d'une vieille connaissance allemande du temps où, par l'entremise de Pierre Batcheff puis Raoul Ploquin, il avait été en contact avec la UFA
pour monter *Quai des Brumes*. L'homme s'appelait Alfred Greven, avait été avant-guerre un directeur de production fort apprécié de la UFA et, à ce titre, avait noué d'excellentes relations
avec ses confrères français, en particulier avec Raoul Ploquin,
responsable des films français dans la compagnie allemande.
Dès l'invasion des troupes nazies, le Dr Joseph Goebbels,
ministre de la Propagande du IIIᵉ Reich, l'avait nommé «délégué au cinéma dans les territoires occidentaux». Installé au
104, Champs-Élysées aux premiers jours de l'Occupation, Greven était devenu ainsi l'instance supérieure du cinéma français
après avoir créé, dès le 1ᵉʳ octobre 1939, une compagnie de
production — la Continental-Films — dans les conditions du
marché privé. De son côté, Raoul Ploquin, grand copain de
Prévert, producteur unanimement apprécié de la profession,
avait été placé à la tête du Comité d'organisation de l'industrie
cinématographique (COIC), organisme dépendant du gouvernement de Vichy destiné à gérer et à appliquer les règles du
gouvernement français collaborationniste. Par exemple, c'est
le COIC français et non la Continental allemande qui avait
interdit aux Juifs l'accès à la profession cinématographique.
Mais cela n'empêchait nullement Raoul Ploquin de protéger
ses amis. «Quand nous sommes arrivés à Tourette-sur-Loup,
rappellera Alexandre Trauner, je me souviens que nous avons
reçu une lettre de Raoul Ploquin qui avait pris la direction du
COIC. Il nous disait qu'il savait que nous étions là, qu'il arrête-
rait toutes les dénonciations qui arriveraient chez lui, mais
qu'il fallait faire attention, que les dénonciations pouvaient
aussi passer au-dessus de lui [1].» C'est qu'un vent de haine et de
délation soufflait sur le monde du cinéma comme il soufflait
sur tout le pays. Paradoxalement, la Continental d'Alfred Greven semblait en être épargnée. Greven, qui connaissait son
cinéma français sur le bout du doigt, conservera durant toute la
guerre des proches de Prévert comme Jean-Paul Le Chanois,
l'un des piliers du Groupe Octobre, en qualité de chef monteur,
ou Jean Ferry comme technicien de l'écriture, tout en sachant
très bien que le premier s'appelait Dreyfus et le second Lévy!

---

1. Alexandre Trauner, *Décors de cinéma*.

Jean-Paul Le Chanois, excellent professionnel, entrera à la Continental sur ordre du parti communiste français pour y récolter des informations, et Jean Ferry travaillera en étroite collaboration avec Henri-Georges Clouzot, lecteur et auteur de scénarios pour Alfred Greven! Ce dernier, qui avait monté la Continental-Film pour produire en France des films de qualité d'où serait exclue toute allusion à la période présente, s'adressa à Prévert qu'il avait localisé sans peine autour de Saint-Paul, pour lui proposer de travailler au sein de sa firme. Rares furent ceux qui, à l'époque, refusèrent l'offre d'un homme qu'ils connaissaient bien et qui, au poste qu'il occupait, se révélait un producteur ni sectaire ni excité. Jean Aurenche racontera comment Jean Greven, après l'avoir royalement traité au Fouquet's lors d'un déjeuner arrosé d'un excellent bordeaux, lui assena tout à trac : «Monsieur Aurenche je ne lis pas beaucoup de bons scénarios parce qu'il n'y a plus de Juifs ni en France ni en Allemagne. Beaucoup de nos meilleurs scénaristes et metteurs en scène étaient juifs. N'en connaîtriez-vous pas qui accepteraient de travailler avec nous?» «Peut-être croyait-il que j'étais juif! Je lui ai répondu : "Monsieur Greven, je ne connais pas de Juifs et si j'en connaissais, je ne vous le dirais pas[1]!"» Outre Le Chanois et Ferry, Greven s'attacha les services de Vermorel, homme de gauche affirmé, de Louis Chavance, copain de Prévert et nouveau compagnon de son ex-femme Simone, de Claude Génia, juive russe d'origine, d'André Cayatte, scénariste devenu assistant de Jean Dréville pour apprendre son métier de metteur en scène, et bien d'autres encore. Si nombre de réalisateurs et d'auteurs ne furent pas sollicités par Greven, c'est tout simplement qu'il ne les trouvait pas assez bons pour lui! Lorsque Prévert reçut l'offre du producteur allemand «il la refusa très poliment et les choses en sont restées là, constata Alexandre Trauner. Le Dr Greven a produit ses films de son côté, sans le concours ni de Jacques ni de Carné, mais cet homme qui avait certainement tous les renseignements qu'il voulait sur ce qui se passait sur la Côte n'a jamais, pour autant qu'on le sache, essayé de les utiliser contre nous[2]». Marcel Carné, qui lui aussi avait refusé le plus diplomatiquement possible les propositions de la Continental-Films n'était pas dans une situation beaucoup plus brillante que son ami Prévert. Sous contrat pour trois films avec André Paulvé, il n'avait pas trop de soucis financiers mais tenait à ne pas dilapider une flatteuse réputation. Un projet auquel il tenait beaucoup — *Juliette ou la Clef des songes* d'après la pièce de Georges Neveux — était tombé à l'eau,

---

1. Jean Aurenche, *La Suite à l'écran.*
2. Alexandre Trauner, *op. cit.*

quand Paulvé suggéra au metteur en scène : « Pourquoi n'iriez-vous pas retrouver Prévert sur la Côte ? Peut-être aurait-il une idée[1] ? »

Pour l'instant, Jacques Prévert n'en avait aucune qui s'imposât irrésistiblement. En revanche, il venait de signer, pour la première fois de sa vie, un contrat avec un éditeur pour un livre où il mêlerait poèmes, maximes et pensées[2]. L'éditeur était Léon Pierre-Quint, directeur littéraire des Éditions du Sagittaire chez Simon Kra qui publiait en éditions de luxe des ouvrages divers où les surréalistes et leurs « cousins ennemis » du *Grand Jeu* étaient en majorité[3]. Écrivain lui-même, Léon Pierre-Quint avait publié, dès 1925, le premier livre sur Proust *Marcel Proust, sa vie, son œuvre*, puis, en 1930, *Le Comte de Lautréamont et Dieu*, première étude exhaustive sur le mystérieux Isidore Ducasse. En outre, cet homme rare avait été codirecteur avec Philippe Soupault, l'un des premiers dadaïstes, de *La Revue européenne* pour le même Simon Kra et, à ce titre, avait édité nombre des écrits de Ribemont-Dessaignes, Henri Michaux, André Breton, Robert Desnos, Benjamin Péret, Antonin Artaud, Michel Leiris ou Louis Aragon. Comme le contrat de Léon Pierre-Quint était assorti d'une avance non négligeable, Prévert le signa des deux mains. Puis l'oublia pour se consacrer à une émission que son complice Pierre Laroche — en attendant un hypothétique prochain film à écrire — avait vendue à Radio Zone Sud, la radio nationale de la zone non occupée qui émettait à Marseille : *Promenade avec Jacques Prévert*.

C'était la première fois qu'un très grand public qui jusque-là avait entendu « du » Prévert au cinéma, sans prêter grande attention à son nom, et parfois à la radio par la voix d'Agnès Capri ou de Marianne Oswald, découvrait l'univers poétique d'un auteur que seuls les lecteurs privilégiés de revues de luxe ou confidentielles ou encore des familiers du Café de Flore et de Cheramy connaissaient. Pour construire l'émission, Pierre Laroche dut pousser son ami à fouiller dans ses valises et dans sa mémoire pour en extraire les principaux poèmes qui devaient illustrer le programme radiophonique. Les participants en firent autant, en particulier Germaine Montero, Agnès Capri et Pierre Brasseur — admirateur de longue date de la poésie de son ami —, sans oublier Joseph Kosma qui en avait mis la plupart en musique. « Ce fut une émission extraordinaire qui a eu un grand succès populaire et un formidable retentissement au sud de la ligne de démarcation. Tout à fait dans le style de Prévert

---

1. Marcel Carné, *op. cit.*
2. Lettre de René Bertelé à Gaston Gallimard. Archives Gallimard.
3. Cf. Yves Courrière, *Roger Vailland ou Un libertin au regard froid*.

qui, s'il reprochait parfois à Pierre Laroche de déplacer beaucoup d'air, l'aimait énormément[1].» L'émission fut diffusée le
3 octobre 1941 et contenait, inscrits dans un montage très soi-
gné, neuf textes importants, dits ou chantés, que le grand public
retrouvera quelques années plus tard dans *Paroles*. Il s'agissait
entre autres de *Rue de Seine*, évocation d'une querelle amoureuse observée dans une des rues de Saint-Germain-des-Prés
les plus familières au poète, dite par Pierre Brasseur ; de *Page
d'écriture* que Jacques Prévert venait de donner à la revue *Les
Cahiers de la Basoche* et pour laquelle Joseph Kosma avait composé à son habitude une très belle musique. Elle était interprétée par Germaine Montero qui mit également son talent au
service du *Désespoir est assis sur un banc* et de la *Chanson de
l'oiseleur*. *Page d'écriture* était directement issue des longues
heures d'ennui passées à l'école communale de la rue de Vaugirard et allait devenir un «classique» de la radio, du music-
hall... et des cours de récréation où des myriades d'écoliers
répéteront avec délice :

> Ils ne font rien seize et seize
> et surtout pas trente deux

Au cours de ce programme, Agnès Capri interpréta *Sables
mouvants* que l'on retrouvera bientôt sous le titre *Démons et
merveilles*, première chanson des *Visiteurs du soir* et qui fera
une carrière internationale. Pierre Brasseur dit encore *Cet
amour* — long texte qui paraîtra deux ans plus tard dans le
numéro 1 de *Profil littéraire de la France*, revue niçoise fondée,
entre autres, par André Verdet et son ami Henri-François Rey,
futur prix Interallié et des Deux Magots — ainsi que la terrible
Chanson dans le sang écrite à la demande d'Henri Michaux et
dont Jean Paulhan avait refusé l'entrée dans la revue *Mesures*.
Le même Jean Paulhan, le 11 décembre 1940, avait adressé à
Prévert — non sans humour en ces temps d'occupation allemande — un «aimable petit mot» expliquant les raisons pour
lesquelles «Chanson dans le sang» n'avait pu paraître récemment à la NRF dont il avait du céder les commandes à Pierre
Drieu la Rochelle sous la pression de l'occupant !

Cher Monsieur,
en janvier, vous ai-je dit que la Censure s'était opposée à ce que la
NRF donnât «Chanson dans le sang»? Mais à présent...
je ne suis plus à la revue, peut-être le savez-vous. Dois-je
remettre votre poème à Drieu la Rochelle ?

1. André Verdet à l'auteur.

je l'aime beaucoup (le poème).
Vôtre

Jean Paulhan[1]

Si Prévert ne débordait pas de sympathie pour Jean Paulhan, ses sentiments à l'égard de Drieu la Rochelle ne laissaient nul doute sur la destination de *Chanson dans le sang*. Ce dernier figurait en effet dans *La Crosse en l'air* sous le nom de Brioche la Rochelle aux côtés des «Vorace de Carbuccia des Gallus des Henribérot des Gugusses des compères Doriot de mes deux Kérilis des Pol Morand des Chiappe [...] et le lieutenant colonoque de la rondelle aux flambeaux *[lieutenant colonel de La Rocque]*», pour la plupart des admirateurs du fascisme et partisans de la collaboration effrénée avec les nazis. Elle se devait de rejoindre, dans cette *Promenade avec Prévert* proposée par Pierre Laroche, *L'Orgue de Barbarie* chantée par Agnès Capri sur une musique de Kosma, poème écrit dix ans plus tôt en pleine activité du Groupe Octobre, dans lequel Jacques fustigeait d'une manière drolatique ces artistes qui perdent leur temps à disserter sur leur art plutôt que d'être créatifs. Il ne manquait même pas, dans cette approche de l'univers du poète, le signe de tendresse amoureuse destinée à Claudy, la compagne du moment. C'est Germaine Montero qui, toujours sur une musique de Kosma dont l'Évangile selon Vichy interdisait de citer le nom sur les ondes marseillaises, interpréta le sensible *Presque*, écrit à Fontainebleau aux premières heures de la liaison entre le poète et l'ingénue et qui célébrait sans retenue «le bonheur avec les yeux cernés».

C'est dans cette atmosphère de joyeuse complicité révélée au public de Radio Zone Sud que Marcel Carné arriva à La Garoupe bien décidé à trouver le sujet de son prochain film. Même s'il fallait secouer quelque peu le tandem Prévert-Laroche. «Jacques et lui étaient devenus inséparables, écrira Marcel Carné. Aussi eus-je l'impression d'arriver en trouble-fête dans le duo. Laroche, surtout, parut m'en vouloir de troubler ainsi des discussions interminables autour d'un pastis ou d'un blanc du pays. Je m'en souciais peu. J'étais venu voir Jacques dans l'espoir de faire un nouveau film avec lui. Cela seul m'importait[2].» Et ce que Carné voulait...

1. Cité par Danièle Gasiglia-Laster et Arnaud Laster, *op. cit.*
2. Marcel Carné, *op. cit.*

CHAPITRE 3

Faire ce qu'on peut

Censure de Vichy, censure allemande, il fallait jouer serré pour franchir les obstacles dus à la situation politique de la France. Ayant refusé l'offre d'Alfred Greven, le tout-puissant délégué allemand au cinéma, Prévert et Carné ne pouvaient compter exploiter certains sujets forts, que paradoxalement les auteurs de la Continental-Films pouvaient, eux, aborder. Ainsi Henri-Georges Clouzot, après le succès de sa première œuvre *L'assassin habite au 21*, préparait, sur un scénario de Louis Chavance, un film dénonçant violemment le conformisme provincial petit-bourgeois à travers une maladie contagieuse qui infectait aussi bien la zone dite libre que la zone occupée : les lettres anonymes. Ce sera *Le Corbeau* qui fera couler beaucoup d'encre et attisera les haines tant il mettait en lumière les ambiguïtés et les compromissions minant alors le pays. S'il n'avait pas été produit par la Continental, jamais ce film pour le moins dérangeant n'aurait franchi les barrières mises en place par la censure vichyste. « On peut affirmer qu'aucun producteur français n'aurait obtenu l'autorisation de tourner *Le Corbeau* entre 1940 et 1944, écrira Roger Régent, et ce n'est peut-être pas trop s'avancer que de dire : avant 1939 et après 1944 il n'est pas sûr non plus que le scénario de Louis Chavance eût obtenu l'imprimatur cinématographique [1]. »

S'il n'avait pas d'idée pour son prochain film, Marcel Carné n'arriva pourtant pas les mains vides à La Garoupe. Il apportait deux rouleaux de pellicule tournés à Paris lorsqu'il espérait monter *Juliette ou la Clef des songes*, avec un jeune comédien inconnu découvert au théâtre de l'Atelier où il jouait Orphée dans l'*Eurydice* d'Anouilh : Alain Cuny. Il projeta le bout d'essai dans un cinéma d'Antibes devant Pierre Laroche et Jacques Prévert qui se montrèrent enthousiastes tant le jeune

1. Roger Régent, *Cinéma de France*, cité par Roger Boussinot, *op. cit.*

homme alliait harmonieusement un physique agréable à une très belle voix grave et prenante malgré un débit un peu lent. «Comme s'il s'écoutait parler», disait Carné. Encore fallait-il lui trouver un rôle. Alors que le metteur en scène et ses auteurs se creusaient la cervelle pour choisir un sujet qui ne déclenchât point les foudres des censures de tout poil, et orientaient leurs recherches vers le passé, Trauner, qui réaliserait les décors du futur film tout comme Kosma en écrirait la musique, rappela à son ami Jacques un projet (dont ils avaient beaucoup parlé à l'époque où *La Rue des Vertus*, qui devait exploiter le magnifique décor naturel des Baux-de-Provence, n'avait pu être tourné): adapter un conte de Perrault que Prévert appréciait entre tous, *Le Chat botté*. «Il était depuis toujours passionné par le thème du combat de l'ange et du diable, du bien et du mal, dira Trauner, et il a vu dans le sujet beaucoup d'éléments qui lui permettraient de développer ce thème. Il y avait le bon prince et le méchant, les bons musiciens et les mauvais. Chaque fois que le Marquis de Carabas arrivait, il faisait beau, les bons musiciens l'accueillaient, alors que le représentant de l'ogre était accompagné par l'orage et le tintamarre[1].» En ces temps d'occupation nazie où l'idée de Résistance commençait à prendre corps, l'allégorie était claire. Maurice Baquet serait un Chat botté idéal et les rôles pour Alain Cuny ne manqueraient pas dans cette féerie. Malheureusement, André Paulvé ne partagea pas l'enthousiasme de l'équipe et l'on dut repartir de zéro. Restait l'idée d'une époque médiévale imaginaire aux décors stylisés.

«Je crois que je serai à l'aise dans le Moyen Âge, dit alors Marcel Carné. Le style flamboyant me plairait assez... Celui, par exemple, des *Très Riches Heures du duc de Berry*.

— C'est pas con, dit Jacques. Et le costume irait bien à Cuny[2].»

Ainsi naquirent, à La Bouée de La Garoupe, les grandes lignes des *Visiteurs du soir*. Le scénario exposait «la lutte de l'amour et la pureté contre le diable et ses émissaires, et transposait la résistance de la France au mal hitlérien[3]», ainsi que le diront plus tard les exégètes. Marcel Carné regagna Paris avec l'embryon d'une histoire séduisante et l'accord du producteur André Paulvé qui, outre sa compagnie de production, était copropriétaire des studios de la Victorine à Nice où se tournerait l'œuvre en gestation. L'y attendaient mille problèmes liés à la réalisation d'un film qu'il voulait ambitieux dans ses moindres détails. Trouver simplement les matériaux des futurs décors et

1. Alexandre Trauner, *Décors de cinéma*.
2. Marcel Carné, *op. cit.*
3. *Premier Plan*, n° 14.

le tissu des costumes médiévaux que Trauner commençait à dessiner dans son refuge de Tourette relevait de la gageure, sans compter les problèmes personnels posés par le décorateur et le musicien obligés de travailler dans l'ombre. Si Wakhevitch acceptait une nouvelle fois de réaliser des décors, dont Trauner peignait déjà les maquettes, et promettait de se rendre régulièrement sur la Côte pour consulter son confrère « clandestin », il n'en fut pas de même pour Maurice Thiriet. Ce grand symphoniste, engagé par Carné sur les conseils de la production, avait été immédiatement séduit par l'idée d'écrire une partition de style médiéval mais, tout en acceptant de prêter son nom à Kosma pour une part de la musique, ne pouvait ou ne voulait pas se rendre à Nice afin de travailler avec le compositeur hongrois. Carné devrait jouer les agents de liaison entre les deux musiciens !

Si durant toute la préparation du film, le metteur en scène fut amené à franchir de nombreuses fois la ligne de démarcation, il ne prit jamais pension ni à Saint-Paul ni à Tourette, au grand soulagement du tandem Prévert-Laroche. « Il venait de temps en temps *[rappellera Claudy Carter qui figurait dans la distribution du film]* mais ne s'est jamais installé avec nous. Heureusement pour Jacques qui n'aurait pas bien travaillé avec Carné à côté de lui. Leurs rapports étaient "comme ci, comme ça" car tous deux étaient très soupe au lait. Cependant ils s'estimaient et savaient qu'ils faisaient du bon travail ensemble. Carné était très nerveux et provoquait souvent des accrochages mais, en dehors des moments de tournage, leurs rapports étaient tout de même très amicaux. D'ailleurs, Jacques se rendait très peu souvent sur le plateau où tournait Marcel. Il écrivait son scénario, ses dialogues et laissait le metteur en scène faire son travail [1]. » « Carné et Prévert s'entendaient apparemment bien, renchérira André Verdet. En réalité, Carné avait tendance à tirer la couverture à lui. Ça agaçait un peu Jacques mais il avait besoin de travailler ! Il parvenait toutefois à imposer ses vues mais cela provoquait des moments de vive tension qu'il atténuait avec beaucoup d'adresse pour ne pas trop froisser Carné [2]. »

À l'orée du printemps, dans sa maison de Tourette qui ouvrait sur un paysage rocailleux dont se servira son metteur en scène, Jacques Prévert mit la dernière main aux dialogues du film dont il avait écrit le scénario avec Pierre Laroche. *Les Visiteurs du soir* racontait l'histoire de deux troubadours, Dominique et Gilles, se présentant un soir au pont-levis du château

1. Claudy Carter à l'auteur.
2. André Verdet à l'auteur.

où le baron Hugues célébrait les fiançailles de sa fille Anne avec le chevalier Renaud. Dès lors, de nombreux sortilèges, organisés par le Diable dont les deux ménestrels étaient les envoyés, s'entendaient à troubler les festivités. Dominique, à la silhouette androgyne, séduisait aussi bien le baron que son futur gendre, lesquels, pour la posséder, s'entre-tuaient avec allégresse tandis qu'un pur sentiment unissait la belle Anne à Gilles, le second baladin, à la grande fureur du Diable apparu sous les traits d'un brillant voyageur. Le Malin, floué par l'amour, aura beau transformer les amants en statue, leurs cœurs continueront de battre à l'unisson pour l'éternité. Dans l'esprit des auteurs, du metteur en scène et du décorateur qui ne perdaient pas de vue le contexte historique de l'Occupation, le château des *Visiteurs du soir* devait paraître neuf, blanc et glacé comme au jour de sa construction et ses occupants représenter les archétypes d'une société de contrainte et de violence mal contenue. Malgré l'ambiance médiévale dans laquelle se situait l'action la métaphore était aussi claire que l'allusion à l'époque contemporaine. En voyant Gilles enchaîné et menacé de tortures, le spectateur pouvait-il oublier les risques encourus par les premiers résistants traqués par la Gestapo ? Le choix de comédiens fortement typés vint encore renforcer cette impression. Comme à l'ordinaire la distribution se fit d'un commun accord entre Carné et Prévert. Arletty serait Dominique dont le costume masculin mettait en valeur la grâce mais aussi la rouerie féminine, alors que nul mieux que Jules Berry ne saurait interpréter le Diable. Il avait fait ses preuves — tout comme Arletty d'ailleurs — dans *Le jour se lève* des mêmes auteurs. Dans le rôle d'Anne, André Paulvé souhaitait vivement la présence de Marie Déa à qui le liaient de tendres sentiments. Prévert, qui entendait réserver un pctit rôle à Claudy Carter, aurait eu mauvaise grâce à réfuter le choix de son producteur qu'il approuva donc vivement. De l'avis de chacun le rôle de Gilles, le baladin amoureux, allait comme un gant à Alain Cuny, tandis que Carné défendait le remarquable comédien qu'était Marcel Herrand pour interpréter le fiancé fourbe et cruel et que Prévert souhaitait Fernand Ledoux — dont il avait pu apprécier le talent dans *Remorques* — dans le rôle du baron Hugues saisi par le démon de midi. «On le voit, quoi qu'on en eût dit, l'accord le plus parfait régnait entre nous, se défendra Carné, et toutes les décisions de quelque importance étaient prises en commun. Cette parenthèse pour satisfaire les esprits curieux qui, aujourd'hui encore, cherchent à savoir quelle part revient à chacun de nous dans l'élaboration des films que nous avons faits ensemble. Toujours l'histoire des ascenseurs Roux-Combaluzier : Qui pour la descente, qui pour la montée[1]? » Ce qui n'empêchera pas le grand metteur en scène parfois chatouilleux d'ajouter : «Contrairement à ce qu'affirmera par la suite Arletty, pressée de donner la part belle au poète, c'est moi qui avais choisi l'époque du Moyen Âge[2]. »

La distribution des rôles et de la figuration fut l'occasion pour Jacques de rencontrer une autre très jeune fille dont la beauté, la vigueur spontanée et le talent éclateront dans un proche avenir sur les écrans et qui deviendra une de ses meilleures amies. Elle avait des yeux verts magnifiques et l'âge de Claudy, était presque aussi blonde que celle-ci était brune, rêvait de théâtre et avait la passion du cinéma depuis qu'elle avait vu Danielle Darrieux dans *Port Arthur*[3]! Elle avait grandi à Neuilly, rue Jacques-Dulud, où Prévert, vingt ans avant elle, avait passé une partie de son enfance. Son père, juif, était parti à Londres après l'appel du 18 juin et son nom, Kaminker, lui interdisait de solliciter l'obtention de la fameuse carte du COIC qui permettait de prétendre à un rôle d'importance dans le cinéma où elle avait déjà interprété quelques figurations et silhouettes, des studios de Saint-Maurice à ceux de Pathé, rue Francœur. Aussi la connaissait-on dans le milieu des artistes de complément sous le pseudonyme de Simone Signoret, Signoret étant le nom de jeune fille de sa mère. Mais tout cela, Prévert ne l'apprit que plus tard. Pour l'heure, la future actrice lui était recommandée par la bande du Café de Flore à laquelle elle s'était intégrée par le plus grand des hasards. Elle n'avait pas vingt ans que, séduits par sa vivacité, sa beauté et un léger défaut de langue qui lui faisait chuinter les *ch* et les *j* et lui donnait un charme supplémentaire, ses amis étaient déjà Roger Blin, Fabien Loris, Raymond Bussières, Henry Leduc, Guy Decomble, Mouloudji — de retour de Marseille — et Henri Crolla un jeune guitariste récemment adopté par «la bande» avec lequel Simone Signoret se lia sans délai. «Tous pouvaient vous raconter le Groupe Octobre et vous rejouer à mi-voix *La Bataille de Fontenoy* autour de la table parce qu'ils l'avaient jouée dans les usines en 34, ou le *Tableau des merveilles* que leur copain Barrault avait monté dans un grenier de la rue des Grands-Augustins, se souviendra la comédienne... et puis surtout, j'apprenais Jacques, qui n'était pas là. Tous leurs souvenirs de rires, de tendresse, de vacances, de scandales courageux, de fêtes, c'était Jacques. On aura compris Prévert. Moi, je n'avais vu ni *Drôle de drame*, ni *Quai des Brumes*, ni *Le Crime de*

---

1. Marcel Carné, *op. cit.*
2. *Id.*
3. Film de Nicolas Farkas, 1936.

M. Lange, mais avant même de le rencontrer, enfin, en 1942 seulement, je pensais comme lui, je parlais comme lui, je riais aux mêmes choses que lui, je l'avais appris par cœur à travers ceux qui l'aimaient... C'était ça, traîner au Flore et n'y pas perdre son temps [1]. » Car c'est au Café de Flore que Pierre Sabas, assistant de Carné, «recruta» Simone Signoret parmi les membres de la bande restés à Paris pour figurer dans *Les Visiteurs du soir*.

Puisque ceux-ci l'avaient adoptée, qu'elle s'était déjà frottée au cinéma et que sa beauté était de celles qu'on n'oublie pas, Marcel Carné, pourtant peu sensible aux charmes féminins, tout comme son ami Marcel Herrand, mais qui savait admirablement choisir tout ce qui pouvait servir le film qu'il projetait, l'engagea comme figurante mais elle serait de tous les décors : les banquets, la danse, la chasse, le tournoi, habillée sur mesure et *maquillée* ce qui voulait dire qu'on l'apercevrait à l'écran, et — qui sait? — qu'elle aurait peut-être une phrase à dire devenant ainsi une silhouette susceptible d'être remarquée pour un autre film. Détail qui avait son importance : le cachet passait alors de 120 francs à 500 francs. Par jour!

Le tournage se déroula du 22 avril à la fin septembre 1942 dans des conditions extrêmement difficiles. Fait unique dans les annales du cinéma, toute l'équipe dut attendre vingt et un jours pour que Marcel Carné donnât le premier tour de manivelle. Jamais, sur la Côte, le printemps n'avait été si pluvieux. Habillés de rayonne — soie et brocart mesurés au centimètre étaient réservés aux premiers rôles occupant à l'image les plans rapprochés —, les figurants devaient être filmés de loin pour que le spectateur ne puisse se rendre compte de la mauvaise qualité de leurs vêtements. La nourriture apportée lors des tournages en extérieur tenait de la ragougnasse, non seulement à cause des restrictions mais aussi de la ladrerie du régisseur général à qui André Paulvé avait imprudemment promis une promotion dans son prochain film s'il faisait des économies sur celui-là! « Il y eut une sorte de Potemkine le jour où les bassines de haricots furent renversées dans l'herbe d'un champ à Tourette, parce que les dames et seigneurs du château y avaient trouvé des charançons [2] », écrira Simone Signoret qui connaîtra bientôt la table mieux garnie de l'hôtel Belle Terrasse de Tourette-sur-Loup où Prévert et son ami Verdet avaient leurs bonnes habitudes. L'établissement était d'une absolue tranquillité car la nièce des propriétaires, Margaret H., était mariée

---

1. Simone Signoret, *La nostalgie n'est plus ce qu'elle était*.
2. *Ibid.*

à un Allemand, le colonel Lohrer, fou de poésie et de culture françaises, que l'on disait important officier de l'Abwehr[1] et que le village appelait « le Boche » dès qu'il regagnait son poste à Paris. Les figurants et petits rôles ne recevaient pas de cachets suffisants pour s'offrir de pareilles agapes. « Les prix pratiqués étaient inabordables, conviendra Carné, non seulement pour les figurants mais également pour les électriciens et les machinistes[2]. » « Jacques Lebreton nous invita un dimanche à faire un tour à Saint-Paul-de-Vence, se souviendra Simone Signoret. On a regardé de l'extérieur la cour de La Colombe d'Or, on n'a pas osé entrer, on a mangé en face[3]... » Situation qui, ainsi que le remarquera Francis Roux, le fils des patrons de La Colombe déjà attentif aux silhouettes agréables, ne dura pas trop longtemps pour la jolie figurante. « Jacques était déjà là. Et Simone a commencé à venir le soir, invitée par l'équipe dirigeante[4]. »

La jeune fille ne se doutait pas que, quelque sept ans plus tard, le poète qui l'invitait à sa table allait la présenter dans cette même auberge provençale au jeune chanteur dont le Tout-Paris s'était entiché : Yves Montand. Pour l'heure, elle chahutait avec trois copains de Saint-Germain retrouvés dans la foule des figurants : Jean Carmet, Alain Resnais et François Chaumette, tandis que, dans un coin du plateau de la Victorine, un jeune cinéaste italien arborait une mine de six pieds de long ; il représentait la participation de la Scalera, filiale italienne associée à Paulvé, où on lui avait, paraît-il, promis qu'il réaliserait le film ! Inutile de dire que, dès son arrivée, Marcel Carné avait anéanti ses prétentions et réglé le problème à sa manière. Plutôt brutale. Depuis, Michelangelo Antonioni faisait la gueule, cantonné dans le rôle peu gratifiant de troisième assistant, après Bruno Tireux et Pierre Sabas ! Alors que ceux-ci jouaient les gardes du corps autour des pièces de bœuf du banquet sur lesquelles les figurants affamés avaient tendance à se jeter avant que le metteur en scène ait tourné tous les plans qu'il souhaitait, et qu'ils devaient piquer au phénol les fruits destinés à donner une certaine somptuosité à la table du repas de fiançailles, Carné devait se débattre entre la Victorine de Nice et les studios de Saint-Maurice, près de Paris, avec tous les problèmes posés par ses travailleurs clandestins. Si Alexandre Trauner avait pu mener à bien les maquettes de ses décors entre Tourette et

---

1. Service de renseignement de l'état-major allemand, rival de la Gestapo et chargé de la lutte contre les organisations de résistance dans l'Europe occupée.
2. Marcel Carné, *op. cit.*
3. Simone Signoret, *op. cit.*
4. Francis Roux à l'auteur.

Gréolières, village de montagne à la lisière des Basses-Alpes et des Alpes-Maritimes où une tante du poète André Verdet le cachait, maquettes dont Auguste Capelier suivait l'édification par Georges Wakhevitch, Joseph Kosma avait seulement composé deux chansons pour le film, dont *Démons et merveilles* écrite par Jacques sous le titre *Sables mouvants* et qui, on l'a vu, chantée par Agnès Capri, figurait déjà dans l'émission de Pierre Laroche, *Promenade avec Jacques Prévert*. La seconde, *Le Tendre et Dangereux Visage de l'amour*, avait été écrite spécialement par Prévert pour être chantée par Alain Cuny, que Carné, le film terminé, préféra faire doubler par le chanteur Jacques Jansen. Naturellement, il confia les deux chansons à Maurice Thiriet en lui demandant comme convenu que *Démons et merveilles* servît de leitmotiv au film dont le compositeur avait écrit tous les autres thèmes, ceux de la chasse et du tournoi entre autres, ainsi que toutes les orchestrations. «J'ai toujours pensé, écrira Carné, que l'association Kosma-Thiriet, si elle avait pu se prolonger, aurait été très bénéfique. Kosma était une sorte de tzigane dont la facilité d'invention était prodigieuse. Là, selon moi, se bornait toutefois son talent. Thiriet, au contraire, s'il ne brillait pas par l'imagination créatrice, avait un don d'orchestration rare[1].» Comme, en outre, le grand chef d'orchestre Charles Munch — qui dirigea l'enregistrement de la partition — ne tarit pas d'éloges sur «la bien belle musique qu'avait faite là Maurice Thiriet», Marcel Carné, qui remarquait avec un peu d'humeur que depuis que Kosma lui avait remis discrètement les deux chansons il n'en avait plus eu de nouvelles, ne précisa pas la part qui reviendrait à chacun des compositeurs en cas d'édition musicale. Tous les éléments de la zizanie étaient semés. Elle n'allait pas manquer d'éclater si d'aventure le film avait du succès et que les chansons se retrouvent imprimées sur les petits formats dont, à l'époque, le public était friand. La guerre finie, Kosma ne manquerait pas de réclamer ses droits.

Les Visiteurs du soir fut présenté à la presse par un beau matin ensoleillé de l'hiver 1942 au cinéma La Madeleine, luxueuse salle des Grands Boulevards — où *Le jour se lève* avait commencé sa carrière —, et au public, le soir même de ce 5 décembre. À peine trois semaines après que les troupes allemandes avaient envahi la zone Sud à la suite du débarquement allié en Afrique du Nord! Le film était très attendu. Il venait de recevoir le Grand Prix du Cinéma français, distinction officielle créée par le Centre du cinéma vichyste qui n'avait pas vu dans cette histoire d'amour médiévale ce que le public, mystérieuse-

1. Marcel Carné, *op. cit.*

ment alerté par le bouche à oreille, attendait : des allusions à peine voilées à la situation du moment, c'est-à-dire à la France sous la botte de l'occupant. Comme à leur habitude devant un film de Carné-Prévert, les critiques ne surent qu'en penser. Ils discutèrent par petits groupes dubitatifs sur le trottoir, jusqu'à ce que Lucien Rebatet, qui tenait la rubrique cinématographique de l'ultra-collaborationniste *Je suis partout* et était pourtant loin d'apprécier l'art de Jacques Prévert, lequel à ses yeux restait le dangereux révolutionnaire du Groupe Octobre, rendît un oracle favorable. Le maître à penser de la critique «collabo» prononça, selon Carné, le mot «chef-d'œuvre» que reprirent les principaux journalistes spécialisés conviés au déjeuner offert par la production chez Maxim's. *Les Visiteurs du soir* fut unanimement loué par une critique dithyrambique et remporta auprès du public un succès comme jamais Prévert ni Carné n'en avaient connu. «Lorsque, à la fin du film, le cœur des amants transformés en statue par le Diable continue de battre sous la pierre, au grand dépit de celui-ci, avouera Marcel Carné, certains ont voulu y voir le symbole de la France sous l'Occupation. Je ne jurerais pas que l'on ait pensé à cela, Jacques et moi... En tout cas, nous avons accepté cette interprétation qui correspondait, de plus, à un besoin réel chez une partie du public, fin 1942, quand le film est sorti [1].» On ne pouvait être plus franc.

*

Tandis que Marcel Carné préparait puis tournait *Les Visiteurs du soir*, Jacques Prévert ne s'endormait pas sur ses lauriers. Il écrivit, toujours avec Pierre Laroche, *Lumière d'été* pour son vieil ami Jean Grémillon qui n'oubliait pas le rôle du poète dans la reprise du tournage et la réussite de *Remorques*, et n'entendait pas avoir un autre auteur pour son nouveau film. Cette exigence fut d'autant mieux accueillie que son producteur n'était autre qu'André Paulvé, fort satisfait du travail du tandem Prévert-Laroche sur *Les Visiteurs du soir*. Les deux hommes bâtirent sans traîner une histoire d'amour où, comme dans *Les Visiteurs*, les femmes avaient le beau rôle tant il était vrai, à cette époque où le conflit était devenu mondial, que, pour Prévert, «les seuls films contre la guerre *[étaient]* les films d'amour [2]». Il y ajouta, avec la complicité de Jean Grémillon, qui n'avait jamais caché ses sympathies pour l'extrême gauche, de quoi exalter les vertus prolétariennes face à la dégradation physique et morale de la bourgeoisie française considérée

1. Marcel Carné, *op. cit.*
2. *Libération*, 12 août 1960, cité par Danièle Gasiglia-Laster, *op. cit.*

comme responsable de la capitulation devant l'Allemagne nazie. Bien plus ouvertement que *Les Visiteurs du soir*, *Lumière d'été* exprimait des idées à l'opposé des positions officielles de l'État français du maréchal Pétain : en haute Provence, dans l'hôtel de l'Ange Gardien accroché au flanc de la montagne où se construit un barrage, vit une ancienne danseuse, Cricri (Madeleine Renaud), maîtresse trop possessive d'un châtelain taré (Paul Bernard). Un peintre alcoolique (Pierre Brasseur) accompagné par Michèle, une pauvre fille amoureuse (Madeleine Robinson), s'arrête là et fait aussitôt flamber les passions. À l'issue d'un bal costumé où les personnages se cherchent et se poursuivent, les amours explosent dans le sang. Michèle, qui a tenté en vain de sauver malgré lui son amant attaché à se détruire, essaiera de refaire sa vie avec Julien (Georges Marchal), l'ingénieur du barrage en construction qui l'a aimée dès la première rencontre à l'Ange Gardien. La lutte des classes, et plus encore celle des «capables» (le peuple) contre les «incapables» (les privilégiés), la critique acerbe de la bourgeoise, la revendication de la liberté en amour, pour les femmes plus encore que pour les hommes : tous les thèmes chers à Prévert se retrouvaient dans *Lumière d'été* ; et le film se terminait par l'affrontement entre le châtelain cynique, armé d'un fusil, et les ouvriers en légitime défense qui, les mains nues, forts de leur seule détermination, poussaient le grand bourgeois à basculer dans le précipice au bord duquel ils l'avaient acculé. Là encore la métaphore était limpide. *Lumière d'été*, «dans ses meilleurs passages, soulignera Georges Sadoul dont on sait les attaches avec le PCF, eut la résonance des poèmes "légaux" d'Éluard ou d'Aragon. Le film opposa clairement aux soutiens sociaux de Vichy la force saine des travailleurs, âme de la Résistance[1].»

Il y avait quelque provocation et beaucoup de courage de la part de Grémillon, Prévert et Laroche, à faire un film — «l'un des plus beaux qui aient été réalisés sous l'Occupation», dira Trauner qui, à Tourette, en dessina les décors que Max Douy réalisa à la Victorine puis dans la montagne à Castillon — où l'opposition entre la solidarité des travailleurs et le monde des oisifs et des parasites était aussi marquée. À Vichy, où *Les Visiteurs du soir* avait été apprécié au point que le maréchal Pétain en personne demanda à voir le film, on ne s'y trompa pas. L'écrivain Paul Morand, président de la Commission de censure cinématographique, chargé de s'assurer que les films répondaient à la morale vichyssoise — Travail, Famille, Patrie — et ne comportaient pas d'allusions désagréables pour l'occu-

---

1. Georges Sadoul, *Le Cinéma pendant la guerre* (1939-1945), cité par Jean-Claude Lamy, *op. cit.*

pant nazi, refusa son visa. Pour André Paulvé, c'était la faillite. Sur intervention de Louis-Émile Galey, directeur général de la Cinématographie nationale à Vichy, et secrètement membre de l'Armée des Ombres, soutenu par Marcel Achard — tous deux entretenaient d'excellentes relations avec l'auteur de *Ouvert la nuit* —, Paul Morand accepta une seconde projection qui provoqua un second scandale. Nouveau refus du visa de sortie! Selon les uns, Morand, cédant à l'insistance de Louis-Émile Galey et de Marcel Achard, «accepta une troisième projection, autorisa le film et donna sa démission[1]»; selon les autres, c'est Louis-Émile Galey qui, au nom de la Cinématographie nationale, autorisa la sortie du film, tandis que Morand, s'estimant désavoué, donna avec fracas sa démission du poste de président de la Commission de censure[2]. Quoi qu'il en fût, le producteur André Paulvé était sauvé. Venant après le triomphe des *Visiteurs du soir*, le succès commercial de *Lumière d'été* lui permettait de donner carte blanche à Marcel Carné et Jacques Prévert pour écrire et réaliser leur prochain film, et lui valut les louanges de la profession: «La production Paulvé pendant l'occupation allemande a représenté la "qualité France" avec beaucoup de bonheur[3]», pourra écrire Roger Boussinot.

Avec *Lumière d'été*, Pierre Brasseur trouva, sous la plume de son vieil ami Prévert, un rôle à sa mesure. «Ce n'est pas avec de bons sentiments qu'on fait du bon cinéma, dira Alexandre Trauner, c'est avec la violence et la volonté d'invention qu'on met dans un sujet. Celui-ci était très simple en définitive; d'un côté il y avait l'ingénieur et les gens qui travaillaient dans le chantier, de l'autre les châtelains qui profitaient de tout, qui faisaient la fête, qui entraient en collision avec le monde du travail, et tout cela était bouleversé par le peintre interprété par Brasseur qui s'achemine vers la folie. Et la violence de l'histoire vient justement de ce personnage de peintre que moi je considère comme l'un des plus beaux jamais portés au cinéma[4].» Catherine Sauvage, l'une des plus grandes interprètes des chansons de Prévert après la guerre, devenue à la ville la dernière compagne de Pierre Brasseur, partagera cet avis. «C'est à travers les rôles de Jacques qu'il devint le grand Brasseur et en particulier à travers le rôle du peintre alcoolique de *Lumière d'été* aussitôt suivi du rôle de Frédérick Lemaître dans *Les*

1. Ginette Guitard-Auviste, *Paul Morand*.
2. Jean-Claude Lamy, *op. cit.*
3. Roger Boussinot, *op. cit.* André Paulvé produira entre autres films: *L'Éternel Retour* de Jean Delannoy (1943), *Sortilèges* de Christian-Jaque (1944), *Sylvie et le Fantôme* de Claude Autant-Lara (1945), *La Belle et la Bête* de Jean Cocteau (1945), *Les Maudits* de René Clément (1946) ainsi que le chef-d'œuvre de Jacques Becker, *Casque d'or* (1951).
4. Alexandre Trauner, *op. cit.*

Enfants du paradis. Son rôle dans *Quai des Brumes*, pour remarquable qu'il fût, n'était jamais que le prolongement des rôles de gigolos et de maquereaux qu'on lui avait fait tenir jusque-là. Tandis qu'avec *Lumière d'été* il a véritablement explosé, devenant — "grâce à Jacques", me disait-il — un de ces personnages mythiques du cinéma français. Lui, comme tous les gens qui ont travaillé avec Jacques Prévert, le considérait comme le plus grand auteur de l'époque. L'équipe Prévert-Carné-Kosma-Trauner, que Paulvé allait réunir une nouvelle fois pour *Les Enfants du paradis* grâce au succès des *Visiteurs* et de *Lumière d'été*, était une équipe extraordinaire, la plus grande de tout le cinéma français[1]. »

Elle faillit bien se disloquer sous les coups de boutoir de la persécution antisémite. Ce fut d'abord Alexandre Trauner qui, rejoignant imprudemment Jacques à La Garoupe pour se rapprocher d'un médecin dont les soins étaient nécessaires à l'état de santé de sa femme Sâri, se fit ramasser dans une rafle par la police française qui avait isolé le Cap et fouillé villas et hôtels. Le petit Trau fut emmené, avec d'autres Juifs tombés dans la nasse, à la mairie de Nice où il fut incarcéré, tandis que Prévert, alerté par Sâri, prévenait ses amis du centre d'athlétisme du Cap-d'Antibes, vénérés à l'époque de Pétain comme les espoirs d'une nation enfin régénérée ! Ceux-ci se ruèrent à la mairie, engueulèrent le maire et tirèrent Trauner des griffes de la police municipale avant que la Gestapo (qui s'implantait sur la côte) ou la Milice (qui venait d'être créée[2]) ne se mêlent de l'affaire. Le couple fut caché dans une dépendance d'un hôtel du Cap — dont le propriétaire était un agent de Vichy, ce qui lui permettait d'être toujours prévenu avant les contrôles —, puis, le danger passé, regagna ses refuges de la montagne au-dessus de Saint-Paul-de-Vence.

À Tourette-sur-Loup, Joseph Kosma et l'espiègle Lilly — tel était le surnom dont le petit groupe avait affublé Mme Kosma dont les sourires étaient aussi rares que les apparitions de la Vierge — observaient avec angoisse l'étau qui se resserrait autour des clandestins, tandis que les Allemands relevaient les troupes italiennes jusque-là si débonnaires que lorsque les soldats montaient dans l'autocar la première chose qu'ils faisaient était de déboucler leur ceinturon et de planquer leurs armes sous le siège ! Si Saint-Paul fut relativement épargné par l'Occupation — le village ne comptera jamais plus d'un Allemand

---

1. Catherine Sauvage à l'auteur.
2. Le 30 janvier 1943. Issue du Service d'ordre légionnaire, la Milice, dirigée par Joseph Darnand, s'engagera dans la plus abjecte collaboration et la lutte contre la Résistance.

et de deux Autrichiens qui ne le quitteront jamais tant ils s'y trouvaient bien[1] —, les rafles se multipliaient alentour, des amis disparaissaient. On parlait de déportation. Se déplacer devenait de plus en plus difficile. Kosma et Trauner avaient loué des chambres dans une modeste pension de Tourette tenue par Mme Mittens, une adorable vieille dame russe, et œuvraient au calme dans la maison de Jacques Prévert. « Le danger pour moi, c'était de descendre au studio de la Victorine où travaillaient beaucoup de gens qui m'avaient connu auparavant et où je courais le risque d'être dénoncé, se souviendra Alexandre Trauner. Mais je pouvais très bien surveiller ce qui se faisait dans la montagne, le château des *Visiteurs* à Gourdon, l'hôtel à Castillon, le chantier du barrage à Castellane. Je pouvais me balader sans trop de risques, avec des contremaîtres ou avec Max Douy, en faisant malgré tout attention à qui je pouvais rencontrer. Je suis encore émerveillé d'être passé au travers. Je considère toujours cela comme une sorte de miracle[2]. » Miracle auquel Jacques Prévert n'était pas étranger. Il s'ouvrit de ses soucis concernant la sécurité de Trauner et Kosma à André Verdet qui ne se contentait pas d'être un délicieux poète et un amateur éclairé de jolies femmes mais se livrait à d'autres occupations plus secrètes. C'est ce qu'il confia à Jacques quand celui-ci lui demanda s'il n'aurait pas une filière pour obtenir de faux papiers qui « tiennent la route » pour ses deux protégés.

André Verdet était entré en Résistance, dès le 1er janvier 1941, contacté par Claude Bourdet, un journaliste que Prévert avait connu à Paris et qu'il appréciait tout particulièrement. Bourdet possédait une propriété à Vence à partir de laquelle il avait participé avec Henri Frenay à la création du mouvement de résistance *Combat*, qui, en cette année 1943, était devenu l'un des plus importants de France. Il publiait presque chaque jour un quotidien clandestin du même nom créé à Lyon dès décembre 1941 sous la direction de Georges Bidault et dont Bourdet était le rédacteur en chef. Agent P2, André Verdet avait été chargé, sous les ordres de Bourdet, d'en assurer la diffusion sous le pseudonyme de Clairval. En cette année 1943, après une chaude alerte à Nice puis à Lyon — à Nice il s'était évadé, à Lyon il avait été libéré par un commissaire de police résistant —, il était devenu (sous le nom de Duroc) chargé de mission d'espionnage et de contre-espionnage pour *Combat*, au

---

1. Francis Roux à l'auteur. Pour justifier leur «occupation», les deux Autrichiens faisaient creuser des tranchées aux jeunes du village et, le soir, venaient écouter la radio anglaise à La Colombe d'Or! La guerre terminée, ils exploitèrent une petite ferme au bas du vallon et moururent à Saint-Paul au début des années 1990.
2. Alexandre Trauner, *op. cit.*

sein du Mouvement de libération nationale, entre Lyon, Paris et la Côte d'Azur. Dans ce cadre, il avait recruté pour son réseau un jeune journaliste, André Brincourt, futur écrivain et grande plume du *Figaro*, et sa compagne, Jeanne de la Patellière, lesquels lui fournissaient des renseignements d'importance sur les mouvements de la flotte allemande ancrée en rade de Toulon. C'est par André Verdet et un copain de Saint-Germain-des-Prés, André Salvet, que Jacques Prévert fit la connaissance d'André Virel, un très jeune poète de vingt-trois ans qui avait été avec son père et Yves Farge l'un des créateurs du maquis du Vercors. Capitaine des Forces françaises combattantes, agent P2 immatriculé à Londres, il était maintenant le bras droit d'Yves Farge au Comité d'action contre la déportation au sein du Comité national de la résistance où il était devenu un spécialiste de la fabrication des faux papiers. Nul mieux que lui n'était à même de forger de nouvelles identités pour les amis clandestins de Jacques Prévert qui, sans délai, se prit d'amitié pour le jeune homme courageux dont André Verdet lui avait vanté les qualités humaines. «En 1943, témoignera André Virel, j'ai remis à mon ami Jacques Prévert le matériel nécessaire à établir de faux dossiers d'identité : cartes vierges d'identité de commissariat de police, cartes d'alimentation et de tabac, ainsi que les faux tampons (de commissariat et de mairie) nécessaires à leur utilisation. Jacques Prévert m'a alors précisé qu'un des jeux complets de ces papiers était destiné à Alexandre Trauner réfugié dans le Midi à l'époque des *Enfants du paradis*. J'ai par la suite fait la connaissance de Trauner qui m'a manifesté sa reconnaissance pour le grand service que je lui avais rendu. Il est devenu et est resté un de mes meilleurs amis [1].» Grâce au trio Prévert-Verdet-Virel, Trauner et Kosma se retrouvèrent munis de «vrais faux papiers». En outre, Io et Lilly purent quitter Tourette-sur-Loup, où il venait décidément trop de monde, pour se réfugier à Vence dans une dépendance de la propriété de Claude Bourdet que celui-ci mettait à leur disposition sans les avoir jamais rencontrés ! Alors, Prévert membre de la Résistance ? «Il était au courant de toutes mes activités, témoignera André Verdet. Il partageait toutes nos idées et je lui faisais une confiance absolue. Mais il ne voulait pas s'engager dans un réseau, car ça aurait été faire la guerre et ça allait contre ses plus intimes convictions antimilitaristes. Ce qui ne l'a pas empêché de servir de boîte à lettres entre André Virel et moi lors de notre travail en Provence puis à Paris, où il a fait de nombreux allers et retours durant la préparation d'*Adieu Léonard* et des *Enfants du paradis*, quand le filet s'est resserré

1. André Virel, archives personnelles.

autour de nous. Il me disait ne pas entrer dans la Résistance car il se méfiait des prosoviétiques et subodorait ce qui allait se passer avec Staline. Il était resté "trotskard" et moi, avant guerre, j'avais été formé par le trotskisme mais Jacques était plus libertaire. Il me mettait en garde. Non seulement il m'a beaucoup aidé à Saint-Paul et à Paris — où je suis devenu l'adjoint de Degliame-Fouché dit Dormoy, chef national de l'Action immédiate, pour le réseau ferroviaire du Nord et de la zone Nord-Paris —, mais il luttait avec ses armes de poète et d'écrivain[1]. »

Évoquant cette période cruciale, le rédacteur du *Dictionnaire biographique du Mouvement ouvrier français* écrira dans la notice consacrée à Jacques Prévert : « La guerre, qu'il avait tôt pressentie et n'avait cessé de dénoncer, arriva. Réformé, il ne rejoignit aucun groupe de Résistance. Les actes auxquels il ne manqua de se livrer, il les mit au compte "pas du courage, mais de l'innocence[2]". » Son frère Pierre, avec la même « logique » prévertienne, devait préciser, dans un entretien avec René Gilson : « On n'a pas été des héros, tu vois, ni des martyrs, puisqu'on est toujours là, bien vivants ; on a fait ce qu'on a pu, ce qu'on devait faire. Sauver quelques vies, on était contents, et aussi de ne pas en avoir fait perdre, par imprudence, par maladresse, comme ça arrivait[3]... »

Après *Promenade avec Jacques Prévert*, mise en ondes par Pierre Laroche, émission qui avait recueilli un vif succès, Jacques Prévert reprit la plume du poète pour écrire en guise d'introduction à une exposition des œuvres du jeune peintre Elsa Henriquez, épouse de son ami photographe Émile Savitry, l'inoubliable et charmant *Pour faire le portrait d'un oiseau* qui ouvrira et ouvre encore l'univers de la poésie à des générations d'écoliers :

> Peindre d'abord une cage
> avec une porte ouverte
> peindre ensuite
> quelque chose de joli
> quelque chose de simple
> quelque chose de beau
> quelque chose d'utile...
> pour l'oiseau [...]

Cet hymne à l'amour et à la liberté traduisait magnifiquement la fraîcheur des œuvres d'Elsa Henriquez qui, dans l'ave-

1. André Verdet à l'auteur.
2. *Samedi-Soir*, 23 mars 1946, cité in *Dictionnaire biographique du Mouvement ouvrier français*, tome 39, p. 217-218.
3. René Gilson, *Jacques Prévert*.

nir, illustrera nombre des poèmes de Jacques Prévert et que celui-ci présenta ainsi dans le modeste catalogue de l'exposition « du temps de guerre » :

> Le banc est vert, sur ce banc des enfants sont assis et derrière eux il y a trois petits citrons jaunes.
> Elsa Henriquez ne cherche pas à surprendre, à étonner, à attirer l'attention sur elle.
> Émerveillée devant les êtres et les choses elle fait simplement leur portrait. [...]
> Sage comme une image, elle dessine, elle peint, et quelquefois interrompant son travail, elle se retourne, elle sourit et elle dit :
> « Regardez comme le monde est joli, le banc est vert, sur ce banc des enfants sont assis et derrière eux il y a trois petits citrons jaunes. »

C'est toujours au hasard des amitiés que Prévert donna au cours de l'année 1943 certaines de ses œuvres poétiques à imprimer. *Profil littéraire de la France*, la revue niçoise mise en chantier par l'ami André Verdet et son copain Henri-François Rey, hérita ainsi de *Cet amour* pour son numéro 1. Somptueux cadeau, car Prévert tenait beaucoup à ce poème. Deux ans plus tard, la prestigieuse revue *Confluences* de René Tavernier[1] le réimprimera, puis on le retrouvera dans le recueil des lycéens rémois d'Emmanuel Peillet, brouillon de la toute première édition de *Paroles* ; enfin, après la guerre, Marianne Oswald le chantera sur une musique de Kosma. Prévert lui-même enregistrera son œuvre — un de ses plus longs textes uniquement consacré à l'amour — avec un accompagnement à la guitare d'Henri Crolla.

> Cet amour
> Si violent
> Si fragile
> Si tendre
> Si désespéré
> Cet amour
> Beau comme le jour
> Et mauvais comme le temps
> Quand le temps est mauvais [...]

Cet amour donna à Jacques Prévert l'occasion de manifester une jalousie qu'il disait à André Verdet ne pas connaître « au nom de la liberté des êtres[2] » mais que la belle Claudy Carter ressentit vivement. « Nous déjeunions ensemble pour parler de la nouvelle revue et, dans le feu de la conversation,

---

1. Numéro 2 de la nouvelle série de *Confluences*, mars 1945.
2. André Verdet à l'auteur.

Henri-François Rey, près de qui j'étais placée, a posé son avant-bras sur le dossier de ma chaise et l'y a laissé pendant toute la discussion. J'ai vu alors le regard de Jacques assis en face de nous s'assombrir jusqu'à me "faire les gros yeux" comme à une gamine. Pendant tout le repas, il m'a lancé des regards terribles. Pour être jaloux, ça Jacques l'était, et pourtant je ne lui donnais pas l'occasion de l'être[1]. » Mais, comme le disait André Verdet, la trop jolie et trop jeune Claudy était aguicheuse naturellement. Elle s'intéressera bientôt à un magnifique sportif de son âge, gloire de l'équipe de foot de Vence et adepte émérite des danses à la mode que Prévert avait oublié d'apprendre...

Durant cette année 1943, et par l'entremise des nouveaux copains, le poète publia quelques autres textes particulièrement subversifs en ces temps où «la Révolution nationale» prônée par Vichy ne badinait pas avec la morale, le respect de la religion et de l'armée. Malgré les risques, Prévert ne pouvait se priver de brocarder ses vieux ennemis de toujours. Il s'en donna à cœur joie en parodiant le Nouveau Testament dans *Écritures saintes*, poème confié au résistant André Virel qui, avec son ami Denys-Paul Boulloc, publiait à Rodez une revue littéraire titrée *Méridien* dont le numéro 7, daté mai-juin 1943, fit un joli scandale. *Écritures saintes* annonçait la couleur dès sa dédicace :

> À Paul et Virginie
> au tenon et à la mortaise
> à la chèvre et au chou
> à la paille et à la poutre
> au dessus et au dessous du panier
> à Saint-Pierre et à Miquelon
> à la une et à la deux
> à la mygale et à la fourmi
> au zist et au zeste
> à votre santé et à la mienne
> au bien et au mal
> à Dieu et au Diable
> à Laurel et à Hardy

Et relatant les relations houleuses entre Dieu et le Diable :

> Dieu est un grand lapin
> il habite plus haut que la terre
> tout en haut là-bas dans les cieux
> dans son grand terrier nuageux.

---

1. Claudy Carter à l'auteur.

Le Diable est un grand lièvre rouge
avec un fusil tout gris
pour tirer dans l'ombre de la nuit [...]

Dire que Jacques Prévert ne respectait rien était un doux euphémisme. Denys-Paul Bouloc en reçut le contrecoup avec les désabonnements furieux de lecteurs «bien-pensants» outrés par la conclusion du poème — mais pouvait-on appeler *ça* un poème? :

Dieu est aussi une grosse dinde de Noël
qui se fait manger par les riches
pour souhaiter la fête à son fils.
Alors les coudes sur la sainte table
le Diable regarde Dieu en face
avec un sourire de côté et il fait du pied aux anges
et Dieu est bien embêté.

Plus dangereuses encore que les propos blasphématoires d'*Écritures saintes* étaient les philippiques contre le pouvoir vichyste, son chef — le vieillard sénile et sûr de lui, de *L'Ordre nouveau* — et ses sbires à chemises et bérets bleus de la Milice, que Prévert mit en scène dans le poème promis à Verdet depuis leur rencontre et qu'il intitula en juillet 1943 : *C'est à Saint-Paul-de-Vence...* Il y décrivait, apparaissant au milieu de la fête votive,

des Basques et des Basques encore des Basques toujours des Basques et sur les trottoirs d'autres Basques regardant les Basques défiler et puis leur emboîtant le pas défilant soudain à leur tour défilant au son du tambour de Basque.

«L'Allusion aux pétainistes qui aimaient à se coiffer de bérets basques était claire, remarquera André Verdet, flatté de se voir dédier un si long poème mais inquiet pour son auteur. Il criait tout haut son hostilité au maréchal Pétain. On le mettait en garde: tu risques de te faire embarquer, à tenir des propos comme ça en public[1].» Le poète récidiva encore plus violemment dans *Un drôle de carrousel*, long texte de trente-deux pages où il s'en prenait directement aux nazis, à Doriot, à Pétain et à sa clique vichyste, parmi laquelle Laval, Darquier de Pellepoix, commissaire aux questions juives, Darnand, chef de la Milice, et les membres de la Gestapo française de la rue Lauriston étaient directement attaqués. Il fit lire ce long poème à André Verdet avec mission de le publier anonymement sous forme de tract comme le jeune résistant le faisait pour des

---

1. André Verdet à l'auteur.

textes transmis à Londres par *Combat* et largués ensuite par la RAF au-dessus de la France occupée. « J'ai dissuadé Jacques de le publier. C'était tellement son style que, signé ou non, on en reconnaîtrait immédiatement l'auteur. Je lui ai dit qu'il fallait mettre ce texte à l'abri et ne le publier que lorsque les troupes allemandes se seraient retirées. Jacques Prévert, trop connu par ses succès au cinéma, devait même se débarrasser de ce manuscrit compromettant. C'est à la Brasserie Bourbonnaise, avenue Malaussena, où l'on parvenait à bien manger, qu'après avoir lu un *Drôle de carrousel* je lui ai donné ce conseil. Je devais partir à Paris où Degliame-Fouché m'appelait et où j'ai été arrêté quelques mois plus tard, aussi ai-je confié le manuscrit au patron de la brasserie, Roger A., résistant immatriculé dans mon réseau, qui l'a détruit de crainte que, après mon arrestation, les Allemands ne l'identifient. J'étais tellement furieux en apprenant le destin de ce manuscrit qu'à mon retour des camps, je lui ai tapé dessus[1] ! »

Le dernier poème publié cette année-là était moins directement subversif et parut — à Vichy ! — dans *L'Écho des Étudiants* grâce à Henri-François Rey qui collaborait à ce journal dirigé par Jean Renom pour y glaner des informations sur le monde pétainiste et les transmettre au réseau d'André Verdet. Faisant d'une pierre deux coups, le futur auteur des *Pianos mécaniques* y écrivit le premier article important consacré « au poète plein d'avenir André Verdet » et à l'œuvre encore confidentielle du poète Jacques Prévert dont le nom était déjà attaché à ce que le cinéma français produisait de meilleur. *Quartier libre* parut dans le numéro du 18 septembre 1943 :

> J'ai mis mon képi dans la cage
> et je suis sorti avec l'oiseau sur la tête
> Alors
> on ne salue plus
> a demandé le commandant
> Non
> on ne salue plus
> a répondu l'oiseau
> Ah bon
> excusez-moi je croyais qu'on saluait
> a dit le commandant
> Vous êtes tout excusé tout le monde peut se tromper
> a dit l'oiseau.

La censure vichyste ne vit rien de subversif dans ce court poème qu'elle estimait relever de la comptine pour cour de

---

1. *Id.*

récréation, où il fera d'ailleurs un malheur après sa parution dans *Paroles* quelques années plus tard ! En ces temps d'Occupation, mettre un képi en cage et délivrer l'oiseau persifleur était — entre autres actions — la façon discrète mais efficace qu'avait Prévert de faire de la résistance.

*

C'est cette même année 1943 que les frères Prévert eurent la joie de travailler à nouveau ensemble sur un film réalisé par Pierrot. Celui-ci, depuis l'échec cuisant de *L'affaire est dans le sac*, onze ans auparavant, n'avait jamais réussi à convaincre un producteur de son talent de réalisateur et à monter sa deuxième œuvre. Excellent technicien du cinéma dont il connaissait tous les arcanes, il avait participé, depuis l'époque où il était projectionniste chez Erka-Prodisco, à quinze longs métrages et trois cours métrages où il avait rempli successivement les rôles de comédien, premier assistant du metteur en scène, adaptateur, scénariste et même dialoguiste à la grande satisfaction de réalisateurs aussi divers que Luis Buñuel, Jean Renoir, Marc et Yves Allégret, Pierre Billon, Richard Pottier, Jean Mamy ou Robert Siodmak. Sans avoir travaillé avec lui, Jean Grémillon l'adorait et appréciait ses avis. Seul Marcel Carné ne goûtait guère sa compagnie depuis *Drôle de drame* où Pierrot avait été son assistant et s'était tenu à l'écart des mouvements d'humeur du jeune réalisateur, lequel, bien des années plus tard, écrira encore : « Je n'ignorais pas que le frère de Jacques, sous des dehors aimables, ne me portait pas, comme on dit, "dans son cœur"[1]. » Une grande complicité unissait les deux frères — l'un et l'autre avaient parfois la dent dure à l'égard de ceux qui ne faisaient pas partie de « la bande » — et jamais Jacques ne manquait une occasion de recommander son frère à des réalisateurs amis ou de souhaiter vivement sa présence dans l'équipe technique d'un film sur lequel il travaillait. Pourquoi, dans un métier si difficile et dans des temps qui ne l'étaient pas moins, n'aurait-il pas fait pour son frère ce qu'il faisait pour des maîtresses aimées ou pour des copains comédiens en quête de travail ? « À mon avis, dira Arlette Besset qui pratiquait les deux frères depuis les débuts du Groupe Octobre, Pierrot était très fin, très sensible, très attentif aux autres, beaucoup plus que Jacques qui avait une espèce de génie basé sur la parole, presque une loghorrée qu'il a disciplinée par la suite. Les deux frères s'adoraient, étaient tout le temps ensemble, ils riaient des mêmes choses. Mais c'était Jacques le grand maître. Pierrot

---

1. Marcel Carné, *op. cit.*

était assez écorché vif[1]. » « Pierre Prévert était d'une douceur angélique, ajoutera Francis Lemarque. Il était très affectueux, beaucoup plus que Jacques qui était volontiers bourru et pas très démonstratif. Le plus empressé, le plus questionneur, celui qui était le plus content de nous voir, c'était Pierrot. Mais il devait souffrir terriblement de n'être que "le frère"... Au Flore, quand on allait voir Prévert, c'était Jacques ! Et comment égaler un type comme lui ! Même si vous aviez du talent, comparé à un génie comme celui-là, c'est difficile de faire le poids[2] ! »

Durant l'été 1942, Pierrot et sa femme Gisèle avaient participé, lui comme acteur funambulesque, elle comme costumière accessoiriste, à une longue tournée théâtrale avec *Domino*, pièce de Marcel Achard, qui réunissait, autour de Pierre Brasseur et de son épouse Odette Joyeux, une réjouissante équipe directement issue du Groupe Octobre comprenant entre autres Marcel Duhamel et Maurice Baquet. À l'issue de cette tournée, commencée à l'automne 1940, ils avaient rejoint Jacques et Claudy, d'abord à La Bouée de La Garoupe puis à Tourette où Prévert aidait la famille à vivre comme il le faisait pour Trauner et Kosma. C'est là, tandis que, sans nouvelles de ses parents juifs roumains, Gisèle se faisait un sang d'encre, que les atteignit une proposition du producteur André Halley des Fontaines, directeur des films Obéron — celui-là même qui avait permis au *Crime de M. Lange* de voir le jour. Il offrait de produire un film que Pierrot mettrait en scène à condition qu'il soit conçu par Jacques Prévert. Si jusqu'à un passé récent — l'écriture à Jurançon de *Confession publique* — le poète jetait ses textes ou les donnait aux copains, le frère fidèle, lui, conservait précieusement ses écrits et ceux composés à quatre mains avec Jacquot. C'est ainsi qu'il put ressortir sans délai le scénario et les dialogues de *L'Honorable Léonard*, écrit douze ans plus tôt, et qui, à l'époque, n'avait pas trouvé preneur. Halley des Fontaines accepta aussitôt cet aimable sujet qui ne risquait pas de s'attirer les foudres de la censure vichyste ou allemande.

L'histoire exaltait des idées chères aux Prévert : l'amour de la nature et la sauvegarde des métiers « inutiles », incapables de résister longtemps au « progrès » tel que l'entendaient les affairistes qui ne juraient que par le profit, au détriment de l'air pur indispensable aux gens du voyage, aux tondeurs de chiens et aux réparateurs de faïence et de porcelaine ! Seul impératif imposé par le producteur à ses auteurs : renoncer à leur choix de distribuer le rôle de Ludovic, le cousin trop rêveur, à Robert Dhéry ou Albert Rémy, acteurs alors totalement inconnus, au

---

1. Arlette Besset à l'auteur.
2. Francis Lemarque à l'auteur

profit de Charles Trenet que le distributeur Pathé avait sous contrat. Pierrot et Jacques obtempérèrent et, en compensation, transformèrent la distribution et le personnel technique en une amicale des anciens du Groupe Octobre et des copains des frères Prévert. Pierrot choisit comme premier assistant Lou Bonin-Tchimoukow flanqué de Jacques-Laurent Bost, Michel Rittner et Robert Scipion — ce qui permit à ces derniers d'échapper au STO[1] qui les guettait à Saint-Germain-des-Prés —, tandis que Jacquot fignolait les rôles des petits métiers dévolus aux membres du clan rejoint par la délicieuse Jacqueline Bouvier, future épouse de Marcel Pagnol, dont c'était le premier rôle important. On vit ainsi Simone Signoret en gitane, Lola Fouquet en bouquetière, son compagnon et futur mari Mouloudji en ramoneur, Marcel Pérès dans un de ces rôles de bougon mal embouché qui le suivront durant toute sa carrière, Maurice Baquet en marchand de lampions, Paul Frankeur en cordonnier, Guy Decomble en allumeur de réverbère, Roger Blin en chef de tribu tzigane. Fabien Loris, Yves Deniaud, Jean Dasté, Raymond Bussières, Henri Leduc, Étienne Decroux et quelques autres témoigneront que l'esprit du Groupe Octobre, malgré mille vicissitudes, n'était pas mort. Kosma écrivit la musique du film signée par le fidèle Georges Mouqué, notamment celle d'une des trois chansons fredonnées par Charles Trenet, *Les Petits Métiers* sur les paroles de Jacques. Les deux autres, *Quand un facteur s'envole* et *Je n'y suis pour personne*, étaient dues à leur interprète, qui affermissait la fabuleuse carrière que l'on sait. «On nous a tous emmenés tourner à Dax, dans le Sud-Ouest», se souviendra Simone Signoret qui, après une brève idylle avec Daniel Gélin, le premier homme de sa vie, s'apprêtait à partager celle d'Yves Allégret, l'auteur trotskiste de *Prix et profits ou l'histoire d'une pomme de terre*, film militant si souvent représenté lors des séances du Groupe Octobre. «Il faisait beau, on travaillait : c'était une respiration. Mais c'était surtout Le Flore en balade !... Brasseur et Carette n'arrêtaient pas de raconter des histoires. Carette en commençait une, Brasseur avait l'air de rire beaucoup mais il préparait la suivante. Quant à Trenet, il était le seul à avoir des sous. Il nous achetait des jambons de la région sur lesquels on se jetait gloutonnement. Witta, la script, l'embêtait parce qu'il disait "tran-way" et qu'elle voulait lui faire dire "tram-way"[2].» Cette histoire de prononciation provoqua l'un des premiers incidents entre la vedette et son metteur en scène.

---

1. Service du travail obligatoire qui déportait les jeunes Français pour fournir de la main-d'œuvre à bon marché aux usines d'armement allemandes.
2. Simone Signoret, *op. cit.*

— Cette dame m'énerve! s'exclama Charles Trenet, agacé par les remontrances de Jeanne Witta.

— Cette dame est ma collaboratrice, répliqua sèchement le metteur en scène. Elle fait son métier et je ne permettrai pas qu'on l'insulte[1].

S'il était la gentillesse et le charme mêmes, Pierrot ne tolérait pas plus que son frère la plus infime compromission. «Tout comme son aîné, remarqua Jeanne Witta, le cadet des Prévert tenait aussi aux siens: il les défendait en toutes circonstances. Charles Trénet avait beau être un chanteur renommé, sur le plateau il n'en redevenait pas moins un comédien comme les autres[2]. »

Pendant tout le tournage — du 1er février à la fin mars 1943 —, les relations entre les deux hommes furent si houleuses qu'un huissier fut engagé par la production pour apaiser... ou constater les différends. Malgré un scénario d'une grande fraîcheur, des dialogues percutants et une infinité de silhouettes propres à distraire le public en ces temps de morosité et de dangers chaque jour renouvelés, *L'Honorable Léonard* — devenu *Adieu Léonard* pour éviter toute confusion avec *L'Honorable Catherine* que venait de tourner Marcel L'Herbier — ne trouva pas plus son public que *L'affaire est dans le sac* douze ans auparavant. Présenté le 1er septembre 1943 à Paris, dans deux salles d'exclusivité, le film fut au moins autant sifflé que *Drôle de drame* au Colisée en 1937. Charles Trenet qui, malgré les frictions pendant le tournage, aimait bien son personnage lunaire dont la folie consistait à mépriser l'argent et à ignorer les cupides, écrivit un article où il soutenait Pierre Prévert[3]. «Le film n'a pas eu grand succès, dira tristement Pierrot, mais on l'aime bien[4]. » «Certains films n'ont pas grand retentissement quand ils sont tout petits, renchérira Jeanne Witta qui avait pour Pierrot les sentiments d'une sœur, et plus tard on s'aperçoit qu'ils menaient vers une voie insoupçonnée et ça fait qu'en les voyant nos enfants disent: "Ah! on travaillait rudement bien en ces temps-là!"[5]. » Il faudra attendre quarante ans pour que soit reconnu *Adieu Léonard* (il obtiendra le prix des films réalisés sous l'Occupation au Festival de Bondy des films rares, où il sera en compétition avec *Le Corbeau* de Clouzot) et que cinéphiles et étudiants en cinéma fassent entrer les trois seuls longs métrages réalisés par Pierre Prévert, toujours sur des dialogues de son frère — il y aura encore *Voyage surprise* en

1. Jeanne Witta, *op. cit.*
2. *Ibid.*
3. *Premier Plan*, n° 14.
4. Jeanne Witta, in *Mon frère Jacques.*
5. *Id.*

1946 —, dans la liste des films culte qui ont leur notice dans toutes les bonnes encyclopédies. Les producteurs, soucieux de tenir serrés les cordons de leur bourse, partageront, eux, l'avis féroce de leur consœur Denise Tual qui appréciait l'homme mais mesurait son œuvre à l'aune des entrées dans les salles : « Il donnait toujours l'impression d'être à la traîne de son frère. Je l'aimais beaucoup Pierrot, peut-être plus que Jacques tant il était attachant et affectueux, mais il n'avait aucun talent, contrairement à ce que pensait son frère qui était lié à lui comme des jumeaux le sont parfois[1]. »

C'était un fait indéniable : la cocasserie loufoque, même servie par d'excellents comédiens comme Brasseur, Carette et Jean Meyer, jeune sociétaire de la Comédie-Française — et même Charles Trenet qui ne manquait pas d'humour —, n'accrochait pas le public français et ne faisait pas recette. C'est le comédien inconnu que Pierre Prévert voulait pour le rôle principal d'*Adieu Léonard*, Robert Dhéry qui, cinq ans plus tard, la guerre terminée, imposera ce style d'abord à la scène puis à l'écran avec l'immense succès de *Branquignol*, dont le burlesque séduira la jeune génération. Une fois encore, Pierrot arrivait trop tôt, dans l'ombre d'un frère au talent reconnu, lequel, retiré dans une auberge isolée dans la montagne au-dessus de Tourette, travaillait à son chef-d'œuvre : *Les Enfants du paradis*.

1. Denise Tual à l'auteur.

CHAPITRE 4

Les Enfants du paradis

1943 encore. Tandis que Pierrot se préparait à tourner *Adieu Léonard*, Jacques Prévert et Marcel Carné, forts de la carte blanche offerte par le producteur André Paulvé, commencèrent à chercher le sujet de leur prochain film. Jacques pensait à un *Milord l'Arsouille* truculent qui mettrait en valeur le talent de Pierre Brasseur, quand une rencontre avec Jean-Louis Barrault, venu rejoindre Madeleine Renaud à Nice où elle tournait à la Victorine, remit le projet en question. Depuis qu'il avait monté *Le Tableau des merveilles* dans son grenier de la rue des Grands-Augustins désormais occupé par Picasso et sa nouvelle compagne Dora Maar — qui avait été hier celle de Louis Chavance —, Jean-Louis Barrault avait suivi avec attention la carrière de Jacques Prévert puis celle de Marcel Carné, auxquelles, avec *Jenny* et *Drôle de drame*, il avait dû ses premiers rôles au cinéma où il occupait maintenant une place d'importance. Il les considérait comme des amis et, dans la conversation, évoqua un étonnant personnage que son vieux maître Étienne Decroux, qui lui avait enseigné l'art rationnel du mime et de l'expression corporelle, lui avait fait découvrir et aimer : Jean-Baptiste Gaspard Deburau. Ce Deburau, que le public des années 1830 qui l'idolâtrait appelait familièrement Baptiste, avait régné sur le Boulevard du Crime pour avoir su transformer le personnage de Pierrot, valet cynique et secondaire dans les pantomimes données au théâtre des Chiens savants, boulevard du Temple, où il avait fait ses débuts parisiens, en héros tantôt risible tantôt émouvant. Pour ce faire il l'avait doté d'un nouveau costume : blouse de calicot blanc, serre-tête noir, qui remplaça le chapeau ridicule dont il était jusque-là affublé, et maquillage blanc pour faire oublier le rouge grotesque du personnage du théâtre napolitain. Passé du théâtre des Chiens savants aux Funambules, Baptiste Deburau était devenu l'enchanteur, le roi des Pierrot, apprécié aussi bien par Victor

Hugo, George Sand et les bourgeois installés à l'orchestre, pour un franc, que par le « populo » qui, pour quatre sous, envahissait le dernier balcon en apportant son casse-croûte et son kil de rouge et lui faisait un triomphe, tant d'un regard, d'une grimace ou d'un sourire le mime savait communiquer une émotion. L'idée, née de la conversation avec Jean-Louis Barrault, était là : opposer le mime, muet par définition, à une « grande gueule » du type Frédérick Lemaître, autre gloire du Boulevard du Crime, acteur tonitruant dont le génie de l'improvisation faisait merveille dans ces tragédies populaires truffées de meurtres auxquelles le boulevard du Temple devait son surnom et Lemaître celui de « Talma du Boulevard » ! D'après Étienne Decroux, que les frères Prévert connaissaient de longue date — il avait été le chapelier escroc de *L'affaire est dans le sac* avant de participer parfois à l'aventure du Groupe Octobre —, un drame avait assombri les dernières années de Deburau : au cours d'une partie de campagne à Bagnolet, le mime avait été reconnu par un ouvrier qui, confondant fiction et réalité et sachant la couardise du Pierrot, avait insulté Mme Deburau. Champion de canne, Baptiste en avait asséné un coup mortel au provocateur et avait comparu devant les Assises où s'était précipité le Tout-Paris de l'époque, moins pour le soutenir (il fut acquitté) que pour entendre le son de la voix du muet le plus célèbre de la capitale ! Brillamment décrits par J.-L. Barrault, les personnages de Frédérick Lemaître et de Jean-Baptiste Deburau séduisirent aussitôt Jacques Prévert. Excité à l'avance par le face à face de deux monstres sacrés, celui-ci imagina aussitôt de compliquer l'affaire, ainsi que le relata Alexandre Trauner qui suivit la genèse d'un film dont il devait créer en collaboration[1] avec Léon Barsacq les remarquables décors : « Jacques voulait un troisième personnage qui avait vécu à la même époque et qui l'intéressait beaucoup, Lacenaire, un poète, un anarchiste avant la lettre, un dandy du crime qui se disait victime de l'injustice de l'humanité et avait, tout seul, déclaré la guerre à la société. Prévert a toujours été préoccupé par les criminels, par le crime, et il en était parfaitement conscient. Il avait déjà essayé de développer le sujet à l'époque de *La Rue des Vertus* et le thème l'intriguait depuis longtemps, tout comme le personnage de Lacenaire. Ceux de Lemaître et Deburau complétaient l'ensemble nécessaire pour donner un grand film dramatique, Prévert aimait beaucoup le sujet et nous nous sommes tous lancés dedans avec enthousiasme[2]. » Pour la première fois depuis *La Lanterne magique* — projet qu'André Paulvé avait dû aban-

---

1. Pour les raisons que nous savons.
2. Alexandre Trauner, *op. cit.*

donner —, Jacques Prévert se retrouvait seul pour écrire le scénario, l'adaptation et les dialogues d'un film. D'ordinaire, il aimait à s'appuyer sur le script ou le roman d'un tiers pour construire l'œuvre nouvelle qui, bien souvent, n'avait plus rien à voir avec l'intrigue de départ tant il la nimbait des brumes étranges de son propre univers où évoluaient ces personnages secondaires dont le rôle était de mettre en relief les héros d'histoires d'amour au destin inexorablement tragique. Là encore, nul tremplin, si ce n'est le trio du mime, du comédien et du poète assassin auquel viendra se joindre le rôle féminin que le poète mitonnait pour Arletty — ce sera l'inoubliable Garance — dont la voix inimitable et la gouaille l'inspiraient déjà. Le mime revenait d'autorité à Jean-Louis Barrault, Pierre Brasseur serait un Frédérick Lemaître plus vrai que nature, tandis que Marcel Herrand saurait à merveille traduire la charmeuse ambiguïté de Pierre-François Lacenaire, promis depuis l'enfance à l'échafaud.

Dès qu'André Paulvé accepta le sujet à peine esquissé — et pour cause — par Marcel Carné, Jacques Prévert se mit au travail dans le nouveau refuge qu'il avait trouvé : l'auberge du Prieuré des Valettes, située en pleine montagne sur la route sinueuse entre Tourette-sur-Loup et Pont-du-Loup. C'était un grand mas près duquel Carné et Prévert avaient tourné quelques scènes des *Visiteurs du soir* et où existaient encore le bassin et la statue des héros du film — pétrifiée par le Diable — construits l'année précédente par Trauner. L'équipe que le poète avait réunie autour de lui pour travailler à l'élaboration de *Funambules* — tel était le premier titre des *Enfants du paradis* — était assez nombreuse pour remplir une grande partie de l'auberge. Celle-ci était tenue par un jeune et athlétique garçon, Vincent, adepte du bronzage presque intégral (ce qui n'était pas pour déplaire à Marcel Carné !) et son amie Madeleine, «une sorte de mégère, dira le metteur en scène, qui pour une raison inconnue — mais que je crois avoir devinée — ne cessait d'injurier son mari, de vingt ans plus jeune qu'elle, blond et d'autant plus beau qu'il était toujours à demi nu par amour du soleil[1]». Outre la tranquillité, Prévert goûtait la sécurité que l'endroit offrait à certains membres de son équipe traqués aussi bien par la police que par la Milice ou la Gestapo. «L'un des avantages de cette auberge, se souviendra Alexandre Trauner, était que nous avions une porte qui s'ouvrait à l'arrière pour le cas d'une descente de police imprévue. On pouvait sortir discrètement et se cacher dans les oliveraies. Vers la fin, on commençait à ressentir davantage la nécessité de protections comme celle-là...

---

1. Marcel Carné, *op. cit.*

Nous avions tout l'hôtel à nous, ce qui veut dire que nous pouvions travailler dans la salle à manger transformée en atelier. Prévert écrivait l'histoire, Kosma jouait du piano, Mayo créait les costumes, moi je dessinais et Carné passait de temps en temps et nous rapportait de la documentation de Paris[1]. »

Dès le départ, Jacques Prévert, son décorateur et son réalisateur fétiches avaient compris que toute l'histoire devrait se jouer sur le Boulevard du Crime, aussi Marcel Carné regagnat-il Paris pour fouiller le musée Carnavalet et consulter les documents du Cabinet des Estampes se rapportant à l'époque marquée par Deburau et Frédérick Lemaître. Il en revint avec une masse considérable de photographies — la photocopie n'existait pas encore — réalisées par le service spécialisé du musée, concernant tout ce qui existait sur le Boulevard du Crime, sur les Funambules et les autres théâtres, recueillant aussi bien des dessins d'estaminets que ceux de bouges à la Courtille, et même des silhouettes de marchandes des rues qui exerçaient les fameux petits métiers de Paris[2]. Énorme et passionnante documentation à laquelle vint s'ajouter une série d'ouvrages conseillés par Marcel Herrand sur l'histoire du théâtre parisien dans la première moitié du XIXe siècle. C'est là que Prévert et Carné découvrirent, dans un livre du critique dramatiques Jules Janin, que, de longue date, le petit peuple de Paris avait baptisé *paradis* le dernier balcon d'une salle de spectacle, expression populaire qui donnera son titre définitif au film en gestation. C'est là encore que Prévert dénicha, dans l'*Almanach de spectacle pour l'année 1822*, l'indication suivante : « L'amoureux ne peut prendre part à l'action et vaquer aux affaires de son cœur sans avoir fait préalablement quelques gambades et quelques cabrioles. Il est tenu donc par ordonnance royale d'entrer sur scène sur les mains », indication qui fut à la source de quelques belles répliques dans la bouche de Frédérick Lemaître. Le poète la placera en exergue au ballet *Pierrot le Galant* devenu *Baptiste*, dont il composa l'argument « d'après le compte rendu écrit par Théophile Gauthier *[sic]* dans la *Revue de Paris* le 4-IX-1842 sur la pantomime de Cot d'Ordan, présentée au Théâtre des Funambules le 1-IX-1842 dans la mise en scène d'Anselme Debureau *[sic]*[3] ». La musique sera de Joseph Kosma et la chorégraphie de Jean-Louis Barrault. C'est la pantomime de Cot d'Ordan intitulée '*Chand d'habits* dont l'affiche orne le fronton du théâtre des Funambules lors des fêtes du Carnaval, décor de la dernière et longue

1. Alexandre Trauner, *op. cit.*
2. Marcel Carné, *op. cit.*
3. Archives Gérard Pellier.

scène des *Enfants du paradis*, qui inspira à Jacques Prévert le personnage inoubliable de 'Chand d'habits qu'il destinait à Robert le Vigan lorsqu'il commença à écrire au calme du Prieuré, tandis que Trauner, à l'autre bout de la pièce, brossait les décors que lui inspiraient les estampes du Boulevard du Crime.

Le producteur André Paulvé, compte tenu de l'immense succès commercial des *Visiteurs du soir*, signa sans barguigner des contrats non négligeables aux principaux interprètes, avant même que Prévert ait commencé ses dialogues. Ainsi celui-ci pouvait-il écrire « sur mesure » pour des comédiens qu'il estimait et connaissait pour la plupart de longue date. Si Prévert touchait 250 000 francs pour l'ensemble de son travail, Arletty recevra pour son rôle la somme considérable de 800 000 francs, Jean-Louis Barrault 600 000, Pierre Brasseur 300 000, Marcel Herrand 225 000 et Louis Salou 150 000 francs. Le devis final des *Enfants du paradis* s'élèvera à 26 millions, à l'heure où la plupart des citoyens crevaient de faim, somme jamais atteinte pour un film dont on disait déjà qu'il comporterait les décors les plus coûteux du cinéma français.

Au fur et à mesure de l'écriture, le scénario se révéla si riche sous la plume d'un Prévert littéralement porté par son sujet que les auteurs et leur producteur décidèrent d'en faire sinon deux films du moins un film en deux époques à condition que, pour l'exclusivité parisienne, le film soit projeté en une seule fois. C'est ainsi que naquit « Le Boulevard du Crime » (première époque) et « L'Homme blanc » (deuxième époque).

Tandis que Trauner peignait à l'aquarelle les décors des *Enfants du paradis* — ils seront construits sous la surveillance de Léon Barsacq et, outre le spectaculaire Boulevard du Crime que Carné prévoyait déjà d'ériger à la Victorine en y faisant évoluer plus de deux mille figurants, le décorateur reconstituait aussi bien les modestes Funambules que le luxueux Grand Théâtre, l'intérieur somptueux de l'hôtel particulier du comte que les bains turcs qu'il aimait fréquenter les lendemains de beuveries dans sa jeunesse à Budapest, comme le scénariste l'avait fait lors du séjour à Istanbul — Prévert fignola une galerie de personnages de second plan dignes du budget pharaonique alloué par André Paulvé, et réservés aux amis. Fabien Loris y sera Avril, âme damnée de Lacenaire, Paul Frankeur l'inspecteur attaché à la perte de la jolie Garance, Étienne Decroux Deburau père, Marcel Pérès l'irascible directeur des Funambules, Gaston Modot — que les Prévert avaient connu tournant avec Buñuel *L'Âge d'or* à l'époque du surréalisme triomphant — dans le rôle de Fil de Soie, l'extraordinaire faux aveugle qui guide Baptiste dans le coupe-gorge où Lacenaire règne en maître, Albert Rémy et Robert Dhéry en comédiens des Funambules... Seul des grands rôles secondaires, Robert Le Vigan n'était pas des amis de Prévert qui lui écrivit pourtant le merveilleux rôle de Jéricho, le 'Chand d'habits aux couleurs du Destin qui hante les coulisses du théâtre en énumérant les surnoms que lui vaut sa douteuse réputation : « Ici Jéricho, dit la Trompette... dit l'Abreuvoir, à cause de la boisson... dit la Misère à cause de ses petits ennuis... on m'appelle aussi Tisonnier dit Fouille-la-Braise, dit l'Accordeur, dit Pigeonnier parce que je n'aime pas voir les tourtereaux désunis ! » Mais s'il ne figurait pas parmi les amis, le Vigan, malgré de tonitruantes prises de positions antisémites et en faveur de la collaboration avec l'occupant, faisait partie de l'équipe qui avait mené *Jenny* et surtout *Quai des Brumes* au succès. Et il avait tant de talent ! Il ne jouera qu'une scène de ce nouveau film dans les studios de la Victorine, puis abandonnera son rôle quand le tournage sera interrompu, après trois semaines, en raison de la brusque évolution de la guerre. « Le Vigan avait cessé de dormir, racontera son ami Hervé Le Boterf. Il prophétisait l'arrivée imminente des forces de la France libre dans la Baie des Anges, son arrestation et son exécution immédiate. Il regagna promptement Paris[1] *[où il disparut].* » Marcel Carné le remplacera au pied levé par Pierre Renoir qui partagera ainsi la tête d'affiche avec Arletty, Jean-Louis Barrault et Pierre Brasseur.

Là ne fut pas la seule modification apportée par Jacques Prévert à son manuscrit. En effet, ce n'est qu'au moment de tourner qu'il rendra leur véritable identité à Frédérick Lemaître et à Pierre-François Lacenaire qui, dans le texte remis aux comédiens, portaient encore les noms forgés de Leprince et Mécenaire[2] tant l'auteur craignait de retarder les prises de vues par des complications judiciaires intentées par quelque mauvais coucheur portant le même nom. L'ultime retouche au manuscrit, enluminé comme un incunable — Prévert à son trente-sixième film (dont la moitié n'avait pas été réalisés) ornait toujours ses écrits de dessins aux crayons de couleur comme il le faisait à son premier —, fut la confrontation finale du film entre Garance, Baptiste et une bouleversante Nathalie où cette

---

1. Hervé le Boterf, *Robert Le Vigan, le mal aimé du cinéma.* Le grand acteur fut condamné par défaut à 600 000 francs de dommages et intérêts mais il avait fui en août 1944, avec le gratin des collaborateurs français, à Sigmaringen où il s'était placé sous la protection des Allemands. Arrêté à la fin de la guerre, inculpé d'intelligence avec l'ennemi, il fut condamné par la Cour de justice de la Seine à dix ans de travaux forcés, à l'indignité nationale à vie et à la confiscation de ses biens. Libéré deux ans plus tard, il s'exila en Argentine où il finit misérablement ses jours, le 12 octobre 1972, à Tandil, petite ville perdue à 400 km de Buenos Aires.
2. Roland Lesaffre, archives personnelles.

dernière légitime sa jalousie en exposant sans pudeur sa souffrance qui explose en une question hachée par l'émotion : « Toujours tu pensais à elle... tu étais avec elle... la nuit aussi... Même la nuit ?... et moi, Baptiste, et moi ? » Cette scène, qui ne figurait pas dans le découpage initial et que Prévert ajouta au dernier moment, il la vivait dans le secret de son cœur. Sa belle histoire d'amour avec Claudy se terminait au Prieuré dans la solitude rocailleuse où s'élaborait le film que trente-cinq années plus tard, lors de la cérémonie des Césars, les membres de la profession placeront en tête des « dix chefs-d'œuvre du cinéma français de 1929 à 1979 ».

Bien que Trauner trouvât la vie dans la grande auberge très agitée, Claudy s'y ennuyait. « Au Prieuré, se souviendra le décorateur, nous avons vécu assez longtemps et passé des soirées merveilleuses. Les amis venaient nous y voir. On trouvait Émile Savitry, le photographe, et sa femme Elsa Henriquez, le chef opérateur Raymond Picon-Borel et sa femme Suzanne, Auguste Capelier et Margot. Tout cela constituait une société assez joyeuse...[1] » Pas assez pour Claudy dont les vingt-deux ans étaient avides de plus de distractions que les visites épisodiques de membres de sa « cour » à un Prévert qui y était de plus en plus sensible et qui devait trop souvent, au goût de la jeune femme, s'absenter à Paris pour des raisons professionnelles. Un jour d'ennui, elle organisa autour d'un phonographe une surprise-partie avec quelques jeunes gens de son âge dont Nico Papatakis, le beau « prince éthiopien » qui, avec Mayo et sa femme, avait quitté Jurançon pour rejoindre Prévert. Hébergé au Prieuré avec le reste de la bande, il aidait Vincent à des tâches d'entretien de l'hôtel, faisait un peu de figuration à la Victorine et beaucoup de béguins dans la population féminine des environs. L'une de ces jeunes filles, Netta, était la sœur d'un jeune footballeur de Vence, Constant Emmanuelli, qui fut invité à l'accompagner à la petite sauterie. Dans ses bras musclés, la jolie Claudy donna cette fois des raisons à l'homme qui partageait sa vie depuis près de cinq ans d'être jaloux. « Nous avons flirté, dira-t-elle, pendant que Jacques dans une pièce au premier étage, travaillait avec Trauner, Kosma et Mayo sur le scénario du film _Les Enfants du paradis_[2]. » Très réservé dans l'expression publique de ses sentiments, le poète était trop sensible pour ne pas déceler ce que ressentait la jeune fille à qui il envoyait encore, lors d'un déplacement parisien, des mots d'amour comme ceux qu'il savait si bien lui murmurer au creux

1. Alexandre Trauner, _op. cit._
2. Jean-Claude Lamy, _op. cit._

de l'oreille, en utilisant les surnoms de Petite Feuille et de Monstre qu'ils se donnaient dans l'intimité.

Claudy, petite fille et aussi un peu petite femme, je n'ai rien à te dire sauf une seule chose je voudrais être à côté de toi et puis te voir rire. Mais quelquefois, le sort l'a voulu, je t'ai vue pleurer. Et tu pleurais comme ceux et celles qui sont durs, ceux et celles qui sont vrais. Un gros orage, une maladie et personne au monde, et à plus forte raison «moi», n'aurait pu te consoler. Pourtant... Je te voudrais heureuse, libre, vivante et belle, avec un joli corps pas du tout abîmé. Ici il pleut. Aujourd'hui j'ai bu du vin blanc et aussi du vin rouge mais je ne suis pas saoûl, *non absolument pas*[1]. Je ne m'ennuie même pas. *J'attends.* Je pense souvent à toi, très souvent et je voudrais t'embrasser, te caresser [...] Je suis une brute intelligente, une bête civilisée. C'est tout [...] on peut changer les choses qui sont arrivées quoi qu'il arrive après, Claudy, j'aimerais encore te retrouver, t'embrasser, je t'embrasse, je t'embrasse, je t'embrasse, il ne faut jamais en vouloir au Monstre d'être froid, froid quelquefois, puisqu'il est comme ça. Je t'embrasse.

Jacques

Et j'espère *bientôt* revenir[2].

Mais Jacques devait encore rester à Paris, attendre une lettre qui ne venait pas, se contenter des feuilles séchées de la place Saint-Sulpice et de la présence de Dragon, son seul compagnon de voyage. Enfin, la belle écrivit... et le poète se reprit à espérer et à plaisanter.

Petite Feuille, j'étais inquiet parce que je n'avais pas de nouvelles de toi et maintenant que j'en ai je ne suis pas inquiet. Tout est pour le mieux. Je vais bien mais il fait ici très froid et très triste. Dragon va très bien lui aussi et certainement il pense beaucoup à toi puisque l'autre jour il s'est sauvé encore une fois et pendant que je le cherchais sur les quais il était tout simplement chez ton père. Sans aucun doute pour voir si tu étais là. Comme d'habitude pour le punir je lui ai coupé une patte. J'espère que ça lui servira de leçon. Voilà, Petite Feuille, je vous embrasse.

Jacques

Et je vous envoie votre carte d'alimentation[3].

Sous une gaieté de façade, sourdait une souffrance comparable à celle qu'il prêtait à Nathalie. La fêlure avait défiguré un bel amour qui résista tant bien que mal jusqu'à la fin de l'année 1943 tandis que le tournage des *Enfants du paradis* traversait des zones de turbulences telles qu'elles firent redou-

1. Souligné par Jacques Prévert.
2. Claudy Carter, archives personnelles.
3. *Ibid.*

ter que le plus grand film entrepris depuis le début de l'Occupation ne vît jamais le jour. La romance avec Claudy s'acheva comme le film reprenait. «Je suis restée avec Jacques jusqu'à l'hiver 1943-1944, dira Claudy. La séparation s'est faite doucement. Nous avions connu un grand amour qui s'est transformé en tendresse et en amitié[1].»

La Petite Feuille s'éloignait dans le vent comme celles glissées dans les lettres. On en ramassera bientôt à la pelle dans le souvenir puis dans l'œuvre du poète meurtri pour la troisième fois. Simone, Jacqueline, Claudy... Les échecs amoureux se succédaient inexorablement tandis que la gloire s'annonçait enfin à l'horizon.

*

Commencé le 17 août 1943 à la Victorine, le tournage des *Enfants du paradis* fut interrompu le 9 septembre à l'annonce du débarquement américain dans le golfe de Salerne après que les troupes britanniques et canadiennes en eurent fait autant une semaine plus tôt à Reggio de Calabre sous le commandement du général Montgomery. Marcel Carné tournait depuis seulement trois jours dans l'impressionnant décor du Boulevard du Crime édifié sur le terrain attenant à la Victorine quand Vichy ordonna à l'équipe du film de regagner Paris sans délai avec tout le matériel de prises de vues et de son ainsi que la pellicule. Tandis que l'on apprenait la capitulation de l'armée italienne, le coproducteur romain Scalera Film se voyait empêché par les Allemands, qui avaient occupé aussitôt Nice et ses studios, de poursuivre la production de ce film français. Pour faire bonne mesure, les autorités d'occupation interdirent à Paulvé toute activité cinématographique. C'était la catastrophe. De retour à Paris, Carné, rejoint par Prévert, chercha avec l'aide de Louis-Émile Galey, patron du Comité d'organisation du cinéma, à sauver ce qui pouvait encore l'être d'un film qui portait tous leurs espoirs. Enfin, au bout de deux mois de négociations, la maison Pathé se chargea en bloc de toute la production, et les prises de vues des *Enfants du paradis* purent reprendre à Paris dans ses studios de la rue Francœur, à partir du 9 novembre. Ce n'est qu'en février 1944 que toute l'équipe — à l'exception de Le Vigan en fuite — regagna Nice et retrouva le grand décor du Boulevard du Crime quelque peu endommagé par un ouragan mais encore utilisable après réfection, grâce à la clémence du climat de la Côte d'Azur qui l'avait empêché de pourrir sur place. Mais comme l'étau se resserrait autour de

---

1. Claudy Carter à l'auteur.

Saint-Paul, Tourette et les villages avoisinants, Trauner et Kosma décidèrent de fuir dans la montagne et s'intégrèrent au maquis solidement implanté sur le plateau de Gréolières. Trau fera même le coup de feu avec un groupe de résistants de Cagnes, tandis que Kosma et Sâri Trauner sauteront sur une mine lors d'un déplacement en camion, mais ne seront que légèrement blessés.

Les allers et retours entre Paris et Nice étaient peu propices à un replâtrage des sentiments entre Claudy et Jacques, d'autant que d'autres pôles d'intérêt l'attiraient dans la capitale. Il avait retrouvé les amis d'hier à Saint-Germain-des-Prés où il avait établi ses pénates à l'hôtel de Nice, rue des Beaux-Arts, à un jet de pierre du Café de Flore où rien ne semblait avoir changé et où il reprit ses habitudes. Quelques nouvelles têtes devenaient familières comme celles de Sartre et Simone de Beauvoir qu'on croisait parfois avant guerre et que l'on remarquait maintenant pour leur «place réservée» près du grand poêle que Boubal, le nouveau patron de l'endroit — il en avait pris possession à la déclaration de guerre — savait recharger à bon escient. Sartre avait publié en juin 1943 un gros bouquin de philosophie *L'Être et le Néant* — acte de naissance de l'existentialisme — dont on parlait beaucoup et que bien peu avaient lu. «Le Flore était un monde fermé où nous vivions entre nous, écrira Sartre. "Nous", c'étaient les littérateurs; Robert Desnos y avait sa table, des peintres, des artistes, Simone de Beauvoir, moi. Une vingtaine de très beaux jeunes gens et une vingtaine de très belles jeunes filles [...]. C'était aussi l'époque des cinéastes. On y rencontrait tous les soirs Prévert, Roger Blin, Yves Allégret [1]...» Prévert retrouva avec bonheur son vieux copain Robert Desnos qui lui rappelait les folles heures de la rue du Château et du Montparnasse sans souci de leur jeunesse. Néanmoins, il ne lui fit pas très bonne impression si l'on en juge par ces quelques lignes que Desnos jeta dans son journal intime: «Avant-hier quand Prévert est venu nous voir, moins bavard que d'habitude. L'air un peu désemparé, par instants il donne l'impression de vouloir se raccrocher à quelque chose, n'importe quoi, un ami, une colère, une bête ou une admiration. *Le sentiment le ravage sur le tard* [2].»

Cette dépression passagère ne résista pas à l'arrivée à Paris de ses amis de la Résistance niçoise, les poètes André Verdet et André Virel. Prévert présenta aussitôt Verdet à Desnos

---

1. Cité par Christophe Durand-Boubal, in *Café de Flore, mémoire d'un siècle*.
2. Souligné par l'auteur. *Nouvelle Revue Française*, n° 274. Octobre 1975. Et Desnos, *Œuvres*, Quarto Gallimard.

qui l'entretint sans la moindre précaution de ses activités clandestines. Membre de plusieurs réseaux[1] il accepta aussitôt d'être immatriculé dans celui du «commandant Duroc» devenu, depuis son arrivée à Paris, l'un des responsables au niveau national de l'Action immédiate. Beaucoup plus précautionneux que le poète étaient Verdet et Virel. Les deux agents correspondaient souvent entre eux par l'entremise de Jacques Prévert qui apprenait, sans s'en vanter, le rôle de boîte aux lettres entre le bras droit du colonel Delgiame-Fouché et celui d'Yves Farge, au sein du Comité national de la Résistance. Le manque de discrétion de Desnos effraiera bientôt René Bertelé, un instituteur de trente-cinq ans devenu professeur de lettres dans un cours privé, que Prévert avait parfois rencontré durant les années 30 chez les surréalistes dans l'entourage de Paul Éluard et André Breton et qu'il avait revu à Nice à l'hôtel Napoléon rue Pastorelli, QG de tous les intellectuels parisiens résistants de la Côte d'Azur. Bertelé avait écrit un *Panorama de la jeune poésie française* et cherchait, après avoir publié quelques plaquettes d'Henri Michaux, les œuvres de poètes de qualité désireux de se faire éditer. Ayant déjà signé un contrat avec Léon Pierre-Quint, Prévert n'avait pas répondu aux appels du pied de son cadet[2] qu'il fréquentait volontiers et qui s'était lié à André Verdet. Par l'entremise de ce dernier, Bertelé rencontra Robert Desnos qu'il brûlait d'éditer. «Je ne connaissais pas Robert Desnos, mais j'avais lu des poèmes de lui et les aimais, racontera l'éditeur. Il était un peu pour moi une figure "mythique". On en parlait, on ne le rencontrait guère dans les milieux littéraires. Il faut rappeler que Desnos avait quitté le groupe surréaliste en 1930. Pendant l'hiver de 1943-1944, comme je venais de rentrer à Paris, André Verdet me donna rendez-vous un soir au Café de Flore, en ajoutant : "Il y aura Desnos." C'est donc ce soir-là que je fis la connaissance du poète de *Corps et Biens* et de *Fortunes*. Pendant plus d'une heure, il me charma par sa conversation — c'était un brillant parleur — et, en même temps, m'épouvanta quelque peu : il parlait à haute voix, en plein Café de Flore, de ce qu'il faisait dans la Résistance comme de la pluie et du beau temps. En le quittant, boulevard Saint-Germain, à l'heure du couvre-feu, je réalisais, je m'en souviens, son imprudence étonnante. Le lendemain matin, on m'annonçait : Desnos vient d'être arrêté. On sait qu'on ne devait jamais le revoir[3]...»

Il est vrai qu'on ne percevait guère la puissance occupante

---

1. André Verdet à l'auteur.
2. René Bertelé était né le 23 janvier 1908.
3. Archives Gallimard.

à Saint-Germain-des-Prés et que, pas plus au Flore qu'aux Deux Magots, on ne voyait d'uniformes allemands. Il n'empêche que certains militaires, possédant parfaitement le français et plus à l'aise en civil, fréquentaient l'endroit, tel Gerhard Heller, lieutenant de la Wehrmacht, grand admirateur de la littérature française et chargé de la censure des maisons d'édition de la capitale à la Propaganda Staffel. Il y venait une ou deux fois chaque semaine et c'est lui qui permit, sans que son auteur n'en sache rien, que Jean-Paul Sartre pût faire jouer ses pièces *Les Mouches* et *Huis clos*. Tous n'étaient pas si favorables à l'intelligentsia française. Malgré les précautions dont il entourait ses déplacements, André Virel fut arrêté à la brasserie Zimmer, place du Châtelet, à la veille de la nouvelle année. Aussitôt Verdet alerta Jacques Prévert. L'arrestation de l'adjoint du chef national des faux papiers et responsable du service de liaisons du CAD (Comité d'action contre la déportation) était un coup d'autant plus dur qu'il avait laissé en dépôt dans une chambre de l'hôtel Racine, où logeait son ami l'auteur de chanson André Salvet, une grande malle en osier abritant plusieurs centaines de jeux de faux papiers ainsi qu'une provision de ces précieuses petites valises contenant, outre le « Manuel du faussaire 1943 », sous-titré non sans humour par Virel et son patron Marc Laurent « Voulez-vous voyager dans de bonnes conditions ? », tout ce qu'il fallait pour établir de fausses identités. Il s'agissait, confia Verdet à Prévert, de récupérer cette malle au plus tôt et de la mettre en lieu sûr. La mission était d'importance et d'un risque extrême. En cas d'arrestation, elle vaudrait au détenteur d'un pareil matériel la torture et la déportation. Alors qu'il prétendait toujours ne pas vouloir s'engager dans la Résistance, Prévert, non seulement se porta volontaire pour la mission la plus dangereuse qu'il ait jamais eu à accomplir mais il recruta aussitôt, parmi les copains du Flore, Julien Davreu, marié à Arlette Besset depuis la déclaration de guerre et membre d'un réseau de Résistance, ainsi que Marcel Mouloudji qui avait regagné Paris avec sa jolie Lola après un long séjour entre Marseille et Nice. Tandis que Mouloudji faisait le guet face à l'hôtel Racine près de l'Odéon, les trois hommes déménagèrent la planque. « J'ai pris la malle avec Jacques Prévert et Julien Davreu, témoignera André Verdet. Moulou nous a quittés après avoir rempli sa mission. Je voulais porter la malle dans le XVe arrondissement, rue Théodore-Deck où je logeais chez Camille Parèze Grobetty, une décoratrice charmante rencontrée au Flore et que j'allais épouser six semaines plus tard. Nous n'avions pas de voiture et avons pris le métro, Davreu, Prévert, son chien Dragon et moi. Au changement de Sèvres, sur le quai, un *feldwebel* en service s'approche de nous et demande ce que contient la malle. Dans ma poche j'avais un pétard avec un silencieux mais Prévert, un peu titubant, son mégot collé aux lèvres, s'interposa et répondit, volontairement idiot : "Bombes... bombes... boum... boum !" Le *feldwebel* ahuri, fixa Prévert et pointa l'index de sa main droite vers sa tête en s'exclamant : *"Er ist vercht ! Il est fou !"* Et, dans un gros rire, il s'éloigna tandis que Jacques continuait à jouer les ivrognes. Nous avons pu gagner sans encombre la station Convention et déposer la malle d'osier compromettante chez Camille, où des membres de mon réseau sont venus récupérer les faux papiers et les tampons qui ont sauvé la vie à de nombreuses personnes. Tout cela grâce à Jacques et à son sang-froid extraordinaire[1]. » Peu après, André Verdet échappa à un guet-apens tendu par la Gestapo à la Rhumerie Martiniquaise où il avait rendez-vous avec son agent de liaison habituel dont la loyauté commençait à lui inspirer des doutes.

L'air était de plus en plus malsain dans l'entourage du jeune poète résistant, ce dont Prévert se moquait comme d'une guigne. Les deux hommes étaient devenus inséparables. C'est ainsi que Verdet, déjà dédicataire du long poème *C'est à Saint-Paul-de-Vence...* que Jacques avait écrit l'été précédent au temps des amours heureuses, assista à la naissance d'un des grands témoignages de Prévert sur Paris pendant l'Occupation : *La Rue de Buci maintenant...* On sait l'attachement du poète à la rue la plus populaire et commerçante de Saint-Germain-des-Prés, où il avait souvent admiré la silhouette pulpeuse d'une beauté de seize ans qui allait devenir sa maîtresse et dont, aujourd'hui, il était sans nouvelles. Retrouver « sa » rue méconnaissable, quasi déserte, sans ses marchandes de quatre-saisons, avec ses magasins vides et ses habitants au regard éteint, avait été un grand choc. Les premiers vers étaient nés aussitôt :

> Où est-il parti
> le petit monde fou du dimanche matin
> Qui donc a baissé cet épouvantable rideau de poussière
> et de fer sur cette rue
> cette rue autrefois si heureuse et si fière d'être rue
> comme une fille heureuse et fière d'être nue [...]

« Rue de Buci ! *[racontera André Verdet, unique témoin de la création]* Je me souviens d'une nuit... Nous allions tous les deux dans la rue déserte et nos pas, à cette heure-là étaient comme les derniers vestiges sonores de la mémoire... Soudain

---

1. André Verdet à l'auteur, et in *Pluriel*.

cette fenêtre qui s'ouvre, en haut sous les toits, cette lueur rouge de lampe voilée, cette silhouette, ce visage et ces cheveux, et ce long cri tragique de fille, et ce nom d'homme jeté avec amour et désespoir dans le silence de la nuit comme au vent du large sur la lande désolée... Jacques Prévert n'a jamais oublié ni la rue ni ce cri ni l'époque terrible où cela se passait... Et il a écrit un poème terriblement vrai comme cette époque terrible pour que les autres gens, eux aussi, n'oublient pas. N'oublient pas ce temps de hontes et de misères, ce temps de guerre. Ce temps des affections et des amours brutalement séparées, des rues beaucoup, oh beaucoup moins gaies qu'en temps de paix, ce temps des chevaux et des chiens malheureux. Mais il s'est arrangé pour écrire ce poème de telle façon que les gens n'aient pas du tout envie de recommencer la même expérience[1].» Époque terrible, certes, mais riche en événements les uns tragiques, les autres heureux...

S'il était encore vivace, le sentiment amoureux de Jacques pour Claudy s'estompa petit à petit. D'autant que, au plus fort de la crise avec la jeune femme qui aurait pu être sa fille, il en retrouva une autre, plus proche de son âge, entre la rue de Seine et la rue Saint-Benoît où s'était déroulée une grande partie de sa vie sentimentale. Là encore, un vrai tanagra, minuscule et doré de cheveux, aux yeux d'améthyste, et qui, dans l'ombre, le suivait avec admiration depuis ses débuts en poésie. Petite danseuse de la troupe de Georges Pomiès, Janine Tricotet avait interprété sur scène sa toute première œuvre, *Les animaux ont des ennuis*. Depuis, la jeune artiste — elle abordait maintenant la trentaine — s'était mariée avec Fabien Loris dont elle avait divorcé dès la première année de guerre. Dans la bande du Flore, Prévert était bien le seul à ne pas s'apercevoir — ou à ne pas vouloir s'apercevoir — qu'elle était amoureuse de lui, au point de multiplier les rencontres à l'époque où il vivait au Montana avec Jacqueline Laurent (dont elle était ensuite devenue la meilleure amie !), au point de s'occuper personnellement du linge du couple... Chacun savait de longue date que Janine Tricotet avait, comme disait Lola Mouloudji, «des vues» sur Jacques Prévert. Quand elle le revit à Paris, un peu désemparé par la fin de son idylle avec Claudy, elle sut que son heure était enfin venue. Prévert n'était pas homme à vivre longtemps seul. Elle partagea aussitôt la chambre de la rue des Beaux-Arts et s'afficha avec son beau poète sur l'élégance duquel elle s'extasiait depuis longtemps, tout comme elle l'avait fait pour de brèves périodes avec Jean Aurenche[2] ou Jean

---

1. *Le Mercure de France*, novembre 1949.
2. Claudy Carter à l'auteur.

Rougeul[1], ex-membre actif du Groupe Octobre et ex-Croque-fruit.

Pour un homme qui ne voulait pas faire de résistance, Prévert s'y trouvait mêlé jusqu'au cou. Non seulement à travers Verdet et Virel — dont il était sans nouvelles depuis son arrestation —, mais aussi à travers Janine, qui faisait partie depuis belle lurette d'un réseau démantelé peu après qu'elle partagea sa vie. Aussi, malgré le goût violent qu'il avait d'elle et qui se transformait insensiblement en amour, lui conseilla-t-il de s'enfuir au plus vite ; il lui trouva un point de chute à Val-d'Isère où séjournait Marcel Duhamel entre deux panouilles pour des films sans gloire. Le danger se faisait pressant, ainsi que le confirma Paul Éluard à qui Prévert présenta André Verdet dans l'un de ses restaurants de marché noir favoris, Au Vieux Pont-Neuf, rue Dauphine, où il déjeunait en compagnie de Robert Desnos. « Vous feriez bien de quitter Paris, vous êtes dans le collimateur[2] », avertit l'auteur de *Poésie et vérité 1942* qui supplia Desnos, membre du Comité national des écrivains qu'Éluard avait constitué dans la zone Nord — où se rejoignaient aussi bien Jean Paulhan, Michel Leiris qu'Aragon et Elsa Triolet[3] —, de déguerpir au plus vite. L'arrestation d'André Virel ne fit que confirmer ces sinistres augures. Ce qui n'empêcha nullement André Verdet d'épouser l'objet de son coup de foudre, un matin de février 1944. À la mairie du XVe arrondissement, Jacques Prévert fut son témoin, tandis que Paul Richez, un avocat, patron des Éditions du Pré-aux-Clercs, était celui de Camille Parèze Grobetty qui, selon son jeune époux, prépara « un bon gueuleton » pour ses invités dans son appartement de la rue Théodore-Deck. Huit jours plus tard, le 22 février 1944, André Verdet, dont le groupe avait mené une action punitive contre le redouté commissaire du XVe, y était arrêté à l'aube par des membres de la Gestapo et des sbires de l'ignoble équipe française Bony-Laffont qui se disputèrent le malheureux jeune homme. Finalement, la Gestapo l'emporta, et l'un de ses agents remarqua : « Vous avez eu de la chance d'être tombé entre nos mains. Les autres avaient ordre de vous abattre dans la rue ! » Après divers interrogatoires musclés, Verdet fut interrogé plus « civilement » par un officier qui parlait un français parfait, semblait un fin connaisseur de la poésie française et n'était autre que le colonel Lohrer, « le boche », marié à Margaret H., nièce du propriétaire de l'hôtel Belle Terrasse à Tourette-sur-Loup ! Le colonel Lohrer avait un dossier fourni sur André Ver-

---

1. Gazelle Bessières à l'auteur.
2. André Verdet à l'auteur.
3. Roger-Jean Ségalat, *Album Eluard*, La Pléiade.

det, qu'il avait identifié sous le pseudonyme de «commandant Duroc», ainsi qu'un autre au nom de Jacques Prévert, mais qui n'avait été constitué que parce qu'on le voyait toujours au Flore en compagnie du poète saint-paulois. Lohrer, intellectuel allemand raffiné, se révéla un admirateur de l'auteur du *Dîner de têtes*, qu'il appréciait de longue date à travers nombre de petites revues d'avant-garde que l'Abwehr l'avait chargé d'éplucher depuis l'immédiat avant-guerre. Il fit disparaître le dossier Prévert qui, à vrai dire, était bien mince, et fit prendre à Verdet le chemin des camps de concentration où, le prévint-il, il regretterait peut-être le poteau d'exécution que lui promettait la Gestapo. C'est sur le chemin de Buchenwald, au cours d'une escale dans le camp de rassemblement de Royalieu près de Compiègne, que Verdet retrouva Robert Desnos, arrêté quarante-huit heures avant lui. «Je le revois toujours avec ses leggins en cuir sur des pantalons bouffants, et sa veste kaki. On est resté une quinzaine de jours dans ce camp d'où l'on partait pour l'Allemagne. Chaque jour on surveillait les arrivées. Et Desnos me disait: "Dis donc mon p'tit père, peut-être que notre pote Prévert va arriver!" *P'tit père* et *pote* revenaient comme un tic dans sa conversation si brillante. Quand, à mon retour de Buchenwald, j'ai raconté cela à Jacques, il a eu les larmes aux yeux, puis, se cachant dans son mouchoir, il a pleuré. Ce n'était pas fréquent mais il lui arrivait de pleurer à Jacques Prévert[1]!»

Malheur-bonheur. Quelques jours après l'arrestation de Desnos et Verdet, Prévert apprit l'évasion d'André Virel du train qui le conduisait de Compiègne vers les camps nazis. Il profita de discrètes retrouvailles pour renouveler à son jeune ami ses offres de service comme «boîte aux lettres» entre le Comité d'action contre la déportation et le service de renseignements des Mouvements unifiés de la résistance (MUR), offre dont on retrouvera la confirmation officielle dans les attestations d'André Virel et de la veuve d'Yves Farge, grande figure du Comité national de la résistance (CNR)[2], qui seront bien utiles au poète après la Libération lorsque — critiqué par des jaloux — il devra justifier son activité pendant l'Occupation. Car il fallait bien vivre et continuer de travailler. Tandis que le tournage des *Enfants du paradis* était interrompu, Prévert écrivit ainsi *Sortilèges* pour Christian-Jaque, d'après le roman de Claude Boncompain *Le Cavalier de Riouclare*. Son dix-huitième film, réalisé depuis *Paris-Express* en 1928, fut l'occasion pour le dialoguiste d'apporter à un scénario banalement mélodramatique une telle poésie que *Sortilèges* figurera, aux yeux des ciné-

1. André Verdet à l'auteur.
2. André Virel, archives personnelles.

philes, parmi les quatre meilleurs films d'un metteur en scène prolifique[1]. Occasion aussi, pour l'ami, de faire travailler quelques membres de «la bande», comme Roger Pigaut qui trouvait là un de ses premiers rôles de jeune et beau séducteur, ou Marcel Pérès plus vrai que nature dans un rôle de paysan d'Auvergne. C'est dans *Sortilèges* qu'apparut aussi, dans un modeste rôle de figuration, un jeune étudiant de dix-neuf ans qui y découvrit sa vocation : Michel Piccoli.

L'époque n'était pas aux longues plages de tranquillité. Prévert était redescendu à Nice sur le plateau de la Victorine où le tournage avait repris quand, le 6 juin, le débarquement allié sur les côtes normandes interrompit celui de *Sortilèges*, qui ne reprendra qu'en novembre! Les *Enfants*, eux, continuèrent leur petit bonhomme de chemin avec un metteur en scène conscient de réaliser le film de sa vie et un auteur qui ne l'était pas moins et tenait à rester sur place, prêt à ajouter une réplique, une scène, une séquence. «Quand j'y pense, dira Carné, j'étais fou de me lancer dans une pareille histoire en pleine guerre. Mais j'étais soutenu par une pléiade d'artistes merveilleux dont on n'a pas l'équivalent en efficacité aujourd'hui. On allait un peu au restaurant de marché noir (pour se remonter!) mais on n'a pas eu longtemps de l'argent car Pathé, à la fin, ne voudra pas payer le montage et je serai obligé de vendre la maison que je tenais de mes parents pour l'achever[2].» Dès que l'on apprit la nouvelle du débarquement, Marcel Carné fit traîner le plus longtemps possible le montage et les travaux de finition pour que *Les Enfants du paradis* soit présenté comme le premier film de la paix enfin retrouvée[3].

Durant cette période, Prévert avait loué sur les remparts de Saint-Paul une ravissante petite maison, La Miette, d'où il pouvait aisément visiter ses amis Paul et Titine Roux ainsi que Aimé et Marguerite Maeght, un couple d'imprimeurs lithographes — modestes marchands de tableaux dans une petite rue de Cannes — amis de Pierre Bonnard et d'Henri Matisse, familiers de La Colombe d'Or. Il partageait son temps entre Saint-Paul et Paris, libéré dès le 25 août 1944 et qu'il découvrit en liesse, peint aux couleurs de la victoire, de la joie et de l'amour. Il y retrouva Marcel Duhamel qui avait ramené Janine de Val-d'Isère dans la capitale pavoisée. Jacques-Janine, un nouveau tandem amoureux était formé. Avec des hauts et des bas, il durera trente-trois ans. Jusqu'à la mort.

1. Mort en 1994 à la veille de ses 90 ans, Christian-Jaque laissera derrière lui plus de 70 films dont *François 1ᵉʳ*, *Sortilèges*, *Boule de Suif*, *Les Disparus de Saint-Agil*, *La Chartreuse de Parme* ou *Fanfan la Tulipe*.
2. Soirée Marcel Carné, avec Didier Decoin, sur Arte.
3. Marcel Carné, *op. cit.*

*

Alors que jusque-là, Prévert ne publiait ses poèmes qu'au compte-gouttes dans des revues confidentielles, les derniers mois de la guerre le virent céder aux sollicitations venues d'horizons divers mais soigneusement choisis. En attendant la sortie des *Enfants du paradis*, où il avait mis tant de lui-même, il donna *Le Cancre* et *Quelqu'un* à *Lettres*, revue publiée à Genève dont l'épigraphe due à Vauvenargues lui plaisait particulièrement : « La servitude abaisse les hommes jusqu'à s'en faire aimer. » Parus dans le numéro de novembre 1944, les portraits de l'écolier qui « fait non avec la tête mais dit oui avec le cœur » et de l'homme « si triste parce qu'il s'appelle Ducon » devinrent parmi les plus populaires chez les inconditionnels du Café de Flore et se répandirent comme une traînée de poudre à Saint-Germain-des-Prés. Suivirent trois courts textes[1] dans *Poésie 44* de Pierre Seghers (numéro de novembre-décembre 1944) et dix[2] dans le numéro de décembre de *L'Éternelle Revue*, fondée dans la clandestinité en juin 1944 par Paul Éluard et dirigée par son grand ami le poète et essayiste Louis Parrot. Parmi ceux-ci, la magnifique *Complainte de Vincent* raconte l'instant de folie au cours duquel Van Gogh se coupa une partie de l'oreille gauche qu'il remit précieusement à Rachel, pensionnaire d'une maison de tolérance d'Arles, avant de s'écrouler perdant son sang en abondance. Ce texte traduisait admirablement la passion que nourrissait le poète pour le peintre hollandais. Prévert dédia cet hommage à Paul Éluard qui, dans le même numéro de sa revue, publia un de ses propres textes intitulé *On te menace* dont il lui avait envoyé le manuscrit glissé dans un recueil publié pendant les combats de la Libération, intitulé *Dignes de vivre* et ainsi dédicacé : « Pour mon ami Jacques qui écrit les plus belles chansons du monde et dont l'existence me console de bien des malheurs. Paris 1er août 1944. » Auprès de la *Complainte de Vincent* figuraient *Et la fête continue*, avec son grand plombier zingueur qui, droit sorti des revendications du Groupe Octobre, refuse catégoriquement de reprendre sa place d'exploité dans un monde d'exploiteurs, et *Statistiques* dont Prévert avait écrit une première version à Carmel-by-the-Sea au côté de Jacqueline Laurent, lors du voyage américain. *Statistiques* dans *L'Éternelle Revue* deviendra bientôt *Inventaire* dans *Paroles* et dans l'interpré-

1. *Le Sultan*, *L'Épopée* et *Le Message*.
2. *Complainte de Vincent*, *Le Bouquet*, *Statistiques*, *Dimanche*, *Vous allez voir ce que vous allez voir*, *Le Jardin*, *Paris at night*, *L'Automone*, *Le Droit chemin*, *Et la fête continue*.

tation des Frères Jacques, qui fera de la scie «Le Raton Laveur» du frère Tiran de la rue de Tournon l'un des plus grands succès du cabaret La Rose Rouge. Étrange itinéraire qui va de la manie verbale d'un rôdeur de barrière de la Belle Époque à la consécration du Grand Prix du Disque, grâce au filtre magique du génie poétique!

Durant ce prolifique hiver 1944-1945, riche en futurs succès populaires, Jacques Prévert acheva l'un de ses poèmes promis à la plus grande célébrité : *Barbara*. Ce texte lui donna une fois de plus l'occasion de se situer à contre-courant — à l'heure où la victoire des Alliés se rapprochait à grands pas et où les Résistants de la dernière heure rivalisaient de patriotisme — en clamant, de la plus bouleversante façon, son horreur de la guerre. Dès 1940, le poète avait suivi avec compassion le sort de la ville de Brest qu'il affectionnait depuis qu'il s'était épris de la Bretagne. Il y avait séjourné assez longuement lors du tournage de *Remorques* interrompu par l'invasion allemande et en avait gardé l'image de cette jeune fille — figurante ou simple passante? — recevant la pluie artificielle distribuée par les pompiers pour pallier les facéties de la nature. Dès leur entrée dans le port, les troupes nazies l'avaient aussitôt transformé en base stratégique de première importance pour leurs sous-marins et, tout aussitôt, l'enfer avait commencé pour les Brestois qui, durant quatre ans, subirent cent soixante-cinq bombardements. La libération du grand port breton par les troupes américaines — les combats acharnés durèrent jusqu'au 18 septembre 1944 — acheva de détruire la ville dont, à l'exception du château à l'estuaire de la Penfeld, il ne resta rien. Prévert écrivit *Barbara* à la fin de l'année 1944, alors que les combats faisaient encore rage dans les Ardennes et que Strasbourg était à peine libérée. Peu enclin d'ordinaire à révéler les sources de son inspiration poétique, il lâchera pourtant sur *Barbara* quelques bribes d'information de première main que l'on découvrira dix ans après sa mort lors de l'exposition «À la rencontre de Jacques Prévert» organisée par la fondation Maeght à Saint-Paul-de-Vence[1] :

Barbara.
En Bretagne, surtout dans le Finistère, j'ai connu beaucoup de Barbara.
Entre les deux grandes-dernières-guerres, je séjournais souvent à Ouessant. C'est une île sauvage, belle, intacte [...].
Pas l'ombre d'un arbre, sauf celle de quelques rescapés du vent cloîtrés entre les murs du cimetière et du jardin de l'église.

---

1. Du 4 juillet au 4 octobre 1987, pièce n° 54.

Et à Ouessant, il était fréquent d'entendre dans la rauque et tendre langue des îliens, un appel familier : Barbara !

De même à bord de l'*Ennez-Eussa* qui assurait le service entre l'île et Brest, sur le continent.

Pourtant, en France et à ma connaissance, ce nom ne figure pas sur le calendrier des saintes et saints estampillés par la religion catholique, apostolique et romaine.

C'est un nom libre, de là son charme.

Il est vrai qu'en Ohio, vous n'avez pas de Saint-Cinnati, mais si mes souvenirs sont exacts — je crois qu'il y a quelque part, en Californie, un petit pays, une plage, ou tout au moins une cafeteria à l'enseigne de Sancta Barbara.

En conversation avec son frère Pierrot, il ajoutera :

— C'est un nom international, Barbara.

— La fille du facteur d'Ouessant s'appelait ainsi, remarquera Pierrot.

— Oui. Il était tout le temps noir car sa fille avait mal tourné. Il répétait : « C'est pas de ma faute si ma fille est une putain ! » Quand j'ai écrit *Barbara*, Brest avait été foutu en l'air. J'ai été grossier et on m'a reproché *[d'avoir écrit]* « Quelle connerie la guerre » alors que la guerre n'était pas terminée[1]... On m'a beaucoup reproché, en haut lieu de gauche ou de droite, d'avoir dit : « Quelle connerie » avant même que la guerre soit finie. Il paraît qu'il y a un temps pour tout. Moi, je m'en fous[2].

Dès que *Barbara*, mis en musique par Joseph Kosma, devint chanson, elle fut interdite sur les ondes nationales ; cela ne l'empêchera pas de rester dans la mémoire collective, presque aussi célèbre que Les *Feuilles mortes* (que Prévert écrira bientôt pour son prochain film avec Marcel Carné), grâce à l'immense talent de différents artistes : les Frères Jacques, Cora Vaucaire, Mouloudji et surtout Yves Montand qui en donnera une version d'une bouleversante sobriété.

L'année 1944 se termina en apothéose avec trois textes importants sur le peintre dont Jacques Prévert, qui l'admirait depuis l'époque où Adrienne Monnier le lui avait révélé chez Gertrude Stein, allait devenir l'ami : Pablo Picasso. Dès 1930, Prévert lui avait consacré le deuxième texte qu'il ait écrit, publié dans la revue *Documents* de Georges Bataille. *Hommage-hommage* avait été remarqué et apprécié par le peintre qui avait fait la connaissance du poète au Café de Flore puis l'avait vivement félicité après une représentation du *Tableau des merveilles* dans l'atelier de Jean-Louis Barrault, rue des

1. *Mon frère Jacques.*
2. *Hebdromadaires, op. cit.*

Grands-Augustins. Cette fois, c'est Christian Zervos qui demanda à Prévert sa contribution au numéro spécial consacré à Picasso par la revue *Cahiers d'art* qu'il avait fondée en 1926 et dans laquelle, depuis bientôt vingt ans, il n'avait cessé de fournir des informations sur la carrière de l'artiste[1]. Durant la guerre, Christian et Yvonne Zervos avaient fait de leur magasin galerie de la rue du Dragon un centre de la résistance intellectuelle où se tinrent de nombreuses réunions clandestines et que fréquentait assidûment Paul Éluard. Cette invitation était la preuve que Picasso appréciait tout particulièrement Jacques Prévert, ainsi que le confirma le photographe Brassaï, témoin en pleine guerre de la visite du poète à l'atelier qui lui rappelait tant de souvenirs joyeux. C'était le 12 octobre 1943 :

[...] Prévert arrive un mégot aux lèvres. Picasso lui montre ses merveilleux dessins et lavis. Nous regardons la série des colombes, quand une colombe vivante apparaît sur la marche de l'escalier.

JACQUES PRÉVERT : Le voici, le mystérieux personnage... Quand on parle du loup...

Picasso nous invite à monter, car son atelier de peinture et son petit appartement se trouvent à l'étage au-dessus, et il étale ses dernières toiles. Ayant été appelé au téléphone, il nous laisse seuls. Prévert est séduit par une peinture : la grande fenêtre de l'atelier ouverte sur les vieux toits étagés et les cheminées de Paris. C'est surtout la ligne ondulée des éléments du radiateur, sa poignée ronde, son long tuyau qui remonte au bord de la fenêtre qui ont séduit Picasso. Il l'a peint il y a trois mois, le 3 juillet.

JACQUES PRÉVERT : Regarde ! Tout autre peintre aurait supprimé le radiateur, le jugeant laid, vulgaire, «inesthétique». Il aurait mis l'accent sur le «pittoresque» des vieux murs et toits. Or, c'est précisément le radiateur qui domine cette toile... Picasso veut être vrai avant tout... Regarde, il a peint même ce vieux chiffon accroché au mur...

[...] Nous admirons aussi cette desserte brune avec des moulures baroques du restaurant Catalan que Picasso a peinte contre un fond jaune deux fois au mois de mai.

MOI : Il n'y a rien de gratuit dans ce tableau... tout y est inspiré par la réalité...

JACQUES PRÉVERT : Mais voyons ! Plus qu'aucun autre peintre surnommé «peintre de la réalité», Picasso réagit à ce qui l'entoure. Chacune de ses œuvres est une réponse à quelque chose qu'il a vu, senti, qui l'a surpris et ému[2]...

C'est dans ce même état d'esprit que Prévert écrivit pour *Les Cahiers d'art Promenade de Picasso*, le plus célèbre de tous ses textes sur le grand peintre, que l'interprétation d'Yves

1. Pierre Daix, *Dictionnaire Picasso*.
2. Brassaï, *Conversation avec Picasso*.

Montand[1] rendra aussi populaire que nombre des chansons mises en musique par Kosma ou Henri Crolla, ce jeune guitariste adopté par la bande alors que le poète séjournait dans le Midi. Là encore, Picasso en sera si satisfait que Jacques Prévert figurera désormais dans le premier cercle des familiers du peintre ; et celui-ci dira bientôt à son jeune ami, le photographe André Villers : « Il n'y a que dans ce qu'a écrit Prévert que je me retrouve. » Les exégètes souligneront de nombreux points communs dans les œuvres des deux artistes : la révolte, la volonté de rompre avec les traditions trop solidement établies chez les peintres comme chez les poètes, un sens de l'humour exacerbé et cette propension à associer des objets et des idées qui n'ont de prime abord rien à voir les uns avec les autres. On peut rapprocher les « assemblages » — technique que Picasso inventa dès 1912 avec sa *Guitare-assemblage* et qu'il utilisera pendant le demi-siècle suivant pour aboutir à la célébrissime *Chèvre* réunissant panier d'osier, pot en céramique, feuille de palmier, métal, bois, carton et plâtre — avec certains textes de Prévert. *Inventaire* par exemple :

deux sœurs latines trois dimensions douze apôtres mille et une nuits trente-deux positions six parties du monde cinq points cardinaux dix ans de bons et loyaux services sept péchés capitaux deux doigts de la main dix gouttes avant chaque repas trente jours de prison dont quinze en cellule cinq minutes d'entracte et... plusieurs ratons laveurs.

Ou encore l'hilarant :

Un vieillard en or avec une montre en deuil
Une reine de peine avec un homme d'Angleterre

de *Cortège*, directement issu du surréalisme des années 1920. Dans quelques mois, l'aventure du peintre qui tente désespérément et vainement de peindre une pomme qui se dérobe

et comme un duc de Guise qui se déguise en bec de gaz parce qu'on veut malgré lui lui tirer le portrait la pomme se déguise en beau fruit déguisé

sera sur toutes les lèvres, religieusement récitée par des milliers d'admirateurs du peintre le plus célèbre du monde mis en scène par le plus populaire des poètes :

Quelle idée de peindre une pomme
dit Picasso
et Picasso mange la pomme
et la pomme lui dit Merci

1. Sous le titre *Le Peintre, la Pomme et Picasso*, théâtre de l'Étoile, octobre 1953.

> et Picasso casse l'assiette
> et s'en va en souriant
> et le peintre arraché à ses songes
> comme une dent
> se retrouve tout seul devant sa toile inachevée
> avec au beau milieu de sa vaisselle brisée
> les terrifiants pépins de la réalité

Autre événement d'importance pour la notoriété de Jacques Prévert à quelques semaines de la fin de la Seconde Guerre mondiale : *L'École buissonnière*. Il s'agissait d'une série d'émissions pour la Radiodiffusion nationale réalisées par Robert Scipion et diffusées les 6, 13, 20, 27 janvier et 3 février 1945. Robert Scipion était ce jeune et joyeux dilettante, garçon de grande culture, que les frères Prévert avaient engagé en compagnie de Jacques-Laurent Bost et Michel Rittner comme assistant de Lou Tchimoukow sur *Adieu Léonard* pour lui permettre d'échapper au Service du travail obligatoire. Flemmard et bourré d'humour, grand connaisseur de la littérature américaine, celui qui devait devenir un dieu pour les cruciverbistes les plus raffinés [1] secondait alors Marcel Duhamel chez Gallimard au sein de la « Série noire » — collection policière dont Prévert avait trouvé le titre quand son vieux copain de Constantinople avait enfin déniché une situation stable en traduisant et en publiant trois ouvrages d'auteurs anglo-saxons parfaitement inconnus en France : *La Môme Vert-de-Gris* et *Cet homme est dangereux*, de Peter Cheyney, et *Pas d'orchidées pour miss Blandish*, de James Hadley Chase. En même temps, il réalisait à la RDF (Radiodiffusion française) des émissions de qualité dont la poésie était le moteur principal. « C'était une époque où les comédiens disaient à la radio des poèmes d'Apollinaire, de Cendrars, de Verlaine, en direct à 7 heures du matin, et où l'on remportait un succès phénoménal [2]. » Si déjà en octobre 1941 *Promenade avec Jacques Prévert*, émission réalisée par son compère Pierre Laroche pour Radio Zone Sud, avait fait découvrir le poète à un public populaire, il ne s'agissait que d'un succès local qui n'avait pas dépassé les frontières du Midi. Cette fois, Robert Scipion, lui, œuvrait pour la radio nationale et avait battu le rappel de la bande du Café de Flore où Joseph Kosma avait retrouvé tous les copains de Tourette-sur-Loup et de Vence. Avec amour, le compositeur hongrois, qui venait de signer sur un guéridon de marbre de l'illustre établissement sa demande de naturalisation française [3], aida le jeune réalisateur à bâtir une série qui soit représentative des nombreuses facettes du

---

1. Notamment dans les colonnes du *Nouvel Observateur*.
2. Daniel Gélin à l'auteur.
3. Il ne l'obtiendra qu'en 1948.

talent de Jacques Prévert. «On peut dire que ce sont les émissions de *L'École buissonnière* qui ont lancé réellement les chansons de Prévert et Kosma dans le public alors que la guerre n'était pas terminée», affirmera le musicologue Gérard Pellier[1]. Le succès fut immédiat. Au 22 rue Bayard, où siégeait encore la Radiodiffusion nationale avant de céder ses locaux à Radio-Luxembourg, on reçut un courrier considérable dans lequel les auditeurs demandaient essentiellement où l'on pouvait se procurer textes et musiques des chansons présentées, à tel point que Jacques Enoch, qui éditait Prévert, Kosma et Christiane Verger depuis *Les animaux ont des ennuis* et *À la belle étoile*, envisagea de publier en fascicule les mieux accueillies des œuvres enregistrées à droite ou à gauche par Agnès Capri, Marianne Oswald et quelques autres. Ce sera, en 1946, *21 chansons* en hommage au père et à la mère de Jacques Enoch, assassinés dans un camp d'extermination. Dans la foulée de *L'École buissonnière*, surpris par le succès de l'émission, Joseph Kosma monta un récital de chansons sur des poèmes de Prévert avec la complicité de Pierre Brasseur, Roger Pigaut, Yves Deniaud, Roger Blin, Raymond Bussières, Fabien Loris, Henri Crolla. Il faut ajouter aussi Serge Reggiani, jeune comédien de vingt-trois ans, dernier arrivé à Saint-Germain-des-Prés et aussitôt adopté par la bande où son ami, son frère, Roger Pigaut lui servit de parrain. Dans *souvenirs d'une vie*[2], Joseph Kosma évoquera ce spectacle au succès inattendu : «On l'intitule *L'École buissonnière*. À la stupéfaction générale, on refuse du monde à la salle Chopin-Pleyel, choisie prudemment pour ses petites dimensions. Que s'est-il passé? Rencontre d'un public et de ses auteurs? Accord de sensibilités? Ce qui est sûr, c'est que les artistes ont à présent une foule de supporters enthousiastes qui savent par cœur poèmes et musiques. Pendant l'Occupation, ils les ont recopiés ou notés au hasard des routes et des maquis. »

La sortie des *Enfants du paradis* vint conforter la popularité naissante du poète et apporter une diversion bienvenue au chagrin qui l'envahit lorsque sa mère succomba à un cancer, le 21 février 1945, au lendemain de son soixante-huitième anniversaire, dans le petit appartement de la rue Olivier-de-Serres qui avait succédé au poste de vigie de la rue du Vieux-Colombier. Au moins autant que le Père Picon, Maman Suzanne avait su lui faire, malgré mille difficultés, une enfance douce et heureuse. Son merveilleux regard bleu — le bleu des Prévert — s'était éclairé une dernière fois en découvrant quelques semaines plus tôt Catherine, sa première petite-fille, que Pierrot et Gisèle

1. Gérard Pellier à l'auteur.
2. Article de Marc Soriano pour *La Revue musicale*, n°s 412-415.

lui avaient donnée à la veille de Noël. Deux ans seront nécessaires à Janine Tricotet pour décider son compagnon à en faire
autant. La première mondiale des *Enfants du paradis* eut lieu le
2 mars 1945 au palais de Chaillot, au cours d'une soirée officielle sur invitation — organisée au bénéfice des prisonniers et
déportés et des œuvres sociales du cinéma —, placée sous la
présidence d'Henri Frenay, l'un des créateurs du réseau de
Résistance Combat, devenu ministre des Prisonniers et Déportés. Le succès du gala fut à la mesure de celui que le grand
public réservera, dès le lendemain, au film en salle, bien que la
longueur des deux époques ait imposé de doubler le prix des
places qui passa de quarante à quatre-vingts francs. Au palais
de Chaillot, quelques petits couacs vinrent ternir le plaisir de
Carné et Prévert, malgré l'accueil enthousiaste que leur fit la
majorité des spectateurs. Ce fut d'abord Louis Jouvet, de retour
d'Amérique du Sud où il avait passé la guerre, qui se permit à
haute voix quelques réflexions désobligeantes sans s'apercevoir que les auteurs, arrivés dans l'ombre après avoir accueilli
leurs invités, occupaient la loge voisine. «Au bout d'un moment,
il recommence, se souviendra Marcel Carné. Louis Salou, appa-
raît-il sur l'écran qu'il interroge avec quelque mépris dans la
voix : "Qui c'est encore, çui-là ?" Jacques n'y tient plus. Se penchant vers Jouvet, il dit de sa voix la plus aimable : "Bonjour,
monsieur Jouvet." Celui-ci se retourne, fixe Jacques dans le noir
et finit par le reconnaître : "Oh ! fait-il. Bonjour, monsieur Prévert ! Comment allez-vous ?" Jacques ne répond pas. Cette amabilité forcée clôt le dialogue. Elle clôt également les réflexions
désobligeantes de Jouvet qui n'ouvrira plus la bouche durant
toute la soirée[1].» Marcel Carné goûtera lui aussi aux fruits
amers de la jalousie. Jacques Feyder et Françoise Rosay qui
venaient de quitter leur abri suisse se contentèrent de saluer
le metteur en scène — dont ils avaient pourtant favorisé les
débuts et à qui ils avaient rendu hommage (sept ans plus tôt)
lors du triomphe de *Quai des Brumes* — d'un «c'est pas mal»,
chaleureux comme les glaces de la Jungfrau. «Peut-être me
tiennent-ils rigueur d'être demeuré en France et d'avoir continué, contre vents et marées, à exercer le métier qui était le
mien[2]», pensa Carné. Prévert, lui, ne pensait pas. Il savourait.
L'accueil de la presse en faisait la star des dialoguistes. L'hebdomadaire *Action* — qui réunissait dans sa rédaction dirigée
par Maurice Kriegel-Valrimont la fine fleur des intellectuels
de gauche autour de Francis Ponge, Pierre Courtade, Roger
Vailland ou Claude Roy[3] — ne tarissait pas d'éloges sur son

1. Marcel Carné, *op. cit.*
2. *Ibid.*
3. Cf. Yves Courrière, *Roger Vailland ou un libertin au regard froid.*

talent. Dans la colonne voisine, Gaëtan Picon accordait l'essentiel de sa chronique au succès de Mouloudji qui, à vingt-trois ans, venait de décrocher le prix de la Pléiade pour son premier roman, *Enrico*, que le jeune mais brillant critique n'hésitait pas à rattacher à l'école de Jean-Paul Sartre et Albert Camus. Jacques Prévert, lui, se voyait consacrer, avant même la sortie des *Enfants*, comme le véritable architecte d'une œuvre dont la France, alertée par les gazettes, attendait depuis longtemps la présentation. Sachant la susceptibilité de son complice Marcel Carné, il profita de l'interview qui lui était consacrée pour lui rendre un hommage appuyé : « Quand le scénario, la préparation du film ont été terminés, Carné en a commencé la réalisation et il a fait un travail terrible, effroyablement difficile et certainement le plus beau travail qu'il ait jamais fait. C'est un prodigieux metteur en scène et un homme d'une extraordinaire modestie. Je l'aime beaucoup, et j'ai déjà fait sept films avec lui.

— Quels sont vos projets pour l'avenir ?

— Encore un film avec Carné et un film avec mon frère, avec la musique de Kosma. Je travaille aussi avec Paul Grimault au scénario d'un dessin animé de long métrage tiré d'un conte d'Andersen : "La Bergère et le Ramoneur" [...]

— Et vous aimez ce travail ?

— Beaucoup, c'est un travail merveilleux.

— Naturellement, car vous êtes poète.

— Ouais. D'ailleurs, le cinéma et la poésie, c'est quelquefois la même chose[1]. »

Si le public fit un triomphe, dès la projection en salle, la presse, comme à l'ordinaire, réserva un accueil mitigé à l'œuvre des deux compères. Georges Sadoul et Léon Moussinac (historien du cinéma et chef de file de la critique française), tous deux membres éminents du Comité national des écrivains, parlèrent de « chef-d'œuvre » et de « point de perfection », et pensaient que « toute réserve serait dérisoire et de mauvais goût ». D'autres, et non des moindres, ne partageaient guère cet enthousiasme. François Chalais, qui se faisait une belle place de journaliste et de correspondant de guerre dans l'équipe de *Carrefour*, ne voyait dans *Les Enfants du paradis* que « Vautrin revu par Paul Féval avec une interminable tranche des *Mystères de Paris* » ; un autre, dont l'histoire de la presse n'a pas retenu le nom, trouvait que le film « sentait l'effort et l'application », et Georges Charensol tout-puissant rédacteur en chef et critique cinématographique des *Nouvelles littéraires* estimait, paradoxalement, que l'œuvre remarquable à de nombreux points de vue « péchait par excès d'intelligence ». On aurait cru

1. *Action*, n° 25, vendredi 23 février 1945. Interview par Cécile Agay.

entendre Marcel Achard regretter que *Drôle de drame* ait été
«tué par une trop belle photographie»! François Chalais, qui
avait ses humeurs mais était un parfait honnête homme, reconnut, lors du triomphe que remporta l'œuvre de Carné et Prévert
à Londres, une erreur de jugement qu'il ne sut expliquer.
«Excusez-moi, dit-il spontanément à Marcel Carné. Je me suis
trompé. Votre film est très beau.» Dès lors, il multiplia, tout au
long d'une vie consacrée au grand reportage et au cinéma, les
déclarations consacrant *Les Enfants du paradis* comme l'un des
films les plus importants produits en France[1]. La jeunesse de
Saint-Germain-des-Prés en fit bientôt son film fétiche et profita
de cet engouement pour porter au pinacle les films précédents
du tandem devenu à la mode, et que les événements avaient
plus au moins occultés : *Quai des Brumes* et *Le jour se lève*. *Les
Visiteurs du soir*, eux, avaient trouvé leur public dès le premier
jour. Tandis que les comités d'épuration — où ne figuraient pas
les plus grands talents de la profession — s'en prenaient à
Arletty qui avait eu le malheur de tomber amoureuse d'un officier allemand, les jeunes femmes de l'après-guerre, qui s'émancipaient dans les premières caves de Saint-Germain-des-Prés,
firent leur credo d'une réplique de Garance avouant son amour
à Baptiste, trop timide pour l'embrasser. «Je suis comme je
suis. J'aime plaire à qui me plaît. C'est tout. Quand j'ai envie de
dire oui, je ne sais pas dire non.» Et *Je suis comme je suis* que
chantonne à deux reprises Arletty dans *Les Enfants* deviendra
leur signe de ralliement :

> Je suis comme je suis
> Je suis faite comme ça
> Quand j'ai envie de rire
> Oui je ris aux éclats
> J'aime celui qui m'aime
> Est-ce ma faute à moi
> Si ce n'est pas le même
> Que j'aime chaque fois...

Quelques années plus tard, un jeune et beau comédien
américain confiera à son ami Daniel Gélin : «C'est après avoir
vu *Les Enfants du paradis* que j'ai voulu être acteur[2].» Il s'appelait Marlon Brando.

---

1. Marcel Carné, *op. cit.*
2. Daniel Gélin à l'auteur.

CHAPITRE 5

Publier ? Moi, jamais...

Annoncer un prochain film avec Carné à l'hebdomadaire *Action*, favori de l'intelligentsia parisienne, était chose aisée. En trouver le sujet en était une autre, singulièrement plus ardue. Fouillant dans ses archives, Prévert reprit *La Lanterne magique* écrit jadis pour le producteur André Paulvé. Mais, en 1945, le projet ne se réalisa pas plus qu'en 1941. Là encore, le producteur pressenti l'abandonna sans explications superflues. Échec toujours avec un *Candide* proposé par Carné au producteur richissime de *Voile bleu* qui, pendant la guerre, avait fait pleurer la France entière grâce au talent de Gaby Morlay. L'homme fut renversé sur les Champs-Élysées par un camion américain et mourut avant d'avoir signé les contrats! Le triomphe des *Enfants du paradis* aurait dû faciliter les choses, mais le sort n'était décidément pas favorable. Aussi Prévert répondit-il sur un coup de cœur à l'appel d'un jeune danseur étoile, transfuge de l'Opéra de Paris devenu à vingt et un ans maître de ballet chez Boris Kochno ex-collaborateur et ami de Serge Diaghilev. Le chorégraphe prodige souhaitait que le poète écrivît pour lui et sa partenaire, Marina de Berg, l'argument d'un ballet dont l'apothéose serait un pas de deux qui mettrait en valeur leurs talents conjugués. La rencontre eut lieu dans un bistro des Halles où Jacques Prévert, particulièrement en verve, développa son idée d'amour fou contrarié par le Destin devant un Roland Petit stupéfait de tant d'aisance verbale : «Je l'écoutai, ébahi, les yeux écarquillés, se souviendra le danseur. Il parlait vite et beaucoup, en suggérant des séquences, des images. L'action dramatique me bouleversait, je devenais la caméra, le story-board, je mimais avec lui tous les rôles, celui du bossu, du jeteur de tracts, de la mort, et aussi celui de la plus belle fille du monde[1].» Prévert travailla sur ce ballet — genre

---

1. Roland Petit, *J'ai dansé sur les flots.*

tout à fait nouveau pour lui — avec d'autant plus de plaisir que le projet lui permettait de s'entourer des collaborateurs de son choix. Bien sûr, la musique fut confiée à Joseph Kosma — libre de travailler désormais au grand jour —, les costumes à Mayo qui, depuis qu'il avait hébergé la bande à Jurançon, lors de l'exode, faisait partie des intimes. À Brassaï, le photographe hongrois qui, de la ligne de Sceaux aux contreforts des Pyrénées, avait suivi l'expédition, revinrent les décors pour lesquels il réalisa, à partir de photos prises à Paris la nuit, d'immenses agrandissements sur lesquels joueraient les pinceaux des projecteurs. Enfin, Picasso donna, en guise de rideau de scène, une de ses dernières gouaches choisies par Boris Kochno, vieil ami du peintre à l'époque où celui-ci participait à l'aventure des Ballets russes de Diaghilev. Le directeur de la compagnie choisit une gouache avec un loup en velours et une bougie allumée représentant le Destin. Celui-ci va transformer *Le Rendez-vous*, imaginé par Prévert, en un drame sanglant au cours duquel la jeune fille symbolisant la Mort (Marina de Berg) égorgera, sur les quais du canal de Crimée, le jeune homme (Roland Petit) qui l'aime éperdument. Pour les rôles secondaires, Jacques Prévert fit engager par le chorégraphe les vieux copains du Groupe Octobre, Roger Blin, inquiétant à souhait dans le rôle du Destin, et Fabien Loris, ex-mari de sa compagne Janine, interprète de l'une des deux chansons composées par Joseph Kosma, *Les enfants qui s'aiment*. Cette mélodie deviendra, quelques mois plus tard, la chanson emblématique d'une jeune inconnue dans laquelle s'incarnera Saint-Germain-des-Prés : Juliette Gréco ! La seconde chanson due à Kosma n'aura pas de paroles dans le ballet, mais son thème musical sera celui du pas de deux du troisième tableau. D'ordinaire, Kosma adaptait sa mélodie aux poèmes de Jacques. Cette fois, ce sera le contraire. Et Prévert ne mettra des vers sur la musique de son ami qu'à la veille de tourner le fameux film avec Carné annoncé dans la presse et dont le sujet lui faisait toujours défaut. Là encore le destin jouera son rôle, puisque la chanson, alors sans paroles, deviendra *Les Feuilles mortes* et, après bien des aléas, assurera une célébrité mondiale au tandem Prévert et Kosma. La distribution du ballet fut complétée par l'arrivée d'une adorable gamine qui, à dix-huit ans, venait de sortir du Conservatoire avec un premier prix de danse et un premier prix de comédie : Dany Robin.

Le retour à Paris d'André Virel, devenu le « commandant Virel », qui terminait une guerre glorieuse après avoir assumé les fonctions de préfet régional de Savoie et de Haute-Savoie, permit à Prévert de trouver le partenaire souvent nécessaire pour démarrer le scénario du prochain film qui se refusait toujours. Les deux hommes s'étaient appréciés dans la Résistance, période qui, quoi qu'il en dise, avait profondément marqué Jacques Prévert, provoquant même les sarcasmes de certaines de ses connaissances. « À mon vif étonnement, écrira Marcel Carné, je l'avais vu mêlé, dès la Libération à tout un monde ayant appartenu à la Résistance. Je n'aurais rien eu à dire si je n'avais senti que les conversations sur ce sujet accaparaient une grande partie de son temps, et avaient une influence certaine sur son travail[1]. » Si Prévert s'était frotté à la Résistance niçoise et parisienne, il ne savait rien des combats sur le terrain. Traiter de la guerre, dont nombre des futurs spectateurs étaient encore imprégnés, n'était pourtant pas une mauvaise idée. Aussi André Virel proposa-t-il un voyage en Bretagne où des poches de résistance allemandes donnaient encore du fil à retordre aux troupes américaines et à celles, françaises, du général de Larminat. Un uniforme d'officier supérieur, des laissez-passer, des bons d'essence et une voiture, André Virel possédait tous ces trésors qui lui permirent, dans les premiers jours de mai, d'emmener Jacques et Janine — car la jolie blondinette était du voyage — sur la côte du Morbihan pour s'imprégner de l'ambiance des combats et mesurer la haine des provinciaux contre l'occupant. La randonnée prit parfois la forme d'un pèlerinage. À Camaret, ils visitèrent les ruines du manoir de Saint-Pol Roux-le-Magnifique en l'honneur duquel avait été organisée, au cœur des Années folles, l'une des manifestations les plus remarquées qui ait animé La Closerie des Lilas et le Tout-Montparnasse. Le vieux barde aux cheveux blancs et à la longue barbe immaculée, dont André Breton faisait si grand cas, avait vu la soldatesque allemande envahir sa demeure, violer sa fille et tuer sa servante. Il avait été lui-même si sérieusement molesté qu'il mourut quelques mois plus tard, à la veille de ses quatre-vingts ans, abandonné à l'hôpital de Brest. C'est Maria Casarès, la débutante des *Enfants du paradis*, qui guida la petite troupe dans le dédale des champs de mines d'une région qu'elle connaissait depuis l'enfance[2]. À Locronan, Jacques se fit reconnaître à l'auberge où il était si souvent en compagnie d'Yves Tanguy et Marcel Duhamel, au beau temps de leur jeunesse turbulente. Il fut accueilli à bras ouverts, tout comme au Mont-Saint-Michel où on ne le laissa payer aucune addition. Il était le premier touriste depuis la Libération! À Lorient, dont le port avait été transformé (comme celui de Brest) en base de sous-marins, et où la garnison allemande fanatisée résistait toujours, la balade faillit mal tourner.

---

1. Marcel Carné, *op. cit.*
2. André Virel à l'auteur.

À un barrage américain, une sentinelle, fort éméchée à l'approche de la victoire, tira une rafale de pistolet-mitrailleur en l'honneur du commandant français qui arborait quatre galons fort impressionnants aux yeux de l'exubérant GI. Attiré par cet équipage inattendu qui réunissait deux civils — dont une femme! — et un officier supérieur français, un lieutenant de l'US Army arrêta la voiture. Cent mètres plus loin, au creux d'un vallon, un canon antichar allemand était encore en action. Sans la bienheureuse rafale de la sentinelle, ni Virel ni Prévert n'aurait eu à se soucier de bâtir le scénario qu'attendait Marcel Carné! Deux jours plus tard, le 8 mai 1945, la paix était enfin signée. Lorient était la dernière ville de France à être libérée. Jacques, Janine et André avaient failli être les ultimes victimes françaises d'une guerre qui avait duré quatre ans!

Dès le retour dans un Paris qui fêtait la chute du régime nazi, Prévert s'aperçut qu'il n'en avait pas fini avec les séquelles de la guerre. Non seulement le voyage breton n'avait eu aucune incidence favorable sur un scénario dont même les grandes lignes refusaient de se dessiner, mais les commissions d'épuration qui avaient fleuri depuis la Libération entendaient demander des comptes aux auteurs des *Visiteurs du soir* et des *Enfants du paradis*, films tournés sous l'Occupation, avec Arletty de surcroît! « C'était un spectacle singulier, raillera Marcel Carné, de voir tous ces maquilleurs, toutes ces habilleuses, s'érigeant soudain en Saint-Just du fond de teint et en Fouquier-Tinville de la brosse à habits[1]! » Le metteur en scène, qui avait si puissamment contribué à ce que le cinéma français connût pendant la guerre un essor et un rayonnement exceptionnels, s'en tira avec un blâme pour « avoir collaboré avec la Continental », en signant avec Alfred Greven — seulement pour s'en débarrasser — un contrat qu'il s'était bien gardé d'honorer. Quant à Jacques Prévert, dont les succès de dialoguiste et, plus récemment de parolier, suscitaient quelques solides jalousies, il n'eut aucun mal à prouver qu'il n'avait jamais eu le moindre contact avec l'occupant. Le témoignage écrit d'André Verdet, miraculeusement revenu de Buchenwald avec l'auréole de résistant de la première heure, rescapé des camps de la mort, ramenant le dernier poème de Robert Desnos du camp de Térezín en Tchécoslovaquie (où celui-ci avait succombé au typhus), et celui d'André Virel, adjoint d'Yves Farge commissaire de la République à Lyon, couvert de médailles — de la Légion d'honneur à la médaille de la Résistance en passant par les deux palmes de sa croix de guerre —, suffirent à balayer les soupçons que les envieux entendaient faire planer sur Jacques Prévert. En outre,

1. Marcel Carné, *op. cit.*

celui-ci comptait de nombreux amis au sein du Comité national des écrivains (le CNE destiné à épurer le milieu littéraire) dont Paul Eluard et Michel Leiris, Georges Sadoul et Léon Moussinac étaient parmi les figures de proue ; heureusement car certains autres membres éminents du CNE ne figuraient pas particulièrement au nombre des amis de l'auteur de *Barbara* !

Jacques Prévert, bien que n'ayant encore jamais publié un recueil de ses poèmes, avait le vent en poupe et faisait partie des personnalités «bien parisiennes» qui assistèrent au théâtre Sarah-Bernhardt, le 15 juin 1945, à la première grande soirée de ballet depuis la guerre. À l'orchestre, entre Brassaï et lui, trônait Picasso flanqué de Dora Maar, et le couple le plus photographié de la soirée : Jean Gabin, qui venait de quitter l'uniforme des Forces françaises libres dans lesquelles il s'était engagé jusqu'à la fin du conflit, et Marlene Dietrich en tournée du théâtre aux Armées américain. *L'Ange bleu* et le déserteur du *Quai des Brumes*, qui ne cherchaient nullement à cacher leur liaison, avaient déclenché la fureur des Ligues de vertu hollywoodiennes mais acquis la sympathie du public français, toujours prêt à favoriser les belles histoires d'amour. Sympathie d'autant plus vive que la presse venait d'annoncer que Gabin tournerait son premier film de l'après-guerre à Paris, sous la direction de Marcel Carné et sur un scénario et des dialogues de Jacques Prévert. *Le Rendez-vous* fut présenté en seconde partie de soirée après *Les Forains*, merveilleux ballet de Christian Bérard et Henri Sauguet ; dansé par Ludmilla Tcherina, Zizi Jeanmaire et Roland Petit, il fut acclamé par les balletomanes. «Le rideau rouge se lève sur le rideau bleu-mauve-beige de Picasso, racontera Brassaï. La bougie, le loup de velours masquant le destin... On applaudit. On siffle, on crie... Depuis que Picasso a adhéré au parti communiste, sa peinture, quelle qu'elle soit, agit sur certains comme la muleta sur le taureau... Une bordée de cris, de sifflets, mais on applaudit aussi... Picasso ne bronche pas. À peine fronce-t-il un peu les sourcils... Il en a vu d'autres[1] !» Mais, finalement, *Le Rendez-vous* fut un succès relayé par les critiques. On loua le rideau de Picasso, les décors photographiques de Brassaï, ici utilisés pour la première fois, les costumes de Mayo, ainsi que tous les danseurs et comédiens, sans oublier Prévert et Kosma pour leur chanson interprétée au beau milieu du ballet par un Fabien Loris au mieux de sa forme, et qu'on n'oubliera pas de sitôt :

> Les enfants qui s'aiment
> S'embrassent debout contre les portes de la nuit [...]

---

1. Brassaï, *op. cit.*

Seule la musique que Joseph Kosma avait composée pour le pas de deux du ballet, en s'inspirant d'un air tzigane du folklore hongrois, passa complètement inaperçue. Cette indifférence poussa le poète à transformer l'air en chanson en déposant pour la première fois de sa vie des vers au pied de la musique de Kosma et en en faisant, par avance, le leitmotiv de son prochain film, dont il cherchait toujours le sujet. C'est en prenant un verre après la représentation du théâtre Sarah-Bernhardt avec Prévert, Gabin et Marlene Dietrich, que Marcel Carné le trouva.

— Et si l'on portait *Le Rendez-vous* à l'écran ? demanda-t-il soudain.

— Tu crois ? dit Jacques.

— Tu crois ? répondit Gabin en écho.

— Je crois, affirma Carné[1].

Les trois premiers intéressés étant d'accord, Raymond Borderie, directeur de la nouvelle production pour le compte de Pathé — Alexandre Korda étant le deuxième coproducteur —, autorisa l'équipe habituelle entourant Carné et Prévert à se mettre au travail dès le mois d'août, au calme de La Colombe d'Or. Prévert n'eut aucun mal à y inclure André Virel, avec lequel il s'accordait à merveille, pour pratiquer le ping-pong intellectuel indispensable à l'élaboration du scénario. Virel fut bombardé «lecteur», titre qui remplaça celui, inexistant jusqu'alors, d'assistant scénariste.

Avant de quitter Paris, Jacques accepta d'écrire un texte pour un éditeur qui publiait un album des dessins de Brassaï, mais il ne voulut recevoir d'autres honoraires qu'un costume payé d'avance chez son tailleur habituel[2] ! Il donna encore trois poèmes — *La Cène, Comme par miracle* et *Miroir brisé* — à la très chic revue *Labyrinthe* d'Albert Skira qui les publia en fac-similé dans son numéro 9, et que l'on retrouvera, six mois plus tard, dans le premier numéro de *La Revue internationale*, où écrivaient Pierre Naville, surréaliste de la première heure, et Maurice Nadeau, premier historien du mouvement. Pour sceller son amitié avec André Virel et André Verdet, Jacques Prévert accepta en outre de signer son premier contrat littéraire (il avait oublié celui qui le liait à Léon Pierre-Quint et qui n'avait abouti à rien !) avec Jean Renom, ex-directeur du *Journal des étudiants de Vichy* devenu celui de la collection Le Portulan aux éditions France-Empire. Il s'agissait du *Cheval de Trois*, recueil collectif réunissant treize poèmes de chacun des trois auteurs.

1. Marcel Carné, *op. cit.*
2. Brassaï, *op. cit.*

« Moi je les avais, dira Virel, Verdet aussi mais pas Prévert qui a fini par en retrouver treize dont certains reconstitués de mémoire. Le contrat a été signé le 10 juin 1945. C'est parce que Prévert a eu beaucoup de mal à réunir ses treize poèmes que *Le Cheval de Trois* n'a paru que près d'un an après la signature et n'a été en librairie qu'après la mise en vente de *Paroles*. Mais *Le Cheval de Trois* reste néanmoins son premier recueil de poèmes[1]. » Le tirage fut fixé à 5 000 exemplaires vendus entre 50 et 80 francs. Parmi les poèmes de Prévert : *Place du Carrousel*, *L'Amiral* et *Chanson des sardinières* que l'on retrouvera dans *Paroles* et *Spectacle*. Chacun des auteurs reçut, à titre d'à-valoir, 4 000 francs, à peine de quoi s'offrir une cinquantaine de places dans une des salles qui projetaient *Les Enfants du paradis* ! Plus que jamais Prévert avait besoin du cinéma pour assurer l'entretien de l'appartement qu'il avait loué 47 avenue Junot, sur les pentes de Montmartre, où il abritait ses amours avec Janine Tricotet. Celle-ci se révélait une compagne charmante, plébiscitée par la bande dont elle était une familière de longue date. Tous les copains, y compris son ex-mari, l'indolent Fabien Loris, appréciaient sa douceur, sa jolie silhouette, un visage aimable éclairé d'un sourire éclatant dès que son regard croisait celui de l'élégant poète qu'elle couvait et à qui elle reprochait seulement de maculer, avec la cendre des gauloises qu'il fumait à la chaîne, les revers de ses costumes raffinés !

En attendant de gagner Saint-Paul-de-Vence, où il pourrait pour la première fois depuis longtemps travailler avec ses amis Trauner et Kosma sans redouter une descente de police, Jacques Prévert était de fort méchante humeur : « Discussions, contrats, rendez-vous, que d'emmerdements ! disait-il à Brassaï. Tout ce qui est autour du film est si fatigant, si démoralisant[2]. » C'est alors qu'il reçut, à son nom mais à l'adresse du Café de Flore, un paquet ficelé dans du papier d'emballage, en provenance de Reims. Il contenait vingt-deux feuillets dactylographiés puis numérotés, sous une épaisse couverture de carton vert marbré, semblable à celle qui protégeait son dossier ouvert à la SACEM en 1935. Dix ans déjà... Soigneusement collée, une étiquette annonçait en belle écriture ronde : « Recueil de poèmes de Jacques Prévert ». Une lettre accompagnait l'envoi. Elle était signée Emmanuel Peillet, professeur de philosophie à Reims, que Prévert avait connu avant la guerre, étudiant à Paris et rédacteur en chef de la revue socialiste alors très virulente *Essais et Combats*. Séduit par son intelligence et son

---

1. André Virel à l'auteur.
2. Brassaï, *op. cit.*

enthousiasme, le poète lui avait donné, en 1938, *Ce paysage changera* qu'une coquille, on le sait, avait transformé en *Le paysage changeur* ! « Ce sont mes élèves (la classe de philo du lycée de Reims), écrivait Peillet, qui ont eu, l'an dernier, l'idée d'entreprendre cette édition, à la suite de quelques lectures que je leur avais faites, au cours de "morale". Ils l'ont réalisée avec des moyens de fortune. D'abord quant au texte, ils ont dû se contenter de ce qu'ils ont trouvé dans ma bibliothèque ; j'ai vraiment déploré l'absence de "Crosse en l'air" ; et depuis, *L'École buissonnière* nous fit regretter de n'avoir pas appris la sténo. Ensuite l'impression n'est pas très bonne, ayant été faite à la sauvette, comme l'indique l'achevé d'imprimer [...] ; au lieu de l'habituel tirage de luxe, cette édition princeps n'est que le témoignage d'affection de jeunes gens qui vous aiment[1]. »
Ces élèves passionnés — parmi lesquels Jean Deroche, fils d'un médecin réputé, Pierre Lhomme, futur journaliste à *L'Union*, Brigitte Simon et Charles Warg — avaient pris de sérieux risques en composant deux cents exemplaires des huit poèmes pêchés dans diverses revues appartenant à leur prof de philo. Il s'agissait de : *Tentative de description d'un dîner de têtes à Paris-France* (*Commerce*, été 1931), *Événements* (*Cahiers GLM*, novembre 1937), *La Grasse Matinée* (*Soutes*, juillet 1936), *Le Paysage changeur* (*Essais et Combats*, février 1938), *Cet amour* (dit par Pierre Brasseur au cours de l'émission de Pierre Laroche *Promenade avec Jacques Prévert*, du 3 octobre 1941, et publié par *Profil littéraire de la France* en avril 1943), *Écritures saintes* (*Méridien*, mi-juin 1943), *Quartier libre* (*L'Écho de l'étudiant*, 18-25 septembre 1943) et *Le Temps des noyaux* (*Soutes*, février 1936). Le risque principal avait été d'imprimer clandestinement les deux cents plaquettes avec la ronéo de la sous-préfecture — où quelques-uns avaient des entrées familiales — sur du papier machine de médiocre qualité sans solliciter la moindre autorisation auprès de Gruppeschriftum de la Propaganda Abteilung Frankreich. L'exemplaire que reçut Jacques Prévert ce 26 juillet 1945 comportait un achevé d'imprimer au 10 juillet 1944 ! C'était le premier recueil uniquement consacré à ses poèmes qui voyait le jour. L'avoir en main, malgré la mauvaise impression et les maladresses de composition, provoqua chez lui une émotion semblable à celle qu'il avait éprouvée en lisant ou en entendant certaines de ses œuvres — qui avaient échappé à sa négligence naturelle — dans le premier bar américain du quartier ouvert au 10 rue Jacob, par Henri Leduc, un des piliers du Groupe Octobre. « Regarde ce que j'ai reçu, dit-il à Brassaï. Un album de mes poèmes... les lycéens de Reims ont

---

1. Cité par Danièle Gasiglia-Laster et Arnaud Laster, *op. cit.*

eu l'idée de les ramasser dans les revues et en ont fait ce livre ronéotypé. Il n'en existe qu'un seul exemplaire [*sic*] et ils me l'ont offert… Jamais aucun cadeau ne m'a fait autant de plaisir que le geste de ces jeunes inconnus et de leur professeur [1]. »

Il regretta d'autant moins d'avoir autorisé, peu auparavant, René Bertelé — ce jeune professeur de français revu à Nice et devenu rédacteur en chef de *Confluences*, la belle revue littéraire de René Tavernier — à rechercher ses poèmes publiés depuis 1928 dans des feuilles souvent confidentielles et de les éditer au Point du Jour, modeste entreprise artisanale que celui-ci venait de créer. Le recueil des lycéens de Reims viendrait fort à propos enrichir des recherches qui se révélaient ardues, tant Prévert, jusqu'à un passé récent, s'était montré indifférent à la pérennité de son œuvre non cinématographique. Par bonheur, il y avait la mémoire collective des admirateurs de longue date. Depuis le Groupe Octobre, ils suivaient attentivement, tel Maurice Nadeau, l'œuvre chaotique de ce poète hors normes, si peu soucieux de la diffuser auprès d'un plus large public. La guerre avait pourtant été propice à leur multiplication. « Les poèmes que l'on retrouvera dans *Paroles* circulaient déjà assez largement dans notre milieu, se souviendra Maurice Nadeau. On les recopiait, on les ronéotait, on les faisait passer. On se réunissait sous l'Occupation et on lisait du Prévert. Ça nous mettait en joie. C'étaient des temps assez difficiles et l'on était heureux de se dire qu'il y avait des gens comme Prévert, qui n'étaient pas tous avec le Maréchal ou avec les Allemands. Il y avait donc encore des gens qui pensaient autrement, librement. C'était un ballon d'oxygène pour tous les jeunes que nous étions de savoir qu'il y avait quelque part quelqu'un qui s'appelait Prévert et qui écrivait des choses comme ça [2]. »

La délicate machine conduisant au succès populaire était en route.

*

Comme d'ordinaire, l'été fut magnifique à Saint-Paul-de-Vence. Les pierres des remparts dorées par le soleil, les vieilles tuiles provençales couleur de pain d'épice, le terrain de pétanque à l'ombre des platanes, le bruit de l'eau du lavoir, le roucoulement des colombes dans la cour de l'auberge du

1. Brassaï, *op. cit.*
2. Maurice Nadeau, in *Jacques Prévert*, de Alain Poulanges et Gilles Nadeau, FR3.

même nom dont Paul Roux améliorait sans cesse le confort, incitaient plus au farniente qu'au travail. Avec Virel, Jacques Prévert avait réparti les tâches: «Toi, tu vas écrire le scénario. Moi je ne sais pas écrire et le producteur veut un scénario! Ensuite je te dicterai les dialogues[1].» «Je faisais "à la journa-liste" les trucs que les producteurs attendaient, poursuivra Virel. J'étais aussi le "lecteur" de Prévert. On échangeait les idées. On se baladait. On se marrait. On travaillait surtout la veille du jour où Carné devait arriver, c'est-à-dire deux fois par semaine. Car Prévert avait la trouille de Carné[2]!»

Le titre du film vint avant la construction définitive du scénario. Il se cachait dans les deux premiers vers de la chan-son du ballet, *Le Rendez-vous*, par laquelle Prévert entendait ouvrir son nouveau film.

> Les enfants qui s'aiment s'embrassent debout
> Contre les portes de la nuit...

Les Portes de la nuit sonnaient agréablement à l'oreille. Et, associé sur les affiches aux noms prestigieux de Jean Gabin et Marlene Dietrich, ce titre avait assez de mystère poétique pour inciter le passant à entrer dans la salle...

Pour calmer quelque peu l'ire de Carné, provoquée par la nonchalance de son auteur à transformer un ballet intemporel en une histoire contemporaine où s'affrontaient violemment collabos et résistants, Prévert s'employa à mettre sans tarder des paroles sur la musique de la deuxième chanson de Kosma, qui, dans son esprit, devait constituer le leitmotiv du film et aider à son lancement.

> Oh! Je voudrais tant que tu te souviennes
> des jours heureux où nous étions amis
> En ce temps-là la vie était plus belle
> et le soleil plus brûlant qu'aujourd'hui [...]

Les vers vinrent avec facilité. Sur le thème des amours mortes, Jacques Prévert avait une riche expérience. Simone, Jacqueline, Claudy... À chacune il aurait pu dire: «Toi, tu m'aimais et je t'aimais», mais rien n'indique qu'il ait pensé à l'une plutôt qu'à l'autre en écrivant la chanson, même si l'image des feuilles mortes s'adressait plus précisément, dans son souvenir, à Claudy qu'il surnommait Petite Feuille et qui était la dernière à l'avoir blessé dans son amour. La présence

---

1. André Virel à l'auteur.
2. *Id.*

de Janine gommait maintenant toutes les cicatrices du passé.
«Et la mer efface les pas sur le sable»... avait-il déjà écrit pour
Michèle Morgan en utilisant dans *Remorques* l'image poétique
de l'étoile de mer qui avait si durablement marqué la mémoire
de la jeune vedette. Un demi-siècle plus tard, devenue une
star internationale, elle s'en souviendra encore avec la même
émotion.

> Et la mer efface sur le sable
> les pas des amants désunis.

Les deux derniers vers écrits, Jacques Prévert et Joseph
Kosma décidèrent de retourner à Paris pour présenter leur
enfant à Carné et Gabin qui s'impatientaient. L'«examen» eut
lieu Au Vieux Pont Neuf, le restaurant de la rue Dauphine tenu
par trois sœurs d'un certain âge que Prévert avait surnom-
mées «les vieilles» et qu'il comblait en leur amenant la pratique de Jean Gabin. Pour préserver la tranquillité du héros de
Quai des Brumes, dont l'engagement dans les Forces françaises libres avait décuplé la popularité, les «vieilles» avaient
réservé à leurs hôtes prestigieux leur minuscule salle à manger personnelle du premier étage, meublée d'un piano droit
collé au mur, d'une large table et de quatre chaises. À la fin de
l'apéritif, dans une atmosphère détendue, Kosma, sur un signe
de Jacques, se mit au piano.

— La chanson? demanda Gabin.

— Oui, dit Prévert.

«Kosma exécute d'abord quelques arpèges, racontera
Carné. Puis il attaque doucement, chantant à mi-voix, ses doigts
effleurant légèrement les touches:

> Oh, je voudrais tant que tu te souviennes
> des jours heureux où nous étions amis...

La mélodie s'élève doucement. Nostalgique. Prenante. Pour
finir par devenir envoûtante. À peine Kosma a-t-il plaqué le
dernier accord que, perdu dans un rêve, Gabin lui demande:
"Rejoue encore." Dix fois au cours du repas, Kosma se remettra
au piano. Dix fois Gabin lui dira: "Encore, tu veux?" Après les
hors-d'œuvre, nous fredonnons déjà deux ou trois motifs. Le
rôti achevé, nous connaissons par cœur le refrain. Au café,
pour peu que Kosma nous soutienne, c'est presque la chanson
tout entière que nous entonnons. Jacques, heureux, savoure.
Quant à moi, j'ai l'impression que, quoi qu'il arrive, je n'oublie-
rai jamais la douceur de ces instants. Gabin se tourne vers
Jacques:

— De première, dit-il en hochant la tête...[1] »

« La Grande » — tel était le surnom dont Jean Gabin affublait Marlene Dietrich — n'assistait pas à cet instant de grâce. Elle boudait, ulcérée de voir Jacques Prévert négliger ses précieux conseils dans la rédaction du scénario et des dialogues des *Portes de la nuit*. Forte du contrat avec Pathé, qui stipulait que son engagement ne deviendrait définitif qu'après son acceptation du scénario, elle entendait se mêler étroitement à l'élaboration du sujet, proposant des changements dont ni Carné ni Prévert ne pouvaient accepter l'ineptie. Elle voulait, par exemple, descendre d'un fiacre et payer le cocher avec un billet qu'elle extrayait de son bas[2]! La jambe de l'Ange bleu était certes magnifique mais la situation parfaitement ridicule. Tandis que Prévert poursuivait à sa manière l'écriture des *Portes de la nuit* en pensant comme d'habitude à ses interprètes principaux et à ses chers seconds rôles, Marlene Dietrich annonça qu'elle se retirait de l'affaire, prétextant qu'elle ne souhaitait pas être la vedette d'un film évoquant le comportement regrettable de certains Français pendant l'Occupation! Comme tout le monde du cinéma le prévoyait, Gabin déclara forfait à son tour, prétextant le retard pris par Jacques Prévert dans l'élaboration de son sujet. Il préféra suivre les caprices de « la Grande » et tourner ce fameux *Martin Roumagnac* dont il possédait les droits depuis l'avant-guerre et qui avait provoqué, quand il leur avait proposé d'adapter l'œuvre, les railleries des deux hommes auxquels il devait deux de ses plus grands succès *Quai des Brumes* et *Le jour se lève*, ce dernier bien plus apprécié par la nouvelle génération qu'à l'heure de sa première sortie. Cette fâcheuse initiative lui fit rater sa rentrée, après quatre ans passés hors de France. L'échec fut si cinglant que Michèle Morgan, pourtant peu encline aux jugements à l'emporte-pièce, dut convenir que, depuis *Martin Roumagnac*, le grand amour de sa jeunesse n'était plus dans le peloton de tête sur le marché! « Il n'était pas vraiment au creux de la vague, mais il n'occupait plus le sommet, il avait perdu son titre de grande vedette », regrettera-t-elle[3]. Il lui faudra attendre *Touchez pas au grisbi*, de Jacques Becker, pour redevenir — sept ans plus tard et avec des cheveux grisonnants — la superstar qu'il restera jusqu'à la fin de sa vie.

Prévert et Virel vinrent enfin à bout d'un scénario que la défection des deux stars devait modifier sensiblement. Avec Marcel Carné, ils décidèrent que la vedette du film ne serait

1. Marcel Carné, *op. cit.*
2. *Ibid.*
3. Michèle Morgan, *op. cit.*

plus le personnage que devait interpréter Marlene ni celui
dévolu à Gabin mais l'image d'un quartier populaire de la capitale «au cours du triste hiver qui suivit le magnifique été de la
libération de Paris», ainsi qu'une voix off l'annoncerait sous un
très large panoramique du quartier de Barbès-Rochechouart,
symbolisé par son célèbre métro aérien et la population labo-
rieuse qui l'empruntait chaque jour. Carné n'avait toujours pas
choisi les remplaçants de ses vedettes, alors qu'il avait distribué tous les rôles secondaires. Mais quels rôles que ceux que
devaient interpréter Pierre Brasseur, Raymond Bussières et
Julien Carette, les complices de toujours! À présent s'ajoutaient
le petit nouveau de la bande, Serge Reggiani qui, à vingt-trois
ans, se révélait sans doute le meilleur acteur de sa génération,
et le doyen Saturnin Fabre dont le public adorait les facéties!
Prévert leur réservait un sort enviable, au point que, quelques
années plus tard, François Truffaut, sévère et injuste contemp-
teur des films de Carné, avant de faire, lui aussi, amende honorable, dira: «*Les Portes de la nuit* sont un des derniers films
français qui faisaient la part très belle aux seconds rôles [...]
Prévert était formidable pour écrire non seulement pour une
ou deux vedettes, mais pour douze personnes, leur donner à
chacune quelque chose d'intéressant à faire et pour construire
des scénarios où ces douze personnes s'entrecroisent admirablement. Il a été au fond le seul grand scénariste français[1]...»
La distribution était complétée par Sylvia Bataille, que Prévert
aimait bien malgré de nombreux accrochages, et la jolie Dany
Robin, cette jeune danseuse qui avait fait ses débuts dans *Le
Rendez-vous*. De l'argument original du ballet ne subsistait plus
grand-chose. Mené par le Destin qui a pris l'aspect d'un clochard (dans ce rôle, Jean Vilar fera une première apparition
remarquée au cinéma), l'ouvrier Jean rencontre celle qu'il
appelle «la plus belle fille du monde» et vit avec elle, en une
nuit, un amour fulgurant, tandis que s'agite autour de leur
couple la faune pittoresque constituée des copains de la Résistance, des collabos, des profiteurs du marché noir, des traîtres
et des mouchards. La «plus belle fille du monde» a cessé d'être
la féroce complice du Destin pour devenir la victime touchante
de la jalousie morbide d'un mari aussi jaloux que lâche. Le Destin livrera toujours ses tragiques prémonitions — précédées ou
suivies de l'air lancinant des *Feuilles mortes*, jouées à l'harmonica par le clochard omniprésent — mais ne restera que spectateur des événements qu'il a annoncés.
　　La date du premier tour de manivelle approchait dange-
reusement, que Carné n'avait toujours pas choisi ses inter-

---

1. Cité par Jean-Claude Lamy, *op. cit.*

prêtes principaux et Prévert n'avait pas terminé les dialogues des dernières scènes. Deux éléments importants dans sa vie justifiaient ce retard.

D'abord une histoire d'amitié fidèle et d'indignation intacte devant les injustices de la vie et la condition ouvrière encore misérable dans la banlieue parisienne. Eli Lotar, voisin en culottes courtes de Gazelle lorsqu'elle vivait encore à Bucarest, émigré à Paris où il était devenu membre à part entière des Lacoudem, avait mené, au fil des années, malgré des dons évidents pour la photographie, une petite carrière sans gloire faite de bric et de broc. On l'avait vu successivement photographe dans l'ombre de Brassaï et de Germaine Krühl, assistant metteur en scène dans celle de Buñuel, opérateur d'Yves Allégret dans *La Pomme de terre* et *Teneriffe* (dont Jacques Prévert avait fait le commentaire), cameraman de Pierrot Prévert dans son premier film *L'affaire est dans le sac*, opérateur de Joris Ivens, figurant et photographe de plateau; l'essentiel de son œuvre reposait sur des courts métrages «de commande», publicitaires ou subventionnés. Pétri de talent mais d'une nonchalance extrême, il était dans son caractère de ne faire aucun effort pour améliorer son sort. Mais il était si charmant et ses dons naturels étaient si évidents que chacun essayait de l'aider, bien qu'il parût incapable de prendre la vie au sérieux. C'est ainsi que Charles Tillon — membre influent de la direction du parti communiste, héros de la Résistance qui avait lancé à Paris l'appel à l'insurrection nationale, dès le 10 août 1944, maire d'Aubervilliers et ministre de l'Air dans le gouvernement du général de Gaulle, dès septembre 1944 — le fit entrer au service cinématographique de son ministère. Eli Lotar lui proposa alors de faire un film sur Aubervilliers et sur l'incroyable misère dans laquelle vivaient encore un trop grand nombre d'ouvriers. Quand il visionna les rushes tournés par son ami, Jacquot retrouva l'odeur de la pauvreté et de la crasse qui restait attachée au souvenir des visites qu'il faisait, enfant, en compagnie du Père Picon, lorsque celui-ci travaillait pour le compte de l'Office central des pauvres de Paris. Dans certains quartiers de «la ceinture rouge», rien n'avait changé en près de quarante ans. Prévert estima les images aussi remarquables que bouleversantes et accepta aussitôt d'écrire le commentaire du court métrage dont Kosma composerait la musique. Abandonnant un temps *Les Portes de la nuit*, emporté par une juste indignation, il se livra à un de ces implacables réquisitoires contre la misère dont il avait émaillé toute l'histoire du défunt Groupe Octobre. Pour faire bon poids, il ajouta au commentaire — qui, ne faisant que constater à travers la voix de Roger Pigaut ce que les images montraient, n'en prenait que plus de force — trois ballades, *Chanson des Enfants, Chanson de l'eau, Chanson de la Seine*[1]. Elles étaient interprétées par Germaine Montero — qui venait d'accéder au vedettariat en osant, pour la première fois dans le monde du music-hall, la formule du récital — et par Fabien Loris, dont l'interprétation des *Enfants qui s'aiment* allait ouvrir le film de Carné. Le résultat, grâce à tant de talents conjugués, fut *Aubervilliers*, modèle de film poétique réaliste dans le goût traditionnel français, qui sera sélectionné au premier festival de Cannes de l'après-guerre[2] (septembre 1946) dans la catégorie «documentaire social» et deviendra un classique du genre. «Un film qui a beaucoup déplu, dira Jacques Prévert avec un demi-sourire. À nous il plaisait bien, alors ça faisait la balance[3].»

À l'heure où Prévert allait accéder à la plus large popularité par la publication de ses poèmes, la sortie du court métrage brûlot, programmé dans les salles en complément du magnifique film de René Clément, *La Bataille du rail*, donna lieu à une violente polémique qui ajouta encore à la célébrité naissante du poète et au succès de ses chansons. «*Aubervilliers*, ajoutera-t-il pour enfoncer le clou, ce ne sont pas les ruines "neuves" de la guerre mais les simples ruines de la misère ouvrière[4].» Dans l'une des rares critiques élogieuses qui saluèrent la sortie du court métrage, François Chalais fera la comparaison avec *À propos de Nice* de Jean Vigo ou *Nogent, Eldorado du dimanche* de Marcel Carné. Dans ces années d'immédiat après-guerre, gauche et droite s'affrontaient avec une violence dont les lecteurs de la fin du siècle n'ont pas idée. Bien qu'il n'ait jamais adhéré à un parti, la presse de droite fit de Prévert l'archétype du poète de gauche qui ne respecte ni Dieu ni Diable. Avec les réactions qu'une pareille attitude ne pouvait manquer de provoquer: «Le film est d'une telle violence, écrira *Samedi-Soir*, que le directeur de la salle qui le présentait décida de le rayer du programme le jour même de sa sortie. Peu de temps après, un délégué du ministère de l'Information téléphonait au directeur terrifié. C'était pour le féliciter de son courage et lui avouer combien *Aubervilliers* lui avait plu. Sans mot dire, le malheureux directeur remit le documentaire à l'affiche[5]...» Les grandes plumes de la droite, les plus talentueuses aussi,

---

1. Publiées, dès 1946, sous le titre général d'*Aubervilliers* par les éditions Salabert.
2. Cannes avait été choisie «ville du cinéma» en 1939, et Louis Lumière nommé président d'honneur de cette édition zéro du festival interrompu par la guerre. Seul *Quasimodo* de William Dieterlé, avec Charles Laughton, réussit à être projeté cette année-là.
3. *Mon frère Jacques.*
4. *Ibid.*
5. *Samedi-Soir*, 23 mars 1946.

donneront bientôt du canon contre ce Prévert dont elles moqueront le progressisme et l'anticléricalisme. Jean-Jacques Gautier, qui avait commencé au *Figaro* la plus brillante des carrières de critique dramatique et cinématographique, n'hésita pas, entraîné par la passion politique, à donner d'*Aubervilliers* le compte rendu le plus fielleux et injuste que l'on puisse imaginer et qui surprend aujourd'hui quand on connaît l'homme de qualité qu'il fut : « On y décèle d'abord un parti pris nauséeux qui est ce que l'époque nous a apporté de plus détestable. La complaisance dans la laideur chère aux disciples de Sartre et, en général, aux écrivains de l'espèce Mouloudji et consorts. On y distingue surtout une sorte de haine et c'est ce qui fait frémir. Je ne demande pas qu'on cache certains spectacles comme gênants pour la paix des esprits, des égoïsmes et des classes. Je doute seulement qu'il ne faille voir qu'un souci d'information dans une telle insistance à exhiber des plaies et dans une telle façon de les présenter [...]. Sinistres bicoques, vieillards affamés, bébés aux yeux mangés par les mouches, aveugles, pauvres qui se battent pour du charbon... L'auteur se délecte, il sait bien, lui, qu'il n'y a pire mensonge que celui qui contient une part de vérité[1]... » D'avance, dans son commentaire, Prévert avait répondu à ses détracteurs de toujours : « Et voici que l'on entend la voix incrédule de la commisération qui clame sur le ton même de la plus froide indifférence : "Des choses pareilles au xxe siècle, mais ce n'est pas Dieu possible" ! »

Voilà qui augurait mal des relations que Jacques Prévert aura avec certains journalistes lors de la sortie de *Paroles*, dont René Bertelé fignolait alors discrètement la présentation.

La préparation du recueil était le deuxième élément qui avait retardé l'achèvement des dialogues des *Portes de la nuit*. Le tournage eut enfin lieu, de janvier à septembre 1946, au studio de Joinville où Alexandre Trauner avait reconstitué la station de métro Barbès ainsi que le boulevard de Rochechouart ; à cet endroit, Carné pouvait organiser la circulation des automobiles et des passants, le tout entièrement bâché pour permettre de contrôler l'égalité de la lumière lors des nombreuses scènes nocturnes ! Même chose pour la reconstitution des bords du canal Saint-Martin, avec péniche au premier plan, entrepôts et bâtiment du « secours aux noyés ». Le tout composait l'un des plus impressionnants décors de l'histoire du cinéma français. Il étonna fort les journalistes amenés à le visiter et fit crier les moins bien intentionnés d'entre eux à la mégalomanie du trio Prévert-Carné-Trauner ! Pour remplacer Gabin et Marlene Dietrich, Carné et Prévert se mirent d'accord pour choisir des

1. *Le Figaro*, 23 mars 1946.

inconnus dans le monde du cinéma : Yves Montand, jeune chanteur de vingt-quatre ans qui venait de donner son premier tour de chant parisien au théâtre de l'Étoile où il avait remporté un vif succès[1], et Nathalie Nattier, parente par alliance de Maurice Baquet, qui tenait un petit rôle aux côtés de Gérard Philipe et d'Edwige Feuillère dans *L'Idiot* que Georges Lampin avait tourné d'après Dostoïevski. Faute de temps, Jacques Prévert ne modifia pratiquement pas les dialogues écrits pour le couple Gabin-Dietrich, se réservant de les adapter, le cas échéant, sur le plateau où il promit d'assister à la plupart des séquences consacrées aux « petits nouveaux ». « Prévert était toujours là, témoignera Alexandre Trauner, parce que jusqu'au dernier moment où l'on place un cendrier sur une table, on discute et quelquefois on se bat, avec l'opérateur ou le metteur en scène pour un cadrage. Quelquefois on dit : "Pourquoi tu as fait ça, pourquoi tu mets la caméra ici ?" Pour les choses sans importance, on ne s'en occupe pas, mais quelquefois c'est important et normalement je suis un film jusqu'aux dernières prises de vues. Et Prévert le faisait aussi, parce qu'il écrivait pour les acteurs. Il connaissait très bien leur caractère, savait ce qu'ils pouvaient donner, leurs effets, leurs clins d'œil, leur façon de parler. Il utilisait ça dans le bon sens, et il suivait toujours le tournage parce que c'était un poète qui avait une imagination visuelle. Il suivait jusqu'au bout tout ce qu'il pouvait suivre[2]. » C'est ainsi que s'apercevant, lors des premières répétitions, qu'Yves Montand avait « un accent singulier qui le faisait parler, aurait-on dit, la bouche à demi pleine[3] », Prévert débaptisa son personnage — l'ouvrier-résistant Jean — pour lui donner le prénom plus exotique de Diego, personnage ayant bourlingué des côtes de l'île de Pâques au quartier chinois de San Francisco (qu'il avait lui-même arpenté avec Jacqueline Laurent). Quant à Montand, à peine dégrossi par sa liaison avec Édith Piaf, il ne savait rien de Carné ni de Prévert venus lui proposer le rôle au Club des Cinq, fameuse boîte de Montmartre où il se produisait alors. Même s'il avait vu à Marseille *Les Visiteurs du soir* et à Paris *Les Enfants du paradis*, il n'avait pas plus retenu le nom du metteur en scène que celui du scénariste. Mais, avec Prévert, l'accord fut si parfait que le chanteur n'oublia jamais l'aspect physique de l'homme de quarante-six ans dont il n'avait jamais lu ni entendu un texte et dont, pourtant, il allait pendant trois décennies chanter la poésie aux quatre coins du monde.

---

1. Il avait joué l'année précédente un petit rôle « sympathique » dans un film de Marcel Blistène *Étoile sans lumière*, au côté d'Édith Piaf qui, amoureuse, l'avait imposé au metteur en scène.
2. Alexandre Trauner, *Traces*, n° 3.
3. Marcel Carné, *op. cit.*

«Portrait de Prévert? dira-t-il. Un côté lunaire. C'est un soleil, Jacques, avec des yeux de clown, son chapeau toujours en arrière; ça peut être une fleur, une marguerite, mais il faut faire attention, il y a des tas de choses qui se sont superposées dans la mémoire. La première réaction c'est ça. Et il est impeccablement habillé, toujours, j'en suis très frappé, costume noir, chemise jaune, par exemple, avec des couleurs, la fleur à la boutonnière, il aime bien ça, ou la pochette. Très élégant... C'est quelqu'un que j'admire beaucoup, et qu'après j'aime tendrement... Ce qui m'épate c'est la manière qu'il a de raconter les histoires, avec une volubilité difficile à suivre. Là où on va dire huit mots, il en mettra quinze. Et c'est toujours intéressant. Alors ça fatigue : tu veux écouter et tu fatigues. Jacques en forme, c'était fantastique! [...] Il avait tellement de choses à te raconter[1]!»

Tant d'activités cinématographiques n'empêchèrent nullement Jacques Prévert, faux paresseux, de surveiller de près le travail d'éditeur de René Bertelé. Celui-ci s'était livré à une véritable enquête policière auprès des anciens du Groupe Octobre — dont Suzanne Montel s'était faite l'archiviste — et des amis de toujours, parmi lesquels figurait Adrienne Monnier qui, dans sa librairie de la rue de l'Odéon et sa collection personnelle, possédait nombre des revues ayant publié des poèmes du jeune homme qu'elle avait vu arriver, lui aussi mal dégrossi, vingt-cinq ans plus tôt. Il avait réuni soixante-dix-neuf textes allant de *Dîner de têtes* à *Barbara* en passant par *La Pêche à la baleine*, *La Crosse en l'air*, *Inventaire* ou *Promenade de Picasso*. Assez pour composer un recueil de poèmes de Jacques Prévert représentatifs de l'étendue et de la variété de son talent. Assez aussi pour justifier l'établissement d'un contrat définitif, que les deux hommes signèrent, le 6 février 1946, alors que le volume était déjà imprimé sous une couverture que Prévert, séduit par le décor du *Rendez-vous*, avait demandée à son ami Brassaï. Celui-ci donna quelques-unes d'une série de photos consacrées depuis les années 1930 aux graffitis que le promeneur pouvait découvrir sur les murs des quartiers populeux de Paris. Sur l'un de ces clichés où figurait un âne esquissé par un poulbot, le poète ajouta son nom et le titre de l'ouvrage, *Paroles*, tracés par un pinceau volontairement maladroit qui avait laissé échapper de chaque lettre de nombreuses traînées de peinture rouge sang. L'ouvrage de 228 pages fut achevé d'imprimer, le 20 décembre 1945, sur les presses du maître imprimeur E. Aulard, pour les éditions du Point du Jour à

---

1. Yves Montand à Hervé Hamon et Patrick Rotman, pendant la préparation de leur livre *Tu vois je n'ai pas oublié* (archives Patrick Rotman).

Paris. La couverture de Brassaï avait été exécutée et reproduite en héliogravure (rempliée) par le même imprimeur. Sur ordre de René Bertelé, qui inaugurait avec *Paroles* sa collection « Le Calligraphe », il fut tiré 10 exemplaires sur Madagascar numérotés de 1 à 10, proposés aux bibliophiles au prix considérable de 5 000 francs, 324 exemplaires sur Rives dont 300 numérotés de 1 à 300 vendus 1 500 francs, et 24 nominatifs et hors commerce, marqués de A à Z, réservés à l'auteur, aux éditeurs et à leurs amis. Le tirage ordinaire sur le mauvais papier grisâtre de l'après-guerre était fixé à 5 000 exemplaires proposés à 350 francs. Jacques Prévert recevrait 15 % sur le prix fort de vente des exemplaires de luxe, et 12 % sur les exemplaires brochés. Il perçut 15 000 francs à la relecture du manuscrit établi par Bertelé et 50 000 francs à la signature du contrat liant les deux parties.

Deux jours plus tôt, Prévert s'était vu offrir par La Nouvelles Édition, 213 *bis* boulevard Saint-Germain, un contrat, assorti d'un à-valoir de 6 000 francs, pour publier ses manuscrits se rapportant au cinéma, à commencer par *Les Visiteurs du soir*. De son côté, l'éditeur de musique Jacques Enoch publiait *21 chansons*, écrites avec Joseph Kosma, dont 11 figuraient dans *Paroles*. Cette subite arrivée d'argent permit au poète d'installer confortablement le nouvel appartement qu'il avait loué 7 villa Robert-Lindet, à deux pas de la rue Olivier-de-Serres où Maman Suzanne s'était éteinte l'année précédente sans avoir vu le premier livre signé par ce « garçon qui ne serait jamais sérieux ».

Paroles apparut dans la vitrine des libraires le 10 mai 1946. Et ce fut un choc intellectuel comme on n'en avait peu connu auparavant. D'abord et surtout à Saint-Germain-des-Prés, où une jeunesse brimée par quatre ans d'Occupation entendait exprimer sa soif de liberté. Prévert, par son anarchisme, répondait aux aspirations de ces jeunes gens. C'était un homme plein de révolte, selon leur cœur, qui ne respectait rien si ce n'est la condition des plus pauvres, des plus démunis et surtout qui parlait le langage de la rue sans jamais tomber dans la préciosité alambiquée de confrères trop souvent hermétiques. Libraires et observateurs littéraires du Quartier — ainsi appelait-on maintenant Saint-Germain — jusque-là incrédules, furent les premiers à ressentir les effets d'un engouement qui, cette fois, dépassait le cercle des amis de longue date ou plus fraîchement admis régnant du Flore à La Maison des Amis des Livres. Plus que jamais, Adrienne Monnier y soutenait de toutes ses forces déclinantes un protégé qui ne l'avait jamais déçue. La fine fleur de la librairie d'avant-garde, comme Pierre Béarn, rue Monsieur-le-Prince, ou José Corti, rue de Médicis, l'avait suivie et les deux auteurs avaient été les premiers à remarquer le talent de ce poète qui ne publiait jusque-là que dans des revues confidentielles ou de luxe. C'est chez José Corti, on s'en souvient, que le jeune Maurice Nadeau, désargenté, avait recopié dans *Commerce* cette *Tentative de description d'un dîner de têtes à Paris-France* ouvrant *Paroles*, bien que Prévert ait été fort réticent à l'idée de commencer son premier livre par une œuvre si puissante. Les premières ventes furent plus qu'encourageantes. Béarn en débita «plusieurs mètres cubes», justifiant la réflexion de Roger Nimier qui dira bientôt : «Prévert n'est plus à la mode, il est devenu populaire.» Rue de l'Odéon, Adrienne Monnier, qui avait commandé 500 exemplaires de l'édition courante à 350 francs le volume, en vendit 10 le premier jour! Ses collaborateurs, Léonie Thévenet et Maurice Saillet, tiendront la liste des premiers acheteurs. Un jeune reporter, habitué des lieux, Michel Cournot, acquit le tout premier exemplaire, bientôt suivi par le docteur Jean Bernard, futur professeur agrégé de la faculté de médecine[1], autre fidèle de la rue de l'Odéon, qui en emporta 3! Le lendemain, les acheteurs furent deux fois plus nombreux. Dès la mise en vente, le bouche à oreille fonctionna à merveille. Les vieux copains surréalistes se précipitèrent en tête, comme le photographe médecin Jacques-André Boiffard ou le dessinateur Maurice Henry et le peintre Félix Labisse, puis Alain Resnais, Julien Gracq, Michel Leiris, la photographe Gisèle Freund, André Gide en personne, familier d'Adrienne Monnier laquelle après avoir vendu 300 exemplaires de *Paroles* comptabilisa les clients sans oser demander leur nom mais les décrivant en formules lapidaires : «Dame revêche», «monsieur distingué», «jeune fille bien nourrie», «gentil couillon», «jeune homme un brin con[2]»... Sylvia Beach, l'amie et voisine d'Adrienne, et sa famille battront le record absolu des achats avec 14 exemplaires! À la lecture des bonnes feuilles envoyées par René Bertelé, le brillant essayiste et critique Gaëtan Picon avait dit son enthousiasme, dès le mois de mars, dans la revue *Confluences* de René Tavernier. Il n'hésitait pas à parler d'«événement littéraire», tandis que Maurice Nadeau qui avait quitté l'enseignement pour le journalisme, remarqué dès novembre 1944 pour son *Histoire du surréalisme*, tressa des lauriers à l'auteur de *Paroles* dans *Combat* (dont il était devenu directeur littéraire), dans *Gavroche* et dans *La Revue internationale*. Il fut aussitôt relayé par Pierre Dumayet dans *Poésie 46* et *Action*, tous journaux de gauche et

1. Et spécialiste mondial de la recherche expérimentale sur la leucémie et les maladies du sang.
2. Danièle Gasiglia-Laster, Arnaud Laster, *op. cit.*

pour la plupart issus de la Résistance. Tous partageant aussi l'avis que Gaëtan Picon, le premier, avait exprimé : « L'œuvre de Prévert est le seul exemple valable d'une poésie populaire à un moment où la poésie et le peuple, quels que soient les efforts tentés pour leur conciliation, n'ont jamais été plus séparés [...]. Il parle spontanément la langue du peuple, il est en communication directe avec sa verve, son génie latent, sa complexité. Car il y a un génie linguistique du peuple qui se définit par sa complexité interne, non par sa simplicité relative [...]. Le peuple a sa propre mythologie qui ne peut se découvrir qu'à l'intérieur de son existence quotidienne. Prévert, à peu près seul, est dedans et pas dehors. » Dans la prestigieuse revue *Critique*, publication qui offrait un panorama extrêmement fouillé de la vie des idées au lendemain de la Seconde Guerre mondiale, son directeur, Georges Bataille, que Prévert avait connu dans les années 1930, marié à la comédienne Sylvia Bataille qui tournait en ce moment même dans *Les Portes de la nuit*, lui consacra une longue étude intitulée *De l'âge de pierre à Jacques Prévert*. « Prévert, disait-il avec admiration, restait extérieur au jeu littéraire... parlant sans fracas intellectuel, envoûtant qui l'entendait, d'habitude entouré de camarades très simples, souvent prolétaires... », avis que venait renforcer dans *L'Écran français* le touche-à-tout trotskiste Jean Rougeul (ex-Croque-fruit qu'il avait fondé à Marseille avec Sylvain Itkine[1]) devenu brillant critique dans quelques journaux éclos pendant la Libération : « Le ton du langage est si populaire que jamais poète, je pense, ne s'est entendu aussi directement avec les ouvriers ou avec les enfants. » Alors que *Le Figaro*, par la plume de Jean-Jacques Gautier, avait assassiné *Aubervilliers*, Prévert trouva dans *Le Figaro littéraire* un défenseur de choix en la personne d'André Rousseaux, dont le feuilleton hebdomadaire était attendu par tout le monde de l'édition : « La publication d'un recueil de poèmes de Jacques Prévert me paraît être l'événement le plus important dans la vie de notre poésie, depuis la fin de la guerre. » Il y eut bien sûr des ronchons, et non des moindres. On compara bientôt Prévert à « un Géraldy dont l'abat-jour serait devenu un réverbère[2] » ; Albert Camus, nouveau maître à penser, le traitera même de « Béranger du métro » et Claude Mauriac de « guignol du pavé qui se prend pour Goya[3] ». Le public ne fut pas de cet avis. « Cinq mille exemplaires furent vendus dans la semaine suivant le jour de la publication, se souviendra René Bertelé encore ébaubi par ce succès inattendu.

---

1. L'ancien mari de Jacqueline Laurent avait été torturé à mort par l'occupant nazi lors d'une mission de Résistance.
2. Mot prêté à Jean Cocteau.
3. Cités par Guillaume Hanoteau dans *Paris-Match* (archives Gallimard).

Les libraires *[à l'exception de l'avant-garde]* avaient prophétisé :
"Ça intéresse seulement quelques jeunes gens de Saint-Germain-des-Prés", *Paroles* a touché un public littéraire en même
temps qu'un public "cultivé" et a été accueilli comme une
immense cure d'oxygène, une cure qui désintoxiquait tout le
climat littéraire d'après la Libération. Enfin un livre où l'on ne
faisait pas la morale! On en avait plein le dos de la poésie
patriotique et des bons sentiments[1]. » Le poète René Laporte,
Prix Interallié 1936, qui avait évolué de l'obédience surréaliste
à l'engagement révolutionnaire, résuma dans *Opéra*, un de ces
nouveaux périodiques où l'on se gaussait volontiers de la critique bourgeoise allergique à toute avant-garde, le brillant avenir qu'il prédisait au recueil de ce nouveau poète. N'ayant pris
le vent nulle part, il devait tout naturellement entrer dans la
bibliothèque des jeunes gens, à l'indignation de leurs parents.
Sa postérité n'en serait que plus grande, puisque ces jeunes
gens passeraient inéluctablement au rang de parents! Côté
communiste, on resta dans une prudente expectative. Claude
Roy, plutôt favorable à Prévert, ne se vit offrir aucune des
colonnes parisiennes des deux grands quotidiens du Parti (*Ce
Soir* et *L'Humanité*), seulement une chronique dans *Servir*
publié à Lausanne! *Ce Soir* publia précautionneusement un
article mi-figue mi-raisin d'Henry-Jacques Dupuy. La gloire
naissante de Prévert faisait de l'ombre à Aragon qui, depuis
la rue du Château, ne tenait pas dans son cœur ce confrère
moqueur qui n'avait pas daigné lui apporter sa collaboration à
l'époque où il dirigeait *Commune*. Cette inimitié ira grandissant au fur et à mesure de la multiplication des tirages. Malgré
sa célébrité, jamais un ouvrage d'Aragon n'atteindra celui de
Paroles[2]!
    En quelques mois de l'année 1946, Jacques Prévert, jusque-
là connu d'un petit cercle d'inconditionnels gravitant entre le
Café de Flore, Lipp, les Deux Magots et les libraires les plus
intellectuelles du Quartier, seulement apprécié du monde du
cinéma, devint le poète de Saint-Germain-des-Prés le plus
connu, le plus admiré, «une véritable star, dira Denise Tual[3]».
Nadine Alari, la toute jeune fille de Christiane Verger, compo-
sitrice des *Animaux ont des ennuis* et de tant d'autres chansons
écrites par Prévert au début de ses essais poétiques, choisit
de débuter dans le métier de comédienne en disant quelques
poèmes inédits de l'homme par lequel tout Saint-Germain

---

    1. René Bertelé à Gérard Benoît, journaliste à Bordeaux (archives Gal-
limard).
    2. Incomparable phénomène dans l'histoire littéraire française, *Paroles*
dépassera dans les années 1990 les trois millions d'exemplaires!
    3. Denise Tual à l'auteur.

jurait, sur la scène du petit théâtre qu'Agnès Capri avait reconstitué à la Gaîté-Montparnasse avant de retrouver un peu plus tard son cabaret de la rue Molière. «Je n'avais pas dix-huit ans, rappellera Nadine Alari, j'avais l'air très jeune. J'étais sans expérience ni sexuelle ni théâtrale et ça se voyait. Agnès m'a dit : "C'est formidable, je vais t'habiller en blanc virginal, tu vas arriver sur scène, les spectateurs vont se dire : 'Elle va nous dire du Géraldy' et tu vas leur envoyer Ducon[1] !" Ce que j'ai fait avec un trac monstrueux mais absolument inconsciente que ça allait être reçu par des gens frappés de stupeur ! Ça faisait un tel choc ! Pour étoffer mon tour, j'ai demandé d'autres poèmes à Jacques qui m'a dit de venir les chercher chez lui. J'y suis allée avec mon copain François Chaumette qui béait d'admiration devant Prévert que moi je connaissais depuis mes sept ans puisqu'il était un ami de la famille. Mais rien n'était prêt. "Cherche", m'a dit Jacques. Il régnait dans l'appartement un bordel inextricable. Margot Capelier, enceinte jusqu'aux dents, m'a aidée à sa manière à m'y retrouver. Des poèmes traînaient partout. Il y en avait sous tous les meubles ! Margot, censée jouer les secrétaires, tournait en rond et répétait : "Mais je ne comprends pas. Tout était pourtant rangé !" Comme le concierge du *Crime de M. Lange* qui tournait sur lui-même dans la cour auprès de Batala mourant en criant dans son affolement : "Un prêtre... un prêtre !" J'ai passé deux heures dans ce capharnaüm et j'ai finalement trouvé les poèmes que j'ai dits sur scène. Quand Prévert vous disait de "fouillasser" c'était un vrai bonheur[2]. »

C'est après le succès de la première édition de *Paroles* — alors que Bertelé avait mis en route une seconde «fournée» de ces poèmes auxquels la jeunesse faisait un triomphe, tandis que la clientèle classique semblait les apprécier à son tour au point que l'éditeur envisageait une nouvelle version plus étoffée grâce aux découvertes d'Emmanuel Peillet et d'une foule d'amis et d'admirateurs — que Prévert bâtit, non sans une certaine coquetterie, la légende de l'homme de cinéma qui considérait son activité poétique comme le fruit du hasard et n'y attachait guère d'importance. «Un livre ! dira-t-il aux journalistes gourmands d'interviews. Je n'ai jamais voulu rassembler mes poèmes. Je n'avais pas envie de me compliquer l'existence. Je ne voulais pas publier de poèmes. Enfin ce qu'ils appellent poèmes. Puis, boulevard Saint-Germain, j'ai rencontré Mau-

---

1. «Quelqu'un», paru en novembre 1944 dans la revue *Lettres* et en 1945 dans *Variété*.
2. Nadine Alari à l'auteur.

rice Clavel, un décorateur avec qui j'avais travaillé avec Trauner *[en réalité il s'agissait de Robert Clavel].*

— Bonjour, je connais quelqu'un qui voudrait publier tes poèmes, m'a-t-il dit.

— Ah! Comment il s'appelle?

— René Bertelé, voilà son numéro de téléphone!

Et moi qui avais refusé à des tas d'éditeurs, je ne sais pas pourquoi j'ai appelé René Bertelé. C'est un homme qui sait ce que c'est que faire un livre. C'est rare. C'est lui qui a voulu m'éditer. Mais je n'y pensais pas. Je ne sais pas encore pourquoi j'ai accepté[1]. »

En réalité René Bertelé n'était pas un inconnu pour Jacques Prévert. On sait que les deux hommes s'étaient rencontrés dans les milieux surréalistes avant guerre, puis à Nice, bien avant la Libération, au fameux hôtel Napoléon rue Pastorelli où se réunissait toute la Résistance intellectuelle. Selon certains témoignages, notamment de Maurice Saillet, collaborateur d'Adrienne Monnier, c'est le fidèle Henri Michaux qui, ayant déjà incité Prévert à reprendre l'écriture à son retour de Californie, persuada René Bertelé de recueillir ces poèmes dispersés à droite et à gauche et obtint l'accord de Jacques pour que l'éditeur se mît au travail[2]. De son côté, le psychiatre Jacques Lacan, compagnon de Sylvia Bataille, n'avait pas été étranger au projet déjà mûri de longue date. « Il était venu à Marseille, racontera Arlette Besset *[fidèle parmi les fidèles du Groupe Octobre et mariée avec le résistant Julien Davreu qui, avec Prévert, Mouloudji et André Verdet, avait déménagé en pleine Occupation la fameuse malle de l'hôtel Racine].* Et Lacan a pris l'initiative avec Bertelé de réunir tous les poèmes qu'il pourrait découvrir tant il trouvait dommage de ne pas les publier. Je lui ai donné tout ce que je possédais, c'est-à-dire tous les feuillets pelures que nous avions lorsque nous répétions au Groupe Octobre. Notamment les deux moutures de *La Bataille de Fontenoy* car Jacques Prévert apportait sans cesse des modifications[3]. »

On est loin de la rencontre quasi fortuite sur le boulevard Saint-Germain! « C'est Michaux qui, tout comme René Char, avait une immense admiration pour Jacques qui l'a incité à réunir ses textes pour René Bertelé qui l'éditait déjà », confirmera Hugues Bachelot témoin « de l'intérieur » de l'histoire de la famille Prévert, qu'il reconstituera patiemment[4].

1. Jacques Prévert in *Mon frère Jacques*, et à Madeleine Chapsal, in *L'Express*, 14 mars 1963, entre autres interviews.
2. Cité par Danièle Gasiglia-Laster, *Jacques Prévert*.
3. Arlette Besset à l'auteur.
4. Hugues Bachelot à l'auteur. Hugues Bachelot sera le gendre de Jacques Prévert.

L'habile René Bertelé qui, grâce à *Paroles*, devenait célèbre en même temps que Jacques Prévert, accrédita la légende de la rencontre avec le décorateur Clavel et du coup de téléphone donné par un poète détaché de son œuvre. La fable fournissait de la copie aux journalistes! Au début des années 70, alors que *Paroles* atteignait son premier million d'exemplaires, René Bertelé dira «sa» vérité au journaliste bordelais Gérard Benoît : «J'ai rencontré Prévert pendant la guerre, dans le Midi, il terminait un film vers Antibes. Jusqu'à cette date, je n'avais connu que des littérateurs. Breton, Éluard étaient des littérateurs, des hommes qui avaient la psychologie, le comportement des littérateurs. Rien de cela chez Prévert. Il était connu en tant que cinéaste et en tant que personnage. Il avait une présence extraordinaire, une personnalité très marquée. J'ai eu d'énormes difficultés pour rassembler les poèmes de *Paroles*. Les textes étaient dispersés dans les poches de tous les amis de Prévert. De plus, pour chaque poème, il existait plusieurs versions très différentes, parfois transmise de bouche à oreille comme au Moyen Âge. La recherche d'un manuscrit était une véritable aventure. En outre, Prévert vivait dans un milieu très clos, très agressif. Il a toujours été considéré comme le "chef de bande", le chef d'un groupe [1].»

Chef de bande, certes, mais ni maître à penser ni sectaire. «C'est pourquoi nous l'admirions et venions au Flore le plus souvent possible, soulignera Daniel Gélin. C'était un homme profondément libéral qui n'imposait rien à personne, alors que l'un de ses grands copains, Fabien Loris, d'un naturel profondément bourgeois, très attaché à son petit confort, nous regardait, nous, fils de bourgeois, avec les yeux d'un stalinien pur et dur [2].» Et un incommensurable mépris! Mais Prévert était trop heureux pour attacher une quelconque importance à ces mesquineries. Tous les bonheurs lui arrivaient en même temps : le succès inattendu de *Paroles* et l'arrivée d'un bébé. Janine l'espérait depuis si longtemps, malgré la réticence de Jacques qui, depuis le début de leur liaison, n'avait guère manifesté de fibre paternelle [3]. Mais il avait fini par céder au désir de sa compagne. À trente-trois ans et comme beaucoup de femmes de sa génération, celle-ci estimait qu'elle n'était pas loin d'atteindre l'âge limite pour concevoir un enfant. Dès le mois de mai — Janine fut sûre d'être enceinte en même temps que sortait *Paroles* —, Jacques Prévert qui gardait d'excellentes relations avec sa première femme, Simone, et son compagnon Louis

---

1. Archives Gallimard.
2. Daniel Gélin à l'auteur.
3. Roland Lesaffre à l'auteur.

Chavance — l'un des premiers complices de l'aventure cinématographique prévertienne —, s'aperçut de la complication de
leur situation matrimoniale. Jusque-là ni l'un ni l'autre n'avait
éprouvé le besoin de divorcer. Or, comme Simone attendait à
quarante-trois ans l'enfant de la dernière chance, elle accou-
cherait d'un bébé que Louis Chavance ne pourrait reconnaître
et qui serait officiellement celui de Jacques Prévert tandis que
ce dernier se verrait dans l'impossibilité de transmettre son
nom à l'enfant qu'allait lui donner Janine si elle parvenait à
mener à terme une grossesse qui se présentait fort mal. Un ami
avocat, Gaston Bouthoul, époux de la portraitiste Betty Bouthoul, se chargea de réaliser le divorce dans les meilleurs
délais, ce qui, à l'époque, n'était pas évident. Il s'en fallut d'un
cheveu pour que Michel Chavance, né en octobre 1946 et
Michèle Prévert, née avant terme le 16 novembre, ne puissent
porter le nom de leur géniteur respectif ! Durant sept mois, tandis que s'affirmait le succès de *Paroles* et que *Les Portes de la
nuit* se réalisaient cahin-caha, Janine mena une grossesse difficile. « Le diagnostic du gynécologue était effroyable, se souviendra Marcel Carné. Heureusement, quelques mois plus
tard, cela devait se révéler faux. La femme de Jacques, non sans
douleur, mit au monde dans une clinique de Boulogne, une
petite fille prénommée Michèle, en souvenir de *Quai des
Brumes*[1]. » Les proches de l'époque, comme André Virel, verront dans la symétrie des prénoms un clin d'œil farceur des
deux anciens époux, un rappel du temps où ils étaient jeunes,
beaux, amoureux l'un de l'autre, et parfaitement insoucieux de
l'avenir. « Il fallut agir très vite pour que Michèle soit officiellement la fille de Janine et Jacques Prévert, et Michel le fils de
Simone et Louis Chavance, rappellera le "commandant" Virel.
Quant au choix des mêmes prénoms, il n'est pas possible qu'ils
n'aient pas fait exprès[2] ! » Mais *Quai des Brumes*, trouvant après
guerre un nouveau public, était dans toutes les mémoires et
Michèle Morgan devenue à jamais une star adulée. « Sa fille
prénommée Michèle à cause de moi ? Allez donc savoir[3] ! » La
légende seyait à l'auteur de *Paroles*. Elle perdura. Cela n'avait
aucune importance car jamais ni Jacques Prévert ni Janine, qui
donnèrent officiellement à leur fille les prénoms de Michèle,
Georgia, Florence, ne l'appelèrent autrement que Minette ou
Minoute ! Et l'on parla d'autre chose car jamais le poète n'avait
été si demandé qu'en cette année 1946.

1. Marcel Carné, *op. cit.*
2. André Virel à l'auteur.
3. Michèle Morgan à l'auteur.

CHAPITRE 6

Le triomphe de « Paroles »

Année productive aux résultats divers au cours de laquelle, outre le tournage des *Portes de la nuit* et la publication de *Paroles* avec une fortune qui dépassait largement le succès d'estime, Prévert termina pour Paul Grimault le scénario de *La Bergère et le Ramoneur* d'après le conte d'Andersen, qui resserra encore les liens tissés entre la famille Prévert et le dessinateur rencontré chez Damour dans les années 30 en compagnie de Jean Aurenche et Yves Allégret. « C'est Pierrot qui m'a dit un jour : "Tu devrais faire de l'animation", se souviendra Paul Grimault. Je n'essayais pas de trouver pour ma part de nouvelles techniques. Je n'avais pas envie de faire ce que faisaient les autres, ni même d'apprendre. J'ai simplement essayé de raconter autre chose. Voilà. Au fond Jacques et moi nous étions un peu comme des frères qui se choisissent. Quand, après quelques essais dont *le Voleur de paratonnerre*, j'ai voulu faire *Le Petit Soldat*[1] d'Andersen, je suis allé voir Prévert pour lui demander ce qu'il en pensait. Tout de suite cette collaboration m'a ouvert d'extraordinaires perspectives. Puis nous avons mis en chantier *La Bergère et le Ramoneur*[2], entreprise sans précédent dans le cinéma français... Il est évident que c'est un film qui a servi de banc d'essai à de nombreux animateurs que j'ai formés[3]. » Ainsi le nom de Jacques Prévert figurera-t-il une fois de plus au générique d'un film d'importance « historique » puisqu'il s'agissait du premier dessin animé français de long métrage réalisé en couleurs.

Après l'excellent accueil réservé par les lecteurs à *Paroles*, les libraires ouvrirent volontiers leurs vitrines au *Cheval de trois* enfin prêt à la vente et qui abritait treize poèmes de Pré-

---

1. Sorti en septembre 1947 avec *D'homme à homme* de Christian-Jacque.
2. Sorti le 29 mai 1953 après de nombreux avatars.
3. D'après *Image et Son*, n° 189.

vert, treize de Verdet, treize de Virel. Ce dernier fut fort embarrassé lorsqu'un critique du *Monde* procéda à un éreintement des œuvres de Prévert, tout en soulignant combien celles du jeune résistant étaient superbes! Sur le conseil de Maurice Nadeau, Virel rendit alors visite à Rosny jeune, membre de l'académie Goncourt depuis cinquante ans et fort influent dans le milieu littéraire parisien, pour obtenir un prix «du style Renaudot[1]».

«Rosny m'a récité certains de mes poèmes qu'il savait par cœur tout en ajoutant: "Mais ne me parlez pas de ce fumiste de Prévert!" racontera Virel. Jacques avait placé dans *Le Cheval de trois*, *L'Amiral* qui nous faisait hurler de rire:

> L'amiral Larima
> Larima quoi
> la rime à rien
> l'amiral Larima
> l'amiral Rien.

L'humour de Jacques ajouté à son antimilitarisme viscéral ne plaisait pas à tout le monde[2]!»

René Bertelé n'était pas le seul à vouloir éditer «du Prévert». Paul Richez, avocat en renom et patron des Éditions du Pré aux Clercs qui — avec Prévert — avait été témoin au mariage d'André Verdet, était depuis longtemps entré en lice. Il faillit même battre Bertelé sur le poteau en publiant le premier *Histoires*, ouvrage préparé en même temps que *Paroles*[3], réunissant trente poèmes de Jacques Prévert, trente poèmes d'André Verdet et trente et un dessins de Mayo qui, auteur des costumes des *Enfants du paradis*, était considéré comme membre de la «famille». *Histoires* fut achevé d'imprimer un mois à peine après la publication de *Paroles* et n'avait pu voir le jour que grâce aux recherches, déclenchées par Bertelé, que les amis les plus proches, et Prévert lui-même, avaient menées à bien dans le fouillis que constituaient les archives du poète et dans les revues où il avait publié nombre de ses œuvres entre 1941 et 1946. Ainsi *Les Quatre Vents*, qui avait donné à ses lecteurs neuf des poèmes publiés dans *Histoires*, auxquels s'ajoutaient deux textes déjà parus dans *Le Cheval de trois* et un dans *Paroles*. «Jacques Prévert a fait *Histoires* pour aider André Verdet[4]», remarquera Serge Reggiani. Il y avait sans doute du vrai dans cette réflexion puisque Verdet dira sans vergogne: «Pendant

---

1. André Virel à l'auteur.
2. *Id.*
3. André Verdet à l'auteur.
4. Serge Reggiani à l'auteur.

un an j'ai vécu grâce aux droits d'auteur d'*Histoires* et à *C'est à Saint-Paul-de-Vence...* que Jacques m'avait donné l'automne précédent en guise de préface à certains de mes premiers poèmes réunis dans *Souvenirs du présent*[1].» Jacques Prévert accordait néanmoins une importance certaine à ce recueil auquel il ajoutera dix-neuf nouveaux poèmes lors des rééditions de 1948 et 1949 effectuées par Paul Richez, avant de lui donner quinze ans plus tard son ampleur définitive dans l'édition de 1963 intitulée *Histoires et d'autres histoires* publiée cette fois par Gallimard.

Dès la parution de *Paroles*, avec le succès que l'on sait, l'éditeur le plus prestigieux de Paris avait pris contact avec la nouvelle coqueluche de Saint-Germain-des-Prés. Il confirma son intérêt dans une lettre du 9 octobre 1946 :

> Monsieur Jacques Prévert
> 7 Villa Robert Lindet
> Paris
>
> Cher Monsieur et Ami,
> N'oubliez pas que je voudrais publier un recueil de vos poèmes inédits s'il vous en reste — mais aussi et surtout un recueil de tous vos poèmes en édition courante.
> Dès que la chose vous paraîtra possible, faites-moi signe.
> Bien amicalement
>
> Gaston Gallimard[2].

Sept semaines plus tard, l'éditeur revint à la charge par le canal de Roland Tual, le surréaliste devenu producteur de cinéma et avec qui Prévert entretenait encore les meilleurs relations.

> Cher Ami,
> Roland Tual devait vous rappeler mon désir de publier en édition courante vos poèmes et aussi vos contes.
> Cela, bien entendu, en attendant que vous ayez des inédits à me donner en vue d'une édition de luxe ou de demi-luxe.
> J'espère avoir bientôt l'occasion de vous rencontrer.
> Bien amicalement
>
> Gaston Gallimard[2].

Prévert était ainsi fait qu'il n'allait pas trahir son ami Bertelé pour répondre immédiatement au chant des sirènes de la rue Sébastien-Bottin. Pour passer sous la houlette de Gallimard, il attendra trois ans, le temps que René, en difficulté

---

1. André Verdet à l'auteur.
2. Archives Gallimard.

financière, soit « absorbé » par Gaston et cède Le Point du jour à Gallimard qui conservera, outre son directeur, le nom de la collection dont *Paroles* restera à jamais le fleuron.

Pendant la grossesse de Janine et alors que Carné peinait avec *Les Portes de la nuit*, Prévert avait écrit, en l'agréable compagnie de son vieux complice Pierre Laroche, l'adaptation et les dialogues de *L'Arche de Noé* — son vingt-deuxième film à voir le jour sur les quarante qu'il avait déjà dialogués — mis en scène par Henry Jacques, d'après le roman d'Albert Paraz qui en avait tiré une adaptation et des dialogues inutilisables. Le seul intérêt pour le poète était d'ordre financier et amical. Il retrouvait là, outre Laroche et Joseph Kosma chargé de la musique, quelques copains qu'il avait veillé à faire engager, comme Pierre Brasseur, Jeanne Marken, Yves Deniaud ou Fabien Loris. Le producteur Jack Cohen et le coauteur Pierre Laroche résumèrent laconiquement l'historique du film et la part exacte qu'y prit Jacques Prévert : « Le scénario de Paraz fut refait par Prévert et Laroche, dit Cohen. Prévert dictait, laissait son collaborateur corriger, puis remettait son texte... » « C'était un très mauvais scénario de Paraz, ajouta Laroche. Prévert a fait une adaptation de quelques pages. Je l'ai développée et dialoguée. Nous l'avons signée ensemble [1]. » L'histoire farfelue des inventeurs d'un carburateur permettant de remplacer l'essence par l'*aqua simplex* et de la panique qui s'ensuit chez les constructeurs automobiles et les magnats du pétrole, eut pour seul avantage d'exciter la verve humoristique de Jacques. Il la laissa pleinement éclater dans un exercice qui lui était cher entre tous : écrire pour son frère Pierrot un film que celui-ci réaliserait. Denise Tual, la bonne fée qu'il avait connue généreuse épouse de Pierre Batcheff au temps des vaches maigres, lui donna cette occasion. On se souvient qu'elle avait monté avant guerre, en compagnie de son troisième mari Roland Tual, et avec l'aide financière de Gaston Gallimard, une agence baptisée Synops qui fournissait en sujets puisés chez les éditeurs et résumés en quelques pages les maisons de production toujours à l'affût d'une bonne histoire. Synops possédait ainsi dans ses cartons les droits d'une nouvelle de Maurice Diamant-Berger, qui avait inspiré à Jean Nohain et Mireille les lyrics et la musique de *Paris Paris*, une opérette gentillette qui n'avait pas laissé un souvenir impérissable dans le Landerneau des chanteurs à voix. Si les Tual possédaient les droits de la nouvelle, Louis-Émile Galey, ancien patron du Comité d'organisation du cinéma — l'homme qui, en 1943, avait sauvé *Les Enfants du paradis* en engageant Pathé à reprendre l'ensemble de la pro-

1. *Premier Plan*, nº 14.

duction —, possédait ceux de l'opérette. Les deux parties se mirent d'accord pour produire un film à partir du sujet avant que les droits n'arrivent à expiration.

Leur choix se porta sur Pierre Prévert dont ils aimaient l'humour malgré les échecs répétés de ses deux premiers films, *L'affaire est dans le sac* et *Adieu Léonard*, mais à condition, exigea Louis-Émile Galey — qui amenait en outre un commanditaire prêt à financer partiellement l'entreprise —, que Jacques Prévert, dont le nom devenait synonyme de succès, se chargeât des dialogues d'après l'adaptation écrite par Pierrot et l'un de ses copains, Claude Accurci, rencontré chez Pathé. « C'est Galey qui a imposé Jacques Prévert, confirmera Denise Tual. Un Prévert qui, loin d'être emballé par le scénario en a pourtant écrit les dialogues. À contrecœur, mais il donnait ainsi une nouvelle chance à Pierrot. C'est pourquoi il n'a plus voulu en entendre parler quand ça a été un échec [1]. »

Le sujet de *Voyage-surprise* — nouveau titre choisi par les producteurs — était bien mince. Le critique Jean Queval le résumera ainsi : « Deux conspirateurs stromboliens conspirent contre le régime impérialiste de la Strombolie et deux galopins inventent le voyage-surprise en collaboration avec un grand-papa garagiste… et pour mettre fin à l'insolent monopole d'une compagnie d'autocars [2]. » Si le sujet était sans consistance, le budget était ridiculement réduit et Pierrot n'était pas en position de force dans le métier pour exiger les fonds correspondant à ses ambitions. Alors, les frères Prévert firent avec ce qu'ils avaient. « Dans *Voyage-surprise* on était en coopérative, rappellera Maurice Baquet qui, depuis *Le Crime de M. Lange*, était devenu une vedette à part entière fort prisée du public. On était défrayé mais on n'a jamais touché un rond. *Voyage-surprise* c'était aussi un "scénario surprise". Souvent, Jacques Prévert n'avait pas fini d'écrire la scène que nous allions tourner. On avait l'habitude, nous les anciens du Groupe Octobre où Jacques rédigeait le matin ce que nous allions jouer l'après-midi même. Il avait un jet, un "jus" formidable… quand il avait envie d'écrire [3] ! » Si Raymond Bussières, devenu lui aussi une vedette depuis ses débuts de militant révolutionnaire au Groupe Octobre, ne put participer à l'aventure pour cause d'engagements antérieurs ni partager les séances de franche rigolade qui ponctuèrent le tournage en extérieurs de Saint-Flour à Palavas-les-Flots en passant par les gorges du Tarn — le budget interdisait le Midi « trop vu et trop cher » —, il délégua sa jeune

1. Denise Tual à l'auteur.
2. Gérard Guillot, *Les Prévert*.
3. Maurice Baquet à l'auteur.

femme, Annette Poivre, épousée l'année précédente, et sa très jeune belle-fille, Sophie Sel qui commençait là une jolie carrière cinématographique. Son physique ne permettra pourtant jamais à la débutante de rivaliser avec celui de la jeune première du film, une certaine Martine Carol qui, paraissant pour la deuxième fois de sa vie devant une caméra, n'avait pas les exigences financières que la beauté de ses traits et sa plastique sans reproche lui permettront bientôt d'exprimer. Tout comme *Adieu Léonard*, *Voyage-surprise* fut le film de l'amitié puisqu'on retrouvait dans la distribution le mime Étienne Decroux, Nico Papatakis sous le pseudonyme de Niko Dakis, Roger Caccia, le partenaire de Gilles Margaritis dans leur numéro burlesque des Chesterfolies, Marcel Pérès et quelques autres fidèles. Ainsi la musique était de Joseph Kosma et les décors réalisés par Auguste Capelier d'après les dessins d'Alexandre Trauner que Denise Tual trouvait "trop cher et prétentieux[1]". «Nous avions tous mis nos salaires en participation, dira pourtant celui-ci. J'ai essayé d'imaginer une principauté d'Europe centrale avec mes vieux souvenirs hongrois, mon expérience... Je crois qu'avec ce film nous avons exprimé quelque chose de juste et marrant à la fois et j'ai toujours considéré *Voyage-surprise* comme un film important et original dans l'histoire du cinéma français[2].» Épaulé par son frère et par son premier assistant qui, comme pour *Adieu Léonard*, était Lou Tchimoukow, Pierrot Prévert espérait beaucoup de son troisième film. Les liens entre les deux frères étaient plus étroits que jamais et les amis du temps des Lacoudem de la rue Dauphine et du Groupe Octobre, tous familiers de l'œuvre du poète, voyaient en Pierrot l'incarnation de Raoutas, personnage mythique imaginé par Jacques à leur usage exclusif et à celui de leurs compagnes. On demandait son avis sur tous les sujets à Raoutas que le poète avait dessiné sous la forme d'un basset à la gueule féroce envahie par les poils. «Jacques le consultait sur un scénario, sur des dialogues, évoquera Denise Tual. C'était comme s'il se regardait dans la glace et dialoguait avec lui-même. À Simone *[sa première femme]* il disait: "Que crois-tu que Raoutas va penser[1]?"» Il avait luimême défini le personnage dans un des poèmes écrits à Ibiza en 1936:

> Deux personnes dans le monde te connaissent Raoutas
> deux seulement
> mais toi tu connais beaucoup de choses
> tu as le vrai savoir-vivre

---

1. Denise Tual à l'auteur.
2. Alexandre Trauner, *Décors de Cinéma*.

ce qu'il faut faire tu le fais quand il faut le faire
tu le fais
tu n'en fais pas un plat
tu le fais et puis tu t'en vas [...]

Pour une fois, Raoutas ne fut pas de bon conseil. Terminé le 8 janvier 1947, après cinq mois de tournage, le film fut de l'aveu même de Pierrot «un four terrible». «La maison Pathé n'aimait pas beaucoup *Voyage-surprise*, dira-t-il encore. Elle m'a emmené un soir au Pathé, rue de Lyon, dans une salle où il y avait très peu de monde, on a ôté le film pour lequel ces braves gens s'étaient dérangés et on leur a passé *Voyage-surprise* pour lequel ils ne se seraient pas déplacés. Naturellement, ça a été très froid, aucune réaction et on s'est retrouvé sur le trottoir, le distributeur et moi. Je suis parti tout seul en métro, l'affaire n'était pas "dans le sac"... Le film a été très mal accueilli[1].» «Ce film n'a pas eu de grand succès, admettra Jacques Prévert, mais fut un assez petit échec[2]!» Échec dont Pathé, coproducteur et distributeur, avait sa part en sortant le même jour une autre de ses productions, *Le silence est d'or* de René Clair, dans deux grands cinémas parisiens et *Voyage-surprise* à l'Empire, l'immense salle proche de l'Étoile qui ne convenait absolument pas à ce genre d'œuvre. Deux semaines d'exclusivité seulement, puis une brève et malheureuse carrière à Paris et en province, tel fut le bilan de *Voyage-surprise* qui acheva de convaincre les producteurs que l'humour des frères Prévert était incompatible avec le goût des spectateurs de l'époque. «Aucun film de Pierre Prévert n'a eu de succès public, regrettera Denise Tual. *Voyage-surprise* a été un flop complet. Devant le désastre, j'ai proposé à Jacques Prévert de remettre tout à plat, de garder les bonnes parties et de faire les liaisons grâce à un commentaire qu'il écrirait. Il a refusé ce nouveau montage. Il y avait pourtant toutes sortes de raisons pour que ce film soit accessible au grand public. Je crois qu'on aurait réussi, mais il n'a rien voulu entendre malgré tout ce que Pierre Batcheff avait fait pour lui, et ensuite Roland Tual, pourtant déjà diminué par la grave maladie qui devait l'emporter quelques mois après! Jacques était vexé que Pierrot, qui était un être adorable, n'ait pas fait un bon film. C'était la preuve que le petit frère n'avait pas de talent. Il y avait pourtant des scènes très jolies[3].» Jamais Denise ne reverra Jacques autrement qu'à l'occasion de rencontres fortuites. Jamais non

---

1. *Image et Son*, n° 189.
2. Jacques Prévert in *Mon frère Jacques*.
3. Denise Tual à l'auteur.

plus, après ce troisième échec, Pierre Prévert n'aura l'occasion de faire un nouveau film pour le cinéma. Toujours avec l'aide de son frère, il se tournera vers d'autres activités artistiques où il réussira, en particulier en dirigeant bientôt la Fontaine des Quatre-Saisons, et à la télévision où il réalisera quelques films plus qu'honorables tout en voyant, au fil des années, ses films « maudits » appréciés par les exégètes et recevoir un accueil chaleureux de la part des ciné-clubs et des cinémas culturels, comme le célèbre Studio 28 à Montmartre, au point d'être gratifié des notices les plus élogieuses dans les encyclopédies du septième art !

Certains amis, parmi les plus sincères, remarquèrent pourtant qu'après l'insuccès de *Voyage-surprise*, on décela comme une faille entre les deux frères jusque-là unis par une complicité exceptionnelle, faille à laquelle Janine, toute récente mère d'un bébé et peu encline à admettre la présence parfois envahissante de la bande à Prévert, n'était pas étrangère. Elle craignait avant tout que Jacques, à son habitude, ne vienne trop en aide à Pierrot, au détriment de ses nouvelles responsabilités paternelles.

Par ailleurs, l'échec cuisant de *Voyage-surprise* se produisant après la sortie mouvementée et l'éreintement des *Portes de la nuit* par la critique, à l'heure même où *Paroles* prenait un essor extraordinaire chez les libraires, donnait à Jacques Prévert l'occasion de nourrir quelque rancœur à l'égard du cinéma. Présenté au public trois semaines après la naissance de Minette, le dernier Carné-Prévert avait en effet été fort mal reçu. Projeté, au Marignan sur les Champs-Élysées, le 2 décembre 1946, d'abord à la presse et à l'équipe technique puis le lendemain au public, les critiques, bientôt suivies par les spectateurs de moins en moins nombreux chaque jour, furent si féroces qu'elles faisaient penser à une cabale. Encensés moins de deux ans plus tôt pour *Les Enfants du paradis*, Prévert et Carné étaient maintenant voués aux gémonies. « *Les Portes de la nuit*... ou *Les Portes de l'ennui* », ironisa Henri Jeanson. Le prétexte avancé par Marlene Dietrich pour refuser le film devint réalité quand de nombreux journalistes de droite reprochèrent aux auteurs d'avoir fait de leurs ouvriers des résistants et de leurs bourgeois des collaborateurs. Le procès d'intention était clair. Selon ces chroniqueurs, pour Carné et surtout pour Prévert, *tous* les ouvriers faisaient partie de la Résistance, tandis que *tous* les bourgeois pactisaient avec l'occupant. Cela n'incita pas pour autant la presse de gauche à se montrer plus tendre. « Un abracadabrant mélange de mélo et de fausse poésie », pouvait-on lire dans *Résistance* tandis que, dans *Les Lettres françaises*, Georges Sadoul, jusque-là si souvent favorable à Jacques Prévert, trouvait dans ses dialogues «une poésie de pacotille qui sent son 1925 d'une lieue». Robert Chazal dans *Cinémonde* regretta pour sa part «ce côté bedeau loufoque [qui] nous vaut des répliques pénibles». Si, dans *Carrefour*, François Chalais évoquait un film «presque admirable», Georges Altman dans l'*Écran français* parla de «morceaux de bravoure sur une erreur» et d'«histoire mal faite». «La critique de *L'Humanité*, écrira Marcel Carné, parut si injuste à Léon Moussinac que, quelques jours plus tard, il faisait paraître un second article à la place du premier qui n'était pas loin de couvrir celui-ci de ridicule [1].» *Dans mon beau quartier*, un magnifique poème de Paul Éluard dédié «à Carné et Prévert, qui inaugurent l'image réelle», vint mettre un peu de baume au cœur des intéressés. «Ouvrir les portes de la nuit, autant rêver d'ouvrir les portes de la mer; le flot effacerait l'audacieux, *[disait notamment Éluard [2]]*... Mais du côté de l'homme, les portes s'ouvrent toutes grandes. Son sang coule avec sa peine. Et son courage de vivre, malgré la misère, contre la misère étincelle sur le pavé boueux, enfantant des prodiges... Dans mon beau quartier, la résistance c'est l'amour, c'est la vie. La femme, l'enfant sont des trésors, et le destin est un clochard dont on brûlera, au grand jour, les loques, la vermine et la sottise rapace.» Mais un beau poème, fût-il écrit par l'auteur de *Liberté*, n'était pas suffisant. Le public, peu réceptif à la veine fantastique du film et rejetant l'affrontement entre affairistes collabos et FFI parés de toutes les qualités, se montra plus que réticent devant ce nouveau film. Le talentueux Raymond Borderie, directeur général de production de Pathé-Cinéma, y perdit son poste tant les 100 millions de francs du budget et le gigantisme des décors de Trauner furent dénoncés comme un indécent gaspillage tandis que les Français vivaient encore sous le régime des restrictions et du marché noir.

Quant à Jacques Prévert qui semblait serein et blindé depuis l'assassinat de *Drôle de drame*, dix ans plus tôt, il se montra ulcéré que la presse ait complètement ignoré *Les Feuilles mortes*, seconde chanson du film qui, quatre ans plus tard, allait faire le tour du monde et assurer la fortune de ses auteurs et de leurs héritiers! Il fut encore plus sensible à ce que la presse cinématographique disait de ses dialogues alors que la presse littéraire, souvent dans les mêmes journaux, saluait *Paroles* comme la révélation poétique de l'après-guerre!

— Tu comprends, dit-il à Marcel Carné en lui annonçant, deux semaines après la sortie du film, son intention de renon-

---

1. Marcel Carné, *op. cit.*
2. Cité par Marcel Carné, *ibid.*

cer à travailler pour le cinéma, j'en ai marre de bosser dix mois sur un scénario pour me faire engueuler en dix lignes par un con de critique[1].

Côté interprètes, si les seconds rôles — Brasseur, Bussières, Carette, Saturnin Fabre — tirèrent leur épingle du jeu, il n'en fut pas de même pour le duo des jeunes premiers. «Mlle Nattier a créé le type insignifiant», écrivit un quotidien résumant férocement l'avis de ses confrères, tandis que *Le Monde*, le plus écouté des journaux du soir, jugeait sans excès d'indulgence la prestation d'Yves Montand : «Ni photogénique, ni phonogénique, il manque plus d'expérience que de talent[2]... » Vingt-cinq ans plus tard, Montand, devenu l'immense vedette que l'on sait, déclarera, à l'occasion du triomphe de *César et Rosalie* de Claude Sautet, que sa présence dans *Les Portes de la nuit* lui avait fait perdre vingt ans dans sa carrière ! Il reviendra peu après sur cette hâblerie momentanément empruntée au personnage qu'il venait d'incarner en disant plus modestement : «Avoir Carné comme metteur en scène, Prévert comme dialoguiste et être mauvais comme un cochon, il fallait le faire[3]. » À la vérité, pour un débutant, il était loin d'être indigne de son rôle et fut une des victimes de ce mouvement d'humeur de la presse, du milieu cinématographique et, il faut bien le dire, des spectateurs qui, revenant peu après sur leur première impression, en viendront à partager le jugement de Raymond Chirat, l'un des plus brillants historiens du cinéma français : «Lors de la sortie, *Les Portes de la nuit* résistent mal à la cabale. Et pourtant quel réalisateur (exception faite pour le Clouzot de *Manon*) a pu peindre avec autant de force les matins glacés et les soirs sinistres de l'hiver 1945 ? Et quel dialoguiste a su faire parler aussi justement le cheminot Bussières, le collaborateur Saturnin Fabre, Carette en marchand à la sauvette, et Reggiani en résidu de la Milice ? Le film tombe comme une pierre dans une période troublée, éclabousse alentour et d'aucuns s'en offusquent, les mêmes qui font grise mine à *Aubervilliers*, court métrage sans complaisance d'Eli Lotar[4]. »

Au lendemain de la présentation au Marignan, le journaliste de *Paris-Matin* se crut autorisé à écrire : «*Les Portes de la nuit* marque la fin de la fécondité du tandem Prévert-Carné[5]. » Le projet avorté de *La Fleur de l'âge* lui donnera malheureusement raison.

---

1. *Ibid.*
2. Cité par Hervé Hamon, Patrick Rotman, *Tu vois, je n'ai pas oublié.*
3. Marcel Carné, *op. cit.*
4. In *Paris-Paris 1937-1957.*
5. *Paris-Matin*, 5 décembre 1946.

Au moins aussi atteint qu'Yves Montand par l'échec du film, Jacques Prévert n'avait, pour se consoler, que les lignes vengeresses du seul journal qui ait pris sa défense inconditionnelle : *Le Libertaire*. « Je veux vous dire *[avertit Robert André dans les colonnes du journal de l'anarchie]* que ce film est en tout point admirable et qu'il est parfaitement inconcevable que des bourgeois indignés et des parvenus du marché noir, qui n'y comprennent absolument rien, pour des raisons différentes d'ailleurs, s'esclaffent lourdement en des rires qu'ils veulent dédaigneux ou sifflent dans leurs doigts bagués d'or. Les premiers, parce que le dialogue incisif de Prévert et les images crues de Carné les blessent profondément dans leur étroitesse mesquine et qu'ils n'ont jamais désiré sortir de leur égoïsme et comprendre l'incompréhensible. Les seconds parce que le dialogue poétique de Prévert et les images irréelles de Carné les laissent complètement indifférents à cause de l'épaisseur de la couche de leur stupidité de marchands de fromage enrichis, qu'ils ne comprendront jamais, non seulement l'incompréhensible, mais le compréhensible tout court, à part les choses de la gueule et du fric [1]. »

Malgré l'échec cinglant, *Les Portes de la nuit* marqua pourtant un tournant dans la vie de Montand et dans celle de Prévert. Grâce à « la petite maîtresse d'un certain âge [2] » qui habitait avenue Pierre-1er-de-Serbie et s'efforçait de lui faire oublier sa récente rupture avec Édith Piaf, Montand, encore mal dégrossi malgré ses premiers succès, apprit que le dialoguiste du film qu'il tournait n'était autre que l'auteur de *Paroles* qui venait de sortir et que son amie lui recommandait vivement. « Cette femme, entretenue par un riche égyptien, dira-t-il, m'a fait découvrir deux choses importantes pour l'époque : une poudre pour les odeurs sous les bras — les déodorants n'existaient pas encore — et *Paroles*. "Il faudrait que tu le lises", me dit-elle, et je lis : "L'Amiral Larima, la rime à rien" et "Louis I, Louis II, Louis III... Qu'est-ce que c'est que ces gens-là qui ne sont pas foutus de compter jusqu'à vingt ?" Et puis encore : "Notre Père qui êtes aux cieux, restez-y", et aussi : "Ceux qui croient... ceux qui croa-croa... [2]" »

Et Montand est enthousiaste. Voilà des chansons — car nombre de poèmes sont déjà mis en musique par Kosma — qui lui conviendraient parfaitement alors qu'il souhaite changer de genre et d'accompagnateur.

---

1. Cité par André Heinrich *in* Préface au scénario *Les Portes de la nuit*, *op. cit.*
2. Yves Montand à Hervé Hamon et Patrick Rotman pendant la préparation de leur livre *Tu vois, je n'ai pas oublié* (archives Patrick Rotman).

Avec le succès, Montand avait déjà évolué. Le triomphe qu'il obtint à l'ABC, la célèbre salle de Mitty Goldin sur les Grands Boulevards, moins d'un mois après le flop des *Portes de la nuit*, faisait oublier le fantaisiste de l'Alcazar de Marseille et le faux cow-boy de *Dans les plaines du Far West* de ses débuts. Avec des œuvres comme *Gilet rayé* ou *Battling Joe*, *Luna Park*, *La Grande Cité* ou *Les Grands Boulevards*, la France découvrait son «prolo chantant[1]» et des chansons qui relevaient du mini-drame et de la mini-comédie. Après avoir manqué les deux mélodies du film, *Les Enfants qui s'aiment* et *Les Feuilles mortes*, dont Carné et Prévert avaient préféré confier l'interprétation à Fabien Loris qui apparaissait à l'image sous le métro suspendu de Barbès-Rochechouart, et à Irène Joaquim qui fredonnait le futur succès mondial en voix off sur les dernières images, Yves Montand les mettra à son répertoire, lors de sa rentrée à l'automne 1947 au théâtre de l'Étoile. Et là, surprise! *Les Enfants qui s'aiment* bercera l'assistance. Et *Les Feuilles mortes* tombera dans un silence glacé. Trop alambiqué, tout cela, pas assez swing, objectera invariablement la salle[2].» Paradoxalement c'est Jacques Prévert, dont l'oreille n'était guère musicale, qui apportera une partie de ce swing à Montand en lui présentant l'un de ses meilleurs amis, le jeune guitariste Henri Crolla qui lui aussi faisait partie de la «famille» depuis que le peintre photographe Émile Savitry et Paul Grimault, tous deux excellents guitaristes, l'avaient découvert pendant la guerre jouant du banjo et de la mandoline à la terrasse d'un bistro de la place d'Italie. Ébahis par sa prodigieuse virtuosité, ils l'avaient amené à la bande du Café de Flore où il s'était lié tout d'abord avec la jolie Simone Signoret qui conquérait tous les cœurs, puis avec Jacques Prévert de retour du tournage des *Visiteurs du soir*. Ce jeune homme de vingt-trois ans, dont le front se dégarnissait déjà mais dont le visage rond était un perpétuel sourire, ne pouvait que plaire au poète. Tous deux venaient de la rue. Henri Crolla était né à Naples en 1920 et avait suivi ses parents chassés par le régime fasciste de Mussolini. Dans la famille Crolla on ne vivait — chichement — que par et pour la musique. Le père et la mère jouaient de la mandoline, qu'Enrico, devenu Henri à Paris, avait appris en même temps que le banjo pratiqué également par un autre frère, tandis que le troisième jouait du violon et que les trois filles chantaient. Six enfants sur les quatorze que Mme Crolla avait mis au monde avaient survécu à la misère et formaient avec leurs parents le «Jazz Crolla», qui écumait les terrasses de

1. *Ibid.*
2. *Ibid.*

cafés et les rues populaires de la porte d'Italie où les plus pauvres des émigrés italiens avaient construit leur baraque sur les terrains vagues de la «zone». Henri le Rital avait pour voisin un certain Django Reinhardt dont la roulotte abritait une famille manouche aussi nombreuse que la sienne. L'étoile de Django avait commencé à briller dans l'immédiat avant-guerre au sein du Hot Club de France et il était devenu une vedette dans les années 40 sans rien changer à ses habitudes. Il encouragea le gamin de dix ans son cadet, qu'il jugeait le plus doué de la famille. «Henri a dû gagner sa vie très jeune *[racontera sa femme Colette Crolla, que les amis baptiseront Crolette]*. Il allait en classe, puis, à la pause du déjeuner, il courait jouer du banjo à la terrasse des bistros, retournait en classe et recommençait le soir. Même pendant l'Occupation, où il trouvait des engagements à droite et à gauche dans des boîtes qui pullulaient, il jouait jusqu'au-delà du couvre-feu et rentrait à pied au Kremin-Bicêtre[1].» Paul Grimault le logea bientôt dans le rez-de-chaussée qu'il occupait avenue de la Sœur-Rosalie, une calme voie de la place d'Italie, et lui offrit une guitare digne de son talent. Dès qu'il l'entendit, Lou Tchimoukow fut si ému qu'il lui donna tout l'argent qu'il avait sur lui. Enfin Prévert l'adouba, se sentant aussitôt plus à l'aise avec ce jeune musicien autodidacte — tout comme Django, il ne savait pas lire la musique — qu'avec le savant Joseph Kosma dont il n'avait jamais réussi à percer la cuirasse et qui n'appréciait ni la rue ni le ruisseau. Henri Crolla fut donc intégré à la bande et elle devint aussitôt sa vraie et seule famille. Dès lors, il ne répondit plus qu'au surnom de Mille-Pattes en hommage à sa virtuosité ou à celui de Petit Soleil forgé par Jacques Prévert ; et chacun remarqua, avec une pointe de jalousie, qu'il le considérait comme le fils qu'il aurait pu avoir à vingt ans.

Tel était le cadeau que Jacques Prévert fit à Yves Montand à l'heure où celui-ci venait d'engager un excellent pianiste, Bob Castella, fort apprécié dans les milieux du jazz, pour donner une couleur swing à l'ensemble qui allait désormais l'accompagner. Là encore, Mille-Pattes fut immédiatement adopté. Non seulement musicien hors pair mais gosse de la rue comme Prévert, comme Montand, «Rital» comme Montand, comme Castella, amoureux du jazz et de «la belle ouvrage» comme tous, l'ami de Django Reinhardt séduisit le chanteur. Le trio de base Montand-Castella-Crolla était constitué. Pour la vie. Qui sera bien courte puisque Petit Soleil s'éteindra à l'aube de ses quarante ans, enlevé par un cancer foudroyant. Mais il aura mis d'inoubliables musiques sur certains des plus beaux poèmes de

---

1. Colette Crolla à l'auteur.

Jacques comme la *Chanson des cireurs de souliers*, inspiré par le voyage américain de 1938, premier texte que lui donna son ami et dont Yves Montand, sous le titre de *Les Cireurs de souliers de Broadway*, fera son premier succès «d'après un poème de Prévert». Suivront, entre autres, l'inoubliable *Sanguine* dont l'érotisme délicat fera si peur aux pudibonds censeurs de la Radio nationale qu'ils l'interdiront d'antenne pour «excès de lascivité»! Jusqu'à l'ultime récital, jamais *Sanguine* ne disparaîtra du répertoire du chanteur.

Autre cadeau qu'à la même époque Montand reçut d'un Jacques Prévert aidé par le destin: Francis Lemarque. Sans être membre à part entière de la «famille», celui-ci faisait néanmoins partie des familiers comme tous les membres du Groupe Octobre. Depuis son retour à Paris, il vivotait de petits boulots et de rares engagements pour interpréter les chansons des autres après être passé par le maquis puis par un corps franc avant de terminer la guerre comme lieutenant, blessé dans la 1re armée du général de Lattre de Tassigny au bord du lac de Constance. Les frères Marc, baptisés par Aragon, n'existaient plus. Maurice le «Vieux Marc», marié et père de famille, avait jugé plus raisonnable de vendre des livres sur les marchés que de poursuivre une aléatoire carrière de chanteur duettiste. «Marc cadet» avait refusé l'offre de travailler avec Maurice et sa belle-sœur. Il avait vingt-huit ans et espérait plus de la vie que de jouer le libraire ambulant sur les marchés municipaux. Le temps des goguettes était passé mais il avait toujours le virus de la scène contracté au beau temps du Front populaire, des chœurs parlés et des imitations de Gilles et Julien. Il n'avait rien oublié des leçons de piano de Lilly Kosma et était également capable de s'accompagner à la guitare. Mais, avant de se produire, il lui fallait créer un répertoire et se forger un style. Après avoir entendu Yves Montand au Club des Cinq, la salle du faubourg Montmartre où le chanteur faisait chaque soir un tabac, Francis Lemarque — qui s'appelait toujours Nathan Korb et courait le cacheton sous le nom de Francis Marc, dernier vestige des «Frères Marc» — en sortit enthousiaste et... désespéré. Cet Yves Montand dont tout le monde parlait et qu'il voyait et entendait pour la première fois faisait exactement ce qu'il souhaitait faire depuis toujours et qu'il ne faisait pas: chanter le peuple, ses bonheurs, ses luttes, ses espoirs. «J'étais tellement secoué que j'avais quitté la salle avec les premiers spectateurs. Je marchais dans les rues en ruminant de noires pensées. J'avais le cafard... J'étais jaloux... C'est alors que j'eus une illumination. Montand chantait, il avait donc besoin de chansons; j'allais en écrire pour lui: c'était simple, il fallait y penser[1]. » Et le miracle se produisit. Le velléitaire que ses amis ne voyaient qu'aux heures des repas, le pique-assiette qui virait au clochard, s'enferma dans la chambre minuscule qu'il louait à Saint-Germain-des-Prés et, pendant des jours et des jours, remua des idées, esquissa quelques vers, sifflotant l'air qui lui passait par la tête, lui qui n'avait jamais écrit le moindre poème, la moindre mélodie, se contentant de chanter les mots et les musiques des autres. Ainsi naquit, après une gestation des plus pénibles, *Ma douce vallée* :

> Qu'elle était verte ma vallée
> qu'elle était douce à regarder
> Il faisait bon y travailler
> il faisait bon s'y reposer.

L'histoire était simple et courait dans tous les westerns — celle d'un pauvre fermier chassé de ses terres par les grosses compagnies de chemin de fer — l'air était populaire mais pas autant que celui de la seconde chanson qui disait :

> Bal, petit bal
> où je t'ai rencontrée
> souviens-toi
> tu n'étais pour moi,
> ce soir-là,
> rien qu'une inconnue [...]

Celle-ci parut facile à écrire, tout comme la suivante qui racontait l'exténuante journée d'un tueur à gages surmené au point de sauter ses repas, et qui devint *Le Tueur affamé*! La quatrième chanson, un hymne à la ville qui avait accueilli rue de Lappe une famille de pauvres juifs polono-lituaniens, mit des mois à se construire autour de son simple titre : *À Paris*. Assez longtemps pour que Francis voie ses mirifiques projets disparaître au rayon des illusions perdues. Ses chansons, lui sembla-t-il, ne valaient rien et surtout pas d'être présentées à un artiste comme Montand. Homme à tout faire — les courses, le ménage, les paquets — aux éditions de Minuit, il se résigna à accepter l'offre de ses cousines qui possédaient plusieurs magasins de vêtements sur les Champs-Élysées. «Au moins tu seras bien habillé et tu feras quelque chose au lieu de traîner comme tu le fais», lui dirent les braves femmes en lui promettant un poste de directeur en souvenir de leur défunte tante qui n'était pas revenue de déportation.

Avant de se ranger définitivement et d'oublier à jamais la

---

1. Francis Lemarque, *op. cit.* et à l'auteur.

scène et les Frères Marc, Francis voulut l'avis de Jacques Prévert, l'homme qui lui avait répondu un jour, alors qu'il lui demandait ce qu'il fallait faire « pour écrire des trucs aussi formidables que les tiens » : « Faut pas se dégonfler ! » Après avoir entendu les trois chansons qui constituaient tout le bagage du jeune chanteur, Prévert laissa tomber son verdict : « Moi, je les aime bien, mais je voudrais pas te donner de mauvais conseils. On va demander son avis à un gars qui s'y connaît. » Et, décrochant son téléphone, il appela... Yves Montand. Là encore, clin d'œil du destin. Grâce à Prévert, l'espoir revenait. Miraculeusement disponible, Montand n'eut qu'une phrase pour le protégé de l'auteur de *Paroles* : « Qu'il vienne ! » Une demi-heure plus tard, Francis plaquait les premiers accords de *Ma douce vallée*, il enchaîna sur *Bal, petit bal* et termina avec *Le Tueur affamé*.

— Tu en as encore d'autres ? dit Montand.

— Non, mais je vais en faire. J'en ai une en chantier sur Paris, ça dit : « À Paris, quand un amour fleurit ça fait pendant des semaines deux cœurs qui se sourient... » Il faut que je la finisse.

— Celles-là, je te les prends. Et tout ce que tu écriras désormais tu me le montreras en premier [1].

Toujours grâce à Jacques Prévert, Yves Montand, après avoir découvert son guitariste fétiche, venait de trouver l'auteur compositeur qu'il chantera le plus souvent durant sa longue carrière. Avec Prévert, qu'il révélera à un public populaire encore un peu intimidé devant les poèmes de *Paroles*, et avec Kosma dont il s'obstinait à imposer la lancinante mélodie des *Feuilles mortes*. Jusque-là sans grand succès...

*

L'intérêt suscité dans le public par les premières réimpressions de *Paroles* — celles dont la couverture utilisait encore les « graffitis » de Brassaï — se transforma en raz de marée lorsque René Bertelé, après le vingt-cinquième mille, décida au printemps 1947 de mettre en route une nouvelle édition « revue et augmentée ». En effet, de nombreux lecteurs s'étaient étonnés de ne pas trouver, dans le premier recueil, des œuvres grappillées ici et là qu'ils appréciaient de longue date, comme *Le Temps des noyaux*, *Le Paysage changeur* et *La Grasse Matinée*, avec son déjà célèbre « petit bruit de l'œuf dur cassé sur un comptoir d'étain » ; ou encore les chansons populari-sées dès l'avant-guerre par Agnès Capri ou Marianne Oswald, comme

---

1. Francis Lemarque à l'auteur.

Chasse à l'enfant qui avait fait scandale sur la scène de l'ABC. Certaines étaient déjà publiées dans l'album *21 chansons*, édité avec la musique de Kosma par Jacques Enoch. Ces regrets formulés publiquement par Maurice Nadeau, dans un article remarqué de *Combat* attestant l'importance de Prévert dans la poésie française du demi-siècle, touchèrent l'écrivain. Aux soixante-dix-neuf poèmes de la première édition, il en ajouta seize, et dessina lui-même avec Pierre Faucheux — l'un des plus talentueux maquettistes que connaîtra l'édition française — une nouvelle couverture qui trancherait plus que la précédente sur la mosaïque des nouveautés dans la vitrine des libraires. Prévert choisit une maquette d'une sobriété monacale, noire avec son nom et le titre du recueil en rouge, mais sans les bavures de peinture de la première édition. C'était net, précis, et il y employait les couleurs de l'anarchie qui, plus que toute autre étiquette attachée à son nom depuis le Groupe Octobre, représentaient parfaitement sa pensée.

« Alertés par la presse, le bouche à oreille et certains enregistrements réalisés par de nouveaux chanteurs comme Montand et Mouloudji, les jeunes gens de mon âge et plus seulement ceux du "Quartier" achetèrent *Paroles*, rapportera Jean-Paul Caracalla *[historien et témoin de l'âge d'or de Saint-Germain-des-Prés, avec Guillaume Hanoteau et Boris Vian]*. C'est le *Paroles* à couverture noire qui deviendra leur bible, alors que les premières éditions "Brassaï" se transformèrent en pièces de musée[1]. » « C'est la seconde édition enrichie de nouveaux poèmes qui a provoqué l'explosion, ajoutera Serge Reggiani *[dont l'interprétation magnifique du salaud des* Portes de la nuit *lui avait ouvert celles du vedettariat]*. J'ose dire que je suis un peu responsable de ce succès car j'ai enregistré à l'époque une grande partie de *Paroles* en disques qui ont connu un très vif succès. Tant d'années après, en scène, je dis toujours : "Il ne faut pas laisser les intellectuels jouer avec les allumettes", extrait de *Paroles*[2]. » C'est à partir de l'édition noire et de l'exceptionnel accueil qui lui fut réservé que Prévert devint le sujet de savantes analyses jusque dans des revues littéraires américaines de haute tenue. Même Henri Hell qui, dans *Fontaine*, se montra l'un des plus réservés des grands critiques sur l'œuvre de Prévert conviendra que « cette poésie qu'on peut dire populaire est plus savante qu'elle ne paraît et a respiré l'air surréaliste[3] ». Albert Gaudin, dans *The French Review*, saura admirablement expliquer et résumer l'extraordinaire engouement dont Prévert

---

1. Jean-Paul Caracalla à l'auteur.
2. Serge Reggiani à l'auteur.
3. Cité par Arnaud Laster, *op. cit.*

jouira durant le demi-siècle à venir : « On trouverait facilement dans cette poésie de Prévert qui paraît si spontanée, si négligemment jetée sur le papier, les accords les plus subtils, les jeux de sonorités les plus délibérés, les alternances de mètres les plus calculées. Et si bien souvent on ne les aperçoit guère, c'est que Prévert choisit de donner à ses poèmes une forme populaire : chanson, romance, complainte ; et c'est que surtout il possède admirablement l'art, donné à un tout petit nombre, d'utiliser la langue populaire sans la pasticher[1]. » Léon-Gabriel Gros dans les *Cahiers du Sud* n'hésita pas à écrire que *Le Dîner de têtes* et *La Crosse en l'air* atteignaient parfois « l'ampleur maldororienne ». Ces mêmes *Chants de Maldoror* dont Prévert encore hésitant sur la voie à suivre — tendre canaille ou franc voyou ? — était tombé amoureux, rue de l'Odéon, chez Adrienne Monnier ! À travers *Paroles*, Prévert réussissait ce miracle : rallier « amateurs de poésie » et « grand public » grâce à son expérience de la rue que Michel Leiris admirait déjà rue du Château alors qu'il n'avait encore rien écrit. Là, disait Léon-Gabriel Gros, se trouvait sans doute la clef de ce succès exceptionnel : « Jamais […] poète de ce temps, sans renoncer aux plus audacieuses recherches d'avant-garde, sut mieux être à la portée du public[2]. » Voilà qui n'allait pas lui être pardonné de sitôt par une certaine intelligentsia dont il se moquait depuis ses premiers contacts avec les surréalistes.

Pour bien marquer la différence entre les deux éditions, René Bertelé procéda à un nouveau tirage de tête pour ce *Paroles* toujours apprécié à l'aube des années 2000. « Il a été tiré de cette nouvelle édition, revue et augmentée, prévint l'éditeur, cinq cent trente exemplaires sur alfa du Marais dont trente numérotés de 1 à 30, nominatifs, réservés à l'auteur, aux éditeurs et à leurs amis, et cinq cents exemplaires numérotés de 1 à 500. » Jacques Prévert se réserva le numéro 1 des exemplaires nominatifs cartonnés et toilés qui portait la mention « Imprimé spécialement pour Jacques Prévert » et qu'il se dédicaça ainsi : « Pour Jacques Prévert, son ami Jacques Prévert. » Sa signature était suivie d'un de ces petits chats qu'il affectionnait et que les enfants apprennent à dessiner à la communale. Il donnera peu après ce précieux exemplaire à André Verdet, accompagné de ces simples mots : « Pour André, son ami Jacques. » Ils en disaient long sur la solidité des liens qui, depuis la guerre, unissaient le poète antimilitariste au poète résistant.

Lors de la signature de son service de presse, Prévert, qui avait su par Adrienne Monnier qu'André Gide avait payé de

1. *Ibid.*
2. *Ibid.*

ses deniers un exemplaire de la première édition — «voui, en personne...» révélait le cahier de «la belle abbesse plantureuse» —, lui adressa l'un des exemplaires toilés qui lui valut la réponse suivante :

> Cher Jacques Prévert,
> Ah! voici qui me touche. Je suis confus et ravi... Vous devez bien penser que je n'avais pas attendu cet envoi pour écouter vos *Paroles* ; même je me les étais offertes aussitôt proférées... mais combien m'est plus précieux cet exemplaire avec votre dédicace et le beau tableau de Maurice *[Henry]* que vous y avez joint. Remerciez-le de ma part.
> Je vous écris aussitôt avant d'avoir pris connaissance des nombreux ajouts de cette nouvelle édition[1].

Une seconde lettre suivit presque immédiatement.

> Cher Jacques Prévert, quelle joie de vous lire! et surtout de vous lire à haute voix (un de mes «succès») devant un petit groupe d'amis choisis — qui deviennent aussitôt les vôtres, comme je suis déjà depuis longtemps — et qui disent: Encore! Encore... *Bis! et repetita placent*... etc. Amen.
> *Truly yours*, comme ils disent[1].

Fort de l'engouement populaire qu'il pressentait, René Bertelé avait considérablement baissé le prix de vente de la nouvelle édition ordinaire qui, de 350 F sous la couverture «Brassaï», passait à 190 F sous la couverture noire, prix on ne peut plus raisonnable qui la rendait accessible à tous. Le plus grand succès poétique de langue française était en marche.

Avec des admirateurs déclarés, comme André Gide et Henri Michaux, sans oublier René Char, Jacques Prévert — qu'il le voulût ou non — était établi dans le monde littéraire parisien et faisait son entrée à quarante-sept ans dans le Tout-Paris dont il ne s'était jamais soucié. Il sera dès lors et jusqu'à sa mort une des cibles favorites des photographes d'art ou de presse avec lesquels — souvent en compagnie de Picasso — il jouera volontiers, aussi habiles l'un que l'autre à polir leur image de marque et leur popularité.

On retrouvera le reflet de cette popularité dans l'intense activité à laquelle se livra le poète — réputé paresseux! — durant les mois qui suivirent. Outre *Le Cheval de trois*, *Paroles* et *Histoires*, Jacques Prévert publia en tiré à part *Les Ponts de Paris* qui deviendra *Encore une fois sur le fleuve* et que l'on retrouvera dans la nouvelle édition «augmentée» d'*Histoires*. Il s'agissait d'un long texte de 542 vers qui, avec la musique com-

---

1. *Ibid.*

posée par Kosma, constituait un oratorio commandé et radio-diffusé par la chaîne parisienne[1] avec pour interprètes les chanteurs Jean Lavaux, Lucien Lovano et Germaine Montero, et pour récitants Madeleine Renaud, Serge Reggiani, Roger Blin et Robert Chandeau. Prévert y évoquait une promenade tragique sur les bords de la Seine dans un Paris où le sang coulait autant que le fleuve, et où la misère côtoyait — de Henri IV à la grande rafle du Vel' d'Hiv' — la justice «qui habitait un palais», et ponctuait des mêmes douleurs et des mêmes cris l'histoire de ce monde si féroce pour les plus démunis, de la naissance à la mort. Jacques Prévert tenait beaucoup à cette œuvre et se déclara très «heurté» que musiciens et commandi-taires l'aient définie comme un oratorio, mot latin qui, pour lui, évoquait irrésistiblement l'Église et la religion qu'il abhorrait depuis Auguste-le-Sévère et Saint-Nicolas-du-Chardonnet. Il proposa «poème lyrique» ou encore «feuilleton musical» mais Joseph Kosma, formé aux normes classiques et très attaché aux dénominations traditionnelles, resta intraitable. Pour une fois qu'il faisait autre chose que du cinéma ou de la chansonnette avec Prévert! Il tenait d'autant plus à ce terme d'oratorio, d'une noblesse rassurante, qu'il venait de rencontrer Marie Merlin, bas-bleu communiste qui voulait entraîner son nouvel amant vers les sphères plus distinguées des cadres du Parti où un Ara-gon si raffiné faisait la pluie et le beau temps, tandis qu'un Pré-vert n'était à ses yeux qu'un type qui se soûlait dans les bistros[2]! *Les Ponts de Paris* resta oratorio et les liens qui n'avaient jamais été très chaleureux entre les deux hommes se distendirent un peu plus. Ce différend n'empêcha nullement Prévert d'approuver le choix de Marcel Carné qui voulait le musicien hongrois, fraîchement naturalisé français, pour écrire la musique de leur huitième film.

Après la descente en flammes des *Portes de la nuit*, le tan-dem le plus célèbre du cinéma français avait éprouvé quelques difficultés à trouver un producteur. Carné y était parvenu, alors que Prévert persistait dans son refus de travailler à nouveau pour le cinéma. C'est alors que le metteur en scène, pour flé-chir son dialoguiste préféré, lui suggéra de remettre sur le métier *L'Île des enfants perdus*, un projet que Jacques avait à cœur, interdit par la censure en 1937, et dont il n'avait gardé que la bouleversante chanson *Chasse à l'enfant*. Carné lui fit miroiter que l'intérêt social d'un film consacré aux bagnes d'enfants était plus que jamais d'actualité après quatre ans d'Oc-cupation, que la censure de l'après-guerre était plus clémente

---

1. Diffusion le 18 décembre 1947.
2. Gérard Pellier à l'auteur.

qu'avant, que scénario et dialogue étaient aux trois quarts écrits, et que surtout… surtout c'était l'occasion de permettre à Arletty d'effectuer une rentrée que les « épurateurs » de l'époque, incapables de pardonner une malencontreuse histoire d'amour, lui refusaient encore. « Ce fut vraisemblablement ce dernier argument qui le décida, rapportera le réalisateur[1]. » Outre Arletty, la fiche technique ne réunissait que des amis d'hier et d'aujourd'hui : le quatuor magique Prévert-Kosma-Trauner-Carné assisté de Lou Tchimoukow, la scripte fétiche Jeanne Witta, les copains comédiens Serge Reggiani, Julien Carette, Lucien Raimbourg, la belle Martine Carol adoptée depuis *Voyage-surprise*, le nonchalant Jean Tissier, Paul Meurisse qui se révélait acteur de grande classe, et une adorable débutante de seize ans dont les traits admirables et le corps gracile étaient dignes d'une toile de Raphaël. Fille du comédien Henry Dreyfus, dit Murray, Françoise Dreyfus avait passé une enfance chaotique, naviguant de Paris à Barbezieux puis à Bandol, errant de caches en caches comme tous les gamins qui, durant la guerre, essayaient de faire oublier un patronyme lourd à porter. S'appeler Dreyfus sous l'Occupation n'était pas une sinécure ! Elle avait débuté dans un rôle effacé, sous le simple pseudonyme d'Anouk dans *La Maison sous la mer* d'Henri Calef où Marcel Carné l'avait remarquée. Les essais furent favorables, la jeune fille engagée. « Anouk tout court, ça ne veut rien dire, maugréa Prévert, faussement bougon. Ici, tout le monde t'aime, alors tu t'appelleras Anouk Aimée ! » Pouvait-on résister à l'homme dont chacun parlait et qui, dans l'un des plus beaux poèmes de *Paroles*, disait à une jeune inconnue :

> Rappelle-toi cela Barbara
> Et ne m'en veux pas si je te tutoie
> je dis tu à tous ceux que j'aime […]

Dotée du plus charmant pseudonyme qui soit sur les quais de Belle-Île où se déroulait la révolte des jeunes détenus du pénitencier, Anouk Aimée y commença vraiment une carrière, sans se douter qu'elle serait internationale et qu'elle-même, sous l'égide de Prévert, deviendrait demain l'une des reines de Saint-Germain-des-Prés en épousant l'animateur de La Rose Rouge, Nico Papatakis, le beau « prince éthiopien » venu s'agréger à la bande pendant l'exode et qu'il n'avait plus quittée depuis. Ce fut le seul bon souvenir de *L'Île des enfants perdus* — devenu *La Fleur de l'âge* à cause du succès du film de Léo Joannon *Le Carrefour des enfants perdus* — dont Marcel Carné

1. Marcel Carné, *op. cit.*

commença le tournage le 28 avril et qu'il dut interrompre
en août à la suite d'une série d'incidents de fort mauvais
augure : noyade d'un figurant, météorologie exécrable, pru-
dence maladive du capitaine d'un yacht loué à prix d'or aux
Faucigny-Lucinge qui ne le faisaient jamais sortir du port de
Monte-Carlo ; enfin défection financière du producteur qui
envoyait si irrégulièrement les défraiements et les salaires de
l'équipe que les ouvriers et techniciens représentés par Jeanne
Witta, et les acteurs par Serge Reggiani, se mirent en grève ! Le
coup de grâce fut porté par le capitaine du yacht : vexé du peu
de cas que faisait Carné de ses qualités de yachtman, il attendit
l'heure exacte de la fin de son contrat pour mettre le cap sur
son port d'attache, sans prévenir personne... Le film était à
l'eau dans tous les sens du terme. Chacun rendit son tablier.
Arletty profita de cette mésaventure pour repérer la plus petite
maison de pêcheur de l'île — elle ne comportait qu'une pièce —
qu'elle acquit l'année suivante. Amoureuse de l'île, elle conservera cette maisonnette jusqu'à sa mort.

Quelque peu amer, Jacques Prévert regagna Paris où il
avait épousé, le 4 avril, Janine Tricotet à la mairie du Ier arrondissement, légitimant ainsi sa fille Michèle qu'il avait reconnue, dès sa naissance, quatre mois plus tôt. Cette régularisation
n'empêcha nullement notre poète de reprendre contact avec
Jacqueline Laurent, de retour d'Italie où elle avait fait une petite
carrière à Cinecitta, et avec Claudy Carter qui vivait entre
Antibes et Saint-Paul-de-Vence. « Quand je me suis réinstallée
en France, dira Jacqueline, il m'a tout de suite téléphoné pour
me revoir. Il avait explosé dans tous les domaines. On ne parlait que de lui. Il avait envie de renouer un peu, mais moi j'étais
à des kilomètres de distance sur le plan sentimental. La page
était tournée. Et Janine avait été une amie qui exauçait maintenant ses moindres désirs. Elle était en admiration béate devant
lui, devant ce qu'il faisait, et c'est ce qu'il lui fallait. Il avait
besoin de cette admiration permanente, de sa cour[1]. » Quant à
Claudy, elle était heureuse avec son mari, amateur de football,
et son fils. « Jacques est resté très ami avec moi, dira-t-elle. Il a
été le parrain de mon petit garçon. Il a continué à beaucoup
m'aimer. Notre grand amour s'était transformé en amitié.
Quand il était à Saint-Paul, il venait presque chaque jour chez
nous. Il n'y a eu de changement que quand il a eu un accident
à Paris. On l'a vu moins souvent. Il est devenu plus calme.
Janine, qui ne m'aimait pas du tout, se l'est accaparé, a commencé à le couper de ses anciens amis et on ne l'a plus vu[2]. »

1. Jacqueline Laurent à l'auteur.
2. Claudy Carter à l'auteur.

Lors de cette rencontre, Jacques promit à la jeune femme un rôle dans le film qu'il s'apprêtait à écrire à Saint-Paul-de-Vence pour André Cayatte : *Les Amants de Vérone*, une paraphrase de Roméo et Juliette vécue par deux jeunes comédiens en contrepoint du drame de Shakespeare. Malgré sa méfiance à l'égard du septième art, qu'il avait si bien servi et qui le lui avait bien rendu, il ne voulait pas terminer sa carrière cinématographique sur un film avorté avec Carné alors que tout lui souriait dans les autres domaines.

*

Saint-Germain-des-Prés commença à occuper la première page des journaux en même temps que *Paroles* devenait le livre à la mode et que Prévert, à l'égal de Jean-Paul Sartre et Simone de Beauvoir bien que dans un registre tout différent, devenait l'une des figures d'un quartier transformé en quelques mois en symbole de la liberté et en terrain de jeux d'une jeunesse qui en avait été trop longtemps privée. *Barbara* et *Je suis comme je suis* revenaient comme un leitmotiv sur les lèvres de demoiselles aux cheveux raides, en col roulé noir, pantalon corsaire ajusté et ballerines, le tout constituant l'uniforme des filles du Quartier. Approchant de la cinquantaine, Prévert se trouvait plus que jamais mêlé à la vie d'un périmètre où « tout se passait désormais » tel, vingt-cinq ans plus tôt, le carrefour Vavin où soufflait ce fameux « air de liberté comme Paris n'en avait jamais connu ». Hier Montparnasse, aujourd'hui Saint-Germain. Lancé par la presse, ce seul nom faisait frémir les bourgeois qui osaient venir s'encanailler dans les bars et les boîtes dont l'éclosion, quasi permanente, excitait délicieusement ces nouveaux explorateurs de « bas-fonds ». Aux Kiki, Lucy, Youki et autres reines de Montparnasse, succédaient les « Muses » de Saint-Germain-des-Prés : Anne-Marie Cazalis, jeune poétesse rousse au nez pointu qui riait tout le temps en faisant hi-hi-hi comme dans les bandes dessinées — récemment couronnée par le prix Paul-Valéry — et sa copine, dont les vingt printemps étaient encore enrobés dans les rondeurs de l'adolescence et que l'on appelait Toutoune avant que son vrai nom claque au vent de Saint-Germain, Juliette Gréco. Elle commencera bientôt à chanter trois auteurs prestigieux : le Desnos de *La fourmi*, le Queneau de *Si tu t'imagines* et le Sartre de *La Rue des Blancs-Manteaux*, avant de puiser voluptueusement dans le répertoire prévertien et contribuer — dans les boîtes enfumées, sous les projecteurs des scènes et sur les ondes des différentes radios — au succès populaire des *Enfants qui s'aiment*, des *Feuilles mortes*, de *Je suis comme je suis* et même au renouveau

de *À la belle étoile*, la première chanson écrite avec Kosma
pour Florelle dans *Le Crime de M. Lange* et toujours interdite à
la radio pour crime de trop grande liberté! Moins d'un mois
après l'inauguration du Tabou, une cave de la rue Dauphine
devenue rapidement l'endroit où il fallait être vu — de la même
manière que Le Bœuf sur le Toit avait été le lieu géométrique
de toute création littéraire, musicale ou picturale des Années
folles à la drôle de guerre — naquit, avec l'adjectif *existentialiste* répandu comme une traînée de poudre, la vogue bientôt
mondiale de Saint-Germain-des-Prés. C'est le vieux compagnon Henri Leduc, créateur du Bar Vert — où Prévert venait
volontiers partager quelques verres de ce pastis, qui réapparaissait furtivement, ou quelques canons de beaujolais avec
Paul Grimault ou Maurice Baquet — qui, avec son successeur
Bernard Lucas, collectionneur de livres rares et de disques
introuvables — de ces bons vieux 78 tours qui grattaient sous
l'aiguille et faisaient revivre le style New Orleans auquel quatre
années d'interdiction nazie avaient redonné toute sa fraîcheur
— inventa le Tabou. C'était une salle exiguë située au sous-sol
d'un bistro ouvert toute la nuit grâce à une dérogation accordée par les pouvoirs publics au personnel des Messageries
Hachette de la rue Christine chargées du routage des quotidiens
parisiens. Ce succès hors du commun dans le monde de la nuit
piqua la curiosité de Marcel Haedrich, rédacteur en chef de
l'hebdomadaire à grand tirage *Samedi-Soir*, qui chargea l'une
de ses meilleures plumes, Jacques Robert, futur romancier,
scénariste et dialoguiste de film[1], de sillonner durant plusieurs
nuits les alentours du clocher de Saint-Germain-des-Prés. Le
résultat de cette enquête fut époustouflant. À travers *Samedi-
Soir* — qui n'était ni une revue littéraire ni un repaire d'intellectuels mais réunissait des collaborateurs de grande qualité,
comme Kléber Haedens ou Gaston Bonheur, sous les auspices
du groupe *Paris-Matin* où Jacques Chaban-Delmas voisinait
avec les généraux Catroux et de Boislambert —, la France
entière apprit, le 3 mai 1947 et tirée à 424 000 exemplaires, la
signification du mot *existentialisme* qu'accompagnait un parfum de scandale. Guidé par Anne-Marie Cazalis et Gréco qui,
elles-mêmes se proclamaient «existentialistes» sans se prendre
au sérieux le moins du monde, Jacques Robert n'avait pas
manié la litote. Sous sa plume le Quartier sentait le soufre : «La
cave du Tabou aux environs de deux heures du matin est une
bouche de l'enfer. La taverne est si enfumée qu'on dirait qu'une
locomotive vient de la traverser et d'y laisser sa vapeur. Cer-

---

1. Notamment *Les Dents longues, Le Désordre et la nuit, Marie Octobre*
ou *125 rue Montmartre*.

taines nuits, les existentialistes, qu'on n'apercevait plus qu'à travers un brouillard, se lancent en hurlant dans des jitterburgs et des boogie-woogies forcenés. Mais le plus souvent, complètement prostrés, ils restent assis, en regardant fixement leur verre d'eau tiède. Alors on est frappé de voir leurs jeunes visages si pâles, leurs regards fanés, le découragement de chacun de leurs gestes. La plupart d'entre eux n'ont pas mangé. » Suivait une carte situant les « hauts lieux » de Saint-Germain-des-Prés : le Flore, le Tabou, les Deux Magots, le Bar Vert, le Montana ; partout on y parlait de Jean-Paul Sartre, « une sorte d'Hamlet agrégé en philosophie et corrupteur de la jeunesse qui traîne son désespoir au fond d'un lupanar caché à dix pas sous terre[1] ». Une photo à la une de *Samedi-Soir* montrait deux beaux jeunes gens à la mimique désenchantée « à la porte du Tabou et de la gloire, Vadim et Gréco[2] ». On y parlait aussi de Prévert dont le renom en librairie trouvait des échos dans les caves où on le chantait entre la trompette de *Basin Street Blues* et le trombone de *Muskrat Ramble*, et surtout dans ces cabarets-théâtres où de très jeunes compagnies le jouaient, révélant une nouvelle forme de spectacle entre théâtre et chanson, inauguré avant guerre par Agnès Capri pour un public de snobs privilégiés dont certains se réclamaient de l'avant-garde et de l'extrême gauche. Maintenant, c'était toute la jeune génération qui lui faisait un triomphe, suivie des parents et de leurs amis venus en catimini de Passy, de Neuilly, de la plaine Monceau et de l'avenue Foch plus que d'Aubervilliers et du Kremlin-Bicêtre ! L'étendard de ces cabarets-théâtres d'où naîtra, vingt-cinq ans plus tard, le café-théâtre avait pour nom La Rose Rouge et était une pure création de la « bande à Prévert », plus active que jamais.

L'aventure commença dans un étroit restaurant africain de la rue de la Harpe tenu par un ancien danseur des Folies-Bergère, Feral Benga, auquel s'associa le poète-peintre-ex-préfet de Haute-Savoie et ami de Prévert, André Virel, qui repeignit et décora entièrement la boîte (découverte par la jeune comédienne Mireille Trépiel, compagne de Nico Papatakis), à laquelle s'intéressa aussitôt Jean Rougeul, désireux d'y jouer le rôle de directeur artistique en complément de ses activités de critique de cinéma. La fleur préférée de Mireille Trépiel servit d'enseigne, et les quatre jeunes gens entreprirent de ressusciter ces charmants petits spectacles qui avaient fait hier le succès du cabaret de la rue Molière mais remis au goût du jour à travers des textes nouveaux. Michel de Ré, un fou de théâtre, petit-fils

---

1. Guillaume Hanoteau. *L'Âge d'or de Saint-Germain-des-Prés*.
2. *Ibid.*

du général Gallieni — celui-là même auquel les taxis de la Marne avaient valu un bâton de maréchal — accepta avec quelques comédiens, aussi inconnus que désargentés, les conditions draconiennes imposées par le «conseil d'administration» de La Rose Rouge : pas de cachet pour les artistes, lesquels devaient s'habiller dans la cuisine et se contenter, pour tout potage, d'un verre bu au bar ; le tout en échange d'une totale liberté d'interprétation ! Michel de Ré, anarchiste de cœur et au moins aussi antimilitariste que Prévert, avait déjà monté quelques pièces, dont un remarqué *Victor ou les Enfants au pouvoir* de Roger Vitrac où Gréco avait fait ses débuts de comédienne[1]. Il récidiva en interprétant pour l'ouverture *En famille*, un sketch de l'auteur de *Paroles*, qui fera grincer plus d'un râtelier. Francis Lemarque, Jacques Douai et leurs guitares complétèrent le premier spectacle qui, malgré l'inconfort de la salle, remporta un vif succès grâce au curieux mélange constitué par les jeux surréalistes les plus intellectuels, la chanson la plus populaire — Francis Lemarque «rodait» les futurs succès d'Yves Montand — et les sortilèges africains de Feral Benga et de ses cracheurs de feu. Michel de Ré, «fan» des textes de Prévert, y conquit ses lettres de noblesse germano-pratines après avoir figuré nommément dans le reportage historique de *Samedi-Soir* : «Gallieni, dit de Ré, avait écrit Jacques Robert, est certainement l'un des types les plus remarquables de la jeunesse existentialiste. Il a deux mètres de haut et ne s'est pas peigné depuis un an. Il ne sait jamais où il dormira le soir...»

Le succès de La Rose Rouge de la rue de la Harpe fut fulgurant et dut beaucoup à la présence régulière de Maria Casarès — l'interprète de la malheureuse Nathalie dans *Les Enfants du paradis* — et de Simone Signoret, qui drainaient dans la salle minuscule toute une bande d'amis «payants». Simone, la petite figurante des *Visiteurs du soir*, la copine de Crolla, qui vivait maintenant avec Yves Allégret, le frère de Marc, l'ami trotskiste de Prévert depuis le premier court métrage des Lacoudem, *La Pomme de terre*, avait fait du chemin. En fait, elle était devenue vedette avec deux films : *Macadam*, de Marcel Blistène et Jacques Feyder, et *Dédée d'Anvers*, première grande réussite commerciale de son compagnon. Parmi les attractions qui amenèrent bien vite rue de la Harpe tous les amis et nombre de relations de ces «groupies» de charme — on y comptait Yvan Audouard, Jacques Becker, Aragon et Elsa Triolet, Alain Cuny, Fabien Loris, Jean Genet, Charles Moulin, Gérard Philipe ou Roger Blin et Alexandre Astruc —, figurait un grand garçon au

---

1. Dans le rôle de la femme adultère et non dans celui de la pétomane, comme le prétendra la légende.

visage expressif et à la fort jolie voix qui réunissait tous les suffrages : Yves Robert. Membre de la troupe Grenier-Hussenot qui avait monté *Orion-le-Tueur* et *La Parade* chez Agnès Capri, désormais à la Gaîté-Montparnasse, Yves Robert était un admirateur inconditionnel de Jacques Prévert qu'il avait découvert avant la guerre à travers *Dîner de têtes* et *La Grasse Matinée* dont une version manuscrite sur un cahier d'écolier lui était parvenue grâce à une jeune fille enthousiaste qui lui avait dit : «Tiens, lis ça, c'est beau», lors d'un stage des Auberges de la jeunesse. Ouvrier imprimeur de treize à vingt ans [1], il avait remporté un franc succès lors d'une «veillée» trotkiste ; et ce début prometteur l'avait conduit à suivre une formation d'animateur responsable d'Auberges de la jeunesse où il avait peaufiné sa connaissance de Prévert à travers quelques revues et tous les films dont la presse avait rendu compte. Arrivé trois semaines après l'inauguration de La Rose Rouge, il n'avait pu mettre son auteur favori à son répertoire. Francis Lemarque et surtout Jacques Douai avaient déjà «du Prévert» dans leurs prestations. «À la première Rose Rouge, se rappellera Yves Robert, je chantais seulement, sans faire de spectacle. Jacques Douai popularisait déjà *Les Feuilles mortes* et *Les Enfants qui s'aiment*. Moi j'interprétais des Bruant, des Kurt Weill et des chansons révolutionnaires que Montand a reprises plus tard. Un jour où Douai était en tournée, un producteur de la Radio est venu rue de la Harpe et a demandé s'il n'y avait personne pour chanter Jacques Prévert dans son émission. J'ai dit : "Moi, je peux." C'est ainsi que j'ai été le premier à chanter *Les Enfants qui s'aiment* sur les ondes. Henri Crolla m'accompagnait à la guitare [2].»

Yves Robert n'avait eu que le temps de croiser Prévert à La Rose Rouge tant le poète s'était révélé hostile à ce genre de cabaret où, le succès venu, les discussions financières opposèrent âprement Nico Papatakis, jusque-là dilettante, à André Virel, secrétaire général et qui s'était chargé de tous les travaux d'aménagement et de la sélection des numéros. «C'est un peu à cause de Jacques que j'ai quitté La Rose Rouge après l'avoir fondée, expliquera Virel. Il m'a dit : "Tu peux faire des choses plus intéressantes que ça." Je me suis retiré du conseil d'administration quand La Rose Rouge a déménagé de la rue de la Harpe à la rue de Rennes. J'ai gardé seulement le privilège d'inviter gratuitement les gens que je voulais. J'ai aussi essayé d'y faire rentrer Pierrot Prévert, mais ça n'a pas duré longtemps [3].»

1. Yves Robert est né en 1920.
2. Yves Robert à l'auteur.
3. André Virel à l'auteur.

Devenu lui-même une figure du Quartier, André Virel dont la vie aventureuse excitait les imaginations, se transforma pour un temps en envoyé spécial permanent du quotidien *L'Intransigeant* à Saint-Germain-des-Prés et remit quelque peu les pendules à l'heure en écrivant, entre autres choses vues dans un quartier dont on parlait maintenant jusqu'à New York et à San Francisco : « À Saint-Germain-des-Prés, on écoute chanter Fabien Loris, on regarde avec joie Dufilho et Deniaud, on lit les poèmes d'André Frédérique, les romans de Mouloudji, sans chercher à savoir s'il s'agit d'existentialisme ou de surréalisme... Et pourquoi n'y lirait-on pas non plus Jean-Paul Sartre, André Breton et Jacques Prévert ?... À nombre d'entre eux, Jacques Prévert a légué beaucoup. Il ne vient plus que rarement à Saint-Germain-des-Prés. Ses anciens compagnons du Groupe Octobre se voient encore, chantent ses poèmes que Joseph Kosma mit en musique. Aussi Prévert est-il encore là, présence d'une œuvre et souvenir d'un grand ami[1]... »

La popularité de Prévert, tant dans divers cabarets à la mode que sur les ondes où les nouvelles jeunes vedettes l'interprétaient maintenant, était telle que Jacques Enoch, fort du succès de *21 chansons*, publia les paroles et la musique *D'autres chansons*, album réunissant vingt-cinq œuvres parmi lesquelles *Et la fête continue*, *Chasse à l'enfant*, *Le Cancre*, *Barbara* et *Les Feuilles mortes* dont la jeune Cora Vaucaire fit le tout premier enregistrement pour les disques *Le Chant du Monde* fondés avant la guerre par Renaud de Jouvenel. Le succès des chansons de Prévert ne fut pas, et de loin, sans contribuer à celui de *Paroles* dont les vers étaient désormais sur toutes les lèvres.

Dans quel domaine artistique ne trouvait-on pas son nom ?

Même la danse le voyait de nouveau s'illustrer. Après le ballet *Le Rendez-vous*, d'où était né *Les Portes de la nuit*, il signa la pantomime inspirée par celle de Deburau dans *Les Enfants du paradis*, sur une musique de Kosma. « Plus tard j'ai refait la partition, dira celui-ci. J'ai réuni ensemble ce qui était dispersé dans le film. Avec Jacques, on a donné à ce spectacle le titre *Baptiste*. Ces pantomimes ont été montées au théâtre Marigny par Jean-Louis Barrault[2] qui en a fait la mise en scène et qui a dansé cela prodigieusement. Il les a présentées un peu partout dans le monde. C'est ainsi que j'ai appris que le film était apprécié comme un grand classique du cinéma[3]... »

---

1. *L'Intransigeant*, lundi 27 octobre 1947.
2. Créé en octobre 1946 par Madeleine Renaud, Jean-Louis Barrault, Jean Desailly et Simone Valère dans les rôles vedettes. Musique de Joseph Kosma. Décors et costumes de Mayo. Au second plan, Marcel Marceau y fit, à vingt-trois ans, des débuts remarqués.
3. *Image et Son*, n° 189.

Pour Elsa Henriquez, l'artiste peintre épouse de son ami le photographe Émile Savitry, Prévert écrivit les brefs *Contes pour enfants pas sages* qu'édita Paul Richez, président des Éditions du Pré aux Clercs qui avait déjà publié *Histoires*, et qu'elle illustra si bien de ses dessins naïfs que le poète lui dédia l'œuvre lors de la réédition d'*Histoires et d'autres histoires* de 1963. De ces sept contes dont certains, comme *L'Autruche*, avaient été publiés dans *La Gazette des lettres* ou dans l'album hiver 1946 du snobissime *Vogue* comme *Les Premiers Ânes*, aucun n'était réellement innocent malgré leur aspect «bon enfant». Bien mieux, certains étaient carrément subversifs et incitaient les gamins — mais seraient-ils nombreux à les lire ? — à la révolte quand les adultes voulaient leur imposer leur volonté. Évoquant les sévices que ses parents lui infligent, l'autruche n'hésite pas à dire au fils Poucet : «C'est inadmissible. Les enfants ne battent pas leurs parents, pourquoi les parents battraient-ils leurs enfants ?»

Dans le texte qu'il écrivit à la même époque sur des clichés de lionceaux pris par Ylla, célèbre photographe animalière (de mère yougoslave et de père hongrois) installée à New York, Prévert se montra presque aussi virulent en affirmant que les animaux, parmi lesquels *Le Petit Lion* dont il racontait la fugue au cœur de la grande ville, se conduisaient à bien des égards mieux que les hommes. Réflexion que jugèrent inacceptable les responsables de l'édition des *Arts et Métiers graphiques* qui, à la veille de la publication, tripatouillèrent considérablement le texte initial jugé trop long *[sic]* et demandèrent au poète l'autorisation d'utiliser à leur guise une nouvelle mouture réduite par leurs soins à deux feuillets ! De Saint-Paul-de-Vence où il était parti avec femme et enfant se reposer avant d'entreprendre l'écriture du film destiné à André Cayatte, Jacques Prévert se fendit d'une superbe lettre au présomptueux éditeur qu'il traita comme un vulgaire producteur du *Fouquet's* :

Vous me demandez de vous laisser toute liberté de triturer encore le texte en question au cas où cela vous arrangerait. Bien sûr que non, cher Monsieur, et d'autant moins qu'il saute aux yeux que ce texte n'a pas été seulement trituré mais également censuré, et plus à cause de l'esprit qu'à cause de la lettre, puisque la lettre, je veux dire le caractère typographique, pouvait bien se réduire un peu afin que, même en envisageant des coupures, cette petite histoire ne soit tout de même pas réduite à l'état de squelette. Que voulez-vous, cela peut sembler de l'enfantillage mais j'attache autant d'importance, et même beaucoup plus, aux petites choses sans importance écrites pour les enfants qu'aux grandes choses définitives écrites pour d'importants adultes... Au cas où vous décideriez de publier le texte «modifié» que vous m'avez fait parvenir, je vous serais alors très obligé de bien vouloir veiller à ce que mon nom ne soit absolument pas mentionné sur cet album. C'est le seul recours que nous avons en pareil cas au cinéma et si je parle de cinéma c'est parce que c'est la première fois que je vois un éditeur manier les petits ciseaux avec autant d'amabilité et de désinvolture qu'un producteur de films quand il triture un découpage ou un scénario. Bien cordialement à vous[1].

Ayant déversé sa bile, Prévert, soulagé, revint à Paris pour aider son vieux copain Paul Grimault à réaliser le premier dessin animé qu'ils aient conçu ensemble : *Le Petit Soldat.* Janine avait préféré rester à Saint-Paul-de-Vence plutôt que de vivre avec Minette, qui avait maintenant dix-huit mois, à L'Hôtel de la rue des Beaux-Arts où Jacques avait emménagé après avoir cédé son appartement de la villa Robert-Lindet à Gazelle et Louis Bessières de retour à Paris après avoir passé le temps de la guerre à Rio de Janeiro.

Janine supportait difficilement la place envahissante que tenait la bande dans la vie de son mari. Elle souhaitait un vrai foyer alors qu'il n'était à son aise que dans l'instabilité confortable de la vie d'hôtel ou dans quelque caravansérail provisoire, et n'appréciait réellement que les longues pauses de bistros en bars, où Paul Grimault se montrait un compagnon selon son cœur : talentueux, disert, et franc buveur. « On se voyait beaucoup, dira celui-ci, mais on n'a commencé à travailler ensemble qu'à partir du *Petit Soldat*. Il habitait à ce moment-là à L'Hôtel, rue des Beaux-Arts. On travaillait chez lui ou Chez Constant, le bougnat d'à côté. Quelquefois, on changeait un peu de secteur, on allait au Flore ou ailleurs. Quand on s'attardait, Jacques disait toujours à Janine : "On a rencontré Gonon." Gonon, c'était un relieur très vieux, très très gentil, très sérieux, très sage, qu'on rencontrait dans le quartier. C'était une caution ! Quelquefois on rentrait très tard, et même plus que ça ! Le pauvre Gonon n'a jamais compris pourquoi Janine lui faisait la gueule. Quand ils se rencontraient, il lui adressait un bon sourire et elle le regardait de travers... On lui a dit un jour, il s'est bien marré[2]... »

À Saint-Paul, Janine avait son homme sous la main et pouvait veiller à limiter ses excès, même si Jacques vivait dans le petit village comme dans sa famille. Sans compter les innombrables copains de passage sur la Côte et qui, tout au long de la belle saison, ne pouvaient résister à l'attrait de ce village béni des dieux.

Jacques Prévert, tout auréolé de sa nouvelle gloire dont

1. Cité par Danièle Gasiglia-Laster *in* Notice au *Petit Lion, op. cit.*
2. Paul Grimault, *in* Jean-Pierre Pagliano, *op. cit.*

les échos étaient parvenus jusque dans les ruelles de Saint-Paul, y écrivait *Les Amants de Vérone* pour André Cayatte quand Henri Crolla amena Yves Montand dans la nouvelle maison qu'avaient louée les Prévert. Pas n'importe quelle maison mais L'Ormeau, près de la poste où, quelques années auparavant, Jacques avait découvert André Verdet profondément endormi sous un magnifique olivier, principal ornement du jardin où Janine voyait déjà Minette grandir et gambader au bon air. Ancienne demeure d'un dentiste qui y avait abandonné le fauteuil au-dessus duquel il opérait — et dans lequel Jacques aimait lire! —, c'était une grosse maison à deux étages crépie de rose, flanquée de deux ifs impressionnants se détachant sur le bleu du ciel. Elle était assez vaste pour permettre au scénariste d'y travailler avec son metteur en scène et au poète d'y trouver l'isolement nécessaire sans que les échos de la vie familiale viennent perturber son art. Il fallut toute l'amicale persuasion de Henri Crolla pour que Montand réussisse à vaincre le trac qui le saisissait encore à la pensée de se retrouver devant un «intellectuel», autant dire un être d'une autre essence que la sienne. Quant à Prévert, s'il avait douloureusement ressenti l'échec des *Portes de la nuit*, loin d'en reporter la responsabilité sur les comédiens débutants, il n'avait fait, on l'a vu, que soutenir le jeune chanteur, retournant humoristiquement à destination de certains journalistes peu amènes un de ses proverbes préférés: «L'art est facile, mais la critique difficile[1]...» «On parle toujours de sa "verve gouailleuse" et c'est tout ce qu'on dit dans le Petit Larousse, remarquera justement Paul Grimault. Ce n'est pas suffisant. On ne mentionne jamais sa bonté extraordinaire. Jacques était bon, très bon, et généreux... Cette bonté qu'il avait pour tout le monde, pour l'espèce humaine, les animaux, les enfants, les femmes, les arbres et tout... Quand il râle, quand il proteste, c'est qu'on a porté atteinte à tout ça[2].» La visite à Saint-Paul au cours de laquelle Montand prépara l'enregistrement de ses deux premières chansons de Prévert et Kosma, *Les Cireurs de souliers de Broadway* et *Les Enfants qui s'aiment*[3], scella une amitié qui n'ira qu'en grandissant au point de faire de Jacques Prévert et Yves Montand, auxquels se joindront bientôt Picasso et Simone Signoret, les personnalités emblématiques du plus célèbre village de l'arrière-pays niçois.

Autre motif d'admiration du chanteur pour le poète: la

---

1. Rapporté par Hervé Hamon et Patrick Rotman, *Tu vois, je n'ai pas oublié.*
2. Paul Grimault, *in* Jean-Pierre Pagliano, *op. cit.*
3. Il les enregistrera le 9 juillet 1948 pour la firme Odéon.

fidélité en amitié que ce dernier professait dans tous les domaines. L'échec des *Portes de la nuit* avait-il coûté sa place à Raymond Borderie chez Pathé? Raison de plus pour écrire *Les Amants de Vérone* pour la maison de production que celui-ci avait fondée avant la guerre et laissée en sommeil durant l'Occupation, la Compagnie industrielle commerciale cinématographique! *La Fleur de l'âge* avait-il été interrompu à Belle-Île, laissant sur le sable de ses plages Serge Reggiani, Martine Carol et Anouk Aimée, trois jeunes et beaux comédiens qui pouvaient espérer «éclater» avec ce film dirigé par Carné? On les retrouvera dans la distribution des *Amants de Vérone*, pourvus de rôles importants. S'y ajouteront des vieux de la vieille du Groupe Octobre comme Yves Deniaud ou Marcel Pérès, des amis des temps déjà anciens comme Pierre Brasseur ou l'inénarrable et polyglotte O'Brady, compagnon de l'aventure en URSS, ainsi que Marianne Oswald dont Jacques venait de préfacer les mémoires *Je n'ai pas appris à vivre* et qui allait vivre une histoire extraordinaire avec Louis Salou, l'aristocrate des *Enfants du paradis*. «Elle a rencontré Salou, qui était homosexuel, sur le plateau des *Amants de Vérone*, se souviendra Serge Reggiani. Et ils sont tombés amoureux l'un de l'autre! Chaque soir, Salou me demandait où l'on allait dîner pour choisir un autre restaurant où ils se rendaient discrètement, la main dans la main! Salou termina le premier le tournage et est rentré à Paris où il a pris un mauvais coup de froid et où il est mort, le 21 octobre 1948! Ils n'ont jamais vécu ensemble. Pauvre Marianne qui était si laide mais si charmante[1]...» Jacques Prévert tint même la promesse qu'il avait faite à Claudy Carter et lui écrivit ainsi son dernier rôle.

S'il n'oubliait ni les copains ni les amis, le poète pensait plus que jamais à son frère qui avait beaucoup de mal à se remettre de la catastrophe financière de *Voyage-surprise*. Jacquot travaillait à un nouveau scénario sur la dictature, à travers l'histoire de Denys de Syracuse, dont l'idée lui était venue — avec le titre: *Hécatombe* ou *L'Épée de Damoclès* — pendant l'Occupation et qu'il entendait développer maintenant en compagnie de Pierrot pour le réalisateur américain Edward Dmytryk et sa vedette Orson Welles, fort attirés par l'esprit et la récente notoriété du poète de Saint-Germain-des-Prés. Mais, avant de le terminer, il sortit de ses cartons *Bonne nuit, Capitaine*, la dernière pièce écrite jadis pour le Groupe Octobre et que la Radio nationale se proposait d'adapter. Prévert donna son accord à condition que ce soit son frère qui procédât à l'adaptation et que le metteur en ondes, qui n'était autre que le

1. Serge Reggiani à l'auteur.

producteur François Billetdoux — son confrère en poésie —, n'engageât que des comédiens de la «bande». Ce «méli-mélodrame maritime» fut réalisé courant mai et diffusé le 1er septembre sur les ondes nationales.

Jacques Prévert appréciait beaucoup la radio, conscient que la diffusion de ses titres, interprétés par certaines vedettes de la chanson ainsi que des émissions bâties autour de sa personnalité, comme *Promenade avec Jacques Prévert* de Pierre Laroche ou *L'École buissonnière* de Robert Scipion, avaient considérablement contribué à sa notoriété puis au succès en librairie de *Paroles*. Aussi se rendit-il à Paris au début de l'automne pour soutenir, lors d'interviews que lui demandait la radio, le premier dessin animé auquel il ait participé avec son «presque frère» Paul Grimault : *Le Petit Soldat*. Il tenait beaucoup à cette courte œuvre dans laquelle, en douze minutes, il exprimait une fois de plus sa haine de la guerre et de l'armée. À partir d'un conte d'Andersen se déroulant dans le monde des jouets, il racontait l'histoire d'un petit soldat de bois, amoureux d'une poupée de porcelaine. Parti pour la guerre, il en revient éclopé, victime de forces mauvaises qui lui ôtent le bonheur de vivre mais ont permis au «coq cocardier», symbole évident de ce mal absolu qu'on appelle l'armée, de séduire l'adorable poupée à laquelle, hier encore, il était fiancé. Après une brève période de désespoir, l'optimisme de Prévert reprenait le dessus et le petit soldat retrouvait son grand amour, aidé par un vieux bonhomme de neige et quatre corbeaux compatissants qui mettaient hors d'état de nuire le vil suborneur aux multiples décorations.

Le 12 octobre, Prévert déjeuna Au Petit Saint-Benoît, le plus vieux bistro de la rue du même nom dont il appréciait le beaujolais et la «cuisine bourgeoise», en compagnie d'Alexandre Trauner et d'un jeune homme de théâtre de vingt-deux ans, Nicolas Bataille, qui venait d'obtenir le Prix d'avant-garde au concours des jeunes compagnies en montant *Une saison en enfer* de Rimbaud. Il était d'excellente humeur. Flanqué de Trau, de Pierrot et de Joseph Kosma qui les avait rejoints, il se rendit au bureau 102 de la Radiodiffusion française, alors située 116 Champs-Élysées, où Simone Dubreuilh, la grande prêtresse du cinéma à l'émission *Actualités de Paris*, les avait invités pour parler du *Petit Soldat* et du film en gestation, *Hécatombe*. Dans le studio, Prévert salua le producteur de l'émission, Pierre Sabbagh, et le journaliste Henri-François Rey grâce à qui les lecteurs de *L'Écho des étudiants* avait pu découvrir — à Vichy ! — *Quartier libre*, devenu l'un des poèmes les plus populaires de *Paroles* — «J'ai mis mon képi dans la cage et je suis sorti avec l'oiseau sur la tête». Ce bureau 102, situé au premier étage, surnommé l'« aquarium » par les collaborateurs de la Radiodiffusion, donnait directement sur l'avenue des Champs-Élysées par deux portes-fenêtres au ras du sol, ne comportant ni rebord ni garde-fou et s'ouvrant *vers l'extérieur*, ce qu'ignoraient les visiteurs. Tout en bavardant avec Simone Dubreuilh et Henri-François Rey, Jacques Prévert s'approcha de la baie vitrée pour observer le spectacle coloré de la foule venue acclamer le boxeur Marcel Cerdan de retour d'Amérique où il avait enlevé trois semaines plus tôt à Tony Zale le titre de champion du monde des poids moyens que ce dernier avait conquis en juin. Puis, se tournant pour préparer l'interview avec les assistants, il s'appuya légèrement à la porte-fenêtre qui, n'étant pas verrouillée, s'ouvrit brusquement. « Jacques Prévert perdit l'équilibre et bascula dans le vide, témoignera Henri-François Rey devant le commissaire de police du VIIIᵉ arrondissement. Il a essayé de reprendre appui sur la plaque en tôle, large d'une trentaine de centimètres, qui abrite l'enseigne du Cinéma des Champs-Élysées dont l'entrée se trouve au-dessous de ladite fenêtre. La tôle a cédé. Il s'est raccroché un instant puis il a tourné sur lui-même et s'est abattu sur le trottoir, sa tête portant directement sur le macadam[1]. » Trauner, Kosma et Pierrot dévalèrent les escaliers pour porter secours à leur frère et ami. Après cette chute d'environ cinq mètres, Jacques était étendu sur le trottoir, inconscient. Du sang coulait de sa bouche, de son nez, de ses oreilles. Par bonheur, les forces de police étaient nombreuses pour assurer le service d'ordre du défilé sportif. Quelques secondes plus tard, un car de police secours emmenait le blessé à l'hôpital Marmottan, proche de l'Étoile, sans avoir à attendre qu'une ambulance se frayât un chemin dans la foule. Aux urgences, l'équipe de garde dirigée par le Dr Jean Debeyre assisté d'un interne, Jacques Duparc, et d'un externe, Jacques Breuzard, terminait une intervention quand on l'alerta sur l'état inquiétant de l'illustre accidenté. Aussitôt le Dr Debeyre dépêcha son interne pour un examen rapide, termina l'opération en cours et se rendit auprès du scénariste. La première auscultation indiqua un coma profond et de multiples fractures interdisant un transfert dans la clinique privée du Dr Leibovici, l'ami de toujours, que Pierrot avait déjà alerté. Dans la soirée, une douzaine de médecins se penchèrent sur la victime, dont le Dr Guillaume, neuro-chirurgien renommé appelé en consultation par le Dr Debeyre en raison de l'important traumatisme crânien que celui-ci avait décelé, approuvé par le Dr Alain Mouchet, patron du service de chirurgie à Marmottan et par le Dr Raymond Leibovici accouru au chevet de

---

1. Rapport sur l'accident de Jacques Prévert. Archives Gallimard.

son ami. Le diagnostic était inquiétant. L'examen radiosco-
pique décela :

1° Une fracture grave à la base du crâne s'accompagnant
d'une très forte commotion cérébrale avec hémorragie ménin-
gée importante.

2° Une fracture de trois côtes avec enfoncement et lésion
de la plèvre et du poumon sous-jacents.

3° Une fracture de l'humérus gauche, accompagnée de
paralysie radiale[1].

Opéré, Jacques Prévert resta dix jours dans le coma. Alertée à Saint-Paul-de-Vence, Janine laissa Minette à la garde de
Sâri Trauner, qui résidait au village, et prit l'avion à Nice non
sans avoir prévenu André Verdet qui emprunta le vol suivant.
Elle fut seulement autorisée à apercevoir son mari, la tête cas-
quée de pansements. Durant une semaine, toute visite fut interdite, même aux familiers. En quelques heures, la nouvelle fusa
dans tout Paris. À *Combat*, Maurice Nadeau reçut l'information
d'un infirmier de Marmottan. « Il n'en a plus pour longtemps[2] »,
dit l'homme. Tous les quotidiens titrèrent sur l'accident dont
les hebdomadaires relatèrent les détails. « J'ai vu tomber
Jacques Prévert », annonça en lettres énormes *L'Écran français*. Enfin, au dixième jour, Jacquot sortit d'un sommeil que
d'aucuns estimaient fatal. Quand il recouvra enfin ses esprits,
racontera Pierrot à Serge Reggiani, il demanda à son frère :
« Ce que je voudrais savoir, c'est si je suis tombé du 1er dans le
VIIIe[3] ou du 8e dans le Ier ![4] » Humour pas mort, c'était bon
signe. Jacques Prévert pouvait entamer sa convalescence à la
clinique Remy-de-Gourmont, dans la quiétude du parc des
Buttes-Chaumont sous l'affectueuse surveillance du Dr Raymond Leibovici à qui il devait déjà sa réforme définitive lors de
la drôle de guerre et entre les mains duquel toute la famille Prévert était déjà passée. Prévert interpréta à sa façon cet instant
où il avait frappé à la porte de la mort et où Leibovici empêcha celle-ci de s'ouvrir. « Dans le temps, on considérait qu'un
homme était mort quand son cœur cessait de battre, dira-t-il.
Aujourd'hui, on considère qu'un homme est mort quand son
cerveau a fini de fonctionner. Je ne connais pas la science,
j'ignore si c'est là progrès ou non, mais je sais que nous vivons
une époque curieuse où l'on prône à toute occasion la supério-
rité de l'âme sur le corps ! Moi, il se trouve qu'un jour, je suis
tombé d'une fenêtre de la Radio française qui n'avait pas de

1. Archives Pierre Assouline.
2. Maurice Nadeau à Alain Poulanges, *op. cit.*
3. Les Champs-Élysées se trouvent dans le VIIIe arrondissement de
Paris.
4. Serge Reggiani à l'auteur.

garde-fou — c'est le cas de le dire —, et en même temps, je suis tombé dans le coma. Ce coma était "dépassé" et mon électroencéphalogramme était plat, tout ce qu'il y a de plat, Raymond Leibovici, qui m'a sauvé, m'a dit plus tard : "Tu étais mort !" Il riait ; moi, je riais aussi. Le mot qui explique cet état, je l'ai appris ce jour-là, c'est *anabiose*. Si je n'avais pas connu un médecin qui était un ami, si j'avais été quelqu'un d'autre, peut-être qu'aujourd'hui mon cœur, c'est-à-dire le cœur de cet autre, battrait dans une autre poitrine [1]. » Coma dépassé ? Encéphalogramme plat ? Toujours est-il que le Dr Leibovici lui fit garder la chambre durant cinq semaines et ne lui autorisa une première et brève sortie que le 17 novembre, avant d'envisager pour le mois de février une convalescence prolongée à Saint-Paul-de-Vence, accompagnée d'une sérieuse rééducation.

L'état du blessé restera, au fil des années, assez préoccupant pour le Dr Denet, chirurgien expert près le tribunal de la Seine, conclue à une incapacité totale et absolue de travail du 12 octobre 1948 au 1er juillet 1949, puis à une incapacité temporaire partielle de 35 % du 1er juillet 1949 au 7 juillet 1951, enfin, à partir de cette date, à une incapacité partielle et définitive de 18 %. Le préjudice était considérable car, d'un jour à l'autre, tous les projets de l'écrivain tombèrent à l'eau, ainsi que le prouva René Bertelé pour appuyer une demande de dommages et intérêts importants. Prévert était venu à Paris pour parler à la radio du *Petit Soldat* mais surtout pour mettre au point avec M. Sarrut, associé de Paul Grimault au sein de la société Les Gémeaux, la réalisation de *Hécatombe*, dont le scénario était écrit conjointement par lui, son frère Pierrot et Alexandre Trauner. Ces pourparlers furent interrompus par l'accident. Restèrent également en suspens une proposition faite par Jean-Louis Barrault de monter un spectacle avec l'auteur de *Paroles*, et l'offre de Marcel Carné de travailler à l'adaptation et aux dialogues de son prochain film *La Marie du port*, d'après Simenon, sans compter la version française du *Procès Paradine*, commandée par Alfred Hitchcock pour Gregory Peck, Charles Laughton et Alida Valli, ni les engagements pris par contrats ou sous forme de promesses avec des éditeurs, Le Sagittaire (Prévert se souvenait soudain de ce vieux contrat signé jadis avec Léon Pierre-Quint !) et les éditions du Point du jour auxquels deux livres étaient promis à la date du 23 septembre 1949. « Pendant deux ans, pourra écrire René Bertelé, M. Jacques Prévert se ressentant assez gravement des suites de son accident, n'a presque pas pu travailler. De nombreuses propositions de collaboration lui ont été faites aux-

---

1. Jacques Prévert à André Pozner, in *Hebdromadaires*.

quelles il n'a pu répondre du fait de son état de santé... Il est également évident que les refus consécutifs de Prévert à la suite de son accident ont fait que les demandes ont diminué puisque tout le monde savait dans le métier que Prévert ne pouvait pas travailler[1]. »

Les mauvaises langues, jalouses de trop insolents succès accumulés en quelques années dans le cinéma, la chanson, maintenant dans l'édition où Jacques faisait une fois encore figure de phénomène, laissèrent entendre qu'il avait trop bien arrosé son déjeuner avec Trauner et Nicolas Bataille et qu'il était fin soûl lorsqu'il était passé par la fenêtre. Au grand dam de ses amis, dont certains protestèrent violemment. « Je me suis presque battu avec un copain à cause de cet accident, dira le jeune Adrien — dix-huit ans —, fils du célèbre galeriste Aimé Maeght, car il m'a dit : "Ah ! tu comprends, Prévert, c'est un ivrogne !" C'est vrai qu'il picolait. Mais comme tout le monde ou presque[2]. » Lorsque Prévert assignera en dommages et intérêts la société propriétaire de l'immeuble d'où émettait la Radiodiffusion française, ni l'enquête de police ni les déclarations des témoins ne signaleront la moindre anomalie dans le comportement du cinéaste. En revanche, il fut prouvé qu'un garde-corps avait été aménagé avant guerre à l'intérieur du studio mais qu'il avait été ôté durant l'Occupation par l'armée allemande qui avait installé dans cette pièce une mitrailleuse prenant en enfilade l'avenue George-V et le Fouquet's. « Malgré l'état dangereux évident qui faisait courir un risque permanent, aucun dispositif de protection ne fut remis en place, soulignera Jacques Prévert. C'est seulement après l'accident dont j'ai été victime qu'un garde-corps intérieur a été posé[3]. » Le plaignant, d'abord débouté, recevra en appel — mais douze années plus tard ! — les dix millions (anciens) de dommages et intérêts qu'il demandait. « Néanmoins, l'accident aura laissé des séquelles, dira Adrien Maeght devenu ami intime du poète tant à Saint-Paul qu'à Paris. Il a été très blessé non seulement physiquement mais moralement. On peut même dire qu'il y a un Prévert d'*avant* puis un Prévert d'*après* l'accident[4]. » C'est à cette époque que Janine, profitant de l'affaiblissement temporaire de son mari, entreprendra d'assurer son emprise sur sa volonté et de le séparer des amis de jadis à qui elle reprochera toujours d'avoir existé avant son arrivée dans la vie de « son » Jacques.

1. Rapport sur l'accident de Jacques Prévert. Archives Gallimard.
2. Adrien Maeght à l'auteur.
3. Rapport sur l'accident de Jacques Prévert. Archives Gallimard.
4. Adrien Maeght à l'auteur.

CHAPITRE 7

Les amers relents de la gloire

Le climat particulièrement doux, la chaleur de l'amitié de la famille Roux à La Colombe, celle d'André Verdet, de Ribemont-Dessaignes, qui habitait maintenant Saint-Jeannet, à dix kilomètres de Saint-Paul, tous ces éléments contribuèrent à la réussite de la convalescence du nouveau résident dans un village où il avait l'intention de se fixer pour les années à venir, loin de l'agitation de Saint-Germain-des-Prés. Dès que la broche et le plâtre qui avaient aidé à la consolidation de son humérus lui furent enlevés, il n'eut plus qu'un traitement à l'électricité à observer et à se laisser vivre en se faisant le moins de souci possible, ainsi que le lui avait affectueusement recommandé son ami le Dr Leibovici. Le film de Marcel Carné *La Marie du port*, d'après Simenon, était plus avancé que René Bertelé avait bien voulu le dire dans son rapport. À l'époque de l'accident, Jacques en avait presque terminé l'adaptation avec Louis Chavance ; et il avait entrepris les dialogues avec Georges Ribemont-Dessaignes, le vieux dadaïste, puis surréaliste, qui l'avait présenté à Brassaï en disant à ce dernier : « Il vient de la rue et non de la littérature... Il apporte un sang neuf à la poésie française. Retenez bien son nom[1]... » Lorsqu'il fut sur pied, il peina à reprendre le travail et décréta que, n'aimant pas Simenon, et étant trop fatigué par les séquelles de sa chute, il laissait à Chavance et à Ribemont-Dessaignes le soin de terminer et de signer seuls l'adaptation et les dialogues. Cette fois, c'était bien la fin du tandem Prévert-Carné. « C'est chose entendue aujourd'hui : Jacques a du génie, écrira plus tard le grand metteur en scène. Et je m'empresse de dire que je partage ce point de vue. Mais il n'a rencontré véritablement le succès que lors de la publication de *Paroles*, peu après que nous avons arrêté de travailler ensemble. Et ce succès a rejailli

---

1. Brassaï, *op. cit.*

sur les films écrits antérieurement. *Que n'a-t-il été reconnu durant tout le temps que dura notre collaboration*[1] ? À l'apparition de chaque film que nous faisions c'était lui, encore plus que moi, qui était visé par les attaques de la critique ; il ne se passait pas de mois sans que l'on me conseille, dans mon propre intérêt, de rompre mon association qui me desservait plus qu'elle ne m'était profitable !... Alors, que tous ceux qui ont pleuré hypocritement la disparition d'une entente qu'ils jugent aujourd'hui essentielle cessent leurs simagrées[2] ! »

La Marie du port abandonnée, Prévert, durant l'été, reprit le vieux projet de *La Rue des Vertus* pour Yves Allégret qui voulait tourner le film avec, en vedette, Simone Signoret dont il partageait la vie depuis six ans. *La Rue des Vertus* était cette histoire de gangsters que Jacques avait écrite au côté de Jacqueline Laurent quand ils habitaient ensemble Rodeo Drive à Hollywood, et à laquelle Marcel Carné avait préféré *Le Jour se lève*. Yves Allégret et Prévert pensaient déjà à une distribution qui, autour de Simone Signoret, réunirait Roger Pigaut et Frank Villard. Ce n'était pas tant que le poète souhaitât interrompre si tôt sa convalescence mais il avait de graves soucis financiers. Paradoxalement, le succès de *Paroles* ne les avait pas encore dissipés. René Bertelé qui, outre Prévert, éditait Gaëtan Picon et son œuvre majeure *Panorama de la nouvelle littérature française* (1949), ainsi que Henri Michaux, Georges Neveux et Jean Genet, était victime de son succès. Il devait se développer sous peine de disparaître. Et qui disait développement impliquait apport de capitaux. Ceux-ci vinrent, par l'entremise d'Henri Filipacchi (vieille connaissance de Prévert dans le milieu surréaliste), de son collaborateur chez Hachette, Guy Schoeller, et de Gaston Gallimard qui avait fait, dès octobre 1946, plusieurs offres à l'auteur de *Barbara*, un poème dont le temps n'émoussait nullement le succès populaire. L'affaire fut rondement menée et, le 29 juillet 1949, les éditions du Point du Jour fusionnaient avec Gallimard sous réserve des accords de Jacques Prévert qui amenait *Paroles* et ses œuvres à venir dans la corbeille de mariage, et de Gaëtan Picon qui en faisait autant avec son *Panorama de la nouvelle littérature*. La convention établie pour cinq ans stipulait que René Bertelé bénéficierait d'un droit de suite de 10 % du montant des droits d'auteur versés sur la vente des dix premiers 1 000, de 15 % de 10 000 à 30 000 et que, au-delà de 30 000, il recevrait 3 % sur le prix fort de vente. Son compte à la société était en outre crédité de 300 000 francs auxquels Gaston Gallimard ajouterait encore 360 000 francs dès

---

1. Souligné par Marcel Carné.
2. Marcel Carné, *op. cit.*

l'apport des éditions du Point du Jour accompagné des accords signés de Jacques Prévert et Gaëtan Picon[1]. Le Point du Jour devenait le titre d'une collection de Gallimard à laquelle Bertelé gardera une certaine autonomie tout en recevant pour la diriger une mensualité de 50 000 francs.

Cet apport d'argent frais rejaillit sur la situation financière de Prévert qui ne pouvait compter pour vivre que sur ses rentrées provenant de l'édition ou des droits versés à la SACEM par les diffuseurs de ses chansons ou de ses sketches. Au fil des années, ses travaux d'adaptation et de dialogues pour le cinéma lui avaient été payés forfaitairement et il ne pouvait prétendre à aucunes royalties ultérieures, quel que fût le succès du film en salle. La nouvelle carrière des films anciens, due au succès de *Paroles* et qui devenaient tout doucement des classiques du cinéma français, si elle flattait son orgueil d'auteur et confirmait sa notoriété, n'ajoutait pas une ligne à son compte en banque! Et la liste des projets avortés s'allongeait. À la radio, un important «Rendez-vous avec Jacques Prévert» auquel le poète accordait assez d'attention pour avoir enregistré lui-même *La Transcendance*, un texte que la direction de la Radio nationale jugea trop provocateur, fut censuré et le programme annulé sans autre forme de procès. André Gide qui avait découvert Prévert au temps du Groupe Octobre et avait goûté le sel de *La Bataille de Fontenoy* avant de figurer parmi les plus fervents admirateurs de *Paroles*, avait très envie de le voir adapter *Les Caves du Vatican* qu'Yves Allégret se proposait de porter à l'écran. Au bout d'un mois et demi de travail estival, le projet fut abandonné par la société productrice Universalia, effrayée par les éventuelles réactions du Vatican où Prévert, pas plus que Gide, n'était en odeur de sainteté! La seule réalisation cinématographique à laquelle il participa, et qui aboutit durant cette année, fut *La vie commence demain* de Nicole Vedrès qui se tournait chez Picasso, installé depuis peu à Vallauris où Jacques était venu à l'improviste visiter son nouvel atelier. La réalisatrice profita de ce hasard pour inclure Jacques Prévert dans son film enquête constitué d'une série d'interviews de personnalités françaises éminentes, technique dont la télévision fera ses choux gras quelques années plus tard. Le poète y dit lui-même un extrait de *Lanterne magique de Picasso* dans la séquence consacrée au peintre.

Les projets envisagés avec Yves Allégret avaient amené le cinéaste à venir souvent à Saint-Paul-de-Vence où s'étaient installés pour les vacances sa femme, Simone Signoret, la fillette qu'elle lui avait donnée trois ans auparavant, prénommée

---

1. Archives Gallimard.

Catherine, et le fils né de sa précédente union, Gilles, quatorze ans, qui s'entendait merveilleusement avec sa jeune belle-mère. L'année précédente, Simone n'avait pas résisté au charme d'une vieille maison du village (elle l'avait acquise grâce au cachet d'un film du réalisateur austro-suisse Léopold Lindtberg, *Swiss Tour*, une réalisation qui n'a guère laissé de traces dans l'histoire du cinéma), mais c'est dans la salle à manger de La Colombe d'Or que se produisit, sous l'égide de Prévert, la rencontre qui allait faire couler tant d'encre. En tournée d'été, Yves Montand, qui avait réservé une chambre à l'annexe de l'auberge, dînait en compagnie de Bob Castella et de Henri Crolla, quand Jacques Prévert entra avec une gitane en robe à fleurs et caraco noué, pieds nus sur les tomettes. Crolla reconnut en elle sa « vieille » copine du Café de Flore. Avec Prévert, il fit les présentations. Atmosphère chaleureuse, détendue. Après dîner, sur le piano droit de la salle à manger, Castella joua *My Solitude* qu'il interprétait divinement. À Montand, on demanda une chanson de Jacques. « Je termine ma chanson, se souviendra l'interprète de *Sanguine*. Ensuite tout le monde bavarde. J'échange des banalités avec Simone Signoret, j'entre dans ce jeu prétendument désinvolte où les regards hésitent à se croiser, où pointe ce trouble qui naît à la naissance d'on ne sait quoi. Ce trouble qui se nourrit du trouble de l'autre[1]. » Le lendemain matin, le chanteur descendit répéter à Nice où il donnait le premier d'une série de récitals au théâtre de verdure, mais, à midi, il rentra à La Colombe où il déjeuna sur la terrasse avec Signoret, Crolla et Prévert. Quand leurs deux amis s'éclipsèrent, Simone et Montand continuèrent à boire du vin blanc jusqu'au moment où le chanteur expliqua que, se produisant le soir même, il devait au moins se reposer une demi-heure avant d'affronter le public. La comédienne lui proposa le calme de sa petite maison dans le village. « Comme toujours, c'est elle, la femme, qui a pris l'initiative, confiera-t-il plus tard, et comme toujours, j'en suis resté surpris [...] Nous avons visité la maison, que j'ai trouvée fort agréable. Nous avons fait la sieste et ne nous sommes plus quittés. Simone descendait m'écouter et je la raccompagnais. Toute La Colombe était au courant, chacun l'avait aperçue sortant de l'annexe[2]. »

Présentés l'un à l'autre par Jacques Prévert, Simone et Yves, après ce coup de foudre qui allait durer si longtemps, faisaient désormais partie de « la famille ». « Cette aventure était tellement évidente qu'elle avait eu ses témoins, rappellera

---

1. Hervé Hamon, Patrick Rotman, *op. cit.*
2. *Ibid.*

Simone Signoret. Les Prévert étaient là, tous les Prévert[1], les Pigaut étaient là, les Roux, toute la famille Roux était là, et Gilles était là, tous ils aimaient Allégret, tous ils aimaient Montand, tous ils m'aimaient, c'étaient des témoins, je ne voulais pas en faire des complices. Quand Allégret est revenu, je suis allée l'attendre sur la route. Je ne voulais pas qu'il entre au bar de La Colombe salué par : "Alors, monsieur Allégret, ce séjour à Paris, ça s'est bien passé ? Ici il a fait très beau temps..." J'ai été la première à lui dire qu'il s'était passé quelque chose[2]. » « Sous le coup de l'émotion, ajoutera Montand, il lui a donné une rude paire de claques, mais il s'est ensuite comporté avec une élégance rarissime[3]. » Dans la bande, depuis l'époque du Groupe Octobre au sein duquel Yves Allégret avait lui-même œuvré en compagnie de Renée, sa première épouse, les changements de partenaires ne provoquaient — de tradition — aucun drame pas plus qu'ils n'entraînaient de vaudevilles à la Feydeau puisque l'amour prévalait toujours sur les convenances bourgeoises. Tout au plus s'agissait-il d'un nouvel avatar de cette *Famille Tuyau de Poêle* que Jacques réalisait en cet été 1949. Il avait sorti la pièce de ses cartons à la demande de quelques jeunes metteurs en scène envieux de la réussite d'Yves Robert, lequel, pour conforter le succès de la formule «cabaret littéraire de nuit» de la nouvelle Rose Rouge[4], sollicitait Jacques Prévert afin de monter *L'Opéra des girafes* et *Branle-bas de combat*, deux textes réunis plus tard sous le titre surréaliste de *Entrées et sorties et ainsi de suite*. Celui-ci donna par téléphone son accord de principe. «J'ai souvenir d'une communication, racontera Yves Robert. "Jacques Prévert à l'appareil !" J'ai cru à une blague mais c'était lui qui me disait : "Vous ferez ce que vous voudrez." Il m'a donné le texte de *Branle-bas de combat* dactylographié[5] et *L'Opéra des girafes* publié dans un petit livre illustré *Contes pour enfants pas sages*. J'ai tout de même rencontré Jacques pour parler de la mise en scène. Malheureusement il était un peu ivre à partir de cinq, six heures du soir. Là j'ai eu beaucoup de difficultés. On s'est arrangé pour le voir plus tôt dans la journée... On se retrouvait à La Rose. Au début

1. Pierrot et Gisèle Prévert qui n'envisageaient pas la vie sans Jacques s'étaient installés à Saint-Paul où ils restèrent un an et où leur fille Catherine allait faire son entrée à l'école communale, discrètement protégée par Titine Roux qui, auprès d'elle, jouait les grands-mères que la fillette n'avait pas connues.
2. Simone Signoret, *La nostalgie n'est plus ce qu'elle était*.
3. Hervé Hamon, Patrick Rotman, *op. cit.*
4. Inaugurée en avril 1948 au 76 rue de Rennes, à deux pas des lieux où Prévert avait passé son adolescence.
5. *Branle-bas de combat* avait été publié en mars 1937 dans les numéros 1 et 2 de la revue *Cinématographe*, dirigée par Henri Langlois et Georges Franju.

il venait aux répétitions. Il me disait : "J'ai refait des trucs…" Il me les lisait et je n'arrivais pas à comprendre ce qu'il disait car il bafouillait terriblement et la boisson n'arrangeait pas son élocution. Mais il était magnifique, toujours très élégant, toujours très bien habillé, avec des chapeaux ou des casquettes qui venaient de chez Gélot, place Vendôme, le chapelier des "têtes couronnées". Un vrai dandy. Et surtout, à La Rose Rouge, on ne le considérait pas comme le prince des poètes. Il voulait qu'on le tutoie. On le tutoyait. On l'appelait Jacques. Il y avait chez lui un côté chaleureux et familier à l'image de sa poésie. C'est un homme qui *se* ressemblait. Autant Queneau, dont nous avons monté avec grand succès *Exercices de style* et avec qui nous nous sommes très bien entendus, était un homme très distancié de ce qu'il écrivait, autant Prévert était "notre" poète. Il nous était extrêmement familier tout en étant d'une génération antérieure. Et puis chez lui, comme chez nous, rien au-dessous de la ceinture comme l'ont fait — à l'exception de Romain Bouteille — nos "successeurs" du café-théâtre des années 1970-1980. Chez nous, c'était une règle. Pipi-caca-merde-cul-poil-con-nichons, ça fait toujours rire, mais il faut choisir. Avec Prévert nous avons choisi[1]. »

Le succès de La Rose Rouge fut phénoménal et estampillé Jacques Prévert tant celui-ci était présent dans la revue. Avec bien sûr, *Branle-bas de combat* et *L'Opéra des girafes*, pour lequel Kosma avait composé «une musique allègre et rigolote qui en faisait un petit opéra-bouffe très marrant[2] », mais aussi dans les autres numéros d'un spectacle de variétés d'une incroyable richesse où se détachaient, outre Yves Robert, deux révélations : Juliette Gréco et les Frères Jacques. Chacun savait, à commencer par les deux cents spectateurs qui s'entassaient chaque soir dans le sous-sol de l'ancienne brasserie Lumina de la rue de Rennes, fermée depuis la guerre, ce que représentait Juliette Gréco dans l'histoire récente du plus célèbre quartier de Paris. La longue jeune fille en noir, séduisant emblème de Saint-Germain-des-Prés, avait gagné en quelques mois ses galons de vedette en chantant du Queneau, du Sartre, du Desnos et le Prévert de *À la belle étoile*, de *Embrasse-moi* et surtout de *Je suis comme je suis*, l'un des poèmes de *Paroles* devenu le signe de ralliement des jeunes femmes «libérées» de l'après-guerre. Quant aux Frères Jacques (André et Georges Bellec, François Soubeyran, Paul Tourenne et leur pianiste arrangeur, Pierre Philippe), ils venaient des Auberges de jeunesse, des Éclaireurs de France et des Chantiers de jeunesse et

1. Yves Robert à l'auteur.
2. *Id.*

s'étaient rencontrés à Travail et Culture, une association de
culture populaire où ils avaient eu connaissance, bien avant la
publication de *Paroles*, de quelques textes de Prévert «façon
Groupe Octobre». Ils s'étaient parfaitement intégrés à la
troupe Grenier-Hussenot où œuvraient côte à côte chanteurs,
danseurs, mimes et comédiens polyvalents. Ils avaient participé au succès de *Orion-le-Tueur* de Maurice Fombeure et à *La
Parade* donnés à la Gaîté-Montparnasse d'Agnès Capri, où ils
avaient rencontré Yves Robert et le décorateur de Grenier-Hussenot, le peintre Jean-Denis Malclès. Ce dernier avait dessiné
leur costume de scène lorsqu'ils avaient décidé de former un
quatuor vocal : pulls de soie vert, jaune, rouge et gris, gants
blancs, chapeau melon, complétés de collants noirs qu'Yves
Robert avait dénichés sous les combles de la Comédie des
Champs-Élysées, reliefs des costumes des Ballets russes des
années 20 ! Ils s'étaient composé un petit répertoire à base de
fausses chansons 1900, comme *L'Entrecôte* qui, chaque soir,
faisait un tabac quand Jacques Canetti, le directeur artistique
de la firme de disques Polydor, grand découvreur de talents
depuis ses débuts à Radio Cité avant la guerre au côté de Marcel Bleustein-Blanchet, leur conseilla d'interpréter des chansons de Prévert et Kosma, en vue de l'enregistrement d'un
album 78 tours. «Malgré la difficulté des mélodies de "l'ami
Joseph", dira Paul Tourenne, on y est parvenu. On ne connaissait pas encore Jacques Prévert mais nous savions son existence à travers certaines de ses interprètes. Catherine Sauvage,
qui débutait à vingt ans au Bœuf sur le Toit le chantait, Gréco
aussi à La Nouvelle Rose Rouge, sans oublier Cora Vaucaire, la
première à enregistrer *Les Feuilles mortes*. On a travaillé et on
a fait un petit album de quatre disques 78 tours réunissant,
entre autres *Inventaire*, *Barbara*, *Deux escargots s'en vont à l'enterrement* et *En sortant de l'école*. Après avoir eu le pied mis à
l'étrier par Capri à la Gaîté-Montparnasse puis être passés chez
Colette Mars rue Saint-Anne, nous sommes arrivés à La Rose
Rouge [1]. » Yves Robert souhaitait utiliser les Jacques, comme on
les appellera souvent, dans son spectacle *Branle-bas de combat*,
d'après le sketch de Prévert. Aussi, sur ses conseils, se présen-
tèrent-ils rue de Rennes, demandant aussitôt une audition.
«J'étais en compagnie de Pierrot Prévert, dira André Virel *[qui
souhaitait que celui-ci le remplaçât et participât à la sélection
des numéros]*. J'avais entendu parler favorablement des Frères
Jacques à la Gaîté-Montparnasse et j'ai demandé à Nico Papatakis de les laisser occuper le soir même la place d'une attraction défaillante. Il leur a donné royalement un quart d'heure.

---

1. Paul Tourenne à l'auteur.

Quand Pierrot a vu leur prestation, qui était très originale et allait avoir le succès que l'on sait, il m'a dit seulement : "Jamais rien vu d'aussi con !" Il était passé tout à fait à côté de la plaque ! Il s'est rattrapé un peu plus tard à La Fontaine des Quatre-Saisons où les Frères Jacques ont poursuivi le triomphe commencé à La Rose Rouge[1]. »

On peut dire que la gloire de Jacques Prévert naquit sur cette scène minuscule de 4 mètres de long, 2 mètres de large et 2,10 mètres de haut, par la voix de Gréco et des Frères Jacques. Au milieu de la salle, des tables de bois, flanquées de tabourets inconfortables, se touchaient les unes les autres, prises d'assaut dès 22 h 30. « L'espace est si étroit et le public si dense, écrira *La Tribune de Genève*, que chacun est à peu près assis sur les genoux de son voisin et boit dans un verre ou l'autre faute de pouvoir s'y reconnaître. » À 23 heures, la salle et l'escalier étaient archi-bourrés… On refusait tous les soirs des clients qui auraient donné tout l'or du monde pour obtenir un quart de marche, de quoi apercevoir le bout du pied d'un interprète. Dans la rue de Rennes stationnaient des Buick, des Chevrolet, des Cadillac. Les visons et les robes signés Dior ou Balmain côtoyaient les pulls à col roulé des intellectuels de Saint-Germain ou les pantalons de velours côtelé des poètes et des peintres anarchisants. Bientôt, la renommée de La Rose Rouge dépassera les frontières et traversera l'Atlantique[2]. Dès 1950, les Frères Jacques, hier inconnus du public, obtenaient le Grand Prix du disque avec *Inventaire* et son fameux raton laveur. À cette occasion, Jacques Prévert écrivit : « Aux feux de la rampe, les Frères Jacques allument un vrai feu de joie et les planches brûlent en crépitant et ils dansent autour en chantant. » Trois ans plus tard, lorsque apparut le disque 33 tours en vinyle qui révolutionna le marché, les Jacques avaient, outre leur renommée née rue de Rennes et relayée par les gazettes et les radios, vingt titres de Prévert à leur répertoire : assez pour enregistrer un album, puis un autre, simplement intitulés *Les Frères Jacques chantent Jacques Prévert*. De son côté, Yves Montand s'obstina, pour sa rentrée en récital, à imposer *Les Feuilles mortes*, titre qui ne suscitait guère l'enthousiasme de ses fidèles, pas plus que *Les Enfants qui s'aiment* qui souffrait encore du flop des *Portes de la nuit*. Mais le succès était pour demain. Il éclatera lors du récital qu'il donnera à l'Étoile en 1953. Un triomphe auquel Prévert sera étroitement mêlé puisqu'il figurera cinq fois au programme avec deux poèmes : *Promenade de Picasso* rebaptisé par Montand *Le Peintre, la Pomme*

1. André Virel à l'auteur.
2. Geneviève Latour, *Le Cabaret théâtre 1945-1965*.

et Picasso, et *Barbara*, et trois chansons, *Sanguine*, *Les Cireurs de souliers de Broadway* et *Les Feuilles mortes*, titre donné en rappel. La formidable adéquation entre un chanteur, ses auteurs et son public atteindra bientôt l'autre rive de l'Océan et *Les Feuilles mortes*, traduit par Johnny Mercer, l'un des fondateurs de Capitol, deviendra, sous le titre d'*Automn Leaves*, un standard que Frank Sinatra et Nat King Cole, suivis par bien d'autres crooners, rendront populaire dans le monde entier. Ce titre fétiche, si obstinément imposé, ne sera pas étranger au succès international de Montand qui recevra, dès 1954, le premier Disque d'or gravé pour lui par la firme Odéon afin de saluer la vente du millionième exemplaire des *Feuilles mortes*! Lors de ce récital marqué par le double disque historique dont la pochette illustrée par Jean Effel deviendra pièce de collection au musée du 33 tours, Jacques Prévert publiera dans le programme un poème «original» intitulé simplement *Yves Montand*. Il s'agira en réalité de cent neuf vers, dont le titre était *Un rideau rouge se lève devant un rideau noir* déjà publié dans *Spectacle* mais profondément remanié pour l'occasion:

Un rideau rouge se lève devant un rideau noir
Devant ce rideau noir
Yves Montand
avec le regard de ses yeux l'éclat de son sourire les gestes de ses
    mains la danse de ses pas
dessine le décor [...]

Spectacle fut le deuxième recueil de textes publié par Jacques Prévert sous le label Gallimard. Rassuré sur la santé de son auteur qui achevait avec succès sa convalescence, le grand éditeur entendait profiter du succès de *Paroles* et de l'engouement de la France entière pour un poète dont les textes triomphaient de La Rose Rouge au Théâtre de l'Étoile en passant par les ondes de la radio. Même Jacqueline François — «Mademoiselle de Paris» —, alors au faîte de sa carrière, accepta de tourner un court métrage réalisé sur *Les Feuilles mortes* et qui sortit en complément du *Rosier de Mme Husson*, film à grand succès de Jean Boyer. «Et pourtant, rappellera l'éditrice Jeanine Enoch, Jacqueline François n'aimait pas du tout les chansons de Jacques Prévert. Il a fallu la payer pour qu'elle en chante[1].» Néanmoins, elle figurera pour longtemps en photo sur la couverture du petit format publié par Enoch aux côtés d'Yves Montand, Cora Vaucaire et Juliette Gréco!

---

1. Janine Enoch à l'auteur.

Durant l'année 1950, Jacques Prévert, encore dans sa «période d'incapacité temporaire partielle» de 35 %, s'était contenté de «bricoler», histoire de ne pas perdre la main et de faire plaisir aux amis. Au printemps, entretiens radiophoniques avec son copain Ribemont-Dessaignes, de ceux qui feront dire à Raymond Queneau : «Les récitals de Prévert à la radio, après la Libération, étaient écoutés avec la même foi que l'orchestre de Claude Luter au Lorientais à un moment où Sartre commençait à abandonner les séances de travail au Flore, en y laissant l'impérissable souvenir qu'y cherchent encore des Scandinaves... à la confiance légendaire[1].» Textes pour une exposition des tableaux de ce touche-à-tout génial qu'était devenu Mouloudji, et un long poème original ouvrant le vingt-quatrième numéro de *Verve* (avril), la superbe revue artistique et littéraire d'Eugène Tériade consacré à des lavis de Chagall sur les Contes de Boccace. Paraissait aussi un texte intitulé *Aux jardins de Miró* dans *Derrière le miroir*, revue destinée à accompagner de façon originale à côté des habituels catalogues[2], les expositions organisées par Aimé Maeght, le marchand de tableaux qui deviendra son ami. À l'automne, un long poème de près de six cents vers commenta les photos animalières de Ylla avec laquelle il avait déjà réalisé, non sans mal, *Le Petit Lion* aux Arts et Métiers graphiques, éditeur dont, on s'en souvient, il avait fort peu apprécié l'attitude. Cette fois c'est Gallimard qui, en attendant un «vrai» livre digne de *Paroles*, publia en album *Des bêtes* où Prévert et Ylla s'associaient pour donner un aperçu de la condition de leurs amis les animaux.

Aucun de ces textes n'eut un grand retentissement, mais leur accumulation prouvait la vitalité retrouvé de «l'homme qui était tombé par la fenêtre», et l'intérêt toujours intact qu'il manifestait pour ses contemporains victimes de l'intolérance. On retrouva sa signature parmi divers témoignages publiés en guise de soutien à *La Parodie* et à *L'Invasion*, deux pièces d'Arthur Adamov qui relevaient du théâtre de l'absurde. Soutien encore, pour un autre dramaturge, Antonin Artaud, disparu en 1948, dont la famille s'opposait à la publication d'œuvres jugées diaboliques. Là encore, vive protestation de Prévert, tout comme il s'éleva contre l'internement du poète Nazim Hikmet, prisonnier politique qui avait entrepris une grève de la faim à Istanbul où il était détenu depuis dix-sept ans ; contre l'emprisonnement des «dix d'Hollywood», premières victimes de la «chasse aux sorcières» menée aux USA par le sénateur Joseph MacCarthy ; contre le tribunal français condamnant

1. *Paris-Paris 1937-1957.*
2. *À proximité des poètes et des peintres*, Adrien Maeght éditeur.

l'éditeur qui entendait diffuser *La Philosophie dans le boudoir* de Sade ; enfin contre la condamnation à mort de Zavis Kalandra, trotskiste et surréaliste tchèque, dont on sut plus tard qu'il avait été déjà exécuté par le régime communiste de Klement Gottwald.

Une bonne surprise tout de même, cette année-là : la réception à Saint-Paul-de-Vence de la dactylographie des textes de *Lumières d'homme*, écrits par Prévert lors du voyage à Ibiza en compagnie de Jacqueline Laurent, et que l'éditeur Guy Lévis Mano avait miraculeusement retrouvés[1].

Si l'on peut dire avec Guy Jacob que depuis *Les Amants de Vérone* Jacques Prévert n'a plus signé de grands films[2], il ne put pourtant résister, durant cette même période, à l'appel du vieux compagnon Christian-Jaque, avec lequel il avait si souvent collaboré, même si sa signature ne figurait pas toujours au générique. À *Souvenirs perdus*, sur un scénario de Jacques Companeez, Jacques Prévert fournit deux des quatre sketches qui composeront le film : *La Statuette* et *Le Violon*, occasion pour lui de faire travailler Pierrot qui en écrivit, sans les signer, les adaptations. *Le Violon* était fortement inspiré d'un court métrage que ce dernier avait conçu en 1930 et qui voyait le jour vingt ans après ! Outre les dialogues, qu'il s'était réservés, Jacques écrivit *Tournesol*, dernière occasion pour lui de signer, en collaboration avec Kosma, une de ces chansons populaires qui avaient fait leur gloire et que chanta Yves Montand accompagné par Henri Crolla, lequel utilisa à cette occasion sa guitare comme la mandoline de ses débuts aux terrasses des cafés. L'affaire ne laissa pas que de bons souvenirs, car, à la projection, Prévert s'aperçut que Companeez et Christian-Jaque avaient «revu», sans l'informer, le texte du *Violon*. Il menaça alors de retirer son nom du générique et jamais plus ne travailla avec le metteur en scène. *Souvenirs perdus* fut l'une de ses trois dernières contributions au cinéma. Elle ne le réconcilia pas, c'est le moins qu'on puisse dire, avec un septième art auquel il avait pourtant apporté quelques-uns des plus beaux dialogues de son histoire !

Par bonheur, restait la poésie qu'on lui réclamait à cor et à cri du côté de la rue Sébastien-Bottin. Pour décider Jacques Prévert à se mettre au travail, Gaston Gallimard lui dépêcha René Bertelé à Saint-Paul-de-Vence, avec mission de recueillir ses exigences. Quelques jours plus tard, Bertelé fit son rapport à Guy Schoeller : Prévert disposait de tout le matériel néces-

---

1. Ils ne seront édités sous le sigle GLM, qui frappait une plaquette de luxe à couverture bleu vif, tirée à 1 565 exemplaires, que cinq ans plus tard.
2. *Premier Plan*, n° 14.

saire pour composer un second recueil de textes susceptibles de combler l'attente des amateurs du premier. «À la lumière de ce qu'il *[René Bertelé]* m'a dit, je considère que l'on peut obtenir dans un délai de trois à quatre mois un nouveau livre de Jacques Prévert de la même importance et de la même qualité que *Paroles [écrivit Guy Schoeller dans une note à son ami Gaston Gallimard]*. Toutefois pour avoir les plus grandes chances d'obtenir cela, il faut permettre à Jacques d'écarter, tout au moins provisoirement, tout souci financier et par conséquent se rallier à la solution discutée et examinée avec René Bertelé[1].» Prévert demandait une mensualité de 200 000 francs pour les trois mois à venir, ainsi qu'une somme de 500 000 francs à la remise du manuscrit. Exigences fort acceptables compte tenu du solde créditeur que présentait son compte et des très bonnes ventes de *Paroles*. «La remise des 500 000 francs, concluait Schoeller, équivaudrait à payer par avance à Jacques ses droits sur 12 000 exemplaires du nouveau volume, ce qui ne représente par conséquent aucun risque... Il faut cependant ajouter à ceci une observation importante, à savoir que si nous avons actuellement 50 chances sur 100 d'obtenir ce manuscrit, cette chance s'élèvera à 90 % si nous permettons à une collaboratrice de Jacques (qui travaille avec lui depuis vingt ans) de rester à côté de lui pendant trois mois. Ceci suppose que l'on accorde à cette personne une indemnité de séjour de 50 000 francs par mois pendant ces trois mois[2].» Toutes les conditions acceptées, la «personne» — Margot Leibowitch — s'installa à Saint-Paul. Connaissant Prévert depuis l'époque du Groupe Octobre, mariée au décorateur Auguste Capelier, collaborateur d'Alexandre Trauner pendant la clandestinité, elle était, mieux que quiconque, familiarisée avec le «matériel» dont disposait le poète. «Quand Jacques Prévert a eu son accident sur les Champs-Élysées, révélera-t-elle, on a retrouvé avec Pierrot et Janine une "malle miracle" pleine de papiers. *Contrairement à la légende, il ne jetait rien depuis belle lurette*[3]. C'est à partir de ces documents qu'après sa convalescence il a pu écrire *Spectacle*[4].»

Bertelé, surveillant l'avancement des travaux depuis son bureau parisien, en recevait des nouvelles grâce à Margot, ravie de stimuler l'inspiration de son vieil ami qui, plus qu'à une création originale, se livrait à un choix harmonieux entre textes anciens puisés dans la «malle miracle» — qu'il révisait ou parfois réécrivait entièrement — et textes plus récents. «Il a

---

1. Archives Gallimard.
2. *Ibid.*
3. Souligné par l'auteur.
4. Margot Capelier à l'auteur.

commencé *Spectacle* sans que n'intervienne que ma bonne volonté de taper ce qui lui chante *[put écrire bientôt Margot Capelier à René Bertelé]*, et ça chante beaucoup actuellement dans sa tête[1].» Prévert, qui, après avoir donné à entendre avec *Paroles*, voulait maintenant donner à voir, avait trouvé le titre du nouveau recueil avant même de savoir exactement ce qu'il mettrait dedans. Avec Bertelé, il sélectionna soixante-six textes où figuraient aussi bien *La Transcendance* (récemment censuré par la Radiodiffusion française), *Les Quatre Cents Coups du diable* et *Branle-bas de combat* (données par Yves Robert à La Rose Rouge), *La Bataille de Fontenoy* (le triomphe du Groupe Octobre en 1932 mais profondément remanié et réactualisé pour l'occasion), que certaines des chansons — anciennes et nouvelles — mises en musique par Kosma, Louis Bessières ou Henri Crolla, comme *Les Enfants qui s'aiment*, *Marche ou crève*, *Sanguine*, *Chanson des sardinières*, ou *Tournesol*. Avec un bel éclectisme, *Eaux-fortes de Picasso* et *Aux jardins de Miró* voisinaient avec *Le Tableau des merveilles* créé jadis dans le grenier de Jean-Louis Barrault devenu l'atelier de Picasso, rue des Grands-Augustins. Contrairement à *Paroles*, Prévert et son éditeur ne choisirent pas, pour *Spectacle*, l'ordre chronologique. L'important était de montrer, mieux encore que dans *Paroles*, la diversité de l'art du poète qui n'hésita pas à «entrelarder» son deuxième recueil de citations, tels *Bruits de coulisse* ou *Entracte*, malicieusement découpées dans la presse depuis l'époque de la rue du Château, et des aphorismes d'*Intermède* explicitement sous-titré «Billevesées, allégories allègres, métamorphismes, devinettes, etc.».

Bruits de coulisse était consacré aux perles des ennemis traditionnels — dignitaires de l'Église, de l'Armée, agents de l'Autorité quelle qu'elle soit — *Entracte* aux citations de ceux qui étaient ou avaient été chers à son cœur; s'y retrouvaient Maïakovski, Henri Michaux ou René Char aussi bien que Claudy Carter: «Ceux qui écoutent aux portes, entendent toujours quand on se dispute et jamais quand on rit»; Janine: «Tant d'amour dans un si petit cœur»; ou Minoute à trois ans devant un ludion dans un bocal: «Oh! Il remonte dans la bouteille et il redescend. C'est Merdézut... Merdézut qu'il s'appelle!» Quant à *Intermède* il était presque entièrement consacré à ces réflexions que Prévert réservait à ses amis ou consignait sur les dizaines de petits morceaux de papier qui encombraient ses poches. L'une d'entre elles restera à jamais gravée dans la mémoire de ses admirateurs et Yves Montand la fera figurer trente ans plus tard dans le programme de son ultime récital à

---

1. Rapporté par Danièle Gasiglia-Laster et Arnaud Laster, *op. cit.*

l'Olympia à l'automne 1981 : «Quand quelqu'un dit : Je me tue à vous le dire ! laissez-le mourir.»

Pourtant, rien dans tout cela ne fut à même de calmer un certain courant d'hostilité dirigé contre l'auteur des *Enfants du paradis* et de *Paroles*, malgré l'adhésion de la jeunesse et du public populaire. Catalogué de gauche auprès de la droite, trop anarchiste et tolérant pour plaire à la gauche communiste, Jacques Prévert, après avoir été la cible de la critique cinématographique, devenait celle d'une poignée d'intellectuels qui ne juraient que par Staline et Jdanov, et n'hésitaient pas à taxer le poète, trop aimé par le peuple dont ils faisaient leur chasse gardée, d'ouvriérisme et de populisme ! Sans qu'il mît jamais directement la main à la pâte dans l'entreprise de démolition qu'il menait contre l'ancien compagnon des débuts du surréalisme et en oubliant le rôle essentiel que Jacques avait joué dans le succès du Groupe Octobre, son vieil ennemi Louis Aragon envoyait ses séides à l'attaque. C'est ainsi qu'un certain Jacques Gaucheron couvrira neuf pages de *La Nouvelle Critique*, «revue du marxisme militant», de considérations insultantes à l'égard de Jacques Prévert qualifié, dès le titre, de «clown lyrique». Avec une hargne incroyable qui sentait la voix de son maître, il stigmatisait «les faux bons sentiments d'un anarchisme désolé» et soulignait à quel point «films ou poèmes, Jacques Prévert n'est pas très gai. Son répertoire est celui du populisme, un faux décor prolétarien». La comparaison avec Paul Géraldy, hier utilisée par la droite, se renouvelait cette fois sous une plume de gauche mais toujours destinée à dénigrer la sincérité et la force du poète. «La conception petite-bourgeoise de l'amour, ajoutait Gaucheron, dont Paul Géraldy s'est fait le porte-parole, avait besoin d'une certaine intimité, de lumières tamisées, etc. Prévert a changé tout cela. Il a fait du nouveau selon la vieille recette du populisme. Il a transporté l'amour petit-bourgeois dans un décor de baraques foraines, de chambres d'hôtel lépreux et de rues brumeuses. Seule modalité (formalité) : un coup de foudre. Le garçon tombe du ciel, regarde. La fille en fait autant. Ils s'aiment. Généralement ce mystère finira mal, parce que les gens, qui ont le cœur bon, sont en proie aux méchants, à ceux qui au désir animal ont substitué des calculs de civilisés. Dis-moi, amateur de Prévert, n'est-ce pas attendrissant à en pleurer, tellement c'est cliché, chiqué et recopié sur les plus bêtes des feuilletons les plus roses. (Sauf ceci : chez Prévert on ne se marie pas, on meurt[1].» Il y avait trop de haine et de hargne dans ce papier pour convaincre tous les jeunes intellectuels, communistes «pur sucre», à qui il était destiné.

---

1. *La Nouvelle Critique*, mars 1950. Archives Jean-Jacques de Meyenbourg.

L'un d'entre eux qui, deux décennies plus tard, le retrouvera dans ses papiers, m'écrira d'une plume encore indignée : « Ci-joint l'ignoble article de Jacques Gaucheron paru dans *La Nouvelle Critique*. Difficile d'être plus salaud ou plus con[1]. » Les attaques ne venaient pas seulement de l'extrême gauche la plus radicale. Ainsi le poète René Char, l'ancien compagnon surréaliste de Breton et Éluard, héros de la Résistance, rompit-il avec la très belle revue *Empédocle* où il siégeait au comité de rédaction en compagnie d'Albert Camus et de quelques autres, à la suite d'un article hostile à Prévert dont il était un fervent admirateur.

La parution de *Spectacle*, achevé d'imprimer le 25 juin 1951 sous une couverture qui rappelait celle de *Paroles* mais aux couleurs inversées — fond rouge et titre noir —, bénéficia, compte tenu du succès du recueil précédent, d'une édition originale considérable : 2 660 exemplaires tirés sur les papiers les plus raffinés, Madagascar, vélin de Hollande Van Gelder, vélin pur fil des papeteries Lafuma-Navarre et vélin labeur des papeteries Navarre de Voiron. Pour les 100 exemplaires hors commerce de ce dernier tirage, Prévert fit plusieurs essais de maquettes au crayon vert, rouge et blanc sur papier Canson noir dont l'une servit de reliure à cette édition de luxe.

Le contexte politique — guerre froide, guerre de Corée, guerre d'Indochine — n'était guère favorable à une lecture mesurée de ce nouvel ouvrage d'un Prévert qu'on aimait ou dénigrait avec une égale passion. Dès la parution de *Spectacle*, Maurice Nadeau à *Combat*, Maurice Saillet un peu plus tard au *Mercure de France*, dirent tout le bien qu'ils en pensaient et combien l'œuvre théâtrale de Prévert — que la plupart des lecteurs ignoraient, n'ayant guère fréquenté le Groupe Octobre — complétait admirablement celle du poète. Claude Roy, sans rallier franchement le camp des « anti », ne se montra pas aussi favorable que les amis l'auraient souhaité et annonça les réactions hostiles qui, sans tarder, dominèrent la presse parisienne. Dans *Paris-Presse*, Louis-Martin Chauffier résuma sa critique en titrant « Après le "spectacle" de Prévert on demande à être remboursé[2] », tandis que Roger Nimier dans *Liberté de l'esprit*, l'organe du RPF, adoptait le ton du mépris — « on a le sentiment que Prévert a voulu réunir tout ce qu'il avait écrit de plus mauvais » — et que dans *Opéra*, Bernard de Fallois — une des plus brillantes plumes de la droite —, après avoir reproché à Prévert de n'avoir offert, après *Paroles*, « qu'une caricature grossière ou

---

1. Yves Courrière, archives personnelles.
2. *Paris-Presse*, 18 août 1951.

la morne répétition de ce qu'on y avait aimé», lancera la formule qui restera dans les mémoires : «Puisque Jacques Prévert se prend maintenant au sérieux, il est temps de le quitter... Dans les ruisseaux d'Aubervilliers ce poète populaire a ramassé le drapeau de M. Homais : c'est le Déroulède des anarchistes[1].» La palme revint sans conteste à Antoine Blondin que la haine qu'il étala dans *Rivarol* conseilla bien mal quand on sait le talent et la sensibilité qu'allait déployer l'auteur de la récente et provocante *Europe buissonnière*. Si De Fallois avait titré son article dans *Opéra* «Du vieux Prévert au jeune Hugo», Blondin annonça le sien dans *Rivarol* — «hebdomadaire de l'opposition nationale», résolument hostile à la Résistance — par cette formule aussi percutante qu'injurieuse : «Blasphème, onirisme, fantaisie, *[Jacques Prévert]* est le premier B.O.F. de la littérature contemporaine[2].» Après avoir rappelé l'accident des Champs-Élysées pour lequel le poète réclamait des dommages et intérêts — «Jacques Prévert est un monsieur qui fait rentrer l'argent par les fenêtres» —, ce qui n'était pas du meilleur goût, Blondin se riait du succès de *Paroles* : «On trouvait servie là, un peu refroidie, une pièce montée où concouraient tous les styles mystérieux de l'autre après-guerre. Le cubisme, le dadaïsme, les musiques rares, décorés d'un brin de gentillesse, dressaient un plat soudain très comestible. On en reprit. On y revint tellement que ce livre pulvérisa les records de diffusion et fit de Prévert notre premier, notre seul poète national. Ce n'était peut-être pas très exactement celui qu'on espérait [...]. À quarante-huit ans, traînée par le musicien Kosma et par le metteur en scène Carné, la poésie de Jacques Prévert pouvait passer sous l'arc de triomphe que lui avaient préparé les aspirations libertaires, délirantes et burlesques de nos générations [...]. Ce dont on ne peut douter après *Spectacle*, c'est que l'orgue de Barbarie se soit transformé en machine à sous [...]. La preuve en est ce nouveau recueil alimenté justement par vingt-cinq ans de fonds de tiroir révolutionnaire.» Le reste était à l'avenant. Antoine Blondin entendait bien que le phénoménal engouement du public pour *Paroles* ne se renouvelât pas avec *Spec-*

---

1. *Opéra*, 1er août 1951. Avant-guerre, à l'époque des grandes offensives surréalistes contre l'auteur de *Thomas l'Imposteur*, Jacques Prévert appelait Jean Cocteau «le Déroulède du rêve», le comparant par dérision au plus «patriotard» des poètes français. Dans son œuvre, bien oubliée, Paul Déroulède (1846-1914) exprime en effet un patriotisme à caractère nationaliste et revanchard.

2. B.O.F. : Beurre-œufs-fromages. Tel était le sigle dont les Français sous-alimentés de la guerre et de l'après-guerre — le ravitaillement ne redevint normal qu'en mars 1949 — avaient affublé les crémiers du marché noir, devenus aussi riches que leur esprit restait inculte. L'archétype du B.O.F. restera Charles-Hubert Poissonnard, l'inoubliable héros du roman de Jean Dutourd *Au bon beurre*.

tacle, et pour cela portait l'estocade : « Ce n'est pas en vain que le poète national sous cette IVe République, le troubadour officiel de sa gracieuse majesté la Société encanaillée, déchiffre le monde à travers une grille truquée et qui ne laisse transparaître que le pathétique usurier, le ridicule des généraux, la malfaisance des prêtres, la tristesse des enfants et des animaux, la cruauté des parents et des charretiers. Ces mots d'ordre d'une avant-garde fourbue répondent trop parfaitement au conformisme présent et à ce qu'il exige qu'on taise : une grande migration du malheur. [...] Sa musique ne joue qu'un seul air. Sa sensibilité est celle du piano mécanique. Et c'est bien pourquoi, pas plus que Kosma n'est Fauré, nous n'arriverons à le prendre pour le Verlaine que mériterait la tristesse des hommes[1]. » La réponse qu'apporta le public aux détracteurs les plus hargneux fut un démenti à l'attente des pisse-vinaigre. Quelques mois plus tard, tandis que l'on fêtait le millionième disque des *Feuilles mortes* par Yves Montand, et que *Paroles* dépassait les 200 000 exemplaires[2], les libraires avaient déjà vendu 70 000 exemplaires de *Spectacle* et les manuels scolaires français et étrangers publiaient du Prévert dès le cours élémentaire première année[3]. Proche de Joseph Kosma, Gérard Pellier dira : *Les Feuilles mortes* c'est le premier moment où il y a eu vraiment des sous qui tombaient pour tout le monde[4] ! »

Hors du besoin pour la première fois depuis longtemps, adulé par le public, recherché par tous les cabarets-théâtres parisiens dont la vogue ne tarissait pas, sollicité par les plus grands interprètes de la chanson française, habitant l'un des plus beaux pays du monde, Jacques Prévert aurait dû être heureux. Il n'en était rien.

*

La Bergère et le Ramoneur, premier dessin animé de long métrage français dont Prévert avait annoncé à la fin de la guerre la mise en chantier par Paul Grimault, avait présenté bien des difficultés. Jacques en avait terminé, non sans mal, le scénario et l'adaptation d'après un conte d'Andersen, et son frère Pierrot avait déjà enregistré en studio les voix des principaux personnages : Pierre Brasseur (l'Oiseau), Serge Reggiani (le Ramoneur), Anouk Aimée (la Bergère) et quelques anciens

---

1. *Rivarol*, 4 octobre 1951. Archives Maurice Baquet.
2. Dès 1963, rien qu'en livre de poche, le tirage atteindra les 400 000 exemplaires (*Paris-Match*, 10 août 1963).
3. Archives Gallimard.
4. Gérard Pellier à l'auteur.

du Groupe Octobre comme Roger Blin, Yves Deniaud ou Marcel Pérès, sur une musique dont Joseph Kosma avait écrit les principaux thèmes. Mais Paul Grimault, lui, était loin d'en avoir terminé les dessins, malgré l'importance de son équipe d'animateurs qui, à l'époque, ne disposaient ni de la variété ni de la souplesse actuelles des procédés d'animation. Le film était produit par la société Les Gémeaux fondée conjointement en 1936 par l'administrateur André Sarrut et par le réalisateur Paul Grimault. Tout aurait donc dû fonctionner comme sur des roulettes. Mais, devant le retard, Sarrut se prit soudain de colère contre ses auteurs qu'il accusa de dilettantisme. «*La Bergère et le Ramoneur* était commencé depuis très longtemps, constatera Gérard Pellier, et il faut bien dire que Jacques Prévert a beaucoup traîné. Quant à Grimault, s'il avait déjà esquissé la plupart des dessins au fusain, il lui fallait terminer l'animation et procéder à la colorisation. Travail encore considérable qui n'avançait pas assez vite aux yeux de Sarrut. Le producteur prit alors le mors aux dents : "Assez plaisanté, je termine le film sans Prévert et sans Grimault." Mais avec Kosma, qui accepta d'achever la musique même si une tierce personne terminait le film[1]!» Apprenant que Sarrut, qui exigeait de larges coupures et même la suppression de certaines scènes, avait emporté à Londres tout le travail jusque-là exécuté et, après avoir bouclé le film, entendait le présenter au Festival de Venise avec les diverses mutilations qu'il avait décidées, Prévert et Grimault attaquèrent l'ami d'hier en justice et s'étonnèrent que Kosma les abandonnât au milieu du gué en acceptant d'écrire la totalité d'une partition musicale sans laquelle le film ne pouvait voir le jour.

Des experts de la profession furent nommés par le tribunal. Ils constatèrent que «le film amputé, modifié, coupé» avait été apporté au Festival par M. Sarrut qui avait usé de «manœuvres dilatoires et d'affirmations inexactes» pour faire triompher «sa volonté de ne pas faire entrer en ligne de compte, dans l'exploitation de son film, les protestations de ses auteurs et l'ordonnance de l'expert, de soustraire son film à une saisie éventuelle, de l'envoyer à Venise sans passer par la France et de placer les intéressés devant un fait accompli si le jury lui attribuait une récompense[2]».

Comment Joseph Kosma avait-il pu prendre une pareille position? Lui, le brave Io, que tant de liens unissaient à Prévert auquel il avait dû de survivre pendant l'Occupation et qui,

---

1. *Id.*
2. Extrait du Mémoire ampliatif de la Première Section civile de la Cour de cassation. Archives Gallimard.

après la Libération, avait pris son parti lors du pénible différend l'opposant au compositeur Maurice Thiriet, à propos de la partition des *Visiteurs du soir*[1]. « Dans le procès contre Sarrut, Kosma a eu tort de se désolidariser de Prévert et de Grimault qu'il connaissait depuis son arrivée en France, dira l'éditrice Janine Enoch. Tout cela sur les conseils de Marie Merlin, avec laquelle il vivait, sans toutefois abandonner la pauvre Lilly. Marie était une communiste invétérée qui dans un sens a fait beaucoup de mal à Kosma en lui disant : "En tant que communiste, tu ne peux pas ne pas terminer la musique pour Sarrut car tu mettrais ainsi une quantité de travailleurs sur le pavé[2] !" » « Kosma avait une vision messianique et fausse du communisme avec lequel il était déjà plus que sympathisant, renchérira Gérard Pellier. C'est surtout Marie qui l'a attiré du côté du PCF après lui avoir mis la main dessus. Avec Lilly, qui avait quinze ans de plus que lui, il ne s'occupait que de musique. Marie, qui en avait trois de moins et était fort jolie, lui a ouvert des horizons politiques. En outre, Marie n'aimait pas Prévert, qui le lui rendait bien. Il la considérait comme une bourgeoise du parti communiste et, pour Marie, Prévert était un anarchiste débraillé porté sur la bouteille ! Tandis que Jacques se retirait de l'univers de Kosma, celui-ci travaillait étroitement avec les pays socialistes et devenait un homme de plus en plus engagé. Ce fut la fin d'une grande amitié pour autant que Kosma, homme renfermé, ait eu vraiment des amis[3]. »

Malgré les protestations, puis les procès intentés par Prévert et Grimault, *La Bergère et le Ramoneur* fut terminé en Angleterre selon la volonté de Sarrut et sortit à Paris au printemps 1953. Après encore bien des procès qui les mèneront en Cour de cassation, les auteurs obtiendront gain de cause et *La Bergère et le Ramoneur*, monté et rallongé, comme l'avait conçu Grimault, deviendra *Le Roi et l'Oiseau* tel que Prévert l'avait imaginé. Celui-ci aura quitté ses amis deux ans avant que le film, ressuscité, reçoive le prix Louis-Delluc 1979.

Jamais Prévert ne revit Kosma.

*

1. « À entendre Kosma, écrira Marcel Carné, lui seul était l'auteur de la musique des *Visiteurs*. Sans nier qu'il fut celui des deux ballades, on ne pouvait oublier que Thiriet avait composé et surtout orchestré — ce que n'avait pas fait Kosma — toute la musique du film, et qu'en outre on lui devait la troisième complainte : *Tristes enfants perdus*. S'obstinant, Kosma demanda l'arbitrage de la SACEM [...] Finalement le jury [donna] raison à Thiriet. » Marcel Carné, *op. cit.*
2. Janine Enoch à l'auteur.
3. Gérard Pellier à l'auteur.

Saint-Paul-de-Vence était devenu à la Côte d'Azur ce qu'était Saint-Germain-des-Prés à Paris : l'endroit à la mode où il était de bon ton d'être vu, le cœur artistique de la région avec ses peintres, ses écrivains, ses cinéastes, ses vedettes. Jacques Prévert y jouait le même rôle du poète resté simple malgré le succès, amical, chaleureux, parlant sur la terrasse de La Colombe d'Or comme à celle du Flore avec n'importe qui, pourvu que l'interlocuteur eût une oreille attentive et un visage sympathique. Une personnalité que les échotiers et leurs photographes appréciaient car, s'il rejetait toute interview un peu personnelle des premiers, il ne refusait jamais de participer au travail des seconds. «Jacques adorait se faire photographier, racontera Margot Capelier. Jamais vous ne le verrez, sur les documents, autrement que "posant" pour le photographe. Quand il s'est épaissi, il rentrait son ventre dès qu'il apercevait un objectif ! Picasso et lui adoraient les photographes. Un jour, nous déjeunions sur la côte avec Picasso. Jacques lui dit : "Viens, on va se baigner. — Non, je n'aime pas ça. Je ne sais pas nager ! — On te voit pourtant souvent dans l'eau sur les photos d'été. — Oui mais je me baigne pour les photographes !" Tout comme le grand peintre, Prévert soignait toujours son apparence. On ne le surprenait jamais en négligé. Il avait des pull-overs d'un bleu magnifique. Il choisissait les couleurs de ses vêtements avec énormément de soin et assortissait les teintes. Alexandre Trauner l'imitait dans ce domaine mais, comme il était tout petit, il n'avait, malgré son charme, ni son allure ni son chic. Pierrot était comme son frère et accordait beaucoup de soins aux vêtements[1]. »

André Verdet, qui fut le compagnon de chaque jour durant la période où Prévert vécut à Saint-Paul, admirait son élégance comme tous les habitants du village surpris que, même en short beige — mais toujours fraîchement repassé — et en espadrilles, sous le soleil du Midi, il paraissait sortir d'une boîte, arborant une gourmette à la cheville gauche et une chaîne d'or dans l'échancrure d'une chemise rose ou bleu ciel du plus seyant effet. «Il appréciait les chapeaux, les très belles cravates, se souviendra Verdet. Le soir, à La Colombe où le père Roux l'aimait tellement qu'il en était l'invité permanent, il arborait des costumes sombres de très belle qualité et de coupe magnifique car il ne se fournissait que chez de grands tailleurs. Costumes bleu marine ou d'alpaga noir — il adorait les couleurs foncées et se mettait exprès en sombre l'été, égayant le noir d'une pochette rouge vif bien avant que ce fût la mode —, souvent une fleur à la boutonnière. Ce qui ne l'empêchait pas d'engueuler

---

1. Margot Capelier à l'auteur.

de riches bourgeois qu'il jugeait trop ostentatoires au bar de l'établissement qui, sans être luxueux, était devenu l'un des plus chics de la Côte. Il y avait chez lui une certaine dualité entre l'anar et le témoin tiré à quatre épingles du mariage de Montand et Signoret qui eut lieu dans l'auberge où ils s'étaient rencontrés[1]. » Outre le couple des mariés vedettes mitraillé par les photographes, le témoin de Simone eut droit à autant de flashes que Marcel Pagnol et sa jeune femme, Jacqueline Bouvier, qui, durant la guerre, avait tourné dans *Adieu Léonard* un rôle où elle avait pu exprimer à l'écran et grâce aux deux frères son charme et son talent. Prévert était bel et bien devenu une vedette médiatique à part entière. On remarqua dans son entourage qu'outre les membres de la bande, il avait depuis peu une cour de riches industriels qui, politiquement, étaient aux antipodes de l'anarchiste libertaire — qu'il était resté malgré le succès — mais qui appréciaient sa présence. Cela faisait bien d'inviter et de déjeuner avec Jacques Prévert ! À partir du séjour à Saint-Paul-de-Vence, il céda à certaines «fréquentations mondaines» sans que ses idées aient changé en quoi que ce soit. «C'est un peu contre sa volonté que se sont formés ces cercles mondains autour de sa personne, soulignera Verdet. Ou plutôt un cercle de familiers composés de gens connus car on ne peut pas dire que Signoret, Montand ou Picasso soient mondains ! Jacques aimait les amis mais pas les groupes de gens qui venaient parfois dîner à La Colombe, avec lesquels il se montrait volontiers provocateur et hargneux, même s'il acceptait de boire un verre avec eux ! Ce qui ne l'empêchait nullement de me dire que certains bourgeois, extrêmement riches, avaient des côtés "bien" et qu'il les estimait. Et qu'il y avait des gens du peuple qui, à l'usage, se révélaient de fieffés salopards[2]. » Au bar de La Colombe, le seul bar d'hôtel renommé, disait Simone Signoret, qui fût aussi un bistro de village, les jeunes, les vieux, les amoureux et les autres venaient écouter les discours qu'y tenait le poète. Tous avaient le sentiment que la gloire de l'auteur de *Paroles*, comme celle du chanteur et de la comédienne, rejaillissait sur chacun d'entre eux. C'est ainsi que Prévert entra dans la légende, ce qui ne fut le cas ni de Clouzot, ni de Cayatte, alors que le premier disposait à l'année d'une maison particulière dans l'enceinte de la célèbre auberge et que le second possédait une splendide demeure près de la chapelle Saint-Georges.

1. André Verdet à l'auteur. Le mariage eut lieu le 22 décembre 1951. Jacques Prévert était le témoin de Simone Signoret et Paul Roux celui d'Yves Montand.
    2. *Id.*

Saint-Paul et La Colombe étaient devenus le monde de Prévert, et l'on s'inquiétait s'il n'apparaissait pas à la terrasse de toute la journée. Il faisait si intimement partie de la population autochtone que chacun lui pardonnait certaines des excentricités auxquelles il se livrait lorsqu'il avait quelque peu forcé sur la bouteille. Francis Roux, le fils du propriétaire de La Colombe d'Or, riait de le voir régler la circulation sur les cinquante mètres qui séparaient l'hôtel La Résidence [1] — où le scénariste avait débarqué pour la première fois avec Claudy aux premiers mois de la guerre pour écrire *Le soleil a toujours raison* — et La Colombe, devenu son havre de grâce.

— Mesdames et Messieurs, s'écriait-il à l'adresse des touristes. Ici vous avez Le Corbeau noir *[il désignait du doigt La Résidence dont il expliquait que le tenancier avait la réputation d'observer d'un peu trop près les ébats de ses plus jolies clientes]* et là La Colombe d'Or. À vous de choisir!

«Il picolait beaucoup à cette époque, se souviendra Francis Roux, qui éprouvait pour le poète une affection presque filiale. Quand il avait un coup dans le nez, on le voyait arriver la cigarette aux lèvres, la cendre constellant son beau costume noir. Lui qui était si élégant en avait les revers tout maculés [2].» La boisson de la journée restait le vin rouge mais, à l'heure de l'apéritif, le pastis avait remplacé le whisky retrouvé à Paris à la Libération. «Le premier Ricard apparaissait vers 10 h 30, dira Adrien Maeght et une bonne dizaine suivaient avant le déjeuner [3].» «Lorsque nous passions le voir à La Colombe d'Or, évoqueront les Frères Jacques, son grand amusement était de verser une bouteille de pastis dans un saladier. Il le faisait remplir de glace, demandait des pailles et on s'installait autour en bavardant jusqu'à ce que le saladier soit vide [4]!» «Quand il avait l'œil embrumé et les idées qui se brouillaient quelque peu, constatera Serge Reggiani, il se trempait tout habillé, de la tête aux épaules, dans la grande vasque qui ornait la terrasse du restaurant jusqu'à ce qu'il retrouve ses esprits [5].»

La soirée avancée, la fraîcheur descendue sur les collines, la grande affaire de ce redoutable marcheur restait la promenade nocturne qu'appréciait tout autant André Verdet. La balade commençait par les ruelles du vieux Saint-Paul dont les murs résonnaient de la voix bien timbrée de l'auteur du *Dîner de têtes* qui jouait les chevaliers du guet: «Saint-Pau-

---

1. Aujourd'hui Café de la Place, qu'Yves Montand racheta avec son copain Francis Roux, avant de lui en céder l'entière propriété.
2. Francis Roux à l'auteur.
3. Adrien Maeght à l'auteur.
4. Paul Tourenne à l'auteur.
5. Serge Reggiani à l'auteur.

lois, dormez sur vos deux oreilles, Jacques Prévert veille sur vous. Amen[1].» Le maire du village, Marius Issert, ami de tous les membres de la «famille», dut intervenir à plusieurs reprises auprès de son hôte illustre, mais turbulent, pour protéger le premier sommeil de ses administrés! Puis les deux poètes descendaient au clair de lune vers Cagnes et la mer. «Durant ces longues promenades nocturnes, Jacques soliloquait parfois pendant une heure d'horloge *[dira André Verdet, déjà habitué aux balades parisiennes souvent sources de poèmes comme La Rue de Buci maintenant... dont il avait vécu l'éclosion]*. Moi, je n'osais pas interrompre l'improvisation. Au fil des années, des dizaines et même des centaines de poèmes se sont ainsi évaporés dans la nuit. On remontait par des chemins de vallons en passant par Vence endormi. Les quatorze kilomètres de l'aller et retour ne nous faisaient pas peur. Avant de rentrer, nous nous arrêtions au cimetière de Saint-Paul, l'un des plus beaux du monde, situé à la proue du village. On s'allongeait sur la dalle d'une tombe qui était comme une barque immobilisée, pour se reposer un peu. Dernière halte au milieu de la nuit, dernier poème dont s'enchantaient mes oreilles, paroles qui se sont à jamais envolées et que j'aurais tant voulu retenir[2].»

Parfois la situation était moins poétique, voire franchement dramatique, et l'on découvrait la face cachée de la vie de Jacques Prévert que seuls les proches évoquaient. Au retour de Vence, avant d'arriver sur la vieille route de Saint-Paul, le pont du Diable enjambait un petit canyon. Janine, lasse d'attendre son mari, s'y rendait parfois vers 3 ou 4 heures du matin, tenant sa fille par la main. «Quand Jacques arrivait tardivement avec Verdet *[dira Hugues Bachelot, reconstituant les souvenirs de Minette qu'il épousera en 1973]*, elle criait qu'elle allait se jeter avec son enfant du haut du pont du Diable[3]!» Prévert était sincèrement amoureux de Janine quand il l'avait fait entrer dans son existence après deux échecs sentimentaux successifs avec Jacqueline Laurent et Claudy Carter, et il avait été fou de joie quand Minette était née et avait survécu à un accouchement prématuré. Mais sa vie n'avait pas tardé à devenir une sorte d'enfer, soigneusement dissimulé à ceux qui n'étaient pas parmi les intimes. Dès la première enfance, Minette s'était révélée extrêmement difficile avec sa mère, qui elle-même se plaignait des affections les plus diverses. «Elle jouait la comédie de la femme très malade, dira Claudy Carter. Elle était perpétuelle-

---

1. André Verdet à l'auteur.
2. *Id.* et in *Saint-Paul-de-Vence et sa légende.*
3. Hugues Bachelot à l'auteur.

ment épuisée. Quand je téléphonais à Jacques, c'était toujours : "Janine est souffrante, très fatiguée." Finalement, elle lui a bien survécu[1] ! » Elle justifiait son absence du cercle des amis — on ne l'y voyait presque jamais — par l'obligation de nourrir sa fille anorexique, opération qui demandait des heures, deux fois par jour au milieu de cris et de scènes horribles qui transformaient L'Ormeau en clinique psychiatrique. « Il suffisait que Janine dise blanc pour que Minette dise noir », remarquait Janine Enoch qui, de passage à Saint-Paul, assista à quelques séances de « gavage » qui lui laissèrent les pires souvenirs. On la nourrissait de crevettes[2], riches en vitamines, puis, pour la même raison, de saumon à tous les repas, accompagné, dans son jeune âge, de bizarreries comme des biberons à l'ail[3]. « Janine la poursuivait dans tout Saint-Paul avec ces trucs que la gamine ne voulait pas avaler, se rappellera Claudy Carter. Minette a passé parfois deux jours chez nous et elle a très bien mangé. Elle ne voulait plus nous quitter. » Jacques souffrait le martyre durant ces séances éprouvantes qu'il était incapable d'éviter à sa fille. « Il avait une adoration pour cette enfant qu'il avait failli ne pas avoir, constatera Adrien Maeght. Quand il avait dit Minette il avait tout dit. Il lui passait tous ses caprices. Quand elle a été assez grande pour venir à la maison, le problème a été réglé. Avec les autres enfants et à condition que ni sa mère ni son père ne soit là, elle mangeait très bien ! J'ai vu Jacques l'emmener à La Colombe où Titine Roux lui préparait un œuf à la coque avec une mouillette. Il refroidissait, alors on en apportait un autre, puis un troisième tandis que mon ami faisait le clown pour faire manger cette enfant qu'il idolâtrait. À La Colombe où il y avait Francis, le fils de la maison, ça allait un peu mieux mais, seule chez elle, c'était effrayant. Je pense que Janine a très mal supporté l'adoration de son mari pour sa fille. Plus que d'anorexie, Minette souffrait surtout d'une absence de vraie famille. Janine était tout ce qu'on veut, sauf une mère. Plus tard nous avons eu l'occasion de récupérer deux ou trois fois Minette en fugue. Quand ça allait mal chez elle, quand Jacques foutait le camp, ne rentrait pas deux ou trois jours, dormait n'importe où, que Janine piquait sa crise, elle se sauvait. Alors, apprenant la fugue, Jacques rentrait. Minette n'a pas eu toujours une vie facile[4]. »

D'aucuns parleront de pression exercée par Janine sur son

1. Claudy Carter à l'auteur. Janine Prévert mourra en 1993, à quatre-vingts ans, tandis que Jacques Prévert aura quitté ses amis le 11 avril 1977, à soixante-dix-sept ans.
2. Janine Enoch à l'auteur.
3. Claudy Carter à l'auteur.
4. Adrien Maeght à l'auteur.

mari, trop entouré à son goût d'amis, de célébrités — outre Montand et Signoret et une foule de comédiens dont certains devenaient des vedettes, il était familier de Picasso mais aussi de Matisse, de Braque, de Chagall qui tous habitaient la région. «Jacques, tu n'es pas capable d'élever ta fille, lui serinait-elle. Tu m'as fait un enfant et moi je reste à la maison pour m'occuper d'elle. Sans moi cette fille mourra. Déjà qu'elle ne mange pas beaucoup, elle sera définitivement anorexique[1].» Presque personne n'osait dire à Jacques : «Ta femme est folle.» Pourtant Simone Signoret, qui gardait son franc-parler quel que fût l'interlocuteur, n'hésitait pas à secouer l'ancienne danseuse. «Laisse donc ta fille, quand elle aura faim elle mangera bien! Ne la gave pas ainsi.» Les enfants de son âge que Minette fréquentait — sa cousine Catherine Prévert, la fille de Pierrot, était née en 1944 tandis que Michel Chavance, fils de Louis et de Simone, la première épouse de Prévert, et Catherine Allégret, la fille de Simone Signoret, étaient de la même année qu'elle, 1946 — savaient à quoi s'en tenir sur la prétendue anorexie de la gamine. «C'était une petite fille mignonne mais difficile comme il y en a beaucoup, constatera Michel Chavance. Il y avait sûrement des problèmes avec ses parents. J'ai des images de Janine lui courant après, un grand verre de jus de viande à la main. Minette avait raison de courir! Anorexie? Anorexie, oui, mais pas exactement anorexie. Elle était anorexique avec sa mère et se tapait des tartes aux framboises avec nous à La Colombe[2]!»

Bien sûr, l'enfant était suivie médicalement mais fallait-il encore que le diagnostic du pédiatre correspondît à celui de sa mère! «Quand un médecin ne s'entendait pas avec Janine, on le renvoyait, dira Hugues Bachelot. Il fallait un béni-oui-oui. Elle a fini par découvrir celui qui lui convenait, qui montait de Nice à Saint-Paul au moindre appel et soignait "l'anorexie". Il avait trouvé un bon filon financier avec la fille de Prévert! Il y a eu un véritable acharnement sur cette enfant car si Michèle allait bien, Janine n'avait plus de pouvoir sur Jacques. De tout temps il fallait que Michèle aille mal. À côté de Jacques, Janine était un peu bébête, alors son seul moyen de chantage pour retenir l'homme aimé était sa fille[3].» Et le résultat était à la hauteur de ses espoirs. Pour Jacques, tout ce que faisait Minette était parole d'évangile. «Elle est merveilleuse, ma fille, regardez, elle jette ceci ou refuse cela. Quel caractère[4]!» Tous les

---

1. Rapporté par Hugues Bachelot.
2. Michel Chavance à l'auteur.
3. Hugues Bachelot à l'auteur.
4. Francis Roux à l'auteur.

amis constataient avec angoisse que, quoi qu'elle fît, Prévert la portait au pinacle. Il ne fallait jamais la contrarier. C'était en cachette que Francis Roux, qu'elle considérait pourtant comme un grand frère, lui reprochait ses caprices. « Un jour où elle s'était montrée particulièrement insupportable, exigeant d'aller à Nice acheter des peluches à la Grande Maison de Blanc, je l'ai sérieusement attrapée. "Tu n'es plus un bébé !" Jacques est arrivé à ce moment et a simplement dit : "Et Yvonne, est-ce qu'elle n'est pas un bébé, elle ?" Yvonne était la jeune femme que j'allais épouser et qui découvrait l'ambiance extraordinaire de chaleur humaine mais aussi de déséquilibre qui régnait alors autour de La Colombe et des Prévert[1]. »

Janine se servait des difficultés de Minette pour réunir autour d'elle un noyau de nouveaux amis bien différents de ceux que son mari s'était créés depuis des années et qu'elle supportait de plus en plus difficilement. Elle devint ainsi très proche de Dominique de Wespin, journaliste et admiratrice belge, qui venait de passer sept ans à Pékin, amie du père Teilhard de Chardin, et de Jacqueline Duhême, dessinatrice illustratrice de grand talent, collaboratrice de Matisse, l'une et l'autre pleines d'émerveillement et de compassion pour la mère « admirable », pour le père béat devant les mots d'enfant — devenus poèmes — de sa fille, et pour cette fillette imaginative qui aurait justifié l'apposition sur la façade de L'Ormeau d'une plaque d'émail annonçant « Poésie à tous les étages ». Jamais ces nouvelles arrivées ne constateront les scènes dont l'éditrice de Jacques sera témoin : « Jacques buvait, tout le monde le savait, dira Janine Enoch, comme on le savait de Georges Auric ou de bien d'autres artistes, ce qui ne leur enlevait pas une once de leur talent. Mais Janine buvait aussi. Et s'accrochait physiquement avec Jacques ! Un jour, nous sommes arrivés à Saint-Paul à l'improviste, Janine et lui s'étaient sérieusement battus. Soûl, lui non plus n'était drôle pour personne[2]. »

Quand elle parvenait à éloigner un ami de longue date de son mari, c'était pour Janine comme une victoire. Nadine Alari, fille de Christiane Verger, fut l'une des premières à faire les frais des querelles familiales dont Minette était à la fois l'enjeu et la principale protagoniste. « C'est vrai qu'ils avaient une adoration pour leur fille, comme tous les parents, mais peut-être encore plus car ils l'avaient eue tard et qu'elle était difficile. Ils étaient complètement désarmés et avaient peur de la contrarier sur quoi que ce soit. Un jour, à Saint-Paul, j'ai vu Minette piquer une crise de nerfs terrifiante. Elle hurlait, trépi-

---

1. *Id.*
2. Janine Enoch à l'auteur.

gnait et Janine m'a dit : "C'est vous qui la gênez, qui la déranger, allez-vous-en !" Je ne suis pas restée, puisque c'étaient soidisant les visites des amis de jadis qui perturbaient l'enfant ! Depuis cette crise, je n'ai jamais plus revu la famille. Avec Jacques, que je connaissais depuis l'enfance, on a continué à se téléphoner, il m'envoyait ses livres mais on ne s'est plus vus bien qu'il n'y ait jamais eu de rupture. J'ai senti que quelque chose de tragique s'installait[1]. »

Lola Mouloudji vécut une aventure semblable à cause de son malheureux caniche. « "Qu'il n'approche surtout pas de Minette, elle va attraper des microbes ! ordonna Jeanine." Nous, on l'ignorait, on se foutait complètement de ses craintes absurdes, dira Lola. Bien sûr, cinq minutes plus tard, la chienne et Minette étaient à quatre pattes et s'amusaient comme des folles. Janine en a fait une histoire épouvantable, puis, comme nous ne la prenions pas au sérieux — je l'appelais "Janine-nia-nia-nia" — elle nous a fait la gueule et on ne s'est plus vus aussi souvent qu'avant. Janine a pourri littéralement sa fille à force de la sur-couver, et Jacques de la gâter. Après, cette enfant est devenue une sorte de petit monstre. Et pourtant, nous nous aimions beaucoup. Je l'emmenais se baigner et elle était adorable. Elle ne faisait ses caprices qu'en présence de sa mère[2]. »

Parmi les intimes, René Bertelé n'était pas épargné par les flèches de Janine, car il était l'artisan essentiel du succès de son mari en ayant réuni ses œuvres majeures. Comme sa mère détestait l'éditeur, Minette l'adorait, pour la plus grande joie du poète ! Tout comme elle adorait sa cousine Catherine auprès de laquelle elle tournera bientôt avec une spontanéité stupéfiante la version modernisée de *Paris-Express*, le premier film qu'avaient réalisé leurs pères trente ans plus tôt. Devenu *Paris la belle*, il décuplera la hargne de Janine à l'égard de sa belle-sœur et de son beau-frère puisque, né de la confrontation des images d'hier avec celles de Saint-Paul aujourd'hui, ce film montrait les visages de tous ceux qui avaient contribué à embellir la vie des deux frères. Catherine, qui sera l'une des script-girls les plus appréciées du cinéma français, résumera parfaitement la situation d'alors : « On peut dire que l'entrée de Janine a marqué un changement dans la vie de Jacques et dans la nôtre. Elle a voulu le garder pour elle et surtout gommer tout ce qu'il y avait eu dans sa vie avant elle. "Encore le Groupe Octobre", disait-elle de méchante humeur quand il

1. Nadine Alari à l'auteur.
2. Lola Mouloudji à l'auteur.

arrivait à Pierrot et à Jacques d'évoquer avec leurs copains cette période de leur jeunesse qui avait été si bénéfique[1].»

Cette période parut renaître quand les frères acceptèrent l'offre de leurs amis Richez d'ouvrir à Saint-Germain-des-Prés une boîte concurrente de La Rose Rouge. Le programme serait presque exclusivement consacré à l'œuvre de Jacques, et Pierre serait le gardien du temple!

1. Catherine Prévert à l'auteur.

CHAPITRE 8

La Fontaine des Quatre-Saisons
et autres billevesées

Le Lorientais avec Claude Luter et son fantastique imprésario, Boris Vian, Le Tabou avec Gréco, Cazalis et Boris Vian, cette fois à la trompette, avaient donné le coup d'envoi, puis vint La Rose Rouge avec son superbe plateau : Yves Robert et sa troupe, le « swinguant » orchestre du saxo ténor Michel de Villers qui faisait virevolter les « rats de cave » parmi lesquels le jeune Jean-Pierre Cassel se montrait d'une étonnante souplesse, et les Frères Jacques déjà installés « en haut de l'affiche ». Avait suivi une incroyable éclosion de cabarets-théâtres dont les noms font aujourd'hui partie de l'âge d'or de Saint-Germain-des-Prés, et les artistes qui y débutèrent de celui de la grande chanson française et d'une forme de théâtre dont l'esprit ne fut pas sans inspirer celui de Ionesco et de Beckett. Tout simplement. Pêle-mêle : Le Quod Libet dont l'enseigne, trouvée par le R. P. Bruckberger — « Fais ce qui te plaît » —, accueillit un Léo Ferré misérable qui y rencontrera sa meilleure interprète, Catherine Sauvage (pour lui, elle fera des infidélités artistiques à Jacques Prévert), et affirmera un talent de chanteur que rien n'annonçait ; L'Échelle de Jacob, dressée sur les lieux où Augustin Chéramy avait nourri avant guerre la totalité du Groupe Octobre et tant de futures vedettes, où Francis Lemarque engagé pour quinze jours restera cinq ans, consolidant la réputation que lui avait faite Yves Montand en l'inscrivant à son répertoire, et où Cora Vaucaire imposa bien avant tous les autres *Les Feuilles mortes* qui prit son envol au 10 de la rue Jacob pour faire le tour du monde, et dont les habitués de passage à Paris étaient Clark Gable, Marlene Dietrich, Gary Cooper ou Dany Kaye (Mouloudji y essaya ses premières chansons et y devint une vedette à part entière) ; L'Écluse, où Agnès Capri, privée de son cabaret, trouva asile et où Marcel Marceau, Jacques Fabbri, Jacques Duby et Hubert Deschamps, entre autres, firent dans les éclats de rire des débuts plus qu'honorables. Dans chacun de ces cabarets devenus légendaires, il était bien rare de ne pas trouver un ou une interprète d'un poème ou d'un sketch de Jacques Prévert. Le succès public de *Paroles*, d'*Histoires* et de *Spectacle*, et celui, phénoménal, d'Yves Montand, avaient rejailli sur toutes ces boîtes auxquelles — s'il n'en était pas le créateur — Prévert avait, peu ou prou, insufflé son esprit.

Qui dit succès dit argent. Les files de voitures stationnant devant les établissements pris d'assaut dès 22 heures, alors que le spectacle ne commençait pas avant minuit, donnaient des idées aux hommes d'affaires qui, hier encore, n'auraient pas risqué un kopeck dans une entreprise artistique. C'est ainsi que Paul Richez, avocat de renom et propriétaire des éditions du Pré-aux-Clercs, où avaient paru *Histoires*, et *Contes pour enfants pas sages*, était resté en relation avec le turbulent trio (Virel-Verdet-Prévert) que la poésie et la Résistance avaient unis par le plus miraculeux des hasards. Après avoir financé *Histoires*, il regrettait amèrement d'avoir refusé l'offre de Virel d'entrer dans le capital de La Rose Rouge et d'être ainsi passé à côté d'une fortune. Il avait rectifié le tir en lui disant : « Si un jour vous trouvez un beau local à Saint-Germain où l'on puisse créer une boîte, moi je suis prêt à la financer [1]. »

Le couple Guénia et Paul Richez n'était pas seulement attiré par l'éventualité d'une bonne affaire. Il l'était sincèrement par le monde artistique. Créatrice à Varsovie du théâtre du Diable-Noir, Guénia, issue d'une grande famille juive polonaise, avait émigré en 1933 en France où elle avait épousé l'avocat Paul Richez avant de se lier d'amitié avec le peintre Fernand Léger et le Danois Asger Jorn, qui sera l'un des fondateurs du groupe surréaliste révolutionnaire COBRA [2]. Paul et Guénia avaient créé les éditions du Pré-aux-Clercs où ils avaient eu des succès non négligeables en publiant, outre les deux Prévert, la traduction de *L'Opéra de quat'sous* de Brecht [3]. André Virel signala ainsi à ses amis éditeurs un garage désaffecté au fond de la cour pavée d'un immeuble du xviiie siècle où avait habité Alfred de Musset durant plus de quinze ans et qui conservait de sa splendeur passée une fontaine monumentale édifiée en 1736 par le sculpteur Bouchardon à l'entrée du 59 rue de Grenelle. Guénia Richez, Pierrot Prévert et le comédien Roger Pigaut, celui-là même qui avait commencé de réunir les poèmes de Jacques peu avant la déclaration de guerre, s'éprirent du lieu et décidèrent d'y

1. André Virel à l'auteur.
2. CO-BR-A, contraction des premières lettres de *CO*penhague, *BR*uxelles et *A*msterdam, les capitales des trois pays auxquels appartenaient ses fondateurs.
3. André Virel à l'auteur.

ouvrir un cabaret qui ne serait pas une « cave ». André Virel, tout comme à la première Rose Rouge, en dirigea les travaux. On construisit au fond de la salle, qui était plus vaste que celle de la rue de Rennes, une estrade de quatre mètres sur trois ; à droite s'élevait le bar devant lequel furent réservés quelques mètres carrés de parquet peint en rouge vif pour la piste de danse et le plafond fut recouvert d'un badigeon écarlate du plus heureux effet. Paul et Guénia Richez suivirent très attentivement l'organisation du nouvel établissement auquel ils donnèrent le nom de Fontaine des Quatre-Saisons en hommage à Bouchardon et dont ils confièrent la direction artistique à Pierrot Prévert aidé par Roger Pigaut (excellent comédien, qui tiendra également plusieurs rôles dans nombre de sketches dus à Prévert), Grenier et Hussenot, et bien d'autres. En homme d'affaires et en conseiller juridique conscient de ses intérêts et de ceux de la troupe que Pierrot allait constituer, Paul Richez engagea le jeune Jacques Derlon, acteur d'occasion mais surtout cofondateur et administrateur de la Compagnie Grenier-Hussenot, chargé de gérer financièrement la boîte et les artistes sélectionnés, tâche que Pierrot et, a fortiori Jacques Prévert — qui n'entendait pas se mêler d'autre chose que de la supervision de ses pièces — étaient bien incapables d'assumer, en bons paniers percés qu'ils avaient toujours été. « Je ne comprends pas, dit bientôt Pierrot à Jacques Derlon, qu'à votre âge *[il n'avait pas trente ans !]* vous soyez aussi dur en affaires[1] ! »

Pour l'ouverture, Pierrot, qui ne craignait pas le scandale, afficha *Tentative de description d'un dîner de têtes à Paris-France*, que les admirateurs de Prévert appelaient familièrement *Le dîner de têtes*. Le comédien Albert Médina en fit une habile mise en scène dans un décor du peintre Jacques Noël qui réalisa, pour la première publique, une superbe affiche et quelques-uns des masques dissimulant le visage des comédiens. Les autres étaient réalisés par Jean-Luc de Rudder ainsi que par les amis peintres, illustrateurs et dessinateurs dont Jacques et Pierrot avaient battu le rappel : Elsa Henriquez, Félix Labisse, Paul Grimault, Brassaï et Maurice Henry. Seul Roger Pigaut, qui jouait le rôle de l'Homme à tête d'homme, présentait « son visage de tous les jours » ! Avec Roger Pigaut et Guénia Richez, Pierrot fit de la Fontaine des Quatre-Saisons un tremplin pour les jeunes talents. En première partie, Georges Lafaye présentait le plus poétique des numéros de marionnettes, et il contait les aventures de John (un vieux chapeau haut de forme) et de Masha (un boa en plumes) avec tant de sensibilité que les spectateurs en restaient muets et les femmes au bord des larmes.

1. Jacques Derlon à l'auteur.

«Ces étranges créatures, manipulées sur un fond noir et sous une lumière crue par des assistants en collant noir, sont un des plus étonnants spectacles de music-hall qui se puissent voir *[se souviendra Marcel Duhamel qui n'était pas du spectacle pour cause de trop grande réussite de la "Série noire"]*. Des coulisses, cela donne un absurde et inquiétant ballet sorti tout droit de Fantômas, et prend un caractère nettement surréaliste[1].» La première partie était complété par les numéros les plus divers où aux prestidigitateurs se mêlaient des danseurs — Maurice Béjart y fit ses débuts parisiens! —, des comédiens encore peu connus comme Jacques Dufilho ou Hubert Deschamps, des fantaisistes comme Robert Lamoureux, des mimes comme Étienne Decroux, vieux complice du Groupe Octobre et des *Enfants du paradis*, des «inclassables», comme Boris Vian qui, en rupture de «trompinette», y créa *Le Déserteur*, et une pléiade de chanteurs dont certains accédaient au vedettariat, tels Mouloudji, Patachou et Philippe Clay. Sur l'estrade, Louis Bessières au piano et Henri Crolla à la guitare faisaient danser les noctambules, accompagnaient les chanteurs et illustraient sketches et pièces. Pour le premier spectacle, *Le Dîner de têtes*, interprété par François Chaumette, William Sabatier, Daniel Ceccaldi, Georges Arluc, Robert Frantz et Roger Pigaut, s'il choqua certains, ravit la majorité des spectateurs venus voir, comme à guignol, réduire en poussière les têtes de pipe que Jacques Prévert avait passé sa vie à finement broyer: le Bourgeois, le Curé, le Patron, le Préfet, le Flic, le Général, le Juge, le Président, le Commerçant enrichi... Ce fut un triomphe que la presse, même celle qui avait assommé *Spectacle*, relata en détail en braquant ses projecteurs sur l'auteur, plus encore que sur les interprètes ou le directeur artistique responsable du programme. Le pauvre Pierrot devait une fois de plus s'effacer derrière ce frère omniprésent dont le chroniqueur de *Paris-Presse* écrivit, au lendemain de la première: «En élégant complet bleu, chemise rose à rayures et feutre gris, Jacques Prévert, le mégot collé aux lèvres, accueillit sans sourciller les ovations des mêmes personnes qu'il venait de caricaturer si cruellement sur scène. Pendant le spectacle, il s'était amusé comme un fou dans la cour du cabaret à mimer son passé avec un ami d'enfance retrouvé[2].» L'ami était ce jeune vendeur du Bon Marché, jadis collègue de Jacques Prévert, qui, on s'en souvient, avait entrepris de régler à cinq minutes d'intervalle tout ce qui pouvait sonner au rayon horlogerie du grand magasin pour se venger d'une mise à pied que lui avait valu une homosexualité trop apparente! Jacques

1. Marcel Duhamel, *op. cit.*
2. *Paris-Presse*, 21 juin 1951.

l'avait reconnu parmi les spectateurs de la Fontaine. Il était devenu tripier[1]!

Après plusieurs mois de succès du *Dîner de têtes*, Pierrot nonta *La Famille Tuyau de Poêle*, qui contribua à mieux faire connaître au public la période Groupe Octobre de son frère. Néanmoins, la ferveur du cadet pour l'œuvre de son aîné ne tarda pas à paraître exagérée à certains interprètes comme Catherine Sauvage qui, si elle mettait volontiers Prévert à son répertoire et appréciait l'humour de Pierrot, se heurta parfois au second dont l'amour fraternel était excessif. « À l'époque de La Fontaine des Quatre-Saisons, où presque tous les artistes de valeur qui se produisaient dans les autres cabarets rêvaient de décrocher un engagement, dira Catherine Sauvage, j'étais un peu en froid avec Pierrot pour qui il aurait fallu que je ne chante que du Prévert. Moi, j'étais l'interprète de Léo *[Ferré]*, alors je ne suis pas souvent passée sur la scène de la rue de Grenelle. Pierrot me prenait un peu comme bouche-trou quand quelqu'un n'était pas là. Après, nous sommes redevenus amis. Finalement, Pierre a vécu pour Jacques. La seule référence c'était Jacques. Il a toujours vécu *à travers* Jacques[2]. » Pierre Jamet eut lui aussi à souffrir de l'amour fraternel exclusif de Pierrot. Marié à Ida Lods, du Groupe Octobre, rencontrée jadis à la chorale de l'AÉAR (Association des écrivains et artistes révolutionnaires), il avait fondé avec trois copains, dont le Dr Raymond Leibowitch, frère de Margot Capelier et beau-frère de Francis Lemarque, le groupe des Quatre Barbus sur le modèle des Comedian Harmonists allemands des années 30 ; mais, malgré le succès que remporta son quatuor vocal, la porte de La Fontaine des Quatre-Saisons lui resta fermée. « Malgré tant de liens amicaux et familiaux, nous n'y avons jamais chanté car je n'étais pas du "clan" du Groupe Octobre dont Pierrot s'efforçait de maintenir l'esprit. L'un de ses membres influents *[sans doute Fabien Loris]* m'avait catalogué "Petit Con" pour m'avoir entendu chanter du Gilles et Julien avant guerre à La Bellevilloise[3] ! »

Le spectacle très provoquant des textes de Prévert mis en scène, sa présence quasi quotidienne rue de Grenelle où il lui arrivait de recevoir les clients le chef coiffé d'une casquette de portier avec le nom du cabaret en lettres d'or, ses plaisanteries et monologues qui donnaient le sentiment qu'entre la scène et

---

1. Jacques Prévert in *Mon frère Jacques*.
2. Catherine Sauvage à l'auteur.
3. Pierre Jamet à l'auteur. Le duo Gilles (Jean Villard) et Julien (Aman Maistre, dit A. M. Julien), principales vedettes chantantes des réunions Front populaire, cultivait un répertoire anticapitaliste et pacifiste. Les «durs» du Groupe Octobre — dont Fabien Loris — le trouvaient néanmoins trop «mou».

la cour pavée le jeu ne cessait pas, contribuèrent à un succès bientôt supérieur à celui de La Rose Rouge. Au point que Charlie Chaplin, venu en compagnie de Jean Renoir rendre visite à Daniel Gélin sur le plateau de Billancourt où celui-ci tournait *Les Dents longues* (sa première réalisation cinématographique), demanda au jeune comédien qui avait la réputation d'être un des piliers de Saint-Germain-des-Prés de l'emmener voir, après un dîner au Berkeley, le «meilleur spectacle» de cabaret-théâtre. Gélin proposa La Rose Rouge ou La Fontaine des Quatre-Saisons. Charlot refusa le premier où, avait-il appris, le comédien Edmond Tamiz réalisait, au sein de la compagnie Yves Robert, une hallucinante imitation du héros de *La Ruée vers l'or*. «Et cela je ne peux plus le supporter», s'excusa Charlie Chaplin. C'est donc à La Fontaine des Quatre-Saisons que le génial acteur fut acclamé par le public et, accueilli par Pierrot et Roger Pigaut, se régala de l'esprit de Jacques Prévert traduit par Ray Ventura, qui conduisait l'expédition. «Charlot a été émerveillé par les marionnettes de Georges Lafaye, se souviendra Daniel Gélin. En voyant l'émotion du grand Chaplin, j'ai regretté que mes meilleurs amis n'assistent pas à ce spectacle rare dans la carrière d'un comédien. J'ai donc téléphoné à Yves Montand et Simone Signoret sans leur dire le nom du "copain" que je tenais absolument à leur présenter au milieu de la nuit. Ils sont arrivés en pull et blouson, j'ai fait les présentations, et ils purent voir Charlot pleurer de rire devant le numéro burlesque de Christian Duvaleix qui remplaçait ce soir-là un artiste défaillant et termina sa prestation en annonçant le "clou du spectacle" : un vrai grand et beau clou de charpentier acheté au BHV qu'il arrosa d'un broc d'eau. Ce fut un grand moment. Charlie Chaplin — je le sus plus tard — garda un souvenir ému de sa soirée à Saint-Germain-des-Prés[1]. »

Avec tant d'artistes de talent, le succès de La Fontaine des Quatre-Saisons ne se démentit pas durant près de sept ans et ajouta encore à la gloire de Jacques Prévert, gloire qui rejaillira sur son frère et même l'émancipera. «Pour Pierre, cette période ça a représenté le bonheur, dira sa fille Catherine. Il était responsable d'un spectacle entier et, qui plus est, avait un grand succès ! Guy Bedos, Maurice Béjard ou Raymond Devos diront que La Fontaine des Quatre-Saisons a changé leur vie[2]. » L'administrateur et comédien Jacques Derlon, dont la rigueur ne fut pas étrangère au succès de l'entreprise, sera le témoin quotidien de la métamorphose d'un Pierrot qui se libérait. «La Fon-

---

1. Daniel Gélin à l'auteur, et in *Comme on s'aimait à Saint-Germain-des-Prés*.
2. Catherine Prévert à l'auteur.

taine des Quatre-Saisons a été un moment très important dans la vie de Pierre Prévert, constatera-t-il. C'était la première fois qu'il prenait son autonomie. Même s'il y avait la présence de son frère comme auteur, il n'était plus sous l'ombre gigantesque de Jacques Prévert. Très proches l'un de l'autre durant les vingt années qui ont suivi, nous avons beaucoup travaillé ensemble. J'ai vu Pierrot réalisateur et auteur — parfois avec, parfois sans Jacques — de dramatiques de grande qualité pour le petit écran, comme *Le Perroquet du fils Hoquet*, *Le Petit Claus et le Grand Claus*, *La Maison du passeur* ou les vingt-six épisodes du feuilleton *Les Compagnons du Baal* qui a eu un tel succès qu'il fut l'une des rares œuvres de télévision à être présentée en intégralité à la Cinémathèque. Ensuite, ensemble, nous avons monté l'atelier de recherche Prévert-Derlon pour France Culture. Nous avons accueilli en entretiens et testé près de quatre cents jeunes comédiens. Certaines avaient le talent d'une Nicole Garcia ou d'un Patrick Chesnais qui se souviennent encore, comme d'un émerveillement, des qualités humaines de Pierre Prévert dans ses rapports avec les artistes, au théâtre comme au cinéma. Il y avait chez Pierrot une curiosité, une ouverture aux autres et même une certaine naïveté inoubliables sinon bouleversantes. Et toutes ces qualités se sont épanouies grâce au succès de La Fontaine des Quatre-Saisons[1]. »

À Saint-Paul-de-Vence, où Jacques Prévert rentra après le lancement du cabaret-théâtre, Janine, récupérant son mari, ne fut pas fâchée de constater cette autonomie nouvelle qu'elle se promit d'utiliser au mieux de ses intérêts. C'est-à-dire en éloignant le plus possible les deux frères l'un de l'autre, comme elle s'efforçait de le faire avec les plus anciens amis.

*

Après l'accueil mitigé réservé par une partie de la presse à *Spectacle*, Jacques Prévert ne consacra ses écrits du début des années 50 qu'à des plaquettes, préfaces et introductions à diverses expositions. Dans le même esprit que ses textes sur les photos animalières d'Ylla, il participa au commentaire du court métrage d'Albert Lamorisse, *Bim le petit âne* (« C'est avec *Le Sang des bêtes*, dira-t-il, le plus beau film sur les bêtes que j'aie vu[2] ») qui sortira en complément de *La Rose Rouge* de Marcel Pagliero. Pour les amis vignerons de Saint-Jeannet, le petit village où habitait Georges Ribemont-Dessaignes, et à l'occasion de la Fête des raisins, il écrivit *Vignette pour les vignerons*,

1. Jacques Derlon à l'auteur.
2. *Premier Plan*, n° 14.

poème de cent trente-quatre vers, illustré de dessins de Françoise Gilot, la compagne de Picasso, et de photos de Marianne Greenwood qui partageait la vie d'André Verdet et idolâtrait Eisenstein dont le style se retrouvait dans ses clichés. Édité «pour le plaisir et le compte des vignerons de Saint-Jeannet» par les éditions locales Falaize, la très jolie plaquette tirée sur un beau papier n'aurait pas dû dépasser les limites du canton. Elle parvint néanmoins à Paris où les noms des auteurs suffirent une nouvelle fois à déclencher l'ire de Roger Nimier, attentif à descendre en flammes la moindre production d'un Prévert à ses yeux dénué d'humour et obsédé par la lutte contre ces réactionnaires qu'il voyait partout.

Ribemont-Dessaignes ayant bien besoin de vendre les dessins qu'il exposait à la galerie Les Mages de Vence, Jacques — reconnaissant envers ce vieil ami grâce auquel, disait-il, il avait pu écrire et publier ses premiers textes — lui donna pour le vernissage *Itinéraire de Ribemont-Dessaignes à Saint-Jeannet* qui sera publié plus tard dans *La Pluie et le Beau Temps*, troisième ouvrage d'importance qu'attendait Gallimard après *Paroles* et *Spectacle*. Toujours en relations cyclothymiques avec la Radio française qui — au gré des directeurs artistiques — l'accueillait chaleureusement puis l'interdisait sans autre forme de procès, Prévert lui remit le scénario de *Métro fantôme* à condition que celui-ci fût adapté par l'ami Ribemont-Dessaignes. Il fera merveille avec cette œuvre fantastique hésitant entre la pure comédie et la pièce d'atmosphère au climat étouffant[1], et cette commande l'aidera à surmonter une mauvaise passe financière. S'éloignant du cinéma où il avait connu de grands bonheurs et de lourdes déceptions, mais où il avait appris à collaborer agréablement avec d'autres scénaristes, Prévert, qui n'était pas homme à travailler seul, poursuivit alors sa collaboration[2] avec des photographes dont il était depuis longtemps la cible consentante et des peintres dont il était l'ami. Le premier photographe fut Izis, la vedette indépendante de *Paris-Match*, lequel mieux que ses jeunes confrères qui ne juraient que par les «news» dramatiques, la violence et la guerre, savait traiter un sujet en profondeur et se faire le spécialiste des «instants où il ne se passe rien». Israël Bidermanas, dit Izis, Lituanien arrivé à Paris en même temps que les Hongrois Brassaï et Kertész, ami de Chagall, était de la même famille artistique et avait le même itinéraire que Prévert. Comme lui, il aimait flâner au hasard des rues populeuses et «tirer le portrait» des personnages et des décors rencontrés lors de promenades

1. Gérard Pellier à l'auteur.
2. Commencée avec Ylla en décembre 1947.

impromptues. Avec eux, images et poèmes se complétaient admirablement sans que, jamais, les unes soient le commentaire des autres. Si les deux artistes se connaissaient et s'appréciaient de longue date, c'est Albert Mermoud, directeur de la Guilde du livre, club de bibliophiles de Lausanne, qui eut l'idée de les réunir pour deux ouvrages à tirage limité dont Gaston Gallimard ne pourrait s'offusquer qu'ils lui échappent. Ainsi naquit *Grand Bal du printemps*, où Prévert à sa manière qui séduisait tant ses fidèles chantait Paris, ses rues, ses marchés, les fêtes foraines et les gamins éblouis, la neige de Noël et les bourgeons du printemps, les amoureux *à* Paris et les amoureux *de* Paris. Suivit, en 1952, *Charmes de Londres* où, sans se concerter, les deux compères allant chacun de son côté dans une ville aimée, traitèrent des mêmes quartiers, baguenaudant de Hyde Park aux docks de l'Est, de Portobello Road à White Chapel en passant par les fontaines de Trafalgar, domaines des amoureux, des putains au grand cœur et de Jack l'Éventreur, tant les visiteurs se persuadèrent, selon l'expression de Prévert, que «Londres est une île de l'Angleterre, entourée d'eau, d'herbe et de sang». Un quart de siècle plus tard, Gallimard rachètera le tout pour publier ces poétiques impressions de voyages sous le titre de *Grand Bal du printemps*, dernier ouvrage signé de Jacques Prévert (publié sans les photos d'Izis), un an avant sa mort, alors que *Charmes de Londres* aura trouvé sa place dans l'édition 1963 de *Histoires et d'autres histoires*.

Il arrivait aussi que Prévert remplaçât le photographe par le peintre ou la dessinatrice. Parmi ceux-ci, Jacqueline Duhême avait pris une place importante dans la vie des Prévert. On la voyait souvent à L'Ormeau. Janine l'adorait puisqu'elle ne faisait pas partie de «ceux d'avant» qui ne venaient que pour Jacques. Minette rivalisait de poésie avec la jeune femme et Jacques était sensible à une fraîcheur d'esprit qui se retrouvait dans ses dessins. C'est ainsi que le poète décida d'écrire avec l'illustratrice que Matisse appréciait tant une nouvelle histoire d'enfant pas sage qu'il baptisera *L'Opéra de la lune* et dont le héros — Michel — ressemblera comme deux gouttes d'eau à cette Minette au visage diaphane qui restait au centre de sa vie — et de ses soucis. Prévert associera Christiane Verger, qui avait mis en musique sa toute première chanson, à cette œuvre nouvelle. C'est Albert Mermoud — fort du succès auprès des membres de la Guilde du *Grand Bal du printemps* et de *Charmes de Londres* augmentés d'une troisième plaquette, *Guignol*, illustrée par Elsa Henriquez — qui éditera *L'Opéra de la lune*.

Puisque Prévert ne semblait pas décidé à mettre en chantier une œuvre plus élaborée, Gaston Gallimard jugea bon de ne pas laisser trop longtemps son auteur vagabonder en solitaire sur les rivages du Léman, et décida à son tour de publier une de ces plaquettes illustrées qui, si elle ne comblait pas totalement l'amateur de *Paroles* ou le spectateur de La Fontaine des Quatre-Saisons, entretenait la fidélité des lecteurs pour son poète favori. Au «Point du Jour» - NRF parut *Lettres des îles Baladar*, un conte délicieux, malgré son acidité, qui raconte la vie d'un archipel heureux auquel les gens du Grand Continent ne prêtent aucune attention, au point qu'ils l'appellent l'île Sans la Moindre Importance, ou la Petite Île de Rien du Tout. Les habitants y vivent heureux sans se soucier du monde de l'argent dans un paradis sans Dieu où la liberté et le bonheur de chacun se confondent avec ceux de tous. Un monde bien proche de celui prôné par les anarchistes, que l'invasion des gens du Grand Continent met en péril jusqu'à ce qu'un vaste mouvement de solidarité unissant les opprimés de diverses origines se débarrasse de ceux qui veulent les réduire en esclavage. C'était pour Prévert l'occasion de reprendre le combat anticolonialiste qu'il menait depuis l'époque du Groupe Octobre et — la guerre d'Indochine battant son plein — il écrivit dans un ouvrage collectif dirigé par Jean-Paul Sartre et intitulé *L'Affaire Henri Martin*[1] un texte virulent : *Entendez-vous gens du Viêt-nam. Baladar* était un nom forgé de toutes pièces que Prévert avait déjà utilisé en 1930 dans un scénario écrit pour le photographe André Vigneau qui souhaitait le transformer en dessin animé. Il se servit à nouveau de ce nom pour attaquer le colonialisme sous toutes ses formes, jusqu'à la victoire des êtres simples fidèles à leur enfance, sur les habitants du Grand Continent qui, eux, avaient cédé à la mégalomanie. «L'île avait bien gagné sa chance : elle était devenue une petite île, ignorée, méprisée, abandonnée, une petite île sans la moindre importance... »

Toutes les semaines, pendant plusieurs mois, Jacques Prévert rencontra son illustrateur André François, dessinateur publicitaire, caricaturiste, affichiste né en Roumanie en 1915, peintre fort apprécié aux États-Unis au point que le *New Yorker* lui avait commandé de nombreuses couvertures. «Nous parlions, racontera-t-il. Il n'y avait jamais de texte prêt. Il me disait : dessinez, et je dessinais. Puis il a écrit[2].» C'est à l'occasion de ces nombreuses rencontres que Jacques demanda à Pierrot de lui trouver un pied-à-terre dans la capitale, plus confortable que ses habituelles chambres d'hôtel et qui per-

---

1. Du nom d'un jeune communiste, engagé de la marine, qui avait écopé de cinq ans de prison pour avoir refusé de lutter contre les Indochinois en quête d'indépendance.
2. *Le Monde*, 14 juin 1986, article rapporté par Danièle Gasiglia-Laster et Arnaud Laster, *op. cit.*

mettrait à Janine et à Minette de l'accompagner lors des séjours indispensables à sa condition d'écrivain. À cinquante-deux ans, le poète retrouva le quartier de son enfance mais dans un immeuble autrement prestigieux que ceux que le Père Picon avait pu offrir à sa nichée au début du siècle. Face au jardin du Luxembourg et à quelques dizaines de mètres du musée du même nom et de la rue Férou, le numéro 4 de la rue Guynemer affichait la pierre de taille, les balustrades et les vérandas du meilleur aloi dans l'architecture bourgeoise du VIᵉ arrondissement. Jacques Prévert ne goûta guère le style de l'immeuble, pas plus que son environnement, qui lui inspirèrent aussitôt un court poème, *Le Baptême de l'air*. Il trouvera sa place dans l'édition définitive d'*Histoires et d'autres histoires* et renforcera sa réputation d'iconoclaste !

> Cette rue
> autrefois on l'appelait la rue du Luxembourg
> à cause du jardin
> Aujourd'hui on l'appelle la rue Guynemer
> à cause d'un aviateur mort à la guerre
> Pourtant
> cette rue
> c'est toujours la même rue
> c'est toujours le même jardin
> c'est toujours le Luxembourg
> Avec les terrasses... les statues... les bassins
> Avec les arbres
> les arbres vivants
> Avec les oiseaux
> les oiseaux vivants
> Avec les enfants
> tous les enfants vivants
> Alors on se demande
> on se demande vraiment
> ce qu'un aviateur mort vient foutre là-dedans.

Quand le voisin du dessous se plaindra, par épouse interposée, du raffut épouvantable que faisait un cheval à bascule que Jacques avait acheté à Londres avec Izis pour sa Minette chérie, il sut que le 4 rue Guynemer ne lui convenait décidément pas. Il n'était pas fait pour vivre à proximité d'un ministre d'État. Le voisin du dessous s'appelait François Mitterrand.

*

Amitié toujours. Après le succès de la publication par l'éditeur Jacques Enoch de *21 chansons* et de *D'autres chansons* réunissant — paroles et musique — quarante-six des œuvres les plus populaires de Prévert et Kosma, et après celui de *L'Opéra de la lune* à la Guilde du livre d'Albert Mermoud, celui-ci accueillit volontiers le projet que lui soumit le poète : publier quatorze de ses textes mis en musique par Christiane Verger, augmentés d'un poème de soixante-sept vers, *Autrefois*, et qui tiendrait lieu de préface à ce recueil lui-même intitulé *Tour de chant*. Jacques y évoquait les rapports de la musique et du temps, à travers son tout premier texte connu, *Les Animaux ont des ennuis*, écrit en 1928 pour son ami le danseur Georges Pomiès, et qu'avait interprété pour la première fois l'un des membres de sa troupe, la jolie et frêle Janine alors danseuse débutante et future femme de Jacques après avoir été celle de Fabien Loris, futur illustrateur du recueil ! Affaire d'amitié et de famille aussi puisque Fabien, ce surdoué nonchalant qui, outre ses dons au cinéma comme dans la chanson, avait un fort intéressant coup de crayon, vivait aujourd'hui avec Christiane Verger dont il faut bien dire qu'elle l'avait pris complètement en charge malgré le caractère dépressif et introverti qui le caractérisait[1]. Ainsi parut à la Guilde de Lausanne *Tour de chant*, paroles de Jacques Prévert, musique de Christiane Verger, dessins de Loris, dont l'à-valoir fut le bienvenu chez les deux couples. Car, malgré des rentrées appréciables, Prévert manquait éternellement d'argent.

À ses yeux, mieux valait traiter par le mépris les problèmes financiers que de ne pas secourir les nombreuses personnes de son entourage qui, sans faire directement appel à lui, savaient pouvoir toujours compter sur son aide. Ses multiples changements d'adresse facilitaient le jeu de cache-cache auquel il se livrait avec les percepteurs des différents arrondissements qu'il avait fréquentés depuis l'avant-guerre. Quand le fisc se faisait trop pressant dans un arrondissement, Pierrot allait négocier, au nom de son frère passé à une autre adresse qu'il disait ignorer, et parvenait à obtenir un étalement dans les paiements ou un arrangement amiable. Ce qui n'empêchait pas le dossier «emmerdements» constitué par Jacques avec les sommations d'huissiers, les factures en souffrance et les lettres recommandées non ouvertes de grossir jusqu'à l'éclatement. Quand la cote d'alerte était atteinte, les créanciers les plus acharnés procédaient à une saisie-arrêt sur ses comptes à la SACEM (Société des auteurs, compositeurs et éditeurs de musique) et à la SACD (Société des auteurs et compositeurs dramatiques). «Jacques Prévert a été longtemps, sinon toujours, en coquetterie avec le fisc, dira l'éditrice Jeanine Enoch. Le percepteur avait pensé aux sociétés de perceptions de droits mais pas à nous. À l'époque, c'était l'éditeur qui recevait directement les

---

1. Selon sa fille, Nadine Alari à l'auteur.

droits de reproduction provenant de la vente des disques, droits qu'il redistribuait aux auteurs. Quand la SDRM *[Société des droits de reproduction mécanique]* a été créée pour nous soulager de ce travail, Jacques est venu nous voir : "Ne m'inscrivez surtout pas à la SDRM, c'est grâce à l'argent que vous me reversez directement à ce titre que je peux vivre. Le fisc a pensé à tout, sauf à Enoch !" Jusqu'à sa mort, nous lui avons ainsi versé des sommes importantes qui ont échappé aux créanciers. Jacques était une cigale qui bouffait tout. Il faisait vivre des tas de gens. C'est pour ça que Janine a mis le holà[1] ! »

Il était temps de donner à Gallimard l'ouvrage important que celui-ci réclamait au nom de milliers de lecteurs impatients, appuyé par René Bertelé qui tenait à un nouveau Prévert pour sa collection « Le Point du Jour ». C'est ainsi qu'aux premiers rayons de l'été 1955 fut publié, sous la même couverture que *Paroles* et *Spectacle*, mais jaune comme le soleil, *La Pluie et le Beau Temps*. Le recueil rassemblait cinquante-huit textes dont vingt-huit étaient totalement inédits, certains antérieurs à la guerre, d'autres d'une actualité brûlante et d'autres encore très récemment parus dans quelques plaquettes confidentielles. On y retrouvait, loin du pêle-mêle de *Paroles* seulement guidé par la chronologie, des poèmes très ciblés et engagés comme *Entendez-vous gens du Viêt-nam*. Ils donnaient sa tonalité à la première partie de l'œuvre destinée à démontrer à quel point toutes les guerres sont semblables et que ceux qui les déclenchent se soucient peu de la vie et du bonheur des autres. Suivaient des pièces du cœur, écrites pour des amis de rencontre ou de longue date, aussi bien peintres, poètes, que médecin d'un sanatorium de Vence et ses malades, vignerons de Saint-Paul et de Saint-Jeannet, ou enfants au visage de souffrance, de désespoir, mais aussi de sérénité. Et le recueil se terminait par la nouvelle version de *La Famille Tuyau de Poêle* remise au goût du jour spécialement pour La Fontaine des Quatre-Saisons. De quoi satisfaire les ennemis irréductibles du poète tout autant que ses admirateurs inconditionnels dont le nombre augmentait chaque année. « Les bonnes âmes n'aiment pas tellement les grands succès, ceux des autres », prévint d'entrée Claude Roy dans *Libération*, premier quotidien à saluer la sortie du Prévert nouveau « qui, avec ses mots, fait dans notre esprit la pluie mais surtout le beau temps ». « Les mêmes, poursuivait l'écrivain, qui avaient trouvé que *Bonjour tristesse* ce n'était pas mal, pas mal du tout, mon cher, surtout quand on pense à l'âge de cette petite Sagan, ont commencé à trouver que c'était bien surfait quand ça a commencé à s'enlever comme des petits

1. Janine Enoch à l'auteur.

pains. Et ceux qui avaient bien ri et été heureux quand Prévert avait pris la Parole(s), du moment que cette parole se répandait par centaines de milliers d'exemplaires, ont commencé, fines mouches, à faire les fines bouches. Et je te murmure que Géraldy aussi ça a eu du succès, et que Prévert, après tout, c'est quoi? un baladin, un chansonnier, un va-nu-pieds, et il nous a eus, mais on a sa dignité, on sait se reprendre, et les arêtes qui nous restent en travers du gosier, on leur fait le coup du mépris[1].» L'attitude de la presse fut conforme à ce qu'avait annoncé Claude Roy. Les «bonnes âmes» ne manquèrent pas, les ardents admirateurs non plus, comme Maurice Nadeau dans *France-Observateur* ou Pascal Pia dans *Carrefour*, concédant seulement que «comme tout recueil celui-ci est inégal». Comme toujours, c'est le public qui décida. Celui des jeunes en particulier et *Paris-Match* reflétera leur enthousiasme intact en consacrant quatre pleines pages signées Guillaume Hanoteau à un copieux article biographique titré «Prévert, le poète best-seller offre aux 240 000 amoureux de Barbara la pluie et le beau temps». Cette notoriété croissante, née de *Paroles*, confirmée par le succès de La Fontaine des Quatre-Saisons, rehaussée par le rappel du rôle joué par l'auteur des *Enfants du paradis* dans l'histoire du cinéma, ne pouvait lui valoir que les remarques acerbes de ses «amis» les critiques pisse-vinaigre dont les mines pincées au simple énoncé de son nom l'emplissaient de joie. Joie aussi de provoquer — comme au beau temps du carrefour Vavin — les bourgeois de tout acabit dont les réactions prouvaient, ainsi que le chantera bientôt Brassens, que «le temps ne fait rien à l'affaire»… Les interviews et émissions radiophoniques consacrées à Prévert à l'occasion de la sortie de *La Pluie et le Beau Temps* suscitaient chez eux une hargne que certains ne pouvaient contenir. Témoin cette lettre d'une auditrice niçoise que le poète glissa dans ses archives:

Monsieur,
Peut-être estimerez-vous que c'est une marque de popularité que de recevoir une lettre d'une auditrice chez qui se sont introduits vos poèmes [!!] par le truchement de Radio Monte Carlo.
En toute franchise je serais curieuse de savoir si vous recevez beaucoup de lettres d'un public assez «snob» et assez décadent pour se pâmer devant vos élucubrations.
Je préfère penser que vous êtes tout simplement un homme assez intelligent pour avoir compris que vous pouviez tenter d'abuser de cette décadence chez certains esprits contemporains, et qu'à l'instar des Picasso et autres Matisse dans le domaine de la peinture, vous

1. *Libération*, 6 juillet 1955.

permettre, vous, dans celui des lettres, de vous moquer de la bêtise des modernes « Précieuses ridicules » !

Allons, Monsieur Prévert, vos « Feuilles mortes » laissaient prévoir autre chose que ces inepties entendues il y a quelques minutes, et dont la platitude d'expression n'avait d'égale que l'hurluberlu de la pensée d'un farceur... ou d'un détraqué.

Voyez-vous, il y a encore des gens suffisamment lucides pour aimer la poésie — la vraie ! — et assez courageux pour vous dire bien en face qu'ils ne sont pas dupes.

Signé : *[illisible[1]]*

En même temps que *La Pluie et le Beau Temps* chez Gallimard parut aux éditions GLM (Guy Lévis-Mano) *Lumières d'homme*, que le poète avait composé à Ibiza presque vingt ans plus tôt, au temps des amours triomphantes avec Jacqueline Laurent. « J'ai écrit ce poème en 1936, expliqua-t-il à Hubert Juin qui le rapporta dans *Combat*, je l'avais perdu et Lévis-Mano ne parvenait pas à remettre la main sur la copie que je lui avais remise. Il la retrouva enfin en 1940. À son retour de captivité, GLM avait d'autres chats à fouetter. Bref ! mon poème est à nouveau perdu. Mais le voici, finalement, après tant d'avatars et d'oubli, qui paraît[2]... » *Lumières d'homme* aurait du déchaîner l'enthousiasme des critiques qui trouvaient la popularité de Prévert incongrue. Il n'en fut rien et le mince recueil où le redouté critique du *Figaro littéraire*, André Rousseaux, voyait dans le tirage restreint (1 565 exemplaires sur vélin) et « la marque GLM » des garanties rassurantes de rareté et de qualité[3], échappa à l'attention de la majorité. Un franc succès et une très belle vente auraient pourtant arrangé les affaires de Jacques Prévert dont, une fois de plus, les finances étaient à l'étiage. Malgré l'enthousiasme des fidèles acheteurs, *La Pluie et le Beau Temps* ne lui procurait aucune rentrée nouvelle car, bien avant sa sortie, il avait signé avec Gallimard un protocole d'accord ainsi résumé par René Bertelé à l'attention de l'éditeur et de ses principaux collaborateurs :

« J'ai finalement décidé Jacques Prévert, qui hésitait depuis son retour à Paris entre plusieurs projets et propositions, à travailler pour nous, et, d'abord, à terminer un livre important déjà commencé depuis quelque temps : une longue "histoire" composée de plusieurs récits s'entrecroisant et qui sera un peu, sous une forme romanesque, son autobiographie. Nous avons travaillé ensemble au plan ces jours derniers et je crois pouvoir assurer maintenant que : d'une part le livre sera fort intéressant

1. Archives Gallimard.
2. *Combat*, mardi 6 juillet 1955.
3. Rapporté par Arnaud Laster, *op. cit.*

— par sa construction originale aussi bien que par la somme d'expériences plus ou moins vécues qu'il contiendra ; d'autre part, il sera terminé avant la fin de cette année… Le livre aura environ 350 pages et sera sans doute intitulé : *Roman*.

Jacques Prévert qui, actuellement, n'a d'autres ressources que ses livres et qui a besoin d'argent, du fait de son retour et de son installation à Paris, demande que lui soient assurés les moyens de se consacrer à ce travail pendant ces quelques mois[1]. »

On s'était entendu sur 950 000 francs étalés sur quatre mois et, comme *Roman* n'avait jamais été remis, *La Pluie et le Beau Temps* avait couvert la dette. Mais c'était reculer pour mieux sauter, car de nombreux changements avaient eu lieu dans l'existence de Prévert qui, las de la rue Guynemer, avait trouvé lors de longues balades, souvent en compagnie du photographe Robert Doisneau avec lequel il s'était lié d'amitié, l'appartement de ses rêves au fond d'une impasse mal pavée… et famée… du bas Montmartre. La cité Véron abritait en réalité des dépendances — loges, magasins, bureaux — du célèbre Moulin-Rouge de la place Blanche. Tout au fond, au 6 *bis*, un petit immeuble avait été libéré et des appartements spacieux avaient remplacé les loges des danseuses du french cancan. Du parquet partout, des pièces en enfilade, chaulées de frais, des allures de cellules de monastère mais assez vastes pour contenter un abbé mitré, des coins et des recoins au bas et en haut d'un escalier intérieur pour satisfaire l'esprit ludique de Minette ; et surtout, commune avec l'appartement d'en face occupé par l'ami des heures chaudes du Tabou, Boris Vian, un demi-étage au-dessus, une merveille de terrasse dissimulée derrière les ailes écarlates du Moulin-Rouge. Là se tiendront certaines des réunions du Collège de Pataphysique dont les deux farceurs les plus éminents de Saint-Germain-des-Prés étaient membres à part entière, installés dans la dignité de Satrapes du corps le plus illustre du Collège placé sous la souriante autorité de Sa magnificence le baron Mollet. Étonnant personnage que ce baron Mollet qui, après avoir connu son Montmartre sur le bout des doigts, avait écumé Montparnasse et savait tout des arcanes de Saint-Germain-des-Prés. Il promènera, sa vie durant, son titre de secrétaire d'Apollinaire bien que son ami Raymond Queneau ait rétabli la vérité, qu'il n'avait d'ailleurs jamais cachée : « Le baron Jean Mollet, qui fut secrétaire d'Apollinaire, ne fut jamais baron, non plus d'ailleurs que secrétaire ; Apollinaire, seul, par un décret de sa poétique fantaisie, lui conféra ces deux dignités, ce qui le rendit célèbre bien avant qu'il eût

---

1. Archives Gallimard.

daigné accepter les honneurs que lui conféra le Collège de Pataphysique[1].» Prévert adorait ce délicieux bonhomme de vingt-trois ans son aîné, rencontré à l'époque de la rue du Château, subsistant au jour le jour de mille et un métiers, réussissant ou ratant mille entreprises mais toujours avec le même sens de la joie. Il avait connu Picasso à ses débuts montmartrois, ainsi que Braque, Derain, Marie Laurencin, Blaise Cendrars ou Max Jacob, dont il était le sosie. Alfred Jarry en personne lui avait appris la recette du Pernod aux haricots qu'il avait adaptée à sa façon en buvant plus que de raison des anisettes à l'eau de Vichy parce que «l'eau de Vichy c'est bon pour le foie»; il prenait en même temps le poison et le contre-poison[2]! Et Prévert, qui n'avait rien à apprendre en matière d'alcool et qui l'invitait souvent chez «les Vieilles» de la rue Dauphine, ne pouvait qu'entourer d'amitié et d'affection ce témoin exceptionnel de la vie artistique parisienne depuis plus d'un demi-siècle, au point de s'être lui-même baptisé «chevalier servant de l'art».

En remodelant à leur manière *La Bergère et le Ramoneur* pour en faire plus tard *Le Roi et l'Oiseau*, Jacquot et Paulo (Prévert et Grimault) s'inspireront du baron Mollet autant que de Pierre Brasseur pour créer le personnage de l'Oiseau! Il était normal que, grâce à ses connaissances en ce domaine, Jacques Prévert ait été élu membre éminent du Collège de Pataphysique (Science des solutions imaginaires illustrée par Alfred Jarry dans *Gestes et Opinions du docteur Faustroll, pataphysicien*) officiellement fondé par Emmanuel Peillet avec quelques-uns des élèves de sa classe de philo du lycée de Reims, ainsi que par Maurice Saillet, dans le cadre de la librairie d'Adrienne Monnier dont ce dernier était devenu le collaborateur! Être élu par des pairs, connus de longue date, Satrape du Collège de Pataphysique était bien plus important à ses yeux que de l'être au fauteuil de Colette au sein du jury de l'Académie Goncourt (où Giono l'emporta), malgré le soutien de parrains de poids: Raymond Queneau et Armand Salacrou. Pour avoir ensuite osé «présenter» Jacques Prévert au prix de la Critique, René Bertelé reçut une volée de bois vert de son ami qui, dans un télégramme furibard, le vouvoya pour la première et dernière fois de sa vie: «Suis désagréablement surpris que vous ayez sans me prévenir envoyé lettre retape catalogue prospectus pour prix Critique dont je me contrefous. Suis pas du tout d'accord. La poésie n'a pas de prix même la mienne. Compte sur votre obligeance pour faire nécessaire à ce sujet. Suis seulement can-

---

1. Raymond Queneau, préface aux *Mémoires du baron Mollet*.
2. Paul Grimault à Jean-Pierre Pagliano, *op. cit.*

didat pour prix Nobel en qualité vulgarisateur poudre d'escampette. Amicalement tout de même et à bientôt. Jacques Prévert[1]. »

Maurice Nadeau, qui était membre du jury du prix de la Critique en même temps que Jean Paulhan, révélera plus tard que « l'éminence grise de la NRF » n'avait rien perdu de son hostilité feutrée à l'égard de Prévert : « Bertelé a eu la malencontreuse idée de présenter Prévert. Naturellement j'ai voté pour Prévert au premier tour. Paulhan aussi... mais ensuite il a réussi à le déconsidérer *[auprès des autres membres]* puis à le laisser de côté[2] ! »

En attendant que les ventes de *La Pluie et le Beau Temps* ainsi que de ses autres œuvres au catalogue de la collection « Le Point du Jour » le libèrent de pressants soucis financiers, Jacques Prévert dut se contenter d'une nouvelle avance de 300 000 francs âprement négociée avec Gaston et Claude Gallimard par René Bertelé qui leur fit miroiter, outre la publication d'un nouvel ouvrage, la possibilité de publier les scénarios les plus « écrits » d'un auteur réputé nonchalant et qui, à l'usage, se révélait plein de ressources quand il s'agissait de piocher dans ses « réserves » pour sortir un nouveau livre. « D'autre part, conclut Bertelé *[soucieux de "vendre" au mieux toutes les facettes du talent du Premier Poète de France qu'il avait la chance d'avoir sous contrat]*, un *Jacques Prévert en images*, dans la collection où ont paru, ici, le "St-Ex", et le "Gide" vous intéresserait-il ? Je pense que ce livre sera appelé à un grand succès et qu'il vaudrait mieux qu'il soit fait par la NRF que par la Guilde du livre (Mermoud) où il risque d'être fait un jour prochain[3]. » Il faudra attendre trente-sept ans pour que soit publié dans la Pléiade le magnifique *Album Jacques Prévert* dont l'iconographie remarquable sera choisie et commentée par André Heinrich !

Insouciant de nature, Prévert n'était jamais plus heureux qu'en arpentant les rues de Paris avec Robert Doisneau qui, d'une terrasse de bistro du XIVe au zinc populaire d'un café de mariniers sur le quai de Valmy, le photographiait dans des lieux familiers. Mais, puisque problème financier il y avait, mieux valait tenter de les régler tout seul, d'autant que Prévert était harcelé par Léon Pierre-Quint à qui il avait promis, voilà bien longtemps, « quelque chose » pour les éditions du Sagittaire et mangé jusqu'au dernier centime l'avance confortable qu'il en avait reçue. Il se tira d'affaire en s'engageant à nouveau pour un petit ouvrage réunissant maximes et proverbes recueillis

1. Archives Geneviève Vallette, sœur de René Bertelé.
2. Maurice Nadeau à Alain Poulanges, *op. cit.* (archives Gilles Nadeau).
3. Archives Gallimard.

tout au long de sa vie et peut-être accompagnés de photos, ce qu'un journaliste de *Match* traduisit par la mise en chantier de *Mémoires*, pour lequel le poète aurait même un titre : *Raconte pas ta vie*[1]. Cette information sensationnelle ne fit guère plaisir à Gaston Gallimard auprès duquel René Bertelé dut longuement s'expliquer. « Le journaliste de *Match* interviewant Prévert il y a quelque temps pour l'article que vous savez, plaida-t-il, a un peu confondu les éléments du monologue de notre poète et publié (une fois de plus…) une information un peu fantaisiste. Prévert aurait parlé, à bâtons rompus, de la difficulté d'écrire des Mémoires et du proverbe populaire "Raconte pas ta vie" dont il aimerait un jour intituler un livre, etc.[2] » L'explication valait ce qu'elle valait. Prévert, pour apurer ses comptes autrement que par l'édition, accepta alors une proposition de ce cinéma qu'il boudait depuis *Les Portes de la nuit* et le demi-échec des *Amants de Vérone*. Les frères Hakim, célèbres producteurs parisiens, lui proposaient d'adapter *Notre-Dame de Paris* en compagnie de Jean Aurenche — quasiment un ami d'enfance — et de dialoguer le chef-d'œuvre de Victor Hugo que mettrait en scène Jean Delannoy. La distribution était digne de la superproduction en Technicolor qu'ils dirigeaient : Gina Lollobrigida et Antony Quinn, en têtes d'affiche. Une belle somme était à la clef. Prévert accepta.

« Dans *Notre-Dame de Paris*, Jacques a tout fait, admira Aurenche. Il n'y a pas un mot de moi. Il est parti en me disant : "Je vais écrire un premier jet." Et il est revenu avec le scénario intégral. C'est même lui qui a eu la meilleure idée de distribution de ce film qui n'était pas fameux : Jean Tissier en Louis XI. Jacques faisait pratiquement la distribution complète de tous ses films. Il faut dire que la plupart des metteurs en scène à cette époque, à part Renoir, n'avaient pas beaucoup de goût ni d'idées quant au choix des acteurs. Ils voulaient, comme disait Carné, des pensionnaires dociles[3]. » Cela permit une dernière fois à Prévert de faire engager quelques vieux ou plus récents complices, comme Alain Cuny, Roger Blin, Marianne Oswald, Jacques Dufilho et Boris Vian. Malgré ces petits plaisirs, *Notre-Dame de Paris* ne rabibocha pas le poète avec le cinéma. « Delannoy a tripoté le scénario et a fait un mauvais travail[4] », dira encore Aurenche. Mais Prévert n'avait plus la liberté de jadis quand il claquait la porte dès qu'il avait l'impression de faire un compromis. Il avait un train de vie à assurer. Minette,

1. Les *Mémoires* ne se feront jamais et *Raconte pas ta vie* servira de titre à ceux que Marcel Duhamel projetait d'écrire !
2. Archives Gallimard.
3. Jean Aurenche, *op. cit.*
4. *Ibid.*

bien que sur le chemin de la guérison — certains parlaient de mystérieuses mais efficaces sulfamides —, coûtait très cher par ses traitements et ses caprices qu'il se refusait à contrarier. Dès qu'étaient apparus les symptômes de son dérèglement, Prévert avait confié à son ami André Virel, en évoquant l'idée d'une mort volontaire avec laquelle il avait toujours joué : «Maintenant que Michèle est là, je n'ai plus le droit de me suicider[1].» Savoir Minette en voie de retrouver une vie normale lui fit avaler la couleuvre Delannoy. Il avait un contrat et voulait l'honorer pour recevoir la totalité de la somme promise. Au passage, il s'offrit un autre petit plaisir en écrivant pour Esmeralda-Gina Lollobrigida, dont la pulpeuse beauté ne laissait personne indifférent, une chanson intitulée simplement *Chanson*[2] et que Georges Auric mit en musique en même temps que le film. En prime à son cachet d'adaptateur dialoguiste, Jacques Prévert, en fin de tournage, reçut des frères Hakim le lit d'Esmeralda! La couche historique — d'aucuns, imaginatifs, y sentiront encore le parfum de Gina! — servit désormais de lit d'appoint, cité Véron, aux amis de passage[3].

Notre-Dame de Paris fut le dernier «grand» film que Jacques Prévert écrivit pour le cinéma. Son ultime collaboration sera un simple sketch, *Agnès Bernauer*, destiné au film *Les Amours célèbres* de Michel Boisrond, récit tragique des amours contrariées de la fille d'un bourgeois et de l'héritier du trône de Bavière à l'époque médiévale, qui permit aux héros du film, alors à l'apogée de leur beauté, de «dire du Prévert». Alain Delon et Brigitte Bardot n'y prêtèrent guère attention, uniquement préoccupés de mettre en valeur leur physique exceptionnel en jouant avec les projecteurs et la caméra. Leur interprétation ne fut pas de nature à faire regretter le cinéma à l'homme qui avait signé les dialogues de *Quai des Brumes* et des *Enfants du paradis*!

Désormais, on ne verra plus le nom de Jacques Prévert sur un écran que lors de la projection de courts métrages dont il assurera le commentaire seulement en raison de ses affinités avec le réalisateur et les participants. Ainsi naîtront au fil des années *La Seine a rencontré Paris* de Joris Ivens (1957), poème dit par Serge Reggiani, Palme d'or des courts métrages au Festival de Cannes et Golden Gate à San Francisco; *Paris mange son pain* de Pierre Prévert (1958), commentaire dit par Germaine Montero sur une musique de Henri Crolla et André

---

1. André Virel à l'auteur.
2. Titre déjà employé par Prévert pour un autre court poème publié dans *Paroles*.
3. Dominique de Wespin à l'auteur.

Hodeir; *La Faim du monde*, très court dessin animé (trois minutes) de Paul Grimault réalisé pour l'Exposition internationale de Bruxelles de 1958 sur une musique de Henri Crolla; *Paris la belle*, de Marcel Duhamel et Pierre Prévert en 1928 et Pierre Prévert seul en 1959, qui reprenait une grande partie des séquences en noir et blanc des *Souvenirs de Paris* ou *Paris-Express* et celles, contemporaines et en couleurs, tournées avec Minette, Catherine Prévert, Marcel Duhamel et Jacques Prévert qui disait lui-même son commentaire, soutenu par la voix d'Arletty, sur une musique de Louis Bessières. Ces vingt-deux minutes de bonheur reçurent le Prix spécial du jury au XIIIᵉ Festival de Cannes et le prix Chevalier-de-la-Barre en 1960. Autre court métrage, *Les Primitifs du XIIIᵉ* de Pierre Guilbaud (1959), où, aidé à nouveau par Arletty, il exprimera son admiration pour les enfants d'une maternelle du XIIIᵉ arrondissement déjà amoureux d'un Paris populaire dont les maisons de guingois allaient bientôt céder la place aux tours de béton rectilignes. Ce cri d'amour de celui qui « n'avait jamais voulu être sérieux » et n'avait jamais quitté le monde de l'enfance, mis en musique, là encore, par Henri Crolla et André Hodeir, reçut le Prix spécial du jury (catégorie Films d'art) à la Biennale de Venise en 1960, suivi d'une grosse douzaine d'autres récompenses venues des quatre coins de la planète. *Le Diamant* et *Le Chien mélomane*, dessins animés de Paul Grimault, le premier sur une musique de Jacques Loussier, et le très court métrage de Joris Ivens *Le Petit Chapiteau* pour lequel Prévert dira un poème plus court encore, mettront un point final à sa participation à un septième art qu'il quittait sans regret mais avec une certaine nostalgie. Avec qui travailler? Même Alexandre Trauner n'était plus à Paris. Le petit Trau travaillait maintenant pour les grands studios américains où on ne lui reprochait pas de dépenser trop d'argent pour des décors de mégalomane. « La grande période de ma vie, dira-t-il, c'est celle du travail et de l'amitié avec Prévert, c'est celle pour laquelle j'ai le plus d'affection et de nostalgie. Travailler avec Billy Wilder ou Fred Zinnemann, c'était magnifique. Et Hollywood c'était très bien, mais dès que j'avais fini mon travail j'étais dans l'avion... Au bout d'un moment j'en avais marre des voyages et je ne rêvais plus que de Paris. L'une des raisons pour lesquelles je suis revenu est que Prévert vieillissait et qu'il me manquait[1]. »

Une page de la vie était tournée pour les deux hommes.

Un autre chapitre commençait pour le poète. Le dernier.

---

1. Alexandre Trauner, *op. cit.*

CHAPITRE 9

La mort remet tout en place

Ils partaient les uns après les autres. Sans crier gare. Et laissaient un grand vide. D'abord Paul Roux, après avoir fait de son auberge un lieu quasi historique en plaquant sur sa façade, avec l'aide de son fils Francis et suivant les conseils de leur ami le célèbre architecte Jacques Couelle, celle — découpée dans l'épaisseur — du château de Rogne acquis près d'Aix-en-Provence. Dans la salle, de chaque côté de la majestueuse cheminée de même provenance, les cimaises de cet amateur éclairé et peintre lui-même portaient les œuvres d'artistes contemporains, aimés depuis toujours, collectionnées avec passion depuis la création de La Colombe d'Or, Bonnard, Rouault, Matisse, Braque, Masson, Villon, Léger, Dufy, Chagall, Miró, Borsi, Calder, entre autres, et le préféré, l'ami de la famille, Picasso. De nombreuses gouaches de lui ornaient déjà la maison et le livre d'or quand il fit choisir à Francis, dans son atelier de Vallauris, un tableau — une huile de grandes dimensions — pour son père. Celui-ci qui, depuis qu'il s'intéressait à la peinture, rêvait d'en posséder un, le contemplera longuement, chaque jour, jusqu'à ce qu'il n'en ait plus la force. À la mémoire de Paul Roux qui avait embelli sa vie depuis son premier séjour avec Claudy Carter, Jacques Prévert écrira un très beau texte — *Paul Roux ne repose pas au cimetière de Saint-Paul* — que tous les amis de la famille possèdent dans leur bibliothèque et dans leur cœur et dont le musée du village éditera un tiré à part accompagné d'œuvres d'André Verdet et de Manfredo Borsi.

Ensuite ce fut Adrienne Monnier, qui avait ouvert le jeune Prévert à la culture. Lasse de souffrir atrocement d'un rhumatisme infectieux incurable qui la menaçait de paralysie, elle s'était donnée la mort[1], fière de s'être attachée à l'œuvre de nouveaux poètes qu'elle avait connus « inconnus » et qu'elle fut

1. Le 19 juin 1955.

l'une des premières à «admirer grandement» : Henri Michaux, Antonin Artaud, Michel Leiris et Jacques Prévert. Par-delà la mort, celui-ci lui répondit dans un admirable texte préface à son œuvre unique, *Rue de l'Odéon* — réunion posthume, dont elle avait rédigé l'esquisse, d'articles, de conférences, de lettres, de portraits publiés dans les revues littéraires les plus prestigieuses. Et cette préface montrait à quel point le poète le plus populaire et le plus aimé de France avait compris et assimilé la leçon d'amour de la littérature que lui avait inculquée cette femme exceptionnelle.

Depuis longtemps déjà, les littérateurs, ou tout au moins beaucoup d'entre eux *[écrivit l'auteur de Paroles]*, parlent avec mépris de la «littérature», et le mot littérature dans leur vocabulaire a bien mauvaise tournure.
Les films et la danse ou le récit des songes et tant de choses encore, dont la littérature, passent à la casserole du jugement péremptoire, savant et méprisant : «Tout ça, c'est de la littérature!»
Les peintres, les bons et les mauvais, les grands et les petits et les vrais et les faux, les vivants et les morts, ne disaient jamais et ne disent pas non plus aujourd'hui du mal de la peinture. De même le jardinier devant un jardin insensé, un jardin ni fait ni à faire, un insolite et mystérieux parterre de lierre et d'orties, ne dit pas : «Tout ça, c'est de l'horticulture!»
Adrienne Monnier était comme ce jardinier, et dans la serre de la rue de l'Odéon où s'épanouissaient, s'échangeaient, se dispersaient ou se fanaient les idées en toute liberté, en toute hostilité, en toute promiscuité, en toute complexité, souriante, émue et véhémente, elle parlait de ce qu'elle aimait : la littérature[1].

Ce fut aussi, venue d'Amérique où, naturalisé, il vivait retiré dans le Connecticut, l'annonce de la mort prématurée d'Yves Tanguy, le «bouffeur» d'araignées du service militaire, aujourd'hui mondialement reconnu, à l'égal de Max Ernst. Même si Tanguy s'était éloigné de ses premiers admirateurs de la rue du Château, qu'il n'approuvait pas toujours, c'était toute la période heureuse de la bohème, des débuts du surréalisme et des querelles avec André Breton qui se terminait pour Prévert. Celui-ci s'était récemment réconcilié avec «le Pape», lequel, hier encore, entendait choisir jusqu'à la couleur des apéritifs de ses amis! N'étaient-ils pas devenus trois personnages du monde des Arts et des Lettres qu'animait une estime mutuelle?
Durant les années charnières du demi-siècle, Jacques Pré-

---

1. Extrait du *Souvenir d'Adrienne Monnier* (numéro spécial du *Mercure de France*, 1er janvier 1956) qui, avec les textes de Paul Claudel, de Saint-John Perse, S. M. Eisenstein, Pascal Pia et Yves Bonnefoy, servit de préface à *Rue de l'Odéon*, 1960.

vert, comme il le faisait pour le cinéma, n'écrivit plus d'ouvrages importants, se contentant de textes qui, exploitant sa notoriété, aidaient les peintres encore inconnus à se faire adopter et les enfants inadaptés à vivre mieux compris et plus confortablement. Ayant découvert Béjart sur la scène timbre-poste de La Fontaine des Quatre-Saisons, il alla jusqu'à ressortir un argument de ballet, *Le Balayeur*[1], que Louis Bessières mit en musique, afin de l'épauler dans sa conquête du milieu féroce des balletomanes.

C'est à cette époque que Joan Miró fit appel à son vieil ami dont il souhaitait illustrer quelques poèmes en attendant une œuvre plus ambitieuse, celle-là créée à quatre mains. Ainsi naquirent plusieurs textes sur Miró, d'abord publiés dans *Les Lettres nouvelles*, *Miroir Miró* et *Oasis Miró*, puis repris dans un numéro spécial de la revue *Derrière le miroir*, qu'Aimé Maeght confiera bientôt à son fils Adrien avec la réalisation de toutes les éditions de la Galerie Maeght. Suivit un plus important *Joan Miró*, dans la collection « Pierre à feu », petite monographie du peintre catalan avec des textes de Jacques Prévert et Georges Ribemont-Dessaignes, accompagnés de neuf lithographies originales en couleurs de l'artiste et d'une originale en couleurs réalisée en commun par le peintre et les deux auteurs, imprimées par l'atelier de Fernand Mourlot, le meilleur des lithographes français[2], ami de ses illustres clients : Braque, Picasso, Matisse, Miró, Chagall et bien d'autres qui exigeaient de ne travailler qu'avec lui ou son graveur lithographe, Henri Deschamps. « C'est le premier livre que j'ai fait en tant que responsable d'un ouvrage *[se souviendra Adrien Maeght qui participait encore aux activités de son père]*. Jacques — tout comme Braque — aimait beaucoup Ribemont-Dessaignes qui était vraiment dans la misère. Bien que n'ayant alors lui-même que des rentrées aléatoires, il a abandonné tous les droits sur le livre pour que je les donne à Ribemont-Dessaignes. Par ailleurs, Miró, très coté, lui a signé quatre ou cinq gravures qu'il m'a aussitôt revendues sans que Janine le sache[3] ! »

Définitivement éloigné du cinéma et sentant peut-être sa veine poétique sur le point de s'épuiser, Jacques Prévert, amorça un semblant de collaboration avec des amis photographes et peintres pour lesquels il posa. Ainsi Picasso consa-

---

1. *Le Balayeur*, poème extrait de *Spectacle*, ballet monté en 1956 par Roland Petit.
2. Jacques Prévert lui consacrera un long texte poétique — *Le Cœur à l'ouvrage* — qui figure parmi ceux réunis sous le titre *Textes divers* par Danièle Gasiglia-Laster et Arnaud Laster (vol. II de la Pléiade).
3. Adrien Maeght à l'auteur.

cra sept jours[1] à dessiner une série de portraits au fusain dont le plus réussi, tant il donne du poète une image mélancolique et soucieuse qui traduisait ses préoccupations du moment, vint orner le mur de son bureau qu'il ne quitta jamais. Puis Prévert se tourna de plus en plus vers sa nouvelle passion : le collage.

Tout avait commencé par une réflexion du même Picasso admirant quelques-uns de ses manuscrits de scénarios constellés de fleurs, de petits bonshommes, de gags visuels esquissés aux crayons de couleur : «Tu ne sais pas peindre ni dessiner mais tu es peintre...» Prévert le sentait inconsciemment qui, au temps de l'amour fou avec Janine, au début de leur liaison, s'était servi d'un cliché de Pierre Boucher — photographe de la bande sportive de Maurice Baquet à Deligny et aux Tourelles[2] — représentant la jeune danseuse au faîte de sa beauté dans un saut aérien du plus bel effet, pour le transformer en collage grâce à une somptueuse guirlande de fleurs et de feuilles découpées dans des planches de botanique. Au fil des années, l'aimable passe-temps s'était transformé en violon d'Ingres puis, après l'accident et l'installation à Saint-Paul, en véritable passion que les médecins chargés de sa rééducation encouragèrent vivement. «J'ai fait des collages comme ça, pour m'amuser *[dira-t-il dans* Mon frère Jacques, *film autobiographique pour la télévision belge que son frère Pierrot lui consacrera en 1961].* Je dessine aussi mais sans espoir. Je sais faire un bonhomme, une fleur, un oiseau mais je ne connais pas la perspective...» «Ce sont des poèmes, ces collages *[ajoutera René Bertelé, ébloui par la diversité des talents de son ami].* Jacques s'exprime de plus en plus par des collages. Il l'a fait d'abord par des poèmes et on s'aperçoit que certains d'entre eux étaient déjà des collages de mots. L'état d'esprit reste le même. Cette faculté de mettre en rapport, d'animer, de confronter des éléments différents, imprévus, Jacques Prévert l'a exprimée d'abord avec les mots. D'autres, parmi les surréalistes, l'avaient fait avec des collages. Max Ernst en a composé, et de très beaux. Mais ceux de Prévert, ce n'est pas du tout la même chose. Il a une animation, une aimantation des éléments de la réalité qui n'appartient qu'à lui. Ses collages ne sont pas ceux d'un intellectuel métaphysique. Ils n'ont pas ce caractère d'obsession, d'hallucination qu'ont certains de ceux de Max Ernst. Ils appartiennent tout à fait à la poétique de Jacques[3].»

---

1. Du 25 septembre au 1er octobre 1956.
2. Maurice Baquet à l'auteur. Deligny, amarrée au pont de la Concorde, et les Tourelles, en bordure du bois de Vincennes, étaient les deux piscines les plus célèbres de Paris.
3. René Bertelé in *Mon frère Jacques.*

La préparation matérielle de ces œuvres nouvelles était par elle-même source de joie. Balades sur les quais pour dégotter les images, les chromos, choisis un à un avec un soin maniaque, celui qu'il apportait déjà à sélectionner le papier qui, chez lui, palliait l'absence d'agenda. Chaque matin, il utilisait une grande feuille blanche mais d'un merveilleux hollande de chez Lavrut, passage Choiseul, sur laquelle il dessinait une fleur haute en couleur près de laquelle il inscrivait ses rendez-vous et les prénoms ou surnoms des amis dont il attendait la visite : Garance (Arletty), René (Bertelé), Trau (Trauner), Paulo (Grimault), Mille Pattes (Crolla), Villers (un photographe nouveau venu dans la bande et qu'il adorait), ou Pablo… Une fois choisis chromos, reproductions, photos, au cours de longues séances de «farfouille» aux Puces, sur les Quais, rue des Saint-Pères, rue Jacob ou rue Dauphine où il faisait provision de planches d'anatomies coloriées ou de chromos rutilants, les ciseaux, la colle et le hasard entraient en jeu sur le tréteau qui lui servait de table de travail à Saint-Paul, ou sur la table de ferme devenue son bureau, cité Véron. L'un et l'autre étaient chargés de boîtes, de pots de colle, de stylos, de crayons-feutres dont Picasso lui avait apporté les premiers lancés sur le marché, de crayons de couleur utiles aux dédicaces fleuries, de pastels de toutes couleurs, desquels, en les mouillant de salive, il obtenait des effets de gouache ou d'aquarelle. La recherche des matériaux, des images qui lui «disaient» quelque chose, était trop importante pour la laisser à une tierce personne. «Quand quelque chose me plaît, dira-t-il, je le découpe et le mets dans un tiroir. Mais il faut que ça me plaise. Il y a des gens qui m'amènent quelquefois de très jolis livres, de vieux catalogues en me disant : "C'est pour vous." Mais ce n'est pas vrai, ce n'est pas pour moi. Je ne trouve rien là-dedans à garder. Quand ça me plaît, je le vois tout de suite[1].» Ainsi naquirent des dizaines et des dizaines de collages, concentrés de non-sens et d'associations d'idées, véritables œuvres d'art originales dont la vision choquait parfois autant, sinon plus, que nombre de poèmes ou de sketches pour le Groupe Octobre. Papes à tête de fruit goulûment rongé par une chenille, anges à tête de bouc, officiant à tête d'intestin tendant l'eucharistie, Enfant Jésus à tête d'écorché, Immaculée Conception à tête de clitoris, Dieu le Père à tête de singe, dames de Port-Royal au faciès hideux encore défiguré par un fou rire grimaçant. Changeant de technique, Prévert ne changeait pas pour autant d'esprit et les ennemis à combattre restaient les mêmes : l'Armée, la Bourgeoisie, le Pouvoir, la Guerre, l'Église. «L'Enseigne-

---

1. Jacques Prévert à Madeleine Chapsal, *L'Express*, 19 septembre 1963.

ment libre» était représenté par un visage d'enfant enserré dans des mains caressantes et étrangleuses. Trois moines masqués entouraient la tombe d'une famille «Teilhard», chère à Dominique de Wespin, l'amie et admiratrice de Janine. Sur l'image transformée était collée une coupure de journal: «Tous les enchantements de l'Orient, toute la chaleur spirituelle de Paris, ne valent pas, dans le passé, la boue de Douaumont. Signé: Pierre Teilhard de Chardin aux armées, avec les tirailleurs, septembre 1917.» De temps en temps apparaissait une femme, admirable et nue, entourée de pénitents ahuris de concupiscence[1]...

Ces œuvres ne pouvaient laisser indifférent un spécialiste aussi avisé qu'Adrien Maeght qui venait de se séparer professionnellement de son père et volait désormais de ses propres ailes dans sa jolie galerie de la rue du Bac, à une encablure de la NRF. Sa première exposition fut consacrée aux «Collages de Jacques Prévert». Rappelant une expérience que Prévert n'avait encore jamais connue — les affres d'un vernissage —, le catalogue publié bien des années plus tard par la Bibliothèque nationale rendra compte du «succès» de cette première manifestation dans des termes que justifiera alors la notoriété acquise dans ce domaine par l'auteur de *Sanguine*! «En 1957, s'ouvre la première exposition de ses collages chez Adrien Maeght, rappellera l'auteur du catalogue, où le public est aussitôt séduit par l'esprit surréaliste de ces montages, le charme de leur imagerie et la vivacité de leurs couleurs. L'exposition était accompagnée de la publication d'un album intitulé *Images de Prévert*, avec un texte de René Bertelé[2].» La réalité de 1957 fut bien différente. Sachant que son ami se débattait dans de grandes difficultés financières, Adrien Maeght espérait pouvoir le dépanner par la vente de collages qu'il estimait remarquables. Non seulement il offrit à ces œuvres l'hospitalité de sa galerie située en plein cœur de Saint-Germain-des-Prés, se chargea de leur encadrement, édita invitations et affichettes sur un fort beau papier reproduisant en couleurs *La Serrure des songes*, l'un des «montages» — Adrien Maeght préférait ce terme à celui de collage — les plus inquiétants de l'exposition, mais il édita en outre un album, tiré à 1 500 exemplaires numérotés, de dix-neuf reproductions en noir et blanc accompagnées d'un texte très éclairant de René Bertelé intitulé *Les Images en liberté*, imprimé sur un vélin rouge qui tranchait avec la couverture noire (toujours les cou-

---

1. *Les Prévert de Prévert*, catalogue de la collection Jacques Prévert. Bibliothèque nationale, 1982 (archives André Virel).
 2. *Ibid.*

leurs de l'anarchie) de l'ouvrage aujourd'hui très recherché depuis qu'une inondation en a fait disparaître trois cents exemplaires! « Quant aux collages, dira le marchand d'art, j'en ai vendu un seul! Ça n'intéressait personne! Je n'ai pas osé l'avouer à Jacques qui comptait sur l'exposition pour se renflouer. Je lui ai dit que je les avais presque tous vendus. Et je les lui ai payés alors que je démarrais à peine, que j'étais marié, que j'avais des enfants et que c'était difficile. Je l'ai aidé comme peu de gens l'ont fait au moment où il en avait réellement besoin [1]. »

À cette époque où les conditions de vie familiale du poète étaient difficiles, tant avec Minette qu'avec Janine — celle-ci lui reprochant sans cesse d'être, avec sa fille, responsable de son état de santé dégradé —, la galerie et le foyer d'Adrien lui servaient souvent de halte. Depuis le jour du mariage du jeune homme, où Pierre Reverdy, Alberto Giacometti et Jacques Prévert, amis de toujours mais qui avaient bien arrosé la cérémonie, s'étaient livrés à un pugilat en règle au Dupont de la place des Ternes, Jacques était considéré chez les Maeght comme un oncle turbulent. Les enfants l'adoraient et l'appelaient l'Ogre tant il leur faisait délicieusement peur en jouant à cache-cache avec sa cigarette qu'il faisait entrer puis ressortir de sa bouche! Ami de la famille, il était toujours le bienvenu.

« Bertelé et Jacques venaient souvent déjeuner en voisins, la NRF étant au bout de la rue, se souviendra l'éditeur. Ils venaient "comme par hasard" boire un verre à midi et demi et, ma femme Paule étant excellente cuisinière, Prévert ne se faisait pas prier pour partager notre repas dans l'appartement au-dessus de la galerie.

— Ah! qu'est-ce qu'on mange bien chez toi, me disait-il.
— Tu ne manges pas bien chez toi?
— Non, faisait-il avec un gros soupir.

Il arrivait même que Janine ne lui fasse pas du tout à manger! Il venait chez nous comme dans une sorte de refuge où il avait moins de soucis qu'à l'ordinaire. Déjeuner là lui était un plaisir. Quand, dans ces années, Minette et Janine lui en faisaient trop voir, il se laissait parfois aller. Je l'ai vu pleurer à la maison où il se sentait en confiance et se livrait à des confidences surprenantes chez quelqu'un d'aussi connu, et que personne ne pouvait soupçonner tant il offrait avec Janine le visage d'un couple heureux et amoureux [2]. »

Mais qui, en dehors de Pierrot et des intimes, pouvait deviner la vraie nature de son épouse et des rapports qui les unis-

1. Adrien Maeght à l'auteur.
2. *Id.*

saient ? C'est qu'il n'était pas facile non plus, le bonhomme ! Et n'avait pas un caractère à se laisser mener par le bout du nez. Sauf par Minette, qui lui imposait sans mal ses quatre volontés. Une admirable photo de Robert Doisneau exprime la solitude profonde de ce « mélancolique joyeux » qui avait conquis la célébrité mais ne s'était jamais senti aussi abandonné. Elle nous montre un Prévert tassé sur une chaise, devant le guéridon d'une terrasse de café, près de la gare d'Austerlitz, la cigarette au bec, le chapeau plat vissé sur la tête, l'œil dans le vague, avec, pour seuls compagnons, un verre de vin rouge et la chienne Ergé, un gros toutou noir à tignasse hirsute qui ne le quittait plus.

C'est dans cet état d'esprit qu'il accepta l'offre généreuse de Hélène Gordon qui mettait provisoirement fin à ses difficultés financières. La directrice de *Elle* — le plus vendu des magazines féminins —, qu'il avait connue lorsqu'elle séjournait à La Colombe d'Or avec son mari Pierre Lazareff, patron de *France-Soir* et de *Cinq Colonnes à la Une*, couple dont il appréciait la largeur d'esprit, lui proposa d'écrire le début — « seulement le début » — de sa vie dans le Paris de la Belle Époque et des Années folles. Jusque-là, Prévert avait toujours catégoriquement refusé l'idée même d'écrire des Mémoires. Le projet de *Roman*, l'ouvrage quelque peu biographique que Bertelé avait proposé à Gaston Gallimard, était resté à l'état de vœu pieux et l'avance non suivie d'effet avait été couverte par la publication de *La Pluie et le Beau Temps*. Prévert se montrant favorable au projet nouveau, Bertelé se chargea de la négociation sur les bases annoncées par la Grande Dame de la rue Réaumur[1] et obtint la somme importante de 1 million d'anciens francs pour cinquante à soixante pages inédites à publier sur cinq ou six numéros de *Elle*. « Il sera suivi de la mention : Extrait de *Enfance*, à paraître à la librairie Gallimard » — « Le Point du Jour-NRF », stipulait la lettre d'accord entre René Bertelé et Hélène Gordon-Lazareff[2]. Car, en éditeur et agent avisé, Bertelé — durant la publication annoncée à grands coups de trompe qui s'étendit du numéro 715 du 7 septembre 1959 au numéro 719 de l'hebdomadaire féminin — négocia parallèlement avec Gaston Gallimard pour un ouvrage autobiographique comportant le texte destiné à *Elle*, augmenté d'importants inédits. « Il s'agit de lui faire terminer son livre de Mémoires et de profiter de la publicité faite par les parutions dans *Elle*[3] »,

---

1. Le siège de *France-Soir* et de *Elle* se trouvait au 100 rue Réaumur, à Paris. Cf. Yves Courrière, *Pierre Lazareff*.
2. Archives Gallimard.
3. Lettre du 29 septembre 1959. Archives Gallimard.

ajouta-t-il. Il fit valoir que Prévert avait touché 1 million pour les cinquante pages publiées par Hélène Gordon-Lazareff, qu'il avait remarqué au passage que les hebdomadaires payaient bien mieux que les livres, et que si Gallimard voulait avoir ce nouvel ouvrage, il serait sage de consentir à l'auteur de *Paroles* «des conditions non pas identiques mais *analogues*», soit 2 millions pour deux cents pages inédites, remises en deux livraisons au 1er janvier et au 1er avril de l'année suivante. Les Gallimard père et fils furent sensibles aux arguments de l'attelage Prévert-Bertelé puisqu'il ne leur fallut que six jours pour accepter sans réserve ses conditions. Le succès public d'*Enfance* dans *Elle* fit bien augurer de l'avenir. Et pour Jacques, l'horizon financier se dégageait.

*

Série noire pour l'amitié au tournant des années 60. Disparition du voisin de la cité Véron, à la veille de voir son talent reconnu par la jeunesse qui lui fera bientôt un triomphe, hélas posthume. Le cœur de Boris Vian, malade depuis si longtemps, n'avait pas résisté à la vie trépidante qu'il lui avait fait mener. Il était mort subitement[1] pendant la projection privée de *J'irai cracher sur vos tombes*, film tiré de son roman qu'il avait dû signer du pseudonyme de Vernon Sullivan tant on le disait «osé» et surtout tant les ouvrages qu'il publiait, depuis 1947 sous son véritable nom, chez Gallimard — *L'Écume des jours*, *Vercoquin et le plancton*, *L'Arrache-cœur*, etc. —, essuyaient échec sur échec.

À l'égal de son ami Prévert, Boris Vian avait une expérience déjà importante de la censure. Figure essentielle sinon âme du Saint-Germain-des-Prés de la grande époque, ingénieur, musicien, poète, à travers sa chanson *Le Déserteur*, créée à La Fontaine des Quatre-Saisons, interdite sur les antennes nationales mais reprise par quantité d'interprètes, il était devenu le symbole d'une jeunesse révoltée, d'abord par la guerre d'Indochine, maintenant par celle d'Algérie qui faisait rage. Il avait eu les mêmes ennemis que son voisin de palier, mais moins de succès. Jacques ressentit rudement la disparition de son alter ego, comme lui Satrape du Collège de Pataphysique qui se réunissait sur la terrasse commune, et Minette tout autant que son père, très attachée qu'elle était au couple Ursula-Boris Vian et à Patrick, le fils de ce dernier, aussi mal dans sa peau qu'elle l'était elle-même. «Elle a eu un chagrin

---

1. À trente-neuf ans, le 23 juin 1959, à 10 h 10.

terrible *[dira Catherine Allégret, témoin de ces heures douloureuses]*. Sans doute Boris et Ursula s'occupaient-ils d'elle, cité Véron[1].»

Le jour de l'été 1960, Prévert envoya à Édith Piaf, hospitalisée depuis quelque temps, le corps délabré par tous les excès qu'elle lui avait fait subir mais la voix presque intacte, toujours bouleversante, un très beau poème, *Cri du cœur*, qu'il avait demandé à Henri Crolla de mettre en musique et à qui il le dédia. Chant de souffrance, écrit deux ans plus tôt, en pensant à Édith mais aussi à lui-même, et encore à tous ceux dont il entendait partager les épreuves morales tant il était persuadé, à soixante ans comme à trente, que la misère sociale était l'affaire de tous. D'aucuns y verront le plus beau portrait d'Édith Piaf, qui fera entrer la chanson dans son dernier récital puis dans son ultime disque[2].

Henri Crolla, qui grillait au moins autant de cigarettes que Prévert et passait sa vie dans des boîtes enfumées comme le Club Saint-Germain, dont il était un des musiciens-vedettes, tournait dans le même temps *Saint-Tropez blues*, film de Marcel Moussy[3] dont il composait la musique ainsi que celle de *Tumbleweed* — chanson écrite par Prévert pour le film —, quand il ressentit de fortes douleurs pulmonaires qui l'amenèrent à consulter, sur les conseils de son metteur en scène et dans le plus grand secret, un phtisiologue parisien. Le diagnostic, téléphoné à la production, fut formel : «Crolla termine ce film. Il n'en fera jamais plus d'autres[4].» À Margot Capelier, il confia — et elle fut la seule à être au courant : «Je rentre à Paris à la fin du film. On va m'opérer et je sais que je vais mourir[5].» Mille-Pattes, qui avait ensoleillé la vie de tous ceux qu'il avait approchés, fut enlevé en deux mois par la forme la plus virulente et la plus foudroyante du cancer du poumon. «Je ne veux pas que mes amis soient tristes, dit-il à sa femme. Je veux que ce soit une fête[6]...» Il mourut le 17 octobre 1960. Il avait quarante ans. Il laissait une multitude d'accompagnements de chansons avec Montand, qu'il avait suivi aux quatre coins du monde, et surtout de géniales improvisations musicales sur trente et un poèmes de Jacques Prévert que ce dernier avait tenu à enregistrer lui-même. Les vingts premiers avaient fait

---

1. Catherine Allégret à l'auteur.
2. Édith Piaf mourut en 1963, le 11 octobre, le même jour que Jean Cocteau, tandis que le peintre Georges Braque s'était éteint six semaines plus tôt.
3. Marcel Moussy (1924-1995), coscénariste de Truffaut pour *Les Quatre Cents Coups* (1959) et *Tirez sur le pianiste* (1960). Il signa également les dialogues de *Paris brûle-t-il?* de René Clément, en 1966.
4. Colette Crolla à l'auteur.
5. Margot Capelier à l'auteur.
6. Colette Crolla à l'auteur.

l'objet d'un microsillon chez Philips qui avait obtenu le Grand Prix du disque de l'Académie Charles-Cros.

C'est le cœur plein de mélancolie que le poète quitta Saint-Paul quand les propriétaires de L'Ormeau souhaitèrent récupérer leur villa. Il aurait pu en louer une autre, mais le village était maintenant si renommé que les prix y étaient devenus exorbitants. « C'était à Saint-Paul qu'il était le plus attaché, dira son futur gendre. Il y était retenu par mille souvenirs, la guerre, les amours avec Claudy, les copains de l'avant-guerre, Rougeul et les Croquefruits, Sylvain Itkine, tant d'autres, les films tournés à la Victorine et dans les collines. Saint-Paul était devenu trop chic et il n'avait pas acheté alors qu'il en était encore temps. Lui aussi était entré dans le système avec Montand et Signoret. Seulement eux avaient de l'argent et lui pas assez[1] ! » « Saint-Paul n'a pas fait ce qu'il aurait fallu faire pour retenir Prévert, regrettera André Verdet. Même moi, et tous ses amis. Il aurait fallu lui donner une petite maison comme celle qu'occupera si longtemps Clouzot à La Colombe. Il a été triste de cette sorte d'indifférence. Il en a souffert. Jacques n'était pas homme à devenir propriétaire ; il avait horreur de cela. Ça ne correspondait pas à son personnage de l'époque. Un peu plus tard, il a enfin pris conscience qu'il devait assurer ses vieux jours, alors il a garanti son avenir cité Véron et a acheté la fermette d'Omonville[2]. »

Comme Marcel Duhamel possédait une maison sur les remparts d'Antibes — il était plus prudent que son vieil ami —, il lui trouva un appartement de quatre pièces tout proche du château Grimaldi où Picasso avait établi son atelier après la guerre et où il avait laissé toutes les œuvres qu'il y avait conçues, augmentées d'une donation considérable. Le château venait de prendre le nom de Musée Picasso, et Prévert ne put résister à un tel voisinage. D'autant que la vieille demeure qu'on lui proposait faisait partie de l'ensemble construit dans la même pierre que le château, avec les mêmes tuiles provençales, et une terrasse qui ouvrait sur le sublime golfe d'Antibes. Il ne reviendra à Saint-Paul que sur l'invitation de Francis Roux et de sa femme Yvonne ou bien d'Aimé et Marguerite Maeght qui, douloureusement atteints par la mort de leur cadet, Bernard, à la suite d'une longue maladie, s'étaient retirés dans le village où ils souhaitaient créer un lieu de rencontre pour les artistes. L'idée de la Fondation Maeght était née. Elle abritera désormais une grande partie de leur fabuleuse collection dans une magnifique construction contemporaine créée par l'archi-

1. Hugues Bachelot à l'auteur.
2. André Verdet à l'auteur.

tecte Joseph Lluis Sert et inaugurée par André Malraux en 1964. C'est entre la Fondation en construction et La Colombe d'Or que Prévert reverra une dernière fois Charlie Chaplin et Georges Braque. Trois vieux messieurs heureux de poser ensemble pour le photographe, un peu empâtés, les cheveux blancs, qui avaient apposé leur marque sur l'art contemporain. C'est là aussi que Jacques Prévert commencera la réalisation du projet d'œuvre commune proposée par Joan Miró et intitulée *Adonides*, nom savant de la goutte-de-sang, sa fleur préférée pour sa simplicité. Commencée après l'installation à Antibes, l'œuvre originale, qui réunira poèmes de Prévert et dessins de Miró, textes et eaux-fortes intimement mêlés, mettra des années à voir le jour tant le peintre espagnol se montrera exigeant et le poète soucieux de ne pas l'être moins. «C'est un livre fait à la main *[expliquera Jacques devant la caméra de Pierrot]*. Moi j'écris, lui, il grave, il dessine, puis il revient, puis fait autre chose par-dessus. Ce sont des graffitis... son monde à lui... un monde merveilleux... Joan Miró, les gens aujourd'hui disent que c'est quelqu'un. Je ne sais pas si c'est quelqu'un, quelque chose ou quelque être. En tout cas, il ne ressemble à personne mais le monde lui ressemble... c'est le genre Miró, quoi; c'est une féerie, une vraie[1]...» Prévert verra l'œuvre commune à l'impression, tirée à 225 exemplaires pour Adrien Maeght, les soixante-trois pages manuscrites par l'auteur étant accompagnées de soixante-cinq gravures en couleurs à la pointe sèche. Sur l'une des pages, le poète calligraphiera ces lignes prémonitoires :

> Quand
> la vie a fini
> de jouer
> La mort
> remet tout en place.

Il aura disparu quelques semaines avant que l'ouvrage, commencé quinze ans auparavant, soit mis en vente.

Pas un instant Adrien Maeght n'avait discuté le contrat établi par René Bertelé : une somme forfaitaire de 1 million et demi (d'anciens francs, car le nouveau franc venait de faire son apparition) accompagné d'«un exemplaire du tirage de tête, le plus précieux ; deux exemplaires du tirage moyen venant après ; trois exemplaires du tirage ordinaire[2]».

C'est entre la cité Véron et Antibes qu'après le succès

---

1. Jacques Prévert in *Mon frère Jacques*.
2. Archives Gallimard.

d'*Enfance* dans *Elle*, Jacques Prévert poursuivit sa recherche au fond des souvenirs destinés à honorer la promesse aux Gallimard. Si *Enfance* avait été précédé par soixante-dix feuillets de notes, la suite donna lieu à une débauche d'autres notes de plus en plus détaillées, de thèmes, de plans, de renseignements sur les «tendres canailles» de la jeunesse, puis sur les débuts dans la vie «active», la période bazar, verrerie, grands magasins du Bon Marché. «Travaux très vite interrompus. 1917-18-19-20, vit d'expédients», lâchera-t-il dans une «note pour René[1]». Les chercheurs, tels Bernard Chardère et Arnaud Laster, ou les témoins de l'écriture, telle Jeanne Witta, à la fois scripte de nombreux films mais aussi secrétaire particulière lors de périodes d'intense activité, remarqueront combien la star de la poésie française et de *Paris-Match* réunis, l'homme qui monologuait des heures durant au Flore ou à La Colombe, rue de Buci ou dans la garrigue, rivé au travail derrière son bureau dès 6 h 30 du matin «était attentif au moindre mot choisi, pour le fond, au rythme et à la cadence de ses phrases, dans la forme; un auteur à part entière, coutumier des corrections, des variantes et des repentirs». Tel texte de *Elle* se retrouvait, mais sous une autre forme, dans *Mon frère Jacques* et, dans une nouvelle version encore, dans *Choses et autres*, l'ultime œuvre élaborée, cinq ans avant sa mort. «Ses poèmes comme ses proses, passent pour spontanée, voire faciles, alors que, chaque fois que l'on en connaît un état antérieur, on s'aperçoit qu'il a fait l'objet de corrections minutieuses.» «Sur le tard de sa vie, il rédigeait cinquante pages qu'il ramassait en vingt, cherchant la quintessence de sa pensée dans l'écriture[2].»

Malgré ses efforts et sa bonne volonté, Jacques Prévert s'arrêta pourtant sur la route des *Mémoires*. Il avait d'autres soucis en tête. Le principal avait un nom : Minette. Après une enfance plus que tourmentée, l'adolescente chérie traversait une crise grave. Ses relations avec sa mère s'étaient encore dégradées, et son père, qui l'aimait trop et mal, ne parvenait pas à lui imposer une once d'autorité. Même les amies de son âge, Catherine Allégret ou sa cousine Catherine Prévert, ne trouvaient pas grâce à ses yeux. «Elle était devenue bizarre, dira Catherine Allégret. Elle avait tout et ne s'intéressait à rien, ne parlait jamais de son père, ni de ce qu'elle voudrait faire, à part quelques velléités de dessiner. Après avoir été une enfant difficile, méchante même, elle était devenue indifférente. Avec son visage diaphane, ses yeux globuleux comme ceux de son père, elle avait l'air parfois hallucinée, totalement lunaire.

---

1. *Ibid.*
2. Bernard Chardère, Arnaud Laster, Jeanne Witta-Montrobert, *op. cit*

C'était quelqu'un qui n'était pas là. Elle traversait cet âge difficile — nous avions quinze, seize ans — complètement lar-
guée, paumée. Elle s'est mise à fréquenter une bande
singulière — ce n'était pas difficile à trouver dans ces villages
surmédiatisés qu'étaient devenus Saint-Paul ou Saint-Tropez
— où les garçons, même ceux qui lançaient des regards intéressés à sa silhouette androgyne, préféraient les garçons aux
filles. Elle a commencé à faire systématiquement dans le
bizarre. Elle sortait accoutrée, soulignant son côté fragile, éva-
nescent, par un maquillage blanc de Pierrot avec une bouche
minuscule, de grands ongles peints au vernis noir, longs au
point de ne pas pouvoir rien prendre. Minette attrapant un
crayon, c'était un spectacle[1]!» Ce qui aurait pu n'être qu'excentricités d'adolescente en mal de s'affirmer au côté d'un père
trop célèbre et de ses amis qui — à l'exception du tisserand
de Saint-Paul, que le poète avait pris en affection — ne
l'étaient pas moins, se transforma en drame quand Francis
Roux apprit qu'à Saint-Tropez Minette s'adonnait à la drogue.
«Dès que j'ai vérifié la nouvelle, j'ai téléphoné à Jacques et
Janine: "Ne la laissez pas toute seule." Ils sont arrivés dare-
dare[2].» La situation était dramatique, Minette déjà bien accrochée. Alors commença l'horrible circuit bien connu des
parents de jeunes gens intoxiqués. Cures de désintoxication à
la célèbre clinique de la Maison Blanche, court répit, trop bref
espoir suivi de rechute et d'une nouvelle désintox. Le bagne
allait durer plusieurs années. «Prévert n'a jamais très bien
supporté l'état de sa fille *[dira Jean-Claude Lévy, un jeune poète
communiste venu un jour sonner à la porte du 10 rue de l'Orme[3]
et adopté par Jacques, qui aimait sa fraîcheur et son enthou-
siasme]*. J'ai pu constater, tant à Antibes que cité Véron, combien il s'efforçait de protéger Janine et combien elle le
protégeait. Ils n'ont jamais pu tirer leur fille de l'engrenage.
C'était un cancer qui les rongeait tous les deux mais ne les a
pas séparés[4].» Henri-Georges Clouzot, qui vivait les mêmes
affres avec sa femme Véra, rencontrera, lors de la visite d'une
clinique de désintoxication de la région parisienne, Minette
dans un état proche de la folie[5]. Quand la jeune fille, trop souvent entourée de jeunes artistes, eux aussi drogués, dont son
père s'était entiché et qu'il aidait de ses écrits louangeurs, rencontrera son futur mari, dans la mouvance de Mai 1968, elle

---

1. Catherine Allégret à l'auteur.
2. Francis Roux à l'auteur.
3. Adresse de Jacques Prévert à Antibes. Seules deux fenêtres de l'appartement et la terrasse ouvraient sur le boulevard de la Mer et la Méditerranée.
4. Jean-Claude Lévy à l'auteur.
5. André Verdet à l'auteur.

sera sur le point de se désintoxiquer définitivement, ayant enfin décidé de prendre son destin en main. «Quand je suis arrivé dans la vie de Michèle, dira le jeune homme, c'était la fin de la dépendance au point que je ne savais même pas à quelle drogue elle s'était adonnée. Je n'en saurais jamais plus. C'était quelque chose de plus fort que du hasch, mais quoi? Mystère[1].» On comprend que, dans ces conditions, l'écrivain soit resté en panne avec des *Mémoires* dont la conception même était au-dessus de ses forces. Mais cela, personne n'en était tenu au courant, si ce n'est l'ami Bertelé avec lequel Prévert trouva une solution de remplacement qui satisfasse à la fois Gallimard et les lecteurs potentiels. Leur choix se porta sur une nouvelle édition de *Histoires* et de *Contes*, publiés jadis par Paul et Guénia Richez, augmentée de certains extraits de *Grand Bal du printemps* et de *Charmes de Londres* publiés à la Guilde du livre de Lausanne. Bertelé ayant obtenu les autorisations nécessaires, il put appâter les patrons de la rue Sébastien-Bottin avec la note suivante:

Je propose de publier dans la collection de poésie du «Point du Jour» (9e volume de la collection), et sous la même forme que les autres volumes:

Jacques Prévert: *Histoires*, un recueil de 250 pages environ.

Ce volume a été publié, sous le même titre, en 1946 (la même année que *Paroles*), avec des poèmes d'André Verdet, par les Éditions du «Pré aux Clercs». Ces éditions n'existant plus, le volume est épuisé depuis plus de dix ans, et quasi introuvable aujourd'hui. Après de patientes négociations, j'ai enfin obtenu des représentants du «Pré aux Clercs» (qui demandaient le prix fort pour la cession de ces textes), qu'ils rendent, sans conditions, sa liberté à Jacques Prévert, lequel m'a confié ce volume.

Histoires contient des textes de la meilleure époque de Prévert, celle de *Paroles* — textes souvent demandés par les amateurs de Prévert («Chanson pour chanter à tue-tête et à cloche-pied», «Le tendre et dangereux visage de l'amour», «L'addition», «Chanson des cireurs de souliers», «Comme par miracle», etc.). Nous avons enlevé les textes de Verdet et les avons remplacés par des poèmes anciens, inédits, de Prévert, recherchés et retrouvés par moi à des sources diverses, poèmes de la meilleure époque également et souvent demandés aussi («Les animaux ont des ennuis», «Quand tu dors», «Adrien», «En sortant de l'école», «Le gardien de phare aime trop les oiseaux», «Cœur de docker», etc.); et nous avons prolongé le tout par des poèmes plus récents de Prévert. L'ensemble ainsi constitué fait un excellent recueil qui a l'avantage de remettre en vente un titre connu, *Histoires*, mais allégé de la présence inopportune de Verdet, donc amélioré et assez considérablement augmenté. Il fera, je le pense,

---

1. Hugues Bachelot à l'auteur.

une carrière honorable en édition courante, avant d'en faire une autre, plus tard, dans le «livre de poche».

René Bertelé

P.-S. — Le manuscrit est prêt à donner à l'imprimeur[1].

Tandis qu'Yves Montand, à la demande de la jolie Jackie Kennedy, chantait *Les Feuilles mortes* à la Maison-Blanche, la publication de *Histoires* — la seconde partie du titre, *D'autres histoires*, ne figurant dans cette nouvelle édition que dans les pages intérieures —, avec une couverture à fond gris-bleu et les mêmes caractères que *Paroles*, *Spectacle* et *La Pluie et le Beau Temps*, marqua le sommet de la popularité de Jacques Prévert auprès des médias et du public. Les critiques — les bienveillants, les malveillants —, toujours au poste dès qu'il s'agissait de Prévert, déclenchèrent avec un bel ensemble, qui prouvait un intérêt plus vivace que jamais, les mitrailleuses de l'hostilité sans faille et la pompe à louanges la plus affectueuse. Yvan Audouard dont, depuis la vogue de Saint-Germain-des-Prés, la présence était souvent signalée dans l'entourage du poète, annonça dans *Candide* que celui-ci venait «de publier un livre plein de ruisseaux, de nuits, de lunes et de levers de soleil...» et compara ses fables à celles de La Fontaine, tout en ajoutant que Jean de La Fontaine enseignait depuis deux cents ans l'hypocrisie la plus épicière tandis que Jacques Prévert enseignait la liberté. «Qui est-ce, Prévert? s'interrogeait *La Tribune de Lausanne*. Un fabuliste? Oui, mais dont la morale n'est généralement pas conforme à la loi des bonnes mœurs.» Attention, prévenait Claude Roy dans sa chronique de *Libération*, les personnes importantes de la critique et de la culture vont faire devant *Histoires* «la fine bouche en cul de poule et en gueule de canon». Inutile de reprendre les habituelles critiques des délicats qui avaient une bonne fois pour toutes refusé de reconnaître en Prévert un véritable poète. On connaît leurs arguments! «Il n'aime pas le travail, l'art, la concision, toutes les bonnes règles qui font qu'une œuvre est une œuvre durable. On a envie de corriger ce qu'il écrit!» Comme il y avait «tout de même» l'avis du public et l'intérêt des grands magazines, quelques-unes de ces bonnes âmes — dont certaines n'étaient pas dénuées elles-mêmes de talent poétique — multiplièrent les «confraternels» numéros de faux-culs. Les mêmes, en général, qui, lorsque Jacques Prévert connaîtra la consécration de la Pléiade et d'un album, épuisé dès sa sortie, quinze ans après la disparition de «ce monsieur du trottoir qui se mouche dans son langage» (comme le dirent si élégamment ses principaux détracteurs,

---

1. Archives Gallimard.

reprenant le mot de l'un d'entre eux), feront encore la moue devant le choix aberrant de l'éditeur prestigieux qui avait oublié que la poésie, la vraie, Monsieur, était l'apanage d'une petite élite dont les membres souhaitaient rester entre eux !

L'Express n'avait pas de ces «délicatesses» et envoya son intervieweuse vedette, Madeleine Chapsal, après du poète dont elle traça un portrait criant de vérité. «Prévert, ce n'est presque plus le nom d'une personne, c'est plutôt un nom commun, on dit : "Ah ! c'est du Prévert", comme on dirait "Tiens, c'est de la tarlatane ou de l'organdi..." Du Prévert, c'est-à-dire "La Pêche à la baleine", "Barbara rappelle-toi...", "Un raton laveur...", "Je suis comme je suis...", des vers, des chansons, du cinéma, "Paroles", "Histoires", tout ce qui court les rues, tout ce qu'on aime... Il y a pourtant quelqu'un, derrière tout ça, quelqu'un de très vrai, de fort gentil, de fort méchant (ça dépend avec qui, à quel propos), l'œil fleur bleu, le cheveu blanc, la chaussure belle, bientôt soixante-trois ans, la cigarette au coin du bec, dans un appartement tout de travers et plein de soleil, à Montmartre, au fond d'une ruelle au pied de la Butte, au cœur du Gai-Paris[1].»

Prévert fut séduit par le visage sensible de la jeune femme qui était également romancière et venait d'écrire le texte du très beau film documentaire de Frédéric Rossif : *Mourir à Madrid*, ainsi que deux livres sur les écrivains[1]. Il se laissa donc aller à quelques confidences habituellement réservées aux intimes et qui éclairèrent son public sur ce qu'il pensait du milieu des Lettres. «Je me fous complètement de ce qui se passe dans le monde littéraire. En dehors de Michaux, je ne sais pas si je connais un écrivain... Leurs idées générales, leurs classifications, leurs disputes... Quand on me dit : "Ce que vous faites n'est pas de la poésie..." je réponds : "D'accord, vous avez raison, j'ai mis longtemps à m'en apercevoir ; c'est fait, je vais en tenir compte." Voyez[2]...» Après avoir reçu le sourire en coin de rigueur après pareille déclaration, Madeleine Chapsal eut le droit d'admirer les premiers travaux de Jacques avec Miró, et de fouiller dans certains des papiers qu'il griffonnait et qui, réunis, donnaient parfois naissance à des livres :

> Mangez sur l'herbe
> Dépêchez-vous
> Un jour ou l'autre
> l'herbe mangera sur vous

Ou bien encore :

---

1. *Les Écrivains en personne* (1960) et *Quinze Écrivains* (1963).
2. *L'Express*, 14 mars 1963.

Je suis heureuse
Il m'a dit hier
Qu'il m'aimait
Je suis heureuse et fière
Et libre comme le jour
Il n'a pas ajouté
Que c'était pour toujours[1]...

Conscient de trop parler de ce qui était au cœur de sa vie en montrant par exemple — outre sa définition de la liberté en amour — l'anagramme de son nom et de l'œuvre qui l'avait fait connaître: «Jacques Prévert, *Paroles*», devenus soudain, après un simple regard: «Jacquet Pervers, La Prose», il termina ses confidences — savamment distillées — par une anecdote sur les périodes déambulatoires et arrosées qui, des années surréalistes à l'ère gaulliste qu'il n'appréciait guère, avaient tant compté pour son inspiration. «J'aimais flâner, j'aimais les femmes, j'aimais la nuit. Savez-vous ce que je faisais? J'allais prendre une chambre dans un hôtel vers les neuf heures. C'était pour dormir. Mais je l'aurais dit comme ça, tout de go, on me l'aurait refusée, ma chambre, on aurait cru que je venais me droguer, ou je ne sais quoi... Une chambre pour dormir? Et quoi encore... Alors je disais que j'attendais une petite et que si elle n'était pas là à minuit, il fallait me réveiller. À minuit, le garçon me réveillait en me disant: "Elle n'est pas venue, ne vous en faites pas, une de perdue, dix de retrouvées!" Je m'habillais, j'étais reposé, tout frais, levé de bonne heure, et je pouvais traverser tout Paris, le voir, y vivre, Paris la Nuit, Paris[2]...»

L'hebdomadaire que Françoise Giroud et Jean-Jacques Servan-Schreiber avaient marqué de leur empreinte participa grandement à la gloire du poète dont les journaux de grande diffusion se plaisaient à soutenir la popularité à l'égal des vedettes dont les échotiers étaient avides de rapporter les faits et gestes. Prévert était désormais dans leurs colonnes l'écrivain que même le lointain Tokyo voulait traduire au même titre que New York, Moscou, Stockholm, Copenhague, Cracovie, Tel-Aviv ou Budapest[3] dont les demandes s'accumulaient entre la rue Sébastien-Bottin, Antibes et la cité Véron. Les admirateurs de tous âges y ajoutaient leur grain de sel personnel en prose ou en vers. Quel qu'en soit le libellé fantaisiste, les PTT savaient où faire parvenir les missives. Les facteurs de

1. *Adonides.*
2. *L'Express,* 14 mars 1963.
3. Archives Gallimard.

l'arrondissement semblaient tout savoir des déplacements de leur illustre client. Une enveloppe adressée à «Monsieur Jacques Prévert, appartement au dessus du Moulin Rouge, près du Bd de Clichy» arrivait 10 rue de l'Orme à Antibes! Tandis qu'une autre timbrée à Tel-Aviv: «M. Jacques Prévert le plus connu poêt *(sic)* en France. Paris France» aboutissait cité Véron, comme les innombrables lettres simplement adressées à «M. Jacques Prévert. La Butte Montmartre. Paris 18ᵉ». Mais les plus belles missives seront celles des enfants des écoles primaires d'un arrondissement populaire à qui des maîtresses qui ne connaissaient le nom d'aucun de ses détracteurs avaient appris quelques poèmes de ce «Jacquet Pervers» qui n'appréciait pas plus les pisse-froid dans son âge mûr que les Trous d'oiseaux de sa jeunesse. C'était *Le Cancre, En sortant de l'école* ou l'histoire d'un bonhomme de neige qui émut pour la vie onze très jeunes filles dont l'écrivain conserva les traces dans ses archives. «Je vous remerci davoire fait seci jolie poème sur le bohnone de neige je vous remersi bien vousaite ci ganti je vous z'embrasse de tout mon cœur. Isabelle.» «Je vous remerci de se joli poème il me plai beaucoup se bonome de neige qui rentre dans la maison», écrivait Christiane, tandis que Claudine Pruvot, Sylvia Laffoy, Martine et Farida partageaient l'avis de Nadine: «Je vous remairci de copier se poème la il est jolie je l'apprendrê par cœur», et, de Régine: «Je vous remerci de ma voir écrie sa et je suis bien contente et jesper que vous menfrais dotre merci bocoue en revoir.» Ces heures rafraîchissantes faisaient oublier les soucis de la vie tout comme celles passées avec Picasso qui, malgré sa célébrité planétaire, se révélait un ami sûr et prodigue de ses propres amitiés. C'est ainsi qu'il avait fait connaître à Prévert un très jeune photographe, André Villers, qu'il avait rencontré à Vallauris où celui-ci soignait avec succès une grave décalcification qui l'avait cloué au lit pendant cinq ans. Il lui avait offert son premier Rolleiflex neuf et le garçon s'était révélé un artiste exceptionnel. Il fera quelques-unes des plus belles photos du peintre, puis de son ami le poète qui l'avait adopté sans délai. «C'est vrai qu'ils aimaient bien se faire photographier, racontera-t-il. Mais ils acceptaient aussi de se laisser filmer pour que le photographe gagne un peu de fric[1].» Quand l'amitié fut bien établie entre les trois hommes, ils eurent envie de travailler ensemble. Ainsi naquit *Portraits de Picasso*, un album publié[2] à Milan par les éditions Muggiani. Le titre était

---

1. André Villers à l'auteur.
2. Le 1ᵉʳ mars 1959.

à double sens puisqu'il s'agissait de photographies de Picasso prises par André Villers et de textes de Jacques Prévert ou, autour de Picasso, le poète se moquait de ces journalistes qui traquent l'intimité de personnalités pour la livrer à la curiosité d'un public trop souvent indifférent à leur œuvre.

Trois ans plus tard, Villers devenu l'un des meilleurs «objectifs» de sa génération, le peintre, le poète et le photographe réalisèrent un second grand album, publié cette fois par les éditions d'art Berggruen. Pour Prévert, qui en avait trouvé le titre : *Diurnes* — «parce qu'on en a marre des nocturnes», genre de réflexions qui enchantaient Picasso —, il s'agissait de commenter à sa manière trente œuvres du peintre et du photographe. Celles-ci consistaient en un mélange surréaliste de découpages et de collages créés par le peintre, superposés à des paysages, des visages, des arbres dus au photographe et retravaillés par le peintre après qu'André en eut agrémenté certaines «de raisins, de pâtes alimentaires de toutes formes : nouilles, raviolis, coquillettes, vermicelles, de persil, sel, sucre, et d'herbes de toutes sortes [1] ».

Tandis que la parution d'*Histoires* ramenait Prévert à la une de l'actualité, Picasso offrit à ses collages l'hospitalité de son musée d'Antibes : «112 collages de Jacques Prévert au château Grimaldi», annoncèrent les gazettes pour les mois d'août et de septembre 1963. Les amateurs d'art suivis des innombrables touristes de l'été, cette fois intéressés, apprirent le chemin du musée d'Antibes tandis qu'une équipe de *Match* avec, en vedette, l'ami Robert Doisneau envahissait la terrasse et le modeste appartement, à quelques dizaines de mètres du lieu de l'exposition. Picasso, avec sa nouvelle femme Jacqueline Roque — André Villers avait photographié leur rencontre —, descendit pour l'occasion du mas Notre-Dame-de-Vie à Mougins — où il entassait l'essentiel de sa collection personnelle et qui sera son ultime atelier — pour participer aux six pages de photos en couleurs : Prévert se baignant avec Picasso et Jacqueline ; Prévert et ses collages au musée devant les toiles de son ami ; Prévert sur sa terrasse faisant sécher son pantalon de toile «qu'il lave lui-même tous les soirs» ; Prévert chapeauté de paille blonde, en chemise rose, avec ses amis des rues d'Antibes (le facteur, le violoniste équilibriste familier des terrasses, Mme Rinaldi, la marchande de poisson, et l'ami de toujours Marcel Duhamel, rescapé du Groupe Octobre et son premier cicérone dans les ruelles de la vieille ville qui l'avait adopté). «Au coin de chaque rue d'Antibes, comme par miracle, tous les héros de son univers poétique semblent avoir rendez-

---

1. André Villers, *Picasso à Vallauris*, rapporté par Arnaud Laster, *op. cit.*

vous avec lui, commentait le journaliste chargé de compléter les photos de Robert Doisneau. Il n'a jamais changé de style, c'est le public qui peu à peu a vu le monde avec ses yeux... Le poète d'avant-garde est devenu un classique. Il figure dans les recueils à l'usage des élèves de quatrième et dans les livres destinés aux étrangers qui veulent apprendre le français[1]. »

« Jacques Prévert était désormais au sommet de sa gloire », dira Jean-Claude Simoën, un passionné de littérature de vingt-quatre ans qui, avec un ami, Alain Digard, avait ouvert boulevard Saint-Germain une librairie baptisée La Pochade et dont le premier étage était uniquement consacré au commerce des livres de poche. Sa boutique, située face au Flore et contiguë à la brasserie Lipp, avait à se mesurer à de redoutables concurrents, tels Le Palimugre de Jean-Jacques Pauvert, La Hune, Le Divan, toutes librairies de grande qualité. Pour résister à un pareil voisinage, Jean-Claude Simoën, profitant de la publication d'un livre sortant de l'ordinaire, avait eu l'idée d'organiser une exposition sur son auteur réunissant documents, photos, manuscrits, pour l'inauguration de laquelle il avait besoin de la présence de personnalités. À l'occasion de la sortie de *L'Écume des jours*, réhabilité dans la collection 10/18 qui utilisait en couverture un collage de Jacques Prévert, le jeune homme, sortant de chez Ursula Vian qui lui confiait un important matériel de documentation, eut l'idée de prendre contact avec le poète de l'autre côté du palier. « C'était une vedette internationale. Je rendais visite à un monument de la littérature. D'emblée ce fut comme si on s'était toujours connus. Non seulement il a accepté de faire le texte de présentation de l'exposition Boris Vian dont on rééditait chez Losfeld tous les Vernon Sullivan, mais il s'est pris d'affection pour le jeune inconnu que j'étais et a mis son carnet d'adresses à ma disposition. Il est ainsi devenu le parrain de la librairie galerie La Pochade car il a participé à toutes mes expositions. À chaque manifestation, c'est Prévert qui recevait ! Ainsi j'ai fait la connaissance de Raymond Queneau, Marcel Duhamel, et de peintres qui gravitaient autour de lui comme Miró ou Alexander Calder, qu'il avait connu à Saint-Paul. Même Aragon et Elsa Triolet venaient... puisque La Pochade était devenue à la mode ! Inutile de dire que lorsque Jacques a publié *Fatras*, quelques mois plus tard, avec nombre de ses collages, le succès a été immense et on a bloqué une partie du boulevard Saint-Germain[2]. »

Même sans vanité, Jacques Prévert goûtait cette popularité qui, partie d'un noyau d'admirateurs germanopratins, attei-

1. *Paris-Match*, 10 août 1963.
2. Jean-Claude Simoën à l'auteur.

gnait maintenant une ampleur internationale. Il ne se passait pas un mois sans qu'il apprît qu'on le citait, qu'on le lisait de la Tchécoslovaquie aux Pays-Bas ainsi que dans nombre d'universités américaines de l'Ohio à la Californie, où il était fort prisé à la prestigieuse université de Berkeley près de San Francisco[1]. Aux USA, son traducteur n'était autre que le poète Lawrence Ferlinghetti qui avait découvert sa poésie sur une nappe en papier à Saint-Brieuc, en 1944, peu de temps après le débarquement[2]. De leur côté, les disquaires américains annonçaient la vente de deux millions d'enregistrements des *Feuilles mortes* par les interprètes les plus divers. En France, Yves Montand gravait un disque microsillon entièrement consacré à Prévert. «C'est certainement un des disques les plus réussis qu'aient réalisé l'un et l'autre[3]», dira Bertelé dont l'avis fut partagé par des dizaines de milliers d'auditeurs. Rue Sébastien-Bottin on se frottait les mains. *Histoires* marchait très bien et relançait les titres précédents, tant en édition normale que dans le Livre de Poche, dont l'auteur de *Barbara* surveillait attentivement la diffusion. C'est ainsi que, constatant quelques défaillances dans ce domaine, il n'hésita pas à rappeler à l'ordre Gaston Gallimard:

> Mon cher ami,
> Voilà déjà un certain temps que je ne trouve pas mes livres en «Livre de Poche». J'en achète, quand j'ai le bonheur d'en découvrir encore quelques-uns — bonheur que je n'ai plus jamais à propos de *Paroles*.
> À ce sujet les libraires interrogés me font une réponse unanime: ce titre manque actuellement.
> J'ai déjà signalé ce fait à René Bertelé, puis aux éditions du Livre de Poche où l'on me dit qu'on attend de la NRF les ordres de réimpression nécessaires.
> Je viens vous demander de bien vouloir mettre bon ordre à cette situation assez incompréhensible.
> Personnellement, je tiens beaucoup au «Livre de Poche» qui a permis à mes livres d'atteindre les tirages que vous savez et de toucher un public qui tout particulièrement me plaît.
> Je vous remercie à l'avance, mon cher ami, des dispositions que vous ne manquerez pas de prendre pour me donner satisfaction et demeure bien à vous.
>
> Jacques Prévert[4]

Le nécessaire fut fait sans tarder puisque, uniquement en Livre de Poche, *Paroles* atteignit bientôt 479 635 exemplaires,

---

1. Archives Gallimard.
2. *Le Bibliophile rémois*, n° 38.
3. Archives Gallimard.
4. *Ibid.*

Spectacle 258 598, *La Pluie et le Beau Temps* 194 502. Rappelons enfin que, toutes éditions confondues, *Paroles* atteindra à l'aube de la dernière décennie du siècle 2 951 000 exemplaires. Cas unique dans la poésie française.

SACEM, SACD, droits étrangers, droits de reproduction, sketches, édition musicale, droits d'auteur des livres, des collages qui subitement intéressaient les amateurs d'art : l'argent affluait de partout comme si, soudain, les vannes d'un mystérieux barrage s'étaient ouvertes. «Si l'on peut dire que, jusqu'au début des années 60, sa situation financière n'était pas brillante pour des tas de raisons, après il a vraiment gagné de l'argent [1].» Vinrent s'ajouter à cette manne les 100 000 NF de dommages et intérêts qu'après tant d'années de procédure la RTF fut condamnée à lui verser à la suite de l'accident des Champs-Élysées. Désormais, compte tenu d'un train de vie on ne peut plus raisonnable, il n'aura jamais plus de problèmes matériels. S'il finassera encore avec le fisc, ce sera par pur plaisir! Et puis, rien n'était plus triste qu'un dossier «emmerdements» désespérément vide...

*

Tout au long de ces années 1960, Prévert accumula par dizaines les textes de présentation pour les expositions de jeunes peintres tels que Gérard Fromanger. Celui-ci faisait partie du réseau des nouvelles relations que Janine constituait patiemment depuis une décennie et il réussissait ce miracle : plaire à la fois au père, à la mère et à la fille qui toujours traînait son mal de vivre. Bénéficièrent aussi de textes de soutien des artistes en passe de devenir célèbres comme Asger Jorn, l'un des fondateurs de COBRA, que Jacques contribua à faire connaître en France ; des photographes comme son vieux copain Émile Savitry et sa femme Elsa Henriquez, dont il avait parrainé la dernière exposition ; Nico Papatakis, l'animateur de La Rose Rouge qui avait épousé Anouk Aimée et réalisé *Les Abysses*, une des œuvres les plus insolites du cinéma français ; l'édition des poèmes de Jean-Claude Lévy ; celle de l'œuvre de Carl Orff, *Carmina burana*, une cantate de 1937 chantant les louanges du vin, des femmes et de l'amour. Elle concurrencera bientôt les airs les plus populaires en France. On le vit même écrire le texte du programme de l'Olympia pour Françoise Hardy, vedette du yé-yé triomphant, près de laquelle il se laissa photographier chez Castel, comme il le faisait auprès de Miró à La Colombe d'Or! Pendant cette période, il multiplia

---

1. Adrien Maeght à l'auteur.

également les hommages aux plus célèbres artistes qu'une vie exceptionnellement riche lui avait permis de fréquenter : *À tes vingt ans, Pablo*, à l'occasion du quatre-vingtième anniversaire de Picasso ; *Hommage à Magritte*, lors de l'exposition londonienne du grand surréaliste belge ; hommage à Michel Simon, pour qui il avait écrit quelques rôles inoubliables ; à Braque et à Alexandre Calder dans la revue d'Adrien Maeght *Derrière le miroir* ; aux lithos de Max Ernst, à celles de Marc Chagall et aux photos d'Izis dans *Le Cirque d'Izis* ; hommage à Ribemont-Dessaignes, pour ses quatre-vingts ans, avant d'écrire *Arbres* à propos des remarquables gravures du précurseur du surréalisme ; hommage encore à Alberto Giacometti, le vieux copain, devenu mondialement célèbre, qui l'avait si fréquemment hébergé dans l'atelier de la rue Hippolyte-Maindron les jours de grande pénurie et qui, jusqu'à sa mort[1], avait entretenu Eli Lotar, devenu son modèle et homme à tout faire[2] ; à André Breton[3] avec lequel il s'était si souvent querellé, avant de se réconcilier définitivement, et auquel il vint rendre un dernier hommage sur son lit de mort, à l'hôpital Lariboisière, en souvenir des heures folles de la rue du Château. Rien, par contre, pas un mot, pas une ligne lors de la disparition de Joseph Kosma, à la fin de la décennie. Jacques n'avait pas pardonné la trahison du compositeur de *La Bergère et le Ramoneur* qui avait mis en musique tant de ses poèmes. Dix ans plus tôt, Kosma avait noté tristement dans ses carnets : «Lundi 14 décembre 1959 : Reprise de *Baptiste* à l'Odéon. Grand succès : la jeunesse a acclamé Jean-Louis Barrault. Tant mieux! Mais nous vieillissons tous! *Baptiste* a quelque quinze ans déjà! Prévert n'est pas venu. Carné non plus[4].» Un peu plus tard, Paul Grimault rencontrera Joseph Kosma et se laissera photographier à son côté ; malgré son indulgence et sa bonté naturelle, Prévert s'y refusa toujours. Kosma lui avait «manqué», il ne le lui pardonna jamais.

Au milieu de cette mer étale de travaux alimentaires effectués par amitié, *Fatras* surgit comme une de ces îles aux parois rocheuses et abruptes qui parsèment l'admirable baie d'Along. C'était un livre conçu comme un de ses collages, mêlant des réflexions poétiques — parfois à la cassonade, parfois à l'esprit-de-sel, jamais à la guimauve — à des textes liés aux événements des années 50 et 60, et à de courtes œuvres destinées à être illustrées, comme *Adonides* par Miró ou *Diurnes* par

---

1. Le 11 janvier 1966.
2. Cf. James Lord, *Giacometti*.
3. Mort le 28 septembre 1966, dans sa soixante-dixième année.
4. *La Revue musicale*, n°s 412 à 415.

Picasso et André Villers, ou encore *Les chiens ont soif* par Max
Ernst Les unes et les autres avaient été jetées sur un morceau
de papier ou plus soigneusement tracées sur les fameuses
feuilles de beau papier du passage Choiseul, calligraphiées
d'une écriture qui, au fil du temps, s'était empâtée, presque
écrasée mais restait toujours très belle. La haine de la guerre,
de l'armée, de la bourgeoisie, l'anticléricalisme n'en étaient
pas absents, mais atténués par l'humour et les jeux de mots.
Avec *Fatras*, Prévert répondait à la fois à ses admirateurs et à
ses détracteurs.

On y trouvait aussi bien :

Hélas, quand le diable boite, Dieu est cul-de-jatte.

SAINTE PROTHÈSE DE LISIEUX.

et

L'œil était dans la bombe et regardait tout le monde.

que :

Et Dieu
surprenant Adam et Ève
leur dit
« Continuez je vous en prie
ne vous dérangez pas pour moi
Faites comme si je n'existais pas. »

Ou bien onze mots au parfum de soufre qui firent frémir
les sacristies :

Et Joseph et Marie confièrent leur enfant à l'Assistance biblique.

Sans oublier ce succulent détournement du neuvième commandement[1] qui prouvait, selon l'évangile de M. Saint-Jacques,
que si la beauté était l'œuvre de Dieu, c'est lui qui serait responsable du désir extra-conjugal que la religion condamne !

Fête d'yeux :
Marilyn Monroe.
Brigitte Bardot :
Chef-d'œuvre de chair désiré hors du mariage universellement.

L'ouvrage dont la couverture, pour la première fois chez
Gallimard-Le Point du Jour, était illustrée par le collage d'un

---

1. « L'œuvre de chair ne désireras / Qu'en mariage seulement. »

humain à tête de cerf assis sur le rebord d'une fenêtre et s'apprêtant à écrire — qui sait ? — un ouvrage comme celui-ci, se terminait par une longue déclaration d'amour à Janine, titrée *A*.... Elle apparaissait, ainsi que Minette, pour la première fois dans son œuvre, accompagnée du tout premier collage d'après la photo de Pierre Boucher. Sortant de sa discrétion habituelle, Prévert y évoquait une série d'événements personnels : leur rencontre un jour qu'il était soûl ; la grossesse difficile de Janine ; l'issue heureuse grâce au « couteau sanglant de Raymond des Buttes-Chaumont » (le Dr Raymond Leibovici) qui l'avait ensuite sauvé, lui aussi, après la terrible chute qui l'avait conduit à Marmottan ; Minette à Saint-Paul-de-Vence avec sa sempiternelle réponse : « J'ai pas le temps. » C'était, à travers les cent trente vers de *A*..., comme si une nouvelle vie de couple commençait.

Jacques Prévert avait trouvé le titre *Fatras* en plaisantant sur ses travaux en cours pendant l'interview avec Madeleine Chapsal, lors de la sortie de *Histoires et d'autres histoires*. « *[J'ai aussi...]* un volume, "Batailles de chiens dans l'antichambre d'un dentiste", joli titre, non ? C'est un fait divers, le premier chapitre s'appelle *Fatras*... [1] » Le titre retenu, Jacques Prévert s'aperçut que c'était également celui d'un recueil de poèmes de Daniel Gélin. « C'est incroyable, dira le comédien, lui le grand poète quasi "officiel" a téléphoné à l'amateur que j'étais : "J'ai fait un machin, ce n'est pas des poèmes, ce n'est pas des collages ou plutôt c'est les deux. C'est un ramassis. Le mot exact c'est fatras. Est-ce que je peux utiliser ton titre [2] ?" »

Le vernissage de l'exposition à La Pochade fut un de ces événements mondains que l'on dit « bien parisiens », avec son contingent de photographes, d'échotiers, de critiques littéraires et d'amis vrais et faux, les premiers de moins en moins nombreux, rebutés qu'ils étaient par l'accueil de Janine. On remarqua que Prévert faisait un peu la gueule, ce qui lui arrivait de plus en plus souvent. Avoir cessé de boire sur l'ordre de ses médecins le rendait mélancolique et agissait sur son humeur. Il n'avait plus le goût aux longs pèlerinages bistrotiers. « Janine était devenue très possessive, dira Claudy Carter. Elle dictait tout à Jacques. Elle a d'abord essayé puis réussi à éloigner tous ses amis qui en ont beaucoup souffert. Ce n'était pas bon pour Jacques qui avait besoin de ses copains, besoin de communiquer. Janine a choisi les amis qu'elle voulait, elle, pour repousser les autres. Pour ne pas avoir d'histoires, il a filé doux. Depuis l'accident, il n'était plus tout à fait le même.

1. *L'Express*, 14 mars 1963.
2. Daniel Gélin à l'auteur.

Ce n'est pas que ça lui faisait du bien de boire mais ça lui faisait du bien de rencontrer ses amis et, avec eux, de boire un petit peu[1]. » «Elle a écarté tous ses amis et surtout Pierrot, ce qui a demandé du temps, se souviendra l'éditrice Janine Enoch[2]. » «Ça a été le drame entre Janine et Gisèle, la femme de Pierrot, témoignera Adrien Maeght. Elles se sont dit des choses terribles. Bien sûr, Pierrot, adorable, semblait toujours un peu à la traîne de son frère mais c'était difficile de faire autrement. Jacques avait le talent, le génie, et Pierre ramait derrière avec ses petits films[3]. » «Elle ne pouvait pas "piffer" les amis d'avant-guerre ni son futur gendre, constatera André Virel. Elle avait un caractère de cochon mais s'occupait assez bien des affaires avec Bertelé, alors que Jacques était incapable de discuter d'un contrat, de signer un chèque[4]. »

Malgré le peu de sympathie que Janine éprouvait pour René Bertelé, elle essaya d'en obtenir des témoignages prouvant l'efficacité de sa présence auprès de son mari. Elle avait un besoin touchant de reconnaissance, ainsi que le prouve cette lettre en forme de «certificat» qu'à sa demande Bertelé lui enverra bientôt :

Chère Madame,
Je suis heureux en tant que vieil ami et éditeur de Jacques Prévert, de rendre hommage à la collaboration que vous apportez à votre mari dans ses affaires en général, qui le décharge d'obligations et de soucis auxquels un poète ne peut toujours faire face.
Cette collaboration prend parfois la forme d'une aide matérielle non moins précieuse, nous le savons : par exemple c'est vous qui conduisez toujours sa voiture dans tous ses déplacements, puisque Jacques Prévert ne conduit pas.
Je vous prie de croire, chère Madame, à ma très respectueuse et très amicale considération.

René Bertelé
Directeur de collection
aux Éditions Gallimard[5]

Janine ne fut pas fâchée de voir «son» Jacques prendre quelques distances avec ce Midi où gravitaient encore tant d'amis d'avant. En 1968, il décida de quitter Antibes à la suite de différends avec le propriétaire, et de ragots qui se colportaient au moins autant qu'à Saint-Paul-de-Vence. Tous ces lieux étaient devenus trop à la mode. Le déclic fut une réflexion du

1. Claudy Carter à l'auteur.
2. Janine Enoch à l'auteur.
3. Adrien Maeght à l'auteur.
4. André Virel à l'auteur.
5. Archives Gallimard.

sculpteur César : « Tu parles tout le temps de la Bretagne, la Bretagne par-ci, la Bretagne par-là, et tu vis la plupart du temps à Antibes ! » « C'est vrai ce que dit César *[remarqua Prévert devant le photographe André Villers]*. Je m'en vais[1]. » Il quitta Antibes pour vivre définitivement cité Véron, dans ce Paris qu'il aimait tant et où rien ne l'empêcherait de trouver une résidence secondaire entre Normandie et Bretagne. Il déménagea livres, collages, documents, textes divers, tableaux, strates accumulées en huit années de séjour sur les remparts d'Antibes, dont son portrait par Picasso et les photos retravaillées qu'en avait prises André Villers. Ce qui fit dire à son copain, saisi à quatre-vingt-sept ans par une nouvelle fièvre créatrice :

— Mais tu n'as rien, pas un vrai tableau de moi. Viens, tu vas choisir un tableau, un grand. Il y a des tas de salons où il y a de magnifiques Picasso.

— Non, Pablo. J'ai mieux qu'eux. *J'ai* Picasso[2] !

Jacques Prévert revint à Paris à temps pour participer avec Pierrot et Paul Grimault à l'assemblée générale de la Cinémathèque et à la manifestation de soutien à Henri Langlois, le fondateur avec Georges Franju de cet organisme que le monde entier enviait à la France. Il venait d'être « remercié » par un André Malraux, ministre de la Culture, qui semblait avoir perdu les pédales et, irrité par la douce anarchie régnant rue de Courcelles[3], avait mis fin aux fonctions de l'homme qui avait consacré sa vie à sauver les trésors en perdition du cinéma mondial. La France allait vivre au rythme de la révolte estudiantine qui, née sur le campus encore boueux de la faculté de Nanterre, gagnait maintenant la Sorbonne et même la paisible Cinémathèque qu'une stupide mesure avait mise en révolution. Au milieu de la Nouvelle Vague, maintenant bien installée dans le cœur des cinéphiles, Grimault, les Prévert, Langlois aperçurent un jeune rouquin replet qui sortit de la foule des techniciens corporatistes où l'on se montrait Chabrol, Truffaut, Lelouch indignés, et qui, s'accrochant à un réverbère de la rue patricienne, harangua la foule en s'écriant : « Ceci est la dernière manifestation de l'arbitraire ! Le pouvoir veut domestiquer ou museler toutes les formes de création ! Étudiants et lycéens, tous solidaires de Langlois[4] ! » On était le 24 avril 1968, et Prévert apprenait le visage de Daniel Cohn-Bendit.

1. André Villers à l'auteur.
2. Hugues Bachelot à l'auteur.
3. Le siège de la Cinémathèque se trouvait alors 82 rue de Courcelles.
4 Gilbert Guilleminault, *Le Roman vrai de la Vᵉ République.*

Dès que le mouvement estudiantin se manifesta avec la violence que l'on sait, réprimé avec la même violence par les forces de l'ordre, Prévert n'eut pas à balancer pour choisir son camp. Depuis 1958, il n'avait aucune sympathie pour le chef que la France s'était donné. De Gaulle représentait tout ce qu'il haïssait depuis son adolescence révoltée : la bourgeoisie, l'armée et ses uniformes, le pouvoir, la messe du dimanche, et, pensait-il, un état d'esprit qui ne pouvait qu'instaurer le fascisme en France. Il fallut la décolonisation, la fin de l'Algérie française, la mise au pas des braillards d'Alger et les attentats fascistes, dont le Général était la cible principale, pour que ce dernier trouvât enfin grâce à ses yeux. « Au moment de l'Algérie, soutiendra André Verdet, il a été pour de Gaulle contre l'OAS, et 100 % pour l'indépendance de l'Algérie[1]. »

Mais lors des manifestations du Quartier latin, c'est vers les étudiants et les ouvriers — qui suivaient pourtant avec méfiance le mouvement de ces « fils de bourgeois » — qu'alla sa sympathie. Durant ces journées de folie, il suivit de très près les événements. Les grèves le passionnaient. La réaction de la nation lui rappelait celle du Front populaire. Graffitis et slogans le ravissaient. L'auteur de *Paroles* ne pouvait qu'être favorable à ce grand chambardement. « Il est interdit d'interdire » était directement issu de la rue du Château. « J'ordonne le désordre », affirma-t-il encore à son jeune ami communiste Jean-Claude Lévy, qui avait été vice-président de l'UNEF, quand il l'avait rencontré[2].

Pour manifester sa sympathie au mouvement, il écrivit, à la suite de la nuit des Barricades (du 10 au 11 mai 1968), un violent poème pour stigmatiser la satisfaction du préfet de police, Maurice Grimaud, qui se réjouissait du sang-froid des policiers et déplorait l'irresponsabilité des étudiants qu'il soupçonnait d'avoir volontairement provoqué des affrontements avec la police. *L'Extraordinaire sang-froid* parut dans le premier numéro de *L'Enragé*, créé par les dessinateurs Siné et Wolinski avec l'aide de l'éditeur Jean-Jacques Pauvert. Il réaffirma publiquement sa solidarité en publiant sitôt après *Renault au boulot* et *Smig-Smag*, deux courtes pièces parues dans *La Vie ouvrière*, organe de la CGT. Dans le même temps — comme on ne prête qu'aux riches —, la vox populi de la Sorbonne lui attribua le slogan qu'on y répétait : « métro-boulot-dodo ». Son véritable auteur, le libraire et poète Pierre Béarn qui avait participé au premier succès de *Paroles*, vingt ans plus tôt, dans sa librairie de la rue Monsieur-le-Prince, dut

1. André Verdet à l'auteur.
2. Jean-Claude Lévy à l'auteur.

protester vigoureusement pour que lui revînt la paternité de la plus célèbre formule de Mai 1968[1]!

À bientôt soixante-dix ans, et facilement essoufflé, Jacques Prévert ne participa pas physiquement aux grandes journées d'émeute. Pourtant, l'occupation par les contestataires de l'Odéon, dont Malraux avait donné dix ans plus tôt la direction à Jean-Louis Barrault et Madeleine Renaud, et d'où il les chassa en juin 1968 pour ne pas avoir su résister aux jeunes manifestants, fut l'occasion pour le poète de tirer une dernière salve dans le numéro 3 de la revue *Action*, dont il écrivit en huit lignes la conclusion en forme de pirouette sur une grande feuille de son vélin préféré :

Des gens s'indignent que l'Odéon soit occupé alors qu'ils trouvent encore tout naturel qu'un acteur occupe, tout seul, la Tragi-Comédie-Française depuis de longues années afin de jouer, en matinée, nuit et soirée, et à bureaux fermés, le rôle de sa vie, l'Homme providentiel, héros d'un très vieux drame du répertoire universel : l'Histoire antienne.

Jacques Prévert

Si on ne l'avait pas vu en tête des défilés, comme Jean-Paul Sartre, Prévert n'avait jamais manqué de lutter avec ses armes — les mots devenus poèmes — contre toutes les formes d'oppression d'où qu'elles viennent. Contre la guerre d'Indochine, en 1953 ; contre l'intervention soviétique à Budapest, en 1956 ; pour l'arrêt de la guerre d'Algérie ; pour la levée d'interdiction d'antenne à la Radio et à la Télévision des comédiens qui avaient signé l'appel des 121[2]. Sollicité à cette époque par le chef des informations de la RTF pour participer à une émission sur la mise en service du nouveau bateau d'Ouessant, il avait répondu par l'affirmative... avec pourtant une «légère réserve» : «J'ajoute qu'en cette occasion j'aimerais entendre, mêlées à la mienne, les voix de très bons artistes qui sont mes amis : Simone Signoret, Danièle Delorme, Roger Blin, Alain Cuny, Roger Pigaut, pour ne citer que ceux-là. Bien entendu, si cette suggestion ne pouvait être prise en considération, je préférerais ne pas participer à cette émission.» Inutile de préciser qu'elle n'eut pas lieu telle que la concevait le poète...

Deux ans après la révolte de Mai 68, il apportera de même son soutien public à Angela Davis, cette maître-assistante de

---

1. *Le Figaro*, 13 mai 1998, chronique de Jacques Pessis et Jean-Claude Lamy.
2. En septembre 1960, 121 artistes, intellectuels et comédiens avaient signé un manifeste dénonçant la torture, devenue pratique courante en Algérie, et réclamant pour les appelés le droit à l'insoumission.

l'Université de San Diego, en Californie, révoquée pour avoir adhéré au parti communiste américain après l'assassinat de Martin Luther King, qui luttait efficacement pour les droits de ses frères noirs. Pour la faire taire, on la compromettait injustement dans une meurtrière prise d'otage[1]. Pour l'homme qu' avait écrit en 1934, dans *À la belle étoile* :

> Boulevard des Italiens j'ai rencontré un Espagno.
> Devant chez Dupont tout est bon après la fermeture
> Il fouillait les ordures pour trouver un croûton
> Encore un sale youpin qui vient manger notre pain
> Dit un monsieur très bien

le combat contre le racisme restait au premier plan de ses préoccupations.

Jacques n'était pas le seul Prévert à avoir participé à sa manière aux événements de Mai 68. Minette, qui avait maintenant vingt-deux ans et avait pris son indépendance, y avait été étroitement mêlée en militant au sein du Mouvement du 22 Mars — organisation la plus activiste de la révolte étudiante — dirigé par Daniel Cohn-Bendit. Sa participation relevait de la pure sympathie puisque Janine lui avait fait interrompre ses études à seize ans[2], alors qu'elle était happée par la terrible spirale de la drogue. Elle se dérobait enfin à cette emprise néfaste lorsqu'elle rencontra un jeune photographe de son âge, Hugues Bachelot, alors « Mao-Spontex », ébloui par la Révolution culturelle chinoise qu'expliquait si brillamment Roland Castro, futur grand architecte et proche de François Mitterrand. Ce grand jeune homme — qui de son propre aveu « marquait » assez mal à l'époque — était photographe pigiste à l'AFP et à Photolibé, ex-annexe du défunt *Libération*. Il avait été aussitôt séduit par cette jeune femme rousse, très mince, au corps androgyne, d'une extrême liberté et qui s'annonçait comme féministe convaincue. « Je l'ai connue alors qu'elle avait arrêté la came et était plongée dans son militantisme. Elle lisait énormément et écrivait comme Virginia Woolf, ou plutôt comme les écrivains de la *Beat Generation*, plus tendance Ginsberg que Kerouac. Michèle ayant quitté l'école très tôt, elle était totalement autodidacte. Lorsque je connaîtrai mieux la famille, Pierrot Prévert me dira combien il trouvait cette décision inadmissible. Lui avait fait travailler Catherine, qui avait suivi des études normales avec une licence d'anglais à la clef, puis était devenue scripte[3]. » Quand le jeune couple fut sûr de ses sentiments, Michèle voulut

1. Arrêtée en octobre 1970, Angela Davis sera acquittée le 4 juin 1972.
2. Hugues Bachelot à l'auteur.
3. *Ibid.*

présenter Hugues à ses parents. La rencontre avec Jacques
Prévert eut lieu dans le bureau capharnaüm de la cité Véron où
le collage de Janine en danseuse et le portrait du poète par
Picasso voisinaient avec la panoplie du curé d'Uruffe, fabri-
quée par Siné avec un chapeau de curé, un crucifix, un couteau
de cuisine, et un baigneur en celluloïd. Héros d'un fait divers
sanglant, le curé en question avait engrossé une servante,
l'avait assassinée puis, après l'avoir éventrée, avait baptisé le
fœtus avant de le poignarder à son tour. «Michèle n'avait pas
osé me dire qu'elle était la fille de Jacques Prévert, dira en souriant Hugues Bachelot. Elle avait un jardin secret qui était sa
passion pour son père et la grande complicité qui les unissait. Il
lui était plus simple de ne pas en parler. Elle était seulement
Michèle, fille de Jacques et non la fille de Prévert. Je lui avais
demandé ce que faisaient ses parents. "Ce sont de petits commerçants de Montmartre." Je n'avais pas fait le rapprochement. En montant l'escalier, j'ai lu "Jacques Prévert" sur la
boîte aux lettres, de son écriture qui était très connue pour qui,
comme moi, était familier de son œuvre. Dès que je l'ai vu, je l'ai
reconnu. Il m'a accueilli avec un regard sur le qui-vive, comme si
j'étais un usurpateur! Son côté populaire m'intéressait mais son
côté grand Monsieur — car c'en était un — m'a très vite ennuyé.
Voir sans cesse chez lui des gens connus, Picasso, Grimault,
Baquet, Brasseur... Avec Michèle, on était très proches du peuple
et ce côté un peu mondain était, pour nous, agaçant[1].»

Hugues Bachelot était néanmoins issu d'une famille bourgeoise. Son père était général et son grand-oncle n'était autre
que Marcel Jouhandeau, moraliste catholique, écrivain célèbre
pour avoir mis en scène ses déboires conjugaux avec la danseuse Caryathis, devenue Élise, affichant sans préjugés son
homosexualité, interdit de publication à la fin de la guerre par
le CNÉ (Comité national des écrivains) pour faits de collaboration! Le moins que l'on puisse dire est que ni son personnage ni son œuvre abondante ne figuraient parmi les préférés
de Jacques Prévert. S'il répugnait à parler des gens qu'il
appréciait peu — «J'oublie ceux que je n'aime pas» —, Prévert
confia pourtant, devant l'amie de sa femme Dominique de
Wespin, en parlant d'Élise et Marcel Jouhandeau: «Ils sont
l'enfer l'un de l'autre[2].» Quand le mariage fut décidé, quatre
ans plus tard, le père de Hugues Bachelot respecta la tradition
la plus bourgeoise. «Il est venu demander la main de Minette
en uniforme, rigolera André Villers. C'était attaquer sec! On
avait l'impression que Michèle avait fait le choix qui pouvait le

---

1. *Id.*
2. Dominique de Wespin à l'auteur.

plus hérisser ses parents. Jouhandeau et un général! Il ne manquait plus que les gants blancs[1]!»

Après la première présentation, le jeune photographe revint souvent cité Véron. «Jacques Prévert était ému car, depuis que nous vivions ensemble, Minette allait nettement mieux, dira Hugues Bachelot. Elle avait trouvé son équilibre et j'ai pu constater à quel point la complicité entre le père et la fille était grande. Une complicité littéraire — par exemple, tous deux adoraient Proust et l'annotaient chacun de son côté —, mais aussi un regard sur la vie, un humour tout à fait semblables. Janine prenait un certain ombrage de cette passion complice dont elle était complètement exclue. Quand Michèle venait seule dans la semaine ou bien même lorsque nous venions déjeuner le dimanche, elle allait parler avec son père dans son bureau *dont il fermait la porte*! Mes rapports avec Janine n'étaient pas simples car je considérais Michèle comme une femme tout à fait normale et non pas comme quelqu'un de malade, de fragile, qu'il fallait surcouver. Et Janine ne le supportait pas. Puis, ça c'est tassé. Favoriser notre liaison, c'était pour elle une façon de détacher Michèle de Jacques. En outre, Janine était un peu bourgeoise de nature et Jacques aussi, sans vouloir l'avouer. Il y a eu le côté: on va caser notre fille. Je n'avais pas une situation mirobolante dans la photographie mais ce qui les rassurait c'est que j'étais d'une famille bourgeoise; pour Janine c'était important. Au départ, ils étaient assez hostiles à ce mariage, puis, finalement, ils ont été presque rassurés que Michèle se marie. Lorsqu'on n'a pas voulu qu'ils assistent à notre mariage, ils étaient fous furieux. Surtout Jacques, qui nous a envoyé un petit télégramme acide. Puis les déjeuners du dimanche en famille ont repris. Quelquefois même on venait le samedi et on couchait dans la chambre contiguë au bureau. Le dimanche, René Bertelé était des nôtres. Janine avait éliminé tous les amis de la rue du Château et du Groupe Octobre, sauf Marcel Duhamel et sa femme Germaine. Marcel avait compris qu'il fallait charmer Janine, alors il venait toujours avec un petit cadeau. Quant à Bertelé, Janine avait compris qu'il ne fallait pas y toucher. C'était *l'éditeur*. Pas question de se fâcher avec! Et il était si charmant. C'était un être exquis qui chaque fois arrivait avec un bouquet de fleurs, un gâteau, une bouteille. Jacques ne buvait plus qu'un peu de vin mais Janine picolait sec. À la bière et au porto. Une bouteille par jour! Et on repartait le dimanche soir avec Bertelé, bras dessus, bras dessous. On était devenus comme une famille[2].»

1. André Villers à l'auteur.
2. Hugues Bachelot à l'auteur.

En 1970, quatre ans après *Fatras*, Prévert récidiva en associant à nouveau très courts textes et images collées dans un livre intitulé *Imaginaires* et destiné à la collection «Les Sentiers de la Création» chez Skira, l'éditeur suisse d'ouvrages de luxe qui avait été le premier à parler de *Paroles* un quart de siècle plus tôt. Ce fut l'occasion d'affirmer avec force, au cours des interviews habituelles, qu'exposer des théories sur sa manière d'écrire et de concevoir ses œuvres n'était pas et ne serait jamais dans ses manières. Citant Federico Garcia Lorca, ce qu'il avait déjà fait dans *Spectacle*, il répéta à l'envi la réflexion du poète espagnol qu'il avait faite sienne : «Tu comprendras qu'un poète ne puisse rien dire de la poésie : laisse cela aux critiques et aux professeurs. Mais ni toi ni moi, ni aucun poète, ne savons ce que c'est que la poésie…» Si Gallimard ne protesta pas trop contre cette infidélité à Saint-Germain-des-Prés au profit des rives du Léman, c'est qu'il comptait sur un nouvel ouvrage assez consistant pour entrer après *Paroles*, *Spectacle*, *La Pluie et le Beau Temps*, *Histoires* et *Fatras* dans la collection du «Point du Jour». Le 26 octobre 1970, Jacques Prévert annonça à Claudine Brelet, journaliste à *Elle*, qu'il terminait cette œuvre nouvelle intitulée *Choses et autres*. Le magazine d'Hélène Gordon-Lazareff n'avait pas perdu l'espoir d'obtenir du poète une suite à *Enfance*, tandis que Gaston Gallimard attendait toujours de l'auteur des *Feuilles mortes*, si populaire dans le monde entier, des Mémoires comme celles que Marcel Duhamel allait publier au Mercure de France, filiale de la NRF, sous le titre plaisant trouvé par Prévert : *Raconte pas ta vie*.

Choses et autres, dernier recueil préparé avec Bertelé, n'était pas si avancé que cela puisqu'il ne fut publié qu'à l'automne 1972. Une fois encore, après *Paroles* et *Spectacle*, Jacques Prévert affirmait par le contenu de son livre échapper à tout genre. Après *Enfance*, complété par de nombreux ajouts et qui ouvrait le volume, le poète réitérait son refus d'écrire et de livrer ce que critiques et exégètes appelaient de la prose ou de la poésie. Son quatrième texte constituait une déclaration sans équivoque :

> Embauché malgré moi dans l'usine à idées
> j'ai refusé de pointer
> Mobilisé de même dans l'armée des idées
> j'ai déserté
> Je n'ai jamais compris grand-chose
> Il n'y a jamais grand-chose
> ni petite chose
> Il y a *autre chose*.

> Autre chose
> c'est ce que j'aime qui me plaît
> et que je fais[1].

C'est ce qu'il avait fait toute sa vie et, à soixante-douze ans, inquiété par des difficultés respiratoires de plus en plus gênantes, il entendait continuer à le faire. Avec une allégresse de jeune homme, il mêlait aphorismes, graffitis, calembours, commentaires de courts métrages, comme *La Seine a rencontré Paris*, écrit pour Joris Ivens, ou plaidoyer pour Angela Davis, ou encore témoignage d'admiration pour la musique de Carl Orff, et ces «travaux en cours» qui s'ouvraient par le drolatique *Test* :

> «Chevet, avez-vous lu ses livres ?
> — Non.
> — Chevalet, connaissez-vous toute sa peinture ?
> — Non.
> — Chambre, appréciez-vous sa musique ?
> — Non. »

> Note confidentielle :
> Cette élève est un véritable souillon de culture.

Autant de textes, fragments, ébauches «qui ouvrent au lecteur l'atelier du poète et leur permettent d'assister à l'élaboration de l'œuvre en chantier, de coopérer éventuellement à son entreprise — de démolition ou de construction[2] ».

Le nouvel ouvrage reçut, comme d'ordinaire, l'accueil mi-figue mi-raisin dont Prévert avait depuis longtemps l'habitude : favorable dans les journaux orientés à gauche ; hostile dans ceux de droite. *L'Express* traduisit l'opinion de la majorité de la presse du centre, y compris *Combat* et *Le Figaro* qui n'avaient pas toujours été tendres pour l'auteur de *Barbara* : «Voilà trente ans qu'on traite l'élève Prévert comme un gentil cancre *[y écrivit Matthieu Galey qui s'affirmait comme le plus "écouté" des nouveaux critiques parisiens]*. On passe le temps à noter dans ses marges à l'encre rouge : "Pourrait mieux faire." Et il s'en moque superbement, tandis que notre encre "redevient eau"... Inutile de mettre à la porte un monsieur qui revient par la fenêtre en volant. »

Sans attaquer pour autant le PC, hostile aux gauchistes, Prévert s'était cependant montré trop favorable aux événements de Mai 68 pour espérer une critique communiste favo-

---

1. Yves Montand reprendra ce texte dix ans plus tard lors de son ultime récital à l'Olympia.
2. Ainsi que le remarqua Danièle Gasiglia-Laster, *op. cit.*

rable. Ce fut le silence à *L'Huma* et à *L'Humanité dimanche*.
Quant aux *Lettres françaises* de «l'ami» Aragon, on y mettait la
clef sous la porte! Autres silences, tonitruants ceux-là: celui
des *Nouvelles littéraires*, où certains n'aimaient pas Prévert, et
surtout du *Magazine littéraire*. Pour ce dernier, il s'agissait
d'un mouvement d'humeur de son rédacteur en chef, Jean-
Jacques Brochier, à l'encontre de Jacques Prévert. Dès 1969,
Jean-Jacques Brochier, souhaitant consacrer un numéro spécial de son magazine à Jacques Prévert, lui avait téléphoné
pour obtenir une interview «en profondeur». L'entretien ne
s'était pas bien passé. Mal luné, Prévert avait envoyé Brochier
sur les roses: «Je ne donne jamais d'interview personnelle et
ne réponds jamais aux questionnaires.» Aussi talentueux que
pugnace, le journaliste, malgré le ton peu amène sur lequel
s'était déroulée la conversation, ne s'avoua pas vaincu et chargea André Pozner d'obtenir l'entretien impossible. André Pozner était le fils de l'écrivain Wladimir Pozner que Prévert
connaissait de longue date pour l'avoir rencontré dans les
années 1930 à l'AÉAR (Association des écrivains et artistes
révolutionnaires) dont l'essayiste et romancier d'origine russe
était l'un des fondateurs. Ce lien de parenté et d'amitié fit
accorder à Pozner ce qui avait été refusé à Brochier, à cette
réserve près: pas question d'aborder la vie privée et de transformer les entretiens en *Mémoires*. «Ce qui serait intéressant
*[dit Prévert au jeune homme en lui montrant les chemises bour-
rées d'articles qu'il découpait dans les journaux et magazines,
manie née en 1922 de son court séjour avec Yves Tanguy au*
Courrier de la Presse*]*, c'est de questionner les hebdomadaires,
et quand je dis question, il ne s'agit pas de la poire d'angoisse
de l'Inquisition. Tout simplement, non pas leur répondre mais
les "laisser parler", les citer. Cela pourrait s'appeler *Choses
lues*, et bien sûr, comme César, il serait bon d'ajouter quelques
commentaires. Comment taire et comment parler[1].» Trois ans
plus tard, le travail s'achevait seulement. Il n'était plus question d'interview ni d'enquête du *Magazine littéraire* sur Prévert, car le poète avait refusé sa collaboration encore plus
sèchement que lors du premier entretien téléphonique. La
revue sollicitant un «feu vert», Prévert avait répliqué par un
«Je ne suis pas garde-barrière[2]» sans appel. Pas d'interview ni
d'enquête mais pourquoi pas un livre? Et bien sûr, chez Gallimard, suggéra René Bertelé. Tant de versions différentes cir-
culèrent autour de la conception et de la réalisation de cette
œuvre hybride, puis de sa publication, qu'il paraît nécessaire

1. *Hebdromadaires.*
2. *Ibid.*

d'en donner le détail à travers les rapports que fit René Bertelé à la direction de la NRF. Interrogé par Gaston Gallimard sur l'existence de ce nouveau texte dont la presse se faisait l'écho en laissant entendre qu'il s'agissait là des *Mémoires* tant attendus, Bertelé lui répondit, le 25 avril 1972, par la note sui vante :

Je connais, bien entendu, ces quelques interviews de Prévert par André Pozner. Ils ont été faits il y a deux ou trois ans pour «le Magazine Littéraire». À ce moment Prévert ne les trouvant pas très bons, n'a pas voulu qu'ils soient publiés. Récemment, il a fini par céder aux instances d'André Pozner et par accepter qu'ils soient publiés, sous forme de plaquette, par un jeune éditeur ami : Guy Authier.

J'avais proposé que ces interviews soient publiées ici. Prévert n'y tenait pas, ne voulant pas avoir l'air de faire, *ici*, sa publicité. (Il a toujours été contre les interviews, en principe.) Je n'ai pas cru devoir insister beaucoup auprès de Prévert pour cette publication — parce que *ces interviews ne dépassent pas un ton journalistique assez facile et ne révèlent pas grand-chose sur lui* [1].

J'ajoute : je viens de donner ici à la fabrication, un recueil de 300 pages de Prévert : «Choses et Autres», à paraître en septembre (contrat signé) qui contient entre autres textes, un récit autobiographique de lui, intitulé «Enfance», qui est, je crois d'un intérêt plus vif [2].

L'affaire en était restée là, quand, six semaines après la mise en vente de *Choses et autres*, Edgar Schneider, qui tenait la chronique *Le Paris indiscret* dans *L'Aurore*, annonça sur cinq colonnes, avec une photo signée Robert Doisneau, qu'après la parution de *Raconte pas ta vie* de son ami Marcel Duhamel, Jacques Prévert s'apprêtait à publier à son tour des Mémoires sous le titre d'*Hebdromadaires* ! «Prévert s'exprimera bien sûr tout d'abord sur les belles années du surréalisme qu'il a partagées avec Breton, Max Ernst, Éluard, Desnos, Queneau, Aragon et Dalí *[révélait le chroniqueur]*. Des pages étonnantes que jc ne me permettrai pas de déflorer… *Hebdromadaires* sera truffé de poèmes inédits et de reproductions de ses fameux collages qu'il s'était toujours refusé à exposer *[sic]*. Autre intérêt de ce livre unique — puisqu'il n'y en a jamais eu d'autres avant et qu'il n'y en aura jamais après — c'est que Jacques Prévert ne l'a pas écrit mais confié à un magnétophone précisément pour échapper au piège de la littérature… Son éditeur de toujours, René Bertelé, celui qui a édité *Paroles* et qui l'emmena ensuite chez Gallimard, lui donna carte blanche pour prendre l'éditeur de son choix. Bertelé avait compris que le

1. Souligné par René Bertelé.
2. Archives Gallimard.

secret désir de Prévert était de confier la diffusion de ses feuilles de souvenirs à une jeune maison qui le sollicitait depuis plus d'un an. C'est ainsi qu'*Hebdromadaires* sera édité par Guy Authier[1]. »

Rue Sébastien-Bottin, le sang de Claude Gallimard — ce dernier, de plus en plus, suppléait son père[2] — ne fit qu'un tour et René Bertelé dut prendre sa plus belle plume pour conter à « Monsieur Claude », qui ne savait rien de la première note à Gaston, la réalité de l'affaire :

Comme je l'ai déjà dit, ce petit livre (180 pages en gros caractères) est né, il y a plusieurs années, de conversations entre Prévert et le jeune Pozner, destinées à paraître au « Magazine Littéraire ». L'objet en était : *lire et commenter ensemble la presse*. (D'où le titre *Hebdomadaires* devenu aujourd'hui *Hebdromadaires*.) Prévert, après avoir relu ces « conversations », n'a pas voulu qu'elles paraissent — parce que, par principe, il est contre tout ce qui ressemble à des interviews (ce qui est vrai) et n'en a jamais accordé. J'ai lu, à ce moment, le manuscrit dont l'ensemble m'a paru un peu confus et présenter cet inconvénient : un livre court, à deux auteurs, où, parfois, on ne sait pas très bien lequel des deux parle, et où Prévert répète à peu près tout ce qu'il dit ailleurs. J'ai proposé pourtant à J. P. de publier celui-ci, je lui ai même proposé d'en ajouter des fragments à *Choses et autres* dont nous étions en train de réunir les textes. Nous en avons discuté pendant des mois... *Il n'a jamais voulu*[3], me répondant toujours : « C'est trop journalistique, ce n'est pas pour toi, ce n'est pas pour la NRF. »

Il a fini par céder aux instances de Pozner pour lui permettre de tirer quelque profit de son travail — *et à condition qu'il soit publié chez un petit éditeur*. Lequel est devenu Guy Authier — jeune garçon derrière lequel est le *vrai éditeur* : *Michel Rachline*, homme d'affaires avisé et non sans talent littéraire lui-même (il a écrit plusieurs livres dont *La Viande*, et récemment *Le Bonheur nazi*, sur lesquels j'attire l'attention.)

Évidemment, Authier-Rachline fait bien sa publicité et présente ce livre comme « les Mémoires de J. P. », ce qui est complètement faux. D'où l'article d'Edgar Schneider, modèle du genre de potin journalistique et publicitaire. Par exemple J. P. s'exprime assez peu sur le surréalisme, sauf quelques phrases çà et là. (« Des pages étonnantes, que je ne me permettrai pas de déflorer »... dixit Schneider.) Le livre qui contient surtout, encore une fois, des citations de presse, contient aussi, il est vrai, *deux ou trois textes de Prévert, et aucun collage*, sauf celui reproduit sur la couverture (« *Hebdromadaires* sera truffé de poèmes inédits et de reproductions de ses fameux collages qu'il s'était toujours refusé à exposer »... dixit Schneider. Lesquels

---

1. *L'Aurore*, vendredi 3 novembre 1972.
2. Gaston Gallimard disparaîtra trois ans plus tard, le 25 décembre 1975, à la veille de ses quatre-vingt-quinze ans.
3. Tous les passages en italique ont été soulignés par René Bertelé.

collages ont été exposés plusieurs fois dans des galeries, et nous en avons reproduit soixante dans *Fatras*).

J'ajoute que personnellement je n'ai pas eu à donner «carte blanche» à l'éditeur de ce livre. Je me suis seulement incliné devant la volonté de Prévert qu'il ne soit pas publié ici.

J'ajoute surtout : *on ne peut vraiment pas dire*, malgré les propos des éditeurs de le présenter ainsi, *que Prévert raconte sa vie dans ce livre*. Il n'a jamais voulu le faire bien que je l'en aie souvent pressé[1].

En post-scriptum, René Bertelé précisa que Prévert s'était décidé à donner ces textes à Guy Authier mais à la condition expresse que *Hebdromadaires* parût au moins un mois après *Choses et autres*. La condition fut respectée ce qui n'empêcha pas que *Hebdromadaires* bénéficiât de la sortie de *Choses et autres*, nombre de critiques ayant choisi de traiter les deux ouvrages dans leurs articles.

André Pozner compléta son travail en tournant, peu après, un court métrage où il faisait rencontrer pour la première fois Prévert et le raton laveur d'*Inventaire* dont l'un des frères Tiran lui avait donné l'idée, l'année de ses dix ans!

Trois mois après la sortie d'*Hebdromadaires*, Guy Authier en céda les droits à Gallimard pour publication dans la collection de poche «Folio». Quand le petit éditeur sera mis en liquidation, Claude Gallimard en rachètera les droits pour intégrer l'ouvrage dans la collection «Blanche» de la NRF.

Moins d'un an après l'affaire d'*Hebdromadaires*, René Bertelé disparut[2] à la suite d'une courte maladie. Jacques Prévert perdait celui qui fut sans doute son ami le plus fidèle et sans lequel il n'aurait jamais édité les poèmes qu'il avait écrits «comme ça», pour s'amuser...

*

Pour un homme qui n'avait jamais voulu être lié à un port d'attache, Jacques Prévert avait mis les bouchée doubles. Coup sur coup, il avait signé un bail de longue durée pour son domicile parisien de la cité Véron et s'était mis à la recherche d'une résidence secondaire dans la Manche! À la suite du décès de leur mère (la couturière de l'avenue de l'Opéra), Janine et sa sœur Arlette s'étaient partagé l'héritage. Janine avait ainsi reçu un appartement de trois pièces à Asnières, qu'elle s'était empressée de vendre pour permettre à Jacques d'acquérir la maison de ses rêves[3]. Peu avant la sortie de

1. Archives Gallimard
2. Le 10 juillet 1973
3. Hugues Bachelot à l'auteur.

Choses et autres, il avait succombé à la tentation en rendant visite à son vieux complice Alexandre Trauner qui, entre deux aller et retour à Hollywood, avait acquis une charmante maison à Omonville-la-Petite, près du cap de la Hague. Là même où, quarante ans plus tôt, Prévert, Pierre Batcheff, Yves Tanguy et Marcel Duhamel avaient passé des heures aussi heureuses qu'insouciantes. «J'avais toujours eu envie de posséder une maison dans un endroit où on respire, où les conditions atmosphériques stimulent le corps, expliqua le décorateur. La Californie est très agréable mais il n'y a pas de saison ; au bout de six ou huit mois, on se sent ramolli, on a un besoin physique du changement des saisons. En Normandie, deux heures me suffisent pour être au bout du monde. J'ai beaucoup d'amis autour, je me coupe d'avec la civilisation et la ville, c'est pour moi un repos qui est celui de l'absence. C'est comme si j'avais acheté un poumon supplémentaire dont j'avais besoin[1].» C'était très exactement ce dont Jacques Prévert, qui éprouvait de plus en plus de difficultés à respirer, avait envie. Une maison était à vendre à Omonville, un peu décrépite mais pas trop, avec deux bâtiments accolés et seulement un premier étage mansardé, un grand jardin en friche où se balançaient des cytises à grappes d'or et où l'homme qui faisait visiter la bicoque trouva un trèfle à quatre feuilles qu'il offrit galamment à Janine. Le souvenir de Pierre Batcheff, la présence de Trauner et de sa nouvelle femme qu'on appelait Nane et que les Prévert aimaient beaucoup, l'air vivifiant qui permettait de mieux respirer, et le trèfle à quatre feuilles : tout concourait à emporter l'adhésion. D'autant qu'en quelques coups de son crayon magique, Trau, qui voyait déjà son vieil ami installé dans le Cotentin, dessina les plans des lieux à remodeler. Là, au rez-de-chaussée, les pièces à recevoir, la salle à manger et la cuisine ; au premier, un vaste bureau carrelé où abriter les collages et en créer mille autres sans craindre de manquer de place ; et puis une chambre pour Minette et Hugues qui, finalement, n'était pas si mal que cela puisque la jeune femme, avec lui, semblait enfin heureuse. Il n'était même pas nécessaire de changer le nom de la maison. Elle s'appelait Le Val. Le Val elle resterait. L'affaire fut conclue rapidement et les travaux commencèrent sans délai. Durant cette période, Jacques et Janine s'installèrent à l'hôtel de Port-Racine, au cap de la Hague, à partir duquel ils sillonnèrent le pays qui avait déjà séduit le poète par le passé. Cette région, à la fois sereine et sauvage, hospitalière et hostile, à l'image de ses maisons de granit aux toits de schiste, l'enchantait tout comme la côte sauvage où le paysage passait

---

1. Alexandre Trauner, *op. cit.*

de la quiétude à la fureur, au gré des humeurs du temps. Du phare du raz Blanchard au sentier des douaniers où le déposait Janine, Prévert, infatiguable marcheur, se désintoxiquait de Paris, de Saint-Paul ou d'Antibes, trop civilisés, et restait de longs moments à admirer la baie d'Écalgrain où, disaient les guides, «du haut de la côte on embrasse du regard l'immense plage, un panorama grandiose lové dans un écrin de verdure tacheté d'ajonc et de bruyère qui, au coucher de soleil, s'embrase sous la lumière mordorée[1]».

Dans sa jolie demeure du Cotentin, avec un jardin mal peigné mais des fenêtres à petits carreaux, il corrigea les épreuves de *Choses et autres* et d'*Hebdromadaires* puis se livra sans retenue à sa passion pour les collages. Il s'octroyait de temps à autre quelques verres de vin rouge qui le mettaient de bonne humeur mais le rendaient facilement «pompette», comme au jour de sa première communion! Le temps était loin où il disait à Nadine Alari, la fille de Christiane Verger: «Je me promenais gentiment, tout d'un coup le sol est venu à moi[2]!» N'avait-il pas déclaré solennellement dans *Hebdromadaires* qu'il ne buvait pas une goutte d'alcool, après avoir été, précisait-il, ivrogne et non alcoolique!

S'il n'avait aucun projet d'ouvrage nouveau — la mort de René était trop récente —, il multipliait préfaces, présentations d'expositions et même quelques émissions de radio pourvu qu'elles soient bénéfiques aux amis: le peintre Gérard Fromanger, le graveur Marcel Jean, un ancien du Groupe Octobre, les photographes Édouard Boubat, qu'il avait surnommé «le correspondant de paix», et Robert Doisneau, pour lequel il avait écrit deux vers inoubliables chez les chevaliers du Leica:

> C'est toujours à l'imparfait de l'objectif
> Que tu conjugues le verbe photographier.

Ou encore un long texte, *Le Cœur à l'ouvrage*, en hommage au grand lithographe Fernand Mourlot qui publiait *Souvenirs et Portraits d'artistes* et dont Picasso — qui venait de disparaître[3], quelques semaines avant Bertelé, laissant un grand vide dans le cœur de Prévert — disait, en souriant devant une litho reproduisant un de ses derniers tableaux: «C'est peut-être mieux que moi, tu ne trouves pas?» Prévert participa aussi à une émission de radio de Gérard Descortils en hommage au Groupe Octobre et pour laquelle, d'une voix de plus en plus essoufflée, et de plus en plus éraillée par soixante années de

1. Eric Bénard, *Le Journal du dimanche*
2. Nadine Alari à l'auteur.
3. Le 8 avril 1973, à Mougins

nicotine, il dira quelques-uns des textes de sa jeunesse. Émission encore pour Arnaud Laster qui, sur France Musique, donnait « L'Antenne à Jacques Prévert ». Jeune universitaire passionné par l'aventure du Groupe Octobre, Arnaud Laster était venu l'interroger sur ce théâtre hors du commun qui avait révélé le poète le plus populaire de l'Hexagone. Il deviendra, avec sa femme Danièle Gasiglia-Laster, le licencié ès Prévert le plus incontournable de l'édition française[1]. Pour obtenir la participation du poète, Laster avait promis d'éliminer au montage toute trace d'essoufflement. Ce sera la dernière émission à laquelle participera un Jacques Prévert déjà affaibli mais bien décidé à profiter de ce qui lui restait de vie. À la journaliste de *Elle*, Claudine Brelet, qu'il avait prise en affection, il avait déjà dit : « Les gens n'ont plus le temps de vivre. Ils travaillent, travaillent. Moi, c'est seulement maintenant que je sais comment m'y prendre pour prendre plaisir à ne rien faire[2]. »

Pour soigner efficacement Janine, éternellement souffrante — elle se disait atteinte d'asthme nerveux —, Jacques, sur les conseils du Dr Bernard Abramowicz, chirurgien et militant d'extrême gauche, grand ami d'Alexandre et Nane Trauner, avait consulté le Dr Pierre Osenat, ancien médecin des Brigades internationales, résistant de la première heure, et poète lui-même, pour lequel il avait écrit, à la fin des années 1960, *Syzygie* en guise de préface à ses *Poèmes choisis*. Si celui-ci jugea que Janine souffrait avant tout de troubles psychosomatiques, il se rendit compte que l'état de Jacques était beaucoup plus préoccupant. Trois paquets de gauloises quotidiens depuis l'adolescence avaient fait leur œuvre. Osenat le fit examiner par un radiologue. Le diagnostic fut sans appel : cancer à évolution lente mais trop avancé pour être opérable. Seule Janine fut mise dans la confidence et, dès lors, s'efforça d'éviter à son mari tout souci, ce qui pour elle signifiait le couper de tous ceux avec lesquels il aimait poursuivre, des heures durant, des conversations animées accompagnées d'un verre ou deux. « S'il a pu vivre encore quelque temps, c'est grâce à elle, affirmera Dominique de Wespin qui jouait les confidentes. Elle tamisait tout ce qui pouvait lui faire de la peine. Elle a bâti un cocon autour de lui[3]. » Sans savoir la gravité de son état, Jacques Prévert vécut durant quelques mois un grand bonheur. Minette avait mis au monde, le 18 mai 1974, un joli bébé prénommé Eugénie dont le poète tomba immédiatement

---

1. Ce sont ces deux remarquables chercheurs qui établiront et annoteront les *Œuvres complètes* de Jacques Prévert dans la Pléiade (1992).
2. *Elle*, 26 octobre 1970.
3. Dominique de Wespin à l'auteur.

amoureux. Le père de *Barbara* devenait grand-père! «Ça a été une grande joie pour Jacques qui, durant la grossesse difficile de Michèle, a quitté Omonville pour regagner la cité Véron d'où il pouvait visiter aisément sa fille, dira Hugues Bachelot. Il venait la voir chaque jour à Malakoff où nous vivions, les bras chargés de gâteaux de chez Pons, un pâtissier célèbre. Michèle n'y avait pas droit mais il les apportait tout de même. Ils finissaient dans la gamelle du chien qui était devenu énorme! Quand Eugénie est née, après un accouchement parfait, il a été fou de joie. Comme Janine était malade — je l'ai connue mourante vingt-cinq bonnes années —, il est venu s'installer chez nous pendant plus de quinze jours. Il s'extasiait sur l'habileté de Minette à s'occuper d'un bébé. Il s'intéressait aux différents lait 1er âge, 2e âge, 3e âge... "Qu'est-ce que c'est beau... c'est si fragile", disait-il en prenant Eugénie dans ses bras avec mille délicatesses. Il ne quittait pas le bébé. C'était très émouvant[1].» Puis, la vie reprit à Omonville, rythmée par les visites des enfants. Tout en poursuivant ses collages et quelques travaux pour des amis anciens et nouveaux, parmi lesquels le peintre Max Papart que Prévert avait connu dans le Midi grâce à Ribemont-Dessaignes et Verdet, dans les années 1950. Contrairement à ce qu'il avait fait pour Miró ou pour Georges Braque dans *Varengeville*, l'ouvrage qu'il lui avait consacré en 1958, cinq ans après sa mort, Jacques ne parla pas du peintre ni de son œuvre mais écrivit huit courts poèmes illustrés par treize gravures de Papart. L'ouvrage de bibliophilie, intitulé *Le Jour des temps*, fut édité par la Galerie Bosquet et Jacques Goutal Darly, achevé d'imprimer le 21 mai 1975 sur papier à la cuve du Moulin de Larroque, tiré à 145 exemplaires numérotés et 10 réservés à l'auteur et à l'artiste. Ce fut le dernier livre entièrement nouveau publié du vivant de Jacques Prévert. Quelques semaines plus tard, il apprit qu'il avait un cancer des poumons. «J'ai une saloperie. Je suis foutu, je sais que je suis foutu», confia-t-il à son gendre. Il se rappelait comment Crolla, son cher Petit Soleil, avait été emporté par un même cancer, foudroyant celui-là.

Après avoir reçu le Grand Prix de la SACD pour l'ensemble de son œuvre[2], le Grand Prix national du cinéma lui fut attribué ainsi qu'à son frère[3]. Mais qu'étaient ces hochets quand la mort rôdait et que la vie montrait chaque jour «qu'elle avait fini de jouer»? Chaque mois, les enfants venaient à Omonville. Il se réjouissait de voir Eugénie grandir, jouer avec

1. Hugues Bachelot à l'auteur.
2. Le 6 juin 1973.
3. Le 17 décembre 1975

lui sans s'apercevoir de son état. « Six mois après, il a commencé à décliner d'une façon effrayante, constatera Hugues Bachelot. Son rapport avec Eugénie était devenu très douloureux. Il était tellement heureux d'avoir une petite-fille. Et de voir Michèle, mère et enfin heureuse. Se sentir partir à ce moment était épouvantable. C'était trop injuste. Il ne nous parlait pas directement de la mort mais lorsqu'on le quittait et qu'on lui disait : "Au mois prochain", il nous répondait : "Dépêchez-vous de revenir parce que je ne sais pas si le principal intéressé sera encore là[1]. »

Au printemps 1976, tandis que Gallimard annonçait la publication en un seul volume et sans les photos d'Izis, du *Grand Bal du printemps* et de *Charmes de Londres*[2], l'écrivain surmonta sa fatigue pour trouver dans ses réserves deux poèmes — *La Méningerie* et *Silence de vie* — destinés à la maternelle de Jaunay-Clan dans la Vienne, première école à porter le nom de Jacques Prévert[3].

Silence de vie disait, par la voix d'un homme aux portes de la nuit :

> Je ne veux rien apprendre
> Je ne veux rien comprendre
>   ni retenir
> de morte voix
> Je ne veux plus entendre
>   ce vacarme sourd et muet
>   de phrases et de chiffres
>   de nombres et d'idées
> Depuis longtemps déjà
>   et même en se taisant
>   la vie chante avec moi
>   quelque chose de beau
> Je n'entends pas votre langage
> Je refuse un autre cerveau
>   dit l'enfant
> L'enfant sauvage.

« J'ai eu une belle vie, dit-il à son gendre à cette même époque où il ne se berçait plus d'illusions. Une vie comme ça, je la souhaite à beaucoup[4]. »

Il reçut encore quelques personnes, comme Claude-Jean Philippe qui préparait une émission sur Arletty : « Il ne parlait

---

1. Hugues Bachelot à l'auteur.
2. Les deux recueils publiés dans les années 50 à la Guilde du livre de Lausanne avaient connu une diffusion limitée.
3. On les compte aujourd'hui par dizaines.
4. Hugues Bachelot à l'auteur.

plus que très difficilement, dira le journaliste. Il devait reprendre sa respiration au milieu de chaque phrase, mais la ferveur de son amitié pour Garance était demeurée intacte. "Ce qui compte, me confia-t-il, ce n'est pas ce que les gens disent, c'est la façon de le dire, et Arletty a une façon de parler qui n'appartient qu'à elle. On ne pense pas à la voix des gens. On dit qu'ils parlent, mais ils chantent également. C'est un chant intérieur... Arletty c'est un tournesol, un soleil[1]... Courbevoie, c'est là où elle est née. Moi je suis né pas loin, à Neuilly. À un an près, on a le même âge. On aurait pu se connaître tout petits. On s'est connu très tard mais c'était très bien[2]. » D'autres vinrent encore. De vieux copains comme Francis Lemarque, le petit Nathan Korb dont Prévert avait su déceler le talent et qui était devenu une vedette de la chanson : «Il m'a dit : "Je vais passer de l'autre côté..." Il avait peur de la mort. Il avait terriblement vieilli. Et Janine aussi que j'avais connue si jolie, le corps gracile, souple[3]... » «Elle était toujours belle *[ajoutera Dominique de Wespin qui la soutenait de son amitié]*, avec ce corps léger, ces jambes faites pour la danse. Mais le beau visage s'était creusé, les coins de la bouche s'étaient abaissés, les yeux paraissaient plus grands, plus pâles, comme transparents[4]. » Robert Doisneau, le complice des rues de Paris était venu lui aussi. «Je pars le voir et je passe par la Hague. J'aperçois sur un chemin douanier un coin très déchiqueté avec la mer. Oh, quel décor! J'arrive à Omonville-la-Petite. Je dis : "Jacques, j'ai trouvé un décor. On va faire une photo. Allez, viens! Il y en a pour cinq minutes." Il m'a répondu : "Robert, je ne joue plus." Ça m'a paru tellement bizarre : Alors on a parlé un peu[5]. » À la visite suivante, Jacques Prévert refusa de recevoir son copain. Il vivait cloîtré au premier étage, sans même la force de tenir un stylo. Une nuit de mars 1977, il dicta à Janine, reprenant les mots qu'il avait dits à son gendre :

> Je suis foutu! je ne peux plus lire, ni écrire!
> je suis un autre!
> Un autre qui regarde celui d'avant,
> sans intérêt d'ailleurs.

---

1. Le tournesol était, avec les gouttes-de-sang (Adonides), la fleur préférée de Jacques Prévert qui lui avait consacré un poème, mis en musique par Kosma, dont Yves Montand accompagné par Henri Crolla avait fait un succès, dès 1950. Prévert avait réussi malgré le climat à faire pousser des soleils dans son jardin et en était très fier.
2. Claude-Jean Philippe, *Le Figaro magazine*, 19 août 1995.
3. Francis Lemarque à l'auteur.
4. Dominique de Wespin, *op. cit.*
5. Robert Doisneau, *Paris-Match*, 14 avril 1994.

« Il ne voulait plus voir personne, à part Pierrot, Trau, Michèle et sa famille, dira Hugues Bachelot. Il souffrait malgré la cortisone, les calmants, il n'arrivait plus à respirer. » Au docteur Champin, le médecin d'Omonville qui tentait de le soulager, il dit, faisant encore preuve d'humour malgré son angoisse : « Même assis, je ne tiens plus debout ! » Janine faisait maintenant le barrage, ne passait aucune communication téléphonique. « J'ai appelé deux ou trois fois *[dira Claudy Carter, la Petite Feuille des années 40]*. Elle n'a rien voulu savoir jusqu'au jour où j'ai entendu Jacques lui dire : "Passe-la-moi." Ça a été l'unique fois[1]. »

La douleur avait cristallisé les vieilles phobies de Janine dont l'état nerveux ne s'améliorait pas. Phobie de Pierrot. Phobie de Minette, dont la naissance et l'enfance difficiles avaient « gâché sa vie de femme ». « Elle enfonçait littéralement Pierrot, témoignera Hugues Bachelot. C'était l'homme qui n'avait pas de talent, qui vivait sur le succès de son frère. Pierrot a été très touché par cette aversion. C'était une bonne pâte, cet homme, même si son frère l'a aidé toute sa vie. Mais, tout de même, si Jacques a fait du cinéma, c'est grâce à Pierrot[2] ! » « À la fin, elle lui a interdit de voir Jacques *[dira Nane Trauner, témoin de ces heures difficiles]*. Pierrot vivait chez nous pour pouvoir visiter son frère chaque jour. C'était très douloureux à vivre[3]. » Finalement, on trouva un modus vivendi. Pierrot fut « autorisé » à voir son frère un quart d'heure par jour, ainsi que Trauner. « Jacques était tellement fatigué qu'une demi-heure de visite était amplement suffisante, constatera Hugues Bachelot. Mais Pierrot était vexé et meurtri[4]. » Claudy Carter, qui avait toujours gardé d'excellentes relations avec Gisèle et Pierre Prévert qu'elle considérait comme un modèle de couple équilibré, en eut la preuve lors d'un bouleversant appel téléphonique d'un Pierrot en pleurs : « Tu sais ce qu'elle m'a fait ? Elle m'a dit que de toutes les façons Jacques ne voulait plus me voir, ni entendre parler de moi. Que ce n'était plus la peine que je vienne. Même à l'enterrement. Dis-moi que ce n'est pas vrai[5] ! »

Quant à Michèle, elle n'était guère mieux lotie. « Minette était capricieuse et méchante *[rapportera Dominique de Wespin qui recueillait les confidences de Janine]*. Si Jacques a pu vivre et survivre, c'est bien grâce à sa femme[6]. » Selon certains, dans

---

1. Claudy Carter à l'auteur.
2. Hugues Bachelot à l'auteur.
3. Nane Trauner à l'auteur.
4. Hugues Bachelot à l'auteur.
5. Claudy Carter à l'auteur.
6. Dominique de Wespin à l'auteur.

les dernières semaines, Janine voulut interdire à sa propre fille de monter au premier étage. «Je vais voir mon père, moi! s'insurgea la jeune femme. Personne ne m'empêchera de voir mon père!» Arlette, la sœur de Janine, écopa d'une solide paire de claques pour avoir voulu mettre en œuvre l'interdiction[1].

En revanche, Janine avait toute sa tête pour convaincre son mari, qui était désormais incapable de tenir une plume, de refaire son testament et d'en préparer soigneusement les termes avec elle. C'est ainsi que Me Jean Rouault, notaire à Cherbourg, se rendit le 18 février 1977, à dix heures et demie au chevet de Jacques Prévert, en compagnie de deux témoins instrumentaires «ni parents ni alliés à un degré prohibé par la loi» des personnes envers lesquelles il allait faire des dispositions testamentaires, M. Gérard Raymond Oger, gérant de société demeurant à Sainte-Croix Hague, et Mme Nicole Angèle Yolande Martin, employée de commerce dans la même localité.

Il serait fastidieux d'énumérer en détail les clauses d'un testament par lequel M. Jacques André Marie Prévert, «malade de corps mais sain d'esprit», dictait ses dernières volontés en ce qui concernait son œuvre littéraire et artistique. «Selon ce testament fait pour éloigner Michèle du droit moral sur l'œuvre de son père, expliquera Hugues Bachelot, Janine s'occupait de cette œuvre, et, à la mort de Janine, l'exécuteur testamentaire deviendrait Yannick Guillou, représentant des Éditions Gallimard, alors qu'il existait une fille, Michèle, qui elle-même avait une fille, Eugénie! "Je souhaite, précisait Jacques, que mon exécuteur testamentaire prenne le conseil de mon ami Me Kiejman" lequel conseillait également Gallimard! Ce testament devenait un testament Gallimard... Ça ne me semblait pas tenir sur le plan juridique. Quand Jacques est mort, Janine a été exécutrice testamentaire, puis, à sa disparition, ce fut tout de même Yannick Guillou, puisque Michèle était décédée[2].»

Le testament de 1977 confirmait la donation que Jacques avait faite à sa femme, quatre ans auparavant, clause à laquelle le poète ajoutait:

«Je lègue à mon épouse, née Janine Tricotet, l'usufruit pendant sa vie de l'intégralité du droit d'exploitation de mes œuvres sans exception ni réserve.

Elle jouira de cet usufruit à compter du jour de mon décès et bénéficiera ainsi de tous les produits et revenus pécuniaires

---

1. Claudy Carter à l'auteur.
2. Hugues Bachelot à l'auteur. Michèle Bachelot, née Minette Prévert, disparut tragiquement le 25 février 1986, à Paris dans le XIVe.

de toute nature provenant de l'exploitation de mes œuvres sous quelque forme que ce soit[1]. »

Le notaire tint à ajouter les précisions suivantes : « Ce testament a été écrit en entier par Me Rouault, notaire soussigné, à la machine à écrire tel qu'il a été dicté par le testateur *qui s'est aidé de l'écrit qu'il avait fait préparer*[2]. »

Le dix-huit février mil neuf cent soixante-dix-sept, à onze heures trente minutes, l'auteur de *Sanguine* apposa sa signature, devenue toute petite, comme celle un peu maladroite dont il ornait à onze ans le registre de baptême à la veille de sa première communion ! C'en était terminé des formalités.

Jacques Prévert s'éteignit le 11 avril 1977, à quatorze heures dans son « atelier » du premier étage à Omonville-la-Petite.

Il avait soixante-dix-sept ans, cinquante-cinq films, trente livres dont six recueils de poèmes qui, de *Paroles* à *Choses et autres*, l'avaient fait connaître du monde entier, une foule de plaquettes, des centaines de collages, et cinq cent quarante-trois chansons éditées.

On le disait paresseux.

Paris. Istanbul. Los Angeles.
San Francisco. Yosemite.
Saint-Paul-de-Vence. Paris.
Janvier 1995 - 7 août 1999.

---

1. Archives André Virel.
2. *Ibid.* Souligné par l'auteur.

REMERCIEMENTS

Que toutes celles et ceux qui m'ont livré les souvenirs d'une vie au cours de laquelle Jacques Prévert joua un plus ou moins grand rôle trouvent ici l'expression de ma profonde gratitude pour avoir bien voulu les évoquer, souvent dans les moindres détails. Ma plus vive reconnaissance va à Mesdames et Messieurs : Nadine Alari, Catherine Allégret, Françoise et Yvan Audouard, Eugénie Bachelot-Prévert, Hugues Bachelot, Maurice Baquet, Arlette Besset-Davreu, Gazelle et Louis Bessières, Margot Capelier, Jean-Paul Caracalla, Claudy Carter-Emmanuelli, Michel Chavance, Colette Crolla, Jacques Derlon, Janine Enoch, Daniel Gélin, Ida (Lods) et Pierre Jamet, Jeannine et Eugène Jossic, Jacqueline Laurent-Gaillot, Olivier Le Covec, Ginny et Francis Lemarque, Roland Lesaffre, Jean-Claude Lévy, Adrien Maeght, Michèle Morgan, Lola Mouloudji, Gérard Pellier, Catherine Prévert, Serge Reggiani, Yves Robert, Yvonne et Francis Roux, Catherine Sauvage, Jean-Claude Simoën, Paul Tourenne, Nane Trauner, Denise Tual, André Verdet, André Villers, André Virel, Dominique de Wespin.

Me furent également d'une aide précieuse au cours de mon enquête Mesdames et Messieurs : Pierre Achard, Pierre Assouline, Joël Aubert, Jacques Borgé, Jean-Jacques Brochier, Robert Broussard, François Caradec, Jean-Michel Casa, René Cenni, Alban Cerisier, F. Doloy, Henri Deschamps, Jean-Marie Drot, François Escoube, Claude Gaillard, Nicolas Galaud, Serge Grand, Paulette Grimault, Alain Guérin, Agnès Hirtz, Jadmyga Legrand, Patrick Lienhardt, Alain Louyot, Eddy Marnay, Jean-Jacques de Meyenbourg, Natacha Miloyan, Gilles Nadeau, Valérie Pasquiou, Jean-Louis Prat, Patrick Rotman, Alain Segal, Henri de Turenne, Geneviève Vallette-Bertelé, Sacha Vierny.

Ma reconnaissance va également à Antoine Gallimard qui, une fois de plus, m'a accordé sa confiance pour fouiller les archives de la maison qu'il préside, ainsi qu'à Jean-Pierre Dauphin qui en est la mémoire et à qui ce livre est amicalement dédié.

Pour la dix-septième fois en quarante-deux ans de compagnonnage, mes ultimes remerciements vont à ma femme Estelle Courrière qui, à mes côtés, a suivi toutes les étapes d'une longue enquête et d'une encore plus longue période d'écriture au cours de laquelle d'aucuns se seraient impatientés. Sans elle, rien n'aurait été possible.

Pardon à ceux que, par mégarde, j'aurais pu oublier.

À tous merci.

Y. C.

BIBLIOGRAPHIE

I. PRINCIPAUX OUVRAGES
DE JACQUES PRÉVERT

1946 : *Paroles* (achevé d'imprimé le 20/12/1945), Gallimard, Le Point du Jour.
Le Cheval de trois, en collaboration avec André Verdet et André Virel, Le Portulan.
Histoires, en collaboration avec André Verdet, illustrations de Mayo, le Pré-aux-Clercs.
Poème, avec des dessins de Brassaï, Tisné.

1947 : *Contes pour enfants pas sages*, illustrations d'Elsa Henriquez, le Pré-aux-Clercs.
Paroles, édition revue et augmentée, Gallimard, Le Point du Jour.
Le Petit Lion, avec des photos d'Ylla, Arts et Métiers graphiques.

1950 : *Des bêtes*, avec des photos d'Ylla, Gallimard, Le Point du Jour.

1951 : *Spectacles*, Gallimard, Le Point du jour.
Vignette pour les vignerons, avec des dessins de Françoise Gilot et des photographies de Marianne, éditions Falaize.
Grand Bal du printemps, avec des photographies d'Izis, La Guilde du Livre, Lausanne.

1952 : *Lettres des îles Baladur*, avec des dessins d'André François, Gallimard, Le Point du Jour.
Charmes de Londres, avec des photographies d'Izis, La Guilde du Livre, Lausanne.
Guignol, avec des dessins d'Elsa Henriquez, La Guilde du Livre, Lausanne.

1953 : *Tour de chant*, musique de Christiane Verger, avec des dessins de Fabien Loris, La Guilde du Livre, Lausanne.
L'Opéra de la lune, musique de Christiane Verger, avec des dessins de Jacqueline Duhême, La Guilde du Livre, Lausanne.

1955 : *La Pluie et le Beau Temps*, Gallimard, Le Point du Jour
Lumières d'homme, G.L.M.

1956 :   *Joan Miró*, en collaboration avec Georges Ribemont-Dessaignes et des reproductions de Miró, Maeght.
1957 :   *Images*, collages de Jacques Prévert présentés par René Bertelé, Adrien Maeght.
1959 :   *Portraits de Picasso*, avec des photographies d'André Villers, Muggiani, Milan.
1961 :   *Couleurs de Paris*, avec des photographies de Peter Cornélius, Edita S.A., Lausanne.
1963 :   *Histoires et d'autres histoires*, nouvelle édition revue et augmentée, Gallimard, Le Point du Jour.
1966 :   *Fatras*, avec 57 collages de l'auteur, Gallimard, Le Point du Jour.
1967 :   *Arbres*, avec des gravures de Georges Ribemont-Dessaignes, La Galerie d'Orsay éditeur.
1968 :   *Varengeville*, avec des reproductions d'œuvres de Georges Braque, Maeght.
1970 :   *Imaginaires*, avec des collages de l'auteur, Skira, « Les Sentiers de la Création ».
1971 :   *Fêtes*, avec des eaux-fortes d'Alexander Calder, Maeght.
1972 :   *Choses et autres*, Gallimard, Le Point du Jour.
         Hebdromadaires, en collaboration avec André Pozner, Guy Authier éditeur.
1978 :   *Adonides*, avec des gravures de Miró, Maeght. Édition préparée par Jacques Prévert et publiée après sa mort.
1980 :   *Soleil de nuit*, recueil posthume préparé par Arnaud Laster avec le concours de Janine Prévert, Gallimard.
         Le Roi et l'Oiseau, album de Paul Grimault et Jacques Prévert.
1984 :   *La Cinquième Saison*, recueil posthume préparé par Arnaud et Danièle Laster avec le concours de Janine Prévert, Gallimard.
1992 :   *Œuvres complètes*, édition en deux volumes présentée, établie et annotée par Danièle Gasiglia-Laster et Arnaud Laster, Gallimard, « Bibliothèque de la Pléiade ».
         Album Jacques Prévert, iconographie choisie et commentée par André Heinrich, Gallimard, Bibliothèque de la Pléiade.
         Jacques Prévert-Collages, préface de Philippe Soupault, textes d'André Pozner, Gallimard.
1995 :   *Attention au Fakir!* suivi de *Textes pour la scène et l'écran*, Gallimard.
         Prosper aux enfers, avec des images de Jacqueline Duhême, Gallimard Jeunesse.

S'ajoutent à cette bibliographie certains ouvrages cinématographiques de Jacques Prévert :

1988 :   *Jenny - Le Quai des Brumes*, scénarios, avec une préface de Marcel Carné, Gallimard.
         La Fleur de l'Âge - Drôle de drame, scénarios, Gallimard.
1990 :   *Le Crime de M. Lange - Les Portes de la nuit*, scénarios, Gallimard.

II. FILMOGRAPHIE NON EXHAUSTIVE
DE JACQUES PRÉVERT

Établie d'après les travaux d'André Heinrich, Gérard Guillot, Bernard Chardère, Raymond Chirat, Jean-Claude Lamy et les renseigne ments que j'ai pu recueillir au cours d'une longue enquête. (Y. C.)

Longs métrages

1932 *L'Affaire est dans le sac* (Pierre Prévert).
      Baleydier (Jean Mamy) non signé par J. P.
1933 *Ciboulette* (Claude Autant-Lara).
1934 *L'Hôtel du Libre-Échange* (Marc Allégret).
      My Partner Mr. Davis (Claude Autant-Lara).
      Si j'étais le patron (Richard Pottier) non signé par J. P.
1935 *Un oiseau rare* (Richard Pottier).
      Jeunesse d'abord (Jean Stelli).
      Le Crime de M. Lange (Jean Renoir).
1936 *Jenny* (Marcel Carné).
      Moutonnet (René Sti).
1937 *Drôle de drame* (Marcel Carné).
      L'Affaire du courrier de Lyon (Claude Autant-Lara) non signé
      par J. P.
1938 *Quai des Brumes* (Marcel Carné).
      Ernest le Rebelle (Christian-Jaque).
      Les Disparus de Saint-Agil (Christian-Jaque) non signe par J. P.
1939 *Le jour se lève* (Marcel Carné).
1939-1941 *Remorques* (Jean Grémillon).
1941 *Le soleil a toujours raison* (Pierre Billon).
      Une femme dans la nuit (Edmond T. Gréville) non signé par
      J. P.
1942 *Les Visiteurs du soir* (Marcel Carné).
1943 *Lumière d'été* (Jean Grémillon).
      Adieu Léonard (Pierre Prévert).
1943-1944 *Les Enfants du Paradis* (Marcel Carné) I. Le Boulevard
      du Crime. II. L'Homme blanc.
1944-1945 *Sortilèges* (Christian-Jaque).
1946 *Les Portes de la nuit* (Marcel Carné).
      L'Arche de Noé (Henry Jacques).
      Voyage-surprise (Pierre Prévert).
1947 *La Fleur de l'âge* (Marcel Carné) film inachevé.
1948 *Les Amants de Vérone* (André Cayatte).
1949 *La Marie du port* (Marcel Carné) non signé par J. P.
1950 *Souvenirs perdus* (Christian-Jaque) 2 sketches de J. P.
1953 *La Bergère et le Ramoneur* (Paul Grimault) renié par J. P. et
      Paul Grimault.
1956 *Notre-Dame de Paris* (Jean Delannoy).
1961 *Les Amours célèbres* (Michel Boisrond) 1 sketch de J. P

Courts métrages

1928-1959   *Paris-Express ou Souvenirs de Paris* (Marcel Duhamel et
     Pierre Prévert). Devenu *Paris la belle* (Pierre Prévert) en 1959.
1930   *Films publicitaires* (Agence Damour-Paul Grimault).
1932   *Ténériffe* (Yves Allégret).
1933   *Comme une carpe ou le Muet de Marseille* (Claude Heyman).
1934   *La Pêche à la baleine* (Lou Bonin-Tchimoukow).
1945   *Aubervilliers* (Eli Lotar).
1947   *Le Petit Soldat* (Paul Grimault).
1949   *Bim le petit âne* (Albert Lamorisse).
1950   *Les Feuilles mortes*. chanson de J. P. et J. Kosma chantée par
     Jacqueline François.
1957   *La Seine a rencontré Paris* (Joris Ivens).
1958   *Paris mange son pain* (Pierre Prévert).
     La Faim du monde (Paul Grimault).
1960   *Les Primitifs du XIIIe* (Pierre Guilbaud).
1963   *Le Petit Chapiteau* (Joris Ivens).

Films pour la Télévision

1964   *Le Petit Claus et le Grand Claus* (Pierre Prévert).
1965   *La Maison du passeur* (Pierre Prévert).

III. OUVRAGES CONSULTÉS

Allégret, Catherine, *Les Souvenirs et les Regrets aussi…*, Fixot, 1994.
Andry, Marc, *Jacques Prévert*, Éditions de Fallois, 1994.
Les Années folles, Belfond, Paris Audio-visuel, 1986.
Aragon, Louis, *Œuvres romanesques complètes*, Gallimard, 1997,
     «Bibliothèque de la Pléiade».
Archives du surréalisme, *Recherches sur la sexualité*, Gallimard, 1990.
Assouline, Pierre, *Gaston Gallimard*, Balland, 1984.
Augé, Marc, *Paris, années 30*, Hazan, 1996.
Aurenche, Jean, *La Suite à l'écran*, Institut Lumière, Actes Sud, 1993.
Baker, Carlos, *Hemingway*, Robert Laffont, 1971.
Baquet, Maurice, *On dirait du veau*, Éditions J. M. Laffont et Assoc.,
     Lyon, 1979.
Beauvoir, Simone de, *La Force de l'âge*, Gallimard, 1960.
Bellanger, Claude, *Histoire générale de la presse française*, P.U.F., 1972.
Bergens, Andrée, *Jacques Prévert*, Éditions Universitaires, 1969.
BN - SGDL, *Les Mystères du rez-de-chaussée*, juin-juillet 1987.
Boggio, Philippe, *Boris Vian*, Flammarion, 1993.
Bony, Anne, *Les Années 20, 30, 40, 50, 60* Éditions du Regard, 1982-
     1987.

BORGÉ, Jacques, et VIASNOFF, Nicolas, *Archives de Paris*, Éd. Michèle Trinckvel, 1993.

BOUSSINOT, Roger, *L'Encyclopédie du cinéma*, Bordas, 1980.

BRASSAÏ, *Conversations avec Picasso*, Gallimard, 1964 et 1997.

BRASSEUR, Pierre, *Ma vie en vrac*, Calmann-Lévy, 1972.

BRETON, André, *Œuvres complètes*, Gallimard, 1988, « Bibliothèque de la Pléiade ».

BRETON, André, *Entretiens*, Gallimard, 1952.

BUCHET, Martine, *La Colombe d'Or*, Éditions Assouline, 1993.

CAPRI, Agnès, *Sept Épées de mélancolie*, Julliard, 1975.

CARACALLA, Jean-Paul, *Saint-Germain-des-Prés*, Flammarion, 1993.

CARNÉ, Marcel, *Drôle de drame*, Balland, 1974, « Bibliothèque des Classiques du Cinéma ».

— *La Vie à belles dents*, Pierre Belfond, 1989.

CASA, Jean-Michel, *Le Palais de France à Istanbul*, Yky Edition, 1995.

Catalogue de l'exposition *Autour du Studio 28*, Société d'Histoire et d'Archéologie, le Vieux Montmartre, 1995.

CHAMBRIN, Jill et André, *Mémoire en images*, Neuilly-sur-Seine, Alan Sutton, 1995.

CHALON, Jean, *Portrait d'une séductrice*, Stock, 1976.

CHAPON, François, *Jacques Doucet ou l'Art du mécénat*, J. C. Lattès, 1984.

CHARDÈRE, Bernard, *Jacques Prévert, Inventaire d'une vie*, Découvertes Gallimard, 1997.

CHASTENET, Jacques, *Cent Ans de République*, Tallandier, 1970.

CHIRAT, Raymond, *Catalogue des films français de long métrage. 1929-1939*, Cinémathèque royale, Bruxelles, 1981. *1940-1950*, Imprimerie Saint-Paul S.A., Luxembourg, 1981.

CLÈRES, Christian, *Le Havre - New York*, Hazan, 1997.

Collectif, *Histoire de Moscou et des Moscovites*, Éditions du Pont-Royal, 1963.

Collectif, Catalogue de l'exposition Paris-Paris, 1937-1957, Gallimard-Centre Georges-Pompidou, 1992.

CONTE, Arthur, *Le Premier Janvier 1900*, Plon, 1975.

COURRIÈRE, Yves, *Pierre Lazareff ou le Vagabond de l'actualité*, Gallimard, 1995.

— *Roger Vailland ou Un libertin au regard froid*, Plon, 1991.

DAIX, Pierre, *Dictionnaire Picasso*, Robert Laffont-Bouquins, 1995.

DESANTI, Dominique, *Drieu la Rochelle*, Flammarion, 1978.

DESNOS, Robert, *Œuvres*, Quarto Gallimard, 1999.

DESNOS, Youki, *Les Confidences de Youki*, Fayard, 1957 et 1999.

DOISNEAU, Robert, *À l'imparfait de l'objectif*, Belfond, 1989.

DROT, Jean-Marie, *Les heures chaudes de Montparnasse*, Hazan, 1995.

DUHAMEL, Marcel, *Raconte pas ta vie*, Mercure de France, 1972.

DUHÊME, Jacqueline, *Line et les autres*, Gallimard, 1976.

DURAND-BOUBAL, *Café de Flore, mémoire d'un siècle*, Indigo, 1993.

DUROSELLE, Jean-Baptiste, *Histoires de la Grande Guerre 1914-1920*, Éditions Richelieu, 1972.

FAURÉ, Michel, *Le Groupe Octobre*, Christian Bourgois éditeur, 1977.

FILLACIER, Sylvette, *Chante Cigale*, La Table Ronde, 1960.

FLANNER, Janet, *Paris c'était hier*, Éditions Mazarine, 1981.

FULLER, Samuel, *New York Années 30*, Hazan, 1997.

GASIGLIA-LASTER, Danièle, *Jacques Prévert*, Séguier, 1994.

GASIGLIA-LASTER, Danièle et LASTER, Arnaud, « Notices, documents et notes » aux *Œuvres complètes* de Jacques Prévert, Gallimard, 1992-1996, « Bibliothèque de la Pléiade ».

GÉLIN, Daniel, *Comme on s'aimait à Saint-Germain-des-Prés*, photos de Georges Dudognon, Pierre Bordas et fils, 1993.

Guide Gallimard d'Istanbul, Gallimard, 1993.

GILSON, René, *Jacques Prévert*, Belfond, 1990.

GUILLEMINAULT, Gilbert, *Le Roman vrai de la IIIe République*, Denoël, 1956.

— *Le Roman vrai du demi-siècle*, Denoël, 1960.

— *Le Roman vrai de la IVe République*, Denoël, 1962.

— *Le Roman vrai de la Ve République*, Julliard, 1980.

GUILLOT, Gérard, *Les Prévert*, Seghers, 1966.

GUITARD-AUVISTE, Ginette, *Paul Morand*, Hachette, 1981.

HAMON, Hervé, et ROTMAN, Patrick, *Génération*, Le Seuil, 1987.

— *Tu vois, je n'ai pas oublié*, Seuil-Fayard, 1990.

HANOTEAU, Guillaume, *L'Âge d'or de Saint-Germain-des-Prés*, Denoël, 1965.

— *Ces nuits qui ont fait Paris*, Fayard, 1971.

HENRICH, André, *Album Jacques Prévert*, Gallimard, 1992, « Bibliothèque de la Pléiade ».

Image et Son, n° 189, décembre 1965.

JEAN, Marcel, *Autobiographie du surréalisme*, Le Seuil, 1978.

LAMY, Jean-Claude, *Prévert les frères amis*, Robert Laffont, 1997.

LATOUR, Geneviève, *Le Cabaret-Théâtre*, Bibliothèque de la Ville de Paris, 1996.

LE BOTERF, Hervé, *Robert le Vigan le mal-aimé du cinéma* Éditions France-Empire, 1986.

LEGUÈBE Éric, *Cinéguide*, Omnibus-Presses de la Cité, 1992-1997.

LEIRIS, Michel, *Journal 1922-1989*, Gallimard, 1992.

LEMARQUE, Francis, *J'ai la mémoire qui chante*, Presses de la Cité, 1992.

LEPROHON, Pierre, *Jean Renoir*, Seghers, 1967.

LIVOIS, René de, *Histoire de la presse française*, Les Temps de la Presse, 1965.

LORD, James, *Giacometti*, Nil, 1997.

MAEGHT, Adrien, *À proximité des poètes et des peintres*, Adrien Maeght, 1986.

— *La Fondation Marguerite et Aimé Maeght*, Maeght éditeur, 1993.

MARIN, Pierre Henri, *Les Paquebots*, Découvertes Gallimard, 1989.

MOLLET Jean, *Les Mémoires du baron Mollet*, Gallimard, 1963.

MONNIER, Adrienne, *Rue de l'Odéon*, Albin Michel, 1960.

MORGAN, Michèle, *Avec ces yeux-là*, Robert Laffont-Opera Mundi, 1977.

MOULOUDJI, Marcel, *La Fleur de l'âge*, Grasset, 1991.

— *Le Petit Invité*, Balland, 1989.

MOURRE, Michel, *Dictionnaire encyclopédique d'histoire*, Bordas, 1978.

Musée d'Art moderne de la Ville de Paris, *Années 30 en Europe*, Paris-Musées, Flammarion. 1997

Nadeau, Maurice, *Histoire du surréalisme*, Le Seuil, 1964.
Nizan, Henriette, *Libres Mémoires*, Robert Laffont, 1989.
Ory, Pascal, *La Belle Illusion*, Plon, 1994.
Ouvry-Vial, Brigitte, *Henri Michaux qui êtes-vous?* La Manufacture, 1989.
Pagliano, Jean-Pierre, *Paul Grimault*, Lherminier, 1986.
Perreux, Gabriel, *La Vie quotidienne des civils en France pendant la Grande Guerre*, Hachette, 1966.
Petit, Roland, *J'ai dansé sur les flots*, Grasset, 1993.
Pomiès, Georges, *Témoignages et Documents*, Éditions Pierre Tisné, 1939.
Prat, Jean-Louis, *À la rencontre de Jacques Prévert*, catalogue de l'exposition, Fondation Maeght, 1987.
Premier Plan, n° 14, novembre 1960.
Remonté, Jean-François, et Depoux, Simone, *Les Années Radio*, L'Arpenteur, 1989.
La Révolution surréaliste, n°s 1 à 12, Éditions Jean-Michel Place, 1975.
La Revue musicale, «Joseph Kosma, 1905-1969, un homme, un musicien».
Ribemont-Dessaignes, Georges, *Déjà jadis*, Gallimard, 1961.
Rispail, Jean-Luc, *Les Surréalistes*, Découvertes Gallimard, 1991.
Ristat, Jean, *Album Aragon*, Gallimard, 1997, «Bibliothèque de la Pléiade».
Robrieux, Philippe, *Histoire intérieure du Parti communiste*, Fayard, 1984.
Rustenholz, Alain, *Prévert, inventaire*, Le Seuil, 1996.
Saint-Paulien, *Histoire de la collaboration*, L'Esprit Nouveau, 1964.
Salmon, André, *Tendres Canailles*, Gallimard, 1921.
Ségalat, Roger-Jean, *Album Éluard*, Gallimard, 1968, «Bibliothèque de la Pléiade».
Shirer, William L., *La Chute de la IIIᵉ République*, Stock, 1970.
Signoret, Simone, *La nostalgie n'est plus ce qu'elle était*, Le Seuil 1975 et 1978.
Thirion, André, *Révolutionnaires sans révolution*, Robert Laffont, 1972.
Trauner, Alexandre, *Décors de cinéma*, Jade-Flammarion, 1988.
Tual, Denise, *Au cœur du temps*, Carrère, 1987.
— *Le Temps dévoré*, Fayard, 1980.
Tulard, Jean, *Dictionnaire du cinéma — Les Réalisateurs*, Robert Laffont-Bouquins, 1982 et 1999.
— *Dictionnaire du cinéma — Les Films*, Robert Laffont-Bouquins, 1990 et 1997.
Van Tieghem, Philippe, *Dictionnaire des littératures*, P.U.F., 1968.
Verdet, André, *Pluriel*, Musée d'Art moderne de Nice, 1992.
— *Saint-Paul-de-Vence*, Éditions Dromadaire, 1992.
— *Saint-Paul-de-Vence et sa légende*, Édica, 1985.
Virmaux, Alain et Odette, *Dictionnaire du cinéma mondial*, Éditions du Rocher, 1994.
Wespin, Dominique de, *Jacques et Janine Prévert. L'un est l'autre*, Imprimerie artistique Lecaux S.A., 50110 Tourlaville.
Witta-Montrobert, Jeanne, *La Lanterne magique*, Calmann-Lévy, 1980.

INDEX

ABD EL-KRIM: 124.
ABRAMOWICZ, Bernard [docteur]: 680.
ACCURCI, Claude: 557.
ACHARD, Marcel: 200, 372, 446, 486, 496, 526.
ADAMOV, Arthur: 599.
AGUETTANT, Lucien: 227.
AÏCHA: 119, 120.
AIMÉE, Anouk (Françoise Dreyfus, dite): 573, 584, 606, 661.
AIMOS: 380.
ALARI, Nadine: 548, 549, 615, 679.
ALCOVER, Pierre: 364.
ALEKAN, Henri: 363.
ALEXANDROV, Grigori: 185.
ALLAIN: 46.
ALLÉGRET, Catherine: 592, 614, 648, 651.
ALLÉGRET, Gilles: 593, 594.
ALLÉGRET, Marc: 165, 176, 196, 199, 227, 284, 381, 424, 433, 468, 469, 495, 578.
ALLÉGRET, Renée: 233, 255, 594.
ALLÉGRET, Yves: 165, 196, 197, 198, 233, 236, 238, 244, 252-253, 257, 259, 261, 268, 280, 283, 284, 285, 287, 356, 495, 497, 509, 540, 553, 578, 591, 592, 594.
ALLIX, Yves: 464.
ALMEREYDA, Miguel: 282.
ALPHONSE XIII: 334.
ALTMAN, Georges: 344, 561.

ANDERSEN, Hans Christian: 525, 553, 585, 606.
ANDRÉ, Louis (général): 24.
ANDRÉ, Robert: 563.
ANDRIEU, Louis: 22.
ANOUILH, Jean: 165, 285, 356, 476.
ANTOINE, André-Paul: 250.
ANTOINE, Jean: 396.
ANTONIONI, Michelangelo: 482.
APOLLINAIRE, Guillaume: 76, 94, 105, 136, 142, 193, 428, 522, 633.
ARAGON, Louis: 22, 95, 105, 106, 107, 108, 109, 111, 114, 120, 124, 128-129, 130, 131, 132, 137, 139, 141, 142, 143, 146, 149, 154, 209, 259, 277, 323, 342, 350, 351, 392, 428, 485, 514, 548, 572, 578, 603, 659, 674, 675.
ARAOUF [lutteur]: 21.
ARGHESI, Tudor: 173.
ARLETTY: 419, 433, 434, 436, 446, 479, 480, 502, 504, 505, 526, 530, 573, 574, 638, 643, 682-683.
ARLUC, Georges: 621.
ARNOUX, Alexandre: 44, 354.
ARP, Jean: 132, 154.
ARTAUD, Antonin: 142, 143, 157, 163, 202, 473, 599, 640.
ARTIGAS, Pépito: 285, 286.
ASTRUC, Alexandre: 578.
AUBOUIN, Ghislaine (épouse May,

puis Autant-Lara): 201, 227, 228.

AUDIBERTI, Jacques: 372.

AUDOUARD, Yvan: 578, 654.

AUGUSTIN, saint: 38.

AULARD, E.: 544.

AULNOY, Marie Catherine, comtesse d': 19.

AUMONT, Jean-Pierre: 357, 363.

AURENCHE, Jean: 120, 142, 165, 166, 227, 285, 286, 356, 370, 371, 372, 394, 445, 472, 513, 553, 636.

AURENCHE, Marie-Berthe: 119, 120, 142, 165.

AURIC, Georges: 615, 637.

AURIOL, Jean George: 161, 171, 196, 198, 202, 205, 206, 208, 215.

AUTANT-LARA, Claude: 202, 227, 231, 233, 237-240, 283, 370, 371.

AUTANT-LARA, Ghislaine: 202, 205, 286, 306, 370.

AUTHIER, Guy: 675, 676, 677.

AYMÉ, Marcel: 372.

BACH, Jean-Sébastien: 344.

BACHELOT, Eugénie: 680-682, 685.

BACHELOT, Hugues: 550, 612, 614, 669, 670, 671, 678, 681, 682, 684, 685.

BADOUL, Lucie: *voir* DESNOS, Youki.

BAILBY: 291.

BAKER, Joséphine: 400.

BALIEF, Nikita: 109.

BALZAC, Honoré de: 317.

BAQUET, Maurice: 217, 255, 280, 281, 286, 294, 299, 300, 305, 311, 318, 322, 342, 344, 345, 366, 428, 477, 496, 497, 543, 557, 576, 642, 670.

BARDOT, Brigitte: 637.

BARNEY, Nathalie: 28, 29.

BARON, Grety: 119, 121, 154, 155, 202, 445.

BARON, Jacques: 121, 139, 154, 155, 157, 160, 181, 202.

BARRAULT, Jean-Louis: 200, 227,

295, 316-320, 323, 331, 342, 353, 357, 363, 364, 367-369, 480, 500, 501, 502, 503, 504, 505, 519, 580 588, 602, 662, 668.

BARRÈS, Maurice: 90, 107.

BARSACQ, Léon: 458, 501, 504

BARTÓK, Béla: 302, 303.

BASSIANO, princesse: 188, 191, 192.

BATAILLE, Georges: 115, 153, 159, 180, 181, 182, 281, 355, 454, 519, 547.

BATAILLE, Henry: 98.

BATAILLE, Nicolas: 585, 589.

BATAILLE, Sylvia: 281, 299, 322, 354, 355, 356, 427, 453, 459, 461, 539, 547, 550.

BATCHEFF, Denise: 161, 162, 164, 166, 167, 169, 170, 171, 172, 173, 174, 176, 177, 178, 183, 186, 187, 196, 198, 199, 202, 213, 214, 215, 273, 284, 299, 315, 334, 360.

BATCHEFF, Pierre (Piotr Bacer, *dit*): 161, 162, 163, 164, 166, 167, 169, 170, 171, 172, 173, 174, 175, 176, 177, 178, 179, 181, 183, 186, 187, 196, 198, 202, 213, 214, 215, 230, 235, 276, 277, 357, 360, 378, 394, 467, 471, 556, 559, 678.

BATY, Gaston: 210.

BAUDELAIRE, Charles: 432.

BAUR, Harry: 311, 372, 384.

BAZAR, *dit* Momo: 66-67, 90, 304.

BEACH, Sylvia: 92-93, 96, 102, 104, 135, 546.

BÉARN, Pierre: 545, 546, 667.

BEAUVOIR, Simone de: 229, 329, 392, 428, 509, 575.

BECKER, Jacques: 297, 298, 356, 538, 578.

BECKETT, Samuel: 618.

BEDER, Adolphe: 48, 112.

BEDOS, Guy: 623.

BEERY, Wallace: 417.

BÉJART, Maurice: 621, 623, 641.

BELL, Rex: 403.

BELLEC, André et Georges : *voir :* FRÈRES JACQUES, les.

BELLMER, Hans : 445.

BELLON, Loleh : 459.

BELLON, Yannick : 459.

BENGA, Feral : 577, 578.

BENJAMIN, René : 208.

BENOÎT, Gérard : 551.

BÉRARD, Christian : 531.

BERG, Marina de : 527, 528.

BERG, Wal : 272, 309.

BERGER, Pierre : 139.

BERGERY, Gaston : 136, 186, 205, 352, 361, 446.

BERL, Emmanuel : 155.

BERNARD, Armand : 390.

BERNARD, Jean : 546.

BERNARD, Paul : 485.

BERNARD, Paul (*dit* Tristan) : 167, 485.

BERNARD, Raymond : 167.

BERNHARDT, Sarah : 376.

BERRIAU, Simone : 237.

BERRY, Jules : 298, 299, 419, 433, 434, 438, 479.

BERTELÉ, René : 426, 510, 535, 542, 544, 545, 546, 547, 549, 550, 551, 554, 555, 568, 570, 571, 588, 590, 591-592, 600-602, 616, 630, 632, 634, 635, 636, 642, 643, 644, 645, 646, 647, 650, 653, 654, 660, 665, 671, 672, 674, 675, 676, 677, 679.

BESSET, Arlette : 211, 212, 216, 217, 224, 225, 236, 252, 254, 255, 257, 259, 260, 263, 266, 267, 268, 269, 276, 277, 314, 495, 511, 550.

BESSIÈRES, Gazelle : *voir* DUHA-MEL, Gazelle.

BESSIÈRES, Louis : 281, 295, 305, 345, 428, 429, 582, 602, 621, 638, 641.

BESSY, Maurice : 354.

BIDAULT, Georges : 488.

BILLETDOUX, François : 585.

BILLON, Pierre : 456, 457, 459, 460, 462, 469, 495.

BIZARD : 365.

BLANCHON, Jean-Henri : 394.

BLEUSTEIN-BLANCHET, Marcel : 396, 596.

BLIN, Roger : 281, 282, 285, 287, 294, 295, 316, 318, 319, 322, 350, 424, 425, 480, 497, 523, 528, 572, 578, 607, 636, 668.

BLISTÈNE, Marcel : 578.

BLONDIN, Antoine : 605.

BLUM, Léon : 219, 341, 342, 362.

BOCCACE : 599.

BODIN, Richard-Pierre : 178.

BOFA, Gus : 109.

BOGART, Humphrey : 367.

BOIFFARD, Jacques-André : 130, 139, 151, 159, 182, 236, 252-253, 309, 319, 546.

BOISLAMBERT, général de : 576.

BOISROND, Michel : 637.

BOLL, André : 250.

BOMPARD, Pierre : 464.

BONAPARTE : 371.

BONCOMPAIN, Claude : 515.

BONHEUR, Gaston : 576.

BONHEUR, Rosa : 436, 437.

BONIN, Lou : *voir* TCHIMOUKOW.

BONNARD, Pierre : 515, 639.

BORDEAUX, Henry : 90.

BORDEAUX, Paul Justin : 15.

BORDERIE, Raymond : 532, 561, 584.

BORSI, Manfredo : 639.

BORZAGE, Frank : 97.

BOST, Jacques-Laurent : 497, 522.

BOUBAL : 509.

BOUBAT, Édouard : 679.

BOUCHARDON, Edme : 619, 620.

BOUCHER, Pierre : 642, 663.

BOUCICAUT, Aristide : 60.

BOUDIN, Isidore : 411.

BOULOC, Denys-Paul : 492-493.

BOURBON-PARME, prince de : 465.

BOURBONS, les : 80.

BOURDET, Claude : 488, 489.

BOUSSIGE : 278.

BOUSSINOT, Roger : 300, 486.

BOUTEILLE, Romain : 595.

BOUTHOUL, Betty : 552.

BOUTHOUL, Gaston : 552.

BOUVIER, Jacqueline : 497, 610.

Boyer, Charles: 381.
Boyer, Jean: 598
Bow, Clara: 403.
Brando, Marlon: 526.
Braque, Georges: 614, 634, 639, 641, 650, 662, 681
Brassaï (Guyla Halász, *dit*): 185, 238, 432, 450, 452, 456, 520, 528, 531, 532, 533, 534, 540, 544, 545, 568, 590, 620, 625.
Brassens, Georges: 631.
Brasseur, Pierre: 116, 296, 380, 385, 387, 388, 389, 390, 392, 427, 457, 473, 474, 485, 486, 496, 497, 499, 500, 502, 504, 505, 523, 534, 539, 556, 562, 584, 606, 634, 670.
Braunberger, Pierre: 176, 177, 199, 283, 354, 355, 356, 357.
Brecht, Bertolt: 235, 260, 270, 271, 302, 303, 304, 328, 619.
Brelet, Claudine: 672, 680.
Brémaud, Jean: 236, 252, 273, 299.
Bresson, Jacques: 121, 123.
Bresson, Robert: 121.
Breton, André: 95, 105, 106, 107, 108, 111, 114, 115, 116, 117, 120, 121, 123-124, 125, 126-128, 130, 131, 132, 135, 136, 138, 139, 140, 142, 143, 144, 146, 148, 154, 155, 156, 157, 159, 161, 163, 164, 171, 178, 186, 188, 209, 228, 307, 323, 339, 359, 394, 398, 473, 510, 529, 551, 580, 604, 640, 662, 675.
Breton, Simone: 126, 133, 135, 154, 155.
Breuzard, Jacques: 586.
Briac, Claude: 391.
Briand, Aristide: 189.
Bride, Petrus: 450.
Brincourt, André: 489.
Brochier, Jean-Jacques: 674.
Browning, Tod: 97.
Bruant, Aristide: 579.
Bruckberger, R. P.: 618.
Brunius, Jacques-Bernard: 161-162, 163, 165, 169, 173, 196,

202, 205, 219, 226, 227, 228, 236, 282, 285, 299, 333, 351, 354, 372.
Buñuel, Luis: 163, 164, 177, 178, 184, 199, 399, 495, 504, 540.
Bussières, Raymond (*dit* Bubu): 39, 211, 212, 216, 217, 220, 222, 225, 228, 232, 235, 236, 238, 243, 244, 246, 248, 249, 252-253, 257, 259, 267, 268, 273, 276, 277, 284, 289, 290, 294, 295, 318, 349, 389, 426, 427, 480, 497, 523, 539, 557, 562.

Caccia, Roger: 453, 558.
Cachin, Marcel: 292, 294.
Calder, Alexandre: 639, 659, 662.
Cami, Pierre-Henri: 182.
Camus, Albert: 525, 547, 604.
Canetti, Jacques: 396, 460, 596.
Capelier, Auguste: 424, 458, 463, 483, 506, 558, 601.
Capelier, Margot (née Leibowitch): 281, 294, 299, 300, 316, 318, 424, 458, 461, 506, 549, 601-602, 609, 622, 648.
Capone (Alphonse, *dit* Al): 413.
Capri, Agnès (Sophie-Rose Friedman, *dite*): 180, 223, 272, 325, 326-328, 344, 345, 364, 396, 426, 427, 428, 429, 430, 440, 473, 474, 475, 483, 523, 549, 568, 577, 579, 596, 618.
Caracalla, Jean-Paul: 569.
Carette, Julien: 39, 226, 227, 497, 499, 539, 562, 573.
Carmet, Jean: 482.
Carné, Marcel: 227, 237, 301, 329-330, 331, 333, 341, 353, 362, 363, 364, 366, 367, 368, 369, 371, 372, 374, 375, 379, 380, 381, 382, 383, 384, 385, 386, 387, 388, 389, 390, 391, 392, 393, 397, 416, 418, 419, 431, 433, 434, 435, 437, 438, 439, 443, 449, 454, 458, 470, 472, 475, 476, 477, 478, 479,

481, 482, 483, 484, 486, 487,
495, 500, 502, 503, 504, 505,
508, 516, 519, 524, 525, 526,
527, 528, 529, 530, 531, 532,
536, 537, 538, 539, 541, 542,
543, 552, 556, 560, 561, 562,
563, 564, 572, 573, 574, 575,
584, 588, 590, 591, 605, 636,
662.
CAROL, Martine : 558, 573, 584.
CARPENTIER, Alejo : 153, 159.
CARPENTIER, Georges : 61.
CARRIEL, Annie : 364.
CARRIER, Jean-Baptiste : 26.
CARTER, Claudy (Claudy Cech,
dite) : 366, 418, 419, 423, 436,
437, 438, 441, 442, 443, 444,
445, 450, 451, 452, 456, 457,
460, 468, 469, 470, 475, 479,
480, 491, 492, 496, 506, 507,
508, 509, 513, 536, 574, 584,
602, 611, 612, 613, 639, 649,
664, 684.
CASALS, Pablo : 166.
CASARÈS, Maria : 529, 578.
CASSEL, Jean-Pierre : 618.
CASTANYER, Jean : 296-297, 298.
CASTELLA, Bob : 565, 593.
CASTRO, Fidel : 153.
CASTRO, Roland : 669.
CATROUX, Georges [général] : 576.
CAVALCANTI, Alberto : 151, 173,
199, 227.
CAYATTE, André : 440, 472, 575,
581, 583, 610.
CAZALIS, Anne-Marie : 575, 576,
618.
CAZAUX, Lionel : 333.
CECCALDI, Daniel : 621.
CENDRARS, Blaise : 396, 416, 522,
634.
CERDAN, Marcel : 586.
CERVANTÈS : 317, 352.
CÉSAR (César Baldaccini, *dit*) : 666.
CHABAN-DELMAS, Jacques : 576.
CHABANNES, Jacques : 245-246.
CHABRIER, Emmanuel : 308.
CHABROL, Claude : 666.
CHAGALL, Marc : 599, 614, 625,
639, 641, 662.

CHALAIS, François : 525-526, 541,
561.
CHAMPIN, docteur : 684.
CHANDEAU, Robert : 572.
CHANEL, Coco : 104, 384, 385.
CHANEY, Lon : 97.
CHAPLIN, Charlie : 97, 136, 137,
158, 170, 208, 359, 405, 623,
650.
CHAPSAL, Madeleine : 655, 664.
CHAR, René : 550, 571, 602, 604.
CHARDÈRE, Bernard : 651.
CHARENSOL, Georges : 525.
CHASE, James Hadley : 522.
CHAUFFIER, Louis-Martin : 604.
CHAUFFOUR, Jeanne : 211.
CHAUMETTE, François : 482, 549,
621.
CHAUTEMPS, Camille : 220.
CHAVANCE, Louis : 173, 202, 205,
227, 282, 309, 314-315, 336,
372, 423, 450, 472, 476, 500,
552, 590, 614.
CHAVANCE, Michel : 315, 552, 614.
CHAZAL, Robert : 561.
CHENAL, Pierre : 285.
CHERAMY, Augustin : 279, 286, 618.
CHESNAIS, Patrick : 624.
CHEVALIER, Maurice : 356.
CHEYNEY, Peter : 522.
CHIAPPE, Jean : 156.
CHIRAT, Raymond : 562.
CHRISTIANE [admiratrice] : 657.
CHRISTIAN-JAQUE : 393, 424, 461,
515, 600.
CHURCH, Henry : 431, 432.
CHURCHILL, Winston : 405.
CITROËN, André : 247.
CLAIR, René : 163, 167, 202, 227,
236, 238, 329, 355, 356, 357,
369, 454, 559.
CLAMAMUS : 256-257, 274, 275.
CLAUDEL, Paul : 93, 124, 191, 192.
CLAVEL, Robert : 550, 551.
CLAY, Philippe : 621.
CLEMENCEAU, Georges : 68, 234.
CLÉMENT, René : 541.
CLOUZOT, Henri-Georges : 472,
476, 498, 562, 610, 652.
CLOUZOT, Véra : 652.

COCTEAU, Jean: 135, 136, 137, 147, 166, 326, 334, 461.
COHEN, Jack: 451, 556.
COHN-BENDIT, Daniel: 666, 669.
COLE, Nat King: 598.
COLETTE: 93, 424, 634.
COLIN, Paul: 119.
COLOMBIER, Jacques: 227.
COLOMBIER, Pierre: 433.
COMPANEEZ, Jacques: 461, 600.
CONRAD, Joseph: 76.
CONSTANT, Jacques: 333.
COOPER, Gary: 395, 618.
COPPÉE, François: 16.
CORNIGLION-MOLINIER, Édouard: 362, 363, 370, 371-372.
CORTI, José: 191, 236, 459, 545, 546.
COT D'ORDAN: 503.
COTY, François: 220.
COUELLE, Jacques: 639.
COURCHET, Maurice: 304.
COURNOT, Michel: 546.
COURTADE, Pierre: 524.
CREVEL, René: 136.
CROISSET, Francis de: 231.
CROLLA, Colette: 565.
CROLLA, Henri (*surnommé* Mille-Pattes): 480, 491, 521, 523, 564-565, 578, 579, 583, 593, 600, 602, 621, 637, 638, 643, 648, 681.
CROLLA, Mme: 564.
CROS, Charles: 47.
CUNARD, Nancy: 119, 128-129, 137, 142, 209.
CUNY, Alain: 476, 477, 479, 483, 578, 636, 668.

DABIT, Eugène: 250.
DALADIER, Édouard: 287, 445.
DALÍ, Salvador: 120, 154, 163, 178, 394, 675.
DAMOUR, Étienne: 165.
DAQUIN, Louis: 447.
DARNAND: 493.
DARQUIER DE PELLEPOIX: 493.
DARRIEUX, Danielle: 480.
DASTÉ, Jean: 299, 350, 497.
DAUDET, Alphonse: 47.

DAUDET, Léon: 291.
DAUMAL, René: 156, 192.
DAUMIER, Honoré: 191.
DAVID, Charles: 199, 200, 225, 227, 363, 367.
DAVIES, Marion: 405.
DAVIS, Angela: 668.
DAVREU, Julien: 255, 511, 550.
DÉA, Marie: 381, 479.
DEBEYRE, Jean [docteur]: 586.
DEBURAU, Jean-Baptiste Gaspard: 500, 501, 503.
DEBURAU, Mme: 501.
DECAUNES, Luc: 307, 323, 325, 351, 361.
DE CHIRICO, Giorgio: 108, 109, 111, 131, 132, 146, 453.
DECOMBLE, Guy: 227, 236, 244, 249, 273, 282, 289, 294, 295, 299, 318, 345, 424, 480, 497.
DECOURCELLE, Pierre: 59.
DECROUX, Étienne: 22, 316, 497, 500, 501, 504, 558, 621.
DEGLIAME-FOUCHÉ (*dit* Dormoy): 490, 494, 510.
DEIBLER: 234.
DELACOUR: 370.
DELANNOY, Jean: 461, 636, 637.
DELARUE-MARDRUS, Lucie: 29.
DELMET, Paul: 308.
DELMONT, Édouard: 380, 457.
DELON, Alain: 637.
DELONS, André: 161.
DELORME, Danièle: 668.
DELTEIL, Joseph: 106, 107.
DE MILLE, Cecil B.: 417.
DENET, docteur: 588.
DENIAUD, Yves: 276, 299, 345, 361, 364, 424, 428, 497, 523, 556, 580, 584, 607.
DENISE [compagne de Claude Martin]: 337, 338.
DENYS DE SYRACUSE: 584.
DERAIN, André: 634.
DERLON, Jacques: 620, 623, 624.
DEROCHE, Jean: 534.
DÉROULÈDE, Paul: 234.
DESCHAMPS, Henri: 641.
DESCHAMPS, Hubert: 618, 621.
DESCORTILS, Gérard: 679.

DESGRANGE, Henri : 20.
DESNOS, Robert : 105, 108, 114, 121, 125, 132, 133, 136, 146, 149, 153, 156, 157, 159, 163, 170, 181, 182, 191, 285, 321, 327, 366, 424, 425, 428, 473, 509, 510, 514, 515, 530, 575, 595, 675.
DESNOS, Youki : 119, 120, 133, 321, 366, 423, 424, 575.
DESSAU, Paul : 302.
DESSENNE, Alice : 236.
DEVENS : 63.
DEVOS, Raymond : 623.
DHÉRY, Robert : 496, 499, 505.
DIAGHILEV, Serge de : 135, 136, 147, 160, 334, 527, 528.
DIAMONT-BERGER, Maurice : 556.
DIENNE (famille) : 48, 53, 90, 112, 113, 136, 201, 315.
DIENNE, Gabrielle : 48.
DIENNE, Georges : 48.
DIENNE, Germaine : 48.
DIENNE, Jean : 49.
DIENNE, Madeleine : 48, 53.
DIENNE, Margueritte : 48.
DIENNE, Roger : 49, 90.
DIENNE, Simone (épouse Prévert, puis Chavance) : *voir* PRÉVERT, Simone.
DIENNE, Yvonne : 48, 53.
DIETRICH, Marlene : 390, 531, 532, 536, 538, 539, 542, 543, 560, 618.
DIGARD, Alain : 659.
DIGNIMONT : 109.
DIX, Otto : 328.
DMYTRYK, Edward : 584.
DOISNEAU, Robert : 633, 635, 646, 658, 659, 675, 679, 683.
DONIOL-VALCROZE, Jacques : 206.
DORIOT, Jacques : 493.
DORYTHEA : 401, 402, 415.
DOS PASSOS, John : 468.
DOSTOÏEVSKI : 543.
DOUAI, Jacques : 579.
DOUCET, Clément : 310.
DOUCET, Jacques : 131.
DOUMERGUE, Gaston : 287, 289, 291, 365.

DOUY, Max : 458, 485, 488.
DOVE, Billie : 228.
DRÉVILLE, Jean : 472.
DRIEU LA ROCHELLE, Pierre : 48, 106, 161, 315, 474-475.
DROUIN, Dominique : 379, 381.
DUBARRY, Albert : 246.
DUBOSC : 371.
DUBREUILH, Simone : 585, 586.
DUBY, Jacques : 618.
DUCHAMP, Marcel : 105, 106, 127, 131, 183, 394.
DUCLOS, Jacques : 350.
DUCROCQ, Jeannette : 90, 98, 99, 100, 104, 113, 123, 129, 133-134, 145.
DUFF TWYSDEN, lady : 119, 120, 129.
DUFILHO, Jacques : 580, 621, 636.
DUFY, Raoul : 465, 639.
DUHAMEL, Gazelle : 111, 119, 121-122, 123, 126, 129, 130, 131, 133, 134, 146, 149, 151, 152, 154, 155, 166, 167, 171, 173, 199, 202, 203, 204, 228, 232, 233, 236, 238, 246, 255, 281, 295, 314, 318, 319, 320, 321, 335, 424, 445, 469, 540, 582.
DUHAMEL, Germaine : 671.
DUHAMEL, Marcel : 71, 75, 76, 77, 78, 79, 80, 81, 82, 83, 84, 85, 87, 88, 91, 92, 96, 97, 98, 99, 100, 101, 102, 103, 104, 106, 108, 110, 111, 113, 114, 115, 116, 121-122, 123, 128, 129, 130, 131, 133, 134, 136, 138, 139, 143, 145, 146, 148-151, 152, 153, 154, 155, 156, 158, 161, 171, 175, 176, 179, 180, 196, 197, 199, 202, 203, 214, 215, 220, 227, 228, 236, 267, 246, 249, 252, 255, 257, 258, 259, 260, 261, 263, 264, 265, 267, 268, 273, 278, 279, 280, 281, 284, 285, 292, 294, 295, 296, 299, 313, 318, 320, 321, 323, 333, 335, 338, 340, 350, 357, 358, 360, 364, 384, 399, 424, 425, 444, 445, 449, 451, 456, 457, 459, 496, 514, 516,

522, 529, 621, 638, 649, 658, 659, 671, 672, 675, 678.
DUHÊME, Jacqueline : 615, 626.
DULLIN, Charles : 44, 166, 174, 295, 316, 424, 425.
DUMAS, Alexandre : 59, 76.
DUMAYET, Pierre : 546.
DUNOYER DE SEGONZAC, André : 465.
DUPARC, Jacques : 586.
DUPUY, Henri-Jacques : 548.
DUVALEIX, Christian : 623.
DUVIVIER, Julien : 296, 373, 374, 379, 454, 468.

ÉDOUARD VIII, prince de Galles : 75, 122, 465.
EFFEL, Jean : 459, 598.
EIFFEL, Gustave : 60.
EISENSTEIN : 185, 209, 625.
EISLER, Hanns : 260, 270-271, 272, 273, 302, 303, 304.
ÉLISE [danseuse] : 670.
ELLINGTON, Duke : 399, 400.
ÉLUARD, Paul : 105, 106, 108, 119-120, 135, 136, 143, 146, 159, 225, 339, 342, 398, 445, 485, 510, 514, 517, 520, 531, 551, 561, 604, 675.
EMMANUELLI, Constant : 506.
EMMANUELLI, Netta : 506.
ENDREU, Gaby : 381.
ENOCH, Daniel : 308, 309.
ENOCH, Jacques : 308, 324, 523, 545, 569, 580, 628.
ENOCH, Janine : 598, 608, 613, 615, 629-630, 665.
ERIKA : 336.
ERNST, Max : 109, 120, 125, 132, 135, 146, 154, 163, 165, 177, 183, 285, 445, 458, 640, 642, 662, 663, 675.

FABRE, Saturnin : 539, 562.
FABBRI, Jacques : 618.
FAILONE : 302.
FAIRBANKS, Douglas : 97, 202, 417.
FALLOIS, Bernard de : 604, 605.
FARGE, Yves : 489, 510, 515, 530.

FARGUE, Léon-Paul : 93, 95, 96, 188, 189, 190.
FARIDA [admiratrice] : 657.
FARRÈRE, Claude : 76, 78, 83.
FAUCHEUX, Pierre : 569.
FAUCIGNY-LUSSINGE, prince et princesse de : 178, 574.
FAULKNER, William. 115, 295.
FÉLIX, Louis : 211, 236.
FELS, Florent : 109, 113, 114, 125, 126.
FERLINGHETTI, Lawrence : 660.
FERNANDEL : 284, 393.
FERRÉ, Léo : 618, 622.
FERRY, Jean (Jean Lévy, *dit*) : 236, 249, 273, 294, 471-472.
FEUILLADE, Louis : 46, 98.
FEUILLÈRE, Edwige : 543.
FÉVAL, Paul : 19, 525.
FEYDEAU, Georges : 273, 284.
FEYDER, Jacques : 167, 199, 236, 238, 329, 355, 363, 385, 433, 468, 524, 578.
FILIPACCHI, Daniel : 424.
FILIPACCHI, Henri : 399, 424, 591.
FITZGERALD, Ella : 400.
FLAHERTY, Robert : 199.
FLAUBERT, Gustave : 73.
FLERS, Robert de : 231.
FLORELLE : 42, 298, 310, 370, 576.
FOMBEURE, Maurice : 596.
FORD, John : 103, 391.
FORT, Paul : 90, 93, 95.
FOUJITA : 104, 119, 120, 366.
FOUQUET, Louise : *voir* MOULOUDJI, Lola.
FOURRIER, Marcel : 143.
FRAENKEL, docteur : 215.
FRANCE, Anatole : 106, 107, 120, 123, 158.
FRANCEN, Victor : 187.
FRANCO, Francisco [général] : 340.
FRANÇOIS, André : 627.
FRANÇOIS, Jacqueline : 598.
FRANÇOIS Ier : 463.
FRANÇOIS-FERDINAND DE HABSBOURG [archiduc d'Autriche] : 56.
FRANJU, Georges : 666.
FRANKEUR, Paul : 428, 497, 504.
FRANTZ, Robert : 621.

FRÉDÉRIQUE, André : 580.
FREINET, Célestin : 197.
FRENAY, Henri : 488, 524.
FRÈRES JACQUES, les : 518, 519, 595, 596, 597, 611, 618.
FRÈRES MARC, les : *voir* KORB, Maurice et KORB, Nathan.
FRÉRET : 192.
FRESCOURT, Henri : 97.
FRESNAY, Pierre : 373.
FREUD, Sigmund : 139, 273.
FREUND, Gisèle : 546.
FROGERAIS, Pierre : 433, 437, 439.
FROMANGER, Gérard : 661, 679.
FRUHTMAN, Gisèle : *voir* PRÉVERT, Gisèle.
FRY, Varian : 445.
FUCHSMANN, Jeannette : 233, 236, 248, 249, 252, 257, 260, 269, 276.
FUCHSMANN, Lazare : 211, 212, 215, 216, 217, 225, 236, 257, 276.
FUCHSMANN, Raymonde : 236.

GABIN, Dominique (*dite* Dodo) : 372, 373, 374.
GABIN, Jean : 372, 373, 374, 375, 376, 377, 379, 380, 381, 382, 383, 385, 386, 387, 388, 389, 390-391, 392, 394, 413, 416, 419, 433, 434, 436, 437, 438, 440, 442, 447, 456, 531, 532, 536, 537, 538, 539, 542, 543.
GABLE, Clark : 401, 403, 405, 618.
GALA : 119, 120.
GALANTE, Pierre : 457.
GALEY, Louis-Émile : 486, 508, 556, 557.
GALEY, Matthieu : 673.
GALLIAN, Katti : 459, 460.
GALLIENI, Joseph [général] : 578.
GALLIFFET, Gaston de [général] : 221.
GALLIMARD, Claude : 635, 647, 651, 672, 676, 677.
GALLIMARD, Gaston : 190, 206, 362, 555-556, 591, 600-601, 626, 635, 636, 646, 647, 651, 653, 660, 675, 676.

GALTIER-BOISSIÈRE, Jean : 309.
GAMBETTA, Léon : 47.
GANCE, Abel : 163, 167.
GARBO, Greta : 377.
GARCIA, Nicole : 624.
GARCIA LORCA, Federico : 672.
GARDNER, Ava : 120.
GARDONI, Fredo : 460.
GASIGLIA-LASTER, Danièle : 680.
GASNIER, Louis : 59.
GAUCHERON, Jacques : 603-604.
GAUDIN, Albert : 569.
GAULLE, Charles de [général] : 540, 667.
GAUTIER, Jean-Jacques : 547.
GAUTIER, Théophile : 76, 78, 80, 503, 542.
GAUTY, Lys : 303, 304.
GÉLIN, Daniel : 497, 526, 551, 623, 664.
GÉMIER, Firmin : 250.
GENET, Jean : 578, 591.
GÉNIA, Claude : 472.
GENIAT, Marcelle : 361.
GENICA (mère de Gazelle Duhamel) : 321.
GÉNIN, René : 364, 380.
GENINA, Augusto : 176, 187, 196.
GEORGE, Yvonne : 114, 119, 121, 327.
GÉRALDY, Paul : 603, 631.
GÉRARD, Francis : 130, 157.
GIACOMETTI, Alberto : 153, 154, 161, 167, 221, 645, 662.
GIBORY, A. : 227.
GIDE, André : 93, 165, 189, 196, 284, 546, 570, 571, 592.
GILLES et JULIEN : 277, 307, 369, 459, 566, 622.
GILOT, Françoise : 625.
GILSON, René : 490.
GIONO, Jean : 467, 634.
GIRARD, André : 199.
GIRAUD-BADIN : 192.
GIRAUDOUX, Jean : 369.
GIRONDE, Mme de : 165, 166.
GIROUD, Françoise : 656.
GLORY, Marie : 468.
GODARD, Jean-Luc : 382.
GOEBBELS, Joseph : 378, 471.

GOLDIN, Samuel Mitty: 327, 564.
GOLDWYN, Samuel: 96-97.
GÓMEZ DE LA SERNA, Ramón: 183.
GONON [relieur]: 582.
GOODMAN, Benny: 400.
GORDON-LAZAREFF, Hélène: 646-647, 672.
GOREL, Michel: 229, 230.
GORKI, Maxime: 354.
GOTTWALD, Klement: 600.
GOULUE, la: 14, 34, 365.
GOURMONT, Remy de: 29.
GOUTAL-DARLY, Jacques: 681.
GRACQ, Julien: 546.
GRAND, Serge: 217.
GRANIER, Jean: 333.
GRANT, Cary: 395.
GRAUMAN, Sid: 417.
GRÉCO, Juliette: 305, 528, 575, 576, 577, 578, 595, 596, 597 598, 618.
GREENWOOD, Marianne. 625.
GREGORY, Virginia: 211, 236, 249, 276.
GRÉMILLON, Jean: 374, 388, 439, 440, 441, 442, 447, 449, 484, 485, 495.
GRENIER: 620.
GRETY: *voir* BARON, Grety.
GREVEN, Alfred: 471-472, 476.
GREVEN, Jean: 530.
GRÉVILLE, Edmond T.: 460.
GREY, Lita (épouse Chaplin): 137.
GRIMAUD, Maurice: 667.
GRIMAULT, Paul: 72, 150, 165, 196, 204, 220, 226, 227, 278, 284, 285, 286, 287, 293, 295, 299, 425, 469, 525, 553, 564, 565, 576, 582, 583, 585, 588, 606, 607, 608, 620, 634, 638, 643, 662, 666, 670.
GRIMM: 19.
GRIS, Juan: 102.
GROETHUYSEN, Bernard: 431.
GROS, Léon-Gabriel: 570.
GUGGENHEIM, Peggy: 445.
GUILBAUD, Pierre: 638.
GUILLAUME, docteur: 586
GUILLAUME, Paul: 111.
GUILLOU, Yannick: 685.

GUISOL, Henri: 364.

HAEDENS, Kléber: 576.
HAEDRICH, Marcel: 576.
HAHN, Reynaldo: 231.
HAKIM, les frères: 636, 637.
HALLEY DES FONTAINES, André: 297, 496.
HALLIDIE, Andrew: 409.
HAMON, Louis: 250.
HANAU, Marthe: 217.
HANOTEAU, Guillaume: 569, 631.
HARDY, Françoise: 661.
HAUSSMANN, Georges [baron]: 11.
HEARST, William Randoph: 405, 406.
HÉBERT, Jacques. 47.
HEINRICH, André: 635.
HELL, Henri: 569.
HELLER, Gerhard: 511.
HEMINGWAY, Ernest: 97, 104, 120, 131, 468.
HENRIQUEZ, Elsa (épouse Savitry): 469, 490-491, 506, 581, 620, 626, 661.
HENRY, Maurice: 546, 571, 620.
HERRAND, Marcel: 327, 427, 479, 481, 502, 503, 504.
HERRIOT, Édouard: 126, 233, 234.
HIKMET, Nazim: 599.
HILER, Hilaire: 119.
HILERO, Maurice: 236, 249.
HINDENBURG, Paul von [maréchal]: 240.
HITCHCOCK, Alfred: 588.
HITLER, Adolf: 240-242, 258, 259, 267, 269, 303, 350, 363, 378-379, 393, 419, 441.
HODEIR, André: 638.
HOLIDAY, Billie: 400.
HOPE, Bob: 400.
HORTHY DE NAGYBANYA, Miklos: 238, 301, 449.
HUGO, Victor: 59, 192, 210, 501.
HUGON, André: 311, 355.
HULTON, Loïs: 465.
HUSSENOT: 620.
HUXLEY, Aldous: 188.

IBELS, Georges Richard: 15.

Inès, Denis d' : 44.
Ingram, Rex : 179, 213.
Ionesco, Eugène : 618.
Isabelle [admiratrice] : 657.
Issert, Marius : 612.
Itkine, Sylvain : 276, 279, 285, 287, 289, 299, 312, 313, 319, 320, 325, 350, 402, 428, 459, 547, 649.
Ivens, Joris : 540, 637, 638, 673.
Izis (Israël Bidermanas, *dit*) : 625, 626, 628, 662, 682.

Jacob, Guy : 600.
Jacob, Max : 105, 193, 428, 634.
Jacquelin, Edmond (*dit* Piou-Piou) : 20.
Jacques, Henry : 556.
Jamet, Pierre : 424, 622.
Jane, Janine : *voir* Tricotet, Janine.
Janin, Jacques : 311, 312.
Janin, Jules : 503.
Jansen, Jacques : 483.
Jarry, Alfred : 142, 175, 193, 229, 308, 360, 634.
Jaubert, Maurice : 227, 283, 369, 370, 386, 389, 428, 439, 453, 459.
Jaurès, Jean : 56, 106.
Jdanov : 603.
Jean, Marcel : 236, 249, 253, 679.
Jeanmaire, Zizi : 531.
Jeanson, Henri : 200, 419, 436, 446, 461, 560.
Jeramec : 48.
Jeramec, Colette : 48, 150, 161, 315.
Joannon, Léo : 356, 363, 380, 573.
Joaquim, Irène : 564.
Joffre, Joseph [maréchal] : 57, 283.
Johnny : 327.
Jolas, Eugène : 158, 181.
Jorn, Asger : 619, 661.
Jouhandeau, Marcel : 181, 670, 671.
Jouhaux, Léon : 287.
Jourdan, Louis : 469.

Jouvenel, Bertrand de : 427.
Jouvenel, Colette de : 427.
Jouvenel, Henry de : 427.
Jouvenel, Renaud de : 426, 430, 440-441, 449, 451, 580.
Jouvet, Louis : 200, 356, 363, 364, 368, 369, 371, 380, 446, 524.
Joyce, James : 183.
Joyeux, Odette : 496.
Juin, Hubert : 632.
Juquin, Simon : 56.

Kafka, Franz : 468.
Kahn, Janine : 154, 155.
Kahn, Simone : *voir* Breton, Simone.
Kalandra, Zavis : 600.
Kaminker : 480.
Kaufman, Boris : 282.
Kaye, Dany : 618.
Keaton, Buster : 97, 108, 169, 202, 205, 216, 397.
Kemal, Mustafa : 87.
Kennedy, Jackie : 654.
Kerenski : 67.
Kerillis, Henri de · 245.
Kertész, André : 238, 625.
Kessel, Joseph : 105, 326, 446.
Kiejman [avocat] : 685.
Kiki de Montparnasse : 104, 119, 121, 151, 575.
King, Martin Luther : 669.
Kisling : 194.
Klee, Paul : 132.
Klein, Wolfgang : 253.
Kloukowski, Isabelle : 197.
Kochno, Boris : 527, 528.
Korb, Maurice : 276-277, 279, 285, 312, 350, 425, 566.
Korb, Nathan : *voir* Lemarque, Francis.
Korb, Rachel : 277, 281.
Korbalias, Nathan :
Korda, Alexandre : 532.
Kosma, Joseph (surnommé Io) : 68, 272, 301-302, 303, 304, 305, 306, 307, 308, 309, 310, 319, 324, 325, 328, 332, 355, 356, 357, 369, 370, 425, 429,

447, 449, 450, 452, 456, 457, 458-459, 461, 462, 463, 469, 473, 474, 475, 477, 478, 483, 487, 488, 489, 491, 496, 497, 503, 506, 509, 519, 521, 522, 523, 525, 528, 531, 532, 533, 536, 537, 540, 545, 556, 558, 563, 565, 568, 569, 572, 573, 576, 580, 583, 585, 586, 595, 596, 600, 602, 605, 606, 607, 608, 628, 662.

Kosma, Lilly (née Appel Annabell): 302, 303, 306, 425, 450, 452, 458, 487, 489, 566, 608.

Kra, Simon: 108, 473.

Kriegel-Valrimont, Maurice: 524.

Krohg, Lucie: 119, 120, 194.

Krohg, Per: 120.

Krühl, Germaine: 174, 540.

Krupp: 68, 234.

Kun, Béla: 301.

Labisse, Félix: 620.

Labisse, Rolande: 318.

Lacan, Jacques: 453, 550.

Lacenaire, Pierre-François: 501, 502, 505.

Lafaye, Georges: 620, 623.

Laffoy, Sylvia [admiratrice]: 657.

La Fontaine, Jean de: 654.

Lalique, René: 396.

Lamarr, Hedy: 377.

Lamartine, Alphonse de: 84, 87, 123.

La May: 468.

Lamorisse, Albert: 624.

Lamoureux, Robert: 621.

Lampin, Georges: 543.

Lang, Fritz: 199, 363, 369.

Langdon, Harry: 170, 205.

Langlois, Henri: 393, 456, 666.

Lanvin, Jeanne: 453.

Laporte, René: 548.

Larbaud, Valery: 95, 96, 188, 189, 190, 191.

Larminat, général de: 529.

Laroche, Pierre: 460-461, 462, 469, 473, 474, 475, 476, 478, 483, 484, 485, 490, 522, 534, 556, 585.

La Rocque, François de [colonel]: 229.

Laster, Arnaud: 651, 680.

Lattre de Tassigny, Jean-Marie de [maréchal]: 566.

Laughton, Charles: 270, 588.

Laurel et Hardy: 286.

Laurencin, Marie: 102, 634.

Laurent, Jacqueline: 311, 312, 313, 314, 315, 316, 322, 323, 325, 327, 331, 335, 336, 337, 338, 340, 355, 356, 357, 358, 360, 366, 375, 377, 378, 381, 382, 384, 394, 395, 396, 397, 398, 399, 400, 401, 402, 403, 404, 405, 406, 407, 408, 410, 412, 415, 416, 417, 419, 433, 434, 435, 436, 437, 438, 440, 442, 445, 468, 508, 513, 517, 536, 543, 574, 591, 600, 612, 632.

Laurent, Marc: 511.

Lautréamont (Isidore Ducasse *dit* le comte de): 93, 136, 308, 339, 468, 473.

Laval, Pierre: 452, 493.

Lavaux, Jean: 572.

Lazareff, Pierre: 267, 362, 365, 646.

Léandri: 463.

Leblanc, Richard: 305.

Le Boterf, Hervé: 505.

Lebreton, Jacques: 482.

Lecache, Denise: 318.

Le Chanois, Jean-Paul (Jean-Paul Dreyfus, *dit*): 173, 196, 200, 201, 202, 203, 205, 206, 208, 209, 217, 219, 220, 225, 227, 230, 234, 236, 246, 251, 252, 256, 267, 276, 350, 471-472.

Lecoin, Louis: 446.

Lecomte, Roger-Gilbert: 156.

Ledoux, Fernand: 479.

Leduc, Henri: 208, 243, 279, 281, 285, 294, 295, 318, 345, 480, 497, 534, 576.

Leduc, Raymonde: 281, 294.

Leduc, Violette: 365.

Leenhardt, Roger: 285.

Lefèvre, René: 298.

LÉGER, Fernand: 231-233, 269, 295, 619, 639.

LEGRIS, Roger: 210, 211, 223, 250, 274, 275, 380.

LEHMANN, Maurice: 370-371.

LEIBOVICI, Raymond [docteur]: 442, 443, 444, 586, 587, 588, 590, 664.

LEIBOWITCH, Raymond [docteur]: 281, 299, 424, 622.

LEIRIS, Michel: 115, 116, 125, 153, 159, 180, 181, 182, 359, 473, 514, 531, 546, 570, 640.

LELOUCH, Claude: 666.

LEMAÎTRE, Frédérick: 486, 501, 502, 503, 505.

LEMAÎTRE, Jules: 16.

LEMARQUE, Francis (Nathan Korb, *dit*): 204, 276-277, 278, 279, 281, 285, 289, 306, 312, 313, 342, 344, 350, 364, 425, 429, 459, 460, 496, 566, 567, 568, 578, 579, 618, 622, 683.

LÉNINE: 252, 258, 261.

LÉONA-NADJA: 142.

LEPRINCE DE BEAUMONT, Jeanne Marie: 19.

LESTRINGUEZ, Pierre: 356.

LESURQUES: 371.

LEVESQUE, Marcel: 299.

LE VIGAN, Robert: 331, 333, 380, 389, 504, 505, 508

LEVIN, Sam: 445.

LÉVIS MANO, Guy: 339, 394, 600, 632.

LÉVY, Jean-Claude: 652, 661, 667.

LÉVY, Pierre: 183, 188.

L'HERBIER, Marcel: 97, 167, 173, 202, 238, 468, 498.

LHOMME, Pierre: 534.

LIMBOUR, Georges: 159.

LIMUR, Jean de: 356.

LINCOLN, Abraham: 414

LINDER, Max: 230.

LINDTBERG, Léopold: 593.

LISZT, Franz: 301

LITVAK, Anatole: 393.

LODS, Ida (épouse Jamet): 211, 220, 223, 236, 249, 252-253, 325, 423, 622.

LODS, Jean: 211, 220, 223, 237, 252, 285, 424.

LOEB, Pierre: 154.

LOHRER, colonel: 482, 514-515.

LOLLOBRIGIDA, Gina: 636, 637.

LOMBARD, Carole: 401, 405.

LONDON, Jack: 411.

LOPEZ, Arturo: 430.

LORIS, Fabien (Dominique Fabien Loris Terreran, *dit*): 236, 280, 281, 282, 287, 294, 295, 299, 318, 323, 325, 345, 351, 357, 358, 364, 424, 428, 467, 480, 497, 504, 513, 523, 528, 531, 533, 541, 551, 556, 564, 578, 580, 622, 629.

LORIS, Janine: *voir* TRICOTET, Janine.

LORRAIN, Jean: 14, 34, 43.

LOTAR, Eli: 173, 174, 180, 196, 197, 198, 201, 227, 283, 337, 540, 562, 662.

LOTI, Pierre: 76, 78, 83, 84, 90, 107

LOUBÈS, Jean: 211, 216, 217, 236, 252, 276.

LOUBET, Émile: 14, 22, 23.

LOUSSIER, Jacques: 638.

LOVANO, Lucien: 572.

LÜBECK, Mathias: 308.

LUCACHEWITCH: 440, 447.

LUCAS, Bernard: 576.

LURÇAT, Jean: 101, 122, 269.

LUTER, Claude: 599, 618.

LYS, Lya: 177.

LYS, Mona: 284.

MAAR, Dora: 314, 500, 531

MAC ORLAN, Pierre: 259, 374, 375, 376, 377, 378, 379, 380, 389.

MAEGHT, Adrien: 589, 611, 613, 641, 644, 645, 650, 662, 665.

MAEGHT, Aimé: 515, 589, 599, 641, 649.

MAEGHT, Bernard: 649.

MAEGHT, Marguerite: 515, 649.

MAEGHT, Paule: 645.

MAHÉ DE LA BOURDONNAIS, François: 35.

MAÏAKOVSKI : 602.
MAKOVSKI : 464.
MALCLÈS, Jean-Denis : 596.
MALINJOUX, abbé : 25, 50.
MALKINE, Georges : 108, 125.
MALLARMÉ, Stéphane : 308, 334, 468.
MALOT, Hector : 320.
MALRAUX, André : 280, 358, 362, 650, 666, 668.
MALRAUX, Roland : 358.
MAMAN MARIE (mère de Paul Roux) : 464, 465.
MAMY, Jean : 200, 354, 495.
MAN RAY : 105, 108, 119, 132, 139, 151, 152, 153, 156, 163, 182, 339, 394.
MARAIS, Jean : 364.
MARC [dompteur] : 20.
MARCEAU, Marcel : 227, 618.
MARCHAL, Georges : 485.
MARCHAND, Yves-Marie : 146.
MARDRUS, Joseph [docteur] : 29.
MARGARET H. : 481, 482, 514.
MARGARITIS, Gilles : 282, 345, 453, 558.
MARGARITIS, Hélène (née Malliarakis) : 453.
MARION, Jean : 462.
MARKEN, Jeanne : 556.
MARS, Colette : 596.
MARTIN, Claude : 337, 338.
MARTIN, Nicole : 685.
MARTIN DU GARD, Maurice : 193.
MARTINE [admiratrice] : 657.
MARX, Karl : 133, 143, 262.
MARX BROTHERS, les : 170, 216, 230.
MASSES : 274.
MASSILLON, Jean-Baptiste : 22.
MASSON, André : 109, 115, 132, 133, 135, 153, 163, 197, 639.
MASSON, Lily : 197.
MATISSE, Henri : 102, 238, 394, 516, 614, 615, 626, 639, 641.
MAUCLAIR, Camille : 181.
MAUPASSANT, Guy de : 354.
MAURIAC, Claude : 547.
MAURIAC, François : 446.
MAURRAS, Charles : 107, 291.

MAXWELL, Elsa : 405.
MAY, Ghislaine : *voir* AUBOUIN, Ghislaine.
MAYER, Louis B. : 384, 401, 402.
MAYO (Antoine Malliarakis, *dit*) : 450, 453, 454, 503, 506, 528, 531, 554.
MCCARTHY, Joseph : 599.
MÉDINA, Albert : 620.
MEERSON, Lazare : 238-240, 284, 363, 458.
MEHMED VI : 73, 87.
MENDJISKY : 464.
MENKÈS : 464.
MERCER, Johnny : 598.
MERCURE, Jean : 459.
MÉRIMÉE, Prosper : 210.
MERLE, Eugène : 392.
MERLIN, Marie : 572, 608.
MERMOUD, Albert : 626, 629, 635.
MÉTRA, Olivier : 237.
MEURISSE, Paul : 573.
MEYER, Jean : 499.
MICHAUX, Henri : 41, 183, 394, 430-432, 473, 474, 510, 550, 571, 591, 602, 640, 655.
MILHAUD, Gérard : 273.
MILLER [jockey] : 119.
MILLER, Henry : 406.
MIRANDE, Yves : 227.
MIRBEAU, Octave : 76, 210.
MIREILLE : 556.
MIRÓ, Joan : 115, 131, 132, 133, 135, 146, 154, 163, 285, 639, 641, 650, 655, 659, 661, 662, 681.
MITTENS, Mme : 488.
MITTERAND, François : 628, 669.
MODOT, Gaston : 177, 504.
MOGINOT, Mlle : 62-64.
MOHOLY-NAGY, Laszlo : 301
MOLOTOV : 441.
MONET, Claude : 43.
MONNIER, Adrienne : 92, 93, 94, 95, 96, 101, 102, 106, 108, 135, 161, 181, 191, 336, 430, 468, 519, 544, 545, 546, 550, 570, 634, 639, 640.
MONTAND, Yves : 336, 412, 482, 519, 521, 543, 562, 563, 564,

565, 566, 567, 568, 569, 578, 579, 583, 593, 594, 597, 598, 602, 610, 614, 618, 619, 623, 648, 649, 654, 660.

MONTEL, Suzanne : 211, 222, 235, 236, 248, 249, 252, 270, 273, 284, 294, 295, 308, 318, 346, 544.

MONTERO, Germaine : 430, 456, 457, 459, 462, 473, 474, 475, 541, 572, 637.

MONTGOMERY, général : 508.

MORAND, Paul : 485, 486.

MOREAU : 370.

MORGAN, Michèle : 381, 383, 384, 385, 387, 388, 389, 390, 392, 394, 424, 440, 537, 538, 552.

MORISE, Max : 108, 109, 127, 139, 149, 151, 153, 158, 159, 160, 196, 236, 237, 244, 279, 294, 299, 313, 318, 345.

MORLAY, Gaby : 527.

MORRIS, Chester : 228.

MOSJOUKINE, Ivan : 97.

MOUCHET, Alain [docteur] : 586.

MOULIN, Charles : 578.

MOULOUDJI, André : 319, 320, 321, 345, 424.

MOULOUDJI, Lola (née Louise Fouquet) : 358, 424, 425, 459, 513, 616.

MOULOUDJI, Marcel : 319, 320, 321, 322, 323, 325, 331, 332, 345, 424, 425, 434, 459, 461, 480, 497, 511, 519, 525, 542, 550, 569, 580, 599, 618, 621.

MOUNET-SULLY : 44.

MOUQUÉ, Georges : 462, 497.

MOURLOT, Fernand : 641, 679.

MOUSSINAC, Léon : 186, 208, 209, 210, 211, 212, 220, 231, 237, 250, 252-254, 391, 424, 525, 531, 561.

MOUSSY, Marcel : 648.

MOYSÈS : 327.

MUNCH, Charles : 483.

MURNAU : 199.

MURRAY (Henry Dreyfus, *dit*) : 573.

MUSSET, Alfred de : 619.

MUSSOLINI, Benito : 564.

MUZARD, Simone : 155.

NADEAU, Maurice : 160, 190, 191, 532, 535, 546, 554, 569, 587, 604, 631, 635.

NAPOLÉON III : 16.

NATAN, Bernard : 225, 230.

NATAN, Émile : 176, 179, 180, 230.

NATTIER, Nathalie : 543, 562.

NAVILLE, Pierre : 139, 142, 143, 157, 253, 532.

NERVAL, Gérard de : 468.

NEVEUX, Georges : 472, 591.

NICOLAS II : 234.

NIMIER, Roger : 546, 604, 625.

NIVELLE, Robert [général] : 67.

NIZAN, Paul-Yves : 183, 185, 250, 351.

NOAILLES, Charles [vicomte de] : 163, 177-178, 179, 334, 375.

NOAILLES, Marie-Laure [vicomtesse de] : 163, 177-178, 179, 334, 375.

NOËL, Jacques : 620.

NOËL, Léo : 425.

NOËL-NOËL : 333.

NOHAIN, Jean : 556.

NOLL, Marcel : 132, 136, 139.

NOUNEZ [producteur] : 282.

NOUVEAU, Germain : 468.

NOVARRO, Ramon : 179.

OBEY, André : 208, 257.

O'BRADY, Frédéric : 256, 276, 350, 364, 584.

OGER, Gérard : 685.

ORFF, Carl : 661.

OSENAT, Pierre [docteur] : 680.

OSWALD, Marianne : 272, 310, 325, 327-328, 329, 369, 426, 429, 430, 473, 491, 523, 568, 584, 636.

OWENS, Jesse : 396

PABST, Georg Wilhelm : 235, 270-271, 363.

PACON, Henri : 396.

PAGE, Louis : 363.

PAGLIERO, Marcel . 624.

PAGNOL, Marcel : 497, 610.
PAINLEVÉ, Paul : 107.
PAPART, Max : 681.
PAPATAKIS, Nico : 453, 506, 558, 573, 577, 579, 596, 661.
PAPAZOFF, George : 194.
PARANT, André : 457.
PARAZ, Albert : 556.
PARÈZE GROBETTY, Camille : 511-512, 514.
PARLO, Dita : 282, 390.
PARROT, Louis : 517.
PARSONS, Louella : 405.
PASCAL [garçon de café] : 278.
PASCIN, Jules : 104, 119, 120, 194, 215.
PASTERNAK, Boris : 210.
PATACHOU : 621.
PATELIÈRE, Jeanne de la : 489.
PATOUT, Pierre : 396.
PAULHAN, Jean : 119, 188, 189, 190, 191, 192, 431, 432, 474, 475, 514, 635.
PAULO : 66, 90, 304.
PAULVÉ, André : 470, 472-473, 477, 479, 481, 482, 484, 486, 487, 500, 501, 504, 508, 527.
PAUVERT, Jean-Jacques : 659, 667.
PAVY, Constant : 112.
PECK, Gregory : 588.
PEILLET, Emmanuel : 394, 491, 533-534, 549, 634.
PELLIER, Gérard : 302, 523, 607, 608.
PÉRÈS, Marcel : 380, 497, 504, 516, 558, 584, 607.
PÉRET, Benjamin : 108, 114, 115, 116, 139, 143, 149, 150, 473.
PERGAUD, Louis : 424.
PERRAULT, Charles : 477.
PERRET, Léonce : 227.
PÉTAIN, Philippe [maréchal] : 67, 452, 455, 456, 485, 487, 493, 535.
PETIT, Roland : 527, 528, 531.
PHILIPE, Gérard : 163, 543, 578.
PHILIPPE, Claude-Jean : 682.
PHILIPPE, Pierre · *voir* FRÈRES JACQUES, les.
PIA, Pascal : 631.

PIAF, Édith : 543, 563, 648.
PIAZZA, Henri : 166, 335.
PICABIA, Francis : 102, 105, 131, 326, 453.
PICARD : 261, 262, 263, 264, 268.
PICASSO, Pablo : 102, 103, 131, 132, 146, 180, 181, 184, 281, 285, 314, 319, 320, 394, 500, 519, 520, 521, 522, 528, 531, 571, 583, 592, 602, 609, 610, 614, 625, 634, 639, 641, 642, 643, 649, 657-658, 662, 663, 666, 670, 679.
PICCOLI, Michel : 516.
PICKFORD, Mary : 417.
PICON, Gaëtan : 525, 546, 547, 591-592.
PICON-BOREL, Raymond : 469, 506.
PICON-BOREL, Suzanne : 506.
PIERRE-QUINT, Léon : 473, 510, 532, 588, 635.
PIGAUT, Roger : 426, 516, 523, 540, 591, 594, 619, 620, 621, 623, 668.
PINKÉVITCH, Albert : 296, 329-330, 333, 353.
PIRANÈSE : 43.
PISCATOR, Erwin : 211, 235, 266.
PITOËFF, Georges : 163, 214.
PITOËFF, Ludmilla : 163, 214.
PLANDIVAUX, Anne-Marie : 49.
PLAZE, Auguste : 15.
PLOQUIN, Raoul : 374, 378, 379, 440, 471.
POINCARÉ, Raymond : 234.
POIRET, Paul : 104.
POIVRE, Annette : 558.
POMIÈS, Georges : 146-148, 149, 158, 180, 211, 221-223, 237, 244, 250, 252, 276, 280, 295, 325, 327, 358, 423, 513, 629.
PONGE, Francis : 524.
PONTABRY, Germaine : 279, 281, 292, 293, 294, 295, 299, 318, 322.
PONTABRY, Robert : 281.
POTTIER, Richard : 283, 291, 296, 309, 354, 380, 429, 495.
POULENC, Francis : 428.
POWER, Tyrone : 403.

Pozner, André : 69, 146, 674, 675, 676, 677.
Pozner, Wladimir : 674.
Préjean, Albert : 331, 390.
Prenant, Marcel : 250.
Presles, Micheline : 457.
Prévert, André (*surnommé* le Père Picon) : 11-12, 13-17, 19-21, 23, 24, 25, 26, 27-35, 37-40, 42, 43, 44-46, 50-53, 54, 56, 66, 69, 70, 76, 79, 89, 90, 101, 112, 151, 152, 160, 172, 201, 277, 320, 359, 460, 469, 523, 540, 628.
Prévert, Auguste (*surnommé* Auguste-le-Sévère) : 12, 13, 15, 16, 25-26, 32, 34, 38, 39, 40, 45, 49, 50, 51, 56, 63, 73, 184, 200, 222, 307, 572, 663.
Prévert, Catherine : 523, 614, 616, 623, 638, 651, 669.
Prévert, Dominique : 12, 14, 49.
Prévert, Ernest : 12.
Prévert, Gisèle (née Ghitel Fruhtman) : 211, 233, 236, 249, 252, 256, 263, 268, 269, 359, 451, 496, 523, 665, 684.
Prévert, Janine : *voir* Tricotet, Janine.
Prévert, Jean : 12, 18, 24, 25, 30, 38, 46, 50, 57, 58.
Prévert, Michèle (*surnommée* Minette) : 552, 560, 574, 582, 583, 587, 612-613, 614, 615, 616, 626, 628, 633, 636, 637, 638, 645, 646, 647, 651, 652, 653, 664, 669, 670, 671, 678, 680-681, 682, 683, 685.
Prévert, Pierre (*surnommé* Pierrot) : 27, 30, 32, 38, 45, 46, 51, 53, 56, 58, 59, 89, 92, 96, 97, 102, 103, 150, 151, 152, 162, 166, 169, 171, 172, 177, 180, 186, 197, 200, 201, 202, 205, 211, 215, 219, 225, 227, 230, 231, 240, 256, 282, 284, 297, 333, 359, 363, 367, 368, 390, 431, 442, 451, 456, 457, 490, 495-496, 497, 498, 499, 500, 519, 540, 553, 556, 557, 558, 559, 560, 579, 584, 585, 586, 587, 588, 596, 597, 600, 601, 606, 609, 614, 617, 619, 620, 621, 622, 623-624, 627, 629, 637, 638, 642, 645, 650, 652, 665, 666, 684.
Prévert, Simone (née Dienne) : 48, 49, 53, 54, 69, 90, 91, 95, 97, 98, 100, 104, 111, 112, 115, 116, 123, 126, 133, 145, 146, 149, 151, 152, 154, 166, 167, 169, 170, 171, 172, 175, 187, 201, 202, 203, 215, 255-256, 270, 271, 297, 314-315, 336, 360, 381, 423, 452, 472, 508, 536, 551, 552, 558, 614.
Prévert, Sophie (née Leys) : 12, 13, 15, 50, 56.
Prévert, Suzanne (née Marie Clémence Catusse) : 11, 13, 14, 15, 17-19, 20, 21, 22, 23-24, 27, 28, 29, 30, 31, 32, 34, 35, 37, 44, 45, 46, 50, 51-53, 54, 58, 60, 66, 69, 70, 87, 89, 90, 112, 186, 201, 320, 359, 360, 523, 545.
Priacel, Stéphane : 255.
Prieto, Jenaro : 283.
Prosper : *voir* Vautel, Clément.
Proust, Marcel : 468, 473, 671.
Pruna : 335.
Pruvot, Claudine [admiratrice] : 657
Pujol, René : 283.
Puvis de Chavannes, Pierre : 43.

Queneau, Raymond : 138, 139, 149, 153, 154, 155, 159, 323, 575, 595, 599, 633, 634, 659, 675.
Quéval, Jean : 356, 557.
Quinn, Antony : 636.

Rabelais, François : 193.
Rabinovitch, Grégor : 379-380, 385, 386, 389, 390-391, 440.
Rachel : 517.
Rachilde, Mme : 124, 125.
Rachline, Michel : 676.
Radiguet, Raymond : 326.

RAIMBOURG, Lucien: 227, 229, 573.
RAIMU: 356, 381.
RAPHAËL: 573.
RASPOUTINE: 234.
RATHONY, Akos: 225.
RAVEL, Maurice: 308.
RÉ, Michel de: 577, 578.
REBATET, Lucien: 354, 391, 484.
REBOUX, Paul: 439.
RÉGENT, Roger: 476.
REGGIANI, Serge: 523, 539, 554, 562, 569, 572, 573, 574, 584, 587, 606, 611, 637.
RÉGINE [admiratrice]: 657.
RÉGNIER, Henri de: 90.
REICHENKO: 227.
REINHARDT, Django: 460, 469, 565.
REINHARDT, Max: 266.
RÉMY, Albert: 496, 505.
RENAUD, Madeleine: 485, 500, 572, 668.
RENAULT, Louis: 121.
RENOIR, Jean: 116, 199, 200, 227, 296-299, 300, 301, 310, 313, 330, 350, 354, 355, 356, 357, 370, 373, 379, 392, 393, 397, 451, 458, 636.
RENOIR, Marguerite: 356.
RENOIR, Pierre: 39, 495, 505.
RENOM, Jean: 494, 532, 623.
RESNAIS, Alain: 428, 482, 546.
REVERDY, Pierre: 105, 645.
REY, Henri-François: 474, 491, 492, 494, 585, 586.
REYER, Ernest: 28.
REYNAUD, Paul: 452.
RIBBENTROP, Joachim von: 441.
RIBEMONT-DESSAIGNES, Georges: 105, 106, 156, 158, 159, 181, 182, 183, 185, 186, 187, 188, 189, 191, 192, 432, 473, 590, 599, 624, 625, 641, 662, 681.
RICHEBÉ, Roger: 199, 200, 225, 284.
RICHEZ, Guénia: 619, 620, 653.
RICHEZ, Paul: 514, 554, 555, 581, 617, 619, 620, 653.
RIEFENSTAHL, Leni: 393.
RIMBAUD, Arthur: 76, 93, 94, 137-138, 432, 468, 585.

RINALDI, Mme: 658.
RITCHIE: 384.
RITTNER, Michel: 497, 522.
RIVIÈRE, Georges-Henri: 180.
ROBERT, Jacques: 576, 578.
ROBERT, Yves: 579, 594, 595, 596, 602, 618, 623.
ROBIN, Dany: 528, 539.
ROBINSON, Madeleine: 485.
ROCHER, Pierre: 330, 461.
ROEBUCK [banquier]: 150.
ROGER, *dit* Roro: 73, 76, 77, 78, 79, 81, 90.
ROGER A.: 494.
ROLLIN-WEISZ, Emma: 217.
ROMAINS, Jules: 96.
ROMANCE, Viviane: 460, 461.
ROONEY, Mickey: 394, 402.
ROQUE, Jacqueline: 658.
ROSAY, Françoise: 167, 329, 330, 331, 363, 364, 369, 460, 524.
ROSELLA: 467.
ROSNY JEUNE: 554.
ROSSI, Tino: 456, 457, 460, 462-463.
ROSSIF, Frédéric: 655.
ROSTAING, Hubert: 460.
ROUAULT, Georges: 639.
ROUAULT, Jean [notaire]: 685, 686.
ROUGEUL, Jean: 281, 318, 459, 514, 547, 577, 649.
ROUSSEAU, Henri: 131.
ROUSSEAUX, André: 547, 632.
ROUX, Divine: 124.
ROUX, Francis: 463, 465, 482, 611, 613, 615, 639, 649, 652.
ROUX, Paul: 463-464, 465, 515, 529, 536, 590, 594, 609, 639.
ROUX, Titine: 463, 465, 515, 613.
ROUX, Yvonne: 615, 649.
ROY, Claude: 524, 548, 604, 630-631, 654.
RUDDER, Jean-Luc de: 620.
RUEF, Abe: 413.
RUGGIERI: 21.

SABA, reine de: 362.
SABAS, Léo: 236, 252, 259, 287.
SABAS, Pierre: 237, 481, 482.
SABATIER, William: 621.

SABBAGH, Pierre : 585.
SACCO, Nicola : 244.
SADE, marquis de : 107, 139, 600.
SADOUL, Georges : 139, 145, 146, 186, 209, 226, 391, 485, 525, 531, 560.
SAGAN, Françoise : 630.
SAILLET, Maurice : 546, 550, 604, 634.
SAINT-EXUPÉRY, Antoine de : 372, 394, 446.
SAINT-EXUPÉRY, Consuelo de : 452, 453.
SAINT-JOHN PERSE (Alexis Léger, *dit*) : 189, 190, 432.
SAINT-POL ROUX (Paul Roux, *dit*) : 123, 125.
SALACROU, Armand : 634.
SALMON, André : 53, 63, 194, 308.
SALOU, Louis : 504, 524, 584.
SALVET, André : 489, 511.
SAND, George : 335, 501.
SARMENT, Jean : 208.
SARRAUT, Albert : 445.
SARRUT, André : 588, 607, 608.
SARTRE, Jean-Paul : 229, 329, 392, 509, 511, 525, 542, 575, 577, 580, 595, 599, 627, 668.
SAUGUET, Henri : 531.
SAUTET, Claude : 562.
SAUVAGE, Catherine : 486, 596, 618, 622.
SAUVAGE, Léo : 459.
SAVITRY, Émile : 469, 490, 506, 564, 581, 661.
SCHIFFRIN, Simon : 385, 386, 390-391.
SCHIPA, Tito : 153.
SCHMIZ, Eugène : 413.
SCHNEIDER : 234.
SCHNEIDER, Edgar : 675, 676.
SCHOELLER, Guy : 591, 600-601.
SCHÖNBERG, Arnold : 273.
SCHÜFFTAN, Eugen : 363, 386.
SCIPION, Robert : 497, 522, 585.
SEGHERS, Pierre : 517.
SENNETT, Mack : 97, 170, 226, 230, 359.
SERT, José Maria : 166, 334.

SERT, Josep Lluis : 650.
SERT, Misia : 166, 334.
SERVAN-SCHREIBER, Jean-Jacques : 656.
SEURAT, Georges : 131.
SEVERINI, Gino : 101, 102.
SHAKESPEARE, William : 237, 575.
SHAPIRO : 150, 152.
SHEARER, Norma : 403.
SIGNAC, Paul : 465.
SIGNORET, Simone : 480, 481, 482, 497, 564, 578, 583, 591, 592-594, 610, 614, 623, 649, 668.
SIMENON, Georges : 588, 590.
SIMOËN, Jean-Claude : 659.
SIMON, Brigitte : 534.
SIMON, Michel : 200, 270, 333, 354, 355, 356, 363, 364, 366, 367, 368, 369, 371, 377, 380, 387, 389, 392, 662.
SIMPSON, Wallis : 75.
SINATRA, Frank : 400, 598.
SINÉ : 667, 670.
SIODMAK, Robert : 363, 495.
SIRAUDIN : 370.
SKIRA, Albert : 394, 532.
SOLIMAN Ier LE MAGNIFIQUE : 80.
SONIA [sœur de Pierre Batcheff] : 163, 202, 215.
SOUBEYRAN, François : *voir* FRÈRES JACQUES, les.
SOUPAULT, Philippe : 95, 105, 106, 108, 114, 120, 125, 142, 143, 339, 473.
SOUTINE, Chaïm : 465.
SOUVESTRE : 46.
SPAAK, Charles : 206, 440.
STALINE, Joseph : 144, 253, 258, 266, 268, 350, 441, 490, 603.
STANISLAVSKI, Constantin : 266.
STEIN, Gertrude : 102, 103, 104, 519.
STEINBECK, John : 407-408.
STELLI, Jean : 296, 297, 329, 330, 331, 333, 354, 380.
STEVENSON, Robert Louis Balfour : 411.
STI, René : 333.

STORER CLOUSTON, J.: 362, 364.
STROHEIM, Erich von: 373.
SYVETON, Gabriel: 17, 23, 24, 25.

TAITTINGER, Pierre: 245.
TALMADGE, Norma: 417.
TAMIZ, Edmond: 623.
TANGUY, Yves: 71-73, 90, 91, 92, 93, 97, 98, 99, 100, 101, 102, 104, 106, 107, 108, 109, 110, 111, 113, 114, 115, 116, 118, 121, 122, 123, 126, 127, 129, 130, 131, 133, 134, 136, 139, 140, 145, 148, 155, 157, 171, 176, 216, 529, 640, 674, 678.
TARDIEU: 291.
TATI, Jacques: 249.
TAVERNIER, René: 491, 535, 546.
TCHERINA, Ludmilla: 531.
TCHIMOUKOW, Lou (Louis Bonin, *dit*): 172, 174, 176, 196, 201, 202, 203, 205, 215, 217, 219, 220, 221, 225, 226, 227, 231, 235, 238, 243, 244, 246, 248, 249, 251, 252-253, 255, 257, 261, 263, 268, 276, 282, 284, 285, 287, 303, 309, 335, 345, 357, 364, 426, 457, 497, 522, 558, 565, 573.
TEILHARD DE CHARDIN, Pierre: 615, 644.
TÉRIADE, Eugène: 599.
THÉRIVE, André: 328.
THÉVENET, Léonie: 546.
THIERS, Adolphe: 221
THIRIET, Maurice: 478, 483, 608.
THIRION, André: 145, 146.
THOMAS D'AQUIN, saint: 38.
THOREZ, Maurice: 345, 350.
TILLON, Charles: 540.
TIRAN (famille): 47, 49, 53, 58, 136, 201, 467, 518, 677.
TIRAN, André: 47, 53, 58, 68, 89, 304.
TIRAN, Henri: 47, 406.
TIRAN, Maurice: 47.
TIREUX, Bruno: 482.
TISSIER, Jean: 573, 636.
TOKALON, Mme: 463.
TOLLMER, docteur: 18, 23, 24.

TOUCAS-MASSILLON, Louis: *voir* ARAGON.
TOUCAS-MASSILLON, Marguerite: 21, 22, 26, 31.
TOUCHAGUES: 464.
TOULOUSE-LAUTREC, Henri de: 14, 34, 43, 365.
TOURENNE, Paul: *voir* FRÈRES JACQUES, les.
TOUTAIN, Marion: 466.
TOUTAIN, Robert: 466.
TOUTAIN, Roland: 331.
TOUZÉ, Maurice: 98, 99, **102,** 115.
TRACY, Spencer: 398.
TRAUNER, Alexandre: 238-240, 264, 284, 355, 357, 363, 364, 366, 369, 370, 376, 380, 385, 386, 387, 389, 416, 424, **433,** 437, 439, 441, 447, 449, 452, 453, 456, 457, 458, 461, 462, 463, 469, 471, 472, 477, 478, 482, 485, 486, 487, 488, 489, 496, 501, 502, 504, 506, 509, 533, 542, 543, 550, 558, 561, 573, 585, 586, 588, 589, 601, 609, 638, 643, 678, 680, 684.
TRAUNER, Nane: 678, 680, 684.
TRAUNER, Sâri: 450, 452, 453, 487, 509, 587.
TREIZE, Thérèse: 119.
TRENET, Charles: 327, 497-498, 499.
TRÉPIEL, Mireille: 577.
TRETIAKOV, Serge: 266.
TRICOTET, Arlette: 677, 685.
TRICOTET, Janine: 223, 280, 295, 299, 322, 325, 357, 358, 424, 428, 513, 514, 516, 524, 528, 529, 530, 533, 537, 551, 552, 556, 559, 574, 582, 583, 587, 589, 601, 602, 612-613, 614, 615, 616, 624, 626, 628, 629, 641, 642, 644, 645, 652, 661, 664, 665, 669, 670, 671, 677-679, 680, 681, 683, 684-685.
TRIOLET, Elsa: 514, 578, 659.
TROTSKI, Léon: 142, 156, 157, 342.
TRUFFAUT, François: 539, 666.

Tual, Denise : 128, 334, 335, 360, 362-363, 365, 370, 372, 375, 379, 381, 384-385, 389, 394, 456, 499, 548, 556, 557, 558, 559.
Tual, Roland : 48, 132, 150, 161, 171, 196, 299, 315, 334, 371, 394, 456, 555, 556, 559.
Tzara, Tristan : 105, 183, 453.

Ungaretti, Giuseppe : 431.
Unik, Pierre : 139, 143, 154, 155, 225.

Vadim, Roger : 577.
Vailland, Roger : 156, 524.
Vaillant-Couturier, Paul : 208, 209, 210, 212, 253-254, 269-270, 294, 325, 351.
Valentino, Rudolph : 162, 179.
Valéry, Paul : 93, 95, 96, 188, 189, 190, 468.
Vallette, Alfred : 124.
Valli, Alida : 588.
Van Dongen, Kees : 104, 119.
Vanel, Charles : 331, 353.
Vanel, Hélène : 465.
Van Gogh, Vincent : 517.
Vanzetti, Bartolomeo : 244.
Vaucaire, Cora : 519, 580, 596, 598, 618.
Vautel, Clément : 126, 245, 294.
Vauvenargues, marquis de : 517.
Vedrès, Nicole : 592.
Ventura, Ray : 623.
Vercel, Roger : 440.
Verdet, André : 64, 67, 315, 465-468, 474, 478, 481, 483, 488, 489, 491, 492, 493, 494, 509, 510, 511, 512, 514, 515, 530, 532, 533, 550, 554, 570, 583, 587, 590, 609, 610, 611, 612, 619, 625, 639, 649, 653, 667, 681.
Verger, Christiane : 54, 95, 148, 158, 307, 309, 325, 429, 523, 548, 615, 626, 629, 679.
Verhaeren, Émile : 210.
Verlaine, Paul : 522.
Vermorel : 472.

Verne, Jules : 43.
Vertès : 109.
Véry, Pierre : 394.
Vian, Boris : 569, 618, 621, 633, 636, 647-648, 659.
Vian, Patrick : 647.
Vian, Ursula : 647-648, 659.
Vierny, Sacha : 428.
Vigneau, André : 150, 179, 272, 627.
Vigo, Jean : 282, 355, 370, 439, 454, 541.
Vigourel, abbé : 25, 50.
Vilar, Jean : 539.
Vildrac, Charles : 250.
Villard, Frank : 591.
Villers, André : 521, 643, 657-658, 663, 665, 670.
Villers, Michel de : 618.
Villiers de l'Isle-Adam, Auguste, comte de : 468.
Villon (Gaston Duchamp, *dit* Jacques) : 639.
Vincent : 506.
Vinneuil, François : *voir* Rebatet, Lucien.
Viot, Jacques : 433, 434, 439.
Virel, André : 489, 492, 509, 510, 511, 512, 515, 528, 529, 530, 532, 533, 536, 538, 552, 554, 577, 579, 580, 596, 619, 620, 637, 665.
Vital, Jean-Jacques : 396.
Vitrac, Roger : 142, 159, 160, 181, 351, 372, 578.
Vitray, Georges : 210, 250.
Volterra, Léon :

Wakhevitch, Georges : 458, 463, 478, 483.
Warg Charles : 534.
Weidt : 325.
Weigel, Hélène : 302, 303.
Weill, Kurt : 235, 302, 303, 304, 579.
Welles, Orson : 584.
Wellmann, William : 97.
Wespin, Dominique de : 615, 644, 670, 680, 683, 684.
Weygand, Maxime : 234.

WHITE, Pearl: 60.
WIENER, Jean: 310.
WILDENSTEIN, Georges: 180.
WILDER, Billy: 638.
WITTA, Jeanne: 461, 497-498, 573, 574, 651.
WOLFF, Pierre: 439.
WOLINSKI: 667.
WOLS: 445.

YLLA [photographe]: 581, 599, 624.

ZALE, Tony: 586.
ZERVOS, Christian: 520.
ZERVOS, Yvonne: 520.
ZINNEMANN, Fred : 638.

PREMIÈRE PARTIE
Inspiration

1. De Neuilly à Saint-Sulpice   11
2. Tendre canaille ou franc voyou?   41
3. Une jeunesse mouvementée   56
4. De la rue de l'Odéon à la rue du Château   89
5. À l'école de Montparnasse   119
6. L'envol de l'aiglon   145
7. Les Lacoudem   169
8. Faire son théâtre soi-même   194
9. Le Groupe Octobre   221
10. Le voyage à Moscou   252
11. La bande à Prévert   276
12. Grand écran, grand amour   311
13. Une poignée d'espoirs déçus   341
14. *Le Quai des Brumes*   373
15. Go West!   395

DEUXIÈME PARTIE
Expiration

1. Chassé croisé et bruits de bottes   423
2. La Colombe d'Or, une famille pour la vie   448
3. Faire ce qu'on peut   476
4. *Les Enfants du paradis*   500
5. Publier? Moi, jamais...   527
6. Le triomphe de *Paroles*   553
7. Les amers relents de la gloire   590
8. La Fontaine des Quatre-Saisons et autres billevesées   618
9. La mort remet tout en place   639

Remerciements   687
Bibliographie   689
Index   697

Composition Interligne
et impression Bussière Camedan Imprimeries
à Saint-Amand (Cher), le 17 février 2000.
Dépôt légal : février 2000.
1ᵉʳ dépôt légal : janvier 2000.
Numéro d'imprimeur : 000809/4.
ISBN 2-07-074055-2./Imprimé en France.

95700